Donna Tartt

DER DISTELFINK

GOLDMANN
Lesen erleben

Donna Tartt

DER DISTELFINK

Roman

Ins Deutsche übertragen von
Rainer Schmidt und Kristian Lutze

GOLDMANN

Die Originalausgabe erschien 2013 unter dem Titel
»The Goldfinch« bei Little, Brown and Company, New York.

Das Gemälde *Der Distelfink* (1654, Öl auf Leinwand) von
Carel Fabritius wurde abgedruckt mit freundlicher Genehmigung.
Copyright © The Bridgeman Art Library Limited.
Auszüge aus dem polnischen Lied »Ach, śpij kochanie«,
Copyright © Ludwik Starski und Henryk Wars 1938,
wurden verwendet mit freundlicher Genehmigung von Allan Starski.
Die Gedichtzeilen von Walt Whitman sind aus: »Walt Whitmans Werk
in 2 Bänden«, zweiter Band, ausgewählt, übertragen und eingeleitet
von Hans Reisiger, Berlin: S. Fischer Verlag, 1922.

 Dieses Buch ist auch als E-Book erhältlich.

Verlagsgruppe Random House FSC® N001967
Das für dieses Buch verwendete FSC®-zertifizierte Papier
EOS liefert Salzer Papier, St. Pölten, Austria.

10. Auflage
Copyright © 2013 by Tay, Ltd.
Copyright © der deutschsprachigen Ausgabe 2013
by Wilhelm Goldmann Verlag, München,
in der Verlagsgruppe Random House GmbH
Umschlaggestaltung: UNO Werbeagentur, München
Umschlagmotiv: Design von Keith Hayes
unter Verwendung des Gemäldes »Der Distelfink«, 1654
(Öl auf Leinwand) von Carel Fabritius (1622–54),
Mauritshuis, Den Haag, Niederlande, The Bridgeman Art Library
Redaktion: Frauke Brodd
Satz: Buch-Werkstatt GmbH, Bad Aibling
Druck und Einband: GGP Media GmbH, Pößneck
Printed in Germany · ISBN 978-3-442-31239-9
www.goldmann-verlag.de

Besuchen Sie den Goldmann Verlag im Netz

Für Mutter,
für Claude

I

Das Absurde befreit nicht, es bindet.

ALBERT CAMUS

KAPITEL 1

Junger Mann
mit Totenschädel

I

Noch während meines Aufenthalts in Amsterdam träumte ich zum ersten Mal seit Jahren von meiner Mutter. Über eine Woche war ich nun schon in meinem Hotel eingesperrt und hatte es nicht gewagt, jemanden anzurufen oder vor die Tür zu gehen. Die harmlosesten Geräusche brachten mein Herz ins Stolpern und Taumeln: die Aufzugglocke, das Rattern des Minibarwagens, sogar die Kirchturmuhren, wenn sie zur vollen Stunde schlugen – Westertoren, Krijtberg –, denn in ihr Dröhnen war ein dunkler Unterton gewirkt, eine unheilvolle Vorahnung wie aus einem Märchen. Tagsüber saß ich am Fußende des Bettes und versuchte, die holländischen Fernsehnachrichten zu entschlüsseln (ein hoffnungsloses Unterfangen, denn ich konnte kein Wort Niederländisch), und wenn ich kapituliert hatte, setzte ich mich ans Fenster, schaute auf die Gracht hinaus und trug dabei meinen Kamelhaarmantel über meiner Kleidung – ich hatte New York eilig verlassen, mit lauter Sachen, die nicht warm genug waren, nicht einmal im Inneren des Hotels.

Draußen herrschte überall munteres Treiben. Es war Weihnachten; abends funkelten Lichter an den Grachtenbrücken, und rotwangige *dames en heren,* deren Schals im eisigen Wind flatterten, rumpelten mit ihren Rädern über das Kopfsteinpflaster und hatten Tannenbäume auf die Gepäckträger gebunden. Nachmittags spielte eine Amateurkapelle Weihnachtslieder, die blechern und zerbrechlich in der Winterluft schwebten.

Chaotische Zimmerservicetabletts, zu viele Zigaretten, lauwarmer Wodka aus dem Duty-Free. In diesen rastlosen Tagen des Eingesperrtseins lernte ich jeden Zentimeter meines Zimmers kennen, genau wie ein Häftling seine Zelle. Ich war zum ersten Mal in Amsterdam, ich hatte fast nichts von der Stadt gesehen, und dennoch vermittelte mir schon das Zimmer in seiner tristen, zugigen, unpolierten Schönheit ein akutes Gefühl von Nordeuropa, wie ein Miniaturmodell der Niederlande: weiße Tünche und protestantische Rechtschaffenheit, durchmischt mit farbenfrohen luxuriösen Stoffen, geliefert von Handelsschiffen aus dem Orient. Ich verbrachte unvernünftig viel Zeit damit, ein winziges Paar goldgerahmter Ölbilder zu betrachten, die über dem Sekretär hingen. Das eine zeigte Bauern beim Eislaufen auf einem zugefrorenen Teich bei einer Kirche, das andere ein Segelschiff auf stolzer Fahrt über die raue, winterliche See: dekorative Reproduktionen, nichts Besonderes, aber ich studierte sie, als enthielten sie die Chiffre eines geheimen Schlüssels zum Herzen der alten flämischen Meister. Draußen klopfte Graupel an die Fensterscheiben und rieselte auf die Gracht herab, und trotz schweren Brokats und weicher Teppiche lag im winterlichen Licht doch ein frostiger Ton von 1943: Entbehrung und Knappheit, dünner Tee ohne Zucker, hungrig zu Bett.

Jeden Morgen in aller Frühe, wenn draußen noch alles schwarz war, bevor die Extrabesetzung ihren Dienst antrat und die Lobby sich füllte, ging ich die Treppe hinunter, um die Zeitungen zu holen. Das Hotelpersonal bewegte sich mit gedämpften Stimmen und leisen Schritten, und ihre Blicke glitten kühl über mich hinweg, als sähen sie mich gar nicht richtig, den Amerikaner aus der 27, der tagsüber nie herunterkam, und ich redete mir zur Beruhigung ein, dass der Nachtportier (dunkler Anzug, Bürstenhaarschnitt, Hornbrille) wahrscheinlich einigen Aufwand betreiben würde, um Ärger abzuwenden und Aufsehen zu vermeiden.

Die *Herald Tribune* brachte keine Meldung über mein Problem, aber die holländischen Zeitungen waren voll davon, dichte Blöcke von ausländischen Druckbuchstaben, aufreizend knapp außerhalb dessen, was ich verstehen konnte. *Onopgeloste moord. Onbekende.* Ich ging nach oben und wieder ins Bett (voll bekleidet, weil es im Zimmer so kalt war) und breitete die Zeitungen auf der Bettdecke aus: Fotos von Polizeiwagen, Absperrband, und sogar die Bildunterschriften waren nicht zu entziffern. Zwar tauchte mein Name nicht auf, aber ich bekam nicht heraus, ob sie vielleicht doch eine Beschreibung von mir hatten oder ob sie der Öffentlichkeit Informationen vorenthielten.

Das Zimmer. Der Heizkörper. *Een Amerikaan met een strafblad.* Das olivgrüne Wasser der Gracht.

Weil mir kalt und übel war und weil ich die meiste Zeit nicht wusste, was ich tun sollte (ich hatte nicht nur warme Sachen, sondern auch ein Buch vergessen), verbrachte ich fast den ganzen Tag im Bett. Mitten am Nachmittag schien es Nacht zu werden. Oft dämmerte ich, umgeben vom Knistern der verstreuten Zeitungen, im Halbschlaf vor mich hin, und meine Träume waren größtenteils von der gleichen unbestimmbaren Bangigkeit getrübt, die auch durch die wachen Stunden sickerte: Gerichtsverhandlungen, geplatzte Koffer auf dem Rollfeld, meine Kleider überall verstreut, und endlose Flughafenkorridore, durch die ich zu Flugzeugen rannte, von denen ich wusste, ich würde sie nie erwischen.

Dank meines Fiebers hatte ich viele und extrem lebhafte Träume, in denen ich mich schweißnass hin- und herwälzte und kaum wusste, ob es Tag oder Nacht war, aber in der letzten und schlimmsten dieser Nächte träumte ich von meiner Mutter. Es war ein kurzer, geheimnisvoller Traum, der sich eher anfühlte wie eine Heimsuchung. Ich war in Hobies Laden – besser gesagt, in einem spukhaften Traumraum, eingerichtet wie eine skizzenhafte Version des Ladens –, als sie plötzlich hinter mir auftauchte und ich sie in einem Spiegel sah. Bei ihrem Anblick war ich gelähmt vor Glück. Sie war es, bis ins kleinste Detail, bis zum Muster ihrer Sommersprossen. Sie lächelte mich an, schöner und doch nicht älter, mit ihrem schwarzen Haar und dem komisch aufwärts gekräuselten Mund, kein Traum, sondern eine Erscheinung, die den ganzen Raum erfüllte: eine Kraft für sich, eine lebendige Andersheit. Und so gern ich es wollte, ich wusste, ich konnte mich nicht umdrehen. Sie direkt anzusehen, wäre ein Verstoß gegen die Regeln ihrer Welt und der meinen. Sie war auf dem einzigen Weg zu mir gekommen, der ihr offenstand, und für einen langen, stillen Augenblick trafen sich unsere Blicke im Spiegel. Aber gerade, als sie anscheinend etwas sagen wollte – in einer Kombination aus Erheiterung, Zuneigung und Verdruss –, schob sich eine Dunstwolke zwischen uns, und ich wachte auf.

II

Alles hätte sich zum Besseren gewendet, wenn sie am Leben geblieben wäre. Aber sie starb, als ich klein war, und obwohl ich an allem, was mir seitdem passiert ist, zu hundert Prozent selbst schuld bin, verlor ich doch mit ihr den Blick für jede Art von Orientierungspunkt, der mir den Weg zu einem glücklicheren Ort hätte zeigen können, hinein in ein erfüllteres oder zuträglicheres Leben.

Ihr Tod also der Grenzstein. Vorher und Nachher. Und auch wenn es so viele Jahre später ein trostloses Eingeständnis ist, habe ich doch nie wieder jemanden kennengelernt, der mir wie sie das Gefühl gab geliebt zu werden. In ihrer Gesellschaft erwachte alles zum Leben. Sie verströmte ein verzaubertes Theaterlicht, und was man durch ihre Augen sah, leuchtete in kräftigeren Farben als sonst. Ich erinnere mich, dass ich ein paar Wochen vor ihrem Tod spätabends in einem italienischen Restaurant im Village war und wie sie mich am Ärmel packte angesichts der plötzlichen, beinahe schmerzhaften Schönheit einer Geburtstagstorte mit brennenden Kerzen, die in einer Prozession aus der Küche hereingetragen wurde, ein matter Lichtschein, der flackernd über die dunkle Decke huschte, und wie die Torte im Kreis der Familie auf den Tisch gestellt wurde und das Gesicht einer alten Lady selig leuchten ließ, während ringsum gelächelt wurde und die Kellner mit den Händen auf dem Rücken zurückwichen – ein gewöhnliches Geburtstagsessen, wie man es überall in einem preiswerten Downtown-Restaurant zu sehen bekommen kann, und ich bin sicher, ich würde mich gar nicht daran erinnern, wenn sie nicht so kurz danach gestorben wäre, aber nach ihrem Tod habe ich immer wieder daran gedacht, und wahrscheinlich werde ich mein Leben lang daran denken – an diese Runde im Kerzenschein, ein *tableau vivant* des täglichen, alltäglichen Glücks, das ich verlor, als ich sie verlor.

Und sie war schön. Das ist eigentlich zweitrangig, aber sie war es. Als sie frisch aus Kansas nach New York gekommen war, arbeitete sie als Teilzeit-Model, obwohl ihr Unbehagen vor der Kamera zu groß war, als dass sie es gut gekonnt hätte: Was immer sie Besonderes an sich hatte, es fand seinen Weg nicht auf den Film.

Aber sie war ganz und gar sie selbst: eine Rarität. Ich kann mich nicht entsinnen, jemals einen Menschen gesehen zu haben, der wirklich Ähnlichkeit mit ihr gehabt hätte. Sie hatte schwarzes Haar, helle Haut, die im Sommer von Sommersprossen gesprenkelt war, und porzellanblaue Augen, in denen helles Licht leuchtete, und in ihren schrägen Wangenknochen lag eine so exzentrische Mischung aus Naturvolk und keltischem Zwielicht, dass die Leute manchmal vermuteten, sie stamme aus Island. In Wahrheit war sie halb Irin, halb Cherokee und kam aus einer Kleinstadt in Kansas an der Grenze zu Oklahoma, und sie brachte mich gern zum Lachen, indem sie sich selbst als Okie bezeichnete, obwohl sie hochglänzend, nervös und elegant wie ein Rennpferd war. Auf Fotos kommt dieser exotische Charakter leider ein bisschen zu hart und unerbittlich zum Vorschein – die Sommersprossen mit Make-up übertüncht, das Haar im Nacken zu einem Pferdeschwanz zusammengebunden wie bei einem Edelmann in der *Geschichte vom Prinzen Genji* –, und was überhaupt nicht herüberkommt, ist ihre Wärme, ihre unberechenbare Fröhlichkeit, die ich an ihr am meisten liebte. An der Stille, die sie auf Bildern ausstrahlt, wird deutlich, wie sehr sie der Kamera misstraute; sie scheint sich auf wachsam tigerhafte Weise gegen einen Angriff zu wappnen. Aber im Leben war sie nicht so. Sie bewegte sich mit erregender Flinkheit, mit plötzlichen, leichten Gebärden, und hockte immer auf der Stuhlkante wie ein lang gestreckter, eleganter Sumpfvogel, der gleich erschrocken davonflattern wird. Ich liebte ihr Sandelholzparfüm, so rau und unerwartet, und ich liebte das Rascheln ihrer gestärkten Bluse, wenn sie sich herunterbeugte, um mich auf

15

die Stirn zu küssen. Wenn sie lachte, wollte man wegwerfen, was immer man tat, und ihr die Straße hinunter folgen. Wo sie hinkam, schauten die Männer sie aus dem Augenwinkel an, und manchmal warfen sie ihr Blicke zu, die mich ein bisschen störten.

Ihr Tod war meine Schuld. Andere Leute versichern mir immer ein bisschen vorschnell, dass dem nicht so wäre, und jawohl, *nur ein Kind, wer hätte das ahnen können, schrecklicher Unfall, einfach Pech, hätte jedem passieren können* – das alles ist wahr, und ich glaube kein Wort davon.

Es passierte in New York, am 10. April, vor vierzehn Jahren. (Sogar meine Hand sperrt sich gegen das Datum. Beim Schreiben musste ich Druck ausüben, nur damit der Stift sich weiter über das Papier bewegte. Es war immer ein völlig normaler Tag, aber jetzt ragt er aus dem Kalender wie ein rostiger Nagel.)

Wäre der Tag planmäßig verlaufen, hätte er sich anonym in den Himmel verflüchtigt, spurlos wie der Rest meines achten Schuljahrs. Was wüsste ich jetzt noch davon? Wenig oder gar nichts. Aber natürlich ist die Textur jenes Morgens noch klarer zugegen als die des heutigen Tages, bis hin zu der mit Feuchtigkeit beladenen Luft. In der Nacht hatte es geregnet, ein schreckliches Unwetter; Geschäfte standen unter Wasser, und zwei U-Bahn-Stationen waren geschlossen. Wir beide warteten auf dem pitschnassen Teppich vor unserem Apartmentgebäude, während ihr Lieblingsportier, Goldie, der sie anbetete, mit erhobenem Arm in Richtung 57th Street zurückging und nach einem Taxi pfiff. Autos rauschten in schmutzig aufsprühenden Tropfenschleiern vorüber. Dicke Regenwolken wälzten sich über Hochhaustürme, rissen auf und umzingelten die klaren blauen Flecken am Himmel. Unten auf der Straße, unter den Auspuffgasen, war der Wind feucht und weich wie im Frühling.

»Ah, das ist besetzt, Lady«, rief Goldie durch den tosenden Straßenlärm und trat beiseite, als ein Taxi spritzend um die Ecke kam und sein Licht abschaltete. Er war der kleinste unter den Portiers, ein schmächtiger, dünner, lebhafter kleiner Kerl, ein hellhäutiger Puerto Ricaner und ehemaliger Federgewicht-Boxer. Sein Gesicht war zwar vom Trinken aufgedunsen (manchmal, wenn er zur Nachtschicht erschien, roch er nach J&B), aber er war immer noch drahtig, muskulös und flink – dauernd alberte er herum, dauernd machte er eine Zigarettenpause unten an der Ecke, trat von einem Fuß auf den anderen, blies sich auf die weißbehandschuhten Hände, wenn es kalt war, und erzählte Witze auf Spanisch, sodass die anderen Portiers sich kaputtlachten.

»Sie ganz eilig heute Morgen?«, fragte er meine Mutter. Auf seinem Namensschild stand BURT D., aber alle nannten ihn Goldie, wegen seines Goldzahns und weil sein Nachname, de Oro, auf Spanisch »Gold« bedeutete.

»Nein, wir haben reichlich Zeit, es geht schon.« Aber sie sah erschöpft aus, und ihre Hände zitterten, als sie sich das Tuch neu um den Hals schlang, weil es im Wind knatternd flatterte.

Goldie war es wohl auch aufgefallen, denn er schaute mit leiser Missbilligung zu mir herüber (ich hatte mich still hinter den Pflanzkübel aus Beton vor der Hauswand verzogen und betrachtete alles, nur nicht sie).

»Ihr fahrt nicht mit der Bahn?«, fragte er mich.

»Oh, wir haben ein paar Gänge zu erledigen«, sagte meine Mutter nicht sehr überzeugend, als sie begriff, dass ich nicht wusste, was ich sagen sollte. Normalerweise achtete ich nicht weiter auf das, was sie anhatte, aber was sie an diesem Morgen trug (einen weißen Trenchcoat, ein zartes, pinkfarbenes Tuch, schwarzweiße Slipper), hat sich so tief in mein Gedächtnis eingegraben, dass es mir jetzt schwerfällt, mich noch anders an sie zu erinnern.

Ich war dreizehn. Mir graut bei der Erinnerung daran, wie hölzern wir an diesem Morgen miteinander umgingen, so steif, dass selbst der Portier es bemerkte. Bei jeder anderen Gelegenheit hätten wir ganz vertrauensvoll miteinander geplaudert, aber an diesem Morgen hatten wir uns nicht viel zu sagen, denn ich war von der Schule suspendiert worden. Sie hatten sie am Tag zuvor im Büro angerufen; sie war schweigsam und wütend nach Hause gekommen, und das Schreckliche war, ich kannte den Grund für meine Suspendierung noch nicht mal. Allerdings war ich zu fünfundsiebzig Prozent sicher, dass Mr. Beeman auf seinem Weg von seinem Büro zum Lehrerzimmer exakt im falschen Augenblick aus dem Fenster am Treppenabsatz im ersten Stock geschaut und mich auf dem Schulgelände hatte rauchen sehen. (Genauer gesagt, er hatte mich mit Tom Cable herumstehen sehen, als *der* rauchte, was aber in meiner Schule praktisch auf denselben Verstoß hinauslief.) Meine Mutter konnte das Rauchen nicht ausstehen. Ihre Eltern – zu gern hörte ich Geschichten über sie, und sie waren unfairerweise gestorben, bevor ich Gelegenheit hatte, sie kennenzulernen – waren leutselige Pferdetrainer gewesen, die im Westen umherreisten und ihren Lebensunterhalt mit der Aufzucht von Morgan-Pferden verdienten: Cocktails trinkende, Canasta spielende muntere Vögel, die jedes Jahr zum Kentucky-Derby fuhren und Zigaretten in silbernen Dosen im Haus aufbewahrten. Eines Tages, als sie aus den Stallungen kam, krümmte meine Großmutter sich vornüber und fing an, Blut zu husten, und während der restlichen Teenagerzeit meiner Mutter hatten Sauerstoffflaschen auf der Veranda gestanden, und die Schlafzimmerjalousien waren unten geblieben.

Doch – wie ich befürchtete, und zwar nicht ohne Grund – Toms Zigarette war nur die Spitze des Eisbergs. Ich hatte schon seit einer Weile Ärger in der Schule. Es fing an – oder besser gesagt, der Schneeball kam ins Rollen –, als mein Vater ein paar Monate zuvor abgehauen war und meine Mutter und mich alleingelassen hatte. Wir hatten ihn nie besonders gemocht, und meine Mutter und ich waren die meiste Zeit viel glücklicher ohne ihn, aber andere Leute waren anscheinend schockiert und bestürzt, als er uns so unvermittelt verließ (ohne Geld, Kindesunterhalt oder Nachsendeadresse), und die Lehrer meiner Schule an der Upper West Side hatten so viel Mitleid mit mir gehabt und waren so eifrig bemüht gewesen, mir Verständnis und Unterstützung zu zeigen, dass sie mir – einem Stipendiaten – alle möglichen Zugeständnisse und Fristverlängerungen und zweite und dritte Chancen einräumten. Im Laufe der Monate ließen sie mich immer weiter an der langen Leine laufen, bis ich es schließlich schaffte, mich daran in ein sehr tiefes Loch abzuseilen.

Also waren wir beide – meine Mutter und ich – zu einer Konferenz in die Schule gerufen worden. Die Sitzung sollte erst um halb zwölf anfangen, aber weil meine Mutter zwangsläufig den Vormittag hatte freinehmen müssen, waren wir schon früh unterwegs zur West Side – zum Frühstücken (und, wie ich vermutete, zu einem ernsthaften Gespräch) und damit sie ein Geburtstagsgeschenk für eine Arbeitskollegin kaufen konnte. In der Nacht zuvor war sie bis halb drei auf gewesen; sie hatte mit angespanntem Gesicht im Schein des Computerbildschirms gesessen, E-Mails geschrieben und versucht, für ihren arbeitsfreien Vormittag im Büro Klarschiff zu machen.

»Ich weiß nicht, wie es Ihnen geht«, sagte Goldie soeben ziemlich aufgebracht zu meiner Mutter, »aber ich sage, es reicht jetzt mit diesem feuchten Frühling. Regen, Regen ...« Pantomimisch fröstelnd zog er seinen Kragen zusammen und schaute in den Himmel.

»Ich glaube, heute Nachmittag soll es aufklaren.«

»Ja, ich weiß, aber ich bin jetzt bereit für den *Sommer*.« Er rieb sich die Hände. »Die Leute verlassen die Stadt, sie hassen ihn, beschweren sich über die Hitze, aber ich – ich bin ein Tropenvogel. Je heißer, je besser. Immer her damit!« Er klatschte in die Hände und ging auf den Fersen rückwärts die Straße hinunter. »Und – ich sag Ihnen: Was ich am besten finde, ist die Ruhe hier draußen, die dann kommt. So im Juli? Das Gebäude ist leer und verschlafen, und alle sind weg, wissen Sie?« Er schnippte mit den Fingern, als ein Taxi vorbeiraste. »Das ist *mein* Urlaub.«

»Aber werden Sie denn hier draußen nicht gebraten?« Genau das hatte mein distanzierter Dad an ihr nicht ausstehen können: ihre Neigung, Gespräche mit Kellnerinnen anzufangen, mit Portiers und mit den keuchenden alten Knackern in der Reinigung. »Ich meine, im Winter können Sie doch wenigstens einen Extramantel anziehen ...«

»Hören Sie, haben Sie im Winter schon mal an der Tür gearbeitet? Ich sage Ihnen, es wird *kalt*. Egal, wie viele Mäntel und Mützen Sie anziehen. Sie stehen hier draußen, Januar, Februar, und der Wind weht vom Fluss herein? *Brrr*.«

Aufgeregt nagte ich an meinem Daumennagel und starrte den Taxis hinterher, die an Goldies erhobenem Arm vorbeisausten. Ich wusste, die Wartezeit bis zu der Konferenz um halb zwölf würde qualvoll werden, und ich hatte alle Mühe, dazustehen und nicht mit verfänglichen Fragen herauszuplatzen. Ich hatte keine Ahnung, womit sie uns überfallen würden, wenn sie uns erst in ihrem Büro hätten; schon das Wort »Konferenz« ließ an eine Zusammenkunft von Autoritätspersonen denken, an Anschuldigungen, Konfrontationen, an einen möglichen Schulverweis. Der Verlust meines Stipendiums wäre eine Katastrophe. Wir waren pleite, seit mein Dad weg war, wir hatten kaum noch das Geld für die Miete. Und vor allem: Ich war krank vor Sorge, Mr. Beeman könnte irgendwie herausgekriegt haben, dass Tom Cable und ich in leere Ferienhäuser eingebrochen waren, bei meinen Besuchen bei ihm draußen in den Hamptons. Ich sage einge*brochen*, obwohl wir kein Schloss geknackt und auch sonst nichts beschädigt hatten (Toms Mutter war Immobilienmaklerin, und wir klauten einfach die Ersatzschlüssel von dem Brett in ihrem Büro). Hauptsächlich hatten wir Schränke durchstöbert und Schubladen durchwühlt, aber wir ließen auch ein paar Sachen mitgehen: Bier aus dem Kühlschrank, Spiele für die Xbox, eine DVD (Jet Li, *Entfesselt*) und auch Geld, insgesamt ungefähr 92 Dollar, zerknüllte Fünfer und Zehner aus einem Glas in einer Küche, jede Menge Kleingeld aus den Wäschekammern.

Immer wenn ich daran dachte, wurde mir schlecht. Meine Besuche bei Tom waren Monate her, aber auch wenn ich mir immer wieder einredete, Mr. Beeman könne unmöglich wissen, dass wir in den Häusern gewesen waren – woher auch? –, ging meine Fantasie mit mir durch und schwirrte panisch im Zickzack hin und her. Ich war entschlossen, Tom nicht zu verraten (obwohl ich nicht völlig sicher war, dass *er* mich nicht verraten hatte), aber damit saß ich in der Zwickmühle. Wie hatte ich so blöd sein können? Einbruch war ein Verbrechen; dafür ging man in den Knast. In der Nacht zuvor hatte ich stundenlang unter Qualen wach gelegen, mich hin- und hergeworfen und zugesehen, wie der Regen in unregelmäßigen Böen gegen meine Fensterscheibe klatschte, und ich hatte mich gefragt, was ich sagen würde, wenn man mich deswegen zur Rede stellte. Aber wie sollte ich mich verteidigen, wenn ich nicht mal wusste, was sie wussten?

Goldie seufzte tief, ließ die Hand sinken und ging, die Schuhspitzen angehoben, rückwärts auf den Absätzen zu meiner Mutter zurück.

»Unglaublich«, er behielt die Straße mit einem angeödeten Blick im Auge, »wir haben Hochwasser unten in SoHo, das haben Sie gehört, oder, und Carlos sagt, drüben bei der UNO sind ein paar Straßen gesperrt.«

Düster beobachtete ich die Horden von Angestellten, die aus dem Crosstown-Bus quollen, freudlos wie ein Schwarm Hornissen. Vielleicht hätten wir mehr Glück, wenn wir zwei Straßen weiter nach Westen gingen, aber meine Mutter und ich kannten Goldie gut genug, um zu wissen, dass er beleidigt wäre, wenn wir auf eigene Faust loszögen. Genau in diesem Moment – so plötzlich, dass wir alle erschraken – schleuderte ein Taxi mit brennender Dachleuchte quer über die Fahrspur auf uns zu und ließ einen Wasserfächer aufspritzen, der nach Kloake roch.

»Pass doch auf!«, schrie Goldie, als das Taxi sich durch die Pfützen pflügte und zum Stehen kam, und dann bemerkte er, dass meine Mutter keinen Schirm hatte. »Warten Sie«, sagte er und wollte in den Hausflur laufen, zu der Kollektion von verlorenen und vergessenen Schirmen, die er in einem Messingeimer vor dem Kamin aufbewahrte und an Regentagen neu verteilte.

»Nein«, rief meine Mutter und wühlte in ihrer Handtasche nach dem winzigen, bunt gestreiften Knirps, »lassen Sie nur, Goldie, ich hab schon …«

Goldie sprang zurück an den Randstein und schloss die Taxitür hinter ihr. Dann bückte er sich und klopfte ans Fenster.

»Einen gesegneten Tag«, sagte er.

Ich betrachte mich gern als sensiblen Menschen (wie wir es vermut-lich alle tun), und während ich all das zu Papier bringe, ist die Versu-chung groß, einen Schatten ins Bild zu schraffieren, der sich über den Himmel schiebt. Aber ich war blind und taub für die Zukunft. Meine einzige, erdrückende Sorge war die Besprechung in der Schule. Ich hatte Tom angerufen, um ihm (flüsternd am Festnetztelefon, denn sie hatte mir mein Handy weggenommen) zu erzählen, dass ich von der Schule suspendiert worden war, doch er klang nicht besonders überrascht. »Hör zu«, unterbrach er mich, »sei nicht so blöd, Theo, kein Mensch weiß was davon, du musst einfach deine verdammte Klappe halten«, und bevor ich noch ein Wort hervorbringen konnte, sagte er: »Tut mir leid, ich muss Schluss machen.« Dann legte er auf.

Im Taxi wollte ich das Fenster einen Spalt weit öffnen, um ein biss-chen Luft hereinzulassen, aber es klemmte. Es roch, als hätte jemand auf dem Rücksitz schmutzige Windeln gewechselt oder vielleicht tat-sächlich selbst geschissen und dann versucht, den Gestank mit ei-nem Paket Kokosnuss-Lufterfrischer, der nach Sonnenöl duftete, zu überdecken. Die Sitze waren schmierig und mit Klebeband geflickt, die Stoßdämpfer praktisch nicht mehr vorhanden. Immer wenn wir über eine Delle fuhren, klapperten meine Zähne wie der religiöse Firlefanz, der am Rückspiegel baumelte: Medaillons, ein tanzendes Miniatur-Krummschwert an einer Plastikkette und ein turbantra-gender bärtiger Guru, der mit durchdringendem Blick und segnend erhobener Hand nach hinten starrte.

Am Rande der Park Avenue standen Kolonnen von roten Tulpen in Habtachtstellung, als wir vorbeijagten. Bollywood-Pop – zu einem leisen, beinahe unterschwelligen Wimmern heruntergedreht – glüh-te in hypnotisierenden Spiralen an der Schwelle meines Gehörs. An den Bäumen kamen die ersten Blätter zum Vorschein. Lieferboten von D'Agostino und Gristedes schoben Karren voller Lebensmittel vor sich her, gehetzte Business-Frauen in hochhackigen Schuhen stürmten den Gehweg entlang und zerrten widerstrebende Kindergartenkinder hinter sich her, ein uniformierter Arbeiter fegte den Dreck aus der Gosse auf ein Kehrblech mit einem langen Stiel, Anwälte und Börsenmakler streckten die flachen Hände vor sich aus und schauten stirnrunzelnd zum Himmel. Als wir die Straße hinaufrumpelten (meine Mutter sah elend aus und klammerte sich haltsuchend an die Armlehne), starrte ich hinaus zu den magenkranken Werktagsgesichtern (sorgenvoll aussehende Leute in Regenmänteln, die in grauen Scharen über die Kreuzungen wimmelten, die Kaffee aus Pappbechern tranken, in ihre Mobiltelefone sprachen und sich verstohlen umblickten), und ich bemühte mich nach besten Kräften, nicht an all die unangenehmen Varianten zu denken, die das Schicksal jetzt für mich bereithalten konnte: Ein paar davon drehten sich um Jugendgericht oder Gefängnis.

Das Taxi bog plötzlich scharf in die 86th Street ab. Meine Mutter rutschte gegen mich und griff nach meinem Arm, und ich sah, dass ihr Gesicht feucht und weiß wie ein Stockfisch war.

»Ist dir schlecht vom Fahren?«, fragte ich und vergaß für einen Augenblick meine eigenen Sorgen. Ihren kläglichen, starren Gesichtsausdruck kannte ich nur allzu gut. Ihre Lippen waren fest zusammengepresst, die Stirn glänzte, und die Augen waren glasig und groß.

Sie wollte etwas sagen – aber dann schlug sie die Hand vor den Mund, als das Taxi an der Ampel ruckartig bremste und uns beide nach vorn und dann rückwärts gegen die Sitzlehne schleuderte.

»Warte«, sagte ich, und dann beugte ich mich vor und klopfte an die fettige Plexiglasscheibe, sodass der Fahrer (ein Sikh mit Turban) erschrocken hochfuhr.

»Hören Sie«, rief ich durch das Gitter, »es genügt schon, wir steigen hier aus, okay?«

Der Sikh (ich sah ihn in dem mit Girlanden behängten Rückspiegel) starrte mich ungerührt an. »Ihr wollt hier anhalten.«

»Ja, bitte.«

»Aber das ist nicht die Adresse, die ihr mir gegeben habt.«

»Ich weiß. Aber es ist gut.« Ich sah mich nach meiner Mutter um.

Ihre Wimperntusche war verschmiert, und sie sah verwelkt aus, als sie in ihrer Handtasche nach ihrem Portemonnaie suchte.

»Alles okay mit ihr?«, fragte der Taxifahrer zweifelnd.

»Ja, ja, alles okay. Wir müssen nur aussteigen, danke.«

Mit zitternden Händen holte meine Mutter ein Knäuel feucht aussehender Dollarscheine heraus und schob sie durch das Gitter. Der Sikh schob seine Hand hindurch und kassierte sie ein (den Blick resigniert abgewandt), und ich stieg aus und hielt ihr die Tür auf.

Meine Mutter stolperte ein wenig, als sie auf den Randstein trat, und ich hielt ihren Arm fest. »Alles in Ordnung?«, fragte ich scheu, als das Taxi davonraste. Wir waren an der oberen Fifth Avenue, bei den herrschaftlichen Häusern mit Blick auf den Park.

Sie holte tief Luft, wischte sich über die Stirn und drückte meinen Arm. »Puh«, sagte sie und wedelte sich mit der flachen Hand vor dem Gesicht. Ihre Stirn glänzte, und ihr Blick war immer noch ein bisschen unstet. Sie hatte das leicht zerzauste Aussehen eines Seevogels, den der Wind vom Kurs abgebracht hat. »Entschuldige, ich habe immer noch weiche Knie. Gott sei Dank sind wir raus aus diesem Taxi. Es geht gleich wieder, ich brauche nur ein bisschen frische Luft.«

Die Leute strömten an der windigen Ecke um uns herum und vorbei: Schulmädchen in Uniform, die uns lachend und rennend auswichen, Kindermädchen mit komplizierten Kinderwagen, in denen Babys paarweise und zu dritt saßen. Ein gehetzter, anwaltsmäßig aussehender Vater schob sich an uns vorbei und zog seinen kleinen Sohn am Handgelenk mit sich. »Nein, Braden«, hörte ich ihn zu dem Jungen sagen, der traben musste, um Schritt zu halten, »so darfst du nicht denken. Wichtiger ist es, einen Job zu haben, der dir *gefällt* ...«

Wir traten beiseite, um der Seifenlauge auszuweichen, die ein Hausmeister vor seinem Gebäude aus dem Eimer auf den Gehweg kippte.

»Sag mal«, meine Mutter drückte die Fingerspitzen an ihre Schläfen, »lag das an mir, oder war dieses Taxi unglaublich ...«

»Unglaublich eklig? *Hawaiian Tropic*-Sonnenöl und Babykacke?«

»Ehrlich«, sie fächelte sich Luft ins Gesicht, »ohne dieses ständige Stop-and-go wäre alles okay gewesen. Mir ging's absolut gut, und dann kam es auf einmal über mich.«

»Warum fragst du auch nie, ob du vorn sitzen darfst?«

»Du klingst genau wie dein Vater.«

Verlegen schaute ich weg – ich hatte es selbst gehört: die Andeutung seines aufreizenden, allwissenden Tonfalls. »Gehen wir rüber zur Madison und suchen was, wo du dich hinsetzen kannst«, sagte ich. Ich hatte einen Mordshunger, und dort war ein Schnellrestaurant, das mir gefiel.

Aber sie schüttelte den Kopf, und fast überlief sie ein Schauder, eine sichtbare Welle der Übelkeit. »Luft.« Sie tupfte sich die verschmierte Wimperntusche unter den Augen weg. »Die frische Luft tut gut.«

»Na klar«, sagte ich ein bisschen zu hastig und darauf erpicht, ihr entgegenzukommen. »Von mir aus.«

Ich strengte mich an, liebenswürdig zu sein, aber meine Mutter – durchgerüttelt und benommen – registrierte meinen Tonfall, und sie beobachtete mich ganz genau und versuchte herauszufinden, was ich dachte. (Eine weitere schlechte Angewohnheit, in die wir dank des jahrelangen Zusammenlebens mit meinem Vater verfallen waren: Beide versuchten wir, die Gedanken des anderen zu lesen.)

»Was ist?«, fragte sie, »gibt es da etwas, wo du hinwillst?«

»Ähm, nein, eigentlich nicht.« Ich wich einen Schritt zurück und sah mich bestürzt um. Ich hatte zwar Hunger, aber ich sah mich nicht in der Position, meinen Kopf durchzusetzen.

»Mir geht's gleich wieder gut. Lass mir nur einen Augenblick Zeit.«

»Vielleicht …« Ich kniff gestresst die Augen zusammen: Was wollte sie, was würde ihr gefallen? »Wie wär's denn, wenn wir uns in den Park setzen?«

Zu meiner Erleichterung nickte sie. »Na schön«, sagte sie in dem Ton, den ich immer als ihre Mary-Poppins-Stimme bezeichnete. »Aber nur, bis ich wieder Luft bekomme.« Wir machten uns auf den Weg zum Übergang an der 79th Street, vorbei an Buschskulpturen in barocken Pflanzbottichen und massiven Haustüren mit schmie-deeisernen Gitterschnörkeln. Das Licht war zu einem industriellen Grau verblasst, und der Wind war schwer wie der Dampf aus einem Teekessel. Auf der anderen Straßenseite, vor dem Park, stellten Maler ihre Stände auf, entrollten Leinwände und pinnten ihre Aquarell-darstellungen der St. Patrick's Cathedral und der Brooklyn Bridge an die Stelltafeln.

Wir gingen schweigend nebeneinander her. Meine Gedanken schwirrten geschäftig um meine eigenen Nöte herum (hatten Toms Eltern auch einen Anruf bekommen? Warum hatte ich nicht daran gedacht, ihn zu löchern?), aber auch um die Frage, was ich mir zum Frühstück bestellen würde, sobald ich es geschafft hätte, sie in das Schnellrestaurant zu bugsieren (Western Omelett mit Fritten und einer Scheibe Speck, und sie würde nehmen, was sie immer nahm, Roggentoast mit pochierten Eiern und eine Tasse schwarzen Kaffee), und ich achtete kaum darauf, wohin wir gingen, als mir klar wurde, dass sie soeben etwas gesagt hatte. Sie sah nicht mich an, sondern schaute in den Park, und ihr Gesichtsausdruck ließ mich an einen berühmten französischen Film denken, dessen Titel ich nicht kannte und in dem verstörte Leute durch windige Straßen gingen und eine Menge redeten, aber anscheinend nicht miteinander.

»Was hast du gesagt?«, fragte ich nach einem Augenblick der Ver-wirrung und ging schneller, um sie einzuholen. »Sei schläfrig …«

Sie sah mich verblüfft an, als hätte sie vergessen, dass ich da war. Der weiße Mantel, der im Wind flatterte, ließ sie noch mehr wie ein langbeiniger Ibis aussehen – als würde sie gleich ihre Flügel entfal-ten und über den Park hinaussegeln.

»Ich soll schläfrig sein?«

»Oh.« Ihr Gesicht wurde ausdruckslos, und dann schüttelte sie den Kopf und lachte kurz auf ihre scharfe, kindliche Art. »Nein, nicht ›sei schläfrig‹. Ich habe *Zeitschleife* gesagt.«

Es war seltsam, so etwas zu sagen, aber ich wusste doch, was sie damit meinte, oder zumindest glaubte ich, es zu wissen: dieses Frös-teln der Unverbundenheit, fehlende Sekunden auf dem Gehweg, ein

Zeitsprung wie ein Schluckauf, ein paar herausgeschnittene Bilder aus einem Film.

»Nein, nein, Puppy, es ist nur die Gegend hier.« Sie wuschelte mir durchs Haar, und ich musste auf eine schiefe, halb verlegene Art grinsen: Puppy – Welpe – war mein Babyname, und ich mochte ihn nicht mehr, ebenso wenig wie das Haarewuscheln, aber auch wenn es mich verlegen machte, war ich doch froh zu sehen, dass ihre Stimmung sich gebessert hatte. »Passiert immer hier oben. Wenn ich hier oben bin, komme ich mir vor, als wäre ich wieder achtzehn und gerade aus dem Bus gestiegen.«

»Hier?«, sagte ich zweifelnd und ließ zu, dass sie mich bei der Hand hielt, was ich normalerweise nicht erlaubt hätte. »Das ist komisch.« Ich wusste alles über die erste Zeit meiner Mutter in Manhattan, ein gutes Stück weit weg von der Fifth Avenue: in der Avenue B, in einer Ein-Zimmer-Wohnung über einer Bar, wo Penner in der Haustür schliefen und Kneipenschlägereien sich auf die Straße ergossen und eine verrückte alte Lady namens Mo zehn oder zwölf illegale Katzen in einem abgesperrten Treppenhaus im obersten Stock hielt.

Sie zuckte die Achseln. »Ja, aber hier oben ist es immer noch genauso wie am ersten Tag, als ich es gesehen habe. An der Lower East Side – na, du weißt ja, wie es da unten ist, dauernd was Neues, aber für mich ist es eher dieses Rip-van-Winkle-Gefühl, immer weiter und weiter weg. An manchen Tagen bin ich aufgewacht, und es war, als hätten sie über Nacht die Ladenfassaden neu geordnet. Alte Restaurants geschlossen, eine trendige Bar, wo immer die Reinigung gewesen war …«

Ich schwieg respektvoll. Der Lauf der Zeit beschäftigte sie neuerdings häufiger, vielleicht, weil ihr Geburtstag bevorstand. *Ich bin zu alt für diese Nummer,* hatte sie vor ein paar Tagen gesagt, als wir zusammen die Wohnung durchstöberten. Wir hatten unter den Sofakissen gewühlt und die Taschen von Jacken und Mänteln durchsucht, um genug Kleingeld für den Botenjungen vom Deli zusammenzukratzen.

Sie bohrte die Hände in die Manteltaschen. »Hier oben ist es sta-

biler«, sagte sie. Es klang unbeschwert, aber ich sah den Nebel in ihren Augen; offensichtlich hatte sie nicht gut geschlafen, dank mir.
»Upper Park ist eine der wenigen Gegenden, wo man noch erkennen kann, wie die Stadt in den neunziger Jahren des 19. Jahrhunderts ausgesehen hat. Gramercy Park auch und ein Teil des Village. Aber als ich gerade nach New York gekommen war, dachte ich, diese Gegend hier sei Edith Wharton und *Franny und Zooey* und *Frühstück bei Tiffany* in einem.«

»*Franny und Zooey* war die West Side.«

»Ja, aber ich war zu dumm, um das zu wissen. Ich kann nur sagen, es war ein ziemlicher Unterschied zur Lower East Side, wo Obdachlose in Mülltonnen Feuer machten. Hier oben war es am Wochenende wie verzaubert – ein Spaziergang durch ein Museum – allein durch den Central Park zu zockeln …«

»Zockeln?« So vieles von dem, was sie sagte, klang in meinen Augen exotisch, und *zockeln* hörte sich an wie irgendein Pferdeausdruck aus ihrer Kindheit, ein träger Trott vielleicht, eine Pferdegangart zwischen Schritt und Trab.

»Ach, du weißt schon, zu bummeln und zu stromern, wie ich es tue. Ich hatte kein Geld, aber Löcher in den Strümpfen, und lebte von Hafergrütze. Ob du es glaubst oder nicht, an manchen Wochenenden bin ich *zu Fuß* hier heraufgegangen. Hab mein U-Bahn-Geld für die Rückfahrt gespart. Damals hatte sie noch die Marken, keine Karten. Und obwohl man doch eigentlich bezahlen muss, um in ein Museum zu gehen? Die ›erbetene Spende‹? Na, ich schätze, ich muss damals viel frecher gewesen sein, aber vielleicht hatten sie auch nur Mitleid mit mir, weil – o nein!«, sagte sie in einem veränderten Ton und blieb unvermittelt stehen, sodass ich sie ein paar Schritte hinter mir ließ, ohne es zu merken.

»Was ist?« Ich machte kehrt. »Was ist los?«

»Ich hab was gespürt.« Sie streckte die flache Hand aus und schaute zum Himmel. »Du auch?«

Und während sie noch redete, schwand das Licht. Der Himmel verdunkelte sich in Sekundenschnelle, der Wind raschelte in den

Bäumen im Park, und die jungen Blätter an den Bäumen standen zart und gelb vor schwarzen Wolken.

»Herrgott, das musste ja so kommen«, sagte meine Mutter. »Gleich wird's gießen.« Sie beugte sich über die Straße hinaus und spähte nach Norden. Kein Taxi.

Ich nahm ihre Hand wieder. »Komm«, sagte ich, »auf der anderen Seite haben wir mehr Glück.«

Ungeduldig warteten wir das letzte Blinken der Fußgängerampel ab. Papierfetzen wirbelten durch die Luft und segelten die Straße hinunter. »Hey, da kommt ein Taxi«, sagte ich und schaute die Fifth Avenue hinauf. Im selben Augenblick stürzte ein Geschäftsmann zum Randstein und hob die Hand, und das Taxilicht erlosch.

Auf der anderen Straßenseite zogen die Maler hastig Plastikplanen über ihre Bilder. Wir rannten hinüber, und gerade als wir auf der anderen Seite ankamen, klatschte mir ein dicker Regentropfen auf die Wange. Vereinzelte braune Kleckse – weit auseinander, so groß wie Zehn-Cent-Stücke – platzten auf dem Gehweg auf.

»Oh, *Mist!*«, rief meine Mutter. Sie fummelte in ihrer Tasche herum und suchte den Schirm, der kaum groß genug für eine Person war, von zweien ganz zu schweigen.

Und dann ging es los. Kalte Regenschleier wehten seitwärts heran, breite Böen brandeten durch die Baumwipfel und ließen die Markisen auf der anderen Straßenseite flattern. Meine Mutter kämpfte mit dem ulkigen kleinen Regenschirm und versuchte ohne großen Erfolg, ihn aufzurichten. Die Leute auf der Straße und im Park hielten sich Zeitungen und Aktentaschen über die Köpfe und hasteten die Treppe zum Portikus des Museums hinauf, weil man nur dort Schutz vor dem Regen fand. Und es hatte etwas Festliches, Glückliches, wie wir beide unter dem kümmerlichen, bunt gestreiften Schirm die Stufen hinaufsprangen, schnell schnell schnell, vor aller Augen, als flüchteten wir vor etwas Schrecklichem, statt ihm geradewegs in die Arme zu laufen.

IV

Drei wichtige Dinge waren meiner Mutter passiert, nachdem sie ohne Freunde und praktisch ohne Geld mit dem Bus aus Kansas nach New York gekommen war. Das erste war, dass sie einem Fotoagenten namens Davy Jo Pickering beim Kellnern in einem Coffeeshop im Village auffiel – eine unterernährte junge Frau in Doc Martens und Secondhand-Kleidern, mit einem Zopf auf dem Rücken, der so lang war, dass sie darauf sitzen konnte. Als sie ihm seinen Kaffee brachte, bot er ihr erst siebenhundert und dann tausend Dollar, wenn sie für ein Mädchen einspränge, das zu einem Katalog-Shooting auf der anderen Straßenseite nicht erschienen war. Er zeigte ihr den Location Van, das Equipment, das am Sheridan Park aufgebaut wurde, er zählte die Scheine ab und legte sie auf die Theke. »Geben Sie mir zehn Minuten Zeit«, sagte sie, erledigte den Rest ihrer Frühstücksbestellungen, hängte die Schürze an den Haken und ging.

»Ich war nur Katalog-Model« – darauf wies sie die Leute immer ausdrücklich hin, und es sollte bedeuten, dass sie nie für Zeitschriften oder Modenschauen gearbeitet hatte, sondern immer nur als Model für die Handzettel von Kaufhausketten, die preiswerte Freizeitkleidung für junge Mädchen in Missouri und Montana anboten. Manchmal hat es Spaß gemacht, sagte sie, aber meistens nicht: Badeanzüge im Januar, fröstelnd von einer Erkältung, Tweed- und Wollsachen in der Sommerhitze, stundenlang schwitzend unter künstlichem Herbstlaub, während ein Studioventilator ihr heiße Luft entgegenblies und ein Typ aus der Maske zwischen den einzelnen Takes heranflitzte und ihr den Schweiß aus dem Gesicht puderte.

Aber nachdem sie jahrelang herumgestanden und so getan hatte, als ginge sie aufs College – in steifer Pose, zu zweit und zu dritt vor einer künstlichen Campus-Kulisse mit einem Stapel Bücher vor der Brust –, war es ihr gelungen, genug Geld auf die Seite zu legen, um wirklich aufs College zu gehen: Kunstgeschichte an der New York University. Erst mit achtzehn hatte sie nach ihrer Ankunft in New York das erste große Gemälde mit eigenen Augen gesehen, und sie

30

brannte darauf, die verlorene Zeit nachzuholen. »Die reine Seligkeit, ein vollkommener Himmel«, hatte sie, bis zum Hals in Kunstbüchern, mir immer wieder versichert und stets dieselben alten Dias angestarrt (Manet, Vuillard), bis sie ihr vor den Augen verschwammen. (»Es ist verrückt«, sagte sie dann, »aber ich wäre absolut glücklich damit, den Rest meines Lebens immer wieder dasselbe halbe Dutzend Bilder anzuschauen. Ich wüsste keinen besseren Weg in den Wahnsinn.«)

Das College war das zweite wichtige Ereignis für sie in New York – und in ihren Augen wahrscheinlich das wichtigste. Und wenn das dritte nicht gewesen wäre (die Begegnung und anschließende Hochzeit mit meinem Vater, alles in allem kein so glückliches Ereignis wie die beiden ersten), hätte sie höchstwahrscheinlich ihr Masterdiplom erworben und dann promoviert. Wenn sie ein paar Stunden Zeit für sich hatte, ging sie immer geradewegs ins Frick, ins MoMa oder ins Met, und als wir jetzt unter dem tropfenden Portikus des Museums standen und über die dunstige Fifth Avenue hinweg auf die Regentropfen starrten, die weiß auf dem Asphalt aufspritzten, war ich nicht sonderlich überrascht, als sie den Regenschirm ausschüttelte und sagte: »Vielleicht sollten wir hineingehen und ein bisschen herumstöbern, bis es aufhört.«

»Ähm …« Was ich wollte, war ein Frühstück.

Sie warf einen Blick auf die Uhr. »Warum nicht? Ein Taxi kriegen wir hier niemals.«

Sie hatte recht. Aber ich hatte einen Mordshunger. *Wann werden wir etwas essen?*, dachte ich missmutig und folgte ihr die Treppe hinauf. Vermutlich würde sie nach der Konferenz so wütend auf mich sein, dass das Essen komplett gestrichen würde. Dann müsste ich mich zu Hause mit einem Granola oder so was zufriedengeben.

Aber im Museum war es immer, als wäre Feiertag, und als wir erst drin waren, umgeben vom fröhlichen Getöse der Touristen, fühlte ich mich seltsam isoliert von dem, was auch immer der Tag noch für mich bereithalten mochte. Im großen Saal war es laut, und es stank nach nassen Mänteln. Eine durchnässte Truppe von asiatischen Senioren rauschte an uns vorbei und hinter einer stewardessenmäßig adretten Führerin her. Triefende Pfadfinderinnen steckten an der Garderobe tuschelnd die Köpfe zusammen, und vor der Information stand eine Reihe von Kadetten der Militärakademie in ihren grauen Ausgehuniformen, ohne Mützen, die Hände auf dem Rücken verschränkt.

Für mich – ein Großstadtkind, immer umgeben von den Mauern der Wohnung – war das Museum hauptsächlich wegen seiner ungeheuren Größe interessant: ein Palast, dessen Räume sich endlos aneinanderreihten und immer verlassener aussahen, je weiter man vordrang. Einige der vernachlässigten Schlafgemächer und mit Kordeln abgesperrten Salons in den Tiefen der Abteilung für europäisches Kunsthandwerk lagen wie in einen tiefen Zauber versunken, als habe seit Jahrhunderten niemand mehr einen Fuß hineingesetzt. Seit ich angefangen hatte, allein mit der U-Bahn zu fahren, ging ich zu gern allein dorthin und streifte umher, bis ich mich verirrte; ich wanderte immer weiter in das Labyrinth der Galerien, bis ich manchmal in vergessene Säle mit Rüstungen und Porzellan geriet, die ich nie zuvor gesehen hatte (und teilweise auch niemals wiederfand).

Während ich in der Kassenschlange hinter meiner Mutter wartete, legte ich den Kopf in den Nacken und schaute starr zu dem mächtigen Deckengewölbe zwei Stockwerke über mir hinauf. Wenn ich angestrengt genug hinaufstarrte, bekam ich manchmal das Gefühl, dort oben herumzuschweben wie eine Feder – ein Trick aus früher Kindheit, den ich immer weniger beherrschte, je älter ich wurde.

Unterdessen angelte meine Mutter – rotnasig und atemlos von unserem Sprint durch den Regen – nach ihrem Portemonnaie. »Wenn wir fertig sind, springe ich vielleicht noch schnell in den Museumsshop«, sagte sie. »Ich bin sicher, das Letzte, was Mathilde sich wünscht, ist ein Kunstbuch, aber sie wird sich kaum groß darüber beklagen können, ohne dass es dumm klingt.«

»Igitt«, sagte ich. »Das Geschenk ist für Mathilde?« Mathilde war Art Director in der Werbeagentur, in der meine Mutter arbeitete. Sie war die Tochter eines französischen Großimporteurs für Stoffe, jünger als meine Mutter und notorisch pingelig: Sie neigte zu Wutanfällen, wenn der Fahrzeugservice oder das Catering nicht ihren Ansprüchen genügte.

»Yep.« Wortlos reichte sie mir einen Streifen Kaugummi, den ich annahm, und warf die Packung wieder in ihre Handtasche. »Ich meine, das ist doch total Mathildes Ding – das passende Geschenk, das nicht viel Geld kosten sollte. Der perfekte, preiswerte Briefbeschwerer vom Flohmarkt. Was vermutlich fantastisch wäre, wenn einer von uns die Zeit hätte, nach Downtown zu fahren und den Flohmarkt abzusuchen. Letztes Jahr, als Pru an der Reihe war …? Sie hat Panik gekriegt, ist in der Mittagspause zu Saks gerannt und hat am Ende zusätzlich zu dem, was sie ihr mitgegeben hatten, noch fünfzig Dollar von ihrem eigenen Geld draufgelegt, um eine Sonnenbrille zu kaufen, Tom Ford, glaube ich, und Mathilde musste trotzdem noch ihren Spruch über Amerikaner und Konsumkultur loswerden. Dabei ist Pru nicht mal Amerikanerin, sondern Australierin.«

»Hast du mit Sergio darüber geredet?«, fragte ich. Sergio – selten im Büro, aber oft in der Society-Presse mit Leuten wie Donatella Versace – war der millionenschwere Eigentümer der Firma, in der meine Mutter arbeitete. »Mit Sergio über etwas reden« entsprach etwa der Frage: »Was würde Jesus tun?«

»Sergios Vorstellung von einem Kunstband ist Helmut Newton. Oder vielleicht dieses Coffeetable-Buch, das Madonna vor einiger Zeit herausgebracht hat.«

Ich wollte fragen, wer Helmut Newton war, aber dann hatte ich eine bessere Idee. »Wieso schenkst du ihr keine Metro Card?«

Meine Mutter verdrehte die Augen. »Glaub mir, genau das wär's.« Kürzlich hatte es Aufruhr in der Firma gegeben, als Mathilde mit dem Auto in einen Stau geraten und bei einem Goldschmied in Williamsburg gestrandet war.

»Quasi anonym. Leg ihr eine auf den Schreibtisch, eine alte Monatskarte, ohne Guthaben. Nur um zu sehen, was sie macht.«

»Ich kann dir sagen, was sie macht.« Meine Mutter schob ihren Mitgliedsausweis unter dem Fenster des Kartenschalters durch. »Sie feuert ihre Assistentin und wahrscheinlich die Hälfte der Leute in der Kreativabteilung.«

Die Werbeagentur, in der sie arbeitete, war auf Accessoires für Frauen spezialisiert. Unter den aufgeregten und leicht bösartigen Augen Mathildes beaufsichtigte meine Mutter den ganzen Tag Foto-shootings mit Kristallohrringen, die auf Verwehungen von künstlichem Festtagsschnee glitzerten, und Krokohandtaschen, die unbeaufsichtigt auf den Rücksitzen verlassener Limousinen in himmlischen Lichtkränzen leuchteten. Sie war gut in dem, was sie tat; sie arbeitete lieber hinter der Kamera als davor, und ich weiß, es war ein Kick für sie, wenn sie ihre Arbeit auf Postern in der U-Bahn und Plakatwänden am Times Square sah. Aber bei allem Glanz und Glamour ihres Jobs (Champagnerfrühstücke und Präsentpakete von Bergdorf) gehörten doch auch lange Überstunden dazu, und im Zentrum des Ganzen gab es eine Leere, die sie – das wusste ich – traurig machte. Eigentlich wäre sie lieber wieder zur Schule gegangen, aber natürlich wussten wir beide, dass die Chancen dafür jetzt schlecht standen, nachdem mein Vater abgehauen war.

»Okay.« Sie wandte sich vom Schalter ab und reichte mir mein Abzeichen. »Hilf mir, die Zeit im Auge zu behalten, ja? Es ist eine Riesenausstellung«, sie deutete auf ein Plakat: PORTRÄT UND STILLLEBEN: NÖRDLICHE MEISTERWERKE DES GOLDENEN ZEITALTERS, »und wir können bei einem Besuch nicht alles sehen, aber es gibt ein paar Sachen …«

Ihre Stimme verwehte, als ich hinter ihr die große Treppe hinaufstieg, hin- und hergerissen zwischen der vorausschauenden Notwendigkeit, in ihrer Nähe zu bleiben, und dem Drang, mich ein paar Schritte zurückzuhalten und so zu tun, als gehörte ich nicht zu ihr.

»Ich finde es grässlich, hier so durchzurennen«, sagte sie eben, als ich sie oben an der Treppe eingeholt hatte, »aber andererseits ist es natürlich eine Ausstellung, in die man sowieso zwei oder drei Mal gehen muss. Da ist die *Anatomiestunde,* und die müssen wir natürlich sehen, aber was ich wirklich sehen möchte, ist ein winziges, selten gezeigtes Bild von einem Maler, der Vermeers Lehrer war. Der größte der alten Meister, von dem man nie etwas gehört hat. Die Frans-Hals-Gemälde sind auch eine große Sache. Hals kennst du doch, oder? *Der fröhliche Trinker?* Und die *Vorsteherinnen des Altmännerhauses?*«

»Ja, genau«, sagte ich zögernd. Von den Bildern, die sie aufgezählt hatte, kannte ich nur die *Anatomiestunde.* Ein Detail daraus war auf dem Plakat zur Ausstellung abgebildet: fahles Fleisch, Schwarz in vielen Schattierungen, alkoholkrank aussehende Zuschauer mit blutunterlaufenen Augen und roten Nasen.

»Sachen aus dem Grundkurs Malerei«, sagte meine Mutter. »Hier, jetzt nach links.«

Oben war es eisig kalt, und meine Haare waren noch nass vom Regen. »Nein, nein, hier entlang.« Sie griff nach meinem Ärmel. Die Ausstellung zu finden war kompliziert, und als wir durch die belebten Galerien wanderten (uns durch große Gruppen schlängelten, rechts abbogen, links abbogen, unseren Weg durch verwirrend angelegte und beschilderte Labyrinthe zurück suchten), erschienen in unregelmäßigen Abständen und an unerwarteten Stellen große, düstere Reproduktionen der *Anatomiestunde* wie unheilvolle Wegweiser, immer derselbe alte Leichnam mit dem enthäuteten Arm, und darunter rote Pfeile: *Operationssaal, hier entlang.*

Ich war nicht sehr begeistert von der Aussicht auf eine Menge Bilder mit Holländern, die in dunklen Kleidern herumstanden, und als wir durch die Glastür traten – aus hallenden Korridoren in teppichgedämpfte Stille –, dachte ich zuerst, wir seien im falschen Saal gelandet. An den Wänden leuchtete der warme, matte Dunst des Wohlstands, die typische Reife des Alten, aber im nächsten Moment brach alles auseinander und wurde zu Klarheit und Farbe und purem Nordlicht. Porträts, Interieurs, Stillleben, manche winzig, andere majestätisch: Damen mit Ehemännern, Damen mit Schoßhündchen, einsame Schönheiten in bestickten Gewändern und prachtvolle Kaufleute, Solitäre mit Juwelenschmuck und Pelz. Verwüstete B1anketttafeln, übersät von geschälten Äpfeln und Walnussschalen, drapierte Tapisserien und Silber, Trompe-l'Œil-Malereien mit krabbelnden Insekten und gestreiften Blumen. Und je tiefer wir hineinwanderten, desto seltsamer und schöner wurden die Bilder. Geschälte Zitronen, deren Rinde an der Messerschneide leicht verhärtet war. Der grünliche Schatten eines Schimmelflecks. Licht auf dem Rand eines halbvollen Weinglases.

»Das hier gefällt mir auch«, flüsterte meine Mutter und kam vor einem eher kleinen und besonders spukhaften Stillleben an meine Seite. Ein weißer Schmetterling schwebte vor einem dunklen Hintergrund über einer roten Frucht. Der Hintergrund – ein schweres Schokoladenschwarz – war von einer komplizierten Wärme, die an volle Lagerräume denken ließ, an Geschichte, an das Vergehen der Zeit.

»Sie verstanden es wirklich, diesen schmalen Bereich herauszuarbeiten, diese niederländischen Maler – Reife, die in Fäulnis übergeht. Die Frucht ist perfekt, aber sie wird nicht halten, sie wird bald vergehen. Und sieh mal, besonders hier« – sie langte über meine Schulter und malte mit dem Finger in die Luft –, »dieser Teil hier, der Schmetterling.« Die Unterseite des Flügels war so puderig und zart, dass es aussah, als würde die Farbe verschmieren, sobald sie sie berührte. »Wie wunderschön er damit spielt. Stille mit einem bebenden Hauch von Bewegung.«

»Wie lange hat er gebraucht, um das zu malen?«

Meine Mutter, die ein bisschen zu nah hinter mir gestanden hatte, trat einen Schritt zurück, um das Bild zu betrachten, ohne von dem kaugummikauenden Wärter Notiz zu nehmen, dessen Aufmerksamkeit sie erregt hatte und der jetzt ihren Rücken anstarrte.

»Na ja, die Holländer haben das Mikroskop erfunden«, sagte sie. »Sie waren Juweliere und Linsenschleifer. Sie wollen alles so detailliert wie möglich haben, denn immer wenn du Fliegen oder andere Insekten in einem Stillleben siehst oder ein welkes Blütenblatt, einen schwarzen Fleck auf einem Apfel, sendet der Maler dir eine geheime Botschaft. Er sagt dir, dass lebende Dinge nicht von Dauer sind. Alles ist vorübergehend. Tod im Leben. Darum heißen Stillleben auch *natures mortes*. Vielleicht siehst du ihn nicht gleich bei all der Schönheit und Blüte, den kleinen verfaulten Fleck. Aber wenn du genauer hinschaust – da ist er.«

Ich beugte mich hinunter, um die Erklärung zu lesen, die in diskreten Lettern auf die Wand gedruckt war, und erfuhr, dass der Maler – Adriaen Coorte, Geburts- und Todesdatum unsicher – zu Lebzeiten unbekannt gewesen war und sein Werk erst in den 1950er Jahren Anerkennung gefunden hatte. »Hey«, sagte ich. »Mom, hast du das gesehen?«

Aber sie war schon weitergegangen. Es war kalt und still in den Räumen mit ihren abgesenkten Decken, anders als in der großen Halle mit ihrem palasthaften Echo. Die Ausstellung war mäßig voll, aber trotzdem war sie erfüllt von der Atmosphäre eines bedächtig sich schlängelnden Nebengewässers, einer gewissen, wie vakuumversiegelten Ruhe: lange Seufzer und übertriebenes Ausatmen wie in einem Raum voller Studenten bei einer Klausur. Ich folgte meiner Mutter, die im Zickzack von einem Bild zum nächsten ging, von Blumen zu Kartentischen und weiter zu Früchten, viel schneller, als sie sonst durch eine Ausstellung spazierte. Sie ignorierte viele der Exponate (unseren vierten Silberkrug oder toten Fasan) und steuerte ohne Zögern auf andere zu (»Hals zum Beispiel. Er ist manchmal so kitschig mit seinen Trinkern und Dirnen, aber wenn er trifft, dann *trifft* er. Nichts von dieser peniblen Präzision – er arbeitet nass in nass, Strich auf Strich, alles so *schnell*. Gesichter und Hände – wirklich ausgezeichnet wiedergegeben, denn er weiß schon, wo das Auge sich hingezogen fühlt, aber sieh dir die Kleider an, so locker, beinahe skizziert. Sieh nur diese offene und moderne Pinselarbeit!«). Wir verbrachten einige Zeit vor dem Hals-Porträt eines jungen Mannes mit einem Totenschädel (»Sei mir nicht böse, Theo, aber was würdest du sagen, wem er ähnlich sieht? Jemandem«, sie zupfte an den Haaren auf meinem Hinterkopf, »jemandem, der einen Haarschnitt nötig hat?«) und vor zwei großen Porträts mit Offizieren beim Festmahl, die, wie sie mir sagte, sehr, sehr berühmt waren und einen riesigen Einfluss auf Rembrandt gehabt hatten (»Van Gogh hat Hals auch geliebt. Irgendwo schreibt er über Hals und sagt: *Frans Hals hat nicht weniger als neunundzwanzig Nuancen von Schwarz!* Oder waren es siebenundzwanzig?«). Ich folgte ihr mit dem benommenen Gefühl von verlorener Zeit, entzückt darüber, wie vertieft sie in die Ausstellung war und anscheinend gar nicht merkte, wie die Minuten im Fluge vergingen. Ich hatte das Gefühl, unsere halbe Stunde müsse fast vorüber sein, aber trotzdem wollte ich trödeln und sie ablenken in der kindischen Hoffnung, die Zeit werde verstreichen und wir würden die Konferenz ganz versäumen.

»Ja, Rembrandt«, sagte meine Mutter. »Alle behaupten immer, dieses Bild handele von Vernunft und Aufklärung, von der Morgendämmerung wissenschaftlicher Forschung und so weiter, aber für mich ist es unheimlich, wie höflich und förmlich sie alle sind und sich um den Tisch herumdrängen wie bei einem Buffet auf einer Cocktailparty. Aber – siehst du die beiden verwirrten Kerle dahinten? Sie sehen den Leichnam gar nicht an, sie sehen *uns* an. Dich und mich. Als ob sie uns sähen, wie wir hier vor ihnen stehen – zwei Leute aus der Zukunft. Verblüfft. ›Was macht *ihr* denn hier?‹ Sehr naturalistisch. Aber dann wiederum« – sie fuhr mit dem Finger durch die Luft und an den Konturen der Leiche entlang – »ist der Tote gar nicht sehr naturalistisch gemalt, wenn du genau hinschaust. Er strahlt einen gespenstischen Glanz aus, siehst du? Fast wie die Obduktion eines Aliens. Siehst du, wie er die Gesichter der Männer beleuchtet, die auf ihn hinabschauen? Als leuchtete in ihm eine eigene Lichtquelle? Er malt ihn mit dieser radioaktiven Note, weil er unseren Blick darauf lenken will – weil er uns ins Auge springen soll. Und hier« – sie zeigte auf die enthäutete Hand –, »siehst du, wie er die Aufmerksamkeit auf die Hand lenkt, indem er sie so groß malt, unproportional groß zum Rest des Körpers? Er hat sie sogar umgedreht, sodass der Daumen auf der falschen Seite ist, siehst du? Na, das hat er nicht aus Versehen getan. Die Haut der Hand ist weg, das sehen wir sofort, denn es ist sehr schlimm, aber indem er den Daumen auf die andere Seite dreht, lässt er es *noch* schlimmer aussehen, und auch wenn wir nicht den Finger darauflegen können, nehmen wir doch unterschwellig wahr, dass hier etwas wirklich nicht in Ordnung ist, nicht richtig. Ein sehr raffinierter Trick.« Wir standen hinter einer Gruppe von asiatischen Touristen. Es waren so viele Köpfe, dass ich das Bild kaum richtig betrachten konnte, aber das störte mich andererseits nicht besonders, denn ich hatte dieses Mädchen gesehen.

Sie hatte mich auch gesehen. Wir hatten einander beäugt, als wir durch die Galerien wanderten. Ich hätte nicht mal genau sagen können, was so interessant an ihr war, denn sie war jünger als ich und sah ein bisschen seltsam aus, ganz anders als die Mädchen, in die ich mich normalerweise verknallte – kühle, ernste Schönheiten, die sich mit verachtungsvollem Blick auf dem Flur umsahen und mit größeren Jungen ausgingen. Dieses Mädchen hatte leuchtend rotes Haar. Ihre Bewegungen waren flink, ihre Gesichtszüge scharf und boshaft und seltsam, und ihre Augen hatten eine merkwürdige Farbe, ein goldenes Honigbienenbraun. Sie war zu dünn, bestand fast nur aus Ellenbogen und sah auf eine gewisse Weise beinahe unscheinbar aus, und doch hatte sie etwas an sich, das meinen Magen flattern ließ. Sie schwenkte einen verschrammten Flötenkoffer mit sich herum – ein Mädchen aus der Stadt? Auf dem Weg zum Musikunterricht? Vielleicht nicht, dachte ich und ging hinten um sie herum, um meiner Mutter in die nächste Galerie zu folgen; ihre Kleidung war ein bisschen zu nichtssagend und vorstädtisch, und wahrscheinlich war sie eher eine Touristin. Aber sie bewegte sich mit größerer Sicherheit als die meisten Mädchen, die ich kannte, und der listig gelassene Blick, den sie über mich hinweggleiten ließ, als sie sich vorbeischob, machte mich wahnsinnig.

Ich blieb hinter meiner Mutter und hörte ihr nur mit halbem Ohr zu, als sie so plötzlich vor einem Gemälde stehen blieb, dass ich sie beinahe angerempelt hätte.

»Oh, Verzeihung!«, sagte sie, ohne mich anzusehen, und trat einen Schritt zurück, um Platz zu machen. Ihr Gesicht sah aus, als habe jemand einen Scheinwerfer darauf gerichtet.

»*Das* ist es, von dem ich gesprochen habe«, sagte sie. »Ist es nicht unglaublich?«

Ich neigte ihr den Kopf zu wie ein aufmerksamer Zuhörer, während mein Blick zu dem Mädchen zurückwanderte. Sie war in Begleitung eines komischen alten, weißhaarigen Typen. Nach den scharfen Gesichtszügen zu urteilen, war er mit ihr verwandt, ihr Großvater vielleicht: Pepita-Jacke, lange schmale Schnürschuhe, glänzend wie Glas. Seine Augen standen dicht beieinander, er hatte eine schnabelartige Hakennase, und er hinkte – ja, sein ganzer Körper hatte Schlagseite, und die eine Schulter war höher als die andere. Wäre diese Schiefneigung noch stärker ausgeprägt gewesen, hätte man ihn als Buckligen bezeichnen können. Trotzdem hatte er etwas Elegantes an sich. Und es war klar, dass er das Mädchen anbetete; man sah es daran, wie er amüsiert und kameradschaftlich neben ihr herhumpelte und sorgfältig darauf achtete, wohin er die Füße setzte, während er ihr den Kopf zuneigte.

»Das ist ungefähr das erste Bild, das ich jemals wirklich geliebt habe«, sagte meine Mutter gerade. »Du wirst es nicht glauben, aber es war in einem Buch, das ich als Kind immer aus der Bücherei entliehen habe. Ich saß dann auf dem Boden vor meinem Bett und starrte es an, stundenlang, fasziniert – dieses kleine Kerlchen! Und ich meine, tatsächlich ist es ja unglaublich, wie viel man über ein Gemälde lernen kann, wenn man eine Menge Zeit mit einer Reproduktion verbringt, selbst wenn es keine besonders gute ist. Es fing damit an, dass ich den Vogel liebte, wie man ein Haustier liebt oder so etwas, und am Ende liebte ich die Art und Weise, wie er gemalt war.« Sie lachte. »Die *Anatomiestunde* war übrigens in demselben Buch, aber sie hat mir eine Heidenangst eingejagt. Ich habe das Buch immer zugeschlagen, wenn ich es aus Versehen auf dieser Seite öffnete.«

Das Mädchen und der alte Mann waren neben uns stehen geblieben. Befangen beugte ich mich vor und schaute mir das Bild an. Es war klein, das kleinste Bild der Ausstellung und das schlichteste: ein gelber Fink vor einem einfachen hellen Hintergrund, der zweigdünne Fuß an eine Stange gekettet.

»Er war Rembrandts Schüler und Vermeers Lehrer«, sagte meine Mutter. »Und dieses eine kleine Bild ist im Grunde das Missing Link zwischen den beiden. Dieses klare, reine Tageslicht – daran sieht man, woher Vermeer die Beschaffenheit seines Lichts bezogen hat. Natürlich wusste ich als Kind nichts von dieser historischen Bedeutung, und sie interessierte mich auch nicht. Aber sie ist da.«

Ich trat zurück, um besser sehen zu können. Das kleine Geschöpf erschien unvermittelt und sachlich, ohne jede Sentimentalität, und etwas an der adretten, kompakten Art, wie es in sich selbst steckte – seine helle Farbe, der wache, aufmerksame Blick –, ließ mich an Bilder denken, die ich gesehen hatte, die meine Mutter als kleines Mädchen zeigten: ein Fink mit dunkler Haube und festem Blick.

»Es war eine berühmte Tragödie in der niederländischen Geschichte«, sagte meine Mutter. »Ein großer Teil der Stadt wurde zerstört.«

»Wobei?«

»In der Katastrophe von Delft. Bei der Fabritius ums Leben kam. Hast du gehört, wie die Lehrerin vorhin den Kindern davon erzählt hat?«

Ich hatte es gehört. Da war ein Trio von gespenstischen Landschaftsbildern gewesen, von einem Maler namens Egbert van der Poel, verschiedene Ansichten der gleichen, glimmenden Ödnis: abgebrannte Hausruinen, eine Windmühle mit zerfetzten Segeln, kreisende Krähen am rauchverhangenen Himmel. Eine amtlich aussehende Lady mit lauter Stimme hatte einer Gruppe von Mittelschulkindern erklärt, dass im siebzehnten Jahrhundert in Delft eine Schießpulverfabrik explodiert und dass der Maler von der Zerstörung seiner Stadt so verfolgt und besessen gewesen war, dass er sie immer wieder gemalt hatte.

»Egbert war Fabritius' Nachbar, und nach der Pulverexplosion verlor er irgendwie den Verstand, aber Fabritius wurde getötet und sein Atelier zerstört. Zusammen mit fast allen seinen Bildern außer diesem hier.« Anscheinend wartete sie darauf, dass ich etwas sagte, aber als von mir nichts kam, fuhr sie fort. »Er war einer der größten Maler seiner Zeit, in einer der größten Epochen der Malerei. Sehr, sehr berühmt zu Lebzeiten. Aber es ist traurig, denn von seinen Bildern haben vielleicht nur fünf oder sechs überlebt, von seinem ganzen Werk. Der Rest ist verloren – alles, was er je gemalt hat.«

Das Mädchen und der Großvater trödelten still neben uns herum und hörten meiner Mutter zu, was ein bisschen peinlich war. Ich schaute weg, und dann – weil ich nicht widerstehen konnte – schaute ich wieder hin. Sie standen sehr dicht neben uns, so nah, dass ich die Hand ausstrecken und sie hätte berühren können. Sie zupfte und klopfte am Ärmel des alten Mannes herum und zog an seinem Arm, um ihm etwas ins Ohr zu flüstern.

»Jedenfalls, wenn du mich fragst, ist dies das außergewöhnlichste Bild in der ganzen Ausstellung. Fabritius macht etwas deutlich, das er ganz allein entdeckt hat, das vor ihm kein Maler auf der ganzen Welt wusste, nicht einmal Rembrandt.«

Sehr leise – so leise, dass ich es kaum hören konnte – flüsterte das Mädchen: »Er musste sein ganzes Leben lang so leben?«

Das hatte ich mich auch schon gefragt. Der gefesselte Fuß, die Kette, das war schrecklich. Ihr Großvater murmelte irgendetwas zur Antwort, aber meine Mutter (die sie anscheinend überhaupt nicht bemerkte, obwohl sie direkt neben uns standen) trat zurück und sagte: »Ein so geheimnisvolles, so einfaches Bild. Ganz zart – es lädt dich ein näher zu treten, nicht wahr? All die toten Fasane dahinten, und dann dieses kleine, lebende Geschöpf.«

Ich gestattete mir noch einen verstohlenen Blick zu dem Mädchen hinüber. Sie stand auf einem Bein und hatte die Hüfte nach außen geschwenkt. Dann – ganz plötzlich – drehte sie sich um und sah mir in die Augen. Mein Herz setzte verwirrt einmal aus, und ich schaute weg.

Wie hieß sie? Warum war sie nicht in der Schule? Ich hatte versucht, den gekritzelten Namen auf dem Flötenkoffer zu lesen, aber obwohl ich mich so weit hinüberbeugte, wie ich es ohne aufzufallen wagen konnte, gelang es mir nicht, die Marker-Striche zu entziffern, dick und gezackt, mehr Zeichnung als Schrift, wie auf einen U-Bahn-Wagen gesprayt. Der Nachname war kurz, nur vier oder fünf Buchstaben, und der erste sah aus wie ein R – oder ein P?

»Menschen sterben, natürlich«, sagte meine Mutter jetzt. »Aber es ist so herzzerreißend und unnötig, wie wir *Dinge* verlieren. Durch pure Nachlässigkeit. Durch Kriege, Brände. Das Parthenon, als Munitionslager verwendet. Ich glaube, dass es uns überhaupt gelingt, etwas aus der Geschichte zu retten, ist ein Wunder.«

Der Großvater war an ein paar Bildern vorbei weitergewandert, aber das Mädchen trödelte ein paar Schritte weit hinter ihm und warf immer wieder einen Blick zurück zu meiner Mutter und mir. Eine wunderschöne Haut: milchweiß, Arme wie aus Marmor. Sie sah entschieden sportlich aus, aber zu blass für eine Tennisspielerin. Vielleicht war sie Ballerina oder Turnerin oder sogar Turmspringerin, die spätabends in schattendunklen Schwimmhallen trainierte – Echos und Lichtreflexe, dunkle Kacheln. Steilflug mit gewölbter Brust und gestreckten Zehen hinunter bis zum Grund des Beckens, ein lautloses *Puff*, ein schwarz glänzender Badeanzug, schäumende Luftblasen, die an der schmalen, straffen Gestalt entlangströmen.

Wieso diese zwanghafte Beschäftigung mit jemandem? War es normal, sich auf diese besonders lebhafte, fiebrige Weise auf eine Fremde zu konzentrieren? Ich nahm es nicht an. Es war unvorstellbar, dass irgendein x-beliebiger Passant auf der Straße sich in einem ähnlichen Ausmaß für *mich* interessieren könnte. Aber es war der Hauptgrund dafür, dass ich mit Tom in diese Häuser gegangen war: Ich war fasziniert von Fremden, wollte wissen, was sie aßen, welche Filme sie anschauten, was für Musik sie hörten, ich wollte unter ihre Betten schauen und in ihre geheimen Schubladen und Nachttische und in die Taschen ihrer Mäntel. Oft sah ich interessant aussehende Leute auf der Straße und dachte dann tagelang ruhelos an sie, stellte mir ihr Leben vor, dachte mir Geschichten über sie in der U-Bahn oder im Crosstown-Bus aus. Jahre waren vergangen, und ich hatte immer noch nicht aufgehört, an die beiden dunkelhaarigen Kinder – Bruder und Schwester – in den Uniformen der katholischen Schule zu denken, die ich in Grand Central gesehen hatte, wo sie buchstäblich versuchten, ihren Vater an den Ärmeln seines

Jacketts aus einer schmuddeligen Bar zu zerren. Auch das zerbrechliche, zigeunerhafte Mädchen im Rollstuhl vor dem Carlyle Hotel hatte ich nicht vergessen, das atemlos auf Italienisch mit dem flauschigen Hund auf seinem Schoß geredet hatte, während hinter ihr ein smarter Typ mit Sonnenbrille (Vater? Bodyguard?) offenbar eine geschäftliche Verhandlung am Telefon führte. Seit Jahren drehte ich diese Fremden im Kopf hin und her und fragte mich, wer sie waren und wie sie lebten, und ich wusste, jetzt würde ich nach Hause gehen und über dieses Mädchen und ihren Großvater genauso nachdenken. Der alte Mann hatte Geld, das sah man an seiner Kleidung. Warum waren die beiden allein? Woher kamen sie? Vielleicht gehörten sie zu einer großen alten, komplizierten New Yorker Familie – Musiker, Akademiker, eine von diesen kunstbeflissenen West-Side-Familien, die man oben rings um die Columbia University oder in den Matinees im Lincoln Center sehen konnte. Oder – so anheimelnd und zivilisiert, wie der alte Knabe aussah – vielleicht war er gar nicht ihr Großvater. Vielleicht war er ein Musiklehrer, und sie war das Flöte spielende Wunderkind, das er in irgendeiner Kleinstadt entdeckt und nach New York gebracht hatte, damit es in der Carnegie Hall spielte …

»Theo?«, sagte meine Mutter plötzlich. »Hast du nicht gehört?«

Ihre Stimme brachte mich wieder zu mir. Wir waren im letzten Raum der Ausstellung. Dahinter war der Ausstellungsshop – Postkarten, Registrierkasse, Stapel von hochglänzenden Kunstbüchern –, und meine Mutter hatte die Zeit unglücklicherweise doch nicht aus den Augen verloren.

»Wir sollten nachsehen, ob es noch regnet«, sagte sie. »Ein bisschen Zeit haben wir noch«, sie sah auf die Uhr und schaute an mir vorbei zum EXIT-Schild, »aber ich glaube, ich gehe lieber nach unten, wenn ich noch etwas für Mathilde finden will.«

Ich bemerkte, dass das Mädchen meine Mutter beobachtete, als sie sprach; ihr Blick wanderte neugierig über ihren glatten schwarzen Pferdeschwanz und den weißen Satin-Trenchcoat mit dem Gürtel um die Taille, und es überlief mich prickelnd, als ich meine Mutter einen Moment lang so sah, wie das Mädchen sie sah: als Fremde. Sah sie auch den winzigen Höcker oben auf der Nase, die sie sich als Kind bei einem Sturz vom Baum gebrochen hatte? Oder die schwarzen Ringe um die hellblaue Iris, die ihren Augen etwas leicht Wildes verliehen, wie bei einem jagenden Geschöpf mit scharfem Blick, allein in der weiten Prärie?

»Weißt du …« Meine Mutter sah sich noch einmal um. »Wenn du nichts dagegen hast, würde ich vielleicht noch mal zurücklaufen und einen kurzen Blick auf die *Anatomiestunde* werfen, bevor wir gehen. Ich hab's nicht aus der Nähe sehen können, und vielleicht schaffe ich es nicht noch einmal herzukommen, ehe es abgehängt wird.« Mit geschäftig klappernden Absätzen ging sie los und warf dann einen Blick zurück, als wollte sie sagen: *Kommst du nicht?*

Es kam so unerwartet, dass ich einen Sekundenbruchteil lang überhaupt nicht wusste, was ich sagen sollte. »Äh«, sagte ich und fasste mich wieder, »ich warte im Shop auf dich.«

»Okay«, rief sie. »Kauf mir zwei Postkarten, ja? Ich bin gleich wieder da.«

Weg war sie, bevor ich noch ein Wort sagen konnte. Mit klopfendem Herzen und außerstande, mein Glück zu fassen, sah ich dem weißen Satin-Trenchcoat nach, der sich rasch entfernte. Das war sie, die Chance, mit dem Mädchen zu sprechen, *aber was kann ich zu ihr sagen*, dachte ich hektisch, *was kann ich sagen?* Ich vergrub die Hände in den Taschen, atmete ein oder zwei Mal durch, um mich zu sammeln, und mit hell sprudelnder Aufregung im Bauch drehte ich mich um.

Zu meiner Bestürzung war sie verschwunden. Das heißt, verschwunden war sie nicht; ich sah ihren Rotkopf widerwillig (so schien es mir) durch den Raum schweben. Ihr Großvater hatte sich bei ihr untergehakt und flüsterte ihr mit großer Begeisterung etwas zu, während er sie zu einem Bild an der Wand gegenüber schleppte.

Ich hätte ihn umbringen können. Nervös schaute ich zum leeren Eingang hinüber. Dann bohrte ich die Hände noch tiefer in die Taschen und spazierte auffällig – und mit glühendem Gesicht – quer durch den ganzen Raum. Die Uhr tickte; meine Mutter würde jeden Augenblick zurück sein, und auch wenn ich wusste, ich hatte nicht den Mut, auf sie loszumarschieren und wirklich etwas zu sagen, konnte ich sie doch wenigstens noch mal eingehend betrachten. Es war nicht allzu lange her, dass ich mit meiner Mutter spätabends *Citizen Kane* gesehen hatte; ich war sehr begeistert von der Vorstellung, man könne im Vorübergehen eine bezaubernde Fremde wahrnehmen und sich für den Rest des Lebens an sie erinnern. Eines Tages wäre ich vielleicht auch wie der alte Mann in dem Film, ich würde mich im Sessel zurücklehnen, den Blick in die Ferne richten und sagen: »Weißt du, das ist jetzt sechzig Jahre her, und ich habe das Mädchen mit den roten Haaren nie wiedergesehen, aber soll ich dir was sagen? In der ganzen Zeit ist nicht ein Monat vergangen, in dem ich nicht an sie gedacht hätte.«

Ich hatte den Raum mehr als zur Hälfte durchschritten, als etwas Merkwürdiges passierte. Ein Museumswärter rannte an der offenen Tür des Ausstellungsshops vorbei. Er trug etwas auf den Armen.

Das Mädchen sah es auch. Ihre goldbraunen Augen sahen mich an, erschrocken, fragend.

Plötzlich kam ein zweiter Wärter aus dem Shop gestürmt. Er hatte die Arme erhoben und schrie.

Köpfe fuhren hoch. Jemand hinter mir sagte mit merkwürdig flacher Stimme: Oh! Im nächsten Moment erschütterte eine gewaltige, ohrenbetäubende Explosion den Raum.

Der alte Mann taumelte mit ausdruckslosem Gesicht seitwärts. Sein ausgestreckter Arm – die knotigen Finger gespreizt – ist das Letzte, woran ich mich erinnern kann. Fast genau im selben Augenblick kam ein schwarzer Blitz, Trümmer rauschten und wirbelten um mich herum, und ein brüllender, heißer Wind schlug mir entgegen und schleuderte mich durch den Raum. Danach wusste ich eine Zeitlang nichts mehr.

V

Ich weiß nicht, wie lange ich ohnmächtig war. Als ich zu mir kam, lag ich flach auf dem Bauch in einem Sandkasten auf irgendeinem dunklen Spielplatz – in einer verlassenen Gegend, die ich nicht kannte. Eine Bande von harten kleinen Jungen drängte sich um mich, und sie traten mir in die Rippen und an den Hinterkopf. Mein Hals war zur Seite verdreht, und es hatte mir den Atem verschlagen, aber das war nicht das Schlimmste: Ich hatte Sand im Mund, ich atmete Sand.

Die Jungen murrten hörbar. *Steh auf, Arschloch.*

Seht ihn euch an, seht ihn an.

Er hat keine verdammte Ahnung.

Ich rollte mich herum und warf die Arme über den Kopf, und dann erkannte ich – mit einem schwerelosen, surrealen Ruck –, dass da niemand war.

Einen Moment lang war ich wie gelähmt und konnte mich nicht rühren. Alarmglocken schrillten gedämpft in der Ferne. So seltsam es auch erschien, ich hatte den Eindruck, im ummauerten Innenhof eines gottverlassenen Sozialwohnungsblocks zu liegen.

Jemand hatte mich ziemlich gründlich verprügelt. Alles tat mir weh, meine Rippen schmerzten, und mein Kopf fühlte sich an, als hätte man mich mit einem Bleirohr geschlagen. Ich bewegte den Unterkiefer hin und her und griff in die Tasche, um zu sehen, ob ich Geld für die Heimfahrt hatte, als mich jäh die Erkenntnis überkam, dass ich keine Ahnung hatte, wo ich war. Steif lag ich da, in dem zunehmenden Bewusstsein, dass hier etwas schlimm aus den Fugen geraten war. Mit dem Licht stimmte etwas nicht und mit der Luft auch nicht; sie roch beißend und scharf, ein chemischer Dunst, der mir in der Kehle brannte. Der Kaugummi in meinem Mund war sandig, und als ich mich – mit pochendem Schädel – herumrollte, um es auszuspucken, blinzelte ich unversehens durch Rauchschleier und sah etwas, das so fremdartig war, dass ich es ein paar Augenblicke lang nur anstarrte.

Ich lag in einer zerklüfteten weißen Höhle. Streifen und Fetzen baumelten von der Decke. Der Boden war holprig übersät von Haufen einer grauen Substanz wie Mondgestein und bestreut mit zerbrochenem Glas und Kies und Wirbeln von bunt zusammengewürfeltem Müll, von Ziegeln und Schlacke und papierartigem Zeug, alles überstäubt von feiner Asche wie vom ersten Reif. Hoch oben leuchteten zwei Lampen durch den Staub wie aus dem Lot geratene Autoscheinwerfer im Nebel, schielend, die eine nach oben gerichtet, die andere zur Seite, wo sie schräge Schatten warf.

Meine Ohren dröhnten und mein Körper ebenfalls, ein äußerst verstörendes Gefühl: Knochen, Hirn, Herz, alles vibrierte wie eine klingende Glocke. Leise, irgendwo in weiter Ferne, gellte das mechanische Kreischen von Alarmsirenen, gleichmäßig und unpersönlich. Ich konnte kaum unterscheiden, ob das Geräusch aus meinem Innern oder von außen kam. Ich hatte das übermächtige Gefühl, allein zu sein, in frostiger Erstarrung. Nichts ergab Sinn, in keiner Richtung.

In einer Kaskade von Sand, die Hand an eine nicht ganz senkrechte Fläche gestützt, stand ich auf und verzog das Gesicht vor Kopfschmerzen. Die Neigung des Raums, in dem ich mich befand, fühlte sich zutiefst und von Grund auf falsch an. Auf einer Seite hingen Staub und Rauch wie ein stiller, undurchsichtiger Schleier. Auf der anderen kam ein Haufen von zerbrochenem Material in steilem Durcheinander von oben herab, wo das Dach oder die Decke hätte sein müssen.

Mein Kiefer tat weh, ich hatte Platzwunden im Gesicht und an den Knien, und mein Mund fühlte sich an wie Sandpapier. Blinzelnd schaute ich mich im Chaos um und sah einen Tennisschuh, Verwehungen von bröseliger Substanz mit dunklen Flecken, einen verbogenen Gehstock aus Aluminium. Schwankend stand ich da, halb erstickt und schwindlig, ohne zu wissen, wohin ich gehen oder was ich tun sollte, als ich plötzlich das Klingeln eines Telefons zu hören glaubte.

Einen Moment lang war ich nicht sicher; ich lauschte angestrengt, aber dann ging es wieder los, matt und lang gezogen, ein bisschen unheimlich. Unbeholfen kämpfte ich mich durch die Verwüstung – stieß staubige Kinderhandtaschen und Rucksäckchen um, riss die Hände zurück, als sie heiße Objekte und Scherben von zerbrochenem Glas berührten, und war zunehmend alarmiert, als ich fühlte, wie der Schutt unter meinen Füßen an manchen Stellen nachgab, und angesichts der weichen, reglosen Klumpen am Rande meines Gesichtsfelds.

Auch als ich irgendwann sicher war, dass ich niemals ein Telefon gehört, sondern das Klingen in meinen Ohren mich getäuscht hatte, suchte ich weiter, mit gedankenloser, roboterhafter Intensität gefangen in den mechanischen Bewegungen des Suchens. Zwischen Schreibstiften, Handtaschen, Portemonnaies, zerbrochenen Brillen, Hotel-Schlüsselkarten, Puderdosen, Parfümsprays und rezeptpflichtigen Medikamenten (Roitman, Andrea – Alprazolam 0,25 mg) wühlte ich eine Schlüsselring-Taschenlampe und ein nicht funktionierendes Telefon (halb aufgeladen, keine Balken) ans Licht und warf beides in eine faltbare Nylon-Einkaufstasche, die ich in einer Damenhandtasche gefunden hatte.

Ich schnappte nach Luft, halb erstickt vom Mörtelstaub, und mein Kopf tat so weh, dass ich kaum sehen konnte. Ich wollte mich hinsetzen, aber es gab nichts zum Sitzen.

Dann sah ich eine Flasche Wasser. Mein Blick huschte sofort zurück und strich über die Trümmerlandschaft, bis ich sie wieder sah, ungefähr fünf Schritte weit entfernt, halb vergraben in einem Haufen Schutt: nur die Andeutung eines Etiketts im vertrauten Kühlschrankblau.

Gefühllos und schwerfällig, als stapfte ich durch tiefen Schnee, watete ich in Schlangenlinien durch die Trümmer, und Brocken zerbrachen unter meinen Füßen mit scharfem Krachen wie Eis. Aber ich war noch nicht sehr weit gekommen, als ich aus dem Augenwinkel eine Bewegung auf dem Boden sah, auffällig in der Stille, eine Verschiebung von Weiß auf Weiß.

Ich blieb stehen. Dann watete ich ein paar Schritte näher heran. Es war ein Mann, flach auf dem Rücken, von Kopf bis Fuß weiß vom

Staub. Er war so gut getarnt in der von Asche überpuderten Ruinenlandschaft, dass es einen Moment dauerte, bis seine Umrisse erkennbar wurden: Kalk auf Kalk, wie eine vom Sockel gestürzte Statue. Mühsam versuchte er sich aufzurichten. Als ich näher kam, sah ich, dass er alt und sehr gebrechlich war, ein wenig missgestaltet, wie ein Buckliger. Sein Haar – was davon noch übrig war – stand senkrecht auf dem Kopf, die eine Seite seines Gesichts war mit hässlichen Brandwunden gesprenkelt, und der Kopf über dem einen Ohr war nichts als ein klebrig schwarzer Horror.

Ich hatte ihn gerade erreicht, als er – unerwartet schnell – den staubweißen Arm vorschießen ließ und meine Hand packte. Panisch erschrocken fuhr ich zurück, aber er hielt mich nur noch fester und hustete und hustete dabei ungesund feucht.

Wo –?, schien er zu fragen. Wo –? Er wollte zu mir aufschauen, aber sein Kopf schwankte schwer auf dem Hals, und sein Kinn rollte auf der Brust hin und her, sodass er mich unter den Brauen hervor anstarren musste wie ein Geier. Aber die Augen in dem zerstörten Gesicht waren intelligent und verzweifelt.

– O Gott, sagte ich und bückte mich, um ihm zu helfen – warten Sie, warten Sie –, und dann brach ich ab und wusste nicht weiter. Die untere Hälfte seines Körpers lag verdreht auf dem Boden wie ein Haufen schmutziger Wäsche.

Er stützte sich mit den Armen auf, tapfer, wie es aussah, seine Lippen bewegten sich, und immer noch versuchte er sich aufzurichten. Er stank nach verbrannten Haaren und verbrannter Wolle. Aber die untere Hälfte seines Körpers schien mit der oberen unverbunden zu sein, und er hustete und sackte wieder zusammen.

Ich sah mich um und versuchte mich zu orientieren; der Schlag an den Kopf hatte mich aus dem Gleichgewicht gebracht, und ich hatte kein Gefühl für die Zeit und wusste nicht mal, ob es Tag oder Nacht war. Die großartige Trostlosigkeit des Raumes machte mich fassungslos – hoch und karg wie ein Speicher, durchzogen von Schichten von Rauch, die sich dort, wo die Decke (oder der Himmel) sein sollte, verwirbelten und zeltähnlich blähten. Aber obwohl ich keine

Ahnung hatte, wo ich war (oder warum), hatte die ganze Zerstörung noch etwas Halberinnertes, war kinohaft aufgeladen im grellen Licht der Notbeleuchtung. Im Internet hatte ich Filmaufnahmen von einem Hotel in der Wüste gesehen, das gesprengt worden war: Im Augenblick des Einsturzes waren die wabenförmig angeordneten Zimmer in genau so einem Lichtblitz erstarrt.

Dann fiel mir das Wasser wieder ein. Ich trat zurück und schaute mich um und um, und mein Herz machte einen Satz, als ich das staubige Blau aufscheinen sah.

– Hören Sie, sagte ich und drückte mich beiseite. Ich wollte nur –

Der alte Mann beobachtete mich mit einem Blick, der hoffnungsvoll und hoffnungslos zugleich war, wie ein verhungerter Hund, der zu schwach zum Laufen war.

– Nein – warten Sie. Ich komme zurück.

Wie ein Betrunkener torkelte ich durch die Trümmer – pflügte mich im Zickzack hindurch, stieg über kniehohe Gegenstände und wühlte mich durch Ziegel und Beton und Schuhe und Handtaschen und eine Menge verkohlter Teile, die ich nicht allzu genau ansehen wollte.

Die Flasche war drei viertel voll und fühlte sich heiß an. Aber nach dem ersten Schluck übernahm meine Kehle das Kommando, und ich hatte mehr als die Hälfte hinuntergestürzt – nach Plastik schmeckendes, spülwasserwarmes Wasser –, ehe mir klar wurde, was ich tat, und ich mich zwang, die Flasche zuzuschrauben und in den Beutel zu stecken, um sie ihm zu bringen.

Ich kniete bei ihm. Steine bohrten sich in meine Knie. Ihn fröstelte, sein Atem ging rasselnd und ungleichmäßig, und sein Blick begegnete meinem nicht, sondern irrte oberhalb davon umher, starrte bang auf etwas, das ich nicht sah.

Ich wühlte nach der Wasserflasche, als er die Hand nach meinem Gesicht ausstreckte. Vorsichtig strich er mir mit seinen knochigen alten, flachkuppigen Fingern das Haar aus den Augen, zupfte mir einen Dorn aus Glas aus der Braue und tätschelte mir dann den Kopf.

»Na, na.« Seine Stimme war sehr matt, sehr rau, sehr warm, durchzogen von einem schaurigen Pfeifen aus der Lunge. Wir schauten einander an wie zwei Tiere, die sich in der Dämmerung treffen, einen endlosen, seltsamen Augenblick lang, den ich tatsächlich nie mehr vergessen habe und in dessen Verlauf ein klarer, liebenswerter Funke in seinen Augen heraufwehte und ich das Wesen sehen konnte, das er in Wirklichkeit war – und er, glaube ich, sah mich auch. Einen Moment lang waren wir miteinander verdrahtet und summten wie zwei Maschinen am selben Stromkreis.

Dann kippte er wieder zurück, so schlaff, dass ich dachte, er sei tot. »Hier«, sagte ich unbeholfen und schob meine Hand unter seine Schultern. »Das ist gut.« Ich hielt seinen Kopf, so gut ich konnte, und half ihm beim Trinken aus der Flasche. Er bekam nur wenig heraus; das meiste lief ihm über das Kinn.

Er fiel wieder zurück. Zu anstrengend.

»Pippa«, sagte er mit schwerer Zunge.

Ich schaute in sein verbranntes, gerötetes Gesicht, und etwas Vertrautes in seinen Augen rührte mich an. Sie waren rostbraun und klar. Ich hatte ihn schon mal gesehen. Und ich hatte auch das Mädchen gesehen. Ein kurzer Schnappschuss, farbig wie ein Herbstblatt: rostrote Brauen, honigbraune Augen. Ihr Gesicht spiegelte sich in seinem. Wo war sie?

Er wollte etwas sagen. Die rissigen Lippen mühten sich. Er wollte wissen, wo Pippa war.

Keuchend. Nach Atem ringend. »Hey«, sagte ich aufgeregt, »versuchen Sie, still liegen zu bleiben.«

»Sie sollte die Bahn nehmen, das geht schneller. Es sei denn, sie bringen sie mit dem Auto.«

»Keine Sorge«, sagte ich und beugte mich tiefer. Ich machte mir keine Sorgen. Bald würde uns jemand holen, da war ich sicher. »Ich warte hier, bis sie kommen.«

»Du bist so freundlich.« Seine Hand (kalt und pulvertrocken) spannte sich fester um meine. »Ich habe dich nicht mehr gesehen, seit du wieder ein kleiner Junge bist. Als wir uns das letzte Mal gesprochen haben, warst du ganz erwachsen.«

»Aber ich bin Theo«, sagte ich nach einer kurzen Pause verwirrt.

»Natürlich.« Sein Blick war fest und freundlich wie sein Hände-druck. »Und du hast die beste Wahl getroffen, da bin ich sicher. Der Mozart ist so viel hübscher als der Gluck, meinst du nicht auch?«

Ich wusste nicht, was ich sagen sollte.

»Zu zweit wird es für euch beide leichter sein. Sie sind so streng mit euch Kindern beim Vorspielen.« Er hustete. Die Lippen nass von Blut, dick und rot. »Keine zweite Chance.«

»Hören Sie …« Es kam mir falsch vor, ihn glauben zu lassen, ich sei jemand anderes.

»Oh, aber ihr spielt es so schön, mein Lieber, ihr beide. Das G-Dur. Er geht mir immer wieder im Kopf herum. Leicht, ganz leicht, mit zarter Hand …«

Er summte ein paar formlose Töne. Ein Lied. Es war ein Lied.

» … und das muss ich dir doch erzählt haben, wie ich Klavierstun-den genommen habe, bei der alten armenischen Lady? Da war eine grüne Eidechse, die in der Palme wohnte, grün wie ein Bonbon; ich habe so gern danach gesucht … leuchtend auf der Fensterbank … Feenlichter im Garten … *du pays saint* … zwanzig Minuten zu Fuß, aber es kam mir meilenweit vor …«

Er schwand für einen Moment dahin. Ich spürte, wie sein Ver-stand von mir abließ und davontrieb, kreiselnd wie ein Blatt in einem Bach. Dann wurde er zurückgeschwemmt und war wieder da.

»Und du! Wie alt bist du jetzt?«

»Dreizehn.«

»Auf dem Lycée Français?«

»Nein, meine Schule ist auf der West Side.«

»Auch gut, nehme ich an. Der ganze Französischunterricht! Zu viele Vokabeln für ein Kind. *Nom et pronom,* Species und Phyllum. Das ist nichts anderes als Insektensammelei.«

»Wie bitte?«

»Bei Groppi haben sie immer Französisch gesprochen. Erinnerst du dich an Groppi? Mit dem gestreiften Schirm und dem Pistazien-eis?«

Der gestreifte Schirm. Mit diesen Kopfschmerzen fiel mir das Denken schwer. Mein Blick wanderte zu der langen Schnittwunde in seiner Kopfhaut, schwarz geronnen, wie von einem Schlag mit der Axt. Immer stärker drangen die furchtbaren körperähnlichen Gestalten, die zusammengesunken im Schutt lagen, in mein Bewusstsein. Dunkel und klobig, nicht deutlich zu erkennen, rotteten sie sich stumm um uns zusammen, Dunkelheit überall und Gestalten wie Lumpenpuppen, aber es war eine Dunkelheit, auf der man davondriften konnte; sie hatte etwas Schläfriges an sich, ein schaumiges Kielwasser auf einem kalten, schwarzen Ozean, das brodelnd verschwindet.

Plötzlich war etwas ganz und gar nicht mehr in Ordnung. Er war wach und schüttelte mich. Seine Hände flatterten. Pfeifend atmete er ein und versuchte sich hochzustemmen.

»Was ist?«, fragte ich und schüttelte mich, um wach zu werden. Er keuchte erregt, zog an meinem Arm. Angstvoll richtete ich mich auf und schaute mich um, ob da vielleicht eine neue Gefahr im Anzug war: lose Kabel, ein Brand, eine gleich einstürzende Decke.

Er packte meine Hand. Drückte sie fest. »Nicht da«, brachte er hervor.

»Was?«

»Lass es nicht da. Nein.« Er schaute an mir vorbei und wollte auf etwas zeigen. »Bring es da weg.«

»Bitte, legen Sie sich hin!«

»Nein! Sie dürfen es nicht sehen.« Panisch umklammerte er meinen Arm und versuchte, sich daran hochzuziehen. »Sie haben die Teppiche gestohlen, sie bringen es in den Zollschuppen …«

Jetzt sah ich, er deutete auf ein staubiges rechteckiges Brett, praktisch unsichtbar zwischen gebrochenen Balken und Trümmern, kleiner als mein Laptop zu Hause.

»Das?« Ich schaute genauer hin. Es war mit Wachstropfen bekleckert und mit einem unregelmäßigen Flickenteppich von bröselnden Etiketten beklebt. »Wollen Sie das?«

»Ich flehe dich an.« Die Augen fest zugepresst. Er war erregt und hustete so stark, dass er kaum sprechen konnte.

Ich fasste die Tafel bei den Ecken und hob sie auf. Sie war überraschend schwer für einen so kleinen Gegenstand. Ein langer Splitter von einem zerbrochenen Rahmen hing an einer Ecke.

Ich wischte mit dem Ärmel über die staubige Fläche. Ein kleiner gelber Vogel, matt unter dem weißen Staubschleier. *Die Anatomiestunde war übrigens in demselben Buch, aber sie hat mir eine Heidenangst eingejagt.*

Ja, antwortete ich schläfrig. Ich drehte mich mit dem Bild in der Hand um und wollte es ihr zeigen, aber dann sah ich, sie war nicht da.

Beziehungsweise – sie war da und doch nicht da. Ein Teil von ihr war da, aber unsichtbar. Der unsichtbare Teil war der, auf den es ankam. Bisher hatte ich das noch nie verstanden. Aber als ich es jetzt laut aussprechen wollte, kamen die Worte verworren aus meinem Mund, und es war wie eine eiskalte Ohrfeige, als ich begriff, dass ich unrecht hatte. Beide Teile gehörten zusammen. Man konnte den einen nicht ohne den anderen haben.

Ich wischte mir mit dem Arm über die Stirn und versuchte, mir den Sand aus den Augen zu blinzeln, und mit einer ungeheuren Anstrengung – als stemmte ich ein Gewicht, das viel zu schwer für mich war – wollte ich meine Gedanken dahin schieben, wo sie hingehörten. Wo war meine Mutter? Einen Augenblick lang waren wir hier zu dritt gewesen, und sie – ich war mir ziemlich sicher – war eine von uns. Aber jetzt waren wir nur noch zwei.

Hinter mir hatte der alte Mann wieder angefangen, mit unbeherrschbarer Dringlichkeit zu husten und zu beben, als er versuchte, noch etwas zu sagen. Ich streckte mich nach hinten und wollte ihm das Bild geben. »Hier«, sagte ich und wandte mich dann an meine Mutter – an die Stelle, an der sie scheinbar gewesen war: »Ich bin gleich wieder da.«

Aber er wollte gar nicht das Bild haben. Gereizt stieß er es zu mir zurück und brabbelte etwas. Sein Kopf war auf der rechten Seite so klebrig durchtränkt vom Blut, dass ich das Ohr kaum sehen konnte.

»Was denn?«, fragte ich, in Gedanken immer noch bei meiner Mutter – wo war sie? »Verzeihung?«

»Nimm es.«

»Hören Sie, ich komme gleich wieder. Ich muss …« Ich brachte es nicht heraus, nicht richtig, aber meine Mutter wollte, dass ich nach Hause ging, und zwar sofort. Ich sollte mich dort mit ihr treffen, das zumindest hatte sie mir deutlich zu verstehen gegeben.

»Nimm es mit!«, bedrängte er mich. »Geh!« Er wollte sich aufsetzen. Seine Augen leuchteten wild, und seine Erregung machte mir Angst. »Sie haben alle Glühbirnen genommen, sie haben die Hälfte der Häuser in der Straße zertrümmert …«

Ein Tropfen Blut lief über sein Kinn.

Ich wagte nicht, ihn anzufassen. »Bitte bleiben Sie liegen …«

Er schüttelte den Kopf und wollte etwas sagen, aber die Anstrengung warf ihn nieder. Er hustete stoßweise, nass und elend. Als er sich den Mund abwischte, sah ich hellrot verschmiertes Blut auf seinem Handrücken.

»Jemand wird kommen.« Ich war nicht sicher, dass ich es glaubte, aber ich wusste nicht, was ich sonst sagen sollte.

Er sah mir direkt ins Gesicht und suchte nach einem Flackern, an dem er sehen könnte, dass ich ihn verstand. Als er nichts entdeckte, krallte er wieder die Hände in den Boden, um sich hochzuziehen.

»Feuer«, sagte er mit gurgelnder Stimme. »Die Villa in Ma'adi. *On a tout perdu.*«

Wieder brach er ab und hustete. Rötlicher Schaum blubberte aus seinen Nasenlöchern. Inmitten der unwirklichen Szenerie aus Steinhaufen und geborstenen Monolithen hatte ich das traumartige Gefühl, ihn im Stich gelassen zu haben, als hätte ich durch Tölpelhaftigkeit und Unwissenheit eine entscheidend wichtige Märchenaufgabe verpatzt. Zwar war nirgendwo in dieser Steinwüste ein Feuer zu entdecken, aber ich kroch doch zu dem Nylonbeutel hinüber und schob das Bild hinein, nur damit er es nicht mehr sah und sich nicht aufregte.

»Keine Sorge«, sagte ich. »Ich werde …«

Er hatte sich beruhigt. Er legte eine Hand auf mein Handgelenk, und sein Blick war fest und hell. Unvernunft wehte über mich hin-

56

weg wie ein kalter Wind. Ich hatte getan, was ich tun sollte. Alles würde gut werden.

Während ich mich noch in dieser tröstlichen Vorstellung sonnte, drückte er mir beruhigend die Hand, als hätte ich laut gesprochen. »Wir werden von hier wegkommen«, sagte er.

»Ich weiß.«

»Wickle es in Zeitungspapier und leg es ganz unten in die Truhe, mein Lieber. Zu den anderen Kuriositäten.«

Ich war erleichtert, weil er sich beruhigt hatte, und erschöpft von meinen Kopfschmerzen, und die Erinnerung an meine Mutter war verblasst und nur noch das Flattern einer Motte. Ich ließ mich neben ihm nieder, schloss die Augen und fühlte mich merkwürdig behaglich und sicher. Abwesend, verträumt. Er faselte leise ein wenig vor sich hin – ausländische Namen, Summen, Zahlen, ein paar französische Wörter, aber hauptsächlich Englisch. Ein Mann war gekommen, um sich die Möbel anzusehen. Abdou war in Schwierigkeiten, weil er Steine geworfen hatte. Aber das alles leuchtete irgendwie ein, und ich sah den Palmengarten und das Klavier und die grüne Eidechse am Baumstamm wie auf den Seiten eines Fotoalbums.

»Findest du allein nach Hause, mein Lieber?«, fragte er irgendwann, das weiß ich noch.

»Natürlich.« Ich lag neben ihm auf dem Boden, und mein Kopf war auf einer Höhe mit seinem klapprigen alten Brustbein, sodass ich jedes Stocken, jedes Keuchen seines Atems hören konnte. »Ich fahre jeden Tag allein mit der Bahn.«

»Und wo, sagtest du, wohnst du jetzt?« Seine Hand auf meinen Kopf, ganz sanft, wie man einem Hund, den man gern hat, die Hand auf den Kopf legt.

»East 57th Street.«

»O ja! Beim Le Veau d'Or?«

»Na ja, ein paar Straßen weiter.« Le Veau d'Or war ein Restaurant, in das meine Mutter gern gegangen war, als wir noch Geld hatten. Ich hatte meine ersten Schnecken dort gegessen und das erste Schlückchen Marc de Bourgogne aus ihrem Glas probiert.

»Richtung Park, sagst du?«

»Nein, näher am Fluss.«

»Nah genug, mein Lieber. Baisers und Kaviar. Wie habe ich diese Stadt geliebt, als ich sie das erste Mal gesehen habe! Trotzdem, es ist nicht das Gleiche, oder? Ich vermisse das alles schrecklich, du nicht auch? Den Balkon und den …«

»Garten.« Ich drehte mich um und sah ihn an. Parfüms und Melodien. Im Sumpf meiner Verwirrung war es mir vorgekommen, als sei er ein guter Freund oder ein Angehöriger, den ich vergessen hatte, ein lange verlorener Verwandter meiner Mutter …

»Oh, deine Mutter! So ein Schatz! Ich werde nie vergessen, wie sie das erste Mal zum Spielen kam. Sie war das hübscheste kleine Mädchen, das ich je gesehen habe.«

Woher wusste er, dass ich an sie gedacht hatte? Ich wollte ihn fragen, ob er wüsste, wo sie war, aber er schlief. Seine Augen waren geschlossen, und sein Atem ging schnell und rau, als laufe er vor etwas weg.

Ich schwand selbst langsam dahin – Ohrensausen, ein blödes Summen, ein metallischer Geschmack im Mund wie beim Zahnarzt –, und vielleicht wäre ich wieder in der Bewusstlosigkeit versunken und dort geblieben, wenn er mich nicht irgendwann heftig geschüttelt hätte, sodass ich mit panischem Aufbäumen erwachte. Er murmelte etwas und zerrte an seinem Zeigefinger. Er hatte seinen Ring abgenommen, einen schweren Goldring mit einem geschnittenen Stein, und versuchte, ihn mir zu geben.

»Nein, den will ich nicht.« Ich scheute davor zurück. »Warum tun Sie das?«

Aber er drückte ihn mir in die Hand. Sein Atem kam blasig und hässlich. »Hobart and Blackwell«, sagte er, und seine Stimme klang, als ertrinke er von innen. »Läute die grüne Glocke.«

»Läute die grüne Glocke«, wiederholte ich unsicher.

Sein Kopf rollte vor und zurück wie bei einem angeschlagenen Boxer, und seine Lippen zitterten. Sein Blick war stumpf, und als er über mich hinwegglitt, ohne mich zu sehen, überlief mich ein Frösteln.

»Sag Hobie, er soll aus dem Laden verschwinden«, sagte er mit schwerer Zunge.

Ungläubig sah ich zu, wie leuchtend rotes Blut aus seinem Mundwinkel rieselte. Er hatte an seiner Krawatte gezerrt und sie gelockert. »Hier«, ich streckte die Hände aus, um ihm zu helfen, aber er schlug sie beiseite.

»Er soll die Kasse zumachen und verschwinden!«, krächzte er. »Sein Vater schickt ein paar Kerle, die ihn zusammenschlagen sollen!«

Seine Augen rollten in den Höhlen nach oben, seine Lider flatterten. Dann sank er in sich zusammen, sah flach und kollabiert aus, als sei alle Luft aus ihm gewichen, dreißig Sekunden lang, vierzig, wie ein Haufen alter Kleider, aber dann – so schroff, dass ich zusammenzuckte – schwoll seine Brust rasselnd wie ein Blasebalg an und hustete schlagartig einen Schwall Blut hervor, der mich von oben bis unten bespritzte. So gut er konnte, stemmte er sich auf den Ellenbogen hoch, und ungefähr dreißig Sekunden lang hechelte er wie ein Hund, seine Brust pumpte panisch, auf und ab, auf und ab, sein Blick fixierte etwas, das ich nicht sehen konnte, und die ganze Zeit hielt er meine Hand fest, als würde vielleicht alles wieder gut werden, wenn er sie nur fest genug umklammerte.

»Alles in Ordnung?«, fragte ich panisch und den Tränen nahe. »Können Sie mich hören?«

Er zappelte und strampelte – ein Fisch auf dem Trockenen –, und ich hielt seinen Kopf hoch oder versuchte es doch wenigstens, aber ich wusste nicht, wie, und ich hatte Angst, ihn zu verletzen, und die ganze Zeit klammerte er sich an meine Hand, als baumelte er von einem Hochhausdach und werde gleich abstürzen. Jeder Atemzug war ein isoliertes, gurgelndes Ringen nach Luft, ein schwerer Stein, der unter schrecklichen Anstrengungen vom Boden aufgehoben und wieder fallen gelassen wurde. Einmal sah er mich direkt an, und Blut quoll ihm in den Mund; anscheinend sagte er etwas, aber die Worte blubberten über sein Kinn.

Dann – zu meiner endlosen Erleichterung – wurde er ruhiger,

stiller, sein Griff um meine Hand lockerte sich und schmolz, und er schien zu sinken und davonzutreiben, fast als schwimme er auf dem Rücken im Wasser weg von mir. Besser?, fragte ich, und dann …

Vorsichtig träufelte ich ihm ein bisschen Wasser auf den Mund – seine Lippen arbeiteten, ich sah, wie sie sich bewegten, und auf den Knien, wie ein junger Diener in einer Geschichte, wischte ich ihm mit dem Paisley-Tuch aus seiner Tasche ein bisschen von dem Blut aus dem Gesicht. Als er – grausam, allmählich und stückchenweise – ins Stille abdriftete, kippte ich auf den Fersen zurück und schaute ihm eindringlich in das zerstörte Gesicht.

Hallo?, sagte ich.

Ein papiernes Augenlid zuckte, halb geschlossen, blau geädert, ein Tick.

»Wenn Sie mich hören können, drücken Sie meine Hand.«

Seine Hand lag schlaff in meiner. Ich hockte da und sah ihn an und wusste nicht, was ich tun sollte. Es war Zeit zum Gehen, schon weit darüber hinaus – meine Mutter hatte sich ganz klar ausgedrückt –, aber ich sah keinen Weg hinaus aus dem Raum, in dem ich war, und eigentlich war es in gewisser Hinsicht schwierig, mir vorzustellen, ich sei irgendwo anders auf der Welt – ja, es gebe eine andere Welt außerhalb von dieser hier. Es war, als hätte ich nie ein anderes Leben gehabt.

»Können Sie mich hören?«, fragte ich ihn ein letztes Mal, beugte mich tief über ihn und hielt mein Ohr dicht an seinen blutigen Mund. Aber da war nichts.

VI

Weil ich ihn, falls er sich nur ausruhte, nicht stören wollte, stand ich so leise wie möglich auf. Mir tat alles weh. Einen Moment lang blieb ich stehen und schaute auf ihn hinunter und wischte mir die Hände an meiner Schuljacke ab – ich war überall mit seinem Blut beschmiert, und meine Hände waren glitschig davon –, und dann sah ich mich in der Mondlandschaft aus Geröll um und versuchte, mich zu orientieren und einen Weg zu finden.

Als ich mit Mühe die Mitte des Raumes oder das, was zumindest danach aussah, gefunden hatte, sah ich, dass die eine Tür von fetzenweise herabhängenden Trümmern verdeckt war, und ich drehte mich um und fing an, mich in die andere Richtung vorzuarbeiten. Dort war der Türsturz eingebrochen und hatte einen Berg von Steinen herunterfallen lassen, der fast so hoch war wie ich. Die rauchverhangene Öffnung darüber war groß genug, um mit einem Auto hindurchzufahren. Ich fing an, mühsam hinaufzuklettern und zu kraxeln – über Betonbrocken hinweg und um sie herum –, aber bevor ich sehr weit gekommen war, wurde mir klar, dass ich in die andere Richtung würde gehen müssen. Matte Feuerschatten leckten über die hinteren Wände dessen, was der Ausstellungsshop gewesen war, sie spuckten und sprühten Funken im Halbdunkel, zum Teil deutlich unterhalb der Ebene, wo der Fußboden hätte sein müssen.

Es gefiel mir nicht, wie die andere Tür aussah (rot befleckte Dämmplatten, und die Spitze eines Männerschuhs ragte aus einem Haufen zerbröckeltem Putz), aber wenigstens war das meiste von dem Zeug, das den Durchgang versperrte, nicht besonders fest. Ich tappte zurück, duckte mich unter ein paar Kabeln hindurch, die funkensprühend von der Decke hingen, und warf mir den Beutel über die Schulter. Ich holte tief Luft und stürzte mich mit dem Kopf voran in die Verwüstung.

Staub und ein scharfer chemischer Geruch nahmen mir sofort den Atem. Ich hustete und betete, dass nicht noch mehr Stromkabel vor mir herunterbaumelten; ich tastete und stocherte in der Dunkelheit vor mir umher, und alle möglichen Arten von lockerem Schutt fingen an, herabzurieseln und mir in die Augen zu regnen: Kies, Mörtelstaub, Bröckchen und Klumpen, Gott weiß, wovon.

Manches Baumaterial war hell, anderes nicht. Je weiter ich mich vorwärtsarbeitete, desto dunkler und heißer wurde es. Immer wieder verengte sich der Weg oder war ganz unerwartet verstellt, und in meinen Ohren toste der Lärm einer Menschenmenge – woher, das wusste ich nicht. Ich musste mich um Dinge herumzwängen, manchmal gehend, manchmal kriechend, und in den Trümmern waren Körper, die ich mehr spürte als sah, etwas verstörend Weiches, das unter dem Druck meines Gewichts nachgab. Aber noch schlimmer war der Geruch: verbrannter Stoff, verbrannte Haare, verbranntes Fleisch und ein bitterer Hauch von frischem Blut – Kupfer, Zinn und Salz.

Meine Hände waren zerschnitten und meine Knie ebenso. Ich duckte mich unter etwas hindurch und ging um etwas anderes herum, tastete mich voran und strich mit der Hüfte an einer langen Latte oder einem Balken entlang, bis mir der Weg durch eine solide Masse versperrt wurde, die sich anfühlte wie eine Wand. Mit Mühe – es war eng hier – drehte ich mich um, damit ich in den Beutel greifen konnte, um die Lampe herauszuholen.

Ich wollte die Schlüsselring-Lampe haben – sie lag ganz unten, unter dem Bild –, aber meine Finger schlossen sich um das Telefon. Ich schaltete es ein – und ließ es im selben Augenblick wieder fallen, denn im Schein des Displays sah ich die Hand eines Mannes, die zwischen zwei Betonklötzen herausragte. Ich weiß noch, dass ich bei allem Entsetzen dankbar war, weil es nur eine Hand war, auch wenn ich das dunkle, fleischige, geschwollene Aussehen der Finger nie mehr habe vergessen können. Ab und zu fahre ich immer noch erschrocken zurück, wenn ein Bettler auf der Straße mir eine solche Hand entgegenstreckt, aufgedunsen und mit schwarzem Dreck unter den Nägeln.

Da war immer noch die kleine Taschenlampe – aber ich wollte das Telefon. Es warf einen matten Schimmer hinauf in den Hohlraum, in dem ich war, aber als ich mich gerade so weit gefasst hatte, dass ich mich danach bücken konnte, wurde das Display dunkel. Der Nachglanz schwebte säuregrün vor mir in der Dunkelheit. Ich sank auf die Knie und kroch im Dunkeln herum, griff mit beiden Händen zwischen Steine und Glas, entschlossen, es wiederzufinden.

Ich glaubte zu wissen, wo es war oder wo es ungefähr war, und ich suchte wahrscheinlich länger danach, als ich es hätte tun sollen, aber erst, als ich die Hoffnung aufgegeben hatte und wieder aufstehen wollte, merkte ich, dass ich in einen niedrigen Hohlraum gekrochen war, in dem ich nicht aufstehen konnte: Ungefähr zwei Fingerbreit über meinem Kopf war eine harte Decke. Umdrehen ging nicht, Rückwärtskriechen ging nicht – also beschloss ich, vorwärtszukriechen in der Hoffnung, dass sich vor mir wieder ein Raum auftun würde, und bald rutschte ich Zentimeter für Zentimeter unter Schmerzen voran, niedergeschmettert und verzweifelt, den Kopf scharf zur Seite gedreht.

Mit ungefähr vier Jahren war ich in unserem alten Apartment in der Seventh Avenue mal halb in einem Wandbett eingeklemmt, was nach einem lustigen Dilemma klingt, aber eigentlich keins war: Ich glaube, ich wäre erstickt, wenn Alameda, unsere Haushälterin, meine gedämpften Schreie nicht gehört und mich herausgezogen hätte. Das Manövrieren in dieser luftlosen Höhle war irgendwie ähnlich, nur schlimmer, denn hier war Glas, heißes Metall, der Gestank von verbrannten Kleidern, und ab und zu drückte ich gegen etwas Weiches, über das ich nicht weiter nachdenken wollte. Schwer prasselte es von oben auf mich herab; meine Kehle füllte sich mit Staub, und ich hustete stark und geriet allmählich in Panik, als mir bewusst wurde, dass ich – wenn auch nur schemenhaft – die raue Oberfläche der geborstenen Steine um mich herum sehen konnte. Licht – ein kaum wahrnehmbarer, matter Schimmer – kroch zart von links heran, vielleicht zwei Handbreit über dem Boden.

Ich duckte mich tiefer, und unversehens schaute ich über den matten Terrazzo-Boden der nächsten Galerie. Ein ungeordneter Berg von – wie es aussah – Rettungsgeräten (Seile, Äxte, Stemmeisen, eine Sauerstoffflasche mit der Aufschrift FDNY) lag auf dem Boden.

»Hallo?«, rief ich – aber ohne auf eine Antwort zu warten, drückte ich mich an den Boden, um so schnell wie möglich durch die Öffnung zu robben.

Wäre ich ein paar Jahre älter oder ein paar Pfund schwerer gewesen, hätte ich vielleicht nicht hindurchgepasst. Auf halber Strecke blieb mein Beutel irgendwo hängen, und einen Moment lang dachte ich, ich müsste mich – Bild hin, Bild her – von ihm befreien wie eine Eidechse, die den Schwanz zurücklässt, aber als ich noch einmal daran zerrte, löste der Beutel sich, und Putzbröckchen regneten auf mich herab. Über mir war so etwas wie ein Balken, der anscheinend eine Menge Trümmer stützte, und als ich mich unter Verrenkungen darunter hindurchwand, wurde mir schwindlig vor Angst, er könnte wegrutschen und mich in zwei Teile zerhacken, aber dann sah ich, dass jemand ihn mit einer Art Wagenheber abgestützt hatte.

Als ich draußen war, rappelte ich mich auf, mit wackligen Knien und wie betäubt vor Erleichterung. »Hallo?«, rief ich noch einmal und fragte mich, warum hier so viele Gerätschaften lagen, aber kein Feuerwehrmann zu sehen war. Der Raum war halb dunkel, aber großenteils unbeschädigt. In der Luft hingen feine Rauchschleier, die dichter wurden, je höher sie stiegen, aber an den Scheinwerfern und Überwachungskameras, die verdreht zur Decke gerichtet waren, konnte man sehen, dass irgendeine gewaltige Kraft durch die Galerie gefahren war. Ich war so froh, wieder freie Fläche um mich zu haben, dass es einen Augenblick dauerte, bis mir klar wurde, wie merkwürdig es war, in einem Raum voller Menschen als Einziger aufrecht dazustehen. Alle außer mir lagen auf dem Boden.

Ich sah mindestens ein Dutzend Leute – nicht alle unversehrt. Sie sahen aus, als wären sie aus großer Höhe herabgestürzt. Drei oder vier Gestalten waren mit Feuerwehrjacken zugedeckt, aber ihre Füße ragten hervor. Andere waren deutlich sichtbar der Länge nach hingefallen, umgeben von explosionsförmigen Flecken. In den hingeklatschten Spritzern lag Gewalt wie in einem machtvoll blutigen Niesen, ein hysterisches Gefühl von Bewegung in der Stille. Besonders erinnere ich mich an eine Lady mittleren Alters in einer blutverschmierten Bluse, die mit Fabergé-Eiern gemustert war und wirklich aussah, als stammte sie aus dem Museumsshop. Ihre mit schwarzem Make-up umrandeten Augen schauten ausdruckslos zur Decke, und ihre Sonnenbräune war offensichtlich aufgesprüht, denn ihre Haut hatte einen gesunden, aprikosenfarbenen Glanz, obwohl ihre Schädeldecke verschwunden war.

Halbdunkle Ölfarben, stumpfe Vergoldung. Mit winzigen Schritten ging ich bis in die Mitte des Raumes, schwankend und ein bisschen aus dem Gleichgewicht. Ich hörte mich selbst rasselnd ein- und ausatmen; es klang seltsam flach und albtraumhaft leicht. Ich wollte nicht hinschauen und musste es doch. Ein schmächtiger Asiate, kläglich in seiner hellbraunen Windjacke, lag zusammengekrümmt in einer bauchigen Blutlache. Einem Museumswärter (die Uniform war noch am besten erkennbar, denn sein Gesicht war schwarz verbrannt) war der Arm auf den Rücken verrenkt, und wo das Bein hätte sein sollen, war nur ein bösartig versprühter Fleck.

Aber die Hauptsache, das Wichtigste: Keiner der hier liegenden Menschen war sie. Ich zwang mich, sie alle anzusehen, jeden Einzelnen, einen nach dem andern – und auch wenn ich mich nicht dazu durchringen konnte, ihre Gesichter anzuschauen, kannte ich doch die Füße meiner Mutter, ihre Kleidung, ihre zweifarbig schwarzweißen Schuhe –, und lange nachdem ich mich vergewissert hatte, zwang ich mich, inmitten von ihnen stehen zu bleiben, zusammengekauert wie eine kranke Taube, mit geschlossenen Augen.

In der nächsten Galerie: weitere Tote. Drei. Ein dicker Mann in einer traditionellen schottischen Weste. Eine alte Lady mit Mundgeschwüren. Ein milchweißes Entenküken von einem Mädchen mit einer roten Schürfwunde an der Schläfe, aber sonst praktisch unversehrt. Danach kamen keine mehr. Ich ging durch mehrere Räume voller Geräte (und Blutflecken auf den Böden), aber ohne Tote. Und als ich die weit abgelegen erscheinende Galerie betrat, in der sie gewesen, in die sie gegangen war, die Galerie mit der *Anatomiestunde* – ich schloss die Augen in meinem inständigen Wunsch –, standen da nur wieder die gleichen Tragen und Gerätschaften herum, und als ich den Raum in der seltsam schreienden Stille durchquerte, starrten mir nur wieder dieselben zwei Augenpaare entgegen, die der beiden verblüfften Holländer an der Wand: Was tust *du* denn hier?

Dann zerbrach etwas in mir. Ich weiß nicht einmal mehr, wie es passierte – ich war nur woanders und rannte, ich rannte durch Räume, die leer waren bis auf den Rauchnebel, der die ganze Pracht stofflos und unwirklich aussehen ließ. Vorher waren mir die Galerien ziemlich unkompliziert vorgekommen, eine mäandernde, aber logische Reihe, deren Nebenflüsse allesamt in den Museumsshop mündeten. Aber als ich jetzt schnell und in entgegengesetzter Richtung hindurchlief, erkannte ich, dass der Weg keineswegs folgerichtig war: Immer wieder lief ich gegen kahle Wände oder kam in Räume, die keinen anderen Ausgang hatten. Türen und Eingänge waren da, wo ich sie nicht erwartete, freistehende Sockel ragten aus dem Nichts herauf. Einmal bog ich zu scharf um eine Ecke und wäre beinahe geradewegs in eine Bande von Frans-Hals-Gardeoffizieren gelaufen: große, grobe, rotgesichtige Kerle, verquollen von zu viel Bier, wie New Yorker Cops auf einer Kostümparty. Kalt starrten sie mich an, ihr Blick hart und amüsiert, während ich mich wieder fasste, zurückwich und weiterrannte.

Selbst an guten Tagen verlor ich im Museum manchmal die Orientierung (ich wanderte ziellos in die Räume der Ozeanischen Kunst mit Totempfählen und Einbaumkanus), und dann musste ich einen Wärter nach dem Weg zum Ausgang fragen. Die Gemäldegalerien waren besonders verwirrend, weil sie so oft neu gehängt wurden, und als ich im gespenstischen Zwielicht durch die leeren Korridore rannte, wurde meine Angst immer größer. Ich hatte geglaubt, den Weg zur Haupttreppe zu kennen, aber kurz nachdem ich die Galerien der Sonderausstellung verlassen hatte, sah alles unbekannt aus; nachdem ich eine oder zwei Minuten lang mit Schwindel im Kopf um Ecken gelaufen war, die mir nicht vertraut vorkamen, wurde mir klar, dass ich mich gründlich verlaufen hatte. Irgendwie war ich geradewegs durch die italienischen Meisterwerke gelaufen (gekreuzigte Christusgestalten, staunende Heilige, Schlangen und kämpfende Engel) und im England des 18. Jahrhunderts gelandet, in einem Teil des Museums, in dem ich erst selten gewesen war und den ich gar nicht kannte. Lange, elegante Blickachsen erstreckten sich vor mir, labyrinthische Gänge mit der Atmosphäre einer Spukvilla, perückentragende Lords und kühle Gainsborough-Schönheiten, die hochmütig auf meine Not herabstarrten. Die feudalen Ausblicke trieben mich zur Raserei, denn sie führten offenbar weder zur Treppe noch zu einem der Hauptkorridore, sondern immer nur zu weiteren Galerien von feudaler Pracht wie die vorigen, und ich war den Tränen nahe, als ich plötzlich eine unauffällige Tür in einer Seitenwand entdeckte.

Man musste zweimal hinschauen, um sie zu sehen, diese Tür. Sie war in der gleichen Farbe gestrichen wie die Wand, eine Tür, die aussah, als würde sie unter normalen Umständen stets verschlossen gehalten. Sie fiel mir überhaupt nur deshalb auf, weil sie am linken Rand nicht vollständig und bündig mit der Wand abschloss – jemand hatte sie nicht richtig zugezogen, oder das Schloss hatte wegen des Stromausfalls nicht richtig funktioniert, ich wusste es nicht. Trotzdem war es nicht leicht, sie zu öffnen; sie war schwer und aus Stahl, und ich musste mit aller Kraft daran ziehen. Plötzlich bewegte sie sich mit einem pneumatischen Seufzen, so kapriziös, dass ich fast das Gleichgewicht verlor.

Ich zwängte mich hindurch und gelangte in einen dunklen Büroflur mit einer sehr viel niedrigeren Decke. Die Notbeleuchtung war viel schwächer als in den Ausstellungsräumen, und meine Augen brauchten ein Weilchen, um sich daran zu gewöhnen.

Der Flur schien sich meilenweit vor mir zu erstrecken. Ängstlich schlich ich mich voran und spähte in Büros, deren Türen zufällig offen standen. *Cameron Geisler, Archivar. Miyako Fujita, Archivassistentin.* Schubladen standen offen, Schreibtischstühle waren zurückgeschoben. In der Tür eines Büros lag ein hochhackiger Damenschuh auf der Seite.

Die Atmosphäre der Verlassenheit war unsagbar gespenstisch. Mir war, als hörte ich in weiter Ferne Polizeisirenen, vielleicht sogar Walkie-Talkies und Hunde, aber meine Ohren klangen von der Explosion so laut, dass ich es mir vielleicht auch nur einbildete. Es beunruhigte mich jetzt immer mehr, dass ich keine Feuerwehrleute gesehen hatte, keine Polizei, keine Wärter – genau genommen überhaupt keine lebende Menschenseele.

In den Diensträumen war es nicht dunkel genug für die kleine Taschenlampe, aber es war nicht annähernd hell genug, um gut zu sehen. Ich befand mich in einer Art Akten- oder Lagerbereich; die Büros waren vom Boden bis zur Decke mit Regalen gesäumt, und auf Borden aus Metall standen Postkörbe aus Plastik und Pappkartons. In dem schmalen Korridor fühlte ich mich nervös und eingeengt, und das Echo meiner eigenen Schritte klang so verrückt, dass ich ein oder zwei Mal stehen blieb und mich umdrehte, um zu sehen, ob mir jemand folgte.

»Hallo?«, fragte ich zögernd und warf einen Blick in einige der Zimmer, an denen ich vorbeikam. Manche Büros waren modern und sparsam eingerichtet, andere waren vollgestopft und sahen schmutzig aus mit ihren unordentlichen Papier- und Bücherstapeln.

Florens Kauner, Abteilung für Musikinstrumente. Maurice Orabi-Roussel, Islamische Kunst. Vittoria Gabetti, Textilien. Ich kam an einem höhlenartigen dunklen Raum mit einem langen Arbeitstisch vorbei, auf dem nicht zusammenpassende Stoffstücke ausgebreitet lagen wie die Teile eines Puzzles. Am hinteren Ende des Raums stand ein Gewirr von rollenden Kleiderständern, an denen unzählige Kleidersäcke aus Plastik hingen; sie sahen aus wie die Ständer neben den Warenaufzügen bei Henri Bendel oder Bergdorf Goodman.

Der Korridor teilte sich T-förmig, und ich schaute hin und her und wusste nicht, welchen Weg ich nehmen sollte. Ich roch Bohnerwachs, Terpentin und Chemikalien, einen scharfen Hauch von Rauch. Büros und Werkstätten reihten sich in allen Richtungen ins Endlose: ein geschlossenes geometrisches Netz, starr und eigenschaftslos.

Links flackerte eine Deckenlampe. Sie brummte und stotterte in knisternden Zuckungen, und in ihrem bebenden Schein sah ich einen Trinkbrunnen weiter hinten im Gang.

Ich rannte darauf zu – so schnell, dass meine Füße beinahe unter mir wegrutschten –, presste den Mund an die Düse und schluckte so schnell so viel eiskaltes Wasser herunter, dass sich ein stechender Schmerz in meine Schläfe bohrte und ich einen Schluckauf bekam. Ich wusch mir das Blut von den Händen, spritzte mir Wasser in die wunden Augen, hielt den Kopf in den Strahl. Winzige Glassplitter –

fast unsichtbar – fielen klingelnd in das Becken und lagen glitzernd auf dem Stahl wie Nadeln aus Eis.

Ich lehnte mich an die Wand. Von den Leuchtstoffröhren an der Decke – flimmernd und spuckend, an und aus – wurde mir flau. Mit Mühe richtete ich mich wieder auf und ging weiter, ein bisschen wacklig in dem instabilen Flirren. In dieser Richtung sah es entschieden industriell aus: Holzpaletten, ein flacher Schubkarren – man spürte, dass hier Dinge in Kisten bewegt und gelagert wurden. Wieder kam ich an einer Einmündung vorbei, wo der glatte Boden eines unbeleuchteten Flurs im Dunkel verschwand. Ich wollte eben daran vorbei- und weitergehen, als ich am Ende des Ganges ein rotes Leuchten sah: EXIT.

Ich stolperte, fiel über meine eigenen Füße, rappelte mich wieder hoch, und noch immer hatte ich einen Schluckauf, als ich den endlosen Gang hinunterrannte. Ganz hinten sah ich eine Tür mit einer Querstange aus Stahl, die aussah wie die Sicherheitstüren in der Schule.

Begleitet von einem Geräusch wie Hundekläffen ließ sie sich öffnen. Ich rannte eine dunkle Treppe hinunter, zwölf Stufen, eine Kehre auf dem Absatz, noch einmal zwölf Stufen bis unten. Meine Fingerspitzen glitten über das Eisengeländer, meine Schuhe klapperten, und das Echo war so wild, als wäre ein halbes Dutzend Leute mit mir auf der Treppe. Unten war ein weiterer Anstaltskorridor mit einer Sicherheitstür am Ende. Ich warf mich dagegen, drückte sie mit beiden Händen auf – und kalter Regen und ohrenbetäubendes Sirenengeheul prallten mir entgegen wie ein harter Schlag ins Gesicht.

Ich glaube, ich habe laut geschrien, weil ich so froh war, draußen zu sein, aber in dem Lärm konnte mich niemand hören: Genauso gut hätte ich versuchen können, die Düsentriebwerke auf dem Rollfeld von La Guardia in einem Gewitter zu übertönen. Es klang, als wäre jedes Feuerwehrauto, jeder Polizeiwagen, jeder Krankenwagen und jedes Rettungsfahrzeug aus fünf Stadtteilen plus Jersey heulend und klingelnd auf der Fifth Avenue unterwegs, ein rauschhaft fröhlicher Lärm wie das Silvesterfeuerwerk und Weihnachten und der 4. Juli zusammen.

Die Tür hatte mich in den Central Park hinausgespuckt; es war ein verlassener Nebenausgang zwischen Laderampe und Tiefgarage. Fußwege lagen leer in graugrüner Ferne, Baumwipfel stürzten sich weiß herab und wogten schäumend im Wind. Die regennasse Fifth Avenue dahinter war abgesperrt. Durch den Wolkenbruch konnte ich da, wo ich stand, das großmächtige, grelle Bombardement der Aktivität gerade noch sehen: Kräne und schweres Gerät, Polizisten, die die Zuschauer zurückhielten, rote Lichter, gelbe und blaue Lichter, Signalfackeln, rhythmisch wirbelnd und blitzend in quecksilbernem Durcheinander.

Ich hob den Ellenbogen, um den Regen von meinem Gesicht abzuhalten, und rannte los, durch den verlassenen Park. Der Regen wehte mir in die Augen und tropfte mir von der Stirn, und die Lichter auf der Avenue schmolzen darin zu einem verschwommenen Pulsieren in der Ferne.

NYPD, FDNY, parkende Vans der Stadtverwaltung mit laufenden Scheibenwischern: K-9, Rettungsbataillon, Kampfmittelräumdienst. Schwarze Regenmäntel blähten sich und flatterten im Wind. Ein Streifen gelbes Absperrband spannte sich quer über die Parkausfahrt am Miners' Gate. Ohne zu zögern, hob ich es hoch, duckte mich darunter hindurch und rannte hinaus, mitten in die Menge.

In all dem Chaos bemerkte mich niemand. Ein paar Augenblicke lang rannte ich sinnlos hin und her, und der Regen prasselte mir ins Gesicht. Wohin ich auch schaute, überall flogen Bilder meiner eigenen Panik vorbei. Menschen strömten und wogten blindlings um mich herum: Cops, Feuerwehrleute, Männer mit Schutzhelmen, ein älterer Mann, der seinen gebrochenen Ellenbogen umfasst hielt, und eine Frau mit blutender Nase, die von einem abgelenkten Polizisten in Richtung 79th Street gescheucht wurden.

Noch nie hatte ich so viele Feuerwehrautos an einem Ort versammelt gesehen: Squad 18, Fighting 44, New York Ladder 7, Rescue One, 4 Truck: Pride of Midtown. Ich kämpfte mich durch das

Meer von parkenden Fahrzeugen und offiziellen schwarzen Regenmänteln und entdeckte einen Hatzolah-Krankenwagen: hebräische Schriftzeichen am Heck, ein kleines beleuchtetes Krankenhauszimmer hinter den offenen Türen. Sanitäter beugten sich über eine Frau und versuchten, sie festzuhalten, während sie sich immer wieder aufrichten wollte. Eine runzlige Hand mit roten Fingernägeln krallte sich in die Luft.

Ich trommelte mit der Faust an die Wagentür. »Sie müssen noch mal reingehen«, schrie ich. »Da sind noch Leute drin …«

»Es gibt noch eine Bombe«, schrie der Sanitäter, ohne mich anzusehen. »Wir mussten evakuieren.«

Bevor ich Zeit hatte, das zu verarbeiten, kam ein riesenhafter Cop auf mich herab wie ein Donnerschlag: ein dickschädeliger, bulldoggenhafter Kerl mit aufgepumpten Gewichtheberarmen. Er packte mich grob am Oberarm und fing an, mich auf die andere Straßenseite hinüberzuzerren und zu -schieben.

»Verdammt, was suchst du hier drüben?«, brüllte er und übertönte meine Proteste, während ich versuchte, mich loszureißen.

»Sir«, eine Frau mit blutigem Gesicht kam heran und versuchte, seine Aufmerksamkeit auf sich zu lenken, »Sir, ich glaube, meine Hand ist gebrochen …«

»Weg von dem Gebäude!«, schrie er sie an, stieß ihren Arm weg und wandte sich wieder mir zu. »Hau ab!«

»Aber …«

Mit beiden Händen gab er mir einen so heftigen Stoß, dass ich taumelte und beinahe hingefallen wäre. »WEG VON DEM GEBÄUDE!«, brüllte er und riss die Arme hoch, dass sein Regenmantel flatterte. »SOFORT!« Er sah mich nicht einmal an; seine kleinen Bärenaugen waren fest über meinen Kopf hinweg auf etwas gerichtet, das weiter oben an der Straße vor sich ging, und sein Gesichtsausdruck jagte mir einen Schrecken ein.

Hastig drängte ich mich durch die Scharen der Rettungshelfer zum Gehweg gegenüber, knapp oberhalb der 79th Street, und hielt Ausschau nach meiner Mutter, aber ich sah sie nirgends. Zahllose

Krankentransporter und Notarztwagen: Beth Israel Emergency, Lenox Hill, NY Presbyterian, Cabrini EMS Paramedic. Ein blutüberströmter Mann im Anzug lag flach auf dem Rücken hinter einer zierlichen Eibenhecke in dem winzigen, umzäunten Vorgarten einer Fifth-Avenue-Villa. Ein gelbes Absperrband war dort gespannt und flatterte und knatterte im Wind – aber die vom Regen triefenden Polizisten und Feuerwehrleute und Männer mit Schutzhelmen hoben es hoch und duckten sich darunter hin und her, als wäre es gar nicht da.

Alle Blicke waren in Richtung Uptown gerichtet, und erst später sollte ich erfahren, warum: In der 84th Street (so weit weg, dass ich es nicht sehen konnte) waren Spezialisten vom Kampfmittelräumdienst dabei, eine nicht detonierte Bombe »unschädlich zu machen«, indem sie sie mit einem Wasserwerfer beschossen. Darauf erpicht, mit jemandem zu reden, versuchte ich mich zu einem Feuerwehrwagen durchzukämpfen, aber Polizisten stürmten durch die Menge, schwenkten die Arme, klatschten in die Hände und trieben die Leute zurück.

Ich bekam den Ärmel eines Feuerwehrmannes zu fassen – eines jungen, gummikauenden, freundlich aussehenden Mannes. »Da ist noch jemand drin!«, schrie ich.

»Ja, ja, das wissen wir«, schrie der Feuerwehrmann, ohne mich anzusehen. »Sie haben uns rausgeschickt. Fünf Minuten, haben sie gesagt, dann lassen sie uns wieder rein.«

Ich bekam einen kurzen Schlag an den Rücken. »Los, los!«, hörte ich jemanden schreien.

Eine raue Stimme mit starkem Akzent: »Hände weg von mir!«

»LOS! Alles weg hier!«

Noch jemand gab mir von hinten einen Stoß. Feuerwehrleute beugten sich von den Leiterwagen herunter und spähten hinauf zum Tempel von Dendur. Cops standen angespannt Schulter an Schulter, unempfindlich gegen den Regen. Als ich, vom Menschenstrom mitgerissen, an ihnen vorbeistolperte, sah ich glasige Augen, nickende Köpfe, Füße, die unbewusst den Takt des Countdowns schlugen.

Beim Knall der unschädlich gemachten Bombe und dem heiseren Jubel wie aus einem Stadion, der sich über der Fifth Avenue erhob, war ich schon ein gutes Stück in Richtung Madison Avenue getrieben worden. Polizisten – Verkehrspolizisten – ruderten wie Windmühlen mit den Armen und drängten den Strom der verdatterten Menschen zurück. »Los, Leute, bewegt euch, bewegt euch.« Sie pflügten sich händeklatschend durch die Menge. »Alles nach Osten, alles nach Osten.« Ein Cop – ein großer Kerl, der mit seinem Ziegenbärtchen und einem Ohrring aussah wie ein professioneller Wrestler – holte aus und schubste einen Pizzaboten, der mit seinem Handy ein Foto machen wollte, sodass er gegen mich stolperte und mich beinahe umgeworfen hätte.

»Pass doch auf!«, schrie der Bote mit hoher, hässlicher Stimme, und der Cop stieß ihn noch einmal, diesmal so hart, dass er auf dem Rücken in der Gosse landete.

»Bist du taub oder was, Mann?«, schrie der Cop. »Mach, dass du weiterkommst!«

»Fassen Sie mich nicht an!«

»Wie wär's, wenn ich dir den Schädel einschlage?«

Die Gegend zwischen Fifth und Madison war das reinste Irrenhaus. Hubschrauber knatterten am Himmel, undeutlich schrie jemand durch ein Megaphon. Die 79th Street war zwar für den Verkehr gesperrt, aber sie war verstopft von Streifenwagen, Feuerwehrfahrzeugen, Betonbarrikaden und Scharen von schreienden, panischen, triefnassen Menschen. Manche flüchteten von der Fifth Avenue, andere versuchten sich gewaltsam zum Museum zurück durchzukämpfen, viele hielten ihre Telefone hoch und wollten Fotos machen, und andere standen bewegungslos mit offenem Mund da, während die Menge sich um sie herumdrängte, und starrten hinauf zu dem schwarzen Rauch im regnerischen Himmel über der Fifth Avenue, als landeten gerade die Marsmenschen.

Sirenen. Weiße Rauchwolken, die aus den Luftschächten der U-Bahn quollen. Ein Obdachloser, gehüllt in eine schmutzige Wolldecke, wanderte hin und her, eifrig und verwirrt zugleich. Ich sah mich hoffnungsvoll im Gedränge nach meiner Mutter um und rechnete jeden Augenblick damit, sie zu sehen. Eine kurze Zeit lang versuchte ich, stromaufwärts gegen die von den Polizisten vorangetriebene Menge zu schwimmen (erhob mich auf die Zehenspitzen und reckte den Hals, um etwas zu sehen), bis ich begriff, dass es hoffnungslos war, sie dort oben im strömenden Regen mitten in der Meute zu suchen. *Bestimmt ist sie zu Hause,* dachte ich. Zu Hause war der vereinbarte Treffpunkt, zu Hause, das war die Absprache für den Notfall, und sie musste ja auch begriffen haben, wie sinnlos es war, in diesem Gedränge nach mir zu suchen. Trotzdem versetzte mir diese kleinliche, irrationale Enttäuschung einen Stich – und als ich mich auf den Heimweg machte (hämmernde Kopfschmerzen ließen mich alles doppelt sehen), blickte ich mich weiter nach ihr um, immer in der Hoffnung, sie zwischen den anonymen, konzentrierten Gesichtern zu entdecken. Sie hatte es nach draußen geschafft, das war das Entscheidende. Sie war mehrere Räume weit vom schlimmsten Bereich der Explosion entfernt und nicht unter den Leichen gewesen. Aber was immer wir vorher verabredet hatten, so einleuchtend es auch sein mochte, irgendwie konnte ich doch nicht glauben, dass sie das Museum ohne mich verlassen hätte.

KAPITEL 2

Die Anatomiestunde

I

Als Kind, mit vier oder fünf Jahren, war meine größte Angst die, dass meine Mutter von der Arbeit nicht nach Hause kommen könnte. Addition und Subtraktion waren hauptsächlich insofern nützlich, als sie mir halfen, sie auf ihren Wegen zu verfolgen (wie viele Minuten, bis sie das Büro verließ? Wie viele Minuten für den Weg vom Büro zur U-Bahn?), und schon bevor ich zählen gelernt hatte, war ich davon besessen, die Uhr lesen zu lernen: Verzweifelt studierte ich den okkulten, mit Buntstiften auf den Pappteller gemalten Kreis, der mir, wenn ich ihn erst gemeistert hätte, das Muster ihres Kommens und Gehens erschließen würde. Meistens kam sie genau so nach Hause, wie sie es angekündigt hatte. Wenn sie sich um zehn Minuten verspätete, wurde ich bereits unruhig; kam sie noch später, saß ich auf dem Boden vor der Wohnungstür wie ein kleiner Hund, der zu lange allein gelassen worden war, und spitzte die Ohren, um das Rumpeln des Aufzugs zu hören, wenn er zu unserem Stockwerk heraufkam.

Als ich auf der Grundschule war, hörte ich in den Nachrichten auf Channel 7 fast jeden Tag Dinge, die mir Sorgen bereiteten. Was, wenn irgendein Penner in einer schmutzigen Armeejacke meine Mutter auf die Gleise schubste, während sie auf die U-Bahn-Linie 6 wartete? Oder sie in einen dunklen Hauseingang drängte und erstach, um ihr die Handtasche zu klauen? Oder wenn sie ihren Föhn in die Badewanne fallen ließ oder von einem Radfahrer vor ein Auto gestoßen wurde oder beim Zahnarzt eine falsche Medizin bekam und starb, wie es der Mutter eines Klassenkameraden passiert war?

Der Gedanke daran, dass meiner Mutter etwas zustoßen könnte, war besonders beängstigend, weil mein Dad so unzuverlässig war. *Unzuverlässig* ist vermutlich eine diplomatische Beschreibung. Selbst wenn er guter Stimmung war, kam es vor, dass er beispielsweise seinen Gehaltsscheck verlor oder bei offener Wohnungstür einschlief, denn er trank. Und wenn er schlecht gestimmt war – was oft vorkam –, hatte er rote Augen und sah verschwitzt aus. Sein Anzug war so zerknautscht, dass man glauben konnte, er habe sich damit auf dem Boden herumgewälzt, und eine unnatürliche Stille ging von ihm aus, wie von einem unter Druck stehenden Gegenstand, der gleich explodieren wird.

Ich verstand zwar nicht, warum er so unglücklich war, aber mir war klar, dass wir an seinem Unglück schuld waren. Meine Mutter und ich gingen ihm auf die Nerven. Unseretwegen hatte er einen Job, den er nicht ausstehen konnte. Alles, was wir taten, ärgerte ihn. Speziell mit mir war er nicht gern zusammen – nicht, dass dies oft der Fall gewesen wäre. Morgens, wenn ich mich für die Schule fertig machte, saß er mit verquollenen Augen stumm vor seinem Kaffee und hatte das *Wall Street Journal* vor sich; sein Bademantel war offen, sein Haar stand in Wirbeln vom Kopf ab, und manchmal war er so zittrig, dass der Kaffee aus der Tasse schwappte, wenn er sie an den Mund hob. Wachsam beäugte er mich, wenn ich hereinkam, und seine Nasenflügel blähten sich, wenn ich mit dem Besteck oder meiner Müslischale zu viel Lärm machte.

Von diesem Unbehagen einmal am Tag mal abgesehen sah ich nicht viel von ihm. Er aß nicht mit uns und kam nicht mit zu Schulveranstaltungen. Er spielte nicht mit mir und sprach auch kaum mit mir, wenn er zu Hause war; genau genommen war er überhaupt selten zu Hause, bevor es Schlafenszeit für mich war, und an manchen Tagen – an Zahltagen vor allem, also jeden zweiten Freitag – kam er erst um drei oder vier Uhr morgens hereingepoltert. Dann schlug er die Tür zu, ließ seine Aktentasche fallen und rumpelte und lärmte so unberechenbar herum, dass ich manchmal entsetzt aus dem Schlaf hochschrak, zu den im Dunkeln leuchtenden Planetariumssternen an meiner Zimmerdecke hinaufstarrte und mich fragte, ob ein Mörder in die Wohnung eingedrungen war. Zum Glück verlangsamten seine Schritte sich, wenn er betrunken war, zu einem langsamen, stampfenden Rhythmus – so bewegte sich Frankensteins Ungeheuer, dachte ich immer: bedächtig trapsend und mit absurd langen Pausen zwischen den Schritten –, und sobald mir klar wurde, dass nur er es war, der da draußen im Dunkeln umherpolterte, und nicht irgendein Serienmörder oder Psychopath, versank ich wieder in unruhigen Halbschlaf. Am Tag darauf, am Samstag, brachten meine Mutter und ich es dann irgendwie zuwege, die Wohnung zu verlassen, bevor er aus seinem schweißnassen, wirren Schlaf auf dem Sofa erwachte. Sonst schlichen wir den ganzen Tag herum und wagten nicht, eine Tür zu laut zu schließen oder ihn auf andere Weise zu stören, wenn er mit versteinertem Gesicht vor dem Fernseher saß, ein chinesisches Bier vom Take-away vor sich und einen glasigen Ausdruck im Blick, und bei abgeschaltetem Ton die Nachrichten oder eine Sportsendung sah.

Infolgedessen waren meine Mutter und ich nicht allzu sehr beunruhigt gewesen, als wir eines Samstags morgens aufwachten und feststellten, dass er gar nicht nach Hause gekommen war. Erst am Sonntag fingen wir an, uns Gedanken zu machen, aber selbst da gerieten wir noch nicht in Sorge, wie es einem normalerweise gehen würde; die College-Football-Saison hatte begonnen, und sehr wahrscheinlich hatte er Geld auf eins der Spiele gesetzt. Wir gingen davon aus, dass er den Bus nach Atlantic City genommen hatte, ohne uns etwas zu sagen. Erst einen Tag später, als seine Sekretärin Loretta anrief, weil er nicht im Büro erschienen war, sah es allmählich so aus, als wäre da etwas nicht in Ordnung. Meine Mutter befürchtete, er wäre ausgeraubt oder umgebracht worden, als er betrunken aus einer Bar kam, und rief die Polizei an, und ein paar Tage voller Anspannung verbrachten wir damit, auf einen Anruf oder ein Klopfen an der Tür zu warten. Gegen Ende der Woche kam dann eine knappe Mitteilung von meinem Dad (abgestempelt in Newark, New Jersey), in der er uns mit nervöser Krakelschrift informierte, er werde an einem ungenannten Ort »ein neues Leben anfangen«. Ich weiß noch, dass ich über die Formulierung »neues Leben« so nachdachte, als könnte sie tatsächlich einen Hinweis auf seinen Aufenthaltsort enthalten, denn nachdem ich meine Mutter ungefähr eine Woche lang genervt und gelöchert hatte, war sie schließlich bereit gewesen, mir den Brief zu zeigen (»na schön«, sagte sie resigniert, während sie die Schreibtischschublade öffnete und den Brief herausnahm, »ich weiß auch nicht, was ich dir seiner Meinung nach erzählen soll; also kannst du es auch ruhig von ihm selbst erfahren«). Das Hotel-Briefpapier stammte aus einem Doubletree Inn in der Nähe des Flughafens. Ich hatte wertvolle Hinweise erwartet, aber stattdessen war ich nur verblüfft über die extreme Kürze (vier oder fünf Zeilen) und die hastige, achtlose »Geht zum Teufel«-Kritzelei, die aussah wie auf einem Einkaufszettel.

In vieler Hinsicht war es eine Erleichterung, meinen Vater los zu sein. Ich vermisste ihn jedenfalls nicht besonders, und meine Mutter tat es anscheinend auch nicht, obwohl es traurig war, als sie unsere Haushälterin Cinzia entlassen musste, weil wir sie uns nicht mehr leisten konnten. (Cinzia hatte geweint und angeboten, kostenlos bei uns zu bleiben und zu arbeiten, aber meine Mutter hatte bei einem Ehepaar mit einem Baby in unserem Haus einen Teilzeitjob für sie gefunden, und ungefähr einmal in der Woche kam sie zu meiner Mutter und trank eine Tasse Kaffee mit ihr, immer noch in dem Kittel, den sie beim Putzen über ihrer Kleidung trug.) Ohne viel Trara wurde das Foto eines jüngeren, sonnengebräunten Dad beim Skilaufen von der Wand genommen und durch ein Bild von meiner Mutter und mir beim Eislaufen im Central Park ersetzt. Abends saß meine Mutter lange mit dem Taschenrechner am Tisch und ging die Rechnungen durch. Die Wohnung unterlag zwar der Mietpreisregulierung, aber ohne das Gehalt meines Dads zurechtzukommen war von Monat zu Monat immer wieder ein Abenteuer, denn wie das neue Leben, das er sich anderswo geschaffen hatte, auch immer aussehen mochte, Unterhaltszahlungen gehörten nicht dazu. Im Grunde waren wir aber ganz zufrieden damit, unsere Wäsche unten im Keller selbst zu waschen, in die Vormittagsvorstellung zu gehen, statt uns die Filme abends zum vollen Preis anzusehen, Backwaren vom Vortag und billige Gerichte aus dem chinesischen Take-away zu essen (Nudeln und Fu-Yung-Omelette) und unser Münzgeld für den Bus zusammenzukratzen. Aber als ich an dem Tag vom Museum nach Hause stapfte – frierend, nass und mit Kopfschmerzen, von denen mir die Zähne knirschten –, wurde mir bewusst, dass es nach dem Verschwinden meines Dads niemanden mehr auf der Welt gab, der sich große Sorgen um meine Mutter oder mich machen würde. Niemand saß irgendwo herum und fragte sich, wo wir den ganzen Vormittag steckten und warum man noch nichts von uns gehört hatte. Wo immer er sein mochte, da in seinem neuen Leben (in den Tropen oder in der Prärie, in einem winzigen Skiort oder in einer bedeutenden amerikanischen Stadt), er würde auf jeden Fall wie gebannt vor dem Fernseher hocken, und es war leicht vorstellbar, dass er sogar ein bisschen hektisch und aufgedreht zusah, wie er es manchmal bei bedeutenden Nachrichten tat, die absolut nichts mit ihm zu tun hatten, bei Hurrikans und Brückeneinstürzen in weit entfernten Staaten. Aber würde er so stark beunruhigt sein, dass er anrief und sich nach uns erkundigte? Wahrscheinlich nicht – ebenso wenig, wie er in seiner alten Firma anrufen würde, um zu hören, was los war, auch wenn er jetzt ganz sicher an seine Exkollegen in Midtown dachte und sich fragte, wie es all den Erbsenzählern und Bleistiftschubsern (wie er sie immer genannt hatte) in 101 Park Avenue jetzt wohl gehen mochte. Bekamen die Sekretärinnen Angst, sammelten sie die Bilder von ihren Schreibtischen ein, zogen ihre flachen Schuhe an und gingen nach Hause? Oder entwickelte sich so etwas wie eine gedämpfte Party im 14. Stock, wo die Leute sich Sandwiches bringen ließen und sich vor dem Fernseher im Konferenzzimmer versammelten?

Der Heimweg dauerte ewig, aber ich erinnere mich an wenig außer an eine gewisse graue, kalte, regenverhangene Stimmung auf der Madison Avenue – dümpelnde Schirme, auf dem Gehweg der schweigende Strom der Menschen in Richtung Downtown, das Gefühl einer dicht zusammengedrängten Anonymität wie auf alten Schwarzweißfotos von Bankenzusammenbrüchen und hungrigen Menschenschlangen aus den 1930er Jahren, die ich gesehen hatte.

Meine Kopfschmerzen und der Regen schnürten die Welt zu einem so engen, kranken Kreis zusammen, dass ich kaum mehr sah als die gekrümmten Rücken der Leute vor mir auf dem Gehweg. Ja, mein Kopf tat so weh, dass ich kaum sehen konnte, wohin ich ging, und zweimal wurde ich fast von einem Auto angefahren, als ich auf den Fußgängerüberweg hinaustrat, ohne auf die Ampel zu achten. Niemand schien genau zu wissen, was passiert war, aber ich hörte, wie aus dem Radio eines parkenden Taxis das Wort »Nordkorea« plärrte und wie zwei Passanten »Iran« und »al-Qaida« murmelten. Ein dürrer Schwarzer mit Dreadlocks – nass bis auf die Knochen – marschierte vor dem Whitney Museum auf und ab, stieß die Fäuste in die Luft und schrie, ohne sich speziell an jemanden zu wenden: »Schnall dich an, Manhattan! Osama bin Laden rockt uns *wieder*!«

Ich fühlte mich schwach und hätte mich gern hingesetzt, aber irgendwie humpelte ich weiter mit abgehackten Schritten wie ein ramponiertes Spielzeug. Polizisten gestikulierten, sie pfiffen und winkten. Wasser rann mir von der Nase. Immer wieder, während ich mir den Regen aus den Augen blinzelte, ging mir der Gedanke durch den Kopf: Ich musste nach Hause zu meiner Mutter, so schnell es ging. Sie würde aufgeregt in der Wohnung auf mich warten, sie würde sich die Haare raufen vor lauter Sorgen und sich verfluchen, weil sie mir das Handy weggenommen hatte. Alle hatten Probleme mit dem Empfang, und an den wenigen Münztelefonen an der Straße standen überall zehn, zwanzig Leute Schlange. *Mutter*, dachte ich, *Mutter*, und ich versuchte, ihr die telepathische Nachricht zu schicken, dass ich noch lebte. Sie sollte wissen, dass es mir gut ging, aber ich erinnere mich, dass ich mir gleichzeitig sagte, es sei völlig in Ordnung, langsam zu gehen, statt zu rennen: Ich wollte auf dem Heimweg nicht ohnmächtig werden. Was für ein Glück, dass sie nur ein paar Augenblicke vorher weggegangen war. Sie hatte mich geradewegs ins Zentrum der Explosion geschickt, und jetzt glaubte sie sicher, ich sei tot.

Und bei dem Gedanken an das Mädchen, das mir das Leben gerettet hatte, brannten mir die Augen. Pippa! Ein merkwürdig trockener Name für einen rostfarbenen, durchtriebenen kleinen Rotschopf. Er passte zu ihr. Immer wenn ich daran dachte, wie sie ihre Augen auf mich gerichtet hatte, wurde mir schwindlig bei der Vorstellung, dass sie – eine Wildfremde – mich davor bewahrt hatte, aus der Ausstellung in den schwarzen Blitz des Postkartenshops zu gehen: *Nada,* das Ende von allem. Würde ich ihr je sagen können, dass sie mir das Leben gerettet hatte? Was den alten Mann anging: Die Feuerwehr und die Rettungshelfer waren wenige Minuten, nachdem ich herausgekommen war, in das Gebäude gestürmt, und ich hoffte immer noch, dass jemand es geschafft hatte, zu ihm nach hinten zu kommen und ihn zu retten. Die Tür war hochgestemmt, und sie wussten, dass er da war. Ob es ihm gut ging? Ob ich einen von den beiden je wiedersehen würde?

Als ich endlich am Haus ankam, war ich bis auf die Knochen durchgefroren und taumelte wie ein angeschlagener Boxer. Das Wasser tropfte von meinen nassen Sachen und schlängelte sich in einer gewundenen Spur hinter mir auf dem Boden des Hausflurs.

Nach den Menschenmassen auf der Straße war die Atmosphäre der Verlassenheit verstörend. Obwohl im Postzimmer der tragbare Fernseher lief und ich irgendwo im Gebäude knisternde Walkie-Talkies hören konnte, war doch von Goldie oder Carlos oder José oder sonst einem der normalerweise anwesenden Jungs nichts zu sehen.

Weiter hinten leuchtete der Kasten des Aufzugs leer und abwartend wie ein Bühnenschrank in einer Zaubernummer. Das Getriebe rastete erbebend ein, und nacheinander glitten die perlglänzenden alten Art-déco-Ziffern vorüber, als es ächzend in den siebten Stock hinaufging. Als ich in meinen eigenen, tristen Flur hinaustrat, war ich von Erleichterung überwältigt – die mausbraune Wandfarbe, der stickige Geruch von Teppichreiniger, das alles war da.

Der Schlüssel drehte sich geräuschvoll im Schloss. »Hallo?«, rief ich und trat ins Halbdunkel der Wohnung. Die Jalousien waren geschlossen, und alles war still.

In der Stille brummte der Kühlschrank. *O Gott,* dachte ich, und ein schrecklicher Ruck durchfuhr mich, *ist sie noch nicht zu Hause?*

»Mutter?«, rief ich noch einmal. Mir wurde rasch bang ums Herz, und ich ging schnell durch die Diele und blieb verwirrt mitten im Wohnzimmer stehen.

Ihr Schlüssel hing nicht am Haken neben der Tür, ihre Tasche lag nicht auf dem Tisch. Meine nassen Turnschuhe schmatzten in der Stille, als ich weiter in die Küche ging – keine besondere Küche, nur eine Kochnische mit einem zweiflammigen Herd und einem Fenster zum Lichtschacht. Da stand ihre Kaffeetasse, grünes Glas vom Flohmarkt mit Lippenstift am Rand.

Ich starrte die ungespülte Tasse mit einem Fingerbreit kaltem Kaffee an und überlegte, was ich tun sollte. In meinen Ohren klang und rauschte es, und mein Kopf tat so weh, dass ich kaum denken konnte. Schwarze Wellen rollten an den Rand meines Gesichtsfelds. Ich war so darauf fixiert gewesen, wie viele Sorgen sie sich machen würde und dass ich rasch nach Hause gehen musste, um ihr zu sagen, bei mir sei alles in Ordnung, dass mir nie in den Sinn gekommen war, *sie* könnte nicht zu Hause sein.

Ich zuckte bei jedem Schritt zusammen, als ich durch die Diele zum Schlafzimmer meiner Eltern ging. Im Wesentlichen war es seit dem Weggang meines Vaters unverändert geblieben, bis auf ein größeres Durcheinander, und es sah weiblicher aus, nachdem sie das Zimmer allein in Besitz genommen hatte. Der Anrufbeantworter auf dem Tisch neben dem ungemachten, zerwühlten Bett war dunkel. Keine Nachricht.

Ich stand halb schwindelig vor Schmerz in der Tür und versuchte, mich zu konzentrieren. Der Ablauf dieses Tages schoss mit einem schrillen Misston durch mich hindurch – als hätte ich eine viel zu lange Autofahrt hinter mir.

Eins nach dem andern. Ich musste mein Telefon finden und sehen, ob ich neue Nachrichten hatte. Nur, ich wusste nicht, wo mein Telefon war. Sie hatte es mir weggenommen, nachdem ich von der Schule suspendiert worden war; am Abend zuvor, als sie in der Dusche war, hatte ich versucht, es zu finden, indem ich meine Nummer anrief, aber anscheinend hatte sie es ausgeschaltet.

Ich erinnere mich, dass ich die Hände in die obere Schublade ihrer Kommode stieß und ein Gewirr von Tüchern auseinanderriss: Seide und Samt, indische Stickereien.

Dann zerrte ich unter ungeheuren Anstrengungen (obwohl sie nicht sehr schwer war) die Bank vom Fußende ihres Bettes herüber und stieg hinauf, um oben auf den Schrank zu schauen. Danach saß ich halb betäubt auf dem Teppich, lehnte die Wange an die Bank und hatte ein hässliches weißes Rauschen in den Ohren.

Etwas stimmte hier nicht. Ich weiß, dass ich den Kopf hob und jäh davon überzeugt war, dass Gas aus dem Küchenherd entwich und mich vergiftete. Aber ich roch gar kein Gas.

Vielleicht bin ich in das kleine Bad neben ihrem Schlafzimmer gegangen und habe im Medizinschränkchen nach Aspirin gesucht, nach irgendetwas gegen meine Kopfschmerzen – ich weiß es nicht. Sicher weiß ich nur, ich war irgendwann in meinem Zimmer, ohne zu wissen, wie ich hingekommen war, und stemmte mich mit einer Hand gegen die Wand neben meinem Bett, weil ich dachte, ich müsse mich übergeben. Dann wurde alles so wirr, dass ich keinen klaren Bericht davon geben kann, bis ich mich desorientiert auf dem Wohnzimmersofa aufrichtete, weil ich etwas hörte, das wie das Öffnen einer Tür klang.

Aber es war nicht unsere Wohnungstür, sondern nur die eines Nachbarn am Flur. Im Zimmer war es dunkel, und von der Straße her hörte ich den nachmittäglichen Berufsverkehr. Im Zwielicht blieb mir das Herz für ein, zwei Augenblicke stehen, und ich war ganz still, während die Geräusche sich sortierten und die vertrauten Konturen der Tischlampe und der Lyra-förmigen Stuhllehnen vor dem Dämmerlicht des Fensters sichtbar wurden. »Mom?«, sagte ich, und das Knistern der Panik in meiner Stimme war unüberhörbar.

Ich war in meinen sandigen, nassen Sachen eingeschlafen; auch das Sofa war feucht, und da, wo ich gelegen hatte, war eine klamme, körperförmige Mulde entstanden. Ein kalter Wind ließ die Jalousien rasseln; meine Mutter hatte am Morgen ein Fenster halb offen gelassen.

Die Uhr zeigte 18:47. Meine Angst wurde größer, und steifbeinig ging ich in der Wohnung umher und knipste alle Lampen an, sogar die Deckenlampe im Wohnzimmer, die wir normalerweise nie benutzten, weil ihr Licht so hart und grell war.

Als ich in der Schlafzimmertür meiner Mutter stand, sah ich ein rotes Licht im Dunkeln blinken. Eine Woge von köstlicher Erleichterung flutete über mich hinweg. Ich rannte um das Bett herum, tastete fummelnd nach dem Knopf am Anrufbeantworter und erkannte erst nach mehreren Sekunden, dass die Stimme nicht meiner Mutter gehörte, sondern einer Frau, mit der sie zusammenarbeitete. Sie klang unerklärlich fröhlich. »Hi, Audrey, Pru hier, wollte mich nur mal melden. Verrückter Tag, was? Hör mal, die Korrekturfahnen für Pareja sind da, und wir müssen uns unterhalten, aber der Termin ist verschoben, also keine Sorge, vorläufig jedenfalls nicht. Hoffe, du kommst zurecht, Schätzchen, melde dich, wenn du kannst.«

Ich rührte mich nicht von der Stelle und starrte den Apparat immer noch an, als die Nachricht längst mit einem Piepton geendet hatte. Dann hob ich eine Ecke der Jalousie hoch und spähte hinaus in den Verkehr.

Um diese Zeit kamen die Leute nach Hause. Hupen tönten leise über die Straße da unten. Ich hatte immer noch rasende Kopfschmerzen und das (damals neue, inzwischen nur allzu vertraute) Gefühl, mit einem scheußlichen Kater aufzuwachen und wichtige Dinge vergessen und unerledigt hinterlassen zu haben.

Ich ging zurück in ihr Schlafzimmer und tippte mit zitternden Händen die Nummer ihres Mobiltelefons ein, so hastig, dass ich mich vertat und noch einmal von vorn anfangen musste. Aber sie meldete sich nicht; die Mobilbox schaltete sich ein. Ich hinterließ eine Nachricht (*Mom, ich bin's, ich mache mir Sorgen, wo bist du?*), und dann setzte ich mich auf ihre Bettkante und legte den Kopf in die Hände.

Kochgerüche wehten jetzt von den unteren Stockwerken herauf. Undeutliche Stimmen drangen aus der Nachbarwohnung herüber, abstraktes dumpfes Stampfen, und jemand öffnete und schloss Schranktüren. Es war spät; die Leute kamen aus dem Büro, ließen ihre Aktentaschen zu Boden fallen, begrüßten ihre Katzen und Hunde und Kinder, schalteten die Nachrichten ein, bereiteten sich darauf vor, zum Abendessen auszugehen. Wo war sie? Ich versuchte mir alle möglichen Gründe einfallen zu lassen, weshalb sie aufgehalten worden sein könnte, und eigentlich fiel mir keiner ein – obwohl, wer konnte das wissen, vielleicht war irgendwo eine Straße abgesperrt worden, sodass sie nicht nach Hause kommen konnte. Aber hätte sie dann nicht angerufen?

Vielleicht hatte sie ihr Telefon verloren, dachte ich. Vielleicht war es kaputtgegangen. Vielleicht hatte sie es jemandem gegeben, der es dringender brauchte.

Die Stille in der Wohnung war zermürbend. Das Wasser sang in den Leitungen, und der Wind ließ die Jalousien trügerisch rasseln. Weil ich sinnlos auf ihrer Bettkante saß und das Gefühl hatte, ich müsste etwas tun, rief ich sie noch einmal an und hinterließ noch eine Nachricht, und diesmal konnte ich das Zittern meiner Stimme nicht mehr unterdrücken. *Mom, ich hab vergessen zu sagen, ich bin zu Hause. Bitte ruf an, sobald du kannst, okay?* Und dann rief ich für alle Fälle in ihrem Büro an und hinterließ auch da eine Nachricht auf der Mailbox.

Eine tödliche Kälte breitete sich in meiner Brust aus, als ich ins Wohnzimmer zurückging. Dort blieb ich einen Augenblick stehen und ging dann zu der Pinnwand in der Küche, um nachzusehen, ob sie mir dort eine Nachricht hinterlassen hatte, obwohl ich schon genau wusste, dass sie es nicht getan hatte. Zurück ins Wohnzimmer, und dort schaute ich durch das Fenster hinaus auf den Straßenverkehr. Konnte sie noch in den Drugstore oder in den Deli gelaufen sein, und hatte sie mich nur nicht wecken wollen? Halb wollte ich auf die Straße hinuntergehen und sie dort suchen, aber es war verrückt zu glauben, ich könnte sie im Gedränge des Berufsverkehrs finden, und außerdem hatte ich Angst, ihren Anruf zu verpassen, wenn ich die Wohnung verließe.

Die Zeit für den Schichtwechsel der Portiers war vorbei. Als ich unten anrief, hoffte ich, Carlos zu erreichen (den ältesten und würdevollsten der Portiers), oder besser noch José, einen dicken, fröhlichen Kerl aus der Dominikanischen Republik. Aber ewig meldete sich überhaupt niemand, bis schließlich eine dünne, stockende, ausländisch klingende Stimme sagte: »Hallo?«

»Ist José da?«

»Nein«, sagte die Stimme. »Nein. Rufen wieder an.«

Ich begriff, dass es der verschreckt aussehende Asiat mit der Schutzbrille und den Gummihandschuhen war, der die Bohnermaschine bediente und den Müll wegbrachte und andere Hilfsarbeiten im Haus erledigte. Die Portiers (die seinen Namen anscheinend genauso wenig kannten wie ich) nannten ihn den »neuen Typen« und meckerten über die Hausverwaltung, weil sie einen Hilfsarbeiter einstellte, der weder Englisch noch Spanisch sprach. Alles, was im Haus schiefging, schoben sie ihm in die Schuhe: Der neue Typ hatte den Gehweg nicht ordentlich freigeschaufelt, der neue Typ hatte die Post nicht dahin gelegt, wo sie hingehörte, und er hatte den Hinterhof nicht so sauber gehalten, wie er es tun sollte.

»Rufen später wieder an«, wiederholte der neue Typ hoffnungsvoll.

»Nein, warten Sie!«, rief ich, als er auflegen wollte. »Ich muss mit jemandem sprechen.«

Eine verwirrte Pause.

»Bitte, ist sonst jemand da?«, fragte ich. »Es ist ein Notfall.«

»Okay«, sagte die Stimme wachsam und mit einer aufwärtsgerichteten Betonung, die mich hoffen ließ. In der Stille hörte ich ihn angestrengt atmen.

»Hier ist Theo Decker«, sagte ich. »In 14C? Ich hab Sie schon oft unten gesehen. Meine Mutter ist nicht nach Hause gekommen, und ich weiß nicht, was ich tun soll.«

Noch eine lange, ratlose Pause. »14C«, wiederholte er dann, als sei dies der einzige Teil des Satzes, den er verstanden hatte.

»Meine Mutter«, sagte ich noch einmal. »Wo ist Carlos? Ist denn niemand da?«

»Sorry, danke«, antwortete er in panischem Ton und legte auf.

Ich tat es ihm gleich und war sehr aufgeregt. Einen Augenblick lang blieb ich wie erstarrt mitten im Wohnzimmer stehen, und dann ging ich zum Fernseher und schaltete ihn ein. In der Stadt war großes Durcheinander. Die Brücken zu den äußeren Stadtteilen waren geschlossen, was erklärte, warum Carlos und José nicht zum Dienst hatten kommen können, aber nichts von dem, was ich sah, half mir zu verstehen, warum meine Mutter aufgehalten wurde. Ich sah eine Nummer, die man anrufen konnte, wenn jemand vermisst wurde. Ich schrieb sie auf ein Stück Zeitungspapier und vereinbarte mit mir selbst, dort anzurufen, wenn sie nicht in genau einer halben Stunde zu Hause wäre.

Als ich die Nummer notiert hatte, ging es mir besser. Aus irgendeinem Grund war ich sicher, der Akt des Niederschreibens würde auf magische Weise bewirken, dass sie zur Tür hereinkam. Aber als fünfundvierzig Minuten vergangen waren und schließlich eine Stunde verstrichen und sie immer noch nicht erschienen war, knickte ich schließlich ein und wählte die Nummer (und ging dabei auf und ab und behielt nervös den Fernseher im Auge, die ganze Zeit, während ich darauf wartete, dass jemand sich meldete, die ganze Zeit, während ich in der Warteschleife war, und ich sah Werbespots für Matratzen, Werbespots für Stereoanlagen ohne Versandkosten und Bonitätsprüfung). Endlich meldete sich eine forsche Frauenstimme, sehr geschäftsmäßig. Sie nahm den Namen meiner Mutter und meine Telefonnummer entgegen, teilte mir mit, meine Mutter stehe »nicht auf ihrer Liste«, aber man werde mich zurückrufen, wenn der Name auftauchen sollte. Erst als ich aufgelegt hatte, fiel mir ein, dass ich hätte fragen sollen, von was für einer Liste sie da redete. Nach einer endlosen Zeit des Zweifelns und Nachdenkens, in der ich unter Qualen durch alle vier Zimmer lief, Schubladen öffnete, Bücher in die Hand nahm und wieder hinlegte und den Computer meiner Mutter einschaltete, um festzustellen, was ich mit einer Google-Suche herausfinden könnte (nichts), rief ich noch einmal an, um nachzufragen.

»Sie steht nicht auf der Liste der Todesopfer«, sagte die zweite

Frau, mit der ich jetzt sprach, und es klang merkwürdig beiläufig. »Oder der Verletzten.«

Mein Herz machte einen Satz. »Dann geht es ihr gut?«

»Ich will damit sagen, wir haben überhaupt keine Informationen. Haben Sie vorhin Ihre Nummer hinterlassen, damit wir Sie zurückrufen können?«

»Ja«, sagte ich, »man hat mir versprochen zurückzurufen.«

»Kostenlos geliefert und aufgestellt«, sagte der Fernseher. »Und vergessen Sie nicht, nach unserer zinslosen Finanzierung über sechs Monate zu fragen.«

»Viel Glück«, sagte die Frau und legte auf.

Die Stille in der Wohnung war unnatürlich; nicht einmal das laute Gerede im Fernsehen konnte sie vertreiben. Einundzwanzig Menschen waren gestorben, Dutzende weitere verletzt. Vergebens versuchte ich mich mit dieser Zahl zu beruhigen: Einundzwanzig Menschen, das war doch gar nicht so schlimm, oder? Einundzwanzig Leute bedeuteten ein spärlich besetztes Kino, selbst für einen Bus war das nicht viel. Drei Leute weniger als in meinem fortgeschrittenen Englischkurs. Aber schon bald überkamen mich neue Zweifel und Ängste, und nur mit Mühe konnte ich mich beherrschen, nicht aus der Wohnung zu stürmen und ihren Namen zu rufen.

So gern ich auch auf die Straße hinauslaufen und sie suchen wollte, ich wusste doch, dass ich in der Wohnung bleiben musste. Wir würden uns zu Hause wiedertreffen, das war die Absprache, die in Stein gemeißelte Verabredung seit der Grundschule, als ich mit einem Buch über Vorbereitungsmaßnahmen zum Katastrophenschutz aus der Schule gekommen war, in dem Cartoon-Ameisen mit Staubmasken Vorräte sammelten und sich auf irgendeinen nicht genauer beschriebenen Notfall vorbereiteten. Ich hatte die Kreuzworträtsel gelöst, die blöden Fragebögen beantwortet (»Welche Kleidung gehört ins Katastrophengepäck? A. ein Badeanzug – B. mehrere Schichten – C. ein Bastrock – D. Alufolie«) und – zusammen mit meiner Mutter – einen Familienkatastrophenplan entwickelt. Unserer war ganz einfach: Wir würden uns zu Hause treffen. Und wenn einer von uns nicht nach Hause kommen könnte, würde er anrufen. Aber die Zeit kroch dahin, das Telefon klingelte nicht, und die Zahl der Todesopfer in den Nachrichten stieg von 22 auf 25. Ich wählte noch einmal die Notrufnummer der Stadt.

»Ja«, sagte die Frau, die sich meldete, mit einer aufreizend ruhigen Stimme. »Ich sehe hier, dass Sie schon einmal angerufen haben. Wir haben das notiert.«

»Aber – vielleicht ist sie im Krankenhaus oder so was?«

»Könnte sein. Aber ich kann es leider nicht bestätigen. Wie war Ihr Name, sagten Sie? Möchten Sie mit einem psychologischen Betreuer sprechen?«

»In welches Krankenhaus bringen sie die Leute denn?«

»Tut mir leid, ich kann wirklich nicht …«

»Nach Beth Israel? Oder Lenox Hill?«

»Das hängt von der Art der Verletzung ab. Die Leute haben Augentraumata, Verbrennungen, alles Mögliche. Überall in der Stadt muss operiert werden …«

»Und was ist mit denen, die vorhin als tot gemeldet worden sind?«

»Hören Sie zu, ich verstehe Sie, und ich würde Ihnen gern helfen, aber ich habe keine Audrey Decker auf meiner Liste.«

Mein Blick huschte nervös im Wohnzimmer umher. Das Buch meiner Mutter (*Jane und Prudence,* Barbara Pym) lag aufgeschlagen mit den Seiten nach unten auf dem Sofa, und eine ihrer dünnen Cashmere-Strickjacken hing über einer Sessellehne. Sie besaß sie in allen Farben, und diese da war himmelblau.

»Vielleicht sollten Sie zur Armory herunterkommen. Sie haben dort alles für die Angehörigen hergerichtet – es gibt etwas zu essen, jede Menge heißen Kaffee und Leute, mit denen man reden kann.«

»Aber ich frage ja nur, ob es Tote gibt, deren Namen Sie nicht haben? Oder Verletzte?«

»Hören Sie, ich verstehe Ihre Besorgnis. Ich wünschte wirklich und wahrhaftig, ich könnte Ihnen helfen, aber ich kann es nicht. Sie werden angerufen, sobald wir konkrete Informationen haben.«

»Ich muss meine Mutter finden! Bitte! Sie ist wahrscheinlich irgendwo in einem Krankenhaus. Haben Sie keine Idee, wo ich sie suchen könnte?«

»Wie alt sind Sie?«, fragte die Frau misstrauisch.

Ich schwieg erschrocken und legte dann auf. Ein paar Augenblicke lang starrte ich benommen auf das Telefon, erleichtert, aber zugleich schuldbewusst, als hätte ich etwas umgestoßen und zerbrochen. Als ich auf meine Hände schaute und sah, dass sie zitterten, erkannte ich auf eine völlig unpersönliche Art – als fiele mir gerade auf, dass der Akku in meinem iPod leer war –, dass ich ewig nichts mehr gegessen hatte. Noch nie im Leben, außer einmal bei einer Magengrippe, hatte ich so lange nichts gegessen. Ich ging zum Kühlschrank und fand den Karton mit meinem übrig gebliebenen Lo Mein vom Abend zuvor. Ich schlang es an der Küchentheke herunter und stand dabei verwundbar und ungeschützt im grellen Licht der Lampe über mir. Es war auch noch Fu-Yung-Omelett da und etwas Reis, aber ich ließ es für sie stehen, falls sie nach ihrer Rückkehr hungrig sein sollte. Es war ja kurz vor Mitternacht, und bald wäre es zu spät, um noch etwas für sie aus dem Deli bringen zu lassen. Als ich fertig war, spülte ich meine Gabel und das Kaffeegeschirr vom Morgen und wischte über die Theke, damit sie nichts mehr zu tun brauchte, wenn sie nach Hause käme. Sie würde sich freuen, sagte ich mir mit Entschiedenheit, wenn sie sähe, dass ich die Küche für sie saubergemacht hatte. Sie würde sich auch freuen (dachte ich wenigstens), wenn sie sähe, dass ich ihr Gemälde gerettet hatte. Vielleicht würde sie auch wütend werden. Aber ich konnte es ihr erklären.

Im Fernsehen hieß es, sie wüssten jetzt, wer für die Explosion verantwortlich war: Gruppen, die in den Nachrichten abwechselnd als »rechtsextrem« oder als »einheimische Terrorgruppe« bezeichnet wurden. Sie hatten mit einer Speditionsfirma zusammengearbeitet; mithilfe unbekannter Komplizen im Museum war der Sprengstoff in den Hohlräumen der getischlerten Ausstellungsplattformen in den Museumsshops verborgen worden, auf denen Postkarten und Kunstbücher gestapelt waren. Ein paar der Täter waren tot, andere waren verhaftet worden, und wieder andere waren flüchtig. Sie gingen ziemlich weit ins Detail, aber für mich war das alles zu viel.

Ich arbeitete jetzt an der klemmenden Schublade in der Küche; schon lange vor dem Verschwinden meines Vaters war sie nicht mehr aufgegangen. Sie enthielt nichts als Plätzchenformen und ein paar alte Fonduespieße und einen Zitronenschaber, Sachen, die wir nie benutzten. Seit über einem Jahr hatte sie versucht, jemanden von der Hausverwaltung dazu zu bringen, dass er die Schublade reparierte (zusammen mit dem kaputten Türknauf, einem tropfenden Wasserhahn und einem halben Dutzend anderer ärgerlicher Kleinigkeiten). Ich nahm ein Buttermesser und stocherte damit an den Rändern der Schublade herum, und dabei achtete ich darauf, nicht mehr Farbe abzusplittern, als sowieso schon abgesplittert war. Die Wucht der Explosion vibrierte immer noch tief in meinen Knochen, ein inneres Echo des Klingens in meinen Ohren, aber schlimmer war, dass ich immer noch das Blut riechen konnte und den Salz- und Zinngeschmack im Mund hatte. (Das sollte noch tagelang so bleiben, aber das wusste ich da noch nicht.)

Während ich an der Schublade herumfummelte, überlegte ich, ob ich jemanden anrufen sollte, und wenn ja, wen. Meine Mutter war ein Einzelkind. Ich hatte zwar formal gesehen einen Satz Großeltern – den Dad und die Stiefmutter meines Vaters in Maryland –, aber ich wusste nicht, wie ich sie erreichen konnte. Das Verhältnis zwischen meinem Dad und seiner Stiefmutter Dorothy, einer ostdeutschen Einwanderin, die sich vor ihrer Ehe mit meinem Großvater ihren Lebensunterhalt als Büroreinigungskraft verdient hatte, war gerade noch höflich zu nennen (mein Dad, immer ein raffinierter Schauspieler, machte sie auf grausam komische Weise nach: eine Art batteriegetriebene Hausfrau mit zusammengepressten Lippen, ruckhaften Bewegungen und einem Akzent wie Curd Jürgens in *Luftschlacht um England*). Aber auch wenn die Abneigung meines Dads gegen Dorothy schon groß genug war, galt seine Hauptfeindschaft doch Grandpa Decker, einem großen, fetten, beängstigend aussehenden Mann mit roten Wangen und schwarzen (ich glaube, gefärbten) Haaren, der dauernd Westen und grelle Karos trug und es für richtig hielt, Kinder mit dem Gürtel zu verprügeln. *Kein Picknick* war der Ausdruck, den ich vor allen anderen mit Grandpa Decker assoziierte. Mein Dad sagte beispielsweise:»Das Leben mit diesem Mistkerl war kein Picknick«, oder:»Glaub mir, das Abendbrot war nie ein Picknick bei uns zu Hause.« Ich hatte Grandpa Decker und Dorothy nur zweimal im Leben gesehen, in angespannten und aufgeladenen Situationen, in denen meine Mutter im Mantel und mit der Handtasche auf dem Schoß vorgebeugt auf dem Sofa saß und sich tapfer bemühte, ein Gespräch zu führen, das stolpernd im Treibsand versackte. Vor allem erinnerte ich mich an das gezwungene Lächeln allenthalben, an den stickigen Geruch von Pfeifentabak mit Kirscharoma und an Grandpa Deckers nicht besonders freundliche Warnung, ich solle meine klebrigen kleinen Pfoten von seiner Modelleisenbahn lassen (einem Alpendorf, das ein ganzes Zimmer in ihrem Haus in Anspruch nahm und nach seinen Angaben mehrere zehntausend Dollar wert war).

Jetzt hatte ich es geschafft, die Klinge des Buttermessers zu verbiegen, indem ich es allzu kräftig in die seitliche Ritze neben der verklemmten Schublade gestoßen hatte. Es war eins der wenigen guten Messer meiner Mutter, ein silbernes, das ihrer Mutter gehört hatte. Unverdrossen versuchte ich es wieder geradezubiegen; ich nagte an der Unterlippe und konzentrierte meine gesamte Willenskraft auf diese Arbeit, denn die ganze Zeit über blitzten hässliche Bilder des Tages auf und flatterten mir ins Gesicht. Nicht daran zu denken war so, als wollte ich nicht an eine lila Kuh denken. Ich konnte dann immer nur an die lila Kuh denken.

Unvermittelt rutschte die Schublade heraus. Ich starrte das Durcheinander an: verrostete Batterien, eine kaputte Käsereibe, die Schneeflocken-Keksförmchen, die meine Mutter seit meiner Einschulung nicht mehr benutzt hatte, zusammengepfercht mit zerfetzten alten Take-away-Speisekarten von Viand und Shun Lee Palace und Delmonico's. Ich ließ die Schublade weit offen – damit sie sie als Erstes sähe, wenn sie hereinkäme –, wanderte hinüber zur Couch, wickelte mich in eine Decke und blieb aufrecht sitzen, damit ich die Wohnungstür im Auge behalten konnte.

Meine Gedanken drehten sich im Kreis. Lange Zeit saß ich fröstelnd und mit roten Augen im Lichtschein des Fernsehers. Bläuliche Schatten flackerten unbehaglich auf und ab. Eigentlich gab es nichts Neues; immer wieder kamen nächtliche Aufnahmen des Museums (das jetzt völlig normal aussah, abgesehen von dem über die Bürgersteige gespannten gelben Flatterband, den bewaffneten Posten vor dem Eingang und den Rauchfetzen, die gelegentlich vom Dach in den flutlichtbeleuchteten Himmel hinaufwehten).

Wo war sie? Warum war sie noch nicht zu Hause? Sie würde eine gute Erklärung haben; das alles würde sich in nichts auflösen, und die Sorgen, die ich mir jetzt machte, würden völlig albern aussehen.

Um sie aus meinen Gedanken zu vertreiben, konzentrierte ich mich angestrengt auf ein Interview vom Abend, das jetzt wiederholt wurde. Ein bebrillter Kurator mit Tweedjackett und Fliege redete – sichtlich erschüttert – davon, wie unerhört es sei, dass man keine Fachleute ins Museum ließ, die sich um die Kunstwerke kümmern könnten. »Ja«, sagte er, »ich verstehe, dass es sich um einen Tatort handelt, aber diese Bilder sind sehr empfindlich gegen jede Veränderung von Luft und Umgebungstemperatur. Sie können beschädigt sein, durch Wasser, Chemikalien oder Rauch, und der Zustand kann sich in diesem Augenblick weiter verschlimmern. Es ist von entscheidender Bedeutung, dass Konservatoren und Kuratoren Zugang zu den betroffenen Bereichen erhalten, um den Schaden so schnell wie möglich zu taxieren …«

Ganz plötzlich klingelte das Telefon – unnatürlich laut, wie ein Wecker, der mich aus dem schlimmsten Albtraum meines Lebens riss. Meine Erleichterung war unbeschreiblich. Ich stolperte und wäre beinahe auf das Gesicht gefallen, als ich nach dem Apparat hechtete. Ich war sicher, dass es meine Mutter war, aber als ich auf das Display schaute, erstarrte ich: NYDoCFS.

New York Department für – was? Einen halben Herzschlag lang

starrte ich verwirrt auf das Telefon. Dann raffte ich es an mich. »Hallo?«

»Hallo«, sagte eine Stimme, gedämpft und beinahe unheimlich sanft. »Mit wem spreche ich?«

»Theodore Decker«, sagte ich verblüfft. »Wer ist denn da?«

»Hallo, Theodore. Mein Name ist Marjorie Beth Weinberg, und ich bin Sozialarbeiterin beim Department of Child and Family Services.«

Der Kinder- und Familiendienst? »Was ist los? Rufen Sie wegen meiner Mutter an?«

»Du bist Audrey Deckers Sohn? Ist das richtig?«

»Meine Mutter! Wo ist sie? Geht es ihr gut?«

Eine lange Pause – eine schreckliche Pause.

»Was ist los?«, rief ich. »Wo ist sie?«

»Ist dein Vater da? Kann ich ihn sprechen?«

»Er kann nicht ans Telefon kommen. Was ist los?«

»Es tut mir leid, aber es handelt sich um einen Notfall. Es ist sehr wichtig, dass ich jetzt mit deinem Vater spreche. Sofort.«

»Was ist mit meiner Mutter?« Ich stand auf. »Bitte! Sagen Sie mir nur, wo sie ist! Was ist passiert?«

»Du bist doch nicht allein, oder, Theodore? Ist da ein Erwachsener bei dir?«

»Nein, die sind Kaffee trinken gegangen.« Wie wild schaute ich mich im Wohnzimmer um. Ballerinas, schräg unter einem Sessel. Violette Hyazinthen in einem mit Folie umwickelten Blumentopf.

»Dein Vater auch?«

»Nein, der schläft. Wo ist meine Mutter? Ist sie verletzt? Was ist passiert?«

»Es tut mir leid, aber ich muss dich bitten, deinen Vater zu wecken, Theodore.«

»Nein! Das kann ich nicht!«

»Ich fürchte, es ist wichtig.«

»Er kann nicht ans Telefon kommen! Warum sagen Sie mir nicht einfach, was los ist?«

»Tja, wenn dein Dad nicht zur Verfügung steht, sage ich dir vielleicht am besten, wie er mich erreichen kann.« Die Stimme klang zwar sanft und mitfühlend, aber sie erinnerte mich an den Computer HAL in *2001: Odyssee im Weltraum*. »Bitte sag ihm, er soll sich so schnell wie möglich bei mir melden. Es ist wirklich sehr wichtig, dass er mich zurückruft.«

Als ich aufgelegt hatte, saß ich lange Zeit ganz still da. Die Uhr am Herd, die ich vom Sofa aus sehen konnte, zeigte 2:45. Noch nie war ich um diese Zeit allein und wach gewesen. Das Wohnzimmer, sonst so luftig und offen und beschwingt von der Anwesenheit meiner Mutter, schrumpfte zu kaltem, fahlem Unbehagen zusammen, wie ein Ferienhaus im Winter: dünne Stoffe, ein rauer Sisalteppich, Papierlampenschirme aus Chinatown und die Sessel zu klein und zu leicht. Die Möbel sahen spindeldünn aus, als balancierten sie nervös auf den Zehenspitzen. Ich fühlte meinen Herzschlag, hörte das Klicken und Ticken und Zischen des großen, betagten Gebäudes, das um mich herum schlummerte. Alles schlief. Sogar das ferne Hupen und das gelegentliche Rumpeln von Lastwagen drüben in der 57th Street klangen matt und ungewiss wie Geräusche von einem anderen Planeten.

Bald, das wusste ich, würde sich der Nachthimmel dunkelblau färben, und der erste zarte, frostige Schimmer des Tageslichts im Monat April würde sich ins Zimmer stehlen. Müllautos würden dröhnend die Straße entlangpoltern, im Park würden die Singvögel des Frühlings anfangen zu zwitschern, und in Schlafzimmern überall in der Stadt würden die Wecker losgehen. Männer, die am Heck vom Lastwagen hingen, würden dicke Zeitungspacken, *Times* und *Daily News*, klatschend auf den Gehweg neben dem Zeitungsstand werfen. In der ganzen Stadt würden Mütter und Väter mit wirrem Haar in Unterwäsche und Bademantel umherschlurfen und Kaffee aufsetzen, den Toaster einschalten und die Kinder für die Schule wecken.

Und was würde ich tun? Ein Teil meiner selbst war unbeweglich, gelähmt von Verzweiflung wie bei einer Ratte, die in einem Laborexperiment die Hoffnung verliert und sich im Labyrinth hinlegt, um zu verhungern.

Ich versuchte, meine Gedanken zu sammeln. Eine Weile hatte es fast den Anschein gehabt, als müsste ich nur still genug dasitzen und abwarten, und dann würde alles irgendwie wieder in Ordnung kommen. Meine Erschöpfung ließ die Gegenstände in der Wohnung verwackelt aussehen; ein Lichtkranz flimmerte um die Tischlampe, und das Streifenmuster der Tapete schien zu vibrieren.

Ich nahm das Telefonbuch und legte es wieder hin. Der Gedanke, die Polizei anzurufen, war erschreckend. Was konnte die Polizei auch tun? Aus dem Fernsehen wusste ich nur zu gut, dass eine vermisste Person mindestens vierundzwanzig Stunden verschwunden sein musste. Ich war eben zu der Überzeugung gelangt, ich müsse losziehen, in Richtung Uptown, und sie suchen, auch wenn es noch mitten in der Nacht war – und zum Teufel mit unserem Familienkatastrophenplan –, aber da zerriss ein ohrenbetäubendes Summen (die Türglocke) die Stille, und mein Herz machte einen Freudensprung.

Hals über Kopf hastete und schlitterte ich zur Tür und fummelte am Schloss herum. »Mom?«, rief ich, schob den oberen Riegel zur Seite, riss die Tür klappernd auf – und dann stürzte mein Herz sechs Stockwerke tief ab. Draußen auf der Matte standen zwei Leute, die ich noch nie gesehen hatte: eine pummelige Koreanerin mit kurzem, stacheligem Haarschnitt und ein hispanischer Typ in Oberhemd und Krawatte, der große Ähnlichkeit mit Luis aus der *Sesamstraße* hatte. Sie hatten überhaupt nichts Bedrohliches an sich, im Gegenteil, sie waren beruhigend rundlich, von mittlerem Alter und gekleidet wie zwei Aushilfslehrer, aber obwohl sie beide ein freundliches Gesicht machten, wusste ich im selben Augenblick, dass mein Leben, wie ich es kannte, vorbei war.

KAPITEL 3

Park Avenue

I

Die Sozialarbeiter setzten mich auf den Rücksitz ihres Kompaktwagens und fuhren mich zu einem Schnellrestaurant nach Downtown, wo sie ihr Büro hatten, einem pseudo-prächtigen Lokal, das von geschliffenen Spiegeln und billigen Chinatown-Kronleuchtern funkelte. Als wir in unserer Nische am Tisch saßen (die beiden nebeneinander auf der einen Seite, mir gegenüber), holten sie Clipboards und Stifte aus ihren Aktentaschen und versuchten, mich dazu zu bringen, dass ich etwas frühstückte, während sie Kaffee tranken und mir Fragen stellten. Draußen war es noch dunkel; die Stadt wachte gerade erst auf. Ich kann mich übrigens nicht erinnern geweint zu haben – oder gegessen, aber nach all den Jahren rieche ich immer noch das Rührei, das sie mir bestellten, und bei der Erinnerung an den vollen Teller mit Bratkartoffeln und an den daraus aufsteigenden Dampf bekomme ich immer noch einen Knoten im Magen.

Das Lokal war fast leer. Verschlafene Küchenhelfer packten hinter der Theke Kartons mit Bagels und Muffins aus. Ein müder Trupp Club-Kids mit verschmierten Lidstrichen hockte zusammengedrängt an einem der Nachbartische. Ich weiß noch, dass ich mit verzweifelter, haltsuchender Aufmerksamkeit zu ihnen hinüberstarrte – ein verschwitzter Junge in einer Mandarin-Jacke, ein zerzaustes Mädchen mit pinkfarbenen Strähnen im Haar –, aber auch zu einer alten Lady in vollem Make-up und einem für das Wetter viel zu warmen Pelzmantel, die allein an der Theke saß und ein Stück Apfeltorte aß.

Die Sozialarbeiter, die kurz davor waren, mich zu schütteln und mit den Fingern vor meinen Augen zu schnipsen, damit ich sie anschaute, schienen zu verstehen, dass ich nicht bereit war aufzunehmen, was sie mir zu sagen versuchten. Sie beugten sich abwechselnd über den Tisch und wiederholten, was ich nicht hören wollte. Meine Mutter war tot. Sie war von fliegenden Trümmerbrocken am Kopf getroffen worden und auf der Stelle gestorben. Es tue ihnen leid, dass sie mir diese Neuigkeit beibringen müssten, es sei das Schlimmste an ihrem Job, aber es sei wirklich, wirklich notwendig, dass ich verstand, was passiert war. Meine Mutter sei tot, und ihr Leichnam liege im New York Hospital. Hatte ich das verstanden?

»Ja«, sagte ich nach einer langen Pause, als mir klar wurde, dass sie es von mir erwarteten. Die unverblümte, hartnäckige Verwendung der Worte *Tod* und *gestorben* war nicht in Einklang zu bringen mit ihren vernünftigen Stimmen, ihrer Bürokleidung aus Polyester, der spanischen Popmusik im Radio und den peppigen Schildern hinter der Theke *(Frische Smoothies, Diet Delite, Probieren Sie unsere Truthahn-Burger!)*.

»*Fritos?*«, fragte der Kellner, als er mit einem großen Teller Pommes frites an unserem Tisch erschien.

Die beiden Sozialarbeiter zuckten zusammen; der Mann (ich kannte nur die Vornamen: Enrique) sagte etwas auf Spanisch und deutete auf den Tisch mit den Club-Kids, die schon winkten.

Ich saß mit roten Augen und im Schockzustand vor meinem rasch kalt werdenden Teller Rührei und konnte die praktischen Aspekte meiner Situation nicht begreifen. Im Lichte dessen, was passiert war, erschienen mir ihre Fragen nach meinem Vater derart unwesentlich, dass es mir schwerfiel zu verstehen, warum sie sich überhaupt so hartnäckig nach ihm erkundigten.

»Wann hast du ihn das letzte Mal gesehen?«, fragte die Koreanerin, die mich schon ein paar Mal aufgefordert hatte, sie mit ihrem Vornamen anzureden (ich habe mich immer wieder bemüht, mich an ihn zu erinnern, aber es klappt nicht). Nur ihre pummeligen gefalteten Hände sehe ich immer noch vor mir auf dem Tisch und auch die verrückte Farbe ihres Nagellacks – ein silbriger Ascheton irgendwo zwischen Lavendel und Blau.

»Schätzungsweise?«, drängte der Mann, Enrique. »Was deinen Dad angeht?«

»Grob gerechnet würde schon reichen«, sagte die Koreanerin. »Was glaubst du, wann du ihn zuletzt gesehen hast?«

»Ähm«, nachzudenken strengte mich wahnsinnig an, »irgendwann im letzten Herbst?« Der Tod meiner Mutter kam mir immer noch vor wie ein Irrtum, der sich irgendwie aufklären würde, wenn ich mich nur zusammenriss und mit diesen Leuten kooperierte.

»Im Oktober? September?«, fragte sie sanft, aber ich antwortete nicht.

Mein Kopf tat so weh, dass ich bei jeder Bewegung am liebsten geweint hätte. Aber Kopfschmerzen waren mein geringstes Problem. »Ich weiß es nicht«, sagte ich. »Nachdem die Schule angefangen hatte.«

»Dann würdest du sagen, im September?« Enrique blickte auf, während er sich noch etwas auf seinem Clipboard notierte. Er sah tough aus – anscheinend fühlte er sich unbehaglich in Schlips und Kragen, wie ein zu dick gewordener Sporttrainer –, aber in seinem Tonfall lag das beruhigende Gefühl der Welt zwischen neun und siebzehn Uhr: Aktenablagesysteme, Büroteppichboden, *Business as usual* im Stadtteil Manhattan. »Kein Kontakt, keine Korrespondenz seitdem?«

»Gibt's einen Kumpel oder einen guten Freund, der vielleicht weiß, wie man ihn erreichen kann?«, fragte die Koreanerin und beugte sich mütterlich vor.

Die Frage verblüffte mich. Ich kannte keine solche Person. In der bloßen Vermutung, mein Vater hätte gute Freunde (von »Kumpeln« ganz zu schweigen), schwang eine so tiefgehende Fehleinschätzung seiner Persönlichkeit mit, dass ich nicht wusste, was ich darauf antworten sollte.

Erst nach dem Abräumen, in der nervösen Flaute, als das Essen beendet war, aber niemand aufstand, um zu gehen, brach die Erkenntnis plötzlich über mich herein, wo all diese scheinbar irrelevanten Fragen nach meinem Vater und den Großeltern Decker (in Maryland, ich wusste nicht, in welcher Stadt – in irgendeiner halb ländlichen Gegend hinter einem Baumarkt) sowie nach nicht existierenden Onkeln und Tanten ganz offensichtlich hinführen sollten. Ich war ein minderjähriges Kind ohne Vormund. Man musste mich unverzüglich aus meinem Zuhause (aus meinem »Umfeld«, wie sie es dauernd nannten) entfernen. Bis man Kontakt mit den Eltern meines Vaters aufgenommen hätte, wäre die Stadt zuständig.

»Aber was haben Sie denn mit mir vor?«, fragte ich zum zweiten Mal. Ich lehnte mich zurück, und in meiner Stimme lag wieder dieses gewisse panische Krächzen. Alles hatte doch ganz zwanglos gewirkt, als ich den Fernseher abgeschaltet und die Wohnung mit ihnen zusammen verlassen hatte, um »ein Häppchen zu essen«, wie sie es nannten. Es war nie die Rede davon gewesen, dass ich aus meinem Zuhause weggebracht werden müsste.

Enrique warf einen Blick auf sein Clipboard. »Na ja, Theo«, er sprach es – genau wie sie – mit einem einfachen T und einem E-Laut aus, Teo, nicht auf die englische Art, was falsch war, »du bist ein minderjähriger Junge und brauchst unverzüglich Obhut. Wir werden dich in einen Notfallgewahrsam überstellen müssen.«

»Gewahrsam?« Bei diesem Wort kribbelte es in meinem Magen; ich musste an Gerichtszimmer denken, an geschlossene Schlafsäle, an Basketballplätze mit Stacheldrahtzaun.

»Na, dann nennen wir es *Fürsorge*. Und nur so lange, bis deine Grandma und dein Grandpa …«

»Moment«, sagte ich. Ich war fassungslos angesichts dessen, wie schnell hier alles außer Kontrolle geriet, und angesichts auch der fälschlich angenommenen Wärme und Vertrautheit in der Art, wie er die Worte *Grandma* und *Grandpa* aussprach.

»Wir müssen nur eine vorübergehende Lösung finden, bis wir die beiden erreicht haben.« Die Koreanerin beugte sich wieder zu mir herüber. Ihr Atem roch nach Pfefferminz, allerdings mit einer hauchzarten Knoblauchnote. »Wir wissen, wie traurig du sein musst, aber du brauchst dir keine Sorgen zu machen. Unsere Aufgabe ist es, auf dich achtzugeben, bis wir die Menschen erreicht haben, die dich lieben und für dich sorgen werden, okay?«

Es war zu furchtbar, um wahr zu sein. Ich starrte die beiden fremden Gesichter mir gegenüber an, die im künstlichen Licht einen Gelbstich hatten. Die bloße Vermutung, Grandpa Decker und Dorothy seien Menschen, die mich liebten, war absurd.

»Aber was passiert denn jetzt mit mir?«, fragte ich.

»Das Wichtigste ist«, sagte Enrique, »dass du vorläufig eine ordentliche Pflegestelle bekommst. Bei jemandem, der Hand in Hand mit dem Jugendamt arbeitet, um einen Fürsorgeplan für dich auf die Beine zu stellen.«

Ihre gemeinsamen Bemühungen, mich zu beruhigen – die leisen, mitfühlenden Stimmen, die vernünftigen Blicke –, trieben mich immer weiter in die Panik. »Lassen Sie das!«, rief ich und riss meine Hand weg, als die Koreanerin über den Tisch langte und fürsorglich danach greifen wollte.

»Hör zu, Teo. Ich will dir etwas erklären. Niemand redet von Haft oder Jugendgewahrsam …«

»Sondern?«

»Von einer vorübergehenden Obhut. Das bedeutet nur, dass wir dich an einen sicheren Ort bringen, zu Leuten, die im Auftrag des Staates die Vormundschaft ausüben …«

»Und wenn ich das nicht will?«, fragte ich so laut, dass die anderen Gäste sich umdrehten und herüberstarrten.

»Pass auf.« Enrique lehnte sich zurück und winkte dem Kellner, damit er noch Kaffee brachte. »Die Stadt hat geprüfte Krisenunterkünfte für Jugendliche in Not. Gute Familien. Und im Moment ist das nur eine der Optionen, die wir uns anschauen. Denn oft ist in Fällen wie deinem …«

»Ich will nicht in eine Pflegefamilie!«

»Kleiner, das willst du echt nicht«, sagte das Club-Girl mit den pinkfarbenen Strähnen am Nachbartisch. Vor kurzer Zeit war die *New York Post* voll von Geschichten über Johntay und Keshawn Divens gewesen, das elfjährige Zwillingspaar, das oben in der Gegend von Morningside Heights vom Stiefvater vergewaltigt und fast zu Tode gehungert worden war.

Enrique tat, als hätte er nichts gehört. »Schau, wir sind hier, um dir zu helfen.« Er faltete die Hände auf der Tischplatte. »Und wir werden auch andere Alternativen in Betracht ziehen, wenn damit deine Sicherheit gewährleistet und deinen Bedürfnissen entsprochen wird.«

»Sie haben nie gesagt, dass ich nicht wieder nach Hause darf!«

»Tja, die städtischen Einrichtungen sind überlastet – *sí, gracias*«, sagte er zu dem Kellner, der mit der Kaffeekanne aufgetaucht war. »Aber manchmal kann man auch andere Regelungen finden, wenn wir die vorläufige Genehmigung bekommen, besonders in einer Situation wie deiner.«

»Was er damit sagen will?« Die Koreanerin klopfte mit dem Fingernagel auf die Kunststofftischplatte, um meine Aufmerksamkeit auf sich zu lenken. »Es ist nicht in Stein gemeißelt, dass du ins System wandern musst, wenn es jemanden gibt, der ein Weilchen bei dir bleiben kann. Oder du bei ihm.«

»Ein Weilchen?«, wiederholte ich. Nur dieser Teil des Satzes war zu mir durchgedrungen.

»Vielleicht gibt es ja noch jemanden, den wir anrufen könnten und der dir für einen oder zwei Tage recht wäre? Ein Lehrer zum Beispiel? Oder ein Freund deiner Familie?«

Ohne lange nachzudenken, nannte ich ihnen die Telefonnummer meines alten Freundes Andy Barbour – die erste Nummer, die mir in den Sinn kam, vielleicht weil es die erste Telefonnummer außer meiner eigenen war, die ich auswendig gelernt hatte. Zwar waren Andy und ich auf der Grundschule gute Freunde gewesen (wir waren zusammen ins Kino gegangen, hatten abwechselnd beim einen oder anderen übernachtet und die Sommerkurse zum Umgang mit Kompass und Karte im Central Park belegt), aber ich weiß immer noch nicht genau, warum Andys Name mir als Erstes über die Lippen kam, denn so gute Freunde waren wir nicht mehr. Mit dem Eintritt in die Junior High School drifteten unsere Leben auseinander, und ich hatte ihn seit Monaten kaum noch gesehen.

»Barbour, mit U«, sagte Enrique, als er sich den Namen notierte. »Was sind das für Leute? Freunde?«

Ja, sagte ich, ich hätte sie praktisch schon mein ganzes Leben gekannt. Die Barbours wohnten in der Park Avenue, und Andy sei ab der dritten Klasse mein bester Freund gewesen. »Sein Dad hat einen Superjob in der Wall Street«, erzählte ich – und dann hielt ich die Klappe. Mir war soeben eingefallen, dass Andys Dad wegen »Erschöpfung« mehrere Monate in einer psychiatrischen Klinik in Connecticut verbracht hatte.

»Und die Mutter?«

»Sie und meine Mom sind gute Freundinnen.« (Fast, aber nicht ganz die Wahrheit. Sie hatten zwar ein absolut freundschaftliches Verhältnis zueinander, aber meine Mutter hatte nicht annähernd genug Geld oder Beziehungen für eine Frau wie Mrs. Barbour, die in den Gesellschaftsnachrichten vorkam.)

»Nein, ich meine, was tut sie?«

»Sie macht Wohltätigkeitsveranstaltungen«, sagte ich nach einer ratlosen Pause. »Zum Beispiel die Antiquitätenmesse in der Armory?«

»Sie ist also Hausfrau und Mom?«

Ich nickte und war froh, dass sie mir diese Formulierung so handlich vorgelegt hatte. Formal gesehen stimmte es auch, aber niemand, der Mrs. Barbour kannte, wäre je auf die Idee gekommen, sie so zu beschreiben.

Enrique setzte eine schwungvolle Unterschrift unter die Rechnung. »Wir sehen es uns an. Versprechen kann ich dir nichts.« Er ließ den Knopf seines Kugelschreibers klicken und steckte den Stift wieder ein. »Aber wir können dich auf alle Fälle für die nächsten paar Stunden bei diesen Leuten absetzen, wenn du bei ihnen bleiben möchtest.«

Er rutschte seitwärts von der Bank und ging hinaus. Ich sah durch das Fenster, wie er auf dem Gehweg auf und ab ging und sich beim Telefonieren das andere Ohr mit dem Finger zuhielt. Dann wählte er eine neue Nummer, aber dieser Anruf war viel kürzer. Wir gingen noch mal kurz in unsere Wohnung – es dauerte keine fünf Minuten, gerade so lange, dass ich mir meine Schultasche und ein paar impulsiv und unüberlegt ausgesuchte Kleidungsstücke schnappen konnte –, und dann saß ich wieder in ihrem Wagen auf dem Rücksitz (»Bist du auch angeschnallt dahinten?«), lehnte die Wange an die kalte Fensterscheibe und sah zu, wie im Morgengrauen alle Ampeln im leeren Canyon der Park Avenue auf Grün schalteten.

Andy wohnte im Bereich der oberen Sixtys in einem der großartigen alten, weiß behandschuhten Gebäude an der Park Avenue, dessen Eingangsflur geradewegs aus einem Dick-Powell-Film zu stammen schien und dessen Portiers immer noch überwiegend Iren waren. Sie waren alle schon ewig da, und zufällig erinnerte ich mich an den, der uns hereinließ: Kenneth, der Mitternachtsmann. Er war jünger als die meisten anderen Portiers: totenblass und schlecht rasiert, und oft ein bisschen begriffsstutzig wegen der Nachtschicht. Ein liebenswerter Kerl – er hatte gelegentlich den Fußball für Andy und mich geflickt und uns freundschaftliche Ratschläge zum Umgang mit Schulhoftyrannen gegeben –, aber im Gebäude war er bekannt für ein kleines Alkoholproblem, und als er jetzt zur Seite trat, um uns durch die prachtvollen Türen ins Foyer zu lassen und mir den ersten der zahllosen *Lieber Gott, Kleiner, es tut mir so leid*-Blicke zuzuwerfen, die ich im Laufe der nächsten Monate kassieren würde, roch ich den sauren Geruch von Bier und Schlaf, den er verströmte.

»Sie werden erwartet«, sagte er zu den Sozialarbeitern. »Fahren Sie nur hoch.«

II

Mr. Barbour öffnete uns die Tür – erst nur einen Spaltbreit, dann ganz. »Morgen, Morgen«, sagte er und trat zurück. Mr. Barbour sah ein winziges bisschen merkwürdig aus. Er hatte etwas Helles, Silbriges an sich, als hätte die Behandlung in der »Klapse« (wie er es nannte) in Connecticut ihn zum Leuchten gebracht. Seine Augen waren von einem merkwürdigen instabilen Grau, und sein Haar war schneeweiß, was ihn älter aussehen ließ, als er war, bis man sah, dass sein Gesicht noch jung und rosig war – ja, sogar jungenhaft. Mit seinen roten Wangen und seiner langen, altmodischen Nase in Verbindung mit dem vorzeitig weißen Haar hatte er das liebenswerte Aussehen eines weniger bedeutenden Gründervaters, vielleicht ein Hinterbänkler des Kontinentalkongresses, der ins 21. Jahrhundert teleportiert worden war. Was er anhatte, sah aus wie seine Bürokleidung vom Tag zuvor: ein zerknautschtes Oberhemd und eine teuer aussehende Anzughose, die den Eindruck machte, er hätte sie soeben vom Schlafzimmerfußboden aufgehoben.

»Kommen Sie herein«, sagte er munter und rieb sich mit der Faust die Augen. »Hallo, Schätzchen«, sagte er zu mir – und dieses *Schätzchen* aus seinem Mund klang selbst in meinem desorientierten Zustand erstaunlich.

Er tappte barfuß vor uns her durch die Marmordiele. Dahinter, in dem opulent eingerichteten Wohnzimmer (überall satinierter Chintz und chinesische Gefäße), sah es nicht nach Morgen, sondern nach Mitternacht aus: Lampen mit seidenen Schirmen, gedämpft leuchtend, große düstere Gemälde von Seeschlachten, Vorhänge, die vor der Sonne geschlossen waren. Dort – neben dem Stutzflügel und einem Blumenstrauß in der Größe eines Umzugskartons – stand Mrs. Barbour in einem Morgenmantel, der bis zum Boden reichte, und goss Kaffee in die Tassen auf einem Silbertablett.

Sie drehte sich um und begrüßte uns, und ich spürte, wie die beiden Sozialarbeiter die Wohnung und sie bestaunten. Mrs. Barbour stammte aus einer Society-Familie mit einem alten holländischen Namen und sah so kühl, so blond, so monochrom aus, dass es manchmal den Eindruck erweckte, man habe einen Teil ihres Blutes abgelassen. Sie war ein Meisterwerk der Gefasstheit; nichts brachte sie je durcheinander oder versetzte sie in Aufregung, und obwohl sie nicht schön war, hatte ihre Ruhe die magnetische Anziehungskraft der Schönheit – eine Stille, die so mächtig war, dass die Moleküle sich um sie herum neu ordneten, sobald sie einen Raum betrat. Wie eine zum Leben erwachte Modezeichnung zog sie die Blicke auf sich, wo immer sie war, und glitt scheinbar ahnungslos dahin, ohne zu merken, welche Turbulenzen sie in ihrem Kielwasser hinterließ. Ihre Augen lagen weit auseinander, ihre Ohren waren klein und saßen hoch und sehr eng anliegend am Kopf, und ihr Oberkörper ragte lang gestreckt und schmal über der Taille herauf – wie bei einem eleganten Wiesel. (Andy hatte die gleichen Eigenschaften, aber in ungraziösen Proportionen und ohne ihre geschmeidige, hermelinhafte Anmut.)

In der Vergangenheit hatte mir ihre reservierte Art (oder ihre Kälte – je nachdem, wie man es sehen wollte) manchmal Unbehagen bereitet, aber an diesem Morgen war ich dankbar für ihr *sang froid*. »Hi. Wir stecken dich zu Andy ins Zimmer«, sagte sie, ohne um den heißen Brei herumzureden. »Er ist aber leider noch nicht für die Schule aufgestanden. Wenn du dich ein Weilchen hinlegen möchtest, bist du herzlich eingeladen, in Platts Zimmer zu gehen.« Platt war Andys großer Bruder, und er war auf dem Internat. »Du weißt selbstverständlich, wo das ist, oder?«

Ich bejahte.

»Hast du Hunger?«

»Nein.«

»Tja, dann. Sag uns, was wir für dich tun können.«

Mir war bewusst, dass alle mich anschauten. Meine Kopfschmerzen waren größer als alles andere im Raum. In einem Bullaugenspiegel über Mrs. Barbours Kopf konnte ich die ganze Szene in panoptikumhafter Verkleinerung abgebildet sehen: chinesische Gefäße, Kaffeetablett, linkisch aussehende Sozialarbeiter, alles.

Am Ende war es Mr. Barbour, der den Bann brach. »Na, dann komm, dann wollen wir dich mal unterbringen.« Er legte mir eine Hand auf die Schulter und bugsierte mich entschlossen hinaus. »Nein – hier hinten, da entlang – nach achtern, achtern. Gleich hier hinten.«

Ich hatte nur ein einziges Mal, mehrere Jahre zuvor, einen Fuß in Platts Zimmer gesetzt, und da hatte Platt – Lacrosse-Meister und leicht psychopathisch – damit gedroht, Andy und mich nach Strich und Faden zu verprügeln. Als er noch zu Hause gewohnt hatte, war er die ganze Zeit hinter verschlossener Tür in diesem Zimmer geblieben (und hatte, wie Andy mir erzählte, Gras geraucht). Jetzt waren

110

alle seine Poster weg, und das Zimmer sah sehr sauber und leer aus, denn er war im Internat in Groton. Ich sah Hanteln, Stapel von alten *National Geographics,* ein leeres Aquarium. Mr. Barbour öffnete und schloss Schubladen und schwatzte ein bisschen vor sich hin. »Mal sehen, was hier drin ist, ja? Bettwäsche. Und ... noch mehr Bettwäsche. Ich komme hier leider nie herein, und ich hoffe, du siehst es mir nach, wenn ich – ah. Eine Badehose! Die brauchen wir heute Morgen nicht, was?« Er durchwühlte die dritte Schublade und entdeckte endlich einen neuen Schlafanzug, an dem noch die Etiketten hingen: von höllischer Hässlichkeit, Rentiere auf blauem Flanell. Es war kein Rätsel, warum er nie getragen worden war.

»Tja, dann.« Er fuhr sich mit der Hand durch das Haar und warf einen bangen Blick zur Tür. »Jetzt lasse ich dich allein. Verfluchte Sache, was da passiert ist, guter Gott. Muss schrecklich hart für dich sein. Ein guter, tiefer Schlaf, das ist jetzt das Beste auf der Welt für dich. Bist du müde?« Er sah mich forschend an.

War ich müde? Ich war hellwach, und trotzdem war ein Teil von mir wie hinter einer Glaswand und so betäubt, dass ich praktisch im Koma lag.

»Aber wenn du lieber Gesellschaft haben möchtest? Vielleicht könnte ich im anderen Zimmer Feuer machen? Sag mir, was du willst.«

Bei dieser Frage überkam mich stechende Verzweiflung – denn so schlecht ich mich auch fühlte, er konnte nichts für mich tun, und ich sah seinem Gesicht an, dass er das ebenfalls wusste.

»Wir sind gleich nebenan, wenn du uns brauchst – das heißt, ich gehe bald zur Arbeit, aber *jemand* wird da sein ...« Sein heller Blick huschte im Zimmer umher und kehrte dann zu mir zurück. »Vielleicht ist es nicht korrekt von mir, aber unter diesen Umständen wüsste ich nicht, was es schaden sollte, dir einzuschenken, was mein Vater immer ein unbedeutendes Schlückchen nannte. *Falls* du so etwas haben möchtest. Was du natürlich nicht möchtest«, fügte er hastig hinzu, als er meine Verwirrung sah. »Gänzlich unpassend. Vergiss es.«

Er kam näher heran, und einen unbehaglichen Augenblick lang

111

dachte ich, er werde mich anfassen oder vielleicht umarmen. Aber stattdessen klatschte er in die Hände und rieb sie aneinander. »Wie auch immer. Wir sind sehr froh, dich bei uns zu haben, und ich hoffe, du machst es dir hier so bequem, wie es nur geht. Sag nur gleich Bescheid, wenn du etwas brauchst, ja?«

Er war kaum draußen, als ich vor der Tür ein Getuschel hörte. Dann klopfte es. »Hier ist jemand für dich«, sagte Mrs. Barbour und zog sich wieder zurück.

Und herein stapfte Andy. Blinzelnd fummelte er mit seiner Brille herum. Es war klar, dass sie ihn geweckt und aus dem Bett gezerrt hatten. Die Matratzenfedern knarrten geräuschvoll, als er sich zu mir auf die Kante von Platts Bett setzte. Er sah nicht mich, sondern die Wand gegenüber an.

Er räusperte sich und schob die Brille auf dem Nasenrücken herauf. Dann folgte ein langes Schweigen. Die Heizung klopfte und zischte metallisch. Seine Eltern waren so schnell verschwunden, als hätten sie einen Feueralarm gehört.

»Wow«, sagte er nach einer Weile mit seiner gespenstisch flacher Stimme. »Beunruhigend.«

»Ja«, sagte ich, und dann saßen wir schweigend nebeneinander und starrten auf die dunkelgrüne Wand von Platts Zimmer und die von Klebstreifen begrenzten Rechtecke, wo seine Poster gehanger hatten. Was gab es auch sonst zu sagen?

III

Noch heute erfüllt die Erinnerung an diese Zeit mich mit dem hoffnungslosen Gefühl, ersticken zu müssen. Alles war schrecklich. Die Leute boten mir kalte Getränke, zusätzliche Pullover und Esswaren an, die ich nicht herunterbrachte: Bananen, Cup Cakes, Club Sandwiches, Eis. Ich sagte Ja und Nein, wenn man mich ansprach, und starrte oft lange auf den Teppich, damit man nicht sah, dass ich geweint hatte.

Das Apartment der Barbours war zwar nach New Yorker Maßstäben riesig, aber es lag in einem unteren Stockwerk und war praktisch lichtlos, sogar zur Park Avenue hin. Es wurde nie ganz Nacht und nie richtig Tag, aber der Lampenschein auf poliertem Eichenholz vermittelte die gesellige, sichere Atmosphäre eines privaten Clubs. Platts Freunde nannten es das »Spukatorium«, und mein Vater, der mich ein oder zwei Mal abgeholt hatte, wenn ich dort übernachtet hatte, hatte es »Frank E. Campbell's« getauft, nach der Bestattungsfirma. Aber ich fand Trost in der massiven, opulenten Vorkriegsdüsternis, in die man sich leicht zurückziehen konnte, wenn man keine Lust hatte, zu reden oder sich anstarren zu lassen.

Leute kamen mich besuchen – meine Sozialarbeiter natürlich und ein Psychiater, der ehrenamtlich arbeitete und mir von der Stadt zugewiesen worden war, aber auch Leute aus der Firma meiner Mutter (von denen ich ein paar, zum Beispiel Mathilde, ausgezeichnet hatte nachmachen können, um meine Mutter zum Lachen zu bringen) und eine Menge Freundinnen und Freunde von der New York University und aus ihrer Zeit in der Modebranche. Ein halb berühmter Schauspieler namens Jed, der manchmal Thanksgiving bei uns verbrachte (»deine Mutter war die Königin des Universums, was mich betraf«), und eine etwas punkige Frau in einem orangefarbenen Mantel, die Kika hieß und mir erzählte, wie sie und meine Mutter – völlig abgebrannt im East Village – für weniger als zwanzig Dollar eine rasend erfolgreiche Dinnerparty für zwölf Personen gegeben hatten (unter anderem mit geklauten Sahne- und Zuckerportionen aus einer Kaffeebar und Kräutern, die sie heimlich aus dem Blumenkasten eines Nachbarn gepflückt hatten). Annette – die Witwe eines Feuerwehrmannes, eine Frau von über siebzig Jahren und die ehemalige Nachbarin meiner Mutter unten in der Lower East Side – kam mit einer Schachtel Kekse aus der italienischen Bäckerei in der Gegend, wo sie und meine Mutter früher gewohnt hatten. Es waren die gleichen Butterkekse mit Pinienkernen, die sie immer mitgebracht hatte, wenn sie uns in Sutton Place besuchte. Dann kam Cinzia, unsere alte Haushälterin, die in Tränen ausbrach, als sie mich sah, und mich um ein Bild meiner Mutter für ihre Brieftasche bat.

Mrs. Barbour beendete diese Besuche, wenn sie sich allzu sehr in die Länge zogen – mit der Begründung, ich würde rasch müde, aber auch, vermute ich, weil sie sich nicht damit abfinden konnte, dass Leute wie Cinzia und Kika ihr Wohnzimmer endlos in Anspruch nahmen. Sie kam immer nach ungefähr fünfundvierzig Minuten und blieb stumm in der Tür stehen. Wenn der Wink nicht verstanden wurde, ergriff sie schließlich das Wort und dankte ihnen dafür, dass sie gekommen waren – absolut höflich, aber so, dass die Leute begriffen und sich von ihren Plätzen erhoben. (Ihre Stimme klang wie Andys, hohl und endlos weit weg; selbst wenn sie neben einem stand, hatte man das Gefühl, sie übermittle einen Funkspruch von Alpha Centauri.)

Um mich herum und über meinen Kopf hinweg ging das Leben des Haushalts weiter. Jeden Tag klingelte die Türglocke viele Male: Haushälterinnen, Kindermädchen, Caterer, Nachhilfelehrer, ein Klavierlehrer, Schulfreunde von Andys jüngeren Geschwistern, Damen von den Society-Seiten der Zeitungen und Business-Typen in troddelverzierten Slippern, die etwas mit Mrs. Barbours Charity-Aktivitäten zu tun hatten. Nachmittags kamen oft nach Parfüm duftende Frauen mit Einkaufstüten vorbei, um Kaffee oder Tee zu trinken, und abends versammelten sich vornehm gekleidete Paare bei Wein und Sprudelwasser im Wohnzimmer zum Abendessen, neben den Blumenarrangements, die jede Woche von einem schicken Blumenladen an der Madison Avenue geliefert wurden, und den neuesten Ausgaben des *Architectural Digest* und des *New Yorker,* die präzise aufgefächert auf dem Couchtisch lagen.

Wenn es Mr. und Mrs. Barbour schreckliche Ungelegenheiten bereitete, plötzlich ein zusätzliches Kind am Hals zu haben, so waren sie doch freundlich genug, es nicht zu zeigen. Andys Mutter mit ihrem zurückhaltenden Schmuck und dem nicht restlos interessierten Lächeln – eine Frau, die den Bürgermeister anrufen konnte, wenn sie eine Gefälligkeit brauchte – agierte offensichtlich irgendwie oberhalb der bürokratischen Zwänge von New York City. Trotz aller Verwirrung und Trauer hatte ich das Gefühl, sie regelte Dinge hinter den Kulissen, machte sie leichter für mich und beschützte mich vor den rabiateren Auswüchsen der Maschinerie des Jugendamts und – dessen bin ich heute ziemlich sicher – der Presse. Anrufe wurden von dem beharrlich klingelnden Festnetztelefon unmittelbar auf ihr Handy umgeleitet; sie führte Gespräche mit leiser Stimme und gab Anweisungen an die Portiers. Als sie einmal zu einer von Enriques zahlreichen Befragungen zum Aufenthaltsort meines Vaters dazugekommen war – Befragungen, die mich oft an den Rand der Tränen brachten, denn genauso gut hätte er mich über die Standorte der Raketenstellungen in Pakistan verhören können –, schickte sie mich aus dem Zimmer und machte der Sache mit beherrscht monotoner Stimme ein Ende (»Nun, ich meine, *offensichtlich* weiß der Junge nicht, wo er ist, die Mutter wusste es ja auch nicht … ja, ich weiß, Sie würden ihn gern finden, aber der Mann *will* nicht gefunden werden, er hat *Maßnahmen* ergriffen, die verhindern, dass man ihn findet … er hat keinen Unterhalt gezahlt, er hat eine Menge Schulden hinterlassen, er ist mehr oder weniger aus der Stadt geflohen, ohne ein Wort zu sagen, und deshalb bin ich, offen gestanden, nicht ganz sicher, was Sie sich davon versprechen, Kontakt mit diesem intergalaktischen Vater und prachtvollen Bürger herzustellen … Ja. Ja, alles schön und gut, aber wenn die Gläubiger des Mannes ihn nicht aufstöbern können und wenn Ihre Dienststelle es nicht kann, dann weiß ich nicht genau, was damit gewonnen ist, dieses Kind immer weiter zu bedrängen, verstehen Sie? Können wir uns darauf verständigen, dass es aufhört?«).

Bestimmte Grundbestandteile des Ausnahmezustands, der seit meiner Ankunft in Kraft war, belasteten den Haushalt: Die Hausmädchen zum Beispiel durften während der Arbeit nicht mehr den Nachrichtensender *Ten Ten WINS* hören (»Nein, nein«, sagte Etta, die Köchin, mit einem warnenden Blick in meine Richtung, als eine Putzfrau das Radio einschalten wollte), und die *Times* wurde morgens sofort zu Mr. Barbour gebracht und nicht liegen gelassen, damit der Rest der Familie sie lesen konnte. Offensichtlich war das nicht das übliche Verfahren – »Jemand hat schon *wieder* die Zeitung abgeschleppt«, heulte Andys kleine Schwester Kitsey, bevor ein Blick ihrer Mutter sie in betretenes Schweigen verfallen ließ –, und bald war mir klar, dass die Zeitung jetzt in Mr. Barbours Arbeitszimmer verschwand, weil Dinge darin standen, die man mich lieber nicht lesen lassen wollte.

Gottlob verstand Andy, der schon öfter mein Gefährte in der Not gewesen war, dass ich nicht reden wollte. In den ersten Tagen brauchte er nicht zur Schule zu gehen; sie ließen ihn zu Haus bei mir bleiben. In seinem miefigen Zimmer mit der Karotapete und dem Etagenbett, wo ich als Grundschüler so manchen Samstagabend verbracht hatte, saßen wir vor dem Schachbrett, und Andy spielte für uns beide, denn ich war wie im Nebel und erinnerte mich kaum, wie die Figuren gezogen wurden. »Okay«, sagte er und schob die Brille auf der Nase nach oben. »Schön. Bist du absolut sicher, dass du das machen willst?«

»Was machen?«

»Ja, verstehe«, sagte Andy mit seiner aufreizenden, zarten Stimme, die im Laufe der Jahre so viele Schulhoftyrannen veranlasst hatte, ihn auf den Gehweg zu schubsen. »Dein Turm ist bedroht, das ist völlig korrekt, aber ich würde vorschlagen, du schaust dir deine Dame mal genauer an – nein, nein, deine *Dame*. D5.«

Er musste mich mit meinem Namen ansprechen, damit ich auf ihn aufmerksam wurde. Wieder und wieder durchlebte ich den Augenblick, als meine Mutter und ich die Treppe zum Museum hinaufgelaufen waren. Ihr gestreifter Schirm. Der Regen, der uns prasselnd ins Gesicht wehte. Was passiert war, war unwiderruflich, das wusste ich, aber gleichzeitig war mir, als müsse es doch einen Weg geben, zu dieser regennassen Straße zurückzukommen und dafür zu sorgen, dass alles einen anderen Verlauf nahm.

»Neulich«, sagte Andy, »hat jemand, und ich glaube wirklich, es war Malcolm Soundso oder irgendein anderer angeblich angesehener Schriftsteller – jedenfalls, er hat neulich eine riesige Welle in der

Science Times gemacht und darauf hingewiesen, dass es mehr mögliche Schachpartien gibt als Sandkörner auf der ganzen Welt. Ist doch lächerlich, dass ein Wissenschaftsautor für eine große Zeitschrift es für nötig hält, eine derart offenkundige Tatsache breitzutreten.«

»Stimmt.« Mit Mühe riss ich mich aus meinen Gedanken.

»Ich meine, wer weiß denn nicht, dass die Zahl der Sandkörner auf diesem Planeten zwar riesig, aber nicht unendlich ist? Absurd, dass jemand ein solches Null-Thema überhaupt kommentiert, weißt du, als wäre es eine Nachrichtensensation. Stellt es in den Raum wie ein angeblich geheimwissenschaftliches Faktum.«

Andy und ich waren auf der Grundschule unter mehr oder weniger traumatischen Umständen Freunde geworden: nachdem wir wegen guter Testergebnisse eine Klasse übersprungen hatten. Inzwischen waren sich anscheinend alle darin einig, dass es für uns beide ein Fehler gewesen war, wenn auch aus unterschiedlichen Gründen. In jenem Jahr – wir tapsten unter Jungen herum, die allesamt älter und größer waren als wir, die uns ein Bein stellten und schubsten und unsere Finger in die Spindtür einklemmten, die unsere Hausaufgaben zerrissen und in unsere Milch spuckten, die uns *Tunte* und *Schwuchtel* und *Dickhead* nannten (»Pimmelkopf«, bei mir leider absolut naheliegend wegen meines Nachnamens, Decker) – also während eines ganzen Jahres (in unserer »Babylonischen Gefangenschaft«, wie Andy es mit leiser, düsterer Stimme nannte) hatten wir uns Seite an Seite vorangekämpft wie zwei schwächliche Ameisen unter dem Brennglas. Ans Schienbein getreten, in den Bauch geboxt, von allen geschnitten, hatten wir uns in der Mittagspause in die entlegensten Ecken verdrückt, die wir finden konnten, damit wir nicht mit Ketchuppäckchen und Chicken Nuggets beworfen wurden. Fast zwei Jahre lang war er mein einziger Freund gewesen und ich seiner. Es war deprimierend und peinlich, mich an diese Zeit zu erinnern – an unsere Autobot-Kriege und Lego-Raumschiffe, an die Geheimidentitäten, die wir aus den klassischen *Star Trek*-Folgen entlehnt hatten (ich war Kirk, und er war Spock), um aus unseren Qualen ein Spiel zu machen. *Captain, mir scheint, diese Aliens hal-*

ten uns gefangen in einem Simulacrum ihrer Schulen für Menschen-
kinder, auf der Erde.

Bevor man mich mit dem Schild »Begabt« um den Hals zu einer zusammengeschweißten Bande von älteren Jungen gesperrt hatte, war ich in der Schule nie nennenswert geschmäht oder gedemütigt worden. Der arme Andy dagegen war schon, bevor er die Klasse übersprungen hatte, ein Kind gewesen, auf dem chronisch herumgehackt wurde: mager, nervös, laktoseintolerant, mit bleicher, fast durchsichtiger Haut und der Neigung, in beiläufigen Unterhaltungen Wörter wie »toxisch« und »chthonisch« fallen zu lassen. So gescheit er war, so ungeschickt war er auch, und seine flache Stimme und die Gewohnheit, wegen einer chronisch verstopften Nase durch den Mund zu atmen, ließen ihn eher ein bisschen blöd als übermäßig intelligent erscheinen. Unter seinen katzenhaften, scharfzahnigen, athletischen Geschwistern – unermüdlich hin und her unterwegs zwischen Freunden, Sportmannschaften und gewinnbringenden Nachmittagsprogrammen – ragte er heraus wie irgendein Vollpfosten, der aus Versehen auf den Lacrosse-Platz hinausspaziert war.

Anders als Andy hatte ich es geschafft, mich von der Katastrophe der fünften Klasse wenigstens einigermaßen zu erholen. Er blieb freitags und samstags abends zu Hause und wurde niemals zu Partys oder zum Abhängen im Park eingeladen. Soweit ich wusste, war ich immer noch sein einziger Freund. Dank seiner Mutter hatte er zwar die richtigen Klamotten und kleidete sich wie die allseits beliebten Schüler – manchmal trug er sogar Kontaktlinsen –, aber davon ließ sich niemand täuschen: Feindselige Sportlertypen, die sich an die schlechten alten Zeiten erinnerten, schubsten ihn immer noch herum und nannten ihn »C-3PO«, weil er vor langer Zeit mal den Fehler begangen hatte, in einem *Star Wars*-T-Shirt zur Schule zu kommen.

Andy war nie übermäßig gesprächig gewesen, selbst als Kind nicht, von gelegentlichen Ausbrüchen unter Druck abgesehen (unsere Freundschaft hatte zum großen Teil darin bestanden, dass wir wortlos Comichefte hin und her reichten). Die jahrelangen Schikanen in der Schule hatten ihn noch wortkarger und unkommunikativer werden lassen; seine Neigung zu Lovecraft-Vokabeln war geringer geworden, und er vergrub sich stattdessen in Fortgeschrittenenkursen in Mathematik und Naturwissenschaften. Mathe hatte mich nie besonders interessiert (ich war das, was man als sprachlich begabt bezeichnete), aber während ich die früh geweckten akademischen Erwartungen nie erfüllt hatte, in keinem Fach, und mich auch nicht für gute Noten interessierte, wenn ich dafür arbeiten musste, war Andy überall im Fortgeschrittenenkurs und der Beste in unserer Klasse. Er wäre sicher auch wie Platt nach Groton geschickt worden – eine Aussicht, die ihm schon im dritten Schuljahr schreckliche Angst einjagte –, wenn seine Eltern nicht einigermaßen berechtigte Bedenken gehabt hätten, einen Sohn aufs Internat zu schicken, der von seinen Klassenkameraden so sehr drangsaliert wurde, dass er in der Pause einmal fast erstickt wäre, weil man ihm eine Plastiktüte über den Kopf gestülpt hatte. Es gab auch noch andere Gründe zur Sorge: Ich wusste von Mr. Barbours Aufenthalt in der »Klapse«, weil Andy mir auf seine sachlich-nüchterne Art erzählt hatte, seine Eltern befürchteten, er könne etwas von dieser »Anfälligkeit«, wie er es nannte, geerbt haben.

Als er seine Zeit statt in der Schule mit mir zu Hause verbrachte, entschuldigte er sich, weil er lernen musste, »aber unglücklicherweise ist es notwendig«, sagte er schniefend und wischte sich mit dem Ärmel über die Nase. Seine Unterrichtsbelastung sei ungeheuer anspruchsvoll (»die Hölle auf Rädern für Fortgeschrittene«), und er könne sich nicht leisten, auch nur einen Tag zurückzubleiben. Während er sich mit scheinbar endlosen Mengen von Schularbeiten plagte (Chemie und Analysis, amerikanische Geschichte, Englisch, Astronomie und Japanisch), saß ich auf dem Boden, an seine Kommode gelehnt, und zählte lautlos vor mich hin: Um diese Zeit vor drei Tagen hat sie noch gelebt, um diese Zeit vor vier Tagen, vor einer Woche. Im Geiste ging ich die Mahlzeiten durch, die wir in den Tagen vor ihrem Tod zu uns genommen hatten: unser letzter Besuch im griechischen Bistro, unser letzter Besuch im Shun Lee Palace, das letzte Essen, das sie für mich gekocht hatte (Spaghetti Carbonara), und das letzte davor (ein Gericht namens Chicken Indienne, das sie von ihrer Mutter zu Hause in Kansas gelernt hatte). Manchmal blätterte ich, um beschäftigt auszusehen, in alten *Fullmetal Alchemist*-Heften oder im illustrierten H. G. Wells, das er in seinem Zimmer hatte, aber selbst die Bilder waren mehr, als ich aufnehmen konnte. Meistens starrte ich hinaus zu den flatternden Tauben auf dem Fenstersims, während Andy endlose Tabellen in seinem Hiragana-Arbeitsbuch ausfüllte und beim Arbeiten mit dem Knie unter dem Schreibtisch wippte.

Andys Zimmer – ursprünglich Teil eines großen Schlafzimmer, das die Barbours halbiert hatten – blickte auf die Park Avenue hinaus. Im Berufsverkehr dröhnten Hupen vor dem Fußgängerüberweg, und das Licht brannte golden in den Fenstern auf der anderen Straßenseite und erstarb etwa um die gleiche Zeit, als der Verkehr nachließ. Während die Nacht ihren Lauf nahm (phosphoreszierend im Licht der Straßenlaternen, eine violette Großstadt-Mitternacht, die niemals ganz schwarz wurde), drehte ich mich hin und her, und die Decke, so dicht über dem Etagenbett, lastete manchmal so schwer auf mir, dass ich beim Aufwachen sicher war, unter dem Bett zu liegen statt darauf.

Wie war es möglich, jemanden so zu vermissen, wie ich meine Mutter vermisste? Ich vermisste sie so sehr, dass ich sterben wollte. Es war eine harte, körperliche Sehnsucht wie das Verlangen nach Luft unter Wasser. Wenn ich wach lag, versuchte ich, meine besten Erinnerungen an sie heraufzubeschwören – und in meinem Kopf einzufrieren, damit ich sie nie vergessen könnte –, aber statt mich an Geburtstage und glückliche Zeiten zu erinnern, dachte ich immer wieder an Augenblicke wie den, der ein paar Tage vor ihrem Tod stattgefunden hatte: Sie hatte mich auf halbem Weg aufgehalten, als ich die Wohnung verlassen wollte, und mir einen losen Faden von meiner Schuljacke gezupft. Aus irgendeinem Grund war das eine meiner klarsten Erinnerungen an sie: die zusammengezogenen Brauen, die präzise Geste der ausgestreckten Hand, alles. Ein paar Mal, wenn ich unbehaglich zwischen Traum und Schlaf hin und her driftete, saß ich plötzlich aufrecht im Bett, weil ich im Kopf ganz deutlich ihre Stimme gehört hatte – Bemerkungen, die sie möglicherweise irgendwann gemacht hatte, an die ich mich aber gar nicht erinnerte, zum Beispiel *Wirf mir einen Apfel herüber, ja?* und *Knöpft man das wohl vorn oder eher hinten zu?* und *Dieses Sofa ist in einem schrecklichen Zustand der Unansehnlichkeit.*

Das Licht von der Straße wehte in schwarzen Streifen über den Boden. Ohne Hoffnung dachte ich an mein leeres Zimmer, das nur ein paar Straßen weit entfernt war, an mein schmales Bett mit der verschlissenen roten Steppdecke. Sterne aus dem Planetarium, die im Dunkeln leuchteten, eine Bildpostkarte mit James Whales *Frankenstein*. Die Vögel im Park waren wieder da, die Narzissen blühten. In dieser Jahreszeit standen wir morgens, wenn das Wetter schön war, manchmal extrafrüh auf und gingen zusammen durch den Park, statt mit dem Bus zur West Side zu fahren. Wenn ich doch nur zurückgehen und verändern könnte, was passiert war. Es irgendwie verhindern. Warum hatte ich nicht darauf bestanden, frühstücken zu gehen, statt ins Museum? Warum hatte Mr. Beeman uns nicht am Dienstag zu sich kommen lassen oder am Donnerstag?

Entweder am zweiten Abend nach dem Tod meiner Mutter oder am dritten – jedenfalls einige Zeit, nachdem Mrs. Barbour mit mir zum Arzt gegangen war, damit er meine Kopfschmerzen behandelte – gaben die Barbours in ihrer Wohnung eine große Party, die sie nicht mehr absagen konnten. Es gab ein Geflüster, hektischen Wirbel, aber ich konnte kaum etwas aufnehmen. »Ich glaube«, sagte Mrs. Barbour, als sie in Andys Zimmer kam, »du und Theo, ihr beide würdet vielleicht gern hier hinten bleiben.« Dem entspannten Ton zum Trotz war es offensichtlich kein Vorschlag, sondern ein Befehl. »Es wird so langweilig werden, und ich glaube, es wird euch wirklich keinen Spaß machen. Ich werde Etta sagen, sie soll euch zwei Teller aus der Küche bringen.«

Andy und ich saßen nebeneinander auf dem unteren Bett und aßen Cocktailhäppchen mit Krabben und Artischocken von einem Pappteller – besser gesagt, er aß, während ich meinen Teller auf den

Knien balancierte und nichts anrührte. Er hatte eine DVD eingelegt, irgendeinen Actionfilm mit explodierenden Robotern, in dem es Stahl und Feuer vom Himmel regnete. Aus dem Wohnzimmer kam das Geräusch von klingenden Gläsern, der Duft von Kerzenwachs und Parfüm, und ab und zu erhob sich eine Stimme in hellem Lachen. Das funkelnde, flott arrangierte »It's All Over Now, Baby Blue« des Pianisten schien aus einem alternativen Universum hereinzuschweben. Alles war verloren, ich war von der Landkarte heruntergefallen: Das desorientierende Gefühl, in der falschen Wohnung bei der falschen Familie zu sein, ermüdete mich, und ich war groggy und angeschlagen, beinahe weinerlich, wie ein Gefangener im Verhör, der seit Tagen nicht mehr hatte schlafen dürfen. Immer wieder dachte ich: *Ich muss nach Hause,* und dann, zum millionsten Mal: *Aber ich kann nicht.*

IV

Nach vier Tagen, vielleicht auch nach fünf, packte Andy seine Bücher in seinen ausgeleierten Rucksack und ging wieder in die Schule. Den ganzen Tag und auch den nächsten verbrachte ich in seinem Zimmer vor dem Fernseher und sah »Turner Classic Movies«, den Sender, den meine Mutter immer einschaltete, wenn sie von der Arbeit nach Hause kam. Sie zeigten Graham-Greene-Verfilmungen: *Ministerium der Angst, Der menschliche Faktor, Kleines Herz in Not, Das Attentat.* Am zweiten Abend, als ich darauf wartete, dass *Der dritte Mann* anfing, schaute Mrs. Barbour (valentinomäßig gestylt und auf dem Weg zu einem Event im Museum Frick) kurz in Andys Zimmer herein und gab bekannt, ich müsse am nächsten Tag wieder zur Schule gehen. »Jeder würde sich unwohl fühlen«, sagte sie, »so allein hier zu Hause. Das tut dir nicht gut.«

Ich wusste nicht, was ich sagen sollte. Allein herumzusitzen und fernzusehen, war seit dem Tod meiner Mutter das Einzige, was sich wenigstens einigermaßen normal anfühlte.

»Es wird höchste Zeit, dass du wieder zu einer Art Alltagsroutine zurückkehrst. Morgen. Ich weiß, es kommt dir nicht so vor, Theo«, fuhr sie fort, als ich nicht antwortete, »aber Beschäftigung ist das Einzige auf der Welt, bei dem es dir besser gehen wird.«

Entschlossen starrte ich auf den Fernseher. Seit dem Tag vor dem Tod meiner Mutter war ich nicht mehr in der Schule gewesen, und solange ich dort wegblieb, schien mir ihr Tod irgendwie noch nicht offiziell zu sein. Wenn ich wieder hinginge, wäre es eine öffentliche Tatsache. Schlimmer noch: Die Vorstellung, zu irgendeiner Art von Alltagsroutine zurückzukehren, kam mir illoyal und falsch vor. Es war immer noch ein Schock, jedes Mal, wenn ich mich daran erinnerte – ein neuer Schlag ins Gesicht: Sie war fort. Jedes neue Ereignis – alles, was ich in meinem restlichen Leben tat – würde uns nur weiter voneinander trennen, und die Tage, an denen sie nicht mehr teilnahm, würden den Abstand zwischen uns wachsen lassen. Für den Rest meines Lebens würde sie mit jedem einzelnen Tag weiter von mir wegrücken.

»Theo.«

Erschrocken schaute ich zu ihr auf.

»Einen Schritt nach dem anderen. Nur so bringt man es hinter sich.«

Am nächsten Tag brachten sie einen Spionagefilm-Marathon über den 2. Weltkrieg (*Cairo, The Hidden Enemy, Codename: Emerald*), und ich wollte wirklich gern zu Hause bleiben, um es zu sehen. Aber stattdessen schleppte ich mich aus dem Bett, als Mr. Barbour den Kopf zur Tür hereinschob, um uns zu wecken (»Auf und zum Angriff, Hopliten!«), und ging mit Andy zur Bushaltestelle. Es war ein regnerischer Tag und so kalt, dass Mrs. Barbour mich gezwungen hatte, einen peinlichen alten Dufflecoat von Platt über meine eigenen Sachen zu ziehen. Andys kleine Schwester Kitsey tanzte in ihrem pinkfarbenen Regenmantel vor uns her, hüpfte durch die Pfützen und tat, als gehöre sie nicht zu uns.

Ich wusste, es würde furchtbar werden, und das war es auch, von dem Augenblick an, als ich die hell erleuchtete Eingangshalle betrat und den vertrauten alten Schulgeruch roch: Desinfektionsmittel mit Zitronenduft und so etwas wie alte Socken. Handgeschriebene Anschläge auf dem Flur: Anmeldeformulare für Tennisgruppen und Kochkurse, Vorsprechtermine für *Ein seltsames Paar,* eine Exkursion nach Ellis Island, und es gab noch Tickets für das »Swing in den Frühling«-Konzert. Kaum zu fassen: Die Welt war untergegangen, und diese lächerlichen Aktivitäten gingen immer noch knirschend weiter.

Seltsam – als ich das letzte Mal in diesem Gebäude gewesen war, hatte sie noch gelebt. Der Gedanke kam mir immer wieder, jedes Mal mit etwas Neuem: als ich das letzte Mal diesen Spind aufgeschlossen habe, als ich das letzte Mal dieses blöde Scheißbuch *Einsichten in die Biologie* angefasst habe, als ich das letzte Mal gesehen habe, wie Lindy Maisel sich mit diesem Plastikstäbchen Lipgloss auftrug. Es war schwer zu glauben, dass ich diesen Augenblicken nicht zurück in eine Welt folgen konnte, in der sie nicht tot war.

»Tut mir leid.« Leute, die ich kannte, sagten es, aber auch Leute, mit denen ich noch nie im Leben gesprochen hatte. Diejenigen, die lachend und quatschend auf dem Flur herumstanden, verstummten und warfen mir ernste oder wissende Blicke zu. Wieder andere ignorierten mich komplett, wie spielende Hunde einen kranken oder verletzten Hund in ihrer Mitte ignorieren: Sie schauten mich nicht an, sondern tobten und tollten auf dem Flur um mich herum, als wäre ich gar nicht da.

Vor allem Tom Cable ging mir so geflissentlich aus dem Weg, als wäre ich ein Mädchen, das er abserviert hatte. In der Mittagspause war er nirgends zu sehen. Im Spanisch-Unterricht (er kam hereinspaziert, als der Unterricht längst angefangen hatte, und versäumte die beklommene Szene, in der sich alle mit ernsten Mienen um meinen Tisch versammelten und mir sagten, es tue ihnen leid) saß er nicht neben mir wie sonst, sondern hing vorn auf einem Stuhl und streckte die Beine zur Seite weg. Der Regen trommelte an die Fensterscheiben, während wir eine Serie von bizarren Sätzen ins Englische übertragen mussten – Sätze, die Salvador Dalí stolz gemacht hätten: von Hummern und Strandschirmen und von Marisol mit den langen Wimpern, die mit dem limettengrünen Taxi zur Schule fuhr.

Nach der Stunde ging ich absichtlich nach vorn und sagte Hallo, als er seine Bücher zusammenpackte.

»Oh, hey, wie geht's denn«, sagte er distanziert, lehnte sich zurück und zog klugscheißerisch die Brauen hoch. »Ich hab schon gehört.«

»Yeah.« So lief das zwischen uns ab: Wir waren zu cool für alle anderen, immer auf einer Wellenlänge.

»Echtes Pech. Was für ein Mist.«

»Danke.«

»Hey, du hättest einen auf krank machen sollen. Hab's doch gesagt! Meine Mom ist auch ausgerastet bei diesem ganzen Scheiß. Ist voll an die Decke gegangen, verdammt! Na ja, äh …«, sagte er, und halb achselzuckend in dem betäubten Augenblick, der darauf folgte, schaute er hoch, herunter und um sich herum, und sein Gesicht fragte: *Wer – ich?*, als habe er einen Schneeball mit einem Stein darin geworfen.

»Jedenfalls. Also«, sagte er in einem *Weiter geht's-Tonfall*. »Was soll das Kostüm?«

»Was?«

»Na ja«, mit einem ironischen kleinen Schritt rückwärts beäugte er den karierten Dufflecoat, »auf *jeden* Fall Platz eins im Platt-Barbour-Lookalike-Contest.«

Und wider Willen – ein Schock nach Tagen des Grauens und der Betäubung, ein explosiver, Tourette-artiger Krampfanfall – musste ich lachen.

»Ausgezeichneter Versuch, Cable«, sagte ich mit Platts verhasstem Näseln. Wir waren gute Schauspieler, alle beide, und oft führten wir ganze Gespräche mit den Stimmen anderer Leute: dummer Nachrichtensprecher, winselnder Mädchen, einfältig sich anbiedernder Lehrer. »Morgen verkleide ich mich als du.«

Aber Tom antwortete nicht mit gleicher Münze und nahm den Faden auch nicht auf. Er hatte das Interesse verloren. »Äh, eher nicht«, sagte er, wieder halb achselzuckend und mit spöttischem Grinsen. »Später vielleicht.«

»Ja, später vielleicht.« Ich war sauer – was zum Teufel war sein Problem? Aber es gehörte zu unserer andauernden schwarzen Komödie, die niemanden außer uns amüsierte, dass wir uns beschimpften und beleidigten, und ich war ziemlich sicher, er würde mich nach der Englischstunde suchen kommen oder mich auf dem Heimweg erwischen, würde hinter mir herangelaufen kommen und mir sein Algebra-Lehrbuch auf den Kopf knallen. Aber er tat es nicht. Am nächsten Morgen vor der ersten Stunde sah er mich nicht mal an, als ich Hallo sagte, und sein ausdrucksloses Gesicht, mit dem er sich an mir vorbeischob, ließ mich erstarren. Lindy Maisel und Mandy Quaife drehten sich vor ihren Spinden um, starrten einander an und kicherten halb schockiert: *O mein Gott!* Neben mir schüttelte mein Partner im Physiklabor, Sam Weingarten, den Kopf. »Was für ein Arschloch«, sagte er mit lauter Stimme, so laut, dass alle auf dem Flur sich umdrehten. »Du bist ein echtes Arschloch, Cable, weißt du das?«

Aber mich kümmerte es nicht. Zumindest war ich nicht gekränkt oder deprimiert. Stattdessen war ich wütend. Meine Freundschaft mit Tom hatte immer etwa Wildes, Manisches an sich gehabt, sie war irgendwie durchgeknallt, hektisch und ein bisschen gefährlich, und auch wenn die ganze alte, starke Energie immer noch da war, hatte die Strömung sich doch umgekehrt, und die Hochspannung summte in die entgegengesetzte Richtung, sodass ich jetzt nicht mehr im Pausenraum mit ihm herumalbern, sondern ihn mit dem Kopf ins Urinal tauchen und ihm den Arm auskugeln wollte; ich wollte sein Gesicht auf dem Gehweg blutig schlagen und ihn zwingen, Hundescheiße und Müll aus der Gosse zu fressen. Je länger ich darüber nachdachte, desto wütender wurde ich, und manchmal war ich so sauer, dass ich im Bad auf und ab ging und vor mich hin murmelte. Wenn Cable mich nicht bei Mr. Beeman verpfiffen hätte (»Ich weiß inzwischen, Theo, dass diese Zigaretten nicht dir gehörten«) ... wenn Cable nicht für meine Suspendierung gesorgt hätte ... wenn meine Mom sich nicht den Tag freigenommen hätte ... wenn wir nicht genau im falschen Augenblick im Museum gewesen wären ... na, sogar Mr. Beeman hatte sich dafür entschuldigt, sozusagen. Denn, sicher, es gab Probleme mit meinen Noten (und jede Menge andere Sachen, von denen Mr. Beeman gar nichts wusste), aber das maßgebliche Ereignis, dessentwegen ich in die Schule zitiert worden war, die ganze Geschichte mit den Zigaretten auf dem Hof – wer war daran schuld? Cable. Es war nicht so, dass ich eine Entschuldigung von ihm erwartete. Im Gegenteil wahrscheinlich hätte ich nie ein Wort darüber verloren, niemals. Nur – war ich jetzt ein Paria? *Persona non grata?* Er wollte nicht mal mehr mit mir sprechen? Ich war kleiner als Cable, aber nicht viel, und immer wenn er im Unterricht einen schlauen Spruch abließ, was er sich nicht verkneifen konnte, oder wenn er mit seinen neuen besten Freunden Billy Wagner und Thad Randolph auf dem Flur an mir vorbeilief (wie wir früher miteinander herumgerannt waren, ständig im Overdrive, mit dieser Sucht nach Gefahr und Irrsinn) – bei all diesen Gelegenheiten konnte ich immer nur daran denken, wie gern ich ihm die Scheiße aus dem Leib prügeln würde, sodass die Mädchen lachten, wenn er tränenüberströmt vor mir kauerte: *Uuuuh, Tom! Buh-huh-hu! Heulst du etwa?* (Ich tat mein Bestes, um einen Kampf zu provozieren: Einmal gab ich ihm absichtlich aus Versehen eins auf die Nase, indem ich ihm die Toilettentür vor der Nase zuschlug, und einmal schubste ich ihn gegen den Getränkeautomaten, sodass er seine ekelhaften Käsefritten auf den Boden fallen ließ, aber statt sich auf mich zu stürzen – worauf ich inständig hoffte –, grinste er nur spöttisch und ging wortlos weg.)

Natürlich gingen mir nicht alle aus dem Weg. Viele Leute schoben Zettel und Geschenke in meinen Spind (unter anderem Isabella Cushing und Martina Lichtblau, die beiden beliebtesten Mädchen meines Jahrgangs), und mein alter Feind Win Temple aus der Fünften überraschte mich, indem er auf mich zukam und mich umarmte wie ein Bär. Aber die meisten reagierten auf mich mit vorsichtiger, halb ängstlicher Höflichkeit. Es war nicht so, dass ich weinend oder auch nur verstört herumlief, aber trotzdem brachen sie mitten im Gespräch ab, wenn ich mich in der Mittagspause zu ihnen setzte.

Erwachsene dagegen schenkten mir unbehagliche Mengen an Aufmerksamkeit. Man riet mir, ein Tagebuch zu führen, mit meinen Freunden zu sprechen, eine »Erinnerungscollage« zu machen (bescheuerte Vorschläge, was mich betraf: Die anderen Kids waren beklommen in meiner Gegenwart, egal, wie normal ich mich benahm, und als Allerletztes wollte ich Aufmerksamkeit auf mich ziehen, indem ich anderen Leuten meine Gefühle anvertraute oder im Zeichensaal therapeutisches Kunsthandwerk herstellte). Es kam mir so vor, als verbrächte ich außergewöhnlich viel Zeit damit, in leeren Klassenzimmern und Büros herumzustehen (auf den Boden zu schauen und sinnlos mit dem Kopf zu nicken), weil besorgte Lehrer mich baten, nach dem Unterricht noch dazubleiben, oder mich beiseitenahmen, um mit mir zu sprechen. Mein Englischlehrer, Mr. Neuspeil, saß einmal auf der Kante seines Pults und berichtete angespannt vom grässlichen Tod seiner eigenen Mutter unter den Händen eines inkompetenten Chirurgen, und dann klopfte er mir auf den Rücken und gab mir ein leeres Notizbuch, in das ich hineinschreiben sollte. Mrs. Swanson, die Schulpsychologin, zeigte mir ein paar Atemübungen und meinte, ich könnte es hilfreich finden, meinen Schmerz abzuladen, indem ich hinausging und Eiswürfel gegen einen Baum schleuderte. Und sogar Mr. Borowsky (der Mathe unterrichtete und deutlich weniger leuchtende Augen hatte als die anderen Lehrer) nahm mich draußen auf dem Flur beiseite und erzählte mir mit sehr leiser Stimme, sein Gesicht war nur drei Fingerbreit von meinem entfernt, wie schuldig er sich fühlte, nachdem sein Bruder bei einem Autounfall gestorben war. (Von Schuld war in diesen Gesprächen oft die Rede. Glaubten meine Lehrer wie ich, dass ich schuld am Tod meiner Mutter war? Anscheinend ja.) Mr. Borowsky habe so große Schuldgefühle gehabt, weil er seinen Bruder an jenem Abend nach der Party betrunken hatte fahren lassen, dass er sogar eine kurze Zeit lang daran gedacht habe sich umzubringen. Vielleicht hätte ich auch an Selbstmord gedacht. Aber Selbstmord sei nicht die Antwort.

Ich nahm alle diese Ratschläge höflich entgegen, mit glasigem Lächeln und einem grellen Gefühl der Unwirklichkeit. Viele Erwachsene deuteten diese Taubheit anscheinend als positives Zeichen. Ich erinnere mich speziell daran, wie Mr. Beeman (ein übertrieben gestutzter Brite mit einer albernen Automütze aus Tweed, den ich inzwischen trotz seiner Fürsorglichkeit irrational zu hassen begonnen hatte, weil er am Tode meiner Mutter beteiligt gewesen war) mir ein Kompliment zu meiner Reife machte und mich davon in Kenntnis setzte, ich käme offenbar »schrecklich gut damit zurecht«. Und vielleicht kam ich tatsächlich schrecklich gut zurecht – ich weiß es nicht. Jedenfalls stieß ich nicht laut heulend meine Faust durch die Fensterscheibe und tat auch sonst nichts von dem, was in meiner Vorstellung Leute tun könnten, denen es ging wie mir. Aber manchmal, ganz unerwartet, brandete der Schmerz in Wellen über mich hinweg, die mir den Atem verschlugen, und wenn sie zurückwichen, schaute ich unversehens hinaus auf ein salzfeuchtes Wrack, beleuchtet von einem Licht so hell, so herzversehrt und leer, dass es schwerfiel, mich daran zu erinnern, dass die Welt jemals etwas anderes als tot gewesen war.

V

Ehrlicherweise verschwendete ich keinen Gedanken an meine Großeltern Decker, und das war auch gut so, denn das Jugendamt war außerstande, sie anhand der spärlichen Informationen, die ich ihnen geben konnte, auf Anhieb zu finden. Dann klopfte Mrs. Barbour an die Tür von Andys Zimmer und sagte: »Theo, können wir kurz miteinander sprechen, bitte?«

Etwas an ihrer Art verhieß eindeutig schlechte Neuigkeiten, auch wenn es in meiner Situation schwer vorstellbar war, dass es noch schlimmer kommen könnte. Als wir im Wohnzimmer Platz genommen hatten – neben einem meterhohen Arrangement aus Weidenkätzchen und blühenden Apfelzweigen aus dem Blumengeschäft –, schlug sie die Beine übereinander und sagte: »Ich habe einen Anruf

vom Jugendamt bekommen. Sie haben Kontakt zu deinen Großel
tern aufgenommen. Leider scheint es aber deiner Großmutter nich
gut zu gehen.«

Einen Moment lang war ich verwirrt. »Dorothy?«

»Wenn du sie so nennst – ja.«

»Oh. Sie ist nicht meine richtige Großmutter.«

»Ich verstehe«, sagte Mrs. Barbour, als verstehe sie in Wirklich
keit keineswegs und habe auch kein Verlangen danach. »Jedenfalls
Es geht ihr anscheinend nicht gut – ein Rückenleiden, glaube ich –
und dein Großvater muss sie versorgen. Die Sache ist also die, weiß
du – und ich bin sicher, sie bedauern es sehr –, aber sie sagen, es se
im Moment nicht machbar, dich dort hinkommen zu lassen. Jeden
falls nicht, wenn du bei ihnen wohnen sollst«, fügte sie hinzu, als ich
nichts sagte. »Sie haben angeboten, dir vorläufig den Aufenthalt ir
einem Holiday Inn in ihrer Nähe zu bezahlen, aber das klingt doch
eher impraktikabel, nicht wahr?«

Ich hatte einen unangenehmen Summton im Ohr. Unter den
gleichmütigen Blick ihrer eisgrauen Augen schämte ich mich plötz
lich entsetzlich. Mir hatte so sehr vor der Vorstellung gegraut, zu
Grandpa Decker und Dorothy ziehen zu müssen, dass ich den Ge
danken daran beinahe vollständig aus meinem Kopf vertrieben hat
te. Aber zu hören, sie wollten mich nicht haben, war eine ganz an
dere Sache.

Ein Ausdruck von Mitgefühl flackerte über ihr Gesicht. »Da
braucht dir nicht unangenehm zu sein«, sagte sie. »Und Sorgen ma
chen musst du dir sowieso nicht. Vereinbart ist, dass du die nächs
ten paar Wochen bei uns bleiben und mindestens das Schuljahr zu
Ende bringen kannst. Alle sind sich einig, dass es so am besten ist
Übrigens« – sie beugte sich herüber – »das ist ein hübscher Ring. Is
das ein Familienerbstück?«

»Äh, ja.« Aus Gründen, die ich kaum hätte erklären können, hat
te ich mir angewöhnt, den Ring des alten Mannes fast auf allen mei
nen Wegen bei mir zu tragen. Meistens spielte ich in meiner Jacken
tasche damit herum, aber ich schob ihn auch auf den Mittelfinger

und trug ihn dort, obwohl er mir zu groß war und ein bisschen hin und her rutschte.

»Interessant. Aus der Familie deiner Mutter oder deines Vaters?«

»Von meiner Mutter«, sagte ich nach einer kurzen Pause. Die Richtung, die dieses Gespräch nahm, gefiel mir nicht.

»Darf ich ihn sehen?«

Ich zog ihn ab und ließ ihn auf ihre Handfläche fallen. Sie hielt ihn unter die Lampe. »Hübsch«, sagte sie. »Ein Karneol. Und das Intaglio – ist das griechisch-römisch? Oder ein Familienwappen?«

»Äh, ein Wappen, glaube ich.«

Sie studierte das mythische Klauenungeheuer. »Sieht aus wie ein Greif. Oder vielleicht wie ein geflügelter Löwe.« Sie drehte den Ring seitwärts ins Licht und warf einen Blick auf die Unterseite. »Und die-se Gravur im Inneren?«

Sie runzelte die Stirn, als sie mein ratloses Gesicht sah. »Erzähl mir nicht, du hättest sie nie bemerkt. Warte.« Sie stand auf, ging zu einem Schreibtisch mit vielen verschnörkelten Schubladen und Fä-chern und kam mit einer Lupe zurück.

»Damit geht es besser als mit meiner Lesebrille.« Sie spähte hin-durch. »Trotzdem ist diese alte Gravierung sehr schwer zu lesen.« Sie hielt die Lupe näher an den Ring und vergrößerte den Abstand dann wieder. »Blackwell. Fällt dir dazu etwas ein?«

»Äh …« Tatsächlich war da etwas außerhalb aller Worte, aber der Gedanke wehte davon und war verschwunden, ehe er sich verfesti-gen konnte.

»Ich sehe auch ein paar griechische Buchstaben. Sehr interessant.« Sie gab mir den Ring zurück. »Es ist ein alter Ring«, sagte sie. »Man sieht es an der Patina des Steins und an den verschlissenen Stellen – siehst du, hier? Früher haben Amerikaner sich diese klassischen In-taglien aus Europa mitgebracht, damals zur Zeit von Henry James, und haben sie in Ringe fassen lassen. Andenken an die Große Reise.«

»Wenn sie mich nicht haben wollen, wo soll ich dann hin?«

Einen Augenblick lang war Mrs. Barbour verdutzt. Beinahe so-fort hatte sie sich wieder gefasst. »Na, darüber würde ich mir jetzt nicht den Kopf zerbrechen. Wahrscheinlich ist es sowieso am bes ten, wenn du erst noch ein Weilchen hierbleibst und das Schuljah zu Ende bringst, meinst du nicht auch? Aber jetzt«, sie nickte mi zu, »gib gut acht auf diesen Ring und pass auf, dass du ihn nicht ver lierst. Ich sehe ja, wie lose er sitzt. Vielleicht möchtest du ihn liebe an einem sicheren Ort aufbewahren, statt ihn so herumzutragen.«

VI

Aber ich trug ihn weiter. Besser gesagt, ich ignorierte ihren Rat, ih an einem sicheren Ort aufzubewahren, und behielt ihn weiter in de Tasche. Wenn er auf meiner Handfläche lag, war er sehr schwer, un wenn ich ihn mit den Fingern umschloss, wurde das Gold warm vo meiner Körperwärme, aber der geschnittene Stein blieb kühl. Sein schwere, antiquierte Beschaffenheit, die Mischung aus Nüchternhei und Funkeln, wirkte seltsam tröstlich. Wenn ich mich intensiv genu darauf konzentrierte, hatte er die seltsame Macht, mich in meine Zustand des Treibens zu verankern und die Welt um mich herun auszusperren, aber trotz allem wollte ich eigentlich nicht darübe nachdenken, woher ich ihn hatte.

Auch über meine Zukunft wollte ich nicht nachdenken. Auc wenn ich mich kaum auf ein neues Leben im ländlichen Maryland angewiesen auf die kalte Gnade der Großeltern Decker, gefreut hat te, bereitete mir die Frage, was aus mir werden würde, allmählic ernsthafte Sorgen. Anscheinend waren alle zutiefst entsetzt über de Vorschlag mit dem Holiday Inn, als hätten Grandpa Decker un Dorothy angeboten, mich in einem Schuppen in ihrem Garten un terzubringen, aber mir kam die Sache gar nicht so übel vor. Ich hat te immer gern in einem Hotel wohnen wollen, und selbst wenn da Holiday Inn nicht die Sorte Hotel war, die mir vorschwebte, ließe e sich dort doch sicher aushalten: Hamburger vom Zimmerservice Bezahlfernsehen, ein Pool im Sommer – wie schlecht konnte da sein?

Alle (die Sozialarbeiter, Dave, der Psychiater, Mrs. Barbour) erzählten mir immer wieder, ich könne unmöglich allein in einem Holiday Inn im ländlichen Maryland wohnen, und ganz gleich, wie alles weiterginge, *dazu* würde es niemals kommen. Anscheinend war ihnen nicht klar, dass ihre tröstlich gemeinten Worte meine Bangigkeit nur hundertfach verstärkten. »Eins darfst du nie vergessen«, sagte Dave, der Psychiater, der mir von der Stadt zugewiesen worden war. »Man wird unter allen Umständen für dich sorgen.« Er war ein Typ in den Dreißigern in dunkler Kleidung und mit einer trendigen Brille, der immer so aussah, als komme er soeben von einer Lyriklesung im Keller einer Kirche. »Denn es gibt jede Menge Leute, die sich um dich kümmern und die nur dein Bestes wollen.«

Ich war inzwischen misstrauisch gegen Fremde, die sich darüber unterhielten, was das Beste für mich sei, denn genau davon hatten auch die Sozialarbeiter geredet, bevor das Thema Pflegefamilie zur Sprache gekommen war. »Aber – ich finde, meine Großeltern haben nicht ganz unrecht«, sagte ich.

»Womit?«

»Mit dem Holiday Inn. Könnte ganz okay für mich sein.«

»Willst du damit sagen, bei deinen Großeltern zu Hause wäre es nicht okay für dich?«, fragte Dave, ohne zu zögern.

»Nein!« Genau das konnte ich an ihm nicht ausstehen: Ständig legte er mir Worte in den Mund.

»Na gut. Vielleicht können wir es anders formulieren.« Er verschränkte die Hände und überlegte. »Warum würdest du lieber in einem Hotel als bei deinen Großeltern wohnen?«

»Das habe ich nicht gesagt.«

Er legte den Kopf schräg. »Nein, aber du fängst immer wieder mit dem Holiday Inn an, als wäre das eine gangbare Möglichkeit, und dabei höre ich heraus, dass es dir lieber wäre.«

»Ich finde es viel besser, als in eine Pflegefamilie zu gehen.«

»Ja«, er beugte sich vor, »aber bitte hör mir jetzt zu. Du bist erst dreizehn. Und du hast soeben deine primäre Betreuungsperson verloren. Allein zu leben, ist im Moment wirklich keine Option für dich.

Ich will damit nur sagen, es ist schade, dass deine Großeltern sich mit diesen Gesundheitsproblemen zu plagen haben, aber glaub mir, wir können ganz sicher einen besseren Weg finden, wenn deine Großmutter wieder auf dem Damm ist.«

Ich sagte nichts. Offensichtlich hatte er Grandpa Decker und Dorothy nicht kennengelernt. Ich hatte zwar selbst auch noch nicht viel von ihnen gesehen, aber meine wichtigste Erinnerung war die an die komplette Abwesenheit jedes Gefühls von Blutsverwandtschaft zwischen uns, an den undurchsichtigen Blick, mit dem sie mich angesehen hatten, als wäre ich ein x-beliebiger Bengel, der aus der Shopping Mall herüberspaziert war. Die Aussicht darauf, bei ihnen zu leben, war beinahe buchstäblich unvorstellbar, und ich hatte mir das Hirn zermartert, um mich so gut wie möglich an meinen letzten Besuch bei ihnen zu erinnern. Viel konnte mir dazu sowieso nicht einfallen, denn ich war erst sieben oder acht Jahre alt gewesen. Da hatten handgestickte und eingerahmte Sprichwörter an der Wand gehangen, und in einer Vorrichtung aus Plastik auf der Küchentheke hatte Dorothy Lebensmitteln das Wasser entzogen. Irgendwann nachdem Grandpa Decker mich angeschrien hatte, ich sollte meine klebrigen kleinen Pfoten von seiner Modelleisenbahn lassen, war mein Dad hinausgegangen, um eine Zigarette zu rauchen (es war im Winter gewesen), und nicht wieder hereingekommen. »Gütiger Gott«, hatte meine Mutter gesagt, als wir draußen im Wagen saßen (es war ihre Idee gewesen, dass ich die Familie meines Vaters kennenlernen sollte), und danach waren wir nie wieder hingefahren.

Ein paar Tage nach dem Angebot mit dem Holiday Inn wurde eine Grußkarte für mich bei den Barbours zugestellt. (Am Rande bemerkt: Sehe ich es falsch, wenn ich finde, Bob und Dorothy, wie sie sich in der Unterschrift nannten, hätten zum Telefon greifen und mich anrufen sollen? Oder sich ins Auto setzen und in die Stadt fahren, um selbst nach mir zu sehen? Beides taten sie nicht. Ich erwartete zwar gar nicht, dass sie heulend vor Mitgefühl an meine Seite eilten, aber es wäre doch nett gewesen, wenn sie mich mit einer kleinen, wenn auch ungewohnten Geste der Zuneigung überrascht hätten.)

Genau genommen war die Karte von Dorothy (der »Bob«, offensichtlich in ihrer Handschrift, war erst im Nachhinein neben ihren eigenen Namen gequetscht worden). Interessanterweise sah der Umschlag aus, als sei er aufgedampft und wieder zugeklebt worden – von Mrs. Barbour? vom Jugendamt? –, aber die Karte selbst trug eindeutig Dorothys steif senkrechte europäische Handschrift, die exakt einmal im Jahr auch auf einer Weihnachtskarte erschien, eine Handschrift, die, wie mein Vater einmal angemerkt hatte, aussah, als gehörte sie auf eine Schiefertafel im Restaurant La Goulue, auf der das Tagesangebot an Fischgerichten stand. Vorn auf der Karte war eine hängende Tulpe abgebildet, und darunter stand gedruckt der Spruch: NICHTS IST EIN ENDE.

Dorothy war, wenn ich meinen spärlichen Erinnerungen vertrauen konnte, nicht der Mensch, der viele Worte verschwendete, und diese Karte machte keine Ausnahme. Nach ein paar absolut herzlichen Eröffnungsfloskeln – Beileid zu meinem tragischen Verlust, in Gedanken bei mir in dieser Zeit der Trauer – bot sie an, mir einen Busfahrschein nach Woodbriar, Maryland, zu schicken, und deutete gleichzeitig an, dass es ihr und Grandpa Decker aus gewissen medizinischen Gründen schwer möglich sei, den »Forderungen zu entsprechen«, die mit meiner Versorgung verbunden seien.

»Forderungen?«, wiederholte Andy. »Das klingt, als verlangtest du von ihr zehn Millionen in nicht markierten Scheinen.«

Ich schwieg. Seltsamerweise war es das Bild auf der Karte, was mich verstörte. Es war eine völlig normale Karte, wie man sie auf einem Ständer im Drugstore finden kann, aber trotzdem erschien mir das Foto einer verwelkten Blume, mochte es noch so künstlerisch ausgeführt sein, nicht als passendes Motiv für jemanden, dessen Mutter gerade gestorben war.

»Ich dachte, sie wäre so krank. Wieso ist sie diejenige, die schreibt?«

»Was weiß denn ich?« Die gleiche Frage hatte ich mir auch schon gestellt. Es sah tatsächlich komisch aus, dass mein leiblicher Großvater keinen Gruß dazugesetzt und sich nicht mal die Mühe gemacht hatte, selbst zu unterschreiben.

»Vielleicht«, sagte Andy düster, »hat dein Großvater Alzheimer und sie hält ihn in seinem eigenen Haus gefangen. Um an sein Geld zu kommen. Das kommt bei jüngeren Ehefrauen ziemlich oft vor, weißt du.«

»Ich glaube nicht, dass er viel Geld hat.«

»Vielleicht nicht.« Andy räusperte sich demonstrativ. »Aber Machtgier ist niemals auszuschließen. ›Natur, rot an Zähnen und Klauen‹. Vielleicht will sie nicht, dass du dich an das Erbe ranmachst.«

»Kumpel«, Andys Vater blickte ziemlich plötzlich von seiner *Financial Times* auf, »ich finde nicht, dass diese Unterhaltung eine besonders produktive Richtung nimmt.«

»Na ja, ganz ehrlich, ich verstehe nicht, wieso Theo nicht weiter bei uns bleiben kann«, sagte Andy und sprach damit aus, was ich dachte. »Ich bin froh über die Gesellschaft, und in meinem Zimmer ist jede Menge Platz.«

»Ja, natürlich würden wir ihn alle gern für uns behalten«, sagte Mr. Barbour, aber mit einer Herzlichkeit, die nicht so hundertprozentig überzeugend klang, wie ich es gern gehabt hätte. »Aber was würde seine Familie denken? Nach allem, was ich weiß, ist Kidnapping immer noch verboten.«

»Na, aber ich meine, Daddy«, sagte Andy mit seiner aufreizend fern klingenden Stimme, »das scheint hier doch wohl kaum der Fall zu sein.«

Mr. Barbour stand unvermittelt auf und hielt sein Club Soda in der Hand. Wegen der Medikamente, die er nahm, durfte er keinen Alkohol trinken. »Theo, was ich vergessen habe – kannst du segeln?«

Ich brauchte einen Moment, um die Frage zu verstehen. »Nein.«

»Oh, das ist schade. Andy hatte *unglaublich* viel Spaß in seinem Segel-Camp oben in Maine letztes Jahr. Nicht wahr?«

Andy schwieg. Er hatte mir zig Mal erzählt, es seien die schlimmsten zwei Wochen seines Lebens gewesen.

»Kannst du das Flaggenalphabet?«, fragte Mr. Barbour mich.

»Wie bitte?«

»Ich habe ein ausgezeichnetes Schaubild in meinem Arbeitszimmer, das ich dir gern zeige. Zieh nicht dieses Gesicht, Andy. Es ist absolut nützlich für jeden Jungen, sich damit auszukennen.«

»Das stimmt allerdings. Wenn er einen vorüberfahrenden Schlepper anrufen muss.«

»Deine neunmalklugen Bemerkungen gehen mir auf die Nerven«, sagte Mr. Barbour, aber er sah eher traurig als verärgert aus. »Außerdem«, fuhr er fort und wandte sich an mich, »ich glaube, du würdest dich wundern, wie oft diese nautischen Flaggen in Paraden und in Filmen auftauchen und – ich weiß nicht – auf der Bühne.«

Andy verzog das Gesicht. »*Auf der Bühne*«, sagte er höhnisch.

Mr. Barbour sah ihn an. »Jawohl, *auf der Bühne*. Findest du diesen Ausdruck amüsant?«

»Aufgeblasen trifft es viel besser.«

»Tja, ich fürchte, ich kann nicht erkennen, was du daran so aufgeblasen findest. Es ist jedenfalls genau der Ausdruck, den deine Urgroßmutter benutzt hätte.« (Mr. Barbours Großvater war aus dem *Who Is Who* gestrichen worden, weil er Olga Osgood geheiratet hatte: Sie war eine kleine Filmschauspielerin gewesen.)

»Genau das meine ich.«

»Und wie soll ich mich dann deiner Ansicht nach ausdrücken?«

»Ehrlich gesagt, Daddy, was ich wirklich gern wissen würde, ist: Wann hast du das letzte Mal in *irgendeiner* Theateraufführung Signalflaggen gesehen?«

»In *South Pacific, dem Musical*«, erwiderte Mr. Barbour prompt.

»Außer in *South Pacific*.«

»Ich sage nichts weiter.«

»Ich glaube nicht, dass Mutter und du *South Pacific* je gesehen habt.«

»Herrgott noch mal, Andy.«

»Na, und selbst wenn. Ein Beispiel reicht nicht als Beleg für deine Behauptung.«

»Ich weigere mich, dieses absurde Gespräch fortzusetzen. Komm, Theo.«

VII

Von diesem Augenblick an gab ich mir besonders große Mühe, ein guter Gast zu sein: Ich machte morgens mein Bett, ich sagte immer danke und bitte und tat alles, was meine Mutter von mir erwarten würde. Leider war der Haushalt der Barbours nicht gerade einer von denen, wo man seine Dankbarkeit zeigen konnte, indem man auf die jüngeren Geschwister aufpasste oder beim Geschirrspülen half. Angefangen mit der Frau, die sich um die Pflanzen kümmerte – ein deprimierender Job, denn die Wohnung bekam so wenig Licht, dass die meisten Pflanzen eingingen –, bis zu Mrs. Barbours Assistentin, deren Hauptaufgabe anscheinend darin bestand, die Schränke aufzuräumen oder die Porzellansammlung neu zu sortieren, hatten sie an die acht Leute, die für sie arbeiteten. (Als ich Mrs. Barbour mal nach dem Raum mit der Waschmaschine fragte, sah sie mich an, als hätte ich nach Lauge und Fett gefragt, um Seife zu sieden.)

Aber obwohl nichts von mir verlangt wurde, war die Anstrengung, mich in ihren lupenreinen und komplizierten Haushalt einzufügen, eine immense Belastung. Ich war verzweifelt bemüht, im Hintergrund zu verschwinden – mich wie ein Fisch in einem Korallenriff unsichtbar in die Chinoiserien der Inneneinrichtung einzufügen –, aber trotzdem zog ich anscheinend hundert Mal am Tag ungewollt die Aufmerksamkeit auf mich. Ich musste nach jeder Kleinigkeit fragen: nach einem Waschlappen, einem Pflaster, einem Bleistiftspitzer. Ich hatte keinen Schlüssel und musste immer klingeln, wenn ich kam und ging. Selbst der gut gemeinte Versuch, morgens mein Bett zu machen, führte dazu, dass Mrs. Barbour mir erklärte, es sei besser, diese Arbeit Irenka oder Esperanza zu überlassen, weil sie daran gewöhnt wären und die Ecken besser hinbekämen. Ich brach einen Endknopf an einem antiken Kleiderständer ab, als ich eine Tür zu weit aufriss. Zweimal gelang es mir, den Einbrecheralarm auszulösen, und einmal tappte ich sogar zu Mr. und Mrs. Barbour ins Zimmer, als ich das Bad suchte.

Zum Glück waren Andys Eltern so selten da, dass meine Anwesenheit ihnen anscheinend nicht besonders zur Last fiel. Wenn Mrs. Barbour keine Gäste hatte, verließ sie die Wohnung gegen elf Uhr vormittags. Zwei Stunden vor dem Abendessen schaute sie wieder herein, auf einen Gin-and-Lime und einen »Sprung in die Wanne«, wie sie es nannte, und dann war sie wieder weg und kam erst nach Hause, als wir schon im Bett waren. Von Mr. Barbour sah ich noch weniger, außer an den Wochenenden und wenn er nach der Arbeit mit seinem in eine Serviette gehüllten Glas Club Soda herumsaß und darauf wartete, dass Mrs. Barbour ihre Abendgarderobe anzog.

Mit Abstand das größte Problem für mich waren Andys Geschwister. Platt war zum Glück in Groton, wo er kleinere Kinder terrorisierte, aber Kitsey und der kleinste der Brüder, Toddy, der erst sieben war, hatten offenkundig etwas dagegen, dass ich die wenige Aufmerksamkeit, die sie von ihren Eltern bekamen, auch noch in Anspruch nahm. Es gab jede Menge Tobsuchtsanfälle und Schmollattacken, eine Menge Augenverdrehen und feindseliges Gekicher von Kitsey sowie einen (für mich) völlig verwirrenden Aufruhr – der sich nie ganz aufklären ließ –, als sie ihren Freundinnen und dem Personal und jedem, der es hören wollte, erzählte, ich sei in ihr Zimmer gegangen und habe mir an der Sparschweinsammlung auf dem Regal über ihrem Schreibtisch zu schaffen gemacht. Was Toddy anging, so war er zunehmend beunruhigt, als die Wochen vergingen und ich immer noch da war. Beim Frühstück glotzte er mich hemmungslos an und stellte nicht selten Fragen, die seine Mutter veranlassten, ihn unter dem Tisch zu zwicken. Wo ich wohnte. Wie lange ich noch bleiben würde. Ob ich einen Dad hatte. Wo der denn sei.

»Gute Frage«, sagte ich und provozierte damit ein entsetztes Gelächter von Kitsey, die in der Schule beliebt und – mit neun Jahren – auf ihre weißblonde Art ebenso hübsch wie Andy unscheinbar war.

VIII

Irgendwann kamen Leute von einer Umzugsfirma, verpackten die Sachen meiner Mutter und lagerten sie ein. Vor diesem Termin sollte ich nach Hause gehen und alles holen, was ich haben wollte oder brauchte. Das Gemälde war in meinem Bewusstsein, bohrend, aber irgendwie unbestimmt, was in keinem Verhältnis zu seiner tatsächlichen Bedeutung stand – eher so, als wäre es ein unerledigtes Projekt für die Schule. Irgendwann würde ich es dem Museum zurückgeben müssen, aber ich war mir noch nicht darüber im Klaren, wie ich das anstellen sollte, ohne einen Riesenwirbel zu machen.

Eine Gelegenheit, es zurückzugeben, hatte ich bereits verpasst, als Mrs. Barbour irgendwelche Detektive weggeschickt hatte, die vor der Tür gestanden und mich gesucht hatten. Das heißt, ich schloss aus dem, was Kellyn, das walisische Mädchen, das auf die kleineren Kinder aufpasste, mir erzählt hatte, dass es Detektive oder sogar Polizisten gewesen waren. Sie hatte Toddy aus der Tagesstätte nach Hause gebracht, als die Fremden aufgekreuzt waren und nach mir gefragt hatten. »Anzüge, weißt du?«, sagte sie und zog vielsagend eine Braue hoch. Sie war ein schweres, schnell sprechendes Mädchen mit roten Wangen, die immer aussahen, als hätte sie an einem Feuer gestanden. »Sie hatten diesen Blick.«

Ich wagte nicht zu fragen, was sie mit *diesem Blick* meinte, und als ich vorsichtig zu Mrs. Barbour hineinging, um zu hören, was sie dazu zu sagen hatte, war sie beschäftigt. »Entschuldige«, sagte sie, ohne mich richtig anzusehen, »aber können wir darüber später sprechen?« In einer halben Stunde würden Gäste kommen, darunter ein bekannter Architekt und eine berühmte Tänzerin vom New York City Ballet, und sie plagte sich mit dem lockeren Verschluss ihrer Halskette und war aufgebracht, weil die Klimaanlage nicht richtig funktionierte.

»Bin ich in Schwierigkeiten?«

Es war mir herausgerutscht, bevor ich wusste, was ich da sagte. Mrs. Barbour hielt inne. »Theo, sei nicht albern«, sagte sie. »Sie waren

140

sehr nett, sehr rücksichtsvoll, aber es passte mir im Moment nicht, dass sie hier herumsitzen. Kreuzen hier auf, ohne anzurufen. Jedenfalls habe ich ihnen gesagt, es sei nicht eben der günstigste Augenblick, wie sie natürlich auch selbst sehen konnten.« Sie deutete auf die Caterer, die hin- und herliefen, und den Haustechniker, der auf der Leiter stand und mit einer Taschenlampe in die Lüftungsöffnung der Klimaanlage leuchtete. »Jetzt lauf zu. Wo ist Andy?«

»Er kommt in einer Stunde nach Hause. Ist mit dem Astronomiekurs ins Planetarium gegangen.«

»Na, in der Küche gibt es etwas zu essen. Von den Mini-Törtchen habe ich nicht so viele übrig, aber ihr könnt so viele von den kleinen Sandwiches haben, wie ihr wollt. Und wenn die Torte angeschnitten ist, dürft ihr euch gern auch davon etwas nehmen.«

Sie hatte sich so unbesorgt benommen, dass ich nicht mehr an die Besucher dachte, bis sie drei Tage später in der Schule erschienen, im Geometrieunterricht, der eine jung, der andere älter, beide unauffällig gekleidet. Sie klopften höflich an die Klassentür. »Können wir mit Theodore Decker sprechen?«, wandte sich der jüngere, italienisch aussehende Mann zu Mr. Borowsky, während der ältere freundlich in den Klassenraum spähte.

»Wir möchten nur mit dir reden. Ist das okay?«, fragte der Ältere, als wir auf den gefürchteten Konferenzraum zugingen, in dem die Besprechung mit Mr. Beeman und meiner Mutter am Tag ihres Todes hätte stattfinden sollen. »Du brauchst keine Angst zu haben.« Ein dunkelhäutiger Schwarzer mit einem grauen Ziegenbart, der tough aussah, aber anscheinend nett war, wie ein cooler Cop in einer Fernsehserie. »Wir müssen nur eine Menge Einzelheiten zu diesem Tag zusammenfügen, und wir hoffen, du kannst uns dabei helfen.«

Ich hatte zuerst Angst gehabt, aber als er sagte, ich bräuchte keine zu haben, glaubte ich ihm – bis er die Tür zum Konferenzraum aufstieß. Da saßen meine Tweedmützen-Nemesis, Mr. Beeman, aufgeblasen wie immer mit seiner Weste und der Uhrkette, Enrique, mein Sozialarbeiter, Mrs. Swanson, die Schulpsychologin (dieselbe, die mir erzählt hatte, es würde mir vielleicht besser gehen, wenn ich ein paar Eiswürfel gegen einen Baum warf), Dave, der Psychiater, wie üblich in schwarzer Levi's und passendem Rollkragenpullover, und schließlich – Mrs. Barbour in hochhackigen Schuhen und einem perlgrauen Hosenanzug, der aussah, als hätte er mehr gekostet, als der Rest der Anwesenden zusammen in einem Monat verdiente.

Die Panik stand mir offenbar ins Gesicht geschrieben. Vielleicht wäre ich nicht ganz so erschrocken gewesen, wenn ich ein bisschen besser begriffen hätte, was mir damals nicht klar war: dass ich minderjährig war, dass bei einer offiziellen Befragung mein Vater, meine Mutter oder ein Vormund anwesend sein musste – und dass man deshalb jeden dazugerufen hatte, der auch nur irgendwie als mein Anwalt präsentiert werden konnte. Aber als ich all diese Gesichter sah und das Aufnahmegerät entdeckte, das mitten auf dem Tisch stand, dachte ich nur, dass alle offiziell Beteiligten zusammengekommen waren, um über mein Schicksal zu urteilen und um über mich zu verfügen, wie sie es für richtig hielten.

Steif saß ich da und ließ die Fragen, mit denen sie sich warmliefen, über mich ergehen (hatte ich Hobbys? Ging ich einer speziellen Sportart nach?), bis allen klar war, dass dieses einleitende Geplauder mich nicht nennenswert auflockerte.

Es klingelte zum Ende der Stunde. Spindtüren wurden zugeschlagen, Stimmen murmelten auf dem Flur. »Du bist *tot,* Thalheim«, rief ein Junge entzückt.

Der italienische Typ – er heiße Ray, sagte er – rückte seinen Stuhl vor mich hin, sodass wir Knie an Knie saßen. Er war jung, aber massig und sah aus wie ein gutmütiger Limousinenfahrer, und seine abwärtsgerichteten Augen waren feucht, schwimmend, verschlafen wie bei jemandem, der trank.

»Wir wollen nur wissen, woran du dich erinnerst«, sagte er. »In deinen Erinnerungen herumstochern und uns ein allgemeines Bild von dem Vormittag machen, verstehst du? Denn indem du dich an die Kleinigkeiten erinnerst, fällt dir vielleicht etwas ein, das uns helfen könnte.«

Er saß so nah vor mir, dass ich sein Deo riechen konnte. »Was denn zum Beispiel?«

»Zum Beispiel, was es an dem Morgen zum Frühstück gab. Das wäre doch ein guter Anfang, oder?«

»Äh …« Ich starrte das goldene Armband an seinem Handgelenk an. Dass sie nach so etwas fragen würden, hatte ich nicht erwartet. Die Wahrheit war: Wir hatten an diesem Morgen überhaupt nicht gefrühstückt, denn ich hatte Ärger in der Schule, und meine Mutter war sauer auf mich, aber es war mir peinlich, ihnen das zu sagen.

»Weißt du es nicht mehr?«

»Pfannkuchen«, platzte ich verzweifelt heraus.

»Ach ja?« Ray sah mich durchtrieben an. »Hat deine Mutter sie gemacht?«

»Ja.«

»Was hat sie reingetan? Blaubeeren? Schoko-Chips?«

Ich nickte.

»Beides?«

Ich spürte, dass alle mich anschauten. Dann sagte Mr. Beeman in einem so hochtrabenden Ton, als stünde er vor seinem Kurs »Moral in der Gesellschaft«: »Es gibt keinen Grund, eine Antwort zu erfinden, wenn du dich nicht erinnerst.«

Der Schwarze – in der Ecke, mit einem Notizblock – warf Mr. Beeman einen scharfen, warnenden Blick zu.

»Ehrlich gesagt, mir scheint hier eine Beeinträchtigung des Gedächtnisses vorzuliegen«, warf Mrs. Swanson mit leiser Stimme ein, und dabei spielte sie mit der Brille, die an einer Kette an ihrem Hals hing. Sie war eine Großmutter in fließenden weißen Hemden und mit einem langen grauen Zopf auf dem Rücken. Die Schüler nannten sie »Swami«, und in unseren zweimal wöchentlich stattfindenden Therapiesitzungen hatte sie mir, abgesehen von dem Eiswürfel-Ratschlag, eine dreiteilige Atemübung beigebracht, die mir helfen sollte, an meine Gefühle heranzukommen, und mich ein Mandala machen lassen, das mein verwundetes Herz darstellen sollte. »Er hat sich den Kopf angeschlagen. Nicht wahr, Theo?«

»Ist das wahr?« Ray blickte auf und sah mir offen ins Gesicht.

»Ja.«

»Hast du das von einem Arzt untersuchen lassen?«

»Nicht sofort«, sagte Mrs. Swanson.

Mrs. Barbour legte die Fußknöchel übereinander. »Ich bin mit ihm in die Notaufnahme des New York Presbyterian gefahren«, sagte sie kühl. »Als er zu mir kam, klagte er über Kopfschmerzen. Wir haben erst nach ungefähr einem Tag dafür gesorgt, dass nachgesehen wurde. Anscheinend war niemand auf die Idee gekommen, ihn zu fragen, ob er verletzt sei oder nicht.«

Enrique, der Sozialarbeiter, hätte daraufhin beinahe etwas erwidert, aber der ältere Cop (soeben fällt mir wieder ein, wie er hieß: Morris) bedeutete ihm zu schweigen.

»Hör zu, Theo«, sagte dieser Ray und tippte mir auf das Knie. »Ich weiß, du willst uns weiterhelfen. Du willst uns doch helfen, oder?«

Ich nickte.

»Super. Aber wenn wir dich etwas fragen und du weißt es nicht. Dann ist es okay, wenn du sagst, du weißt es nicht.«

»Wir wollen bloß einen Haufen Fragen auf den Tisch bringen und sehen, ob wir da irgendwas aus deinem Gedächtnis fischen können«, sagte Morris. »Kriegst du das hin?«

»Brauchst du was?« Ray beäugte mich eindringlich. »Ein Glas Wasser vielleicht? Einen Softdrink?«

Ich schüttelte den Kopf – auf dem Schulgelände waren Softdrinks nicht erlaubt –, und im selben Moment sagte Mr. Beeman: »Auf dem Schulgelände sind Softdrinks nicht erlaubt.«

Ray zog ein Gesicht, das sagte: *Verschonen Sie mich mit so was, ja?*, aber ich war nicht sicher, ob Mr. Beeman es sah oder nicht. »Tut mir leid, Junge, ich hab's versucht«, sagte er und wandte sich wieder mir zu. »Ich laufe rüber zum Deli und hole dir einen Softdrink, wenn du nachher einen willst, okay? Also.« Er klatschte in die Hände. »Wie lange, glaubst du, waren deine Mutter und du vor der ersten Explosion im Museum?«

»Ungefähr eine Stunde, schätze ich.«

144

»Schätzt du oder weißt du?«

»Ich schätze.«

»War es eher mehr als eine Stunde oder weniger als eine Stunde?«

»Ich glaube nicht, dass es mehr als eine Stunde war«, sagte ich nach einer langen Pause.

»Erzähl uns, wie du dich an das Ereignis erinnerst.«

»Ich habe nicht gesehen, was passiert ist«, sagte ich. »Alles war prima, und dann gab es einen lauten Blitz und einen Knall ...«

»Einen lauten Blitz?«

»Das meinte ich nicht. Ich wollte sagen, der Knall war laut.«

»Ein Knall, sagst du.« Morris rückte näher an mich heran. »Glaubst du, du könntest uns vielleicht ein bisschen detaillierter beschreiben, wie dieser Knall sich angehört hat?«

»Ich weiß es nicht. Einfach ... laut«, fügte ich hinzu, als sie mich weiter anstarrten, als erwarteten sie ein bisschen mehr.

In der Stille, die jetzt folgte, hörte ich ein verstohlenes Klicken: Mrs. Barbour warf mit gesenktem Kopf einen diskreten Blick auf die Nachrichten in ihrem BlackBerry.

Morris räusperte sich. »Was ist mit einem Geruch?«

»Wie bitte?«

»Hast du in den Augenblicken davor irgendeinen speziellen Geruch wahrgenommen?«

»Ich glaube nicht.«

»Überhaupt nichts? Bist du sicher?«

Während die Fragerei weiterging – immer wieder das Gleiche, nur in leicht veränderter Reihenfolge, um mich zu verwirren, und ab und zu mit etwas Neuem dazwischen –, wappnete ich mich und wartete hoffnungslos darauf, dass sie auf das Gemälde zu sprechen kamen. Ich würde es einfach zugeben und mich den Konsequenzen stellen müssen, wie immer diese Konsequenzen aussehen mochten (wahrscheinlich waren sie finster, denn ich war auf dem besten Wege, zu einem staatlichen Mündel gemacht zu werden). Zweimal war ich in meiner Angst kurz davor, damit herauszuplatzen. Aber je mehr Fragen sie mir stellten (Wo war ich, als ich den Schlag an den Kopf bekam? Wen hatte ich auf dem Weg nach unten gesehen, mit wem hatte ich gesprochen?), desto klarer wurde mir, dass sie nicht die leiseste Ahnung von dem hatten, was mir passiert war – in welchem Raum ich gewesen war, als die Explosion stattfand, oder auch nur, welchen Ausgang ich genommen hatte.

Sie besaßen einen Gebäudeplan, und die Räume hatten Nummern, keine Namen – Galerie 19A und Galerie 19B, Nummern und Buchstaben in labyrinthischer Anordnung bis hinauf zur 27. »Warst du hier, als der erste Knall kam?« Ray deutete auf einen Punkt. »Oder hier?«

»Ich weiß es nicht.«

»Lass dir Zeit.«

»Ich weiß es nicht«, wiederholte ich mit leiser Verzweiflung. Der Plan sah verwirrend aus, computergeneriert wie ein Videospiel oder wie die Rekonstruktion von Hitlers Bunker, die ich auf dem History Channel gesehen hatte. In Wirklichkeit ergab das alles keinen Sinn und stellte die Räume nicht dar, wie ich sie in Erinnerung hatte.

Er zeigte auf eine andere Stelle. »Dieses Viereck hier?«, sagte er. »Das ist ein Ausstellungssockel, auf dem Bilder stehen. Ich weiß, diese Räume sehen alle gleich aus, aber vielleicht erinnerst du dich, wo du in Bezug auf diesen Sockel warst?«

Hilflos starrte ich auf den Plan und antwortete nicht. (Einer der Gründe, weshalb es mir so unbekannt vorkam, war der, dass sie mir den Bereich zeigten, wo der Leichnam meiner Mutter gefunden worden war, also mehrere Räume weit entfernt von der Stelle, wo ich mich zum Zeitpunkt der Explosion aufgehalten hatte. Aber das wurde mir erst später klar.)

»Du hast auf dem Weg nach draußen niemanden gesehen«, sagte Morris aufmunternd und wiederholte damit, was ich ihnen schon erzählt hatte.

Ich schüttelte den Kopf.

»Überhaupt nichts, woran du dich erinnern kannst?«

»Na ja, ich meine … zugedeckte Tote. Geräte, die herumlagen.«

»Aber niemand, der hereinkam oder den Bereich der Explosion verließ.«

»Ich habe niemanden gesehen«, beharrte ich stur. Wir hatten das alles längst durchgesprochen.

»Du hast also keine Feuerwehrleute und keine Rettungshelfer gesehen?«

»Nein.«

»Dann können wir vermutlich feststellen, dass man ihnen bereits befohlen hatte, das Gebäude zu verlassen, als du zu dir kamst. Wir reden also von einem Zeitabschnitt zwischen vierzig Minuten und anderthalb Stunden nach der ersten Explosion. Können wir das zuverlässig so eingrenzen?«

Ich zuckte kraftlos die Schultern.

»Ist das ein Ja oder ein Nein?«

Ich starrte zu Boden. »Ich weiß nicht.«

»Was weißt du nicht?«

»Ich weiß nicht«, sagte ich noch einmal, und das Schweigen, das jetzt folgte, war so lang und unbehaglich, dass ich dachte, ich würde vielleicht anfangen zu weinen.

»Kannst du dich erinnern, ob du den zweiten Knall gehört hast?«

»Verzeihen Sie die Frage«, sagte Mr. Beeman, »aber ist das wirklich nötig?«

Ray, der mich verhörte, drehte sich um. »Wie bitte?«

»Ich glaube, ich verstehe nicht ganz, welchen Sinn es hat, ihn so zu quälen.«

Um einen neutralen Tonfall bemüht, sagte Morris: »Wir ermitteln in einem Verbrechen. Es ist unsere Aufgabe herauszufinden, was da drin passiert ist.«

»Ja, aber Sie müssen doch über andere Möglichkeiten verfügen, das im Zusammenhang mit diesen Routinedingen zu tun. Ich möchte annehmen, es gab alle möglichen Überwachungskameras da drin.«

»Selbstverständlich gab es die«, entgegnete Ray ziemlich scharf. »Aber bei Staub und Rauch können Kameras nichts sehen. Und auch nicht, wenn der Explosionsdruck sie zur Decke gedreht hat. Also«, er lehnte sich seufzend auf seinem Stuhl zurück, »du hast von Rauch gesprochen. Hast du ihn gerochen oder gesehen?«

Ich nickte.

»Was jetzt? Gesehen oder gerochen?«

»Beides.«

»Aus welcher Richtung, glaubst du, ist er gekommen?«

Wieder wollte ich sagen, ich wüsste es nicht, aber Mr. Beeman war mit seinem Einwand noch nicht am Ende. »Verzeihung, aber ich begreife nicht, welchen Sinn Überwachungskameras haben sollen, wenn sie im Notfall nicht funktionieren«, sagte er in den Raum hinein. »Mit der heutigen Technologie und bei all den Kunstwerken ...«

Ray drehte sich um, als wolle er wütend antworten, aber Morris, der in der Ecke stand, hob die Hand und ergriff das Wort.

»Der Junge ist ein wichtiger Zeuge. Das Überwachungssystem ist nicht darauf ausgelegt, ein solches Ereignis zu überstehen. Es tut mir leid, aber wenn Sie jetzt nicht aufhören mit Ihren Kommentaren, müssen wir Sie bitten zu gehen, Sir.«

»Ich bin hier als Vertreter dieses Kindes. Ich habe das Recht, Fragen zu stellen.«

»Nur, wenn sie unmittelbar etwas mit dem Wohlergehen des Kindes zu tun haben.«

»Komisch, aber ich hatte den Eindruck, das sei der Fall.«

Jetzt drehte Ray auf dem Stuhl vor mir sich wirklich um. »Sir. Wenn Sie dieses Verfahren weiterhin behindern, werden Sie den Raum tatsächlich verlassen müssen.«

»Ich habe nicht die Absicht, Sie zu behindern«, sagte Mr. Beeman in der angespannten Stille, die jetzt folgte. »Ich versichere Ihnen, nichts liegt mir ferner als das. Los, bitte fahren Sie fort.« Er fuchtelte verärgert mit der Hand durch die Luft. »Unter keinen Umständen möchte ich Sie aufhalten.«

Die Befragung zog sich weiter in die Länge. Aus welcher Richtung war der Rauch gekommen? Welche Farbe hatte der Blitz gehabt? Wer hatte den Bereich in den Augenblicken davor betreten und verlassen? Hatte ich etwas Ungewöhnliches bemerkt, irgendetwas, davor oder danach? Ich schaute mir Bilder an, die sie mir zeigten – unschuldige Urlaubsgesichter, niemand, den ich kannte. Passfotos von asiatischen Touristen und Senioren, Mütter und picklige Teenager, lächelnd vor einem blauen Studiohintergrund – alltägliche Gesichter, belanglos, und doch rochen sie allesamt nach Tragödie. Wir nahmen uns den Gebäudeplan noch einmal vor. Könnte ich vielleicht noch ein einziges Mal versuchen, meinen Standpunkt auf dem Plan zu identifizieren? Hier oder hier? War es vielleicht hier?

»Ich erinnere mich nicht.« Das sagte ich immer wieder, teils weil ich wirklich nicht sicher war, teils weil ich Angst hatte und das Ende der Befragung herbeisehnte, aber auch wegen der Atmosphäre von Unruhe und spürbarer Ungeduld, die den Raum erfüllte: Die anderen Erwachsenen waren anscheinend im Stillen längst übereingekommen, dass ich nichts wusste und deshalb in Ruhe gelassen werden sollte.

Und dann, ehe ich michs versah, war es vorbei. »Theo«, sagte Ray, und er stand auf und legte mir eine fleischige Hand auf die Schulter. »Ich möchte dir dafür danken, Junge, dass du getan hast, was du konntest.«

»Das ist okay.« Ich war verdattert, weil es so plötzlich zu Ende war.

»Ich weiß genau, wie schwer es dir gefallen ist. Niemand, wirklich niemand, möchte so etwas noch einmal durchleben. Es ist, als ob wir«, mit den Händen formte er einen Bilderrahmen, »als ob wir ein Puzzle zusammenfügen müssen, um herauszufinden, was da drin vorgegangen ist, und vielleicht hast du ein paar Puzzlesteinchen, die sonst keiner hat. Dadurch, dass wir mit dir reden durften, hast du uns wirklich sehr geholfen.«

»Wenn dir noch irgendetwas einfällt«, sagte Morris und reichte mir eine Karte (die Mrs. Barbour sofort abfing und in ihre Handtasche steckte), »dann rufst du uns an, ja? Sie werden ihn daran erinnern, nicht wahr, Miss«, sagte er zu Mrs. Barbour, »dass er uns anruft, wenn er noch etwas zu sagen hat? Die Nummer des Reviers steht auf der Karte, aber«, er zog einen Stift aus der Tasche, »wenn Sie nichts dagegen haben, hätte ich sie gern noch mal kurz zurück, bitte.«

Wortlos öffnete Mrs. Barbour ihre Handtasche und reichte ihm die Karte.

»Ja, genau.« Klickend drückte er die Kugelschreibermine heraus und kritzelte eine Nummer auf die Rückseite. »Das ist mein Handy. Du kannst jederzeit eine Nachricht im Büro hinterlassen, aber wenn du mich da nicht erreichst, ruf mich auf dem Handy an, okay?«

Alles drängte zur Tür, nur Mrs. Swanson kam herangeschwebt und legte auf ihre gemütliche Art den Arm um mich. »Hi«, sagte sie vertraulich, als wäre sie meine beste Freundin auf der ganzen Welt. »Wie geht's denn?«

Ich schaute zur Seite und machte ein Gesicht, das sagen sollte: *Ganz okay, schätze ich.*

Sie streichelte meinen Arm, als wäre ich ihre Lieblingskatze. »Das freut mich. Ich weiß, es muss schwer gewesen sein. Möchtest du in mein Büro gehen und kurz darüber reden?«

Bestürzt sah ich, dass Dave, der Psychiater, im Hintergrund lauerte, und hinter ihm stand Enrique, die Hände in die Hüften gestemmt und mit einem erwartungsvollen Halblächeln auf den Lippen.

»Bitte«, meine Verzweiflung muss hörbar gewesen sein, »ich möchte wieder in den Unterricht zurück.«

Sie drückte mir den Arm, und mir entging nicht, dass sie Dave und Enrique einen Blick zuwarf. »Natürlich«, sagte sie. »Was hast du jetzt? Ich bringe dich hin.«

IX

Inzwischen hatte ich Englisch, die letzte Stunde des Tages. Wir nahmen die Lyrik von Walt Whitman durch:

Jupiter wird wieder auftauchen, habe Geduld, schau wieder nach in einer andern Nacht, die Plejaden werden wieder auftauchen, Sie sind unsterblich, all diese Sterne silbern und golden werden wieder scheinen.

Leere Gesichter. So spät am Nachmittag war die Luft im Klassenzimmer heiß und einschläfernd; die Fenster standen offen, und der Verkehrslärm von der West End Avenue wehte herein. Die Schüler stützten sich auf die Ellenbogen und malten Bilder an den Rand ihrer Spiralblocks.

Ich starrte aus dem Fenster, hinüber zu dem schmutzigen Wassertank auf dem Dach gegenüber. Das Verhör (wie ich es empfand) hatte mich gründlich verstört und einen ganzen Wall aus den unzusammenhängenden Empfindungen aufgetürmt, die in unerwarteten Augenblicken über mich hereinbrachen: der die Kehle zuschnürende Rauch brennender Chemikalien, Funken und Elektrokabel, die fahle Kälte der Notbeleuchtung, alles so übermächtig, dass es mich ausschalten konnte. Es passierte zufällig, in der Schule oder draußen auf der Straße – und ich erstarrte jäh, wenn es wieder über mich hinwegbrandete: die Augen des Mädchens, fest auf meine gerichtet in diesem eigenartigen, schiefen Moment, bevor die Welt auseinanderflog. Manchmal kam ich wieder zu mir und wusste erst nicht genau, was jemand gerade zu mir gesagt hatte; dann starrte mein Laborpartner in Biologie mich an, oder der Typ, dem ich im koreanischen Supermarkt den Weg zum Getränkekühlschrank versperrte, sagte: *Hey, Kleiner, beweg dich, ich hab nicht den ganzen Tag Zeit.*

Und liebstes Kind, trauerst du nur um Jupiter?
Denkst du nur an das Grab der Sterne?

Sie hatten mir kein Foto gezeigt, auf dem ich das Mädchen erkannte – und auch keins von dem alten Mann. Unauffällig schob ich die linke Hand in meine Jackentasche und tastete nach dem Ring. Auf unserer Vokabelliste hatten wir vor ein paar Tagen das Wort *Konsanguinität* gehabt: Blutsverwandtschaft. Das Gesicht des alten Mannes war so zerrissen und zerstört gewesen, dass ich sein Aussehen nicht mehr genau hätte beschreiben können, und doch erinnerte ich mich nur allzu gut an das warme, glitschige Gefühl seines Blu-

tes an meinen Händen – zumal das Blut in gewisser Weise noch da
war. Ich konnte es immer noch riechen und schmeckte es in meinem
Mund, und plötzlich verstand ich, warum man von Blutsbrüdern
sprach und behauptete, Blut verbinde die Menschen miteinander.
Im Herbst hatten wir im Englischunterricht *Macbeth* gelesen, aber
erst jetzt leuchtete mir allmählich ein, warum Lady Macbeth es nie
schaffte, sich das Blut von den Händen zu schrubben, und warum es
immer noch da war, nachdem sie es abgewaschen hatte.

X

Weil ich Andy anscheinend manchmal weckte, weil ich mich im
Schlaf hin und her warf und schrie, hatte Mrs. Barbour angefangen,
mir eine kleine grüne Tablette namens Elavil zu geben: Die würde
verhindern, dass ich nachts Angst bekäme, erklärte sie. Es war mir
peinlich, vor allem weil meine Träume nicht einmal ausgewachsene
Albträume waren, sondern nur unruhige Zwischenspiele, in denen
meine Mutter Überstunden machen musste und dann ohne Fahr-
gelegenheit irgendwo gestrandet war – manchmal in Upstate New
York, in irgendeiner ausgebrannten Gegend mit Schrottautos und
kläffenden Kettenhunden in den Höfen. Voller Unbehagen suchte
ich sie in Lastenaufzügen und verlassenen Gebäuden, ich wartete
auf sie im Dunkeln an der Bushaltestelle, sah Frauen, die ihr ähnel-
ten, in den Fenstern vorüberfahrender Züge und war eine Sekunde
zu spät am Telefon, als sie mich bei den Barbours anrief. Lauter Ent-
täuschungen und knapp verpasste Chancen, die mich umtrieben und
mit einem scharfen zischenden Atemgeräusch aufwachen ließen, sodass ich mit flauem Magen und nassgeschwitzt im Morgenlicht lag.
Das Schlimme daran war nicht, sie dauernd zu suchen, sondern aufzuwachen und mich zu erinnern, dass sie tot war.

Die grünen Tabletten ließen selbst diese Träume im luftlosen Dunkel verblassen. (Heute wird mir klar, was ich damals nicht ahnte: dass
Mrs. Barbour die Grenzen ihrer Zuständigkeit weit überschritt, als

sie mir zusätzlich zu den gelben Kapseln und den winzigen orange-farbenen Fußbällen, die Dave, der Psychiater, mir verschrieben hatte, nicht verordnete Medikamente verabreichte.) Wenn der Schlaf kam, war es, als stürzte ich in eine Grube, und oft konnte ich morgens kaum aufwachen.

»Schwarzer Tee, das ist das Rezept«, sagte Mr. Barbour eines Morgens, als ich beim Frühstück einnickte, und schenkte mir eine Tasse aus seiner eigenen, gut durchgezogenen Kanne ein. »Assam Supreme. So stark, wie Mutter ihn macht. Das wird dir die Medizin aus dem Leib spülen. Judy Garland? Vor dem Auftritt? Na, meine Großmutter hat mir erzählt, Sid Luft rief immer unten im chinesischen Restaurant an und ließ eine große Kanne Tee heraufbringen, um die Barbiturate aus ihr hinauszuschwemmen; das war in London, glaube ich, im Palladium, und starker Tee war das Einzige, was half, denn manchmal hatten sie Mühe, sie zu wecken, weißt du, sie überhaupt aus dem Bett zu kriegen und anzuziehen …«

»So kann er das nicht trinken, das ist die reinste Batteriesäure«, sagte Mrs. Barbour und gab zwei Würfel Zucker und einen großen Schuss Sahne in die Tasse, bevor ich sie bekam. »Theo, ich komme ungern immer wieder mit derselben Leier, aber du musst wirklich etwas essen.«

»Okay«, sagte ich schläfrig, machte aber keine Anstalten, in meinen Blaubeer-Muffin zu beißen. Alles schmeckte wie Pappe, und ich hatte seit Wochen keinen Hunger mehr.

»Möchtest du lieber einen Zimttoast? Oder Haferflocken?«

»Es ist absolut albern, dass du uns keinen Kaffee trinken lässt«, sagte Andy, der die Gewohnheit hatte, sich auf dem Weg zur Schule bei Starbucks einen Grande to go zu kaufen und nachmittags auf dem Heimweg noch einen, ohne dass seine Eltern davon wussten. »Du hinkst in diesem Punkt weit hinter der Zeit her.«

»Mag sein«, sagte Mrs. Barbour kalt.

»Schon eine halbe Tasse würde helfen. Man kann vernünftigerweise nicht erwarten, dass ich morgens um Viertel vor neun ohne Koffein in den fortgeschrittenen Chemiekurs gehe.«

»Schluchz, schluchz«, sagte Mr. Barbour, ohne von der Zeitung aufzublicken.

»Deine Einstellung ist nicht sehr hilfreich. Alle andern dürfen welchen trinken.«

»Ich weiß zufällig, dass das nicht stimmt«, sagte Mrs. Barbour. »Bety Ingersoll hat mir erzählt …«

»Vielleicht erlaubt Mrs. Ingersoll nicht, dass *Sabine* Kaffee trinkt, aber man würde wohl auch sehr viel mehr als eine Tasse Kaffee brauchen, um Sabine Ingersoll in irgendeinen Fortgeschrittenenkurs zu kriegen.«

»Das war unangebracht, Andy, und sehr unfreundlich.«

»Aber es ist nur die Wahrheit«, sagte Andy kühl. »Sabine ist dumm wie Bohnenstroh. Ich nehme an, es ist gut, dass sie auf ihre Gesundheit achtet, denn sonst hat sie wenig vorzuweisen.«

»Verstand ist nicht alles, mein Schatz. Würdest du denn ein Ei essen, wenn Etta dir eins pochiert?«, fragte Mrs. Barbour und sah mich an. »Oder ein Spiegelei? Rührei? Oder wie du es sonst magst?«

»Ich mag Rührei!«, sagte Toddy. »Ich kann vier Eier essen!«

»Nein, kannst du nicht, Kollege«, sagte Mr. Barbour.

»Doch, kann ich doch! Ich kann sechs essen! Den ganzen Karton!«

»Es ist ja nicht so, als wollte ich Dexedrin haben«, sagte Andy. »Obwohl ich in der Schule welches kriegen könnte, wenn ich wollte.«

»Theo?«, sagte Mrs. Barbour. Ich sah, dass Etta, die Köchin, in der Tür stand. »Was ist mit dem Ei?«

»Niemand fragt jemals *uns,* was *wir* zum Frühstück haben möchten«, sagte Kitsey, und obwohl sie sehr laut gesprochen hatte, taten alle so, als hätten sie nichts gehört.

XI

Am Sonntagmorgen kletterte ich aus einem drückenden und verworrenen Traum ins Licht hinauf, von dem nichts mehr übrig war als ein Klingen in meinen Ohren und das schmerzhafte Gefühl, dass mir etwas aus den Händen geglitten und in eine Spalte gefallen war, wo ich es niemals wiedersehen würde. Aber irgendwie – inmitten dieses tiefen Versinkens, der zerrissenen Fäden, der verlorenen, unauffindbaren Bruchstücke – ragte ein Satz herauf, kam tickend durch die Dunkelheit wie das Laufband am unteren Rand eines Fernsehbildes: *Hobart and Blackwell. Läute die grüne Glocke.*

Ich lag da, starrte an die Decke und wollte mich nicht rühren. Die Worte waren da, so klar und frisch, als hätte sie mir jemand auf einem Blatt Papier gedruckt überreicht. Und das Wunderbarste war, ein Feld vergessener Erinnerungen hatte sich geöffnet und war mit ihnen an die Oberfläche getrieben wie eins von diesen Papierkügelchen aus Chinatown, die aufblühen und sich in eine Blüte verwandeln, wenn man sie in ein Glas Wasser wirft.

Ich schwebte in dieser bedeutungsvoll aufgeladenen Atmosphäre, und Zweifel erfassten mich: War es eine echte Erinnerung, hatte er diese Worte wirklich zu mir gesagt, oder war es ein Traum? Nicht lange vor dem Tod meiner Mutter war ich beim Aufwachen überzeugt gewesen, eine (nicht existierende) Lehrerin namens Mrs. Malt habe mir zermahlenes Glas ins Essen getan, weil ich disziplinlos gewesen war – in der Welt meines Traums eine völlig logische Folge von Ereignissen –, und ich hatte zwei oder drei Minuten lang mit wirren Sorgen dagelegen, bevor ich zur Besinnung kam.

»Andy?«, sagte ich, und dann beugte ich mich über den Rand und spähte hinunter zum unteren Bett. Es war leer.

Ich blieb noch eine Zeitlang mit weit aufgerissenen Augen liegen und starrte zur Decke, und dann kletterte ich hinunter, holte den Ring aus der Tasche meiner Schuljacke und hielt ihn ins Licht, um die Gravierung anzuschauen. Schließlich steckte ich ihn hastig wieder ein und zog mich an. Andy saß mit den übrigen Barbours am Frühstückstisch. Das Sonntagsfrühstück war für sie eine wichtige Veranstaltung, und ich hörte sie alle im Esszimmer. Mr. Barbour schwafelte undeutlich herum, wie er es manchmal tat, und hielt einen kleinen Vortrag. Ich blieb in der Diele stehen und ging dann in die andere Richtung, ins Wohnzimmer der Familie, wo ich das Tele-

fonbuch in seinem Petitpoint-Umschlag aus dem Schränkchen un
ter dem Telefon hervorzog.

Hobart and Blackwell. Da war es, offenbar eine Firma, auch wenn
aus der Eintragung nicht hervorging, was für eine. Mir wurde ein
bisschen schwindlig. Als ich den Namen schwarz auf weiß vor mir
sah, überkam mich ein merkwürdiges Kribbeln, als ob unsichtbare
Karten plötzlich an ihren Platz fielen.

Die Adresse war im Village, West 10th Street. Nach einigem Zö
gern und mit großer Beklommenheit wählte ich die Nummer.

Während es klingelte, stand ich da und spielte an der Reiseuhr aus
Messing herum, die auf dem Wohnzimmertisch stand, nagte an der
Unterlippe und betrachtete die gerahmten Lithographien mit tropi
schen Vögeln an der Wand über dem Telefontisch: Kolibris, Papa
geien, Paradiesvögel. Ich wusste nicht genau, wie ich erklären würde
wer ich war und was ich wissen wollte.

»Theo?«

Schuldbewusst schrak ich zusammen. Mrs. Barbour – in spinn
webgrauem Cashmere – war hereingekommen und hielt eine Kaf
feetasse in der Hand.

»Was machst du da?«

Am anderen Ende klingelte das Telefon immer noch. »Nichts«
sagte ich.

»Na, dann beeil dich. Dein Frühstück wird kalt. Etta hat French
Toast gemacht.«

»Danke«, sagte ich. »Ich bin gleich da«, und im selben Momen
hörte ich die Automatenstimme der Telefongesellschaft, die mich er
suchte, später noch einmal anzurufen.

Ich hatte gehofft, dass wenigstens ein Anrufbeantworter sich mel
den würde. In Gedanken versunken ging ich zu den Barbours hinein
und sah überrascht, dass kein anderer als Platt Barbour (viel dicker
und röter als bei unserer letzten Begegnung) auf dem Stuhl saß, der
sonst immer meiner gewesen war.

»Ah«, sagte Mr. Barbour. Er hatte mitten im Satz innegehalten, be
tupfte seine Lippen mit der Serviette und sprang auf. »Da sind wir

ja, da sind wir ja. Guten Morgen. Du erinnerst dich an Platt, oder? Platt, das ist Theodore Decker – Andys Freund, du erinnerst dich?« Während er redete, war er davonspaziert und kam jetzt mit einem Extrastuhl für mich zurück, den er ungeschickt unter die spitze Ecke des Tisches klemmte.

Ich ließ mich an den Ausläufern der Gruppe nieder – eine knappe Handbreit niedriger als der Rest auf meinem zerbrechlichen Bambusstuhl, der nicht zu den anderen passte –, und Platt sah mich ohne großes Interesse an und schaute dann weg. Er war wegen einer Party von der Schule nach Hause gekommen und sah verkatert aus.

Mr. Barbour hatte sich wieder hingesetzt und redete weiter über sein Lieblingsthema, das Segeln. »Wie ich eben sagte. Es läuft alles auf mangelndes Zutrauen hinaus. Du bist unsicher auf dem Kielboot, Andy, und dafür gibt es verdammt keinen Grund, außer dass dir die Erfahrung als Einhandsegler fehlt.«

»Nein«, sagte Andy mit seiner weit entfernten Stimme. »Das Problem besteht im Wesentlichen darin, dass ich Boote nicht ausstehen kann.«

»Papperlapapp«, sagte Mr. Barbour und zwinkerte mir zu, als sei ich in einen Witz eingeweiht, den ich gar nicht kannte. »Diese angeödete Attitüde kaufe ich dir nicht ab! Sieh dir doch das Bild an der Wand da an, unten bei Sanibel, im Frühling vor zwei Jahren! Dieser Junge war nicht gelangweilt von der See und dem Himmel und den Sternen, *no, sir!*«

Andy saß da und betrachtete die Schneeszene auf dem Etikett der Ahornsirupflasche, während sein Vater auf seine schwindelerregende, schwer zu verfolgende Art davon schwärmte, wie das Segeln einem Jungen zu Disziplin und wacher Aufmerksamkeit verhalf, zu einer Charakterstärke, wie sie die Seefahrer alter Zeiten besessen hatten. In früheren Jahren, hatte Andy mir erzählt, hatte er nicht so sehr viel dagegen gehabt, auf dem Boot zu sein, weil er unten in der Kajüte hatte bleiben können, wo er gelesen und mit seinen jüngeren Geschwistern Karten gespielt hatte. Aber jetzt sei er alt genug, um als Besatzungsmitglied zu helfen, und das bedeutete, sich über lange, anstrengende Tage hinweg in gleißender Sonne an Deck abzurackern und sich von Platt drangsalieren zu lassen, sich bei flatternden Segeln desorientiert unter dem Mastbaum hindurchzuducken und nach Möglichkeit zu vermeiden, dass er sich in den Leinen verheddert oder über Bord gestoßen wurde, während ihr Vater seine Befehle schrie und die salzige Gischt genoss.

»Gott, erinnert ihr euch an das Licht auf diesem Trip nach Sanibel?« Andys Vater schob seinen Stuhl zurück und verdrehte die Augen zur Decke. »War das nicht *prachtvoll*? Diese rot-orangen Sonnenuntergänge? Glut und Flammen? Atomar, beinahe? Reines Feuer, das den Himmel *aufriss* und *herunterfloss*? Und erinnert euch an diesen fetten, krachenden Mond mit dem blauen Nebel ringsherum, vor Hatteras – ist das Maxfield Parrish, der mir dabei einfällt, Samantha?«

»Was?«

»Maxfield Parrish? Dieser Künstler, den ich so mag? Der diese großartigen Himmel malt«, er breitete die Arme aus, »mit den turmhohen Wolken? Entschuldige, Theo, ich wollte dir nicht auf die Nase hauen.«

»Constable malt Wolken.«

»Nein, nein, den meine ich nicht, der andere ist sehr viel überzeugender. Egal, ich muss sagen, was *hatten* wir da für einen Himmel draußen auf dem Wasser an dem Abend. Magisch. *Arkadisch.*«

»Welcher Abend war das?«

»Sag nicht, das weißt du nicht mehr! Es war das absolute Highlight dieser Reise.«

Platt hing schlaff zurückgelehnt auf seinem Stuhl und sagte boshaft: »Das Highlight von Andys Reise war, als wir zum Lunch in diese Snackbar gegangen sind.«

Andy sagte mit dünner Stimme: »Mutter liegt auch nicht sehr viel am Segeln.«

»Nicht rasend viel, nein«, sagte Mrs. Barbour und nahm noch eine Erdbeere. »Theo, ich wünschte wirklich, du würdest wenigstens einen kleinen Bissen von deinem Frühstück zu dir nehmen. Du darfst

158

dich nicht weiter so aushungern. Allmählich siehst du wirklich ab-gehärmt aus.«

Trotz Mr. Barbours Stegreiflektionen über Signalflaggen fand ich das Thema Segeln auch nicht viel fesselnder als Andy. »Denn das größte Geschenk, das mein Vater mir je gemacht hat?«, fragte Mr. Barbour mit großem Ernst. »Das war das Meer. Die Liebe zu ihm – das Gefühl dafür. *Daddy hat mir den Ozean geschenkt.* Und es ist ein tragischer Verlust für dich, Andy – Andy, sieh mich an, ich rede mit dir –, es ist ein tragischer Verlust, wenn du beschlossen hast, dich von dem abzuwenden, was mir meine *Freiheit* gegeben hat, meine …«

»Ich habe versucht, es zu mögen. Aber ich empfinde einen natür-lichen Hass dagegen.«

»*Hass?*« Verblüfft, ja, wie vom Donner gerührt. »Hass wogegen? Gegen die Sterne und den Wind? Den Himmel und die Sonne? Ge-gen die *Freiheit?*«

»Soweit irgendetwas davon mit Booten zu tun hat, ja.«

»Na«, Mr. Barbour schaute in die Runde und schloss auch mich in seinen Appell ein, »jetzt ist er einfach nur bockbeinig. Das Meer«, sein Blick wanderte zurück zu Andy, »verleugne es, solange du willst, aber es ist dein *Geburtsrecht,* und du hast es im Blut, seit den Phöni-ziern, den alten *Griechen* …«

Aber während Mr. Barbour auf Magellan zu sprechen kam, auf die Navigation nach den Gestirnen und auf Billy Budd (»Wie Taff aus Wales versank, ich weiß es noch / Die Wange einer Rosenknos-pe gleich«), wanderten meine eigenen Gedanken zurück zu Hobart and Blackwell, und ich fragte mich, wer Hobart and Blackwell waren und was genau sie taten. Die Namen klangen nach einem Paar muf-figer alter Rechtsanwälte oder sogar Varietézauberer, nach zwei Ge-schäftspartnern, die im Dunkeln bei Kerzenschein herumschlurften.

Ich nahm es als Hoffnungszeichen, dass die Telefonnummer noch existierte. Das Telefon bei mir zu Hause war abgeschaltet worden. Sowie ich den Tisch und meinen unberührten Teller mit Anstand verlassen konnte, kehrte ich zum Telefon im Familienzimmer zu-rück, wo Irenka geschäftig um mich herumhantierte und den Staub-

159

sauger laufen ließ und den Nippes polierte, während Kitsey auf der anderen Seite vor dem Computer saß, fest entschlossen, mich nicht mal anzuschauen.

»Wen rufst du an?«, fragte Andy, der nach Art seiner ganzen Familie so leise hinter mir aufgetaucht war, dass ich ihn nicht gehört hatte.

Vielleicht hätte ich ihm nichts erzählt, aber ich wusste, ich konnte darauf vertrauen, dass er den Mund hielt. Andy redete mit niemandem, schon gar nicht mit seinen Eltern.

»Diese Leute«, sagte ich leise und trat einen Schritt zurück, damit man mich von der Tür aus nicht sehen konnte. »Ich weiß, das klingt verrückt, aber du kennst den Ring, den ich habe?«

Ich erzählte ihm von dem alten Mann und überlegte, wie ich ihm auch von dem Mädchen erzählen sollte, von der Verbindung zu ihr, die ich gespürt hatte, und auch, wie gern ich sie wiedersehen wollte. Aber erwartungsgemäß war Andy mir längst einen Schritt voraus, weg von den persönlichen Berührungspunkten und hin zur Logistik der Situation. Er beäugte das Telefonbuch, das aufgeschlagen auf dem Tischchen lag. »Sind sie in der Stadt?«

»In der West 10th.«

Andy nieste und putzte sich die Nase; sein Heuschnupfen war sehr schlimm. »Wenn du sie telefonisch nicht erreichst«, er faltete sein Taschentuch zusammen und steckte es ein, »wieso fährst du dann nicht einfach hin?«

»Wirklich?« Es kam mir schräg vor, nicht erst anzurufen, sondern gleich dort aufzukreuzen. »Meinst du?«

»Ich würde es tun.«

»Ich weiß nicht«, sagte ich. »Vielleicht erinnern sie sich nicht an mich.«

»Wenn sie dich persönlich sehen, erinnern sie sich wahrscheinlich schon eher«, meinte Andy nüchtern. »Sonst könntest du ja auch irgendein Irrer sein, der da anruft und so tut, als ob.«

»Ein Irrer?«, wiederholte ich. »Der so tut, als ob was?«

»Na ja, ich meine, hier gibt's eine Menge komische Leute, die einen anrufen«, sagte Andy schlicht.

Ich schwieg und wusste nicht, was ich damit anfangen sollte.

»Außerdem, wenn sie nicht abnehmen, was willst du sonst machen? Du würdest erst nächstes Wochenende wieder runterfahren können. Außerdem handelt es sich um ein Gespräch, das du führen willst ...« Er schaute in die Diele, wo Todd mit irgendwelchen Schuhen, die mit Sprungfedern ausgestattet waren, auf und ab hüpfte, während Mrs. Barbour seinen Bruder Platt über die Party bei Molly Walterbeek ausfragte.

Er hatte nicht unrecht. »Stimmt«, sagte ich.

Andy schob seine Brille auf der Nase hoch; er trug sie zu Hause immer noch, aber nicht in der Schule. »Ich kann mitkommen, wenn du willst.«

»Nein, das ist nicht nötig«, sagte ich. Andy hatte an diesem Nachmittag »Japanisches Leben« wegen der Extrapunkte, das wusste ich: Erst gingen sie mit der Gruppe ins Toraya-Teehaus, und dann würden sie sich im Lincoln Center den neuen Miyazaki ansehen. Nicht, dass Andy Extrapunkte nötig hätte, aber außer diesen Exkursionen gab es nichts in seinem Sozialleben.

»Na, hier«, sagte er. Er wühlte in seiner Tasche und holte sein Handy heraus. »Nimm das mit. Für alle Fälle. Warte«, er tippte auf dem Display herum, »jetzt hab ich die PIN-Sperre abgeschaltet. Alles klar.«

»Das brauche ich nicht.« Ich warf einen Blick auf das schnittige kleine Telefon mit der Anime-Figur Virtual Girl Aki (nackt, in schenkelhohen Porno-Stiefeln) auf dem Lockscreen.

»Na, vielleicht doch. Kann man nie wissen. Mach schon«, sagte er, als ich zögerte. »Nimm es.«

XII

Und so kam es, dass ich gegen halb zwölf im Bus saß und die Fifth Avenue hinunter ins Village fuhr. In meiner Tasche befand sich ein Blatt aus einem der monogrammverzierten Notizblöcke, die Mrs.

Barbour neben dem Telefon liegen hatte, mit der Adresse von Ho
bart and Blackwell.

Am Washington Square stieg ich aus und wanderte ungefähr eine
Dreiviertelstunde lang umher und suchte die Adresse. Im Village mit
seinem planlosen Straßennetz (dreieckige Häuserblocks, Sackgassen
die schräg hierhin und dorthin gerichtet waren) konnte man sich
leicht verirren, und ich musste dreimal Halt machen und nach dem
Weg fragen – einmal in einem Zeitungsladen voller Haschischpfeifen
und Schwulenpornos, einmal in einer vollen Bäckerei mit schmet
ternder Opernmusik, und einmal fragte ich ein Mädchen in weißem
Unterhemd und Latzhose, das mit Gummiwischer und Eimer vor ei
ner Buchhandlung stand und das Schaufenster putzte.

Als ich die menschenleere West 10th Street schließlich gefun
den hatte, fing ich an, die Hausnummern abzuzählen. Ich war in
einem etwas schäbigen Teil der Straße. Hier standen hauptsächlich
Wohnhäuser. Ein paar Tauben stolzierten vor mir über den nassen
Gehweg, zu dritt nebeneinander wie kleine, aufgeblasene Fußgän
ger. Viele der Hausnummern waren nicht deutlich angebracht, und
ich überlegte schon, ob ich die richtige verpasst hatte und zurückge
hen sollte, als ich plötzlich die Worte *Hobart and Blackwell* vor mir
sah, säuberlich und altmodisch in einem Bogen über ein Ladenfens
ter gemalt. Durch die staubige Fensterscheibe sah ich Staffordshire
Porzellan-Hunde und Majolika-Katzen, verstaubtes Kristall, schwarz
angelaufenes Silber, antike Sessel und Sofas mit verschossenen Bro
katbezügen, einen verschnörkelten Fayence-Vogelkäfig, marmorne
Miniatur-Obelisken auf der Marmorplatte eines Sockeltischchen
und zwei Kakadus aus Alabaster. Es war genau der Laden, der mei
ner Mutter gefallen hätte: vollgestopft, ein bisschen verwahrlost, mit
Stapeln von alten Büchern auf dem Boden. Aber das Gitter war he
runtergelassen, und die Tür war fest verschlossen.

Die meisten Geschäfte hier öffneten nicht vor zwölf oder ein Uhr
mittags. Um die Zeit totzuschlagen, spazierte ich hinüber zur Green
wich Avenue und zum Elephant & Castle, einem Restaurant, in dem
meine Mutter und ich manchmal aßen, wenn wir hier unten waren

162

Aber kaum war ich eingetreten, begriff ich, dass ich einen Fehler gemacht hatte. Die nicht zusammenpassenden Porzellan-Elefanten, ja, sogar die Kellnerin mit Pferdeschwanz und schwarzem T-Shirt, die mir freundlich lächelnd entgegenkam: das alles überwältigte mich. Ich sah den Ecktisch, wo meine Mutter und ich das letzte Mal zu Mittag gegessen hatten, und ich musste eine Entschuldigung murmeln und gleich wieder verschwinden.

Mit klopfendem Herzen stand ich auf dem Gehweg. Tauben flogen tief durch den rußigen Himmel. Auf der Greenwich Avenue waren nur wenige Leute unterwegs: zwei verquollene Männer, die aussahen, als hätten sie sich die ganze Nacht geprügelt, eine Frau mit wirrem Haar in einem zu großen Rollkragenpullover, die mit einem Dackel in Richtung Sixth Avenue unterwegs war. Es war ein bisschen unheimlich, allein im Village zu sein. Es war nicht die Gegend, in der man morgens am Wochenende viele Kinder auf der Straße sah; alles wirkte eher erwachsen, kompliziert, ein wenig alkoholisch. Die Leute sahen aus, als hätten sie entweder einen Kater oder wären eben erst aus dem Bett gefallen.

Weil kaum etwas offen war und weil ich mich ein bisschen verloren fühlte und nicht wusste, was ich sonst tun sollte, wanderte ich langsam zurück in Richtung Hobart and Blackwell. Wenn man von Uptown kam, sah alles im Village so klein und so alt aus. Efeu und Wein bedeckten die Fassaden, und Kräuter und Tomatenpflanzen wuchsen in Kübeln auf der Straße. Sogar die Bars hatten handgemalte Schilder wie ländliche Schankwirtschaften, Schilder mit Pferden und Katzen, Hähnen, Gänsen und Schweinen. Aber genau diese Intimität und Niedlichkeit führte dazu, dass ich mich ausgeschlossen fühlte, und so lief ich mit gesenktem Kopf an den kleinen, einladenden Haustüren vorbei und spürte genau, wie rings um mich herum im stillen Kämmerlein das Leben am Sonntagmorgen gut gelaunt seinen Lauf nahm.

Das Gitter bei Hobart and Blackwell war immer noch geschlossen. Es kam mir so vor, als sei der Laden schon seit einer ganzen Weile nicht mehr offen gewesen. Er war zu kalt, zu dunkel, und ich sah keine Spur von Vitalität oder innerem Leben wie in anderen Geschäften in dieser Straße.

Ich schaute ins Fenster und fragte mich, was ich jetzt tun sollte, als ich plötzlich eine Bewegung sah, eine große Gestalt, die hinter durch den Laden glitt. Wie gebannt blieb ich stehen. Sie bewegte sich schwerelos, wie man es von Geistern erzählt, ohne nach rechts oder links zu schauen, und verschwand im nächsten Moment vor einer Tür in der Dunkelheit.

Sie war weg. Ich wölbte die Hand um die Stirn und spähte in die finsteren, vollgestopften Tiefen des Ladens, und dann klopfte ich an die Scheibe.

Hobart and Blackwell. Läute die grüne Glocke.

Die grüne Glocke? Da war keine Glocke. Der Ladeneingang war mit einer Eisentür verschlossen. Ich ging zum Nachbarhaus – Nr. 12, ein schlichtes Gebäude mit mehreren Wohnungen – und dann zurück zu Nr. 8, einer eleganten Stadtvilla aus Sandstein. Eine Treppe führte hinauf zur Haustür, aber jetzt entdeckte ich etwas, das mir vorher nicht aufgefallen war: eine schmale Eingangstreppe in der Mitte zwischen 8 und 10, halb versteckt hinter einem Gestell mit altmodischen Blechmülltonnen. Vier oder fünf Stufen führten hinunter zu einer anonym aussehenden Tür, einen knappen Meter unterhalb des Gehwegs. Da war kein Schild, keine Inschrift, aber was mir ins Auge fiel, war ein helles Gelbgrün. Ein grüner Streifen Isolierband klebte unter einem Knopf an der Wand.

Ich ging die Treppe hinunter, und ich drückte auf den Knopf und läutete. Ich zog den Kopf ein, als ich das hysterische Summen hörte (am liebsten wäre ich weggerannt), und atmete tief durch, um mir Mut zu machen. Dann – so plötzlich, dass ich zurückfuhr – öffnete sich die Tür, und ich starrte zu einer großen und unerwarteten Person hinauf.

Er war eins fünfundneunzig bis zwei Meter groß, mindestens. Sorgenvoll, mit edler Kinnlinie, gewichtig – irgendwie erinnerte er an die antiken Fotos von irischen Dichtern und Faustkämpfern in dem Pub in Midtown, wo mein Vater gern getrunken hatte. Sein Haar war überwiegend grau und musste geschnitten werden, und seine Haut war von einem ungesunden Weiß. Die tiefen violetten Schatten um die Augen sahen aus, als sei sein Nasenbein gebrochen. Über der Kleidung trug er einen schweren Hausmantel mit Paisley-Muster und einem Revers aus Satin, der ihm fast bis zu den Knöcheln reichte und ihn in massigen Falten umfloss. Der Hauptdarsteller in einem Film aus den dreißiger Jahren hätte so etwas tragen können: verschlissen, aber immer noch eindrucksvoll.

Ich war so überrascht, dass ich kein Wort mehr herausbrachte. In seinem Verhalten lag nichts Ungeduldiges, im Gegenteil. Seine ausdruckslosen Augen unter dunklen Lidern sahen mich an, und er wartete darauf, dass ich etwas sagte.

»Entschuldigen Sie«, ich schluckte, meine Kehle war trocken, »ich wollte Sie nicht stören ...«

In der Stille, die jetzt folgte, blinzelte er und sah mich milde an, als wäre ihm das selbstverständlich vollkommen klar und als hätte er auch im Traum nicht damit gerechnet, dass ich ihn stören wollte.

Ich wühlte in meiner Tasche und hielt ihm den Ring auf der flachen Hand entgegen. Sein großes, bleiches Gesicht wurde schlaff. Er starrte den Ring an, dann mich.

»Woher hast du den?«, fragte er.

»Er hat ihn mir gegeben«, sagte ich. »Er hat gesagt, ich soll ihn herbringen.«

Er stand da und schaute mich durchdringend an. Einen Moment lang dachte ich, er werde jetzt sagen, er habe keine Ahnung, wovon ich redete. Dann trat er wortlos zurück und hielt mir die Tür auf.

»Ich bin Hobie«, sagte er, als ich zögerte. »Komm herein.«

KAPITEL 4

Morphium-Lolli

I

Ein goldfarbenes Meer glänzte in dem schrägen Licht, das durch verstaubte Fenster hereinfiel: vergoldete Amorfiguren, vergoldete Kommoden und Stehlampen und – den Duft nach altem Holz untergrabend – der Gestank von Terpentin, Ölfarbe und Firnis. Ich folgte ihm auf einem Pfad, der in das Sägemehl gefegt war, durch die Werkstatt, vorbei an Stecktafeln und Werkzeugen, zerlegten Stühlen und Klauenfußtischen, die ihre Beine in die Luft streckten. Trotz seiner Körpermaße bewegte er sich anmutig, ein »Gleiter«, wie meine Mutter ihn bezeichnet hätte. Seine Haltung hatte etwas mühelos Schwebendes. Mein Blick richtete sich auf die Pantoffeln an seinen Füßen, als ich ihm eine schmale Treppe hinauf in ein halbdunkles Zimmer mit einem schweren Teppich folgte, wo schwarze Urnen auf Sockeln standen und die mit Troddeln geschmückten Vorhänge vor der Sonne zugezogen waren.

Die Stille ließ mein Herz erkalten. Tote Blumen standen welk in wuchtigen chinesischen Vasen, die Abgeschlossenheit lastete überschwer auf dem Raum, und die Luft war beinahe zu abgestanden zum Atmen und fühlte sich genauso erstickend an wie die in unserer Wohnung, als Mrs. Barbour noch einmal mit mir nach Sutton Place gefahren war, um ein paar Dinge zu holen, die ich brauchte. Es war eine Stille, die ich kannte: So zog ein Haus sich in sich selbst zurück, wenn jemand gestorben war.

Unvermittelt wünschte ich, ich wäre nicht gekommen. Aber der Mann – Hobie – schien meine Bedenken zu spüren, denn er drehte sich ganz plötzlich um. Er war kein junger Mann, aber er hatte immer noch ein jungenhaftes Gesicht. Seine Augen waren kindlich blau und blickten klar und verblüfft.

169

»Was ist los?«, fragte er und dann: »Alles in Ordnung?«

Seine Besorgnis machte mich verlegen. Voller Unbehagen stand ich in der stagnierenden, von Antiquitäten erfüllten Dunkelheit und wusste nicht, was ich sagen sollte.

Anscheinend wusste er es auch nicht. Er machte den Mund auf und klappte ihn wieder zu, und dann schüttelte er den Kopf, als wolle er ihn klären. Er war schätzungsweise fünfzig oder sechzig Jahre alt, schlecht rasiert, und sein schüchternes, freundliches, großflächiges Gesicht war weder hübsch noch unscheinbar. Er würde immer größer sein als die meisten anderen Männer in einem Raum, aber er wirkte doch auf eine feuchtkalte, kaum zu definierende Weise ungesund mit seinen schwarzen Augenringen und einer Blässe, die mich an die jesuitischen Märtyrer erinnerte, die ich auf einer Klassenreise nach Montreal auf den Wandgemälden in einer Kirche gesehen hatte: große, kompetent aussehende, totenbleiche Europäer am Marterpfahl in den Lagern der Huronen.

»Tut mir leid, hier herrscht im Moment ein bisschen Chaos ...« Er sah sich mit einer unbestimmten, auf nichts gerichteten Dringlichkeit um, wie meine Mutter es tat, wenn sie etwas verlegt hatte. Seine Stimme klang rau, aber gebildet, wie die meines Geschichtslehrers Mr. O'Shea, der in einer wilden Gegend von Boston aufgewachsen, aber schließlich nach Harvard gegangen war.

»Ich kann noch mal wiederkommen. Wenn das besser passt.«

Jetzt sah er mich mit leisem Schrecken an. »Nein, nein«, sagte er. Seine Manschettenknöpfe waren offen, und die Manschetten baumelten lose und schmuddelig um seine Handgelenke. »Gib mir nur einen Moment Zeit, damit ich mich sammeln kann, sorry – hier« verwirrt strich er sich eine einzelne graue Haarsträhne aus dem Gesicht, »hier wären wir.«

Er führte mich zu einem schmalen, hart aussehenden Sofa mit schneckenförmig geschnörkelter Arm- und holzgeschnitzter Rückenlehne. Aber es verschwand halb unter Kopfkissen und Decken und anscheinend begriffen wir beide im selben Moment, dass es nicht so einfach wäre, sich in dem Gewühl von Bettzeug hinzusetzen.

170

»Ah, sorry«, murmelte er und machte so schnell einen Schritt zurück, dass wir beinahe zusammengestoßen wären. »Ich habe mein Lager hier drin aufgeschlagen, wie du siehst – nicht die beste Lösung der Welt, aber ich musste mich begnügen, denn ich kann nicht richtig hören bei all dem Betrieb …«

Er wandte sich ab (sodass mir der Rest des Satzes entging), trat um ein Buch herum, das aufgeklappt mit den Seiten nach unten auf dem Teppich lag, und wich einer Teetasse mit einem braunen Ring innen am Boden aus und führte mich stattdessen zu einem zierlichen Sessel mit Raffungen und Biesen, Fransen und einer kompliziert mit Knöpfen besetzten Sitzfläche – einem türkischen Sessel, wie ich später lernte. Er war einer der wenigen Leute in New York, die so etwas noch polstern konnten.

Geflügelte Bronzen. Silberner Nippes. Staubgraue Straußenfedern in einer Silbervase. Unsicher hockte ich mich auf die Sesselkante und sah mich um. Lieber wäre ich stehen geblieben, weil ich dann leichter wieder gehen könnte.

Er beugte sich vor und klemmte die Hände zwischen die Knie. Aber statt etwas zu sagen, schaute er mich nur an und wartete.

»Ich bin Theo«, sagte ich hastig nach zu langem Schweigen. Mein Gesicht war so heiß, als wollte es gleich in Flammen aufgehen. »Theodore Decker. Alle nennen mich Theo. Ich wohnte in Uptown Manhattan«, fügte ich zweifelnd hinzu.

»Tja, ich bin James Hobart, aber alle nennen mich Hobie.« Sein Blick war betrübt und entwaffnend. »Ich wohne in Downtown Manhattan.«

Ratlos schaute ich weg. Ich wusste nicht genau, ob er sich lustig machte.

»Sorry.« Er schloss die Augen für einen Moment und öffnete sie dann wieder. »Achte nicht auf mich. Welty«, er warf einen Blick auf den Ring in seiner Hand, »war mein Geschäftspartner.«

War? Die Mondphasenuhr – surrende Zahnräder, Ketten und Gewichte, eine Apparatur wie aus Kapitän Nemos U-Boot – schnarrte laut durch die Stille, bevor sie die Viertelstunde schlug.

171

»Oh«, sagte ich. »Ich hatte bloß … ich dachte …«

»Nein, es tut mir leid. Du wusstest es nicht?« Er sah mich forschend an.

Ich schaute weg. Mir war nicht klar gewesen, wie sehr ich damit
gerechnet hatte, den alten Mann wiederzusehen. Trotz allem, was
ich gesehen hatte – was ich wusste –, war es mir immer noch gelungen, die kindliche Hoffnung zu hegen, er sei irgendwie durchgekom-
men, wunderbarerweise, wie ein Mordopfer im Fernsehen, das nach
der Werbepause plötzlich doch noch lebt und sich still und leise im
Krankenhaus wieder erholt.

»Und wie kommt es, dass du den hast?«

»Was?« Ich war erschrocken. Die Uhr, sah ich, ging total falsch,
zehn Uhr morgens, zehn Uhr abends – nicht mal annähernd richtig.

»Du sagst, er hat ihn dir gegeben?«

Ich rutschte voller Unbehagen hin und her. »Ja. Ich …« Der
Schock durch seinen Tod fühlte sich wieder neu an, als hätte ich ihn
zum zweiten Mal im Stich gelassen, als passierte das Ganze noch einmal, nur in einer anderen Perspektive.

»Er war bei Bewusstsein? Er hat mir dir gesprochen?«

»Ja«, fing ich an und schwieg dann. Mir war elend zumute. In der
Welt des alten Mannes zu sein, umgeben von seinen Sachen, hatte
ihn machtvoll in die Gegenwart zurückgebracht: die traumartige Un-
terwasserstimmung in diesem Zimmer, die rostfarbenen Samtstoffe,
die Fülle und die Stille.

»Ich bin froh, dass er nicht allein war«, sagte Hobie. »Das wäre
ihm zuwider gewesen.« Seine Finger schlossen sich um den Ring,
und er hob die Faust an den Mund und sah mich an.

»Meine Güte. Du bist noch ein Küken, was?«, sagte er.

Ich lächelte beklommen und wusste nicht genau, wie ich antworten sollte.

»Sorry«, sagte er, und sein Ton wurde geschäftsmäßiger. Ich wusste, das sollte mich beruhigen. »Es ist bloß – ich weiß, es war schlimm.
Sein Leichnam …« Anscheinend suchte er nach Worten. »Bevor sie
dich hineinrufen, machen sie sie so gut wie möglich sauber, und

172

dann sagen sie dir, es wird nicht angenehm sein, was du natürlich schon weißt, aber – na ja. Du kannst dich auf so etwas nicht vorbereiten. Wir hatten vor ein paar Jahren einen Satz Fotos von Mathew Brady im Laden – Sachen aus dem Bürgerkrieg, so grausig, dass wir Mühe hatten, sie zu verkaufen.«

Ich sagte nichts. Es war nicht meine Gewohnheit, etwas zu Erwachsenengesprächen beizutragen – außer ein »Ja« oder »Nein«, wenn man mich dazu aufforderte –, aber ich hörte trotzdem wie gebannt zu. Matt, ein Freund meiner Mutter, der Arzt war, hatte es übernommen, ihren Leichnam zu identifizieren, und niemand hatte mir viel darüber erzählt.

»Ich erinnere mich an eine Geschichte, die ich mal gelesen habe, über einen Soldaten, war das bei Shiloh?« Er sprach mit mir, aber ich hatte nicht seine ungeteilte Aufmerksamkeit. »Oder Gettysburg? Ein Soldat, der vom Schock so sehr von Sinnen war, dass er anfing, Vögel und Eichhörnchen auf dem Schlachtfeld zu begraben. Im Kreuzfeuer ist ja eine Menge Kleinzeug getötet worden, kleine Tiere. Viele kleine Gräber.«

»24 000 Mann starben bei Shiloh in zwei Tagen«, platzte ich heraus.

Sein Blick kehrte erschrocken zu mir zurück.

»50 000 bei Gettysburg. Wegen der neuen Waffentechnik. Minié-Geschosse und Repetiergewehre. Deswegen gab es so viele Gefallene. Wir hatten schon vor dem Ersten Weltkrieg Grabenkämpfe in Amerika. Die meisten Leute wissen das nicht.«

Ich sah, dass er keine Ahnung hatte, was er damit anfangen sollte.

»Du interessierst dich für den Bürgerkrieg?«, fragte er nach einer vorsichtigen Pause.

»Äh, ja«, erwiderte ich schroff. »Gewissermaßen.« Ich wusste eine Menge über die Feld-Artillerie der Union, weil ich darüber einen Aufsatz geschrieben hatte, der so technisch und mit Fakten vollgestopft gewesen war, dass ich ihn für die Lehrerin noch einmal schreiben musste, und ich kannte auch Bradys Fotos der Gefallenen am Antietam. Ich hatte die Bilder im Netz gesehen: Jungen mit stechenden Augen, schwarz von Blut um Nase und Mund. »Unsere Klasse hat sechs Wochen lang Lincoln durchgenommen.«

»Brady hatte ein Fotoatelier nicht weit von hier. Hast du es schon mal gesehen?«

»Nein.« Da war ein eingesperrter Gedanke gewesen, der gerade hervorkommen wollte, wesentlich und unaussprechlich, freigesetzt durch die Erwähnung dieser ausdrucksleeren Soldatengesichter. Jetzt war alles wieder weg, alles bis auf das Bild: tote Jungen mit ausgestreckten Armen und Beinen, den Blick starr zum Himmel gerichtet

Das Schweigen, das darauf folgte, war quälend. Keiner von uns beiden schien zu wissen, wie es weitergehen sollte. Schließlich schlug Hobie die Beine übereinander. »Ich wollte sagen – tut mir leid. Dass ich dich bedränge«, sagte er stockend.

Ich wand mich vor Verlegenheit. Ich war so voller Neugier nach Downtown gekommen, dass ich überhaupt nicht damit gerechnet hatte, man könnte von mir erwarten, selbst ein paar Fragen zu beantworten.

»Ich weiß, es muss schwer sein, darüber zu sprechen. Es ist nur – ich habe nie daran gedacht …«

Meine Schuhe. Es war interessant, dass ich mir nie wirklich meine Schuhe anschaute. Die verschrammten Spitzen. Die zerfransten Schnürsenkel. *Wir gehen am Samstag zu Bloomingdale's und kaufen dir ein Paar neue.* Dazu war es nicht mehr gekommen.

»Ich will dich nicht in die Enge treiben. Aber – er war bei Bewusstsein?«

»Ja. Irgendwie. Ich meine …« Beim Anblick seines wachsamen bangen Gesichts wollte irgendein entlegener Teil meiner selbst mit allem möglichen Zeug herausplatzen, das er gar nicht zu wissen brauchte, und es war auch gar nicht richtig, ihm davon zu erzählen, von verspritzten Innereien, von hässlichen, regelmäßig wiederkehrenden Flashes, die in meine Gedanken einbrachen, selbst wenn ich wach war.

Düstere Porträts, Porzellan-Spaniels auf dem Kaminsims, ein goldenes Pendel, das hin und her schwang, ticke-tack, ticke-tack.

»Ich habe ihn rufen hören.« Ich rieb mir das Auge. »Als ich aufwachte.« Es war, als wollte ich einen Traum erklären. Das kann man nicht. »Ich bin zu ihm gegangen, und ich war bei ihm, und – es war nicht so schlimm. Nicht so, wie man vielleicht denkt«, fügte ich hinzu, denn meine Worte klangen verlogen, was ja auch stimmte.

»Er hat mit dir gesprochen?«

Ich schluckte angestrengt und nickte. Dunkles Mahagoni, Palmen in Töpfen.

»Er war bei Bewusstsein?«

Ich nickte wieder. Ein schlechter Geschmack in meinem Mund. So etwas konnte man nicht zusammenfassen, Zeug, das keinen Sinn ergab und keiner Geschichte folgte, der Staub, der Alarm, wie er meine Hand gehalten hatte, ein ganzes Leben lang nur wir beide dort, verworrene Sätze und Namen von Städten und Menschen, von denen ich nie gehört hatte. Gerissene Kabel, funkensprühend.

Er sah mich immer noch an. Meine Kehle war trocken, und mir war ein bisschen schlecht. Der Augenblick ging nicht in den nächsten Augenblick über, wie er es tun sollte, und ich wartete darauf, dass er noch mehr Fragen stellte, irgendwelche, aber er tat es nicht.

Schließlich schüttelte er den Kopf, als wolle er ihn klären. »Das ist …« Anscheinend war er genauso durcheinander wie ich. Mit seinem Hausmantel und dem lose herabhängenden grauen Haar sah er aus wie ein kronenloser König in einem Kostümstück für Kinder.

»Es tut mir leid.« Er schüttelte wieder den Kopf. »Das ist alles so neu.«

»Wie bitte?«

»Na ja, weißt du, es ist einfach«, er beugte sich vor und klapperte schnell und aufgeregt mit den Lidern, »es ist alles ganz anders, als man es mir erzählt hat, weißt du. Sie haben gesagt, er war sofort tot. Sehr, sehr nachdrücklich haben sie darauf bestanden.«

»Aber …« Ich starrte ihn verblüfft an. Dachte er, ich hätte mir das alles ausgedacht?

»Nein, nein«, sagte er hastig und hob beruhigend eine Hand. »Es

ist bloß – sicher sagen sie das zu jedem. ›War sofort tot‹?«, sagte e
kläglich, als ich ihn anstarrte. »Absolut schmerzlos‹? ›Hat gar nicht
mitbekommen‹?«

Und – ganz plötzlich – ging mir ein Licht auf, und die Implikatio
nen schlängelten sich heran, dass es mich kalt überlief. Meine Mutte
war auch »sofort tot gewesen«. Sie war »absolut schmerzlos« gestor
ben. Die Sozialarbeiter hatten diese Leier so beharrlich wiederholt
dass ich nie auf den Gedanken gekommen war, mich zu fragen, wies
sie da so sicher waren.

»Obwohl, ich muss wirklich sagen – es war schwer vorstellba
dass er auf diese Weise gehen würde«, sagte Hobie in die plötzlich
Stille hinein. »Wie der Blitz. Gefallen, ohne es zu merken. Hatte da
Gefühl, wie man es manchmal hat, dass es nicht so war, wie sie sa
gen, weißt du?«

»Was?« Ich blickte auf, verwirrt von der bösartigen neuen Mög
lichkeit, über die ich hier gestolpert war.

»Ein Lebewohl am Tor«, sagte Hobie. Er schien halb mit sich selbs
zu sprechen. »Das hätte er gewollt. Der Abschiedsblick, das Todes
Haiku – er wäre nicht gern gegangen, ohne unterwegs noch mit je
mandem zu sprechen. ›Ein Teehaus inmitten Kirschenblüten, au
dem Weg zum Tod.‹«

Ich kam nicht mehr mit. In dem schattendunklen Zimmer dran
ein einzelner Sonnenstrahl wie eine Klinge zwischen den Vorhän
gen hindurch, schnitt quer durch den Raum und fing sich lodern
auf einem Tablett voller Karaffen aus geschliffenem Glas, flackernd
Prismen, die hierhin und dorthin huschten und hoch oben über di
Wände flirrten wie Pantoffeltierchen unter dem Mikroskop. Es roc
stark nach Holzrauch, aber der Kamin war ausgebrannt und schwar
und der Rost war mit Asche verstopft, als habe dort schon seit eine
Weile kein Feuer mehr gebrannt.

»Das Mädchen«, sagte ich scheu.

Sein Blick kehrte zu mir zurück.

»Da war noch ein Mädchen.«

Einen Moment lang schien er nicht zu verstehen. Dann lehnte e

sich in seinen Sessel zurück und blinzelte heftig, als habe man ihm
Wasser ins Gesicht gespritzt.

»Was denn?«, fragte ich erschrocken. »Wo ist sie? Geht es ihr gut?«

»Nein«, er rieb sich den Nasenrücken, »nein.«

»Aber sie lebt?« Ich konnte es kaum glauben.

Er zog die Brauen hoch, und ich begriff, dass es »ja« bedeutete.
»Sie hatte Glück.« Aber seine Stimme und sein Verhalten schienen
mir das Gegenteil zu sagen.

»Ist sie hier?«

»Tja ...«

»Wo ist sie? Kann ich sie sehen?«

Er seufzte und sah genervt aus. »Sie soll Ruhe haben und keinen
Besuch.« Er wühlte in seinen Taschen. »Sie ist nicht sie selbst – es ist
schwer abzusehen, wie sie reagieren wird.«

»Aber sie wird gesund?«

»Na, wir wollen es hoffen. Aber sie ist noch nicht über den Berg.
Um die höchst unklare Formulierung zu benutzen, die die Ärzte beharrlich verwenden.« Er hatte in den Taschen seines Hausmantels
Zigaretten gefunden. Mit unsicherer Hand zündete er sich eine an
und warf die Packung mit schwungvoller Geste auf den lackierten
japanischen Tisch zwischen uns.

»Was denn?«, fragte er und wedelte den Rauch vor seinem Gesicht
beiseite, als er sah, dass ich die zerdrückte Packung anstarrte – französische Zigaretten, wie die Leute in alten Filmen sie rauchten. »Sag
nicht, du willst auch eine.«

»Nein danke.« Ich war ziemlich sicher, dass er einen Scherz gemacht hatte. Aber nicht hundertprozentig sicher.

Er wiederum spähte scharf blinzelnd durch den Tabakdunst und
sah irgendwie besorgt aus, als sei ihm soeben etwas Entscheidendes
über mich klar geworden.

»Du bist das, oder?«, sagte er unverhofft.

»Wie bitte?«

»Du bist der Junge, nicht wahr? Dessen Mutter da drin gestorben ist?«

Ich war so verdattert, dass ich einen Moment lang nicht wusste, was ich antworten sollte.

»Was«, sagte ich und meinte damit, *woher wissen Sie das?*, aber das bekam ich nicht heraus.

Peinlich berührt rieb er sich das Auge und lehnte sich plötzlich zurück, verdattert wie ein Mann, der seinen Drink auf dem Tisch verschüttet hat. »Sorry. Ich habe nicht – ich meine – das klang jetzt nicht gut. Mein Gott. Ich bin …« Er machte eine vage Handbewegung, als wolle er sagen: Ich bin erschöpft, ich denke nicht mehr geradeaus.

Nicht sehr höflich schaute ich weg – unerwartet überrollt von einer flauen, unwillkommenen Welle aus Emotionen. Seit dem Tod meiner Mutter hatte ich kaum geweint, und schon gar nicht vor anderen Leuten – nicht einmal bei ihrem Begräbnisgottesdienst, wo Leute, die sie kaum gekannt hatten (und einer oder zwei, die ihr das Leben zur Hölle gemacht hatten, Mathilde zum Beispiel), sich schluchzend um mich herum die Nase putzten.

Er sah, dass ich kurz davor war, die Fassung zu verlieren. Wollte etwas sagen. Überlegte es sich.

»Hast du was gegessen?«, fragte er unerwartet.

Ich war so überrascht, dass ich nicht antworten konnte. Essen war das Letzte, was ich im Sinn hatte.

»Ah, das habe ich mir gedacht.« Er erhob sich knirschend auf die großen Füße. »Dann wollen wir mal was auftreiben.«

»Ich habe keinen Hunger«, sagte ich so grob, dass es mir gleich leidtat. Seit meine Mutter tot war, schienen alle immer nur eins im Kopf zu haben: mir Essen in den Schlund zu schaufeln.

»Nein, nein, natürlich nicht«, mit der freien Hand wedelte er eine Rauchwolke beiseite, »aber komm trotzdem mit, bitte. Mir zuliebe. Du bist doch kein Vegetarier, oder?«

»Nein!«, sagte ich empört. »Wie kommen Sie darauf?«

Er lachte, kurz, scharf. »Ganz ruhig! Viele ihrer Freunde sind Vegetarier und sie auch.«

»Oh«, sagte ich leise, und er schaute mit lebhafter, gemütlicher Heiterkeit auf mich herunter.

»Na, nur damit du es weißt, ich bin auch kein Vegetarier«, sagte
r. »Ich esse alle möglichen lächerlichen Sachen. Da werden wir bei-
le wohl gut miteinander klarkommen.«

Er stieß eine Tür auf, und ich folgte ihm durch einen engen Kor-
idor voll angelaufener Spiegel und alter Bilder. Er ging schnell vor
mir her, aber ich wollte gern trödeln und mir alles ansehen: Fa-
miliengruppen, weiße Säulen, Veranden und Palmen. Ein Tennisplatz, ein Perserteppich auf dem Rasen. Männliche Bedienstete in
weißen Pyjamas, Seite an Seite in feierlichem Ernst. Mein Blick landete auf Mr. Blackwell, hakennasig und sympathisch, in einem flot-
ten weißen Anzug, bucklig schon als junger Mann. Er lehnte entspannt an einer Mauer am Meer in einer Gegend mit Palmen, und
neben ihm – auf der Mauer, mit der Hand auf seiner Schulter, einen Kopf höher als er – lächelte eine Pippa im Kindergartenalter.
So klein sie war, so klar doch die Ähnlichkeit: ihre Hautfarbe, ihre
Augen, der Kopf auf die gleiche Weise zur Seite gelegt, das Haar so
rot wie seins.

»Das ist sie, nicht wahr?«, sagte ich, und im selben Augenblick
wusste ich, dass sie es nicht sein konnte. Dieses Foto mit den verblichenen Farben und altmodischen Kleidern war lange vor meiner
Geburt entstanden.

Hobie kam zurück, um es sich anzuschauen. »Nein«, sagte er leise
und legte die Hände auf den Rücken. »Das ist Juliet. Pippas Mutter.«

»Wo ist sie?«

»Juliet? Tot. Krebs. Letzten Mai vor sechs Jahren.« Dann wurde
ihm anscheinend klar, dass er zu knapp gesprochen hatte. »Welty war
Juliets großer Bruder. Halbbruder, besser gesagt. Derselbe Vater, andere Frauen. Dreißig Jahre auseinander. Aber er hat sie großgezogen
wie sein eigenes Kind.«

Ich trat einen Schritt vor, um genauer hinzuschauen. Sie lehnte sich an ihn, und ihre Wange schmiegte sich liebevoll an seinen
Armel.

Hobie räusperte sich. »Als sie geboren wurde, war der Vater der
beiden über sechzig«, sagte er leise. »Viel zu alt, um sich für ein klei-

nes Kind zu interessieren, zumal da er sowieso nicht viel übrig hatte für Kinder.«

Eine Tür am anderen Ende des Korridors war nur angelehnt; er stieß sie auf und spähte in die Dunkelheit. Ich stand auf Zehenspitzen hinter ihm und reckte den Hals, aber er trat beinahe sofort einen Schritt zurück und zog die Tür klickend ins Schloss.

»Ist sie das?« Obwohl ich in der Dunkelheit kaum etwas erkennen konnte, war mir das unfreundliche Leuchten eines tierischen Augenpaars aufgefallen, ein verstörender grünlicher Schimmer am anderen Ende des Zimmers.

»Nicht jetzt.« Er sprach so leise, dass ich ihn kaum hören konnte.

»Was ist denn da bei ihr?«, flüsterte ich und blieb am Türrahmen stehen. Ich wollte noch nicht weitergehen. »Eine Katze?«

»Ein Hund. Die Schwester ist nicht einverstanden, aber sie will ihn bei sich im Bett haben, und ehrlich gesagt, ich schaffe es nicht, ihn hier draußen zu halten. Er kratzt an der Tür und winselt – hier entlang.«

Mit langsamen, knirschenden Bewegungen, vorgebeugt wie ein alter Mensch, stieß er die Tür in eine vollgestopfte Küche auf. Sie hatte ein Oberlicht, und es gab einen bauchigen alten Herd: tomatenrot und mit eleganten Konturen wie ein Raumschiff aus den fünfziger Jahren. Auf dem Boden stapelten sich Bücher – Kochbücher, Wörterbücher, alte Romane, Enzyklopädien –, und auf den Regalborden stand antikes Porzellan, dicht an dicht, ein halbes Dutzend Dekore. Neben dem Fenster, beim Ausgang zur Feuertreppe, hielt ein ausgeblichener Heiliger aus Holz segnend die Hand hoch, und auf der Anrichte, neben einem silbernen Teekannen-Set, marschierten bunt bemalte Tiere paarweise in eine Arche Noah. Im Spülbecken türmten sich die Teller, und auf Arbeitsplatten und Fensterbänken sah ich Medizinfläschchen, schmutzige Tassen, beunruhigende Verwehungen von ungeöffneter Post und Pflanzen aus der Blumenhandlung braun und vertrocknet in ihren Töpfen.

Er ließ mich am Tisch Platz nehmen und schob Stromrechnungen und alte Ausgaben der Zeitschrift *Antiques* zur Seite. »Tee«, sagte er, als sei ihm ein Artikel auf der Einkaufsliste eingefallen.

Er machte sich am Herd zu schaffen, und ich starrte die Kaffee-kringel auf der Tischdecke an. Ruhelos lehnte ich mich auf meinem Stuhl zurück und sah mich um.

»Ähm …«, sagte ich.

»Ja?«

»Kann ich sie nachher sehen?«

»Vielleicht«, sagte er, ohne sich zu mir umzudrehen. Ein Schnee-besen schlug gegen eine blaue Porzellanschüssel: *tap tap tap.* »Wenn sie wach ist. Sie hat starke Schmerzen, und die Medizin macht sie schläfrig.«

»Was ist ihr passiert?«

»Na ja …« Sein Ton war munter und gedämpft zugleich, und ich erkannte ihn sofort, denn es war praktisch der gleiche, den ich selbst benutzte, wenn jemand sich nach meiner Mutter erkundigte.

»Sie hat einen bösen Schlag auf den Kopf bekommen. Schädel-bruch. Um die Wahrheit zu sagen, sie hat eine Zeitlang im Koma ge-legen, und das linke Bein war an so vielen Stellen gebrochen, dass sie es beinahe verloren hätte. ›Ein Strumpf voller Murmeln‹.« Er lachte ohne Heiterkeit. »So hat der Arzt es beschrieben, als er die Röntgen-aufnahmen gesehen hatte. Zwölf Brüche. Fünf Operationen. Letzte Woche«, fuhr er fort, »haben sie die Nägel herausgezogen, und sie hat so sehr gebettelt, nach Hause kommen zu dürfen, dass sie es erlaubt haben. Aber wir mussten eine Teilzeitkrankenschwester einstellen.«

»Kann sie schon wieder gehen?«

»Du meine Güte, nein.« Er zog an seiner Zigarette. Irgendwie schaffte er es, mit einer Hand zu kochen und mit der anderen zu rauchen, wie ein Schlepperkapitän oder der Koch im Holzfällerla-ger in einem alten Film. »Sie kann kaum länger als eine halbe Stun-de aufrecht sitzen.«

»Aber sie wird wieder gesund.«

»Na, wir hoffen es.« Sein Tonfall klang nicht übermäßig hoff-nungsvoll. »Weißt du«, er sah sich zu mir um, »wenn du auch da drin warst, ist es ganz bemerkenswert, dass du so heil davongekom-men bist.«

181

»Hm.« Ich wusste nie, was ich sagen sollte, wenn Leute meinten, ich sei »heil davongekommen«.

Hobie hustete und drückte seine Zigarette aus. »Hm.« Er wusste, dass es mich störte, was er da gesagt hatte; das sah ich seinem Gesicht an. Es tat ihm leid. »Ich nehme an, sie haben auch mit dir gesprochen? Die Ermittler?«

Ich schaute auf das Tischtuch. »Ja.« Je weniger ich darüber sagte, desto besser, fand ich.

»Na, ich weiß nicht, wie es dir ging, aber ich fand sie ziemlich anständig. Sehr gut informiert. Der eine, der Ire – er hatte so was schon oft gesehen. Er hat mir von Kofferbomben in England und auf dem Pariser Flughafen erzählt und von so einer Sache in einem Straßencafé in Tanger, weißt du – Dutzende von Toten, und jemand in unmittelbarer Nähe der Bombe ist völlig unverletzt. Er sagte, sie kriegten manchmal ziemlich seltsame Effekte zu sehen, vor allem in älteren Gebäuden. Geschlossene Räume, unebene Flächen, reflektierende Materialien – höchst unberechenbar. Genau wie die Akustik, sagte er. Druckwellen sind wie Schallwellen, sie werden zurückgeworfen, umgelenkt. Manchmal gehen noch meilenweit entfernt Schaufenster kaputt. Oder«, er strich sich mit dem Handgelenk die Haarsträhne aus den Augen, »manchmal gibt es in großer Nähe etwas, das er als Abschirmeffekt bezeichnete. Gegenstände, die sehr nah bei der Detonation sind, bleiben intakt – eine heile Teetasse in einem gesprengten IRA-Cottage, oder was weiß ich. Die meisten Leute sterben durch herumfliegende Glasscherben und Trümmer, weißt du, oft noch ziemlich weit entfernt. Ein Steinchen oder ein Stück Glas ist bei dieser Geschwindigkeit so gefährlich wie eine Gewehrkugel.«

Ich strich mit dem Daumen über das Blumenmuster der Tischdecke. »Ich …«

»Sorry. Ist vielleicht nicht das richtige Gesprächsthema.«

»Nein, nein«, sagte ich hastig. Tatsächlich war es eine große Erleichterung, jemanden geradeheraus und auf kundige Weise über ein Thema reden zu hören, bei dem die meisten Leute sich einen Knoen in die Zunge machten, um es zu vermeiden. »Das ist es nicht. Es ist nur …«

»Ja?«

»Ich habe mich gefragt. Wie ist sie rausgekommen?«

»Reines Glück. Sie war unter einem Haufen Schutt eingeklemmt. Ohne einen Hund, der anschlug, hätte die Feuerwehr sie gar nicht gefunden. Sie haben sich ein Stück weit zu ihr vorgearbeitet, den Balken hochgestemmt – ich meine, das Erstaunliche war, sie war wach und hat die ganze Zeit mit ihnen geredet, auch wenn sie sich daran nicht erinnern kann. Ein Wunder nur, dass sie sie herausziehen konnten, bevor der Befehl kam, das Gebäude zu räumen. Wie lange warst du bewusstlos, sagst du?«

»Ich weiß es nicht.«

»Na, ein Glück. Wenn sie hätten abrücken und sie dort zurücklassen müssen, immer noch eingeklemmt, was ja, wie ich höre, ein paar Leuten tatsächlich passiert ist – ah, jetzt ist es so weit.« Der Kessel pfiff.

Das Essen auf dem Teller, den er mir vorsetzte, sah nach nichts aus: nur ein bisschen fluffiges gelbes Zeug auf Toast. Aber es roch gut. Vorsichtig kostete ich davon. Es war geschmolzener Käse mit einer gehackten Tomate und Cayennepfeffer und ein paar anderen Sachen, die ich nicht identifizieren konnte, und es schmeckte köstlich.

»Verzeihung, was ist das?«, fragte ich und nahm behutsam noch einen Bissen.

Er machte ein verlegenes Gesicht. »Na ja, es hat eigentlich keinen Namen.«

»Nein, es schmeckt gut.« Ich war ein wenig erstaunt, wie hungrig ich tatsächlich war. Meine Mutter hatte manchmal einen ganz ähnlichen Käsetoast gemacht, sonntags abends im Winter.

»Magst du Käse? Ich hätte fragen sollen.«

Ich nickte stumm; ich hatte den Mund voll und konnte nicht antworten. Mrs. Barbour drängte mir zwar dauernd Eis und Süßigkeiten auf, aber ich hatte irgendwie das Gefühl, als hätte ich seit dem Tod meiner Mutter so gut wie keine normale Mahlzeit mehr zu mir genommen, wenigstens nicht die Art von Mahlzeit, die für uns normal gewesen war – Pfannengemüse oder Rührei oder Maccaroni mit Käse aus der Schachtel. Ich hatte dann immer auf der Trittleiter in der Küche gesessen und ihr erzählt, wie der Tag gewesen war.

Während ich aß, setzte er sich mir gegenüber an den Tisch und stützte das Kinn auf die großen weißen Hände. »Worin bist du gut?« fragte er ziemlich unvermittelt. »Sport?«

»Wie bitte?«

»Wofür interessierst du dich? Spiele und so was?«

»Na ja, für Videospiele. ›Age of Conquest‹ zum Beispiel, oder ›Yakuza Freakout‹.«

Er machte ein verständnisloses Gesicht. »Und wie ist es mit der Schule? Lieblingsfächer?«

»Geschichte, glaube ich. Und Englisch«, fügte ich hinzu, als er nichts sagte. »Aber Englisch wird in den nächsten sechs Wochen recht langweilig werden. Wir haben mit Literatur aufgehört und wieder mit Grammatik angefangen, und jetzt machen wir Satzdiagramme.«

»Literatur? Englische oder amerikanische?«

»Amerikanische. Im Moment. Bis vor kurzem jedenfalls. Und amerikanische Geschichte, dieses Jahr. Aber das ist in letzter Zeit echt langweilig. Wir sind gerade mit der Weltwirtschaftskrise fertig. Aber es wird wieder gut, wenn wir mit dem Zweiten Weltkrieg anfangen.«

Es war das unterhaltsamste Gespräch seit einer ganzen Weile. Er stellte mir alle möglichen interessanten Fragen, zum Beispiel, was ich in Literatur gelesen hatte und inwiefern die Mittelschule anders war als die Grundschule, welches mein schwerstes Fach war (Spanisch) und welches meine Lieblingsperiode in Geschichte (ich wusste es nicht genau – alles außer Eugene Debs und die Geschichte der Arbeiterbewegung, denn damit hatten wir viel zu viel Zeit verbracht) – und was ich werden wollte, wenn ich groß wäre (keine Ahnung). Lauter normales Zeug, aber es war erfrischend, mich mit einem Erwachsenen zu unterhalten, der sich anscheinend nicht nur für mein

Unglück interessierte, mir keine Informationen aus den Rippen leiern wollte und keine Strichliste von Dingen abarbeitete, die man einem beschädigten Kind sagen musste.

Jetzt waren wir beim Thema Schriftsteller, und von T. H. White und Tolkien waren wir zu Edgar Allan Poe gekommen, einem meiner Lieblingsautoren. »Mein Dad meint, Poe wäre ein zweitklassiger Schriftsteller«, erzählte ich. »Er wäre der Vincent Price der amerikanischen Literatur. Aber ich finde, das ist nicht fair.«

»Nein, ist es auch nicht«, sagte Hobie ernst und schenkte sich eine Tasse Tee ein. »Auch wenn man Poe nicht mag, so hat er immerhin die Detektivgeschichte erfunden. Und Science Fiction. Im Grunde einen großen Teil des zwanzigsten Jahrhunderts. Ich bin, ehrlich gesagt, nicht mehr so begeistert von ihm, wie ich es als Junge war, aber selbst wenn man ihn nicht mag, kann man ihn nicht als Spinner abtun.«

»Hat mein Dad aber getan. Er ist immer rumgelaufen und hat mit einer blöden Stimme ›Annabel Lee‹ aufgesagt, nur um mich zu ärgern. Weil er wusste, dass es mir gefällt.«

»Dann ist dein Dad Schriftsteller?«

»Nein.« Wie kam er denn darauf? »Schauspieler. War er jedenfalls. Bevor ich geboren wurde, hat er Gastrollen in mehreren Fernsehserien gespielt. Nie der Star, sondern immer der Freund des Stars, ein verwöhnter Playboy oder ein korrupter Geschäftspartner, der dann umgebracht wird.«

»Könnte ich ihn kennen?«

»Nein, jetzt hat er einen Bürojob. Oder besser gesagt: hatte.«

»Was macht er denn jetzt?« Er hatte sich den Ring auf den kleinen Finger geschoben, und ab und zu drehte er ihn mit Daumen und Zeigefinger der anderen Hand, als wolle er sich vergewissern, dass er noch da war.

»Was weiß ich? Er hat uns abserviert.«

Zu meiner Überraschung lachte er. »Drei Kreuze?«

»Tja«, ich zuckte die Achseln, »ich weiß nicht genau. Manchmal war er okay. Wir haben uns Sport oder Krimis angesehen, und er

185

hat mir erklärt, wie sie die Spezialeffekte hinkriegen, mit dem Blut und so. Aber sonst – ich weiß nicht. Er war öfters betrunken, wenn er mich von der Schule abgeholt hat?« Mit Dave, dem Psychiater oder Mrs. Swanson oder sonst jemandem hatte ich darüber eigentlich nie gesprochen. »Ich hatte Angst, es meiner Mutter zu erzählen, aber dann hat eine der anderen Mütter es ihr gesagt. Und dann«, es war eine lange Geschichte, sie war mir peinlich, und ich wollte es kurz machen, »dann hat er sich in einer Bar die Hand gebrochen, er hatte eine Schlägerei in einer Bar, in der Bar, in die er jeden Tag ging, aber das wussten wir nicht, weil er gesagt hat, er macht Überstunden, und er hatte da eine ganze Menge Freunde, von denen wir nichts wussten, und die schickten ihm Postkarten, wenn sie Urlaub machten, zum Beispiel auf den Virgin Islands? und die schickten sie zu uns nach Hause? und so haben wir es rausgefunden? und meine Mom hat versucht, ihn zu überreden, zu den Anonymen Alkoholikern zu gehen, aber das wollte er nicht. Manchmal kamen die Pförtner und stellten sich in den Flur vor unserer Wohnung und machten da eine Menge Lärm, damit er sie hörte – damit er wusste, dass sie da draußen waren, wissen Sie? Damit er es nicht zu toll trieb.«

»Zu toll?«

»Es gab viel Gebrüll und so. Meistens von ihm. Aber«, mir wurde gerade klar, dass ich viel mehr gesagt hatte als geplant, »hauptsächlich hat er nur einen Haufen Lärm gemacht. Zum Beispiel – ach, ich weiß nicht, also er musste mal bei mir bleiben, als sie arbeiten musste, und er hatte immer echt miese Laune. Er schrieb mir vor, dass ich nicht mit ihm sprechen durfte, wenn er sich die Nachrichten oder eine Sportsendung ansah. Ich meine …« Unglücklich brach ich ab. Ich hatte das Gefühl, mich um Kopf und Kragen geredet zu haben. »Egal. Ist lange her.«

Er lehnte sich zurück und sah mich an: ein großer, gefasster, wachsamer Mann mit den sorgenvoll blauen Augen eines Jungen.

»Und jetzt?«, fragte er. »Magst du die Leute, bei denen du wohnst?«

»Äh …« Ich zögerte mit vollem Mund und wusste nicht, wie ich ihm die Barbours erklären sollte. »Sie sind nett, nehme ich an.«

»Da bin ich froh. Ich meine, ich kann nicht sagen, dass ich Samantha Barbour kenne, aber ich habe für ihre Familie schon gelegentlich gearbeitet. Sie hat ein gutes Auge.«

Jetzt hörte ich auf zu essen. »Sie kennen die Barbours?«

»Ihn nicht. Sie. Seine Mutter war allerdings eine tüchtige Sammlerin. Ich nehme aber an, es ist alles an den Bruder gegangen, in irgendeinem Familienstreit. Welty hätte dir da mehr erzählen können. Nicht, dass er ein Klatschweib gewesen wäre«, fügte er hastig hinzu, »Welty war sehr diskret, zugeknöpft bis oben hin, aber die Leute haben sich ihm anvertraut, er war so jemand, verstehst du? Fremde haben sich ihm geöffnet – Kunden, Leute, die er kaum kannte. Er war ein Mann, dem die Leute gern ihre Trauer anvertrauten.

Und ja.« Er faltete die Hände. »Jeder Kunsthändler und *antiquario* in New York kennt Samantha Barbour. Sie war eine Van der Pleyn, bevor sie heiratete. Keine große Käuferin, aber Welty hat sie manchmal auf Auktionen gesehen, und sie hat sicher ein paar hübsche Sachen.«

»Wer hat Ihnen denn gesagt, dass ich bei den Barbours wohne?«

Er kniff die Augen zusammmen. »Das stand in der Zeitung«, sagte er. »Hast du es nicht gesehen?«

»In der Zeitung?«

»In der *Times*. Hast du das nicht gelesen? Nein?«

»In der Zeitung stand etwas über mich?«

»Nein, nein«, sagte er sofort, »nicht über *dich*. Über die Kinder, die im Museum Familienangehörige verloren haben. Die meisten waren Touristen. Da war ein kleines Mädchen … ein Baby eigentlich … ein Diplomatenkind aus Südamerika.«

»Was stand über mich in der Zeitung?«

Er verzog das Gesicht. »Ach, ein Waisenkind in Not … wohltätige Society-Lady greift ein … so was in der Art. Du kannst es dir vorstellen.«

Verlegen starrte ich auf meinen Teller. Waisenkind? Wohltätig?

»Es war ein sehr netter Artikel. Ich glaube, du hast einen ihrer Söhne beschützt?« Er senkte den dicken Grauschädel, um mir in die

187

Augen zu sehen. »In der Schule? Den anderen begabten Jungen, de
ein Jahr übersprungen hatte?«

Ich schüttelte den Kopf. »Was?«

»Samanthas Sohn? Den du vor ein paar älteren Jungen in de
Schule beschützt hast? Hast dich für ihn verprügeln lassen – sol
che Sachen?«

Wieder schüttelte ich den Kopf, völlig verdattert.

Er lachte. »So viel Bescheidenheit! Du brauchst dich doch nich
zu schämen.«

»Aber so war es nicht«, sagte ich hilflos. »Wir sind beide getriez
und verhauen worden. Jeden Tag.«

»So stand es auch da. Das macht es umso bemerkenswerter, das
du dich vor ihn gestellt hast. Eine zerbrochene Flasche?«, sagte er, al
ich nicht antwortete. »Jemand wollte Samantha Barbours Sohn mi
einer zerbrochenen Flasche verletzen, und du ...«

»Ach, das«, sagte ich verlegen. »Das war gar nichts.«

»Du wurdest selbst geschnitten. Als du versuchtest, ihm zu helfen.

»So war es nicht! Cavanaugh ist über uns beide hergefallen! Un
da lag eine Glasscherbe auf dem Gehweg.«

Wieder lachte er – das Lachen eines massigen Mannes, voll un
rau und im Kontrast zu seiner sorgfältig kultivierten Stimme. »Na
wie es auch immer gewesen sein mag«, sagte er, »du bist jedenfall
in einer interessanten Familie untergekommen.« Er stand auf, ging
zum Schrank, nahm eine Flasche Whiskey heraus und goss sich zwe
Fingerbreit in ein nicht sehr sauberes Glas.

»Samantha Barbour scheint kein besonders warmes und gast
freundliches Herz zu haben, den Eindruck macht sie zumindes
nicht«, sagte er. »Aber mit Stiftungen und Sammelaktionen tut si
anscheinend eine Menge Gutes in der Welt, oder?«

Ich schwieg, und er stellte die Flasche wieder in den Schrank
Durch das Oberlicht darüber fiel graues, opalisierendes Licht herein
Feine Regentropfen sprenkelten die Scheibe.

»Werden Sie das Geschäft wieder aufmachen?«, fragte ich.

»Tja ...« Er seufzte. »Welty war für diesen Teil zuständig – Kun den, Verkauf. Ich – ich bin Schreiner, kein Kaufmann. Ein Brocanteur, ein Bricoleur. Setze kaum einen Fuß nach hier oben, bin immer unten, schleife, poliere. Jetzt ist er nicht mehr da, und es ist alles noch sehr neu. Leute rufen an, wegen irgendwelcher Sachen, die er verkauft hat, und Sachen werden geliefert, von denen ich nicht wusste, dass er sie gekauft hat, ich weiß nicht, wo die Unterlagen sind, weiß nicht, für wen das alles ist ... Es gibt eine Million Dinge, nach denen ich ihn fragen müsste, und ich würde alles geben, wenn ich nur fünf Minuten mit ihm sprechen könnte. Besonders – ja, besonders, was Pippa angeht. Ihre medizinische Versorgung und – tja.«

»Okay«, sagte ich und hörte gleich, wie lahm es klang. Wir näheren uns dem unwegsamen Gelände der Beerdigung meiner Mutter: lang gezogenes Schweigen, falsches Lächeln, ein Ort, an dem Worte nicht funktionieren.

»Er war ein wunderbarer Mann. Gibt nicht viele wie ihn. Sanft, bezaubernd. Die Leute hatten immer Mitleid mit ihm wegen seiner Schulter, aber ich habe nie jemanden kennengelernt, der von Natur aus mit einem so glücklichen Wesen gesegnet war, und die Kunden haben ihn natürlich geliebt ... ein extrovertierter Mann, sehr gesellig, immer schon ... ›Die Welt kommt nicht zu mir‹, sagte er immer. ›Also muss ich zu ihr gehen‹ ...«

Ganz plötzlich zirpte Andys iPhone: eine SMS.

Hobie – das Glas halb erhoben – erschrak heftig. »Was war das?«

»Moment«, sagte ich und wühlte in meiner Tasche. Die Nachricht kam von Phil Lefkows Telefon (das war ein Junge aus Andys Japanisch-Kurs): HI THEO, ANDY HIER, ALLES OKAY? Hastig schaltete ich es ab und steckte es wieder in die Tasche.

»Verzeihung«, sagte ich. »Wo waren Sie gerade?«

»Ich hab's vergessen.« Er starrte ein, zwei Augenblicke ins Leere und schüttelte dann den Kopf. »Ich hätte nie gedacht, dass ich den noch einmal wiedersehe.« Er schaute den Ring an. »Es passt so gut zu ihm, dass er dich bittet, ihn herzubringen – ihn in meine Hand zu legen. Ich – na ja, ich habe nichts gesagt, aber ich war sicher, dass jemand im Leichenschauhaus ihn eingesteckt hatte ...«

Wieder ertönte das lästige, schrille Zwitschern des Telefons. »Mann, sorry!« Ich zerrte es hastig heraus. Andys Message lautete: WILL NUR SICHER SEIN DASS DU NICHT ERMORDET WIRST!!!

»Sorry«, sagte ich noch einmal, und diesmal hielt ich die Taste sicherheitshalber gedrückt. »Jetzt ist es wirklich abgeschaltet.«

Aber er lächelte nur und schaute in sein Glas. Der Regen klopfte und tropfte gegen das Oberlicht und warf wässrige Schatten, die an der Wand herunterliefen. Ich war zu schüchtern, um etwas zu sagen, und wartete lieber, bis er den Faden wieder aufnahm, und als er es nicht tat, saßen wir friedlich da, und ich nippte an meinem kälter werdenden Tee (Lapsang Souchong, rauchig und eigenartig) und spürte die Fremdheit meines Lebens und des Ortes, an dem ich war.

Ich schob meinen Teller zur Seite. »Danke«, sagte ich pflichtschuldig, und mein Blick wanderte in der Küche umher. »Das war wirklich gut.« Ich sprach (das hatte ich mir angewöhnt) für die Ohren meiner Mutter, falls sie zuhörte.

»Oh, wie höflich!« Er machte sich über mich lustig – aber nicht böse; es klang freundschaftlich. »Gefällt sie dir?«

»Wer?«

»Meine Arche Noah.« Er deutete mit dem Kopf zu dem Bord. »Ich dachte, du schaust sie dir an.« Die abgegriffenen Holztiere (Elefanten, Tiger, Ochsen, Zebras und schließlich ein winziges Mäusepaar) standen geduldig in einer Reihe und warteten darauf, an Bord zu dürfen.

»Gehört das ihr?«, fragte ich nach kurzem, fasziniertem Schweigen. Die Tiere waren so liebevoll aufgestellt (die großen Katzen ignorierten einander, und der Pfauenhahn hatte sich von seiner Henne abgewandt und bewunderte sein Spiegelbild im Toaster), dass ich mir vorstellen konnte, wie sie stundenlang damit beschäftigt war, sie zu ordnen, bis sie genau richtig standen.

»Nein.« Seine Hände schoben sich auf dem Tisch ineinander. »Das ist eine der ersten Antiquitäten, die ich je gekauft habe, vor dreißig Jahren. Bei einem amerikanischen Folklore-Verkauf. Ich bin kein

190

großer Fan von Volkskunst, bin nie einer gewesen – dieses Stück, nicht von bester Qualität, passt zu nichts von dem, was mir gehört, aber ist es nicht immer das Unpassende, das, was nicht so recht funktioniert, was uns komischerweise am liebsten ist?«

Ich rückte meinen Stuhl zurück und konnte die Füße nicht mehr stillhalten. »Darf ich sie jetzt sehen?«

»Wenn sie wach ist«, er schob die Lippen vor, »ach, was soll es schaden? Aber nur für einen Augenblick, wohlgemerkt.« Als er aufstand, war ich erneut überrascht von seiner massig großen Gestalt mit hängenden Schultern. »Aber ich warne dich, sie ist ein bisschen durcheinander. Und übrigens«, er drehte sich in der Tür um, »am besten, du fängst nicht von Welty an, wenn du es vermeiden kannst.«

»Sie weiß es nicht?«

»O doch«, seine Stimme klang schroff, »sie weiß es, aber manchmal, wenn sie davon hört, kommt sie wieder durcheinander. Fragt dann, wann es passiert ist und warum niemand ihr etwas gesagt hat.«

II

Er öffnete die Tür. Die Jalousien waren heruntergelassen, und meine Augen brauchten einen Moment, um sich an die Dunkelheit zu gewöhnen, die aromatisch und parfümiert roch, mit einem Unterton von Krankheit und Medikamenten. Über dem Bett hing ein gerahmtes Plakat des Films *Der Zauberer von Oz*. Eine Duftkerze flackerte in einem roten Glas zwischen Modeschmuck und Rosenkränzen, Notenblättern, Seidenpapierblumen und alten Valentinskarten – zusammen mit lauter Genesungswünschen, Hunderten, wie es aussah, an Bändern aufgefädelt, und einem Bündel silberner Ballons, die ominös unter der Decke schwebten und deren metallische Schnüre herabhingen wie die Stacheln von Quallen.

»Besuch für dich, Pip«, sagte Hobie mit lauter und fröhlicher Stimme.

Ich sah, wie die Bettdecke sich bewegte. Ein Ellenbogen hob sich.
»Hm?«, sagte eine schlaftrunkene Stimme.

»Es ist so dunkel, mein Schatz. Darf ich nicht die Vorhänge auf ziehen?«

»Nein, bitte nicht. Das Licht tut mir in den Augen weh.«

Sie war kleiner als in meiner Erinnerung, und ihr Gesicht – ver schwommen erkennbar in der Dunkelheit – war sehr weiß. Der Kopf war kahlrasiert; nur vorn stand noch eine einzelne Locke. Als ich ein wenig ängstlich näher heranging, sah ich an ihrer Schläfe etwas Me tallenes blinken – eine Spange oder eine Haarnadel, dachte ich, bis ich die medizinischen Stahlklammern sah, die sich in einer bösarti gen Kurve über das Ohr schlangen.

»Ich hab euch auf dem Gang gehört«, sagte sie mit schwacher, rau er Stimme und schaute zwischen mir und Hobie hin und her.

»Was hast du gehört, Täubchen?«, fragte Hobie.

»Wie ihr geredet habt. Cosmo hat es auch gehört.«

Zuerst sah ich den Hund nicht, aber dann doch, einen grauen Ter rier, der sich neben ihr zusammengerollt hatte, zwischen Kissen und Stofftieren. Als er den Kopf hob, sah ich an seinem silbrigen Bart und seinen vom Star getrübten Augen, dass er sehr alt war.

»Ich dachte, du hättest geschlafen, Täubchen.« Hobie streckte die Hand aus, um dem Hund das Fell zu kraulen.

»Das sagst du immer, aber ich bin immer wach. Hi.« Sie schau te zu mir auf.

»Hi.«

»Wer bist du?«

»Ich heiße Theo.«

»Was ist dein liebstes Musikstück?«

»Ich weiß nicht.« Um nicht den Eindruck zu erwecken, ich sei be scheuert, fügte ich hinzu: »Beethoven.«

»Das ist toll. Du siehst aus wie jemand, der Beethoven mag.«

»Wirklich?« Ich war überwältigt.

»Das war nett gemeint. Ich kann keine Musik hören. Wegen mei nem Kopf. Es ist absolut grässlich. Nein«, sagte sie zu Hobie, der ngefangen hatte, Bücher und Verbandmaterial und Kleenex-Pakungen von dem Stuhl neben dem Bett abzuräumen, »lass ihn hier itzen. Du kannst hier sitzen.« Sie rutschte im Bett ein kleines Stück ur Seite, um mir Platz zu machen.

Ich warf einen Blick zu Hobie, um sicherzugehen, dass es in Ordung war, und dann setzte ich mich behutsam und mit nur einer Iüfte auf die Bettkante. Ich achtete darauf, den Hund nicht zu stöen, und der hob den Kopf und funkelte mich an.

»Keine Sorge, er beißt nicht. Na ja, manchmal beißt er doch.« Sie ah mich mit schlaftrunkenen Augen an. »Ich kenne dich.«

»Du erinnerst dich an mich?«

»Sind wir Freunde?«

»Ja«, sagte ich, ohne nachzudenken, und dann sah ich Hobie an nd war verlegen, weil ich gelogen hatte.

»Ich hab deinen Namen vergessen, tut mir leid. Aber ich erinne-e mich an dein Gesicht.« Sie streichelte den Kopf des Hundes. »Ich onnte mich nicht an mein Zimmer erinnern, als ich nach Hause .am. An mein Bett schon und an meine ganzen Sachen, aber das .immer war anders.«

Inzwischen hatten meine Augen sich an die Dunkelheit gewöhnt, nd ich konnte den Rollstuhl in der Ecke sehen, die Medizinfläschhen auf dem Tisch neben ihrem Bett.

»Was gefällt dir denn von Beethoven?«

»Äh ...« Ich starrte ihren Arm an, der auf der Bettdecke lag. Auf .er zarten Haut der Ellenbeuge klebte ein Pflaster.

Sie stemmte sich im Bett hoch und schaute an mir vorbei zu Ho-ie, dessen Silhouette in der erleuchteten Tür stand. »Ich soll nicht o viel reden, nicht?«

»Nein, Täubchen.«

»Ich glaube nicht, dass ich zu müde bin. Aber ich kann es nicht agen. Wirst du im Laufe des Tages müde?«, fragte sie mich.

»Manchmal.« Nach dem Tod meiner Mutter hatte ich die Neiung entwickelt, im Unterricht einzuschlafen und nach der Schule ı Andys Zimmer zu pennen. »Früher nie.«

»Ich auch. Ich bin jetzt dauernd schläfrig. Warum wohl? Ich finde es so langweilig.«

Als ich einen Blick zurück zur hellen Tür warf, sah ich, dass Hobie für einen Augenblick verschwunden war. Es war zwar überhaup
nicht meine Art, aber aus irgendeinem seltsamen Grund juckte e
mich, ihre Hand zu nehmen, und als wir jetzt allein waren, tat ich e
»Du hast doch nichts dagegen, oder?«, fragte ich sie. Alles kar
mir sehr langsam vor, als bewegte ich mich in tiefem Wasser. Es wa
ein seltsames Gefühl, jemandes Hand zu halten – die Hand eine
Mädchens –, und zugleich war es merkwürdig normal. Ich hatte s
etwas noch nie getan.

»Überhaupt nicht. Ich finde es schön.« Nach einer kurzen Pause
in der ich den kleinen Terrier schnarchen hörte, sagte sie: »Du ha
nichts dagegen, wenn ich für ein paar Sekunden die Augen zuma
che, oder?«

»Nein.« Ich strich mit dem Daumen über ihre Fingerknöchel un
folgte den Konturen der Knochen.

»Ich weiß, es ist unhöflich, aber es muss einfach sein.«

Ich schaute hinunter auf ihre überschatteten Lider, die rauen Lip
pen, die Blässe und die Blutergüsse, den hässlichen Winkel aus Me
tall über dem einen Ohr. Die seltsame Kombination aus dem, wa
aufregend an ihr war, und dem, was es nicht sein sollte, machte mic
schwindlig und verwirrt.

Schuldbewusst drehte ich mich um und sah Hobie in der Tür. Au
Zehenspitzen ging ich hinaus in den Flur und schloss die Tür leis
hinter mir, dankbar für die Dunkelheit auf dem Flur.

Zusammen gingen wir zurück in den Salon. »Wie kommt sie di
vor?«, fragte er so leise, dass ich es kaum hörte.

Was sollte ich darauf antworten? »Okay, schätze ich.«

»Sie ist nicht sie selbst«, sagte er unglücklich und vergrub die Hän
de tief in den Taschen seines Hausmantels. »Das heißt – sie ist e
und sie ist es nicht. Sie erkennt viele Leute nicht, die ihr nahgestan
den haben, und spricht sehr förmlich mit ihnen, und dann wieder i
sie sehr offen zu Fremden, schwatzhaft und vertraulich, und Leut

lie sie nie gesehen hat, behandelt sie wie alte Freunde. Kommt sehr
oft vor, wie ich höre.«

»Warum soll sie keine Musik hören?«

Er zog eine Braue hoch. »Oh, sie tut es, gelegentlich jedenfalls.
Aber manchmal, besonders, wenn es spät am Tag ist, regt es sie auf.
Dann glaubt sie, sie muss üben, muss ein Stück für die Schule ein-
studieren, und das macht sie unglücklich. Sehr schwierig. Was das
Spielen auf Amateurniveau angeht, das ist eines Tages absolut mög-
lich, das hat man mir wenigstens gesagt …«

Ganz plötzlich klingelte es an der Tür, und wir zuckten beide zusammen.

»Ah«, sagte Hobie. Betrübt blickte er auf seine Armbanduhr, eine
unglaublich schöne alte Uhr, wie ich sah. »Das wird ihre Krankenschwester sein.«

Wir schauten einander an. Wir waren noch nicht fertig; es gab
noch so viel zu sagen.

Wieder klingelte es. Hinten am Korridor bellte der Hund. »Sie
kommt zu früh.« Hobie lief eilig los und sah ein bisschen verzweifelt aus.

»Darf ich wiederkommen? Sie besuchen?«

Er blieb stehen. Offenbar war er entsetzt, weil ich überhaupt gefragt hatte. »Aber *selbstverständlich* darfst du wiederkommen«, sagte
er. »*Bitte* komm wieder …«

Noch einmal die Klingel.

»Wann immer du willst«, sagte Hobie. »Bitte. Wir freuen uns, dich
zu sehen.«

III

Und, was war da unten?«, fragte Andy, als wir uns zum Abendessen umzogen. »War es unheimlich?« Platt war mit dem Zug zu seiner Schule zurückgefahren, Mrs. Barbour hatte ein Essen mit dem
Vorstand irgendeiner Hilfsorganisation, und Mr. Barbour wollte mit

dem Rest von uns im Yacht-Club zu Abend essen (wo er nur hinging, wenn Mrs. Barbour etwas anderes vorhatte).

»Er kannte deine Mutter, der Typ.«

Andy band sich seine Krawatte um und zog eine Grimasse: Jeder kannte seine Mutter.

»Es war ein bisschen schräg«, sagte ich. »Aber es ist gut, dass ich hingegangen bin. Hier«, ich wühlte in meiner Tasche, »danke für dein Telefon.«

Andy sah nach, ob Nachrichten gekommen waren, schaltete das Display ab und schob es in die Tasche. Ohne die Hand aus der Tasche zu nehmen, blickte er auf, sah mich aber nicht richtig an.

»Ich weiß, es ist schlimm«, sagte er unverhofft. »Tut mir leid, dass jetzt alles so im Arsch ist für dich.«

Sein Ton – flach wie die Roboterstimme auf einem Anrufbeantworter – verhinderte einen Moment lang, dass ich vollständig begriff, was er da gesagt hatte.

»Sie war unheimlich nett.« Er sah mich immer noch nicht an. »Ich meine …«

»Ja, ist gut«, murmelte ich. Ich war nicht scharf darauf, dieses Gespräch fortzusetzen.

»Ich meine, *ich* vermisse sie.« Andy sah mir halb erschrocken in die Augen. »Noch nie ist jemand gestorben, den ich kannte. Na ja, mein Großvater Van der Pleyn. Aber niemand, den ich gern hatte.«

Ich sagte nichts. Meine Mutter hatte immer eine Schwäche für Andy gehabt; sie hatte ihn geduldig über seine Wetterstation zu Hause ausgefragt und mit seinen »Galactic Battleground«-Punkten aufgezogen, bis er knallrot vor Vergnügen war. Jung, verspielt, lebenslustig, liebevoll – sie war all das gewesen, was seine Mutter nicht war: eine Mutter, die mit uns im Park Frisbee warf und über Zombie-Filme diskutierte und uns samstags morgens in ihrem Bett herumliegen ließ, wo wir Lucky Charms aßen und Cartoons anschauten. Manchmal hatte es mich ein bisschen geärgert, wie bekloppt und ausgelassen er sich in ihrer Gegenwart aufführte, wie hin

196

er ihr her trottete und von Level 4 irgendeines Spiels quasselte, mit dem er gerade beschäftigt war, und wie er den Blick nicht von ihrem Hintern losreißen konnte, wenn sie sich bückte, um etwas aus dem Kühlschrank zu nehmen.

»Sie war die Coolste«, sagte Andy mit seiner weit entfernt klingenden Stimme. »Weißt du noch, wie sie mit uns mit dem Bus zu diesem Horror-Fan-Kongress gefahren ist, weit draußen in New Jersey? Und wie dieser Irre namens Rip uns dauernd auf den Fersen war und sie für seinen Vampirfilm kriegen wollte?«

Er meinte es gut, das wusste ich. Aber es war fast unerträglich, über irgendetwas zu reden, das mit meiner Mutter oder mit früher zu tun hatte. Ich wandte mich ab.

»Ich glaube, das war nicht mal ein Horror-Fan«, sagte Andy mit einer schwachen, irritierenden Stimme. »Ich glaube, der war so was wie ein Fetischist. Dieser ganze Kerkerquatsch mit den Mädchen, die auf die Labortische geschnallt waren, das war einwandfrei Bondage-Porno. Erinnerst du dich, wie er sie angefleht hat, die Vampirzähne anzuprobieren?«

»Ja. Da ist sie dann zu dem Wachmann gegangen.«

»Diese Lederhose. Und die ganzen Piercings. Ich meine, wer weiß, vielleicht wollte er ja wirklich einen Vampirfilm drehen, aber er war eindeutig total pervers, ist dir das aufgefallen? Zum Beispiel dieses verschlagene Lächeln? Und wie er immer versucht hat, in ihren Ausschnitt zu linsen?«

Ich zeigte ihm den Finger. »Jetzt komm, lass uns gehen«, sagte ich. Ich hab Hunger.«

»Ach ja?« Ich hatte neun oder zehn Pfund abgenommen, seit meine Mutter gestorben war – so viel, dass Mrs. Swanson (peinlicherweise) angefangen hatte, mich in ihrem Büro zu wiegen, und zwar auf der Waage, die sie für Mädchen mit Essstörungen benutzte.

»Was denn, du nicht?«

»Doch, aber ich dachte, du achtest auf dein Gewicht. Damit du in dein Kleidchen für den Schulball passt.«

»Leck mich am Arsch«, sagte ich freundlich und öffnete die Tür –

und prallte geradewegs gegen Mr. Barbour, der genau davor stand
Ob er gelauscht hatte oder nur anklopfen wollte, war schwer z¡
sagen.

Zu Tode beschämt fing ich an zu stammeln – schmutzige Rede¡
waren ein ernsthafter Verstoß gegen die Regeln im Hause Barbour –
aber Mr. Barbour schien nicht sonderlich beeindruckt zu sein.

»Na, Theo«, sagte er trocken und schaute über meinen Kop¡
hinweg, »es freut mich sehr zu hören, dass es dir besser geht. Jetz¡
kommt, damit wir noch einen Tisch bekommen.«

IV

Im Laufe der nächsten Woche bemerkten alle, dass mein Appetit sicl
gebessert hatte, sogar Toddy. »Hast du deinen Hungerstreik abgebro
chen?«, fragte er mich eines Morgens neugierig.

»Toddy, iss dein Frühstück.«

»Aber ich dachte, das heißt so. Wenn jemand nicht essen will.«

»Nein, ein Hungerstreik ist etwas für die Leute im Gefängnis‹
sagte Kitsey kühl.

»*Kitty*«, ermahnte Mr. Barbour sie.

»Ja, aber er hat gestern drei Waffeln gegessen.« Toddy blickte ei¡
rig zwischen seinen beiden desinteressierten Eltern hin und her un
versuchte, sie ins Gespräch zu ziehen. »Ich nur zwei. Und heute Mor
gen hat er eine Schale Frühstücksflocken und sechs Streifen Spec¡
gegessen, und ihr habt gesagt, fünf sind zu viel für mich. Wieso da¡
ich keine fünf Streifen essen?«

V

»Ja, hallo, ich grüße dich«, sagte Dave, der Psychiater, während e
die Tür schloss und sich mir gegenüber in seinem Büro hinsetz
te: Kelim-Teppiche, Regale mit alten Lehrbüchern (*Drogen und Ge*

ellschaft, *Kinderpsychologie: Ein neuer Ansatz*) und beigefarbene
Vorhänge, die sich summend öffneten, wenn man auf einen Knopf
rückte.

Ich lächelte unbeholfen, und mein Blick wanderte im ganzen Zimmer herum, zur Topfpalme, zur bronzenen Buddhastatue, überallhin, nur nicht zu ihm.

»So.« Das leise Rauschen des Verkehrs, das von der First Avenue zu uns heraufwehte, ließ die Stille zwischen uns grenzenlos, ja, intergalaktisch erscheinen. »Wie geht's denn heute?«

»Na ja …« Mir graute vor meinen Sitzungen mit Dave, einer zweimal wöchentlich stattfindenden Strapaze, durchaus vergleichbar mit einer zahnchirurgischen Behandlung. Ich hatte Gewissensbisse, weil ich ihn nicht ein bisschen mehr mochte, obwohl er sich solche Mühe gab und mich immer fragte, welche Filme und welche Bücher ich gern hatte, mir CDs brannte und Artikel aus *Game Pro* ausschnitt, von denen er dachte, sie könnten mich interessieren. Manchmal ging er sogar mit mir hinüber in EJ's Luncheonette und spendierte einen Hamburger, aber immer wenn er mit seinen Fragen anfing, erstarrte ich, als habe man mich auf eine Bühne geschoben, wo ich in einem Stück spielen sollte, dessen Text ich nicht kannte.

»Du bist heute anscheinend ein bisschen abgelenkt.«

»Äh …« Es war mir nicht entgangen, dass mehrere Bücher in Daves Regalen das Wort *Sex* im Titel führten: *Adoleszente Sexualität, Sex und Kognition, Muster der sexuellen Abweichung* und – mein Lieblingstitel – *Der Weg aus dem Schatten: Sexuelle Sucht verstehen.* Mir geht's gut, glaube ich.«

»Glaubst du?«

»Nein, mir geht's gut. Alles läuft prima.«

»Ach ja?« Dave lehnte sich im Sessel zurück und ließ den Converse-Turnschuh wippen. »Toll.« Dann: »Erzähl mir doch ein bisschen, wie alles so läuft.«

»Oh«, ich kratzte mich an der Braue und schaute weg, »Spanisch ist immer noch ziemlich schwierig. Ich muss einen Test wiederholen, wahrscheinlich am Montag. Aber ich habe ein A für meinen Stalin-

grad-Aufsatz bekommen. Sieht so aus, als brächte ich mein B minu
in Geschichte auf ein glattes B.«

Er sah mich so lange an, ohne etwas zu sagen, dass ich mich i
die Enge getrieben fühlte und überlegte, was ich sonst noch erzäh
len könnte. Schließlich fragte er: »Noch was?«

»Hm …« Ich starrte auf meine Daumen.

»Wie kommst du mit deiner Angst zurecht?«

»Ganz gut«, sagte ich und dachte, wie unbehaglich mir dabei wa
dass ich nicht das Geringste über Dave wusste. Er war einer von de
nen, die einen Ehering tragen, der eigentlich nicht aussieht wie ei
Ehering – aber vielleicht war es auch gar kein Ehering, und er wa
einfach nur superstolz auf sein keltisches Erbe. Wenn ich hätte ra
ten müssen, wäre mein Tipp wohl frisch verheiratet mit Baby gewe
sen, denn er strahlte die glasigen Vibrationen der jungen Vaterscha
aus, als müsse er nachts aufstehen und Windeln wechseln – abe
weiß man es?

»Und deine Medikamente? Wie ist es mit den Nebenwirkungen?

»Äh«, ich kratzte mich an der Nase, »besser, schätze ich.« Ich ha
te meine Tabletten gar nicht mehr genommen; sie machten mic
müde, und ich bekam Kopfschmerzen davon, und deshalb hat
ich angefangen, sie in den Abfluss im Badezimmerwaschbecken z
spülen.

Dave schwieg einen Moment lang. »Also – wäre es unangebrach
zu sagen, dass es dir ganz allgemein besser geht?«

»Wohl nicht«, sagte ich nach kurzem Schweigen und starrte a
den Wandbehang hinter seinem Kopf. Er sah aus wie ein schiefe
Abakus aus Tonperlen und verknoteten Stricken, und ich hatte da
Gefühl, einen umfangreichen Teil meines Lebens damit verbracht z
haben, ihn anzustarren.

Dave lächelte. »Du sagst das, als wäre es ein Grund, dich zu schä
men. Aber dass es dir besser geht, bedeutet ja nicht, dass du dei
ne Mutter vergessen hast. Oder dass du sie weniger geliebt hättest

Diese Vermutung, auf die ich niemals gekommen wäre, passte m
nicht. Ich schaute weg und aus dem Fenster, durch das er eine depr

nierende Aussicht auf das weiße Backsteingebäude auf der anderen traßenseite hatte.

»Hast du eine Ahnung, warum es dir besser geht?«

»Nein, eigentlich nicht«, antwortete ich kurzangebunden. Besser war nicht mal das Wort für das, was ich empfand. Es gab kein Vort dafür. Eher war es so, dass Dinge, die zu unbedeutend waren, ls dass man sie erwähnen konnte – Lachen im Flur in der Schu-, ein lebender Gecko, der in einem Terrarium im Naturkundelabor herumwieselte –, mich gerade noch glücklich machten und im ächsten Moment zum Weinen brachten. Manchmal wehte abends in feuchter, sandiger Wind von der Park Avenue durch die Fenster, venn der Berufsverkehr allmählich nachließ und die Stadt sich zur Jacht leerte; es war regnerisch, das Laub der Bäume wurde dichter, er Frühling schwoll zum Sommer, und im verlorenen Rufen der Jupen auf der Straße, im klammen Geruch des nassen Asphalts, ag etwas Elektrisches, das Gefühl von Gedränge und statischem Knistern, einsame Sekretärinnen und dicke Kerle mit Tüten vom ake-away, und überall die plumpe Traurigkeit von Geschöpfen, ie sich schubsend abmühten, ihr Leben zu leben. Wochenlang war ch eingefroren und abgeschottet gewesen, und jetzt ließ ich unter er Dusche das Wasser so hart wie möglich herunterprasseln und eulte lautlos. Alles war wund und schmerzhaft und verwirrend nd falsch, und doch war es, als sei ich durch einen Riss im Eis aus efrorenem Wasser gezogen worden, hinaus in die Sonne und die leißende Kälte.

»Wo warst du jetzt gerade?«, fragte Dave und versuchte, meinen Jlick auf sich zu ziehen.

»Bitte?«

»Woran hast du gerade gedacht?«

»An nichts.«

»Ach ja? Ist ziemlich schwer, an nichts zu denken.«

Ich zuckte die Achseln. Außer Andy hatte ich niemandem daon erzählt, dass ich mit dem Bus zu Pippa hinuntergefahren war, nd dieses Geheimnis färbte alles andere wie der Nachglanz eines

Traums: Mohnblüten aus Seidenpapier, das matte Licht einer fla
ckernden Kerze, die klebrige Wärme ihrer Hand in meiner. Abe
obwohl mir lange nichts passiert war, das so stark nachhallte und s
real erschien, wollte ich es nicht verderben, indem ich darüber re
dete, und schon gar nicht mit ihm.

Eine ganze Weile saßen wir so da, und dann beugte Dave sic
mit besorgtem Gesichtsausdruck vor und sagte: »Weißt du, wen
ich dich frage, wohin du gehst, wenn du so schweigst, Theo, dan
nicht, weil ich ein Arsch sein oder dich reinlegen will oder so was.

»Oh, klar! Weiß ich doch«, sagte ich voller Unbehagen und zupf
te am Tweedbezug der Sofaarmlehne.

»Ich bin hier, um über alles zu reden, worüber du reden wills
Natürlich«, Holz knarrte, als er sein Gewicht im Sessel verlagert
»brauchen wir auch gar nicht zu reden! Ich frage mich nur, ob d
etwas auf dem Herzen hast.«

»Na ja«, sagte ich nach einer endlosen Pause und widerstand de
Versuchung, aus dem Augenwinkel einen Blick auf meine Uhr z
werfen. »Ich meine, ich hab bloß …« Wie viele Minuten hatten wi
noch? *Vierzig?*

»Weil ich von ein paar Erwachsenen in deinem Leben hör
dass du in letzter Zeit einen spürbaren Aufschwung erlebt hast. D
machst im Unterricht besser mit«, fuhr er fort, als ich nicht antwo
tete. »Bist sozial aktiv. Isst wieder normal.« In der Stille schwebt
die ferne Sirene eines Krankenwagens von der Straße zu uns herau
»Deshalb frage ich mich wohl, ob du mir helfen könntest zu verste
hen, was sich geändert hat.«

Ich zuckte die Achseln und kratzte mir die Wange. Wie sollte ma
so etwas erklären? Der Versuch kam mir dumm vor. Sogar die E
innerung erschien allmählich unscharf und sternenfern in der Ur
wirklichkeit, wie ein Traum, dessen Einzelheiten verblassen, je meh
man versucht, sie festzuhalten. Wichtiger war das Gefühl, ein schwe
rer, süßer Sog, so beherrschend, dass ich im Unterricht, im Schulbu
im Bett, wenn ich versuchte, an etwas Sicheres oder Angenehmes z
denken, an eine Umgebung oder eine Situation, in der meine Bru

icht von Bangigkeit eingeschnürt war, nur in die blutwarme Strö-
nung eintauchen musste, um mich an diesen geheimen Ort treiben
u lassen, wo alles gut war. Zimtfarbene Wände, Regen an den Fens-
erscheiben, endlose Ruhe und ein Gefühl von Tiefe und Distanz wie
er Firnis auf dem Hintergrund eines Gemäldes aus dem neunzehn-
en Jahrhundert. Fadenscheinige Teppiche, bemalte japanische Fä-
her und antike Valentinskarten im flackernden Kerzenschein, Pier-
ots und Tauben und Herzen mit Blumengirlanden. Pippas Gesicht,
ahl in der Dunkelheit.

VI

Hör mal«, sagte ich ein paar Tage später zu Andy, als wir nach der
chule aus unserem Starbucks kamen, »kannst du mir heute Nach-
nittag Deckung geben?«

»Na klar«, sagte Andy und nahm einen gierigen Schluck aus sei-
em Kaffeebecher. »Für wie lange?«

»Keine Ahnung.« Je nachdem, wie lange ich für das Umsteigen
n der 14th Street brauchte, konnte die Fahrt nach Downtown fünf-
ndvierzig Minuten dauern. Der Bus würde werktags noch länger
rauchen. »Drei Stunden?«

Er verzog das Gesicht. Wenn seine Mutter zu Hause wäre, würde
ie Fragen stellen. »Was soll ich ihr sagen?«

»Sag ihr, ich musste noch in der Schule bleiben oder so was.«

»Dann glaubt sie, du hast Ärger.«

»Na und?«

»Na, ich will nicht, dass sie in der Schule anruft und sich nach dir
rkundigt.«

»Sag ihr, ich bin im Kino.«

»Dann will sie wissen, warum ich nicht mitgegangen bin. Ich kann
och sagen, du bist in der Bibliothek.«

»Was für eine lahme Ausrede.«

»Okay. Warum sagen wir ihr nicht, du hast einen schrecklich drin-

genden Termin mit deinem Bewährungshelfer? Oder du bist auf ei
paar Old Fashioneds in der Bar im Four Seasons?«

Jetzt imitierte er seinen Vater, und er traf ihn so gut, dass ich la
chen musste. »*Fabelhaft*«, antwortete ich mit Mr. Barbours Stimme
»Sehr komisch.«

Er zuckte die Achseln. »Das Hauptgebäude ist bis sieben Uh
abends geöffnet«, sagte er in seinem ausdruckslosen, fast matten Tor
»Aber ich muss ja nicht wissen, in welcher Zweigstelle du bist, wen
du vergessen hast, es mir zu sagen.«

VII

Die Tür öffnete sich schneller als erwartet, während ich noch di
Straße entlangstarrte und an etwas anderes dachte. Diesmal war e
glattrasiert und roch nach Seife, das lange graue Haar war glatt zu
rückgekämmt und hinter die Ohren gestrichen, und er war genaus
beeindruckend gekleidet, wie Mr. Blackwell es gewesen war, als ic
ihn gesehen hatte.

Seine Augenbrauen hoben sich; offenbar war er überrascht, mic
zu sehen.

»Komme ich ungelegen?«, fragte ich und beäugte die schneeweiß
Manschette seines Hemds, die mit winzigen Schriftzeichen in Chine
sisch-Rot bestickt war, Blockbuchstaben, so klein und stilisiert, da
sie fast unsichtbar waren.

»Überhaupt nicht. Im Gegenteil, ich hatte gehofft, du würdest vo
beikommen.« Er trug eine rote Krawatte mit einer hellgelben Figu
schwarze Oxford-Halbschuhe und einen wunderschön geschnitte
nen marineblauen Anzug. »Komm herein! Bitte.«

»Wollen Sie weg?«, fragte ich und beäugte ihn schüchtern. In de
Anzug sah er aus wie ein anderer Mensch, nicht so melancholisc
und abwesend, sondern kompetenter – anders als der Hobie, den ic
bei meinem ersten Besuch gesehen hatte, zottelig wie ein elegante
aber misshandelter Eisbär.

»Na ja – schon. Offen gestanden, hier ist im Moment ein kleiner Saustall. Aber macht nichts.«

Was sollte das bedeuten? Ich folgte ihm hinein, durch den Wald der Werkstatt mit Tischbeinen und Stühlen ohne Polsterung und durch den düsteren Salon in die Küche, wo Cosmo, der Terrier, unruhig winselnd auf und ab tappte. Seine Krallen klickten auf den Fliesen. Als wir hereinkamen, ging er ein paar Schritte rückwärts und funkelte aggressiv zu uns herauf.

»Warum ist er hier?« Ich kniete mich hin und wollte ihm den Kopf streicheln, aber er scheute zurück, und ich zog die Hand weg.

»Hmm?«, fragte Hobie, anscheinend mit den Gedanken woanders.

»Cosmo. Ist er nicht gern bei ihr?«

»Oh. Ihre Tante. Sie will nicht, dass er da drin ist.« Er stand an der Spüle und ließ Wasser in den Teekessel laufen. Ich sah, dass der Kessel in seiner Hand zitterte.

»Tante?«

»Ja.« Er setzte den Kessel auf und bückte sich, um den Hund unter dem Kinn zu kraulen. »Du arme kleine Kröte, du weißt nicht, was du davon halten sollst, was? Margaret vertritt sehr harte Ansichten, was Hunde im Krankenzimmer angeht. Und sie hat zweifellos recht. Und da bist *du*«, sagte er und warf mir über die Schulter hinweg einen sonderbar strahlenden Blick zu. »Es hat dich wieder an unseren Strand geschwemmt. Pippa redet nur von dir, seit du hier warst.«

»Wirklich?«, fragte ich entzückt.

»»Wo ist dieser Junge?‹ ›Hier war doch ein Junge.‹ Gestern hat sie behauptet, du kommst wieder, und *presto*!« Sein Lachen klang warm und jung. »Da bist du.« Mit knirschenden Knien richtete er sich auf und wischte sich mit dem Handgelenk über die wulstige Stirn. »Wenn du ein bisschen wartest, kannst du reingehen und sie besuchen.«

»Wie geht es ihr denn?«

»*Viel* besser«, sagte er knapp, ohne mich anzusehen. »Ist einiges los. Ihre Tante nimmt sie mit nach Texas.«

»Nach Texas?«, wiederholte ich verdattert nach einer Pause.

»Leider.«

»Wann?«

»Übermorgen.«

»Nein!«

Er zog eine Grimasse, die sofort verschwand, als ich sie sah. »Ja, ich habe schon alles reisefertig eingepackt.« Seine fröhliche Stimme passte nicht zu dem unglücklichen Gesicht, das er versehentlich gemacht hatte. »Leute kommen und gehen. Freunde aus der Schule – tatsächlich ist dies der erste ruhige Moment seit längerem. War ziemlich viel los diese Woche.«

»Wann kommt sie zurück?«

»Hm, vorläufig nicht, ehrlich gesagt. Margaret nimmt sie mit, damit sie dort wohnt.«

»Für immer?«

»O nein! Nicht für *immer*!« Sein Tonfall verriet mir, dass *für immer* genau das war, was er gemeint hatte. »Es ist ja nicht so, als verließe sie den Planeten«, sagte er, als er mein Gesicht sah. »Ich werde bestimmt hinfahren und sie besuchen. Und sie kommt sicher auch zu Besuch.«

»Aber«, mir war, als wäre die Decke über mir eingestürzt, »ich dachte, sie wohnt hier. Bei Ihnen.«

»Hat sie ja auch. Bis jetzt. Aber ich bin sicher, da unten wird es ihr viel besser gehen«, fügte er ohne große Überzeugung hinzu. »Es ist eine große Veränderung für uns alle, aber langfristig ist es bestimmt am besten so.«

Er glaubte kein Wort von dem, was er da sagte, das sah ich ihm an. »Aber warum kann sie nicht hierbleiben?«

Er seufzte. »Margaret ist Weltys Halbschwester«, sagte er. »Seine *andere* Halbschwester. Pippas nächste Verwandte. Blutsverwandt jedenfalls, und das bin ich nicht. Sie meint, Pippa geht es in Texas besser, nachdem sie jetzt so weit wiederhergestellt ist, dass man sie transportieren kann.«

»Ich würde nicht in Texas wohnen wollen«, sagte ich entsetzt. »Es ist zu heiß.«

»Ich glaube auch nicht, dass die Ärzte dort so gut sind«, sagte Hobie und klopfte sich Staub von den Händen. »Aber da sind Margaret und ich nicht einer Meinung.«

Er setzte sich und sah mich an. »Deine Brille«, sagte er. »Sie gefällt mir.«

»Danke.« Ich wollte nicht über meine neue Brille reden, eine unliebsame Entwicklung, auch wenn ich damit tatsächlich besser sehen konnte. Mrs. Barbour hatte das Gestell bei E. B. Meyrowitz für mich ausgesucht, nachdem ich bei der Schulschwester durch den Sehtest gefallen war. Es war ein rundes Schildpattgestell, ein bisschen zu erwachsen und zu teuer aussehend, und die Erwachsenen machten mir ein bisschen zu viel Aufhebens, wenn sie mir versicherten, wie toll sie aussah.

»Und wie geht's Uptown?«, fragte Hobie. »Du ahnst nicht, was für einen Wirbel dein Besuch verursacht hat. Tatsächlich hab ich daran gedacht, selber zu dir raufzufahren, und ich hab's nur nicht getan, weil ich Pippa nicht allein lassen wollte, wo sie doch so bald fortgeht. Es ist alles sehr schnell gegangen, weißt du. Die Sache mit Margaret. Sie ist wie ihr Vater, der alte Mr. Blackwell: Wenn sie sich etwas in den Kopf gesetzt hat, legt sie sofort los, und die Sache ist erledigt.«

»Geht er auch mit nach Texas? Cosmo?«

»O nein, der wird schön hierbleiben. Er wohnt in diesem Haus, seit er zwölf Wochen alt war.«

»Wird er nicht unglücklich sein?«

»Ich hoffe nicht. Na ja, ganz ehrlich – er wird sie vermissen. Cosmo und ich kommen gut miteinander aus, obwohl er seit Weltys Tod schrecklich niedergeschlagen ist. Eigentlich war er Weltys Hund; mit Pippa hat er sich erst vor kurzem angefreundet. Diese kleinen Terrier, die Welty immer hatte, sind nicht gerade verrückt nach Kindern, weißt du. Cosmos Mutter Chessie konnte Angst und Schrecken verbreiten.«

»Aber warum muss Pippa dorthin umziehen?«

»Tja …« Er rieb sich das Auge. »Eigentlich ist es das einzig Vernünftige. Margaret ist blutsverwandt mit Pippa, ich nicht. Auch wenn

Margaret und Welty kaum miteinander gesprochen haben, als Welty noch lebte. Jedenfalls nicht in den letzten Jahren.«

»Warum nicht?«

»Na ja …« Ich sah, dass er es nicht erklären wollte. »Es ist alles sehr kompliziert. Margaret war überhaupt nicht einverstanden mit Pippas Mutter, weißt du.«

Noch während er dies sagte, kam eine hochgewachsene, spitznasige, kompetent aussehende Frau ins Zimmer, so alt wie eine junge Großmutter, mit dem schmalen, patrizierhaften Gesicht einer Harpyie. Ihr Haar hatte die Farbe von rostigem Eisen, aber es wurde allmählich grau. Kostüm und Schuhe erinnerten mich an Mrs. Barbour, aber die Farbe hätte Mrs. Barbour niemals getragen: Limettengrün.

Sie sah mich an, sie sah Hobie an. »Was ist hier los?«, fragte sie frostig.

Hobie atmete hörbar aus. Er sah genervt aus. »Schon gut, Margaret. Das ist der Junge, der bei Welty war, als er starb.«

Sie musterte mich über ihre Lesebrille hinweg – und dann lachte sie schneidend, ein hohes, befangenes Lachen.

»Aber hallo«, sagte sie plötzlich höchst charmant und streckte mir ihre schlanken, roten, mit Diamanten besetzten Hände entgegen. »Ich bin Margaret Blackwell Pierce. Weltys Schwester. *Halb*schwester«, korrigierte sie sich und warf über meine Schulter hinweg einen Blick auf Hobie, als sie sah, dass ich die Brauen zusammenzog. »Welty und ich hatten denselben Vater, verstehst du. Meine Mutter war Susie Delafield.«

Sie sprach den Namen aus, als sollte er mir etwas sagen. Ich schaute Hobie an, um zu sehen, wie er darüber dachte. Sie bekam es mit und warf ihm einen scharfen Blick zu, bevor sie ihre Aufmerksamkeit – hell funkelnd – wieder auf mich richtete.

»Und was für ein anbetungswürdiger kleiner Junge du bist«, sagte sie zu mir. Ihre lange Nase war an der Spitze ein wenig rosig. »Ich bin schrecklich erfreut, dich kennenzulernen. James und Pippa haben mir alles über deinen Besuch erzählt – eine ganz *außergewöhnliche* Angelegenheit. Wir waren völlig aus dem Häuschen. Außerdem«, sagte

208

umfasste meine Hand, »muss ich dir aus tiefstem Herzen dafür danken, dass du mir den Ring meines Großvaters zurückgebracht hast. Er bedeutet mir schrecklich viel.«

Ihr? Wieder sah ich verwirrt Hobie an.

»Er hätte auch meinem Vater viel bedeutet.« Ihre Freundlichkeit wirkte routiniert und willkürlich (»Eimerweise Charme«, hätte Mr. Barbour gesagt), aber der kupferne Rotstich ihrer Ähnlichkeit mit Mr. Blackwell – und Pippa – zog mich wider Willen an. »Du weißt, dass er schon einmal verloren war, oder?«

Der Kessel pfiff. »Möchtest du einen Tee, Margaret?«, fragte Hobie.

»Ja, bitte«, antwortete sie knapp. »Zitrone und Honig. Und einen winzigen Schuss Scotch.« Zu mir sagte sie in freundlicherem Ton: »Es tut mir schrecklich leid, aber ich fürchte, wir haben jetzt ein paar Erwachsenenangelegenheiten zu besprechen. Wir treffen uns gleich mit dem Anwalt. Sobald Pippas Krankenschwester da ist.«

Hobie räusperte sich. »Ich sehe nicht, was es schaden sollte, wenn …«

»Darf ich zu ihr hinein?« Ich hatte nicht genug Geduld, um zu warten, bis er seinen Satz beendet hätte.

»Natürlich«, sagte Hobie schnell, bevor Tante Margaret eingreifen konnte, und wandte sich genau im richtigen Moment von ihr ab, um ihrem erbosten Gesichtsausdruck zu entgehen. »Du kennst den Weg doch noch, oder? Einfach da durch.«

VIII

Das Erste, was sie zu mir sagte, war: »Machst du bitte das Licht aus?« Sie saß aufrecht in die Kissen gelehnt und hatte die Stöpsel ihres iPods in den Ohren. Im Licht der Deckenlampe sah sie geblendet und desorientiert aus.

Ich knipste sie aus. Das Zimmer war leerer; an den Wänden stapelten sich Kartons. Ein feiner Frühlingsregen rieselte gegen die

Fensterscheiben, und draußen im Garten hoben sich die schaumi
weißen Blüten eines Birnbaums hell vor der nassen Ziegelwand ab

»Hallo«, sagte sie und faltete die Hände ein bisschen fester au
der Bettdecke.

»Hi«, sagte ich und wünschte, ich würde nicht so unbeholfe
klingen.

»Ich wusste, dass du es bist! Ich hab dich in der Küche spreche
hören!«

»Ach ja? Woher wusstest du denn, dass ich es bin?«

»Ich bin Musikerin! Ich habe ein sehr scharfes Gehör.«

Inzwischen hatten meine Augen sich an das Halbdunkel gewöhn
und ich stellte fest, dass sie weniger gebrechlich aussah als bei mei
nem ersten Besuch. Ihr Haar war ein kleines bisschen nachgewach
sen, und die Metallklammern waren weg, auch wenn die wulstig
Linie der Verletzung noch zu sehen war.

»Wie fühlst du dich?«, fragte ich.

Sie lächelte. »Schläfrig.« Ich hörte den Schlaf in ihrer Stimme, ra
und süß an den Rändern. »Möchtest du teilen?«

»Was teilen?«

Sie drehte den Kopf zur Seite, zog einen der Ohrhörer heraus un
reichte ihn mir. »Hör zu.«

Ich setzte mich zu ihr auf das Bett und steckte mir den Knopf in
Ohr. Ätherische Harmonien, unpersönlich, durchdringend – wie ei
Funksignal aus dem Paradies.

Wir schauten einander an. »Was ist das?«, fragte ich.

»Äh«, sie schaute auf den iPod, »Palestrina.«

»Oh.« Aber mir war egal, was es war. Ich hörte es nur wegen de
regnerischen Lichts und des weißen Baums vor dem Fenster, wege
des Donners und ihretwegen.

Das Schweigen zwischen uns war glücklich und seltsam, verbun
den durch das Kabel und das dünne Echo der eisigen Stimmen. »D
brauchst nicht zu reden«, sagte sie. »Wenn du keine Lust hast.« Ihr
Lider waren schwer, und ihre Stimme klang schlaftrunken und ge
heimnisvoll. »Die Leute wollen immer reden, aber ich bin gern still.

»Hast du geweint?« Ich schaute sie ein bisschen genauer an.

»Nein. Na ja – ein bisschen.«

Wir saßen da und sagten nichts, und es fühlte sich nicht unbeholfen oder komisch an.

»Ich muss weg«, sagte sie dann. »Weißt du das?«

»Ja, ich weiß es. Er hat es mir erzählt.«

»Es ist furchtbar. Ich will nicht weg.« Sie roch nach Salz und Medizin und nach etwas anderem, ein bisschen wie der Kamillentee, den meine Mutter bei Grace's kaufte, grasig und süß.

»Sie macht einen ganz netten Eindruck«, sagte ich. »Schätze ich.«

»Schätze ich«, wiederholte sie düster und strich mit der Fingerpitze über die Kante der Bettdecke. »Sie hat etwas von einem Swimmingpool gesagt. Und von Pferden.«

»Das klingt doch ganz gut.«

Sie blinzelte verwirrt. »Vielleicht.«

»Kannst du reiten?«

»Nein.«

»Ich auch nicht. Aber meine Mutter konnte reiten. Sie hat Pferde geliebt. Sie ist immer bei den Kutschpferden am Central Park stehen geblieben und hat mit ihnen gesprochen. Irgendwie«, ich wusste nicht, wie ich es sagen sollte, »irgendwie war es fast so, als ob sie mit ihr sprächen. Sie versuchten zum Beispiel, sich nach ihr umzudrehen, wenn sie vorbeikam, obwohl sie Scheuklappen trugen.«

»Ist deine Mutter auch tot?«, fragte sie schüchtern.

»Ja.«

»Meine Mutter ist tot, seit …« Sie brach ab und dachte nach. »Ich kann mich nicht erinnern. Sie ist in einem Jahr nach den Frühjahrsferien gestorben, und deshalb hatte ich die Frühjahrsferien frei und eine Woche danach auch noch. Und wir sollten einen Klassenausflug machen, in den Botanischen Garten, und ich konnte nicht mit. Sie fehlt mir.«

»Woran ist sie gestorben?«

»Sie war krank. War deine Mutter auch krank?«

»Nein. Es war ein Unfall.« Ich wollte mich nicht weiter in die-

211

ses Thema hineinwagen. »Jedenfalls, sie hatte Pferde sehr gern, meine Mutter. Als sie noch kleiner war, hatte sie ein Pferd, und sie sagte, es war manchmal einsam, okay? Und dann kam es zum Haus und legte den Kopf auf die Fensterbank, um zu sehen, was so los war.«

»Wie hieß es?«

»Paintbox.« Ich hatte es immer gern gehabt, wenn meine Mutter mir von den Stallungen zu Hause in Kansas erzählte: Eulen und Fledermäuse in den Dachbalken, das Wiehern und Schnauben der Pferde. Ich kannte die Namen sämtlicher Pferde und Hunde aus ihrer Kindheit.

»Malkasten? Hatte er lauter verschiedene Farben?«

»Er war scheckig, irgendwie. Ich habe Bilder von ihm gesehen. Manchmal, im Sommer, kam er und schaute zu ihr herein, wenn sie ihren Mittagsschlaf machte. Dann hörte sie ihn atmen, weißt du, gleich hinter dem Vorhang.«

»Das ist so schön! Ich mag Pferde. Es ist nur …«

»Was denn?«

»Ich würde lieber hierbleiben!« Plötzlich war sie den Tränen nahe. »Ich weiß nicht, warum ich weggehen muss.«

»Du solltest ihnen sagen, du willst hierbleiben.« Wann hatten unsere Hände einander gefunden? Und warum war ihre Hand so heiß?

»Das habe ich ihnen gesagt! Aber alle meinen, dort ist es besser.«

»Warum?«

»Ich weiß es nicht«, sagte sie verärgert. »Es ist ruhiger, sagen sie. Aber ich hab's nicht gern, wenn es ruhig ist, ich hab's gern, wenn man alles Mögliche hören kann.«

»Mich werden sie auch wegschicken.«

Sie stützte sich auf den Ellenbogen. »Nein!«, sagte sie und sah beunruhigt aus. »Wann?«

»Ich weiß es nicht. Bald, nehme ich an. Ich muss bei meinen Großeltern wohnen.«

»Oh«, sagte sie und ließ sich in das Kissen zurückfallen. »Ich hab keine Großeltern.«

Ich flocht meine Finger in ihre. »Meine sind nicht sehr nett.«

»Das tut mir leid.«

»Ist okay«, sagte ich so normal wie möglich, aber mein Herz klopf-
e so hart, dass ich meinen Puls in den Fingerspitzen fühlte. Ihre
Hand in meiner fühlte sich samtig und fieberheiß an, nur ein winziges bisschen klebrig.

»Hast du sonst keine Verwandten?« Ihre Augen waren im matten
Licht des Fensters so dunkel, dass sie schwarz aussahen.

»Nein. Na ja …« Zählte mein Vater? »Nein.«

Es war lange still. Wir waren immer noch durch die Ohrhörer verbunden – der eine in ihrem Ohr, der andere in meinem. Singende
Muscheln. Engelschöre und Perlen. Alles ging plötzlich viel zu langsam; es war, als hätte ich vergessen, wie man richtig atmet: Immer
wieder merkte ich, dass ich den Atem anhielt und dann rasselnd und
zu laut ausatmete.

»Was für eine Musik ist das, sagst du?«, fragte ich, nur um etwas
zu sagen.

Sie lächelte verschlafen und griff nach einem spitzen, unappetit-
lich aussehenden Lolli, der auf einer Folie auf ihrem Nachttisch lag.

»Palestrina«, sagte sie um den Lutscher in ihrem Mund herum.
»Ein Hochamt oder so was. Die klingen alle sehr ähnlich.«

»Magst du sie?«, fragte ich. »Deine Tante?«

Sie sah mich mehrere Herzschläge lang an. Dann legte sie den
Lolli sorgfältig wieder auf die Folie. »Anscheinend ist sie ganz nett.
Nehme ich an. Aber ich kenne sie eigentlich nicht. Es ist schräg.«

»Warum musst du? Gehen?«

»Es geht ums Geld. Hobie kann nichts machen, er ist nicht mein
richtiger Onkel. Mein Scheinonkel, so nennt sie ihn.«

»Ich wünschte, er wäre dein richtiger Onkel«, sagte ich. »Ich
möchte, dass du hierbleibst.«

Plötzlich setzte sie sich auf, schlang die Arme um mich und küsste
mich. Alles Blut verschwand rauschend aus meinem Kopf, in weitem
Schwung, als stürzte ich von einer Klippe.

»Ich …« Entsetzen packte mich. Benommen, reflexhaft, hob ich die

Hand und wischte den Kuss ab – aber er war nicht nass oder eklig und ich fühlte seine leuchtende Spur quer über meinen Handrücken.

»Ich will nicht, dass du weggehst.«

»Ich will auch nicht weggehen.«

»Weißt du noch, dass du mich gesehen hast?«

»Wann?«

»Direkt vorher.«

»Nein.«

»Ich erinnere mich an dich«, sagte ich. Irgendwie hatte meine Hand den Weg zu ihrer Wange gefunden, und ungeschickt zog ich sie zurück und zwang sie an meine Seite, ballte sie zur Faust, setzte mich praktisch darauf. »Ich war da.« In diesem Augenblick wurde mir bewusst, dass Hobie in der Tür stand.

»Hallo, meine alte Liebe.« Die Wärme in seiner Stimme war hauptsächlich für sie, aber ich spürte, dass ein bisschen davon auch mir galt. »Ich hab ja gesagt, er kommt wieder.«

»Hast du!« Sie stemmte sich hoch. »Er ist hier.«

»Und? Wirst du nächstes Mal auf mich hören?«

»Ich habe auf dich *gehört*. Ich habe dir nur nicht *geglaubt*.«

Der Saum einer hauchdünnen Gardine streifte den Fenstersims. Ich hörte den leisen Singsang des Verkehrs auf der Straße. So auf ihrer Bettkante zu sitzen, fühlte sich an wie der Augenblick des Aufwachens zwischen Traum und Tageslicht, wenn alles miteinander verschmolz und verschwamm, bevor es sich veränderte, alles im selben fließenden, euphorischen Gleiten: regnerisches Licht, Pippa im Bett mit Hobie in der Tür, ihr Kuss (mit dem seltsamen Geschmack dessen, was ein Morphium-Lolli gewesen sein muss, wie ich heute glaube) immer noch klebrig auf meinen Lippen. Aber vielleicht reicht nicht einmal Morphium als Erklärung dafür, wie beschwingt mir in diesem Moment zumute war, wie ich lächelte, eingehüllt in Glück und Schönheit. Halb benommen verabschiedeten wir uns (niemand versprach zu schreiben, denn dazu war sie anscheinend noch zu krank), und dann war ich im Flur, die Krankenschwester war da, Tante Margaret redete laut und verwirrend, und Hobies Hand lag eruhigend auf meiner Schulter, ein kraftvoller, tröstender Druck, ein Anker, der mir sagte, dass alles gut war. Eine solche Berührung hatte ich nicht mehr gespürt, seit meine Mutter tot war – freundlich, haltspendend inmitten verwirrender Ereignisse –, und wie ein streunender Hund, der nach Zuneigung giert, spürte ich eine profunde Verschiebung des Zugehörigkeitsgefühls, tief im Blut, eine plötzliche, demütigende Überzeugung, die mir die Tränen in die Augen trieb: *Dieser Ort ist gut, dieser Mensch gibt Sicherheit, ihm kann ich vertrauen, und niemand wird mir etwas tun.*

»Ah«, rief Tante Margaret, »weinst du? Sehen Sie das?«, fragte sie die junge Krankenschwester (die nickte, lächelte, sehr beflissen, offenkundig in ihrem Bann). »Wie süß er ist! Sie wird dir fehlen, nicht wahr?« Ihr Lächeln war breit und seiner selbst, seiner Richtigkeit völlig sicher. »Du musst zu Besuch herunterkommen, *absolut,* das musst du. Ich habe immer gern Gäste. Meine Eltern … sie hatten eins der größten Tudor-Häuser in Texas …«

So plapperte sie weiter, freundlich wie ein Papagei. Aber meine Loyalität nistete sich woanders ein. Und der Geschmack von Pippas Kuss – bittersüß und seltsam – blieb auf dem ganzen Rückweg bei mir, schwankend und schläfrig, als ich mit dem Bus nach Hause segelte, verschmolzen mit Trauer und Liebreiz, ein sternenfunkelnder Schmerz, der mich über die windige Stadt erhob wie einen Drachen: mit dem Kopf in den Regenwolken, mit dem Herzen im Himmel.

IX

Der Gedanke daran, dass sie wegging, war mir zuwider. Ich ertrug es nicht, darüber nachzugrübeln. Am Tag ihrer Abreise (es war zufällig Karfreitag) wachte ich tief betrübt auf. Ich schaute in den Himmel über der Park Avenue, blauschwarz und bedrohlich, ein wabernder Himmel wie auf einem Gemälde des Kalvarienbergs, und ich stellte mir vor, wie sie aus dem Fenster des Flugzeugs in denselben dunklen Himmel schaute, und die gesenkten Blicke und die nüchterne Stimmung auf der Straße (als Andy und ich zur Bushaltestelle gingen läuteten die Kirchenglocken überall an der Park Avenue) schienen meine Trauer über ihre Abreise zu reflektieren und zu verstärken.

»Na, Texas ist wirklich langweilig«, sagte Andy zwischen zwei Niesern. Seine Augen waren rot und tränten vom Heuschnupfen sodass er noch mehr als sonst aussah wie eine Laborratte.

»Warst du schon mal da?«

»Ja, in Dallas. Onkel Harry und Tante Tess haben eine Zeitlang da gewohnt. Man kann da nur ins Kino gehen, und man kommt nirgends zu Fuß hin, man muss immer gefahren werden. Außerdem haben sie Klapperschlangen und die Todesstrafe, die ich in achtundneunzig Prozent aller Fälle für primitiv und unethisch halte. Aber wahrscheinlich ist es dort besser für sie.«

»Warum?«

»Wegen des Klimas, hauptsächlich.« Andy putzte sich die Nase mit einem der gebügelten Baumwolltaschentücher, die er jeden Morgen von dem Stapel in seiner Schublade pflückte. »Rekonvaleszenten geht es bei warmem Wetter besser. Deshalb ist mein Großvater Van der Pleyn nach Palm Beach gezogen.«

Ich schwieg. Andy war loyal, das wusste ich, ich vertraute ihm und schätzte seine Meinung, aber bei den Gesprächen mit ihm hatte ich manchmal das Gefühl, ich redete mit einem dieser Computerprogramme, die menschliche Reaktionen imitieren.

»Wenn sie in Dallas ist, sollte sie auf jeden Fall ins Nature and Science Museum gehen. Obwohl sie es vielleicht ein bisschen klein und altmodisch finden wird. Das IMAX, das ich da gesehen habe, hatte nicht mal 3D. Und sie verlangen Extraeintritt für das Planetarium, was lächerlich ist, wenn man bedenkt, dass es sehr viel weniger bietet als das Hayden.«

»Hm.« Manchmal fragte ich mich, was eigentlich nötig war, um Andy aus dem Elfenbeinturm des Mathe-Nerds herauszuholen: eine Flutwelle? Eine *Decepticon*-Invasion? Godzilla auf dem Marsch über die Fifth Avenue? Er war ein Planet ohne Atmosphäre.

X

War irgendjemand je so einsam gewesen? Bei den Barbours, umgeben von Lärm und Fülle einer Familie, die nicht meine war, fühlte ich mich jetzt noch mehr allein als sonst, vor allem da mir (dasselbe galt für Andy) kurz vor Ende des Schuljahrs immer noch nicht klar war, ob ich die Familie in ihr Sommerhaus in Maine begleiten würde. Mit dem für sie typischen Takt gelang es Mrs. Barbour, das Thema selbst mitten zwischen den Kartons und offenen Koffern, die jetzt überall herumstanden, zu vermeiden. Mr. Barbour und die jüngeren Geschwister waren aufgeregt, aber Andy zeigte bei der Aussicht darauf unverhohlenes Grauen. »Sun and Fun«, sagte er verachtungsvoll und schob sich die Brille (sie sah aus wie meine, hatte aber viel dickere Gläser) auf der Nase nach oben. »Bei deinen Großeltern bist du zumindest auf trockenem Boden. Mit fließend Warmwasser. Und Internetanschluss.«

»Ich habe kein Mitleid mit dir.«

»Na, wenn du doch mitkommen musst, werden wir ja sehen, wie es dir gefällt. Es ist wie in Die Entführung. Der Teil wo sie ihn auf diesem Schiff in die Sklaverei verkaufen.«

»Was ist mit dem Teil, wo er zu diesen unheimlichen Verwandten mitten im Nirgendwo ziehen muss, die er nicht mal kennt?«

»Ja, daran hab ich auch schon gedacht«, sagte Andy ernst und drehte sich auf seinem Schreibtischstuhl zu mir herum. »Obwohl, immerhin planen sie nicht, dich zu ermorden. Da steht ja kein Erbe auf dem Spiel.«

»Nein, das auf keinen Fall.«

»Weißt du, was ich dir rate?«

»Nein. Was?«

»Ich rate dir«, Andy rieb sich die Nase mit dem Radiergummiende seines Bleistifts, »arbeite so hart wie möglich, wenn du in deiner neuen Schule in Maryland bist. Du hast einen Vorteil: Du bist ein Jahr voraus. Das heißt, du machst dein Examen mit siebzehn. Wenn du dich anstrengst, kannst du in vier Jahren da weg sein, vielleicht sogar in drei, und mit einem Stipendium gehen, wohin du willst.«

»Meine Noten sind nicht so gut.«

»Nein«, sagte Andy ernst, »aber nur, weil du nicht arbeitest. Außerdem kann man wohl mit Fug und Recht annehmen, dass deine neue Schule, wo immer sie sein mag, nicht ganz so anspruchsvoll sein wird.«

»Ich bete zum Himmel, dass sie es nicht ist.«

»Ich meine – es ist eine öffentliche Schule«, sagte Andy. »In Maryland. Bei allem Respekt vor Maryland. Klar, sie haben das Institut für angewandte Physik und das Institut für die Forschung mit dem Raumteleskop an der Johns Hopkins, gar nicht zu reden vom Goddard-Raumfahrtzentrum in Greenbelt. Eindeutig ein Staat, in dem die NASA ernsthaft engagiert ist. Wie war dein Durchschnitt auf der Junior High?«

»Weiß ich nicht mehr.«

»Na, schon okay, wenn du es mir nicht sagen willst. Ich sage nur, du kannst mit guten Noten abschließen, wenn du siebzehn bist – vielleicht mit sechzehn, wenn du dir wirklich Mühe gibst –, und dann gehst du aufs College, wo du willst.«

»Drei Jahre sind eine lange Zeit.«

»Für uns. Aber im großen Plan der Dinge – überhaupt nicht«, sagte Andy vernünftig. »Mann, sieh dir ein armes dummes Häschen wie Sabine Ingersoll an oder diesen Idioten James Villiers. Forrest Longstreet, verdammt.«

»Diese Leute sind nicht arm. Ich habe Villiers Vater auf dem Titel des *Economist* gesehen.«

»Nein, aber sie sind dumm wie ein Satz Sofakissen. Ich meine, Sabine kann doch kaum einen Fuß vor den anderen setzen. Wenn die Familie kein Geld hätte und sie allein für sich sorgen müsste, dann wäre sie, was weiß ich, eine Prostituierte. Und Longstreet – der würde sich wahrscheinlich einfach in einer Ecke verkriechen und verhungern. Wie ein Hamster, den du zu füttern vergessen hast.«

»Du machst mich fertig.«

»Ich sage nur, du bist clever. Und Erwachsene mögen dich.«

»Was?«, sagte ich zweifelnd.

»Natürlich«, sagte Andy mit seiner aufreizend schwachen Stimme. »Du behältst Namen, du achtest auf den Kram mit Blickkontakt und so weiter, du gibst die Hand, wenn es sich gehört. In der Schule reißen sie sich deinetwegen alle ein Bein aus.«

»Ja, aber …« Ich wollte nicht sagen, dass es nur wegen meiner toten Mutter so war.

»Sei nicht blöd. Du könntest mit einem Mord davonkommen. Du bist clever genug, um das alles selbst zu klären.«

»Und wieso hast *du* dann diese Segelnummer noch nicht geklärt?«

»Oh, die *hab* ich geklärt«, sagte Andy grimmig und wandte sich wieder seinem Hiragana-Lehrbuch zu. »Mir ist klar, dass ich noch vier Sommer in der Hölle verbringen muss, im absolut schlimmsten Fall. Drei, falls Daddy mich schon mit sechzehn aufs College gehen lässt. Zwei, wenn ich in den sauren Apfel beiße, mich für das Sommerprogramm der Mountain School anmelde und Öko-Landbau lerne. Und danach setze ich nie wieder einen Fuß auf ein Boot.«

XI

Es ist schwer, mit ihr zu telefonieren – leider«, sagte Hobie. »Damit habe ich nicht gerechnet. Sie macht sich überhaupt nicht gut.«

»Sie macht sich nicht gut?«, wiederholte ich. Kaum eine Woche war vergangen, und obwohl ich nicht vorgehabt hatte, zurückzukommen und Hobie zu besuchen, war ich jetzt irgendwie doch wieder dort unten gelandet: Ich saß an seinem Küchentisch und aß den zweiten Teller von etwas, das auf den ersten Blick ausgesehen hatte wie ein schwarzer Klumpen Blumenerde, tatsächlich aber ein köstlicher Brei aus Ingwer und Feigen war, mit Schlagsahne und winzigen, bitteren Orangenschalenspänen.

Hobie rieb sich das Auge. Bei meinem Eintreffen war er im Keller mit der Reparatur eines Stuhls beschäftigt gewesen. »Das ist alles sehr frustrierend.« Er hatte sich das Haar zurückgebunden, und sei ne Brille hing an einer Kette um den Hals. Unter seinem schwarzen Arbeitskittel, den er ausgezogen und an einen Haken gehängt hat te, trug er eine alte Cordhose mit Flecken von Lackbenzin und Bie nenwachs und ein vom Waschen dünnes Baumwollhemd mit aufge krempelten Ärmeln. »Margaret sagt, sie hat nach dem Telefonat mit mir am Sonntagabend drei Stunden geweint.«

»Warum kann sie nicht einfach zurückkommen?«

»Ehrlich, ich wünschte, ich wüsste, wie man das alles in Ordnung bringen könnte«, sagte Hobie. Wie er so dasaß, tüchtig aussehend und übellaunig, die knotige weiße Hand flach auf den Tisch gelegt, hatten seine Schultern etwas von einem gutmütigen Zugpferd, viel leicht auch von einem Arbeiter im Pub am Ende eines langen Tages. »Ich dachte, ich könnte vielleicht runterfliegen und nach ihr sehen, aber Margaret sagt Nein. Sie würde sich nie ordentlich eingewöhnen, wenn ich dort herumsäße.«

»Ich finde, Sie sollten trotzdem fliegen.«

Hobie zog die Brauen hoch. »Margaret hat einen Therapeuten en gagiert – anscheinend einen berühmten, der Pferde benutzt, um mit verletzten Kindern zu arbeiten. Und ja, Pippa liebt Tiere, aber selbst wenn sie kerngesund wäre, würde sie nicht andauernd draußen sein und reiten wollen. Sie hat fast ihr ganzes Leben mit Musikstunden und in Übungsräumen verbracht. Margaret spricht voller Begeis terung von dem Musikprogramm in ihrer Kirche, aber für einen Amateurkinderchor wird sie sich wohl kaum interessieren können.

Ich stellte den Glasteller – sauber abgekratzt – zur Seite. »War um kannte Pippa sie bisher nicht?«, fragte ich schüchtern, und als er nicht antwortete: »Geht es um Geld?«

»Nicht so sehr. Obwohl – ja. Du hast recht. Geld hat dabei im mer eine Rolle gespielt. Weißt du«, er beugte sich vor und schob die großen, ausdrucksvollen Hände über den Tisch, »Weltys Vater hatte drei Kinder. Welty, Margaret und Pippas Mutter, Juliet. Alle mit ver schiedenen Müttern.«

»Oh.«

»Welty – der Älteste. Und ich meine, als ältester Sohn – da möchte man doch annehmen – oder? Aber mit ungefähr sechs bekam er Wirbelsäulentuberkulose, als seine Eltern oben in Assuan waren – das Kindermädchen merkte nicht, wie ernst es war, er wurde zu spät ins Krankenhaus gebracht. Er war ein sehr intelligenter Junge, wie ich höre, und liebenswert, aber der alte Mr. Blackwell hatte nichts übrig für Schwäche oder Krankheit. Schickte ihn nach Amerika zu Verwandten und verschwendete kaum einen weiteren Gedanken an ihn.«

»Das ist ja schrecklich.« Ich war schockiert, weil es so unfair war.

»Ja, nun ja – du wirst von Margaret natürlich eine ganz andere Darstellung bekommen, aber er war ein harter Mann, Weltys Vater. Jedenfalls wurden die Blackwells dann aus Kairo vertrieben, aber *vertrieben* ist vielleicht nicht der richtige Ausdruck. Als Nasser kam, mussten alle Ausländer Ägypten verlassen. Weltys Vater war im Ölgeschäft tätig, und zum Glück hatte er noch Geld und Besitz woanders gebunkert. Die Ausländer durften kein Geld und kaum Wertsachen aus dem Land schaffen. Jedenfalls …« Er griff nach einer neuen Zigarette. »Ich komme vom Thema ab. Der springende Punkt ist, Welty kannte Margaret kaum; sie war gut zwölf Jahre jünger als er. Margarets Mutter war Texanerin, eine Erbin mit reichlich eigenem Geld. Das war die letzte und längste Ehe des alten Mr. Blackwell – die große Liebe, wenn man Margaret glauben darf. Ein prominentes Paar in Houston – Alkohol und Charterflugzeuge. Afrika-Safaris – Weltys Vater liebte Afrika, und auch nachdem er Kairo hatte verlassen müssen, konnte er nicht wegbleiben. Jedenfalls«, das Streichholz flammte auf, und er hustete, als er eine Rauchwolke von sich blies, »Margaret war jedenfalls die Prinzessin ihres Vaters, sein Augenstern und so weiter. Aber trotz alledem trieb er es während der ganzen Ehe mit Garderobenmädchen, Kellnerinnen, den Töchtern von Freunden. Und irgendwann, als er schon über sechzig war, zeugte er ein Kind mit einem Mädchen, das ihm die Haare schnitt. Und dieses Kind war Pippas Mutter.«

Ich sagte nichts. Im zweiten Schuljahr hatte es eine Riesenaufregung gegeben (in den Klatschspalten der *New York Post* täglich dokumentiert), als der Vater eines meiner Klassenkameraden ein Kind mit einer Frau bekam, die nicht Elis Mutter war, was bedeutete, dass viele Mütter Partei ergriffen und nicht mehr miteinander sprachen, wenn sie nachmittags vor der Schule warteten, um uns abzuholen.

»Margaret war auf dem College, in Vassar«, erzählte Hobie stockend weiter. Er sprach mit mir wie mit einem Erwachsenen (was mir gefiel), aber bei dem Thema schien ihm nicht sonderlich wohl zu sein. »Ich glaube, sie hat zwei Jahre nicht mit ihrem Vater gesprochen. Der alte Mr. Blackwell wollte die Friseuse auszahlen, aber sein Geiz war stärker, jedenfalls sein Geiz gegen diejenigen, die von ihm abhängig waren. So kam es, weißt du, dass Margaret – dass Margaret und Pippas Mutter Juliet einander nie begegnet sind, außer im Gerichtssaal, als Juliet praktisch noch ein Baby war. Weltys Vater hasste die Friseuse mittlerweile so sehr, dass er in seinem Testament klar bestimmte, weder sie noch Juliet dürfe auch nur einen Cent bekommen, abgesehen von dem mickrigen Unterhalt, der gesetzlich vorgeschrieben war. Aber Welty«, Hobie drückte die Zigarette aus, »bei Welty überlegte der alte Mr. Blackwell es sich noch einmal anders und in seinem Testament behandelte er ihn gut. Und während des ganzen juristischen Gezänks, das jahrelang dauerte, störte Welty sich immer mehr daran, wie das Baby abgeschoben und vernachlässigt wurde. Juliets Mutter wollte sie nicht haben, und von den Verwandten der Mutter wollte sie auch niemand haben. Der alte Mr. Blackwell hatte sie sowieso nie gewollt, und Margaret und ihre Mutter hätten es, ehrlich gesagt, nur zu gern gesehen, wenn man sie auf die Straße gesetzt hätte. Und unterdessen gab es nur die Friseuse, die Juliet allein in der Wohnung zurückließ, wenn sie zur Arbeit ging – eine schlechte Situation in jeder Hinsicht. Welty war nicht verpflichtet, da einzuschreiten, aber er war ein liebevoller Mann ohne Familie, und er hatte Kinder gern. Er lud Juliet ein, hier Ferien zu machen, als sie sechs Jahre alt war. ›JuleeAnn‹, wie sie damals hieß …«

»Hier? In diesem Haus?«

»Ja, hier. Und als der Sommer vorbei war und sie weinte, weil sie gehen sollte, und ihre Mutter nicht ans Telefon ging, da stornierte er die Flugtickets und telefonierte herum und erkundigte sich, wie man sie in die erste Klasse einschulen könnte. Es gab nie eine offizielle Regelung – er wollte nicht das Risiko eingehen, schlafende Hunde zu wecken, wie man so sagt –, und die meisten Leute hielten sie für seine Tochter, ohne der Sache aber weiter auf den Grund zu gehen. Er war Mitte dreißig und damit alt genug, um ihr Vater zu sein. Und in allen wesentlichen Punkten war er das auch. Aber egal.« Er blickte auf, und sein Ton veränderte sich. »Du hast gesagt, du möchtest dir die Werkstatt anschauen? Willst du jetzt runtergehen?«

»Bitte«, sagte ich. »Das wäre klasse.« Als ich ihn dort unten gefunden hatte, wo er an dem auf den Kopf gestellten Stuhl arbeitete, hatte er sich aufgerichtet und gestreckt und erklärt, er sei bereit für eine kleine Pause, aber ich hatte gar nicht nach oben gehen wollen; die Werkstatt war ein so reicher, magischer Ort, eine Schatzhöhle, innen größer, als sie von außen erschien, mit hohen Fenstern, durch die das Licht hereinsickerte, Laubsägearbeiten und filigranen, geheimnisvollen Werkzeugen, deren Namen ich nicht kannte, und dem scharfen, faszinierenden Duft von Firnis und Bienenwachs. Auch der Stuhl, den er in Arbeit hatte – die Vorderbeine wie zwei Bocksbeine mit gespaltenen Hufen –, war in meinen Augen weniger ein Möbelstück, sondern eher ein verzaubertes Wesen, das sich im nächsten Augenblick eigenhändig umdrehen und von seiner Werkbank springen könnte, um die Straße hinunter davonzutraben.

Hobie griff nach seinem Kittel und zog ihn wieder an. Trotz seiner sanften, ruhigen Art hatte er die Gestalt eines Mannes, der seinen Lebensunterhalt verdiente, indem er Kühlschränke bewegte oder Lastwagen belud.

»Also«, sagte er und führte mich die Treppe hinunter, »das hier ist der Laden-hinter-dem-Laden.«

»Wie?«

Er lachte. »Die *arrière-boutique.* Was die Kundschaft sieht, ist eine Bühnenkulisse – die Fassade, die der Öffentlichkeit präsentiert wird –, aber hier unten wird die wichtige Arbeit getan.«

»Okay«, sagte ich und schaute auf das Labyrinth am Fuße der Treppe hinunter: blondes Holz wie Honig, dunkles Holz wie vergossene Melasse, der Glanz von Messing, Blattgold und Silber im matten Licht. Wie auf der Arche Noah war jede Art mit ihresgleichen gepaart: Stühle mit Stühlen, Sofas mit Sofas, Uhren mit Uhren, und Tische, Schränke und Anrichten standen einander steif aufgereiht gegenüber. In der Mitte bildeten Esstische schmale, irrgartenähnliche Pfade, auf denen man sich um sie herumschieben konnte. An der hinteren Wand hingen schwarz angelaufene Spiegel Rahmen an Rahmen, leuchtend im Silberlicht alter Ballsäle und kerzenbeschienener Salons.

Hobie sah sich nach mir um, und er konnte erkennen, wie gut es mir hier gefiel. »Du magst alte Dinge?«

Ich nickte – wahrhaftig, ich mochte alte Dinge, obwohl mir das nie klar gewesen war.

»Dann muss es bei den Barbours interessant für dich sein. Ich könnte mir denken, ein paar von ihren Queen-Anne- oder Chippendale-Stücken sind so gut wie die Sachen, die du im Museum zu sehen bekommst.«

»Ja«, sagte ich zögernd. »Aber hier ist es anders. Hübscher«, fügte ich hinzu, für den Fall, dass er mich nicht verstand.

»Inwiefern?«

»Ich finde …« Ich presste die Augen zu und versuchte, meine Gedanken zu sammeln. »Hier unten, das ist toll, so viele Stühle mit so vielen anderen Stühlen … Man sieht verschiedene Persönlichkeiten, wissen Sie? Also der da, der ist irgendwie«, ich wusste das richtige Wort nicht, »na ja, beinahe albern, aber auf gute Art, auf behagliche Art. Und der da ist eher nervös mit seinen langen, spindeldürren Beinen …«

»Du hast einen guten Blick für Möbel.«

»Hm.« Komplimente brachten mich immer aus der Fassung; ich wusste nie, wie ich darauf reagieren sollte, und tat deshalb so, als hätte ich gar nichts gehört. »Wenn sie nebeneinander aufgereiht sind, kann man sehen, wie sie gemacht sind. Bei den Barbours«, ich war

nir nicht sicher, wie ich es ihm begreiflich machen sollte, »da ist es
rgendwie mehr wie in den Szenarien mit den ausgestopften Tieren
m Natural History Museum.«

Er lachte, und die Aura von Düsternis und Beklommenheit ver-
vehte. Man spürte die Gutmütigkeit, die er ausstrahlte.

»Nein, ich mein's ernst.« Entschlossen wühlte ich mich weiter, um
larzumachen, was ich meinte. »Wie sie alles aufgestellt hat – ein
isch für sich mit einer Lampe drauf und lauter Zeug rundherum
rrangiert, weil man nichts anfassen soll – es sieht aus wie diese Di-
ramen, die sie zum Beispiel um das Yak herum bauen, um seinen
.ebensraum zu zeigen. Das ist hübsch, aber ich finde«, ich zeigte
uf die Stühle, deren Lehnen an der Wand entlang arrangiert waren,
der da sieht aus wie eine Harfe, der ist ein Löffel, und dieser …« Ich
hmte die schwungvolle Wölbung mit einer Handbewegung nach.

»Ein Wappenschild. Aber lass dir sagen, das hübscheste Detail
laran ist das geschnitzte Schulterbrett. Es ist dir vielleicht nicht klar«,
uhr er fort, bevor ich fragen konnte, was ein Schulterbrett war, »aber
s ist eine Ausbildung an sich, Möbel wie ihre jeden Tag zu sehen. Sie
n verschiedenartigem Licht zu sehen und mit den Händen darüber-
treichen zu können, wann immer du Lust dazu hast.« Er hauchte
eine Brillengläser an und wischte sie mit einer Ecke seiner Schürze
auber. »Musst du jetzt zurück nach Uptown?«

»Eigentlich nicht«, sagte ich, obwohl es langsam spät wurde.

»Dann komm mit«, sagte er. »Geben wir dir ein bisschen Arbeit.
Bei diesem kleinen Stuhl hier unten könnte ich Hilfe gebrauchen.«

»Bei dem Bocksbein?«

»Ja, bei dem Bocksbein. Da hängt noch eine Schürze am Haken –
ch weiß, sie ist zu groß, aber ich habe das Ding eben mit Leinöl
estrichen, und ich möchte nicht, dass du deine Sachen schmutzig
nachst.«

XII

Dave, der Psychiater, hatte mehr als einmal erwähnt, er wünsch‹
ich würde mir ein Hobby zulegen – ein Rat, der mir gegen den Stric
ging, weil mir seine Vorschläge (Racquetball, Tischtennis, Bowling
allesamt unglaublich lahm vorkamen. Wenn er dachte, eine od‹
zwei Partien Tischtennis würden mir helfen, über meine Mutt‹
hinwegzukommen, hatte er einen kompletten Sprung in der Schü‹
sel. Aber ich sah an dem leeren Notizbuch, das Mr. Neuspeil, mei
Englischlehrer, mir gegeben hatte, an Mrs. Swansons Vorschlag, ic
sollte nach der Schule noch Kunstunterricht nehmen, an Enriqu‹
Angebot, mich zu den Basketballplätzen an der Sixth Avenue mitzu
nehmen, damit ich mir die Spiele ansehen könnte, und auch an M
Barbours sporadischen Versuchen, mich für Seezeichen und Signa
flaggen zu interessieren – an alldem sah ich, dass viele Erwachsen‹
die gleiche Idee hatten.

»Aber was *tust* du denn gern in deiner Freizeit?«, hatte Mrs. Swar
son mich in ihrem gespenstischen blassgrauen Büro gefragt, in der
es nach Kräutertee und Salbei roch. *Seventeen*- und *Teen People*-He
te stapelten sich turmhoch auf dem Lesetisch, und irgendeine asiat
sche Silberglockenmusik klang schwebend im Hintergrund.

»Ich weiß nicht. Lesen. Filme angucken. ›Age of Conquest‹ spiele
und ›Age of Conquest: Platinum Edition‹. Ich weiß nicht«, sagte ic
noch einmal, als sie nicht aufhörte, mich anzuschauen.

»Na ja, das ist alles gut und schön, Theo«, sagte sie mit sorger
voller Miene. »Aber es wäre nett, wenn wir irgendeine Gruppena‹
tivität für dich finden könnten. Etwas, das mit Teamwork zu tun h‹
und das du mit anderen Jungen zusammen tun könntest. Hast du j
daran gedacht, Sport zu treiben?«

»Nein.«

»Ich übe einen Kampfsport namens Aikido aus. Ich weiß nich‹
ob du davon schon einmal gehört hast. Man nutzt die Bewegung‹
des Gegners zur Selbstverteidigung.«

Ich wandte den Blick ab von ihr und auf das verwittert ausseher

...e Tafelbild Unserer Heiligen Frau von Guadalupe, das hinter ih-
...em Kopf hing.

»Oder vielleicht Fotografie?« Sie faltete die türkisberingten Hän-
...e vor sich auf dem Tisch. »Wenn du dich für den Kunstunterricht
...icht interessierst? Obwohl ich ja sagen muss, Mrs. Sheinkopf hat
...nir ein paar deiner Zeichnungen aus dem letzten Jahr gezeigt – die
...erie mit den Dächern, weißt du, die Wasserspeicher und der Blick
...us dem Atelierfenster? Sehr gut beobachtet, und du hast ein paar
...virklich interessante Energielinien festgehalten, ich glaube, ›kine-
...isch‹ war das Wort, das sie benutzt hat, und das Ganze wirkt sehr
...übsch lebendig, all die sich schneidenden Ebenen und die Winkel
...ler Feuertreppen. Ich will damit sagen, es kommt nicht so sehr dar-
...uf an, *was* du tust. Ich wünschte nur, wir könnten eine Möglichkeit
...inden, dir mehr Anschluss zu verschaffen.«

»Anschluss woran?«, fragte ich, und es kam in einem Ton heraus,
...ler viel zu gehässig war.

Sie machte ein verblüfftes Gesicht. »An andere Menschen! Und«,
...ie deutete zum Fenster, »an die Welt um dich herum! Hör zu«, sagte
...ie mit ihrer sanftesten, hypnotisierend-beruhigenden Stimme, »ich
...veiß, zwischen dir und deiner Mutter gab es eine *unglaublich* enge
...Bindung. Ich habe mit ihr gesprochen. Ich habe euch beide zusam-
...nen gesehen. Und ich weiß genau, wie sehr du sie vermissen musst.«

Nein, das weißt du nicht, dachte ich und starrte ihr unverschämt
...ns Gesicht.

Sie warf mir einen sonderbaren Blick zu. »Du würdest dich wun-
...lern, Theo«, sie lehnte sich an das Tuch, das sie über ihre Sesselleh-
...le drapiert hatte, »wie uns kleine, alltägliche Dinge manchmal aus
...ler Verzweiflung herausholen können. Aber niemand kann es für
...lich tun. Du bist derjenige, der nach der offenen Tür Ausschau hal-
...en muss.«

Ich wusste, sie meinte es gut, aber ich verließ ihr Büro mit gesenk-
...em Kopf, und Tränen der Wut brannten in meinen Augen. Was zum
...Teufel verstand sie denn schon davon, die alte Fledermaus? Mrs.
...Swanson hatte eine gigantische Familie – ungefähr zehn Kinder und

dreißig Enkel, nach den Fotos an ihren Wänden zu urteilen. Mrs
Swanson hatte ein Riesenapartment am Central Park West und ein
Haus in Connecticut und null Ahnung, wie es war, wenn ein Bret
zerbrach, sodass im nächsten Augenblick alles weg war. Sie konnt
sich gut in ihrem behaglichen Hippie-Sessel zurücklehnen und vor
außerschulischen Aktivitäten und offenen Türen labern.

Aber ganz unerwartet hatte sich tatsächlich eine Tür geöffnet, und
dahinter lag ein ungewöhnliches Quartier: Hobies Werkstatt. Au
meiner »Hilfe« bei dem Stuhl (die im Grunde nur darin bestanden
hatte, dass ich danebenstand, während Hobie den Sitz aufriss und
mir die Wurmschäden, die schlampigen Reparaturen und ander
verborgene Grauen unter der Polsterung zeigte) waren rasch zwei bi
drei sonderbar fesselnde Nachmittage in der Woche geworden, di
ich nach der Schule dort verbrachte: Ich etikettierte Gläser, rührt
Hasenleim an und sortierte Kästen mit Schubladenbeschlägen (»di
fummeligen Teilchen«), und manchmal sah ich auch nur zu, wie e
auf der Drehbank Stuhlbeine drechselte. Zwar blieb das Geschä
oben dunkel und das Eisengitter geschlossen, aber im Laden-hinter
dem-Laden tickten immer noch die Standuhren, das Mahagoni glüh
te, das Licht sammelte sich zu goldenen Pfützen auf den Esstischer
und das Leben der Menagerie dort unten nahm seinen Fortgang.

Auktionshäuser in der ganzen Stadt riefen ihn an, aber auch Pri
vatkunden. Er restaurierte Möbel für Sotheby's, für Christie's, fü
Tepper und für Doyle. Nach der Schule, umgeben vom verschlafene
Ticken der Standuhren, zeigte er mir die Maserung und den Glan
verschiedener Holzarten, ihre Farben, den gekräuselten Schimme
des Tigerahorns, die schaumige Körnung im Walnusswurzelhol
ihr jeweiliges Gewicht in meiner Hand, und er brachte mir soga
bei, wie sie rochen – »manchmal, wenn du nicht sicher bist, was d
da hast, ist es am einfachsten, dran zu schnuppern«: würziges Ma
hagoni, staubige Eiche, die Traubenkirsche mit ihrer charakteristi
schen Schärfe, der blumige Bernsteinharzduft von Rosenholz. Sä
gen und Ansenker, Raspeln und Riffelfeilen, gebogene Eisen un
Löffeleisen, Bohrwinden und Gehrungsanschläge. Ich lernte alle

ber Furnier und Vergoldung, ich erfuhr, was Schlitz und Zapfen waren, ich lernte zwischen ebonisiertem Holz und echtem Ebenholz u unterscheiden, zwischen Newport-, Connecticut- und Philadelhia-Ziergiebeln, wie das kantige Design und schmal gekragte Decklatte eines Chippendale-Sekretärs diesen gegenüber einem anderen Konsolfußmöbel aus derselben Zeit mit kannelierten Viertelsäulen nd dem, was er gern als »exaltierte« Proportionen im Verhältnis der chubladen bezeichnete, minderwertig sein ließ.

Dort unten – mattes Licht, Sägespäne auf dem Boden – war es ein isschen wie in einem Stall, wo große Tiere geduldig im Zwielicht tehen. Hobie half mir, die kreatürlichen Eigenschaften guter Möbel u erkennen, indem er einzelne Stücke »er« oder »sie« nannte, aber uch in der muskulären, beinahe animalischen Beschaffenheit, die inzelne, großartige Stücke von ihren kastenförmigeren, manierliheren Artgenossen unterschied, und in der zärtlichen Weise, auf die r mit der Hand über die dunkel leuchtenden Flanken seiner Sideoards und Lowboys strich, als seien es Haustiere. Er war ein guter ehrer, und sehr bald hatte er mir, indem er mich durch den Prozess es Prüfens und Vergleichens führte, beigebracht, Reproduktionen u identifizieren: Die Abnutzung war zu gleichmäßig (Antiquitäten varen immer asymmetrisch verschlissen), die Kanten waren mit der Maschine geglättet, nicht mit der Hand gehobelt (eine empfindsae Fingerspitze erspürte eine maschinengeglättete Kante selbst bei chlechtem Licht), aber vor allem war das Holz von flacher, lebloser Beschaffenheit, und ihm fehlte ein bestimmter Glanz, die Magie, die ntstand, wenn etwas jahrhundertelang von Menschenhand berührt, enutzt und weitergegeben wurde. Die Betrachtung des Lebens dieer würdevollen alten Highboys und Sekretäre – ein längeres, sanferes als das menschliche Leben – ließ mich in Ruhe versinken, wie in Stein in tiefes Wasser sinkt, und so trat ich, wenn es Zeit zum Gehen war, betäubt blinzelnd in das Geplärr der Sixth Avenue hinus und wusste kaum, wo ich war.

Mehr noch als die Werkstatt (»das Hospital«, wie Hobie sie nanne) genoss ich Hobie: sein müdes Lächeln, die Eleganz seiner lässi-

gen Haltung, seine aufgekrempelten Ärmel und seine entspannt
scherzhafte Art, die Handwerkergewohnheit, sich mit der Innense
te des Handgelenks über die Stirn zu wischen, seine geduldige Gu
mütigkeit und seine unerschütterliche Vernunft. Aber so beiläuf
und sporadisch unsere Unterhaltung auch war, sie war doch niema
simpel. Selbst ein unbeschwertes »Wie geht's?« war eine nuancier
Frage, ohne dass es so klang, und meine unveränderliche Antwo
(»prima«) konnte er mühelos deuten, ohne dass ich irgendetwas au
drücklich buchstabieren musste. Und obwohl er selten bohrte od
nachfragte, hatte ich das Gefühl, er verstand mich besser als die ve
schiedenen Erwachsenen, deren Beruf es war, »in meinen Kopf hir
einzuschauen«, wie Enrique es gern ausdrückte.

Aber vor allem mochte ich ihn, weil er mich als eigenständige
Kameraden und Gesprächspartner behandelte. Da kam es nicht da
auf an, dass er manchmal über seine Nachbarin reden wollte, die ei
neues Kniegelenk bekommen hatte, oder über ein Konzert mit alt
Musik, das er Uptown gehört hatte. Wenn ich ihm von einem kom
schen Ereignis in der Schule erzählte, war er ein aufmerksamer un
dankbarer Zuhörer. Anders als Mrs. Swanson (die immer erstarr
und erschrocken aussah, wenn ich einen Witz machte) oder Dav
(der zwar kicherte, aber verklemmt und immer einen Tick zu spä
lachte er gern, und ich liebte die Geschichten aus seinem eigene
Leben, die er mir erzählte: von den wilden, spät verheirateten O
keln und den naseweisen Nonnen seiner Kindheit, von dem drit
klassigen Internat an der kanadischen Grenze, wo sämtliche Lehr
Säufer gewesen waren, von dem großen Haus in Upstate New Yor
das sein Vater so kalt gehalten hatte, dass innen an den Fenstersche
ben Eis entstanden war, von grauen Dezembernachmittagen, an d
nen er Tacitus oder Motleys »Aufstieg der Niederländischen Repu
blik« gelesen hatte. (»Ich habe Geschichte geliebt, schon *immer*. D
nicht gegangene Weg! Mein größter Kindheitsehrgeiz war es, Pro
fessor für Geschichte am Notre Dame College zu werden. Obwohl
was ich jetzt tue, ist wohl auch nur eine Art, mit der Geschich
zu arbeiten.«) Er erzählte mir von seinem auf einem Auge blinde

230

on Woolworth's geretteten Kanarienvogel, der ihn an jedem Morgen seiner Kindheit mit Gesang geweckt hatte, von dem Anfall von
rheumatischem Fieber, der ihn sechs Monate ans Bett gefesselt hat-
e, und von der verrückten kleinen, antiken Nachbarschaftsbüche-
ei mit den Deckenfresken (»leider inzwischen abgerissen«), in die
er gegangen war, um seinem Zuhause zu entkommen. Von Mrs. De
Peyster, der einsamen alten Erbin, die er nach der Schule besucht
hatte, einer früheren Schönheit von Albany und Lokalhistorikerin,
die Hobie umgluckt und ihn mit Dundee-Cake gefüttert hatte, den
sie sich in Konserven aus England schicken ließ, und die mit Vergnügen stundenlang dagestanden und Hobie jedes einzelne Stück
in ihrer Porzellansammlung erklärt hatte. Unter anderem hatte ihr
das Mahagoni-Sofa gehört – Gerüchten zufolge aus dem Besitz von
General Herkimer –, das sein Interesse an Möbeln überhaupt erst
geweckt hatte. (»Obwohl ich mir nicht so recht vorstellen kann, wie
General Herkimer sich auf diesem dekadenten alten, gräzistisch an-
mutenden Möbelstück räkelt.«) Er erzählte von seiner Mutter, die
kurz nach seiner drei Tage alten Schwester gestorben war und Hobie
als Einzelkind zurückgelassen hatte, und von dem jungen Jesuiten-
pater, einem Football-Coach, der – telefonisch alarmiert von einem
panischen irischen Hausmädchen, als Hobies Vater den Jungen mit
einem Gürtel »praktisch kurz und klein« prügelte – im Laufschritt
zu Hause erschienen war und Hobies Vater niedergeschlagen hatte.
»Father Keegan! Er war es, der zu uns nach Hause kam, als ich das
rheumatische Fieber hatte, und mir die Kommunion brachte. Ich war
ein Messdiener, und er wusste Bescheid, denn er hatte die Striemen
auf meinem Rücken gesehen. In letzter Zeit waren so viele Priester
unanständig mit den Jungen, aber er war gut zu mir – ich frage mich
immer, was aus ihm geworden ist, und ich habe versucht, ihn zu finden, aber ich kann's nicht. Mein Vater hat den Erzbischof angerufen,
und im nächsten Moment, ehe man sichs versah, war alles erledigt,
und sie hatten ihn nach Uruguay verfrachtet.«) Alles war hier ganz
anders als bei den Barbours, wo ich trotz der allgemein freundlichen
Atmosphäre entweder im Getümmel unterging oder der von Unbe-

hagen erfüllte Gegenstand formeller Untersuchungen war. Mir wa
wohler, als ich wusste, dass er nur eine Busfahrt entfernt war, schnur
gerade die Fifth Avenue hinunter, und wenn ich nachts aufwacht(
von Panik geschüttelt, weil die Explosion mir wieder durch die Glie
der fuhr, konnte ich mich manchmal in den Schlaf lullen, indem ic
an dieses Haus dachte, wo man, ohne es zu merken, gelegentlich in
Jahr 1850 zurückglitt, in eine Welt von tickenden Uhren, knarrende
Bodendielen, Kupfertöpfen und Körben mit Pastinaken und Zwie
beln in der Küche, von Kerzenflammen, die sich im Luftzug von ei
ner offenen Tür nach links lehnten, von hohen Salonfenstern, dere
Vorhänge sich blähten, elegant wie ein Ballkleid, von kühlen, stille
Zimmern, in denen alte Dinge schliefen.

Es wurde indessen immer schwieriger, meine Abwesenheiten z
erklären (oft fehlte ich sogar beim Abendessen), und Andys Erfin
dungsreichtum wurde auf eine harte Probe gestellt. »Soll ich mit di
hinauffahren und mit ihr sprechen?«, fragte Hobie eines Nachmit
tags, als wir in der Küche saßen und ein Kirschtörtchen aßen, das e
auf dem Biomarkt gekauft hatte. »Ich würde gern mitkommen un
sie kennenlernen. Oder vielleicht möchtest du sie hierher einladen.

»Vielleicht«, sagte ich, nachdem ich darüber nachgedacht hatte.

»Könnte sein, dass sie sich für die Chippendale-Doppelkommo
de interessiert – die Philadelphia, weißt du, mit dem Sprenggiebe
Nicht kaufen, nur anschauen. Oder wir könnten sie, wenn du wills
zum Lunch ins La Grenouille einladen«, er lachte, »oder sogar in ei
kleines Lokal hier unten, das sie vielleicht amüsant findet.«

»Lassen Sie mich drüber nachdenken.« Ich fuhr schon früher m
dem Bus nach Hause, tief in Gedanken versunken. Ganz abgesehe
von meiner chronischen Unehrlichkeit gegen Mrs. Barbour – im
mer wieder lange Abende in der Bibliothek, ein nicht existierend
Geschichtsprojekt –, wäre es mir peinlich, Hobie zu gestehen, das
ich Mr. Blackwells Ring als Familienerbstück ausgegeben hatte. Abe
wenn Mrs. Barbour und er sich träfen, würde meine Lüge ganz si
cher ans Licht kommen, so oder so. Das erschien mir unvermeidlich

»Wo bist du gewesen?«, fragte Mrs. Barbour in scharfem Ton, a

e, zum Abendessen angezogen, aber ohne Schuhe, mit einem Glas
in and Lime in der Hand aus dem hinteren Teil der Wohnung kam.
Etwas in ihrer Haltung ließ mich fürchten, dass hier eine Falle laute. »Na ja«, sagte ich, »ich war unten in Downtown und habe einen
reund meiner Mutter besucht.«

Andy drehte sich um und starrte mich ausdruckslos an.

»Ach ja?«, sagte Mrs. Barbour argwöhnisch und warf Andy einen
eitenblick zu. »Andy hat mir eben erzählt, du müsstest heute Abend
ieder in der Bibliothek arbeiten.«

»Heute Abend nicht«, sagte ich so mühelos, dass ich selbst über-
ascht war.

»Ich muss sagen, ich bin erleichtert, das zu hören«, stellte Mrs.
arbour kühl fest. »Denn die Zentralbibliothek ist montags ja ge-
chlossen.«

»Ich habe nicht gesagt, er ist in der Zentralbibliothek, Mutter.«

»Ich glaube übrigens, Sie könnten ihn sogar kennen.« Ich muss-
Andy aus der Schusslinie nehmen. »Zumindest könnten Sie wis-
en, wer er ist.«

»Wer?« Mrs. Barbours Blick kehrte zu mir zurück.

»Der Freund, den ich besucht habe. Er heißt James Hobart. Er
ührt ein Möbelgeschäft in Downtown. Na ja, er führt es nicht. Er
acht Restaurierungsarbeiten.«

Sie zog die Brauen zusammen. »Hobart?«

»Er arbeitet für viele Leute in der Stadt. Manchmal für Sotheby's.«

»Dann hättest du nichts dagegen, wenn ich ihn anrufe?«

»Nein«, sagte ich abwehrend. »Er meinte, wir sollten zusammen
ssen gehen. Vielleicht möchten Sie auch gern mal in sein Geschäft
ommen.«

»Oh«, sagte Mrs. Barbour nach einer kurzen Überraschungspau-
. Jetzt war sie aus dem Gleichgewicht geraten. Wenn sie sich jemals,
us irgendeinem Grund, über die 14th Street hinaus nach Süden be-
egte, so wusste ich davon nichts. »Na, wir werden sehen.«

»Nicht, um etwas zu kaufen. Nur zum Anschauen. Er hat ein paar
übsche Sachen.«

Sie klapperte mit den Lidern. »Natürlich«, sagte sie seltsam verwirrt; ihr Blick wirkte starr und abgelenkt. »Wie reizend. Ich bin sicher, ich würde ihn gern kennenlernen. Oder *habe* ich ihn schon kennengelernt?«

»Nein, ich glaube nicht.«

»Wie auch immer. Andy, es tut mir leid. Ich muss mich bei dir entschuldigen. Und bei dir auch, Theo.«

Bei mir? Ich wusste nicht, was ich sagen sollte. Andy nuckelte unauffällig an der Seite seines Daumens und zuckte mit einer Schulter, als sie hinausrauschte.

»Was ist los?«, fragte ich ihn leise.

»Sie ist durcheinander. Hat nichts mit dir zu tun. Platt ist zu Hause.«

Jetzt, da er es erwähnte, hörte ich die gedämpfte Musik, die aus dem hinteren Bereich der Wohnung kam, ein tiefes, unterschwelliges Stampfen. »Wieso?«, fragte ich. »Stimmt was nicht?«

»In der Schule ist was passiert.«

»Was Schlimmes?«

»Weiß der Himmel«, sagte er tonlos.

»Hat er Ärger?«

»Ich nehm's an. Niemand will darüber reden.«

»Aber was ist denn passiert?«

Andy verzog das Gesicht: *Was weiß ich.* »Er war hier, als wir aus der Schule kamen. Wir haben seine Musik gehört. Kitsey war ganz aufgeregt und ist nach hinten gerannt, um ihm Hallo zu sagen, und er hat sie angeschrien und ihr die Tür vor der Nase zugeschlagen.«

Ich zog den Kopf zwischen die Schultern. Kitsey vergötterte ihren Bruder Platt.

»Dann ist Mutter nach Hause gekommen. Sie war hinten bei ihm. Dann hat sie eine Weile telefoniert. Ich habe den *leisen Verdacht,* Dad ist auf dem Weg nach Hause. Sie wollten heute Abend mit den Ticknors essen, aber ich glaube, das haben sie abgesagt.«

»Wie sieht's mit dem Abendbrot aus?«, fragte ich nach einer kurzen Pause. An Schultagen aßen wir abends normalerweise vor dem

‛ernseher, wo wir unsere Hausaufgaben erledigten, aber wenn Platt u Hause und Mr. Barbour hierher unterwegs war und wenn die Plä-ıe für den Abend gestrichen waren, sah die Sache eher nach einem ‛amilienessen im Speisezimmer aus.

Andy rückte auf seine umständliche, tantenhafte Art seine Bril-ıe zurecht. Obwohl ich dunkles und er helles Haar hatte, war mir ıur allzu sehr bewusst, dass die identischen Brillen, die Mrs. Bar->our für uns angeschafft hatte, dafür sorgten, dass ich aussah wie ʌndys eierköpfiger Zwilling, und zufällig hatte ich genau gehört, wie ‣in Mädchen in der Schule uns die »Goofy Brothers« genannt hatte oder doch »Doofi Brothers«? Egal, ganz sicher war es nicht als Kom->liment gemeint gewesen).

»Komm, wir gehen rüber zu Serendipity und holen uns einen ‣amburger«, sagte er. »Ich möchte wirklich lieber nicht hier sein, venn Daddy nach Hause kommt.«

»Nehmt mich mit«, rief Kitsey. Unerwartet kam sie hereingalop->iert und bremste dicht vor uns, rot und atemlos.

Andy und ich sahen einander an. Kitsey wollte sich sonst nicht ınal in der Warteschlange an der Bushaltestelle mit uns zusammen >licken lassen.

»Bitte«, heulte sie und schaute zwischen uns beiden hin und her. ‣Toddy ist beim Fußballtraining, ich hab mein eigenes Geld, und ich vill nicht mit ihnen allein sein, *bitte*!«

»Ach, komm schon«, sagte ich zu Andy, und sie warf mir einen lankbaren Blick zu.

Andy schob die Hände in die Taschen. »Na schön«, sagte er aus-lrucklos zu ihr. Sie waren wie zwei weiße Mäuse, dachte ich, nur, lass Kitsey eine Zuckerwatte-Märchenprinzessin-Maus war, wäh-end Andy eher eine Maus von der glücklosen, anämischen Sorte in ‣iner Tierhandlung war, die man an eine Boa constrictor verfütterte.

»Hol deinen Kram. *Los*«, sagte er, als sie immer noch dastand und ‣hn anstarrte. »Ich warte nicht auf dich. Und vergiss dein Geld nicht, lenn ich bezahle auch nicht für dich.«

XIII

In den nächsten paar Tagen fuhr ich aus Loyalität zu Andy nicht z
Hobie hinunter, obwohl die Versuchung in der angespannten Atmo
sphäre, die über dem Haushalt lastete, ziemlich groß war. Andy hat
te recht: Es war einfach nicht herauszubekommen, was Platt ange
stellt hatte, denn Mr. und Mrs. Barbour taten, als wäre absolut alle
in Ordnung (obwohl man spürte, dass dem nicht so war), und Plat
selbst sagte kein Wort, sondern hockte nur mürrisch mit den Haa
ren vorm Gesicht am Tisch.

»Glaub mir«, sagte Andy, »es ist besser, wenn du dabei bist. Dan
reden sie und geben sich mehr Mühe, sich normal zu benehmen.«

»Was hat er denn deiner Meinung nach angestellt?«

»Ehrlich, ich weiß es nicht. Ich *will* es auch nicht wissen.«

»Natürlich willst du.«

»Na gut«, gab Andy zu. »Aber ich habe wirklich nicht die blas
seste Ahnung.«

»Glaubst du, er hat gemogelt? Geklaut? In der Kirche Kaugum
mi gekaut?«

Andy zuckte die Achseln. »Als er das letzte Mal Ärger hatte, wa
es, weil er jemandem mit dem Lacrosse-Schläger ins Gesicht geschla
gen hatte. Aber *das* war anders als *jetzt*.« Und dann, aus heiteren
Himmel: »Mutter liebt Platt am meisten.«

»Meinst du?«, sagte ich ausweichend, aber ich wusste natürlich
dass es stimmte.

»Daddy liebt Kitsey am meisten. Und Mutter liebt Platt.«

»Toddy liebt sie aber auch sehr«, sagte ich, bevor mir ganz kla
war, wie sich das anhörte.

Andy verzog das Gesicht. »Ich würde ja annehmen, ich sei be
der Geburt vertauscht worden«, sagte er. »Wenn ich Mutter nicht s
ähnlich sähe.«

XIV

Aus irgendeinem Grund kam mir während dieses angespannten Zwischenspiels (vielleicht, weil Platts mysteriöse Schwierigkeiten mich an meine eigenen erinnerten) der Gedanke, ich sollte Hobie vielleicht von dem Gemälde erzählen oder – zumindest – das Thema auf irgendeine indirekte Weise zur Sprache bringen, um zu sehen, wie er reagierte. Das Problem war, wie sollte ich davon anfangen? Das Bild war immer noch zu Hause, genau da, wo ich es zurückgelassen hatte, in der Tasche aus dem Museum. Als ich es im vorderen Zimmer ans Sofa gelehnt gesehen hatte, an dem schaurigen Nachmittag, als ich noch mal dort gewesen war, um ein paar Sachen zu holen, die ich für die Schule brauchte, war ich geradewegs daran vorbeigegangen, war ihm geflissentlich ausgewichen wie einem grabschenden Penner auf dem Gehweg, und die ganze Zeit hatte ich Mrs. Barbours kühlen, hellen Blick im Rücken gespürt, auf unserer Wohnung und auf den Sachen meiner Mutter, während sie mit verschränkten Armen in der Tür stand.

Es war kompliziert. Immer wenn ich daran dachte, drehte sich mir der Magen um, und mein erster Impuls war, den Deckel zuzuknallen und an etwas anderes zu denken. Unglücklicherweise hatte ich schon so lange damit gewartet, irgendjemandem etwas davon zu sagen, dass ich allmählich das Gefühl bekam, es wäre längst zu spät, überhaupt noch davon anzufangen. Und je mehr Zeit ich mit Hobie verbrachte – mit seinen verkrüppelten Hepplewhites und Chippendales, mit den alten Stücken, die er so gewissenhaft versorgte –, desto stärker wurde das Gefühl, es wäre falsch, weiter zu schweigen. Wenn nun jemand das Bild fände? Was würde dann mit mir passieren? Was weiß ich – der Vermieter konnte in der Wohnung gewesen sein; er hatte einen Schlüssel. Aber selbst wenn er hineinginge, müsste er es ja nicht unbedingt finden. Trotzdem war mir klar, dass ich das Schicksal in Versuchung führte, solange ich es dort ließ und die Entscheidung, was ich damit tun sollte, immer weiter aufschob.

Dabei hatte ich nichts dagegen, es zurückzugeben. Hätte ich es auf

magische Weise, durch reines Wünschen, wieder loswerden könne
hätte ich es sofort getan. Aber ich wusste nicht, wie ich es anste
len sollte, ohne mich oder das Bild in Gefahr zu bringen. Seit de
Bombenanschlag im Museum hingen überall in der Stadt Bekann
machungen, die besagten, dass Pakete, die aus irgendeinem Grun
unbeaufsichtigt entdeckt wurden, vernichtet werden würden, un
damit erledigten sich die meisten meiner brillanten Ideen in Bezu
auf eine anonyme Rückgabe von selbst. Jeder verdächtige Koffer, je
des Paket, würde ohne Weiteres in die Luft gesprengt werden.

Von allen Erwachsenen, die ich kannte, kamen für mich nur zw
dafür in Frage, ins Vertrauen gezogen zu werden: Hobie und Mr
Barbour. Hobie erschien mir entschieden verständnisvoller und we
niger furchterregend. Es würde viel einfacher sein, ihm zu erklä
ren, wie es überhaupt dazu gekommen war, dass ich das Bild au
dem Museum mitgenommen hatte. Dass es quasi ein Fehler gewe
sen war. Dass ich Weltys Anweisungen befolgt hatte. Dass ich ein
Gehirnerschütterung gehabt hatte. Dass ich mir nicht genau übe
legt hatte, was ich tat. Dass ich nicht vorgehabt hatte, es so lang
herumstehen zu lassen. Aber im Zwischenreich meiner Wohnung
losigkeit wäre es doch irrsinnig, vorzutreten und etwas zu geste
hen, was viele Leute, das wusste ich, als schwerwiegende Misseta
betrachten würden.

Und dann sah ich rein zufällig – als mir gerade klar wurde, da
ich wirklich nicht mehr sehr viel länger warten konnte – ein wir
ziges Schwarzweißfoto des Gemäldes im Wirtschaftsteil der *Times*

Vielleicht infolge der Beklommenheit, die den Haushalt im Kie
wasser von Platts Problem erfüllte, kam es jetzt gelegentlich vor, da
die Zeitung den Weg aus Mr. Barbours Arbeitszimmer herausfan
Sie zerlegte sich dort und kam, immer ein, zwei Seiten auf einma
wieder zum Vorschein. Diese Seiten, ungeschickt zusammengefalte
lagen jetzt verstreut in der Nähe eines mit einer Serviette umhüllte
Glases Club Soda (Mr. Barbours Visitenkarte) auf dem Couchtisc
im Wohnzimmer. Der Artikel, lang und langweilig und im hintere
Teil, handelte von der Versicherungsindustrie und von den finanzie

en Problemen beim Aufbau einer großen Kunstausstellung in einer
»eeinträchtigten Konjunktur, vor allem aber von den Schwierigkei-
en bei der Versicherung reisender Kunstwerke. Was mir ins Auge
el, war die Bildunterschrift: *Der Distelfink,* Carel Fabritius' Meister-
verk aus dem Jahr 1654 – zerstört.

Ohne nachzudenken, ließ ich mich in Mr. Barbours Sessel fallen
und durchsuchte den dicht gesetzten Text nach weiteren Erwähnun-
en meines Bildes (ich hatte schon angefangen, es als *mein* Bild zu
»etrachten, und der Gedanke schob sich in meinen Kopf, als hätte
:h es schon mein Leben lang besessen).

Fragen des internationalen Rechts kommen in Fällen von
Kulturterrorismus wie diesem ins Spiel, der einen eisigen
Wind sowohl durch die Finanz- wie auch durch die Kunstwelt
hat wehen lassen. »Der Verlust auch nur eines dieser Stücke
ist unmöglich zu quantifizieren«, sagte Murray Twitchell, ein
Londoner Versicherungsrisikoanalytiker. »Neben den zwölf
verlorenen und mutmaßlich zerstörten Stücken wurden
27 Werke stark beschädigt, auch wenn in einigen Fällen eine
Restaurierung möglich ist.« Es mag vielen als vergebliche
Geste erscheinen, wenn die Kunstverlust-Datenbank

)er Artikel ging auf der nächsten Seite weiter, aber in diesem Mo-
nent kam Mrs. Barbour herein, und ich musste die Zeitung weg-
gen.

»Theo«, sagte sie, »ich habe einen Vorschlag für dich.«

»Ja?«, sagte ich wachsam.

»Möchtest du dieses Jahr mit uns nach Maine hinaufkommen?«

Im ersten Moment war ich so überglücklich, dass mir überhaupt
ichts einfiel. »Ja!«, sagte ich dann. »Wow. Das wäre super!«

Sogar sie musste lächeln, ein bisschen jedenfalls. »Ja«, sagte sie,
Chance wird dich jedenfalls mit Vergnügen auf dem Boot arbeiten
ssen. Wie es aussieht, werden wir dieses Jahr etwas früher hinaus-
hren – das heißt, Chance und die Kinder werden früher fahren.

Ich bleibe noch in der Stadt, um ein paar Dinge zu erledigen, abe
in ein, zwei Wochen bin ich auch oben.«

Ich war so glücklich, dass ich nicht wusste, was ich sagen sollte.

»Wir werden sehen, wie dir das Segeln gefällt. Vielleicht hast d
mehr Freude daran als Andy. Das wollen wir jedenfalls hoffen.«

»Du glaubst, das wird lustig«, sagte Andy düster, als ich in unse
Zimmer rannte (rannte, nicht ging), um ihm die gute Nachricht z
überbringen. »Wird es aber nicht. Du wirst es hassen.« Trotzder
sah ich genau, wie sehr er sich freute. Und an diesem Abend sa
er vor dem Schlafengehen mit mir auf der Kante des unteren Bet
tes und redete mit mir über die Bücher, die wir mitnehmen wür
den, die Spiele und über die Symptome der Seekrankheit, damit ic
mich vor der Arbeit an Deck drücken könnte, wenn ich keine Lu
dazu hätte.

XV

Nach dieser zweifachen Neuigkeit – gut an beiden Fronten – wa
ich schlaff und benommen vor Erleichterung. Wenn mein Bild ze
stört war – wenn die offizielle Version so lautete, dann hatte ich noc
reichlich Zeit zu entscheiden, was ich tun sollte. Und kraft desselbe
Zaubers schien Mrs. Barbours Einladung über den Sommer hinau
und weit bis zum Horizont zu reichen, als läge der ganze Atlanti
zwischen mir und Grandpa Decker. Der Aufschwung war schwin
delerregend; ich sah mich verschont und konnte nur frohlocken. Ic
wusste, ich sollte das Bild entweder Hobie oder Mrs. Barbour gebe
und mich ihrer Barmherzigkeit ausliefern, ich sollte ihnen alles e
zählen und sie bitten, mir zu helfen. In irgendeinem tristen, abe
klaren Winkel meines Verstandes wusste ich, es würde mir leidtu
wenn ich es nicht täte, aber mein Kopf war so voll von Maine un
dem Segelboot, dass ich an nichts anderes denken konnte. Außerde
dämmerte mir, dass es vielleicht sogar schlau sein könnte, das Bil
noch eine Zeitlang zu behalten, sozusagen als Versicherung für di

nächsten drei Jahre und gegen ein Leben bei Grandpa Decker und Dorothy. Es spricht für meine verblüffende Naivität, dass ich dachte, ich könnte es vielleicht sogar verkaufen, wenn es sein müsste. Also hielt ich den Mund, schaute mir mit Mr. Barbour zusammen Karen und Seezeichen an und ließ mich von Mrs. Barbour zu Brooks Brothers schleppen, wo sie mir Segelschuhe und leichte Baumwollsweater kaufte, die ich auf dem Wasser tragen sollte, wenn es abends kühl würde. Und sagte kein Wort.

XVI

»Zu viel Bildung, das war mein Problem«, sagte Hobie. »So sah das zumindest mein Vater.« Ich war bei ihm in der Werkstatt und half ihm, ungezählte Stücke von altem Kirschholzfurnier zu durchsuchen – manche rötlicher, manche brauner und alle aus alten Möbeln gerettet –, um exakt den Farbton zu finden, den er für Flickarbeiten am Sockel einer Standuhr brauchte. »Mein Vater hatte eine Speditionsfirma«, (das wusste ich schon, und der Name war so berühmt, dass sogar ich ihn kannte), »und im Sommer und in den Weihnachtsferien musste ich Lastwagen beladen – ich müsse mich hocharbeiten, um einen zu fahren, sagte er. Die Männer an den Laderampen waren stumm wie die Fische, sobald ich herauskam. Der Sohn des Chefs, weißt du? War nicht ihre Schuld; mein Vater war ein mieser Hund als Arbeitgeber. Jedenfalls musste ich ab meinem vierzehnten Geburtstag dort arbeiten, nach der Schule und an den Wochenenden. Im Regen Kisten einladen. Manchmal saß ich auch im Büro, einer trostlosen, schmuddeligen Bude, im Winter ein Eisschrank und ein Hochofen im Sommer, und man musste brüllen, um den Lärm der Lüftung zu übertönen. Anfangs war ich nur im Sommer und in den Weihnachtsferien da. Aber nach dem zweiten College-Jahr verkündete er, dass er die Studiengebühren nicht mehr zahlen würde.«

Ich hatte ein Stück Holz gefunden, das aussah, als ob es gut zu dem beschädigten Teil passte, und schob es ihm hinüber. »Hatten Sie schlechte Noten?«

»Nein, ich war ganz gut.« Er nahm das Stück Holz, hielt es ans Licht und legte es dann auf den Stapel der möglicherweise passenden Teile. »Die Sache war nur, dass er selbst nie ein College besucht und es trotzdem zu was gebracht hatte, oder etwa nicht? Bildete ich mir ein, ich wäre was Besseres als er? Aber es steckte noch mehr dahinter – er war ein Mann, der alle in seiner Umgebung schikanieren musste; du kennst den Typ, und ich glaube, er war auf den Trichter gekommen, dass es keine bessere Möglichkeit gab, mich unter seiner Knute zu behalten und umsonst für ihn arbeiten zu lassen. Zuerst«, einen Moment lang betrachtete er ein weiteres Stück Furnier und legte es dann zu den potenziellen Kandidaten, »zuerst sagte er, ich müsste ein Jahr pausieren – vier Jahre, fünf, so lange, wie es eben dauerte – und mir das Geld für den Rest meines Studiums auf die harte Tour verdienen. Aber ich hab nie einen Penny von meinem Verdienst gesehen. Ich wohnte zu Hause, und er legte das ganze Geld auf ein spezielles Konto, zu meinem eigenen Besten, weißt du. Ziemlich hart, aber fair, dachte ich. Aber dann – nachdem ich ungefähr drei Jahre lang fulltime für ihn gearbeitet hatte – änderte sich das Spiel. Plötzlich«, er lachte, »ja, hatte ich den Deal denn nicht kapiert? Ich zahlte ihm lediglich die ersten zwei Jahre College zurück. Er hatte überhaupt nichts beiseitegelegt.«

»Das ist ja furchtbar!«, sagte ich nach einer Pause schockiert. Ich verstand nicht, wie er über so viel Unfairness lachen konnte.

»Na ja«, er verdrehte die Augen, »ich war noch ein bisschen grün hinter den Ohren, aber mir war klar, wenn es so weiterginge, würde ich an Altersschwäche sterben, bevor ich da rauskäme. Aber ohne Geld, ohne Bleibe, was sollte ich da machen? Ich zerbrach mir den Kopf und suchte nach einem Ausweg, und siehe da! Eines Tages kam Welty ins Büro, als mein Vater mir gerade einen Vortrag hielt. Er liebte es, mich vor seinen Leuten runterzuputzen, mein Dad – stolzierte wie ein Mafiaboss hin und her und behauptete, ich schuldete ihm Geld für dies und jenes, und dann zog er es mir von meinem

Zitat – Gehalt ab. Kassierte wegen irgendeines zusammenfantasieren Verstoßes meinen sogenannten Gehaltsscheck. Solche Sachen.

Und Welty – es war nicht das erste Mal, dass ich ihn sah. Er war schon öfter im Büro gewesen, um den Transport für irgendwelche Haushaltsauflösungen zu arrangieren. Er behauptete immer, mit seinem Rücken müsse er härter arbeiten, um einen guten Eindruck zu hinterlassen, damit die Leute über seine Entstellung hinwegsähen und so weiter, aber ich mochte ihn von Anfang an. Die meisten Leute mochten ihn, sogar mein Vater, der sonst, sagen wir, die Menschen nicht besonders gut leiden konnte. Jedenfalls bekam Welty einen Ausbruch mit, und am nächsten Tag rief er meinen Vater an und sagte, er könne meine Hilfe beim Einpacken der Möbel in dem Haus, dessen Einrichtung er gekauft hatte, gebrauchen. Ich war ein großer, starker Bengel und ein fleißiger Arbeiter, genau das Richtige. Na ja«, Hobie stand auf und streckte die Arme über den Kopf, »Welty war ein guter Kunde. Und mein Vater, aus welchen Gründen auch immer, sagte Ja.

Das Haus, in dem ich ihm beim Einpacken half, war die alte Villa De Peyster. Und wie der Zufall es wollte, hatte ich die alte Mrs. De Peyster ganz gut gekannt. Schon als Kind war ich gern hinuntergespaziert, um sie zu besuchen – eine lustige alte Frau mit einer leuchtend gelben Perücke, ein Quell der Informationen, überall Zeitungen. Sie wusste alles über die lokale Geschichte und konnte unglaublich unterhaltsam erzählen – egal, es war jedenfalls ein großes Haus, vollgestopft mit Tiffany-Glas und ein paar sehr guten Möbelstücken aus dem neunzehnten Jahrhundert, und ich konnte bei der Herkunftsbestimmung vieler Stücke behilflich sein, besser als Mrs. De Peysters Tochter, die nicht das geringste Interesse an dem Sessel hatte, in dem Präsident McKinley gesessen hatte, oder an anderen solchen Sachen.

An dem Tag, als ich fertig war mit meiner Arbeit in diesem Haus – es war gegen sechs Uhr nachmittags, und ich war staubig von Kopf bis Fuß –, machte Welty eine Flasche Wein auf, und wir setzten uns um die Packkisten herum und tranken, weißt du, auf dem blanken Fußboden und umgeben vom Echo eines leeren Hauses. Ich war erschöpft. Er hatte mich direkt bezahlt, bar und ohne den Umweg übei meinen Vater, und als ich ihm dankte und ihn fragte, ob es da viel leicht noch mehr Arbeit gebe, da sagte er: Hör zu, ich habe gerade in New York ein Geschäft eröffnet, und wenn du da einen Job haben willst, dann hast du ihn. Darauf stießen wir an, und ich ging nach Hause und packte meinen Koffer – mit Büchern hauptsächlich – sagte der Haushälterin auf Wiedersehen und ließ mich am nächsten Tag von einem Laster nach New York mitnehmen. Ohne mich noch einmal umzuschauen.«

Es wurde still. Wir sortierten immer noch die Furniere: klickende Fragmente, dünn wie Papier, wie die Spielmarken in einem uralten Spiel, vielleicht aus China, und die Geräusche hatten eine geisterhaf te Leichtigkeit, die einem das Gefühl gab, in einer sehr viel größeren Stille verloren zu sein.

»Hey.« Ich hatte ein Stück gefunden, und ich schnappte es mi und reichte es ihm triumphierend: Die Farbe passte genau, viel bes ser als bei allen anderen Stücken, die er auf seinem Stapel beiseite gelegt hatte.

Er nahm es und betrachtete es unter der Lampe. »Ganz okay« sagte er.

»Was stimmt denn nicht daran?«

»Tja, siehst du«, er hielt das Furnier an den Sockel der Uhr, »be so einer Arbeit ist es die Maserung des Holzes, die wirklich passen muss. Das ist der Trick dabei. Variationen im Farbton kann man leichter zurechtmogeln. Das hier zum Beispiel«, er hielt ein ande res Stück hoch, das erkennbar mehrere Nuancen danebenlag, – »mit etwas Bienenwachs und der richtigen Farbe – vielleicht. Kalium bichromat, ein Hauch von Van-Dyck-Braun … Manchmal, bei ei ner Maserung, die wirklich schwer zu kombinieren ist, besonder bei bestimmten Walnusshölzern, habe ich Ammoniak benutzt, um ein Stück von neuem Holz abzudunkeln. Aber nur, wenn mir nicht anderes übrig blieb. Es ist immer am besten, Holz zu benutzen, da genauso alt ist wie das Stück, das du reparierst, wenn du welche hast.«

»Wie haben Sie das alles gelernt?«, fragte ich nach einer schüchternen Pause.

Er lachte. »So, wie du es jetzt lernst! Ich habe herumgestanden und zugeschaut. Mich nützlich gemacht.«

»Welty hat es Ihnen beigebracht?«

»O nein. Er verstand etwas davon – wusste, wie es geht. Das muss man in diesem Geschäft. Er hatte ein sehr zuverlässiges Auge, und oft bin ich in den Laden raufgesprungen und hab ihn geholt, wenn ich eine zweite Meinung hören wollte. Aber bevor ich in die Firma eintrat, hatte er Stücke, die restauriert werden mussten, meistens weitergegeben. Es ist eine zeitraubende Arbeit und erfordert eine bestimmte Geistesverfassung, und er hatte weder das Temperament noch die körperliche Zähigkeit dafür. Der Einkauf war ihm viel lieber – zu Versteigerungen zu gehen, weißt du, oder im Laden zu stehen und die Kunden zu beschwatzen. Jeden Nachmittag gegen fünf bin ich auf eine Tasse Tee nach oben gegangen. ›Vertrieben aus deinem Verlies.‹ Es war wirklich ziemlich übel hier unten in den alten Zeiten, völlig verschimmelt und feucht. Als ich bei Welty anfing«, er lachte, »hatte er einen alten Knaben namens Abner Mossbank. Kranke Beine, Arthritis in den Fingern, konnte kaum was sehen. Manchmal brauchte er ein Jahr, um mit einem Stück fertig zu werden. Aber ich stand hinter ihm und sah ihm bei der Arbeit zu. Er war wie ein Chirurg. Man durfte keine Fragen stellen. Absolutes Stillschweigen! Aber er konnte wirklich alles – Arbeiten, die andere Leute nicht mehr beherrschten oder nicht mehr erlernen wollten. Dieses Handwerk hängt am seidenen Faden, und so wird es von Generation zu Generation weitergegeben.«

»Und Ihr Dad hat Ihnen das Geld, das Sie verdient hatten, nie gegeben?«

Er lachte warmherzig. »Nicht einen Penny! Hat auch nie wieder mit mir gesprochen. Ein verbitterter alter Gauner. Ist dann am Herzinfarkt gestorben – fiel einfach tot um, als er gerade dabei war, einen seiner ältesten Angestellten zu feuern. Eine spärlicher besuchte Beerdigung möchtest du nicht erleben. Drei schwarze Schirme

im Schneeregen. War schwer, dabei nicht an Ebenezer Scrooge z[]
denken.«

»Sie sind nicht wieder aufs College gegangen?«

»Nein. Keine Lust. Ich hatte gefunden, was ich gern tun woll[]
te. Also …« Er drückte sich beide Hände ins Kreuz und dehnt[]
sich. In seiner verschlissenen Jacke, weit und ein bisschen schmut[]
zig, sah er aus wie ein gutmütiger Pferdeknecht auf dem Weg zur[]
Stall. »Die Moral von der Geschichte ist: Wohin wird dich das alle[]
führen?«

»Was ›alles‹?«

Er lachte. »Deine Segelferien.« Er trat an das Regal, wo die Gläse[]
mit Pigmenten aufgereiht standen wie die Arzneien in einer Apo[]
theke: ockergelbe Erde, giftige Grüntöne, Pulver aus Holzkohle un[]
verbrannten Knochen. »Könnte der entscheidende Augenblick wer[]
den. Auf manche Leute wirkt es so, das Meer.«

»Andy wird immer seekrank. Er muss Kotztüten mit an Bor[]
nehmen.«

»Na ja«, er griff nach einem Glas Lampenschwarz, »ich muss zu[]
geben, *mich* hat es nie so gepackt. Als ich klein war – die ›Balla[]
de vom alten Matrosen‹, die Illustrationen von Doré – nein, vor[]
Meer bekomme ich eher Gänsehaut, aber natürlich war ich noc[]
nie auf einem Abenteuer wie du. Man kann nie wissen. Denn«, e[]
runzelte die Stirn und klopfte ein wenig von dem weichen schwar[]
zen Pulver auf seine Palette, »ich hätte mir auch nie träumen lasse[]
dass ausgerechnet die alten Möbel von Mrs. De Peyster über mein[]
Zukunft entscheiden würden. Vielleicht entdeckst du die Faszinati[]
on des Einsiedlerkrebses und studierst Meeresbiologie. Oder du be[]
schließt, Boote zu bauen oder Marinemaler zu werden oder das ul[]
timative Buch über die *Lusitania* zu schreiben.«

»Vielleicht.« Ich verschränkte die Hände auf dem Rücken. Worau[]
ich wirklich hoffte, wagte ich nicht auszusprechen. Schon der bloß[]
Gedanke daran ließ mich regelrecht zittern. Die Sache war nämlic[]
die: Kitsey und Toddy waren seit einer Weile viel, viel netter zu mi[]
als habe sie jemand beiseitegenommen, und ich hatte Blicke, subt[]

und vielsagend, zwischen Mr. und Mrs. Barbour hin und her gehen sehen, die mich hoffnungsvoll stimmten – ja, mehr als hoffnungsvoll. Tatsächlich war es Andy, der mir den Gedanken eingeflüstert hatte. »Sie finden, es tut mir gut, mit dir zusammen zu sein«, hatte er vor ein paar Tagen auf dem Weg zur Schule gesagt. »Sie finden, du holst mich aus meinem Kokon und machst mich geselliger. Ich denke mir, vielleicht geben sie eine familiäre Bekanntmachung ab, wenn wir oben in Maine sind.«

»Eine Bekanntmachung?«

»Sei nicht dämlich. Sie haben dich inzwischen ziemlich gern – Mutter vor allem. Aber Daddy auch. Ich glaube, sie wollen dich vielleicht behalten.«

XVII

Ich fuhr ein bisschen schläfrig mit dem Bus hinauf nach Uptown, schwankte behaglich vor und zurück und sah zu, wie die nassen, samstäglichen Straßen vorüberhuschten. Als ich – durchfroren von meinem Fußweg durch den Regen – in die Wohnung trat, kam Kitsey in den Flur gerannt und starrte mich an, mit wildem, faszinierem Blick, als wäre ich ein Vogel Strauß, der sich dorthin verirrt hatte. Einen sprachlosen Moment später rannte sie ins Wohnzimmer, und ihre Sandalen klapperten auf dem Parkettboden. »Mum?«, schrie sie. »Er ist hier!«

Mrs. Barbour erschien. »Hallo, Theo«, sagte sie. Sie war völlig gefasst, aber in ihrer Art lag eine gewisse Zurückhaltung, auch wenn ich sie nicht genau hätte beschreiben können. »Komm herein. Ich habe eine Überraschung für dich.«

Ich folgte ihr in Mr. Barbours Arbeitszimmer. Dort war es an diesem bewölkten Nachmittag düster, und die gerahmten Seekarten und der Regen, der an den grauen Fensterscheiben herunterlief, ließen das Zimmer aussehen wie eine Theaterkulisse, die eine Schiffskajüte auf sturmgepeitschter See darstellte. Am anderen Ende erhob sich jemand aus einem ledernen Clubsessel. »Hey, Buddy«, sagte er. »Lange nicht gesehen.«

Ich blieb starr in der Tür stehen. Die Stimme war unverwechselbar: mein Vater.

Er trat in das matte Licht, das durch das Fenster hereinfiel. Er war es wirklich, aber er hatte sich verändert, seit ich ihn das letzte Mal gesehen hatte – dicker, sonnengebräunt, aufgedunsen. Er trug einen neuen Anzug, und sein Haarschnitt ließ ihn aussehen wie ein Barkeeper in einem Downtown-Lokal. Bestürzt sah ich mich nach Mrs. Barbour um, und ihr strahlendes, aber hilfloses Lächeln sagte: *Ich weiß, aber was kann ich machen?*

Während ich noch sprachlos vor Entsetzen dastand, erhob sich eine zweite Gestalt und drängte sich vor meinen Vater. »Hi, ich bin Xandra«, sagte eine kehlige Stimme.

Ich sah mich einer fremden Frau gegenüber, sonnenbraun und sehr fit: flache graue Augen, eine kupferfarbene Lederhaut, Zähne, die einwärts gestellt waren und eine breite Lücke hatten. Sie war zwar älter als meine Mutter – zumindest sah sie älter aus –, aber gekleidet war sie wie eine junge Frau: rote Plateau-Sandalen, tief sitzende Jeans mit breitem Gürtel und jede Menge Goldschmuck. Ihr Haar hatte die Farbe von karamellbraunem Stroh, und es war sehr glatt und an den Enden ausgefranst. Sie kaute ein Kaugummi und verströmte einen starken Geruch von Juicy Fruit.

»Xandra mit X«, erklärte sie mit einem knirschenden Unterton. Ihre klaren, farblosen Augen waren von dornig spitzen Lidstrichen umgeben, und ihr Blick war kraftvoll, selbstbewusst und unbeirrt. »Nicht Sandra. Und weiß *Gott* nicht Sandy. Das höre ich oft, und es bringt mich auf die Palme.«

Während sie redete, nahm mein Erstaunen von Sekunde zu Sekunde zu. Ich konnte sie nicht restlos erfassen: die Whiskeystimme, die muskulösen Arme, das chinesische Schriftzeichen, das auf ihren großen Zeh tätowiert war, die langen, eckigen Fingernägel mit den aufgemalten weißen Spitzen und die Ohrringe, die aussahen wie Seesterne.

248

»Äh, wir sind erst vor ungefähr zwei Stunden in La Guardia gelandet.« Mein Dad räusperte sich, als sei mit diesem Satz alles erklärt. War das etwa der Grund, weshalb mein Dad uns verlassen hatte? Wie betäubt drehte ich mich noch einmal zu Mrs. Barbour um, aber sie war verschwunden.

»Theo, ich bin jetzt draußen in Las Vegas«, sagte mein Vater und schaute über meinen Kopf hinweg auf die Wand. Er hatte immer noch die beherrschte, selbstbewusste Stimme seiner Schauspielerausbildung. Aber obwohl er so bestimmt wie eh und je klang, sah ich ihm an, dass ihm nicht weniger unbehaglich war als mir. »Ich schätze, ich hätte wohl anrufen sollen, aber ich dachte, es wäre einfacher, wenn wir einfach rauskommen und dich abholen.«

»Mich abholen?«, wiederholte ich nach einer langen Pause.

»Sag's ihm, Larry«, drängte Xandra und wandte sich dann an mich. »Du solltest stolz sein auf deinen Paps. Er hat die Kurve gekriegt. Seit wie vielen Tagen nüchtern jetzt? Einundfünfzig? Und er hat alles allein geschafft – hat sich nicht mal einweisen lassen, sondern auf dem Sofa entgiftet, mit einem Korb Ostersüßigkeiten und einem Röhrchen Valium.«

Weil ich zu verlegen war, um sie oder meinen Vater anzusehen, schaute ich mich wieder zur Tür um – und da stand Kitsey Barbour im Flur und hörte sich das alles mit großen runden Augen an.

»Denn, ich meine, *ich* konnte das einfach nicht ertragen«, sagte Xandra in einem Ton, der andeutete, meine Mutter hätte den Alkoholismus meines Vaters gebilligt und ermuntert. »Ich meine, meine Mom war eine Säuferin von der Sorte, die in ihr Glas Canadian Club kotzte und es dann trotzdem austrank. Und eines Abends sage ich zu ihm: Larry, ich sage jetzt nicht, du wirst ›nie wieder trinken‹, und offen gestanden glaube ich, die Anonymen Alkoholiker sind erheblich zu heftig für das Level des Problems, das du hast ...«

Mein Vater räusperte sich und sah mich mit dem leutseligen Gesicht an, das er normalerweise für Fremde reservierte. Vielleicht hatte er wirklich mit dem Trinken aufgehört, aber er sah immer noch verquollen, glänzend und leicht verdattert aus, als habe er die letz-

ten acht Monate von Rum-Drinks und hawaiianischen Partyplatte
gelebt.

»Äh, mein Junge«, sagte er, »wir kommen direkt aus dem Flug
zeug, und wir sind hergekommen, weil – natürlich wollten wir dich
sofort sehen ...«

Ich wartete.

» ... wir brauchen den Schlüssel zur Wohnung.«

Das alles ging ein bisschen zu schnell für mich. »Den Schlüssel?«
fragte ich.

»Wir können drüben nicht rein«, sagte Xandra unverblümt. »Wir
haben es schon versucht.«

»Die Sache ist die, Theo«, sagte mein Vater in klarem und herz
lichem Ton und fuhr sich dabei geschäftsmäßig mit der Hand übe
das Haar, »ich muss am Sutton Place in die Wohnung und mir ei
nen Eindruck verschaffen. Ich bin sicher, da drüben ist ein Riesen
durcheinander, und jemand muss hinein und anfangen, sich um al
les zu kümmern.«

*Wenn du nur nicht immer so ein gottverdammtes Durcheinander
anrichten wolltest ...* Das waren die Worte, die er meiner Mutter brül
lend an den Kopf geworfen hatte, als sie – ungefähr zwei Wochen
bevor er verschwunden war – den größten Streit hatten, den ich je
zwischen ihnen erlebt hatte, nachdem die Ohrringe mit den Diaman
ten und Smaragden, die ihrer Mutter gehört hatten, von dem Teller
auf ihrem Nachttisch verschwunden waren. Mein Vater (puterrot im
Gesicht äffte er sie mit Falsettstimme nach) hatte behauptet, es sei
ihre Schuld, wahrscheinlich habe Cinzia sie genommen oder wei
der Teufel wer, es sei eben keine gute Idee, Schmuck so herumlie
gen zu lassen, und vielleicht würde ihr das eine Lehre sein, auf ihre
Sachen besser achtzugeben. Meine Mutter, aschgrau vor Zorn, hat
te mit kalter, ruhiger Stimme darauf hingewiesen, sie hätte die Ohr
ringe am Freitagabend abgenommen und Cinzia wäre seitdem nicht
zur Arbeit gekommen.

Was zum Teufel willst du damit sagen?, brüllte mein Vater.

Schweigen.

Dann bin ich jetzt also ein Dieb, ja? Du beschuldigst deinen Mann, er stiehlt deinen Schmuck? Was für ein krankes, irrationales Zeug ist denn das? Du brauchst Hilfe, weißt du das? Du brauchst wirklich professionelle Hilfe …

Aber es waren eben nicht nur die Ohrringe, die verschwunden waren. Nachdem er selbst verschwunden war, stellte sich heraus, dass noch ein paar andere Sachen, unter anderem Bargeld und ein paar antike Münzen, die ihrem Vater gehört hatten, nicht mehr da waren. Meine Mutter hatte die Schlösser ausgewechselt und Cinzia und den Portiers eingeschärft, ihn ja nicht hereinzulassen, sollte er aufkreuzen, wenn sie auf der Arbeit war. Und jetzt war natürlich alles anders, und nichts konnte ihn daran hindern, in die Wohnung zu gehen und ihre Sachen zu durchwühlen und damit zu machen, was er wollte. Aber als ich so dastand und ihn anstarrte und mich fragte, was zum Teufel ich jetzt sagen sollte, ging mir ein halbes Dutzend Dinge durch den Kopf, in der Hauptsache natürlich das Gemälde. Wochenlang hatte ich mir jeden Tag gesagt, ich würde hinübergehen und mich darum kümmern, würde mir irgendetwas überlegen, aber ich hatte es immer wieder aufgeschoben, und jetzt war er hier.

Mein Dad lächelte mich immer noch starr an. »Okay, Buddy? Meinst du, du möchtest uns helfen?« Vielleicht trank er nicht mehr, aber der alte, scharfe Unterton des spätnachmittäglichen Trinkverlangens war immer noch da, rau wie Schmirgelpapier.

»Ich habe den Schlüssel nicht«, sagte ich.

»Das ist okay«, antwortete mein Dad sofort. »Wir können einen Schlosser kommen lassen. Xandra, gib mir das Telefon.«

Ich musste schnell denken. Ich wollte nicht, dass sie ohne mich in die Wohnung gingen. »José oder Goldie lassen uns vielleicht rein«, sagte ich. »Wenn ich mitkomme.«

»Na prima«, sagte mein Dad. »Dann lass uns gehen.« Nach seinem Ton zu urteilen, wusste er vermutlich, dass ich log, was den Schlüssel anging (der gut versteckt in Andys Zimmer lag). Ich wusste, der Einfall, die Portiers einzubeziehen, gefiel ihm nicht; die meisten, die im Gebäude arbeiteten, hatten nicht viel übrig für meinen Vater, denn sie hatten ihn ein paar Mal zu oft betrunken gesehen. Aber ich schaute ihn so ausdruckslos an, wie ich konnte, bis er sich achselzuckend abwandte.

XVIII

»¡HOLA, JOSÉ!«

»¡Bomba!«, rief José und machte erfreut einen Schritt rückwärts, als er mich auf dem Gehweg kommen sah. Er war der jüngste und fröhlichste unter den Portiers und versuchte immer sich zu verdrücken, bevor seine Schicht zu Ende war, um im Park Fußball zu spielen. *»Theo! ¿Que lo que, manito?«*

Sein unkompliziertes Lächeln stieß mich schroff zurück in die Vergangenheit. Alles war unverändert: grüne Markise, gelblicher Schatten, die pelzig braune Pfütze, die sich in der flachen Mulde im Gehweg sammelte. Ich stand vor den Flügeln der Art-déco-Tür – nickelglänzende, abstrakte Sonnenstrahlen, eine Tür, durch die in einem Film aus den dreißiger Jahren eilige Zeitungsreporter mit Filzhüten stürmten – und dachte daran, wie oft ich hier hineingegangen war und meine Mutter vor dem Aufzug getroffen hatte, wo sie in der Post blätterte. Frisch von der Arbeit, auf hohen Absätzen, mit der Aktentasche und den Blumen, die ich ihr zum Geburtstag hatte bringen lassen. *Na, was sagt man dazu. Mein geheimer Verehrer hat wieder zugeschlagen.*

José schaute an mir vorbei und entdeckte meinen Vater und Xandra, die sich einen Schritt weit im Hintergrund hielt. »Hallo, Mr. Decker«, sagte er, förmlicher jetzt, und streckte meinem Dad um mich herum die Hand entgegen. Höflich, aber nicht sonderlich begeistert. »Schön, Sie zu sehen.«

Mit seinem liebenswürdigen Lächeln wollte mein Vater etwas erwidern, aber ich war zu nervös und fiel ihm ins Wort. »José …« Ich hatte mir unterwegs das Hirn zermartert, um die spanischen Worte zusammenzukratzen, und den Satz im Geiste eingeübt: *»Mi papa*

252

quiere entrar el apartamento, nosotros le necesitamos desatrancar la puerta.« Und dann schob ich rasch die Frage hinterher, die ich mir unterwegs zurechtgelegt hatte. »¿*Vendrá usted arriba con nosotros?*«

Josés Blick huschte hinüber zu meinem Vater und Xandra. Er war ein großer, gut aussehender Kerl aus der Dominikanischen Republik, und etwas an ihm erinnerte an den jungen Muhammad Ali – gutmütig und immer für einen Spaß zu haben, aber besser, man legte sich nicht mit ihm an. Einmal, in einem vertraulichen Augenblick, hatte er seine Livreejacke hochgezogen und mir die Messernarbe auf seinem Bauch gezeigt: Die habe er in Miami verpasst bekommen, bei einer Straßenschlägerei.

»Mach ich gern«, sagte er in entspanntem Ton auf Englisch. Er sah die beiden an, aber ich wusste, er redete mit mir. »Ich bringe euch auf. Alles ist okay?«

»Yep, bestens«, sagte mein Dad knapp. Er war es ja gewesen, der darauf bestanden hatte, dass ich als Fremdsprache Spanisch statt Deutsch gewählt hatte (»damit wenigstens einer in der Familie mit diesen beschissenen Portiers kommunizieren kann«).

Xandra – allmählich nahm ich an, dass sie wirklich einen an der Waffel hatte – lachte nervös und erklärte mit hastiger Stolperstimme: »Ja, uns geht's gut, aber der Flug hat uns wirklich geschlaucht. Ist ein weiter Weg von Vegas hierher, und wir sind noch ein bisschen …« An dieser Stelle verdrehte sie die Augen und wackelte mit den Fingern, um Benommenheit zu demonstrieren.

»O yeah?«, sagte José. »Heute? Sie sind nach La Guardia geflogen?« Wie alle Portiers war er ein Genie im Smalltalk, besonders wenn es um den Verkehr oder das Wetter ging oder um die beste Route zum Flughafen während der Rushhour. »Ich höre, große Verspätungen da draußen heute, irgendein Problem mit den Gepäckarbeitern, mit der Gewerkschaft, ja?«

Während der gesamten Aufzugfahrt nach oben plapperte Xandra unentwegt und ziemlich aufgekratzt weiter: wie schmutzig New York im Vergleich mit Las Vegas sei (»Yeah, ich geb's zu, alles ist sauberer draußen im Westen, ich bin da wahrscheinlich verwöhnt«), von ih-

rem schlechten Truthahn-Sandwich im Flugzeug und von der Ste
wardess, die »vergessen« hatte (Xandra fügte die Anführungsstrich
mit den Fingerspitzen manuell ein), ihr die fünf Dollar Wechselgel
für den Wein zu bringen, den sie bestellt hatte.

»Oh, Ma'am!«, sagte José, als er in den Flur hinaustrat, und wa
ckelte auf seine gespielt ernste Art mit dem Kopf. »Flugzeugesser
das ist das Schlimmste. Und heutzutage haben Sie Glück, wenn Si
überhaupt was zu essen kriegen. Aber in New York kann ich Ihne
eins sagen. Sie werden gutes Essen finden. Gibt gute Vietnameser
gute Kubaner, gute Inder …«

»Ich mag das scharfe Zeug nicht …«

»Ist alles gut, egal, was Sie wollen: Wir haben es. *Segundito.*« E
hielt einen Finger in die Höhe und tastete an seinem Schlüsselbun
nach dem Schlüssel.

Das Schloss öffnete sich mit einem soliden Metallklang, der sicl
bis tief ins Blut richtig anfühlte. Drinnen war es stickig und unge
lüftet, und doch warf der heftige Geruch von Zuhause mich beina
he um: Bücher und alte Teppiche und Fußbodenreiniger mit Zitron
und der dunkle Myrrheduft der Kerzen, die sie bei Barney's kaufte

Die Tasche aus dem Museum stand auf dem Boden und lehnt
am Sofa, genau da, wo ich sie zurückgelassen hatte – vor wie vie
len Wochen? Mit schwirrte der Kopf, als ich um José herum in di
Wohnung flitzte, um sie mir zu schnappen, während José – der mei
nem gereizten Vater den Weg versperrte, ohne dass es nach Absich
aussah – mit verschränkten Armen draußen stehen blieb und Xan
dra zuhörte. Sein gelassener, aber auch leicht geistesabwesender Ge
sichtsausdruck erinnerte mich daran, wie er ausgesehen hatte, als e
meinen Dad einmal an einem frostkalten Abend praktisch die Trep
pe hatte hinauftragen müssen, weil mein Dad so betrunken war, das
er seinen Mantel verloren hatte. »Kommt in den besten Familie
vor«, hatte er mit einem unverbindlichen Lächeln gesagt und de
Zwanzig-Dollar-Schein zurückgewiesen, den mein Vater – mit be
kotztem Jackett, verschrammt und dreckig, als hätte er sich auf den
Gehweg gewälzt – ihm verbissen vors Gesicht hielt.

»Tatsächlich *komme* ich ja von der Ostküste«, sagte Xandra eben. »Aus Florida?« Wieder das nervöse Lachen – stotternd, stockend. »West Palm, genau gesagt.«

»Florida, sagen Sie?«, hörte ich José fragen. »Ist schön da unten.«

»Yeah, es ist super. In Vegas haben wir wenigstens Sonne. Ich weiß nicht, ob ich die Winter hier drüben aushalten könnte. Ich würde zu einem Eis am Stiel …«

Ich hob die Tasche auf und merkte im selben Augenblick, dass sie zu leicht war, fast, als wäre sie leer. Wo zum Teufel war das Bild? Ich war fast blind vor Panik, aber ich blieb nicht stehen, sondern lief weiter, durch den Korridor und wie auf Autopilot nach hinten zu meinem Zimmer, und meine Gedanken kreiselten knirschend umeinander.

Plötzlich, inmitten meiner zusammenhanglosen Erinnerungen an jenen Abend, fiel es mir wieder ein. Die Tasche war nass geworden. Ich hatte das Bild nicht in einer nassen Tasche lassen wollen, wo es vielleicht schimmeln oder sich auflösen würde – oder was sonst passieren konnte. Also hatte ich es – wie konnte ich das nur vergessen? – auf den Sekretär meiner Mutter gestellt, sodass es das Erste war, was sie sehen würde, wenn sie nach Hause käme. Schnell und ohne zu bremsen, ließ ich die Tasche im Korridor vor meiner geschlossenen Zimmertür fallen und bog ins Zimmer meiner Mutter ab. Mir war schwindlig vor Angst, und ich hoffte nur, mein Vater würde mir nicht nachkommen, aber ich wagte nicht, mich nach ihm umzudrehen.

Im Wohnzimmer hörte ich Xandra sagen: »Ich wette, ihr seht hier eine Menge Promis auf der Straße, hm?«

»O ja. LeBron, Dan Aykroyd, Tara Reid, Jay-Z, Madonna …«

Im Zimmer meiner Mutter war es dunkel und kühl, und der zarte, kaum wahrnehmbare Hauch ihres Parfüms war fast mehr, als ich ertragen konnte. Da stand das Bild, aufrecht zwischen silbergerahmten Fotos: Chalkboard, die Stute ihres Vaters, Bruno, die Deutsche Dogge, ihr Dackel Poppy, der starb, als ich im Kindergarten war. Ich musste mich zusammenreißen, als ich ihre Lesebrille auf dem Sekretär liegen sah, ihre steife schwarze Strumpfhose, die sie zum Trocknen über die Stuhllehne gehängt hatte, ihre Handschrift auf dem Schreibtischkalender und eine Million andere herzzerreißende Kleinigkeiten. Ich nahm das Bild, klemmte es unter den Arm und ging eilig in mein eigenes Zimmer auf der anderen Seite des Korridors.

Wie die Küche lag mein Zimmer am Luftschacht, und wenn kein Licht brannte, war es dunkel. Ein klammes Badelaken lag zerknüllt da, wo ich es nach dem Duschen an jenem letzten Morgen hingeworfen hatte, auf einem Haufen schmutziger Kleider. Ich hob es auf und verzog das Gesicht, als mir der Geruch in die Nase drang. Ich wollte das Bild damit zudecken, bis ich ein besseres Versteck gefunden hätte, vielleicht im ...

»Was machst du da?«

Mein Vater stand in der Tür, eine dunkle Silhouette im Gegenlicht.

»Nichts.«

Er bückte sich und hob die Tasche auf, die ich im Korridor hatte fallen lassen. »Was hat die hier draußen zu suchen?«

»Das ist meine Büchertasche«, sagte ich nach einer kurzen Pause, obwohl es ganz offensichtlich der zusammenfaltbare Einkaufsbeutel irgendeiner Mom war und nichts, was ich oder sonst irgendein Junge mit in die Schule nehmen würde.

Er warf sie durch die offene Tür ins Zimmer und rümpfte die Nase wegen des Geruchs. »Puh.« Er wedelte mit der Hand vor seinem Gesicht. »Hier drin riecht's nach alten Hockey-Socken.« Als er neben dem Türrahmen nach dem Lichtschalter tastete, gelang es mir, in einer komplizierten, allerdings auch verkrampften Bewegung das Badetuch über das Bild in meiner Hand zu werfen, sodass er es (hoffentlich) nicht sehen konnte.

»Was hast du denn da?«

»Ein Poster.«

»Na, hör zu, ich hoffe, du hast nicht vor, einen Haufen Müll mit nach Vegas zu schleppen. Deine Wintersachen musst du nicht einpacken, die wirst du nicht brauchen, von ein paar Skisachen abgesehen. Du glaubst gar nicht, wie man in Tahoe Ski laufen kann – ganz was anderes als auf diesen vereisten kleinen Hügeln in Upstate New York.

256

Ich hatte das Gefühl, darauf antworten zu müssen, da dies die ängste und scheinbar freundlichste Ansprache war, die er mir seit einem Auftauchen hatte zuteilwerden lassen, aber irgendwie konnte ich meine Gedanken nicht zusammenbringen.

Unvermittelt sagte mein Vater: »Mit deiner Mutter zu leben, war auch nicht so einfach, weißt du.« Er nahm etwas von meinem Schreibtisch, das aussah wie eine alte Mathearbeit, betrachtete es und warf es wieder hin. »Sie hat sich nie in die Karten blicken lassen. Du weißt, wie sie sich benommen hat. Hat einfach dichtgemacht. Mir die kalte Schulter gezeigt. Immer moralisch überlegen. Ein Machtspiel, weißt du – ein Herrschaftsmittel. Ganz ehrlich – und ich sage es wirklich ungern –, es kam so weit, dass es mir schwerfiel, auch nur in einem Zimmer mit ihr zu sein. Ich meine, ich will damit nicht sagen, sie war ein schlechter Mensch. Es ist nur – eben ist noch alles in Ordnung, und im nächsten Augenblick: *wumm* – was hab ich denn jetzt getan? – werde ich angeschwiegen …«

Ich sagte nichts und stand nur verlegen da mit meinem schimmernden Handtuch auf dem Bild. Das Licht schien mir in die Augen, und ich wünschte mich woandershin (nach Tibet, an den Lake Tahoe, auf den Mond). Eine Antwort traute ich mir nicht zu. Was er über meine Mutter gesagt hatte, war die reine Wahrheit: Sie war oft unkommunikativ, und wenn sie aufgebracht war, konnte man nur schwer erkennen, was sie dachte. Aber ich hatte kein Interesse an einer Diskussion über die Fehler meiner Mutter. Verglichen mit den Fehlern meines Vaters schienen es mir auch ziemlich geringfügige zu sein.

»… weil ich nichts beweisen muss, verstehst du?«, sagte mein Vater eben. »Jedes Spiel hat zwei Seiten, und es geht nicht darum, wer recht hat und wer unrecht. Und natürlich, ich gebe zu, ich bin auch an einigem schuld, obwohl ich eines sagen muss – und ich bin sicher, das weißt du auch –, nämlich dass sie es fein raushatte, die Geschichte zu ihren Gunsten umzuschreiben.« Es war seltsam, wieder mit ihm in einem Zimmer zu sein, besonders da er jetzt so verändert war. Er verströmte irgendwie einen anderen Geruch, und seine Schwere, sein Gewicht, wirkte anders, irgendwie geschmeidiger, als sei er von oben

bis unten mit einer glatten, halbzolldicken Schicht Fett gepolster
»Vermutlich gibt es solche Probleme in vielen Ehen. Sie war nur s
bitter geworden, weißt du? So unzugänglich? Ehrlich, ich hatte ein
fach einfach nicht das Gefühl, ich könnte noch länger mit ihr zusammenle
ben, auch wenn sie *das* nun weiß Gott nicht verdient hat ...«

Hat sie nicht, nein, dachte ich.

»Du weißt doch, worum es in Wirklichkeit ging, oder?« Mein Da
lehnte sich mit einem Ellenbogen an den Türrahmen und sah mic
durchtrieben an. »Als ich weggegangen bin? Ich musste Geld von ur
serem Konto abheben, um Steuern zu bezahlen, und da ist sie an di
Decke gegangen, als ob ich es gestohlen hätte.« Er beobachtete mic
sehr aufmerksam, um zu sehen, wie ich reagierte. »Von unserem *g*
meinsamen Bankkonto. Ich meine, im Prinzip hat sie mir unterr
Strich einfach nicht vertraut. Ihrem eigenen Ehemann.«

Ich wusste nicht, was ich sagen sollte. Von diesen Steuern hört
ich zum ersten Mal, aber es war keineswegs ein Geheimnis, dass me
ne Mutter meinem Dad in Geldsachen nicht vertraut hatte.

»Gott, aber sie konnte so nachtragend sein.« Er zog halb scher
haft den Kopf zwischen die Schultern und fuhr sich mit der Han
von oben nach unten über das Gesicht. »Wie du mir, so ich dir. In
mer darauf aus, dir was heimzuzahlen. Jetzt mal im Ernst – sie h
nie was vergessen. Und wenn sie zwanzig Jahre warten musste, si
hat sich revanchiert. Klar, *ich* bin immer derjenige, der aussieht w
der Schurke, und vielleicht *bin* ich ja auch der Schurke ...«

Das Bild, so klein es auch war, wog langsam Tonnen, und mei
Gesicht war starr von der Anstrengung, die es mich kostete, mei
Unbehagen zu verbergen. Um seine Stimme auszublenden, fing ic
an, im Stillen auf Spanisch zu zählen. *Uno dos tres, cuatro cinco seis* .

Als ich bei neunundzwanzig ankam, war Xandra wieder da.

»Larry«, sagte sie, »du und deine Frau, ihr hattet es hier richti
nett.« Ich hörte, wie sie es sagte, und bekam Mitleid mit ihr, ohr
dass sie mir sympathischer wurde.

Mein Dad legte ihr den Arm um die Taille und zog sie an sich. E
war eine Art knetende Bewegung, bei deren Anblick mir übel wu

e. »Na ja«, sagte er bescheiden, »eigentlich ist es mehr ihre Woh-
ung als meine.«

Das kannst du laut sagen, dachte ich.

»Komm hier rein.« Mein Dad nahm sie bei der Hand und führte
ie hinüber zum Zimmer meiner Mutter. Ich war plötzlich vergessen.
Ich will dir was zeigen.« Ich drehte mich um und sah ihnen nach,
nd mir wurde flau bei dem Gedanken daran, wie Xandra und mein
ater die Sachen meiner Mutter durchwühlten, aber ich war so froh,
ie gehen zu sehen, dass ich es ertrug.

Ohne die offene Tür aus dem Auge zu lassen, ging ich um mein
ett herum und legte das Bild dorthin, wo es nicht zu sehen war.
uf dem Boden lag eine alte *New York Post;* es war die Zeitung, die
ie an unserem letzten gemeinsamen Samstag scherzhaft zu mir her-
ingeworfen hatte. *Hier, Kleiner,* hatte sie gesagt und den Kopf zur
ür hereingesteckt, *such uns einen Film aus.* Es gab mehrere Filme,
ie wir gern gesehen hätten, aber ich suchte eine Matinee beim Bo-
is Karloff Film Festival aus: *Body Snatchers – Angriff der Körperfres-
er.* Sie hatte meine Wahl klaglos akzeptiert; wir waren zum Film Fo-
um hinuntergefahren, hatten uns den Film angesehen und waren
anach noch in das Moondance Diner gegangen, um einen Ham-
urger zu essen. Ein absolut angenehmer Samstagnachmittag, ab-
esehen von der Tatsache, dass es ihr letzter auf Erden gewesen war,
nd jetzt war mir miserabel zumute, wenn ich daran dachte, denn
dank mir) war der letzte Film, den sie gesehen hatte, ein kitschiger
lter Horrorstreifen über Leichen und Grabräuber gewesen. (Wenn
ch den Film genommen hätte, den sie gern gesehen hätte – den mit
en guten Kritiken über Pariser Kinder im Ersten Weltkrieg –, wäre
ie dann irgendwie am Leben geblieben? Meine Gedanken wander-
en oft an solchen dunklen, abergläubischen Verwerfungen entlang.)

Obwohl die Zeitung mir sakrosankt erschien, wie ein historisches
Dokument, schlug ich sie in der Mitte auf und riss sie entzwei. Grim-
nig wickelte ich Blatt für Blatt um das Bild und verklebte das Paket
nit derselben Klebstreifenrolle, die ich ein paar Monate zuvor be-
utzt hatte, um das Weihnachtsgeschenk für meine Mutter einzu-

packen. *Perfekt!*, hatte sie in einem Wirbelsturm aus buntem Papie
gerufen und sich im Bademantel herübergebeugt, um mich zu küs
sen: ein Aquarellfarbkasten, mit dem sie jetzt nie in den Park gehe
würde, an all den Sonntagvormittagen in Sommern, die sie nie se
hen würde.

Mein Bett – ein Messingfeldbett vom Flohmarkt, soldatisch un
beruhigend – war mir immer als der sicherste Ort auf der Welt vo
gekommen, um etwas zu verstecken. Aber als ich mich jetzt um
sah (der verschrammte Schreibtisch, das japanische Godzilla-Pla
kat, der Pinguinbecher aus dem Zoo, in dem meine Stifte standen
überkam mich die Vergänglichkeit des Ganzen mit aller Macht, un
mir wurde schwindlig bei der Vorstellung, wie alle unsere Sache
aus der Wohnung flogen, die Möbel, das Silber und die ganze Gar
derobe meiner Mutter: Kleider aus dem Musterverkauf, an dene
noch die Etiketten hingen, all die bunten Ballerinas und die maßge
schneiderten Blusen mit ihren Initialen auf den Manschetten. Ses
sel und chinesische Lampen, alte Jazzplatten aus Vinyl, die sie un
ten im Village gekauft hatte, Gläser mit Marmelade und Oliven un
scharfem deutschen Senf im Kühlschrank. Im Bad eine verwirrend
Sammlung von parfümierten Ölen und Feuchtigkeitscremes, bun
ten Schaumbädern, halb leeren Flaschen von überteuertem Sham
poo, die sich auf der einen Seite der Wanne drängten (Kiehl's, Klo
rane, Kérastase – meine Mutter hatte immer fünf oder sechs davo
gleichzeitig in Benutzung). Wie hatte diese Wohnung so dauerha
und solide aussehen können, wenn sie doch nur eine Bühnenkulis
se war, die darauf wartete, von Möbelpackern in Uniform abgeba
und weggeschleppt zu werden?

Als ich ins Wohnzimmer kam, erwartete mich die Strickjacke, d
immer noch auf der Sessellehne lag, wo sie sie hingelegt hatte: ei
himmelblauer Geist meiner Mutter. Muscheln, die wir am Strand b
Wellfleet gesammelt hatten. Hyazinthen, die sie ein paar Tage vor ih
rem Tod im koreanischen Laden gekauft hatte und deren Stiele jet
totenschwarz und verrottet über den Rand des Blumentopfs drapie
herabhingen. Im Papierkorb: Kataloge von Dover Books und für be

260

ische Schuhe, das äußere Papier von einer Packung Necco Wafers, ihrer Lieblingssüßigkeit. Ich nahm es heraus und schnupperte daran. Ich wusste, die Strickjacke würde auch nach ihr riechen, wenn ich sie nähme und ans Gesicht drückte. Aber schon der Anblick war unerträglich.

Ich ging zurück in mein Zimmer, kletterte auf meinen Schreibtischstuhl, holte meinen Koffer herunter – weich und nicht zu groß – und packte ihn voll mit sauberer Unterwäsche, sauberem Schulzeug und gefalteten Hemden, frisch aus der Wäscherei. Dann legte ich das Bild hinein und deckte es mit einer weiteren Schicht Kleider zu.

Ich zog den Reißverschluss zu – ein Schloss gab es nicht, aber der Koffer war sowieso nur aus Segeltuch – und blieb ganz still stehen, bevor ich in den Korridor hinaustrat. Ich hörte, wie im Zimmer meiner Mutter Schubladen geöffnet und geschlossen wurden. Ein Kichern.

»Dad«, sagte ich mit lauter Stimme, »ich gehe hinunter und unterhalte mich mit José.«

Es wurde totenstill.

»Unbedingt«, sagte mein Vater durch die geschlossene Tür und in unnatürlich herzlichem Ton.

Ich ging zurück in mein Zimmer, holte den Koffer und verließ damit die Wohnung. Die Tür ließ ich einen Spaltbreit offen, damit ich wieder hineinkonnte. Ich fuhr mit dem Aufzug nach unten, starrte in den Spiegel vor mir und bemühte mich angestrengt, nicht daran zu denken, wie Xandra mit ihren Pfoten im Zimmer meiner Mutter in ihren Sachen herumwühlte. Ob er sich schon mit ihr getroffen hatte, bevor er weggegangen war? Kam es ihm nicht wenigstens ein bisschen abartig vor, sie die Sachen meiner Mutter durchsuchen zu lassen?

Ich war auf dem Weg zur Haustür, wo José auf seinem Posten stand, als eine Stimme rief: »Warte mal!«

Ich drehte mich um und sah Goldie aus dem Postzimmer kommen.

»Theo, mein Gott, es tut mir leid«, sagte er. Unsicher standen wir

einander einen Moment lang gegenüber, und dann schlang er in ei
ner impulsiven Bewegung – *was soll's, zum Teufel* – die Arme ur
mich, so unbeholfen, dass es beinahe komisch aussah, und drückt
mich an sich.

»Tut mir so leid«, wiederholte er kopfschüttelnd. »Mein Gott, wa
für eine Sache.« Seit seiner Scheidung arbeitete Goldie oft nachts un
an Feiertagen. Dann stand er vor der Tür, hatte die Handschuhe aus
gezogen und hielt eine unangezündete Zigarette zwischen den Fin
gern, während er auf die Straße hinausschaute. Meine Mutter hat
mich manchmal mit Kaffee und Donuts zu ihm hinuntergeschick
wenn er allein im Flur stand und nur den leuchtenden Baum un
eine elektrische Menora als Gesellschaft hatte, während er am Weih
nachtsmorgen um fünf Uhr die Zeitungen sortierte. Jetzt erinnert
mich sein Gesichtsausdruck an diese toten Feiertagsmorgen, an se
nen leeren Blick und sein aschgraues, unsicheres Gesicht in dem ur
bewachten Moment, bevor er mich sah und sein schönstes Lächel
aufsetzte: *Hi, Kid.*

»Ich habe so oft an dich und deine Mutter gedacht.« Er wischt
sich über die Stirn. »*Ay bendito.* Ich kann nicht – ich weiß nicht ma
was du durchmachst.«

»Ja«, sagte ich und schaute weg. »Es ist schwer.« Aus irgendeiner
Grund war das der Satz, auf den ich immer zurückgriff, wenn je
mand mir sagte, wie leid es ihm täte. Ich hatte es inzwischen so of
wiederholt, dass es allmählich glatt und ein bisschen unecht klang

»Ich bin froh, dass du vorbeikommst«, sagte Goldie. »An de
Morgen – ich hatte Dienst, weißt du noch? Gleich hier draußen?«

»Na klar.« Ich wunderte mich über so viel Eindringlichkeit, a
glaubte er tatsächlich, ich könnte mich vielleicht *nicht* erinnern.

»O mein Gott.« Er strich sich über die Stirn, und sein Blick wa
ein wenig wild, als sei er selbst nur um Haaresbreite davongekom
men. »Ich muss jeden Tag daran denken, Ich sehe immer noch ih
Gesicht, weißt du, als sie ins Taxi stieg. Da hat sie noch zum Abschie
gewinkt, so fröhlich.«

Vertraulich beugte er sich herüber. »Als ich hörte, sie ist gesto

262

en«, sagte er, als verrate er mir ein großes Geheimnis, »da hab ich
meine Exfrau angerufen, so erschrocken war ich.« Er wich zurück
nd starrte mich mit hochgezogenen Brauen an, als rechne er nicht
amit, dass ich ihm glaubte. Die Schlachten mit seiner Exfrau hat-
n ein episches Ausmaß.

»Ich meine, wir reden kaum miteinander«, fuhr er fort, »aber wem
oll ich es erzählen? Ich muss es ja jemandem erzählen. Also rufe
h sie an und sage: ›Rosa, du wirst es nicht glauben. Wir haben eine
underschöne Lady aus dem Gebäude verloren.‹«

José hatte mich gesehen und kam in seinem unverwechselbaren
dernden Gang herüber, um sich an unserem Gespräch zu beteili-
n. »Mrs. Decker«, sagte er und schüttelte liebevoll den Kopf, als
abe es nie eine zweite wie sie gegeben. »Hat immer Hallo gesagt,
mmer so nett gelächelt. Rücksichtsvoll, weißt du.«

»Nicht wie manche Leute hier im Haus«, sagte Goldie mit einem
lick über die Schulter. »Weißt du«, er beugte sich herüber und form-
 das Wort mit dem Mund, »diese Snobs. Leute, die mit leeren Hän-
en dastehen, ohne Pakete oder sonst was, und darauf warten, dass
u ihnen die Tür aufhältst. Solche meine ich.«

»Sie war nicht so.« José schüttelte immer noch mit Nachdruck den
opf wie ein ernsthaftes Kind, das etwas verneint. »Mrs. Decker war
rstklassig.«

»Hey, wartest du hier einen Moment?« Goldie hob die Hand. »Ich
in gleich wieder da. Geh nicht weg. Lass ihn nicht weggehen«, sag-
 er zu José.

»Soll ich dir ein Taxi rufen, *manito*?« José beäugte meinen Koffer.

»Nein.« Ich schaute zurück zum Aufzug. »José, kannst du den für
ich aufbewahren, bis ich zurückkomme und ihn abhole?«

»Na klar.« Er hob den Koffer auf und wog ihn in der Hand. »Mit
ergnügen.«

»Ich hole ihn selbst, okay? Gib ihn niemandem sonst.«

»Klar, kapiert«, sagte José freundlich. Ich folgte ihm ins Postzim-
er, wo er ein Etikett am Koffer befestigte und ihn auf ein oberes
egal hob.

»Siehst du?«, sagte er. »So ist er aus dem Weg, Kleiner. Da ganz oben bewahren wir nur Sachen auf, die die Leute quittieren müssen, und unseren eigenen Kram. Niemand wird diesen Koffer ohne deine persönliche Unterschrift herausgeben. Nicht an deinen Onkel, nicht an einen Cousin, an niemanden. Und ich sag's auch Carlos und Goldie und den anderen, sie sollen ihn nur dir aushändigen. Okay?«

Ich nickte und wollte ihm danken, als er sich räusperte. »Hör mal«, sagte er mit gesenkter Stimme, »ich will dich nicht beunruhigen oder so was, aber in letzter Zeit sind ein paar Typen vorbeigekommen und haben nach deinem Dad gefragt.«

»Typen?«, fragte ich nach konfusem Schweigen. Wenn José »Typen« sagte, konnte er damit nur eins meinen: Leute, denen mein Dad Geld schuldete.

»Keine Sorge. Wir haben ihnen nichts gesagt. Ich meine, dein Dad ist seit – wie lange? – seit einem Jahr weg. Carlos hat ihnen gesagt, ihr wohnt hier nicht mehr, und sie sind auch nicht wiedergekommen. Aber«, er warf einen Blick zum Aufzug, »vielleicht möchte dein Dad sich nicht allzu lange hier im Gebäude aufhalten, wenn du weißt, was ich meine.«

Ich dankte ihm, als Goldie zurückkam. Was er in der Hand hielt sah aus wie ein Riesenbündel Bargeld. »Das ist für dich«, sagte er ein bisschen melodramatisch.

Einen Moment lang dachte ich, ich hätte mich verhört. José hüstelte und schaute weg. Auf dem winzigen Schwarzweißfernseher in Postraum (der Bildschirm war nicht größer als eine CD-Schachtel) hob eine glamourös aussehende Frau mit großen Ohrringen die Fäuste und beschimpfte einen geduckten Priester auf Spanisch.

»Was ist denn das?«, fragte ich Goldie, der mir immer noch das Geld entgegenstreckte.

»Deine Mutter. Hat sie dir nichts gesagt?«

Ich war ratlos. »Was gesagt?«

Anscheinend hatte Goldie eines Tages kurz vor Weihnachten einen Computer bestellt und ins Haus liefern lassen. Der Computer war für Goldies Sohn, der ihn für die Schule brauchte, aber Goldie hier drückte er sich ein bisschen nebulös aus) hatte ihn genau geommen gar nicht oder nur zum Teil bezahlt oder seine Exfrau hate ihn an seiner Stelle bezahlen sollen. Jedenfalls waren die Leute on der Spedition dabei gewesen, das Ding wieder zur Tür hinaususchleppen und in ihren Lieferwagen zu laden, als meine Mutter ufällig heruntergekommen war und gesehen hatte, was da vorging.

»Und da hat sie bezahlt, die schöne Lady«, sagte Goldie. »Sie at gesehen, was los war, hat ihre Handtasche aufgemacht und ihr checkbuch herausgeholt. ›Goldie‹, hat sie zu mir gesagt, ›ich weiß, hr Sohn braucht diesen Computer für die Schule. Erlauben Sie, dass :h das für Sie übernehme, mein Freund. Zahlen Sie es mir zurück, venn Sie können.‹«

»Siehst du?«, sagte José unerwartet heftig und drehte sich zu uns m; er stand vor dem Fernseher, wo die Frau jetzt auf einem Friedhof nit einem Mann mit Sonnenbrille stritt, der aussah wie ein Großndustrieller. »So war deine Mutter.« Beinahe wütend deutete er mit em Kopf auf das Geld. »*Sí, es verdad,* sie war erstklassig. Sie hate ein Herz für die Menschen, weißt du? Die meisten Frauen geben hr Geld für sich selber aus, für goldene Ohrringe oder Parfüm oder o was.«

Mir war nicht wohl dabei, das Geld anzunehmen, aus allen möglihen Gründen. Auch wenn es ein Schock war, kam mir die Geschiche irgendwie windig vor (welcher Laden lieferte denn einen Compuer aus, der nicht bezahlt war?). Später fragte ich mich: Sah ich so arm us, dass die Pförtner für mich gesammelt hatten? Ich weiß heute och nicht, woher das Geld kam, und ich wünschte, ich hätte mehr 'ragen gestellt, aber ich war so verdattert von allem, was an dem Tag 'assiert war (besonders vom plötzlichen Auftauchen meines Vaters nd Xandras), dass Goldie mir genauso gut ein altes Kaugummi häte anbieten können, das er vom Boden abgekratzt hatte: Ich hätte die Iand ausgestreckt und es gehorsam angenommen.

»Geht mich nichts an«, sagte José und schaute dabei über meinen Kopf hinweg, »aber ich an deiner Stelle würde niemandem etwas von em Geld sagen. Verstehst du?«

»Yeah, steck's in die Tasche«, sagte Goldie. »Lauf nicht rum und wedel damit durch die Luft. Gibt jede Menge Leute auf der Straße, die dich für so viel Kohle umbringen würden.«

»Gibt jede Menge davon hier im Haus!« José musste plötzlich lachen.

»Ha!« Goldie platzte ebenfalls vor Lachen, und dann sagte er etwas auf Spanisch, das ich nicht verstand.

»*Cuidado*«, sagte José und wackelte, wie es seine Art war, mit dem Kopf. Er tat ernst, konnte aber sein Lächeln nicht unterdrücken. »Darum lassen sie Goldie und mich nicht auf derselben Etage arbeiten«, sagte er zu mir. »Sie müssen uns voneinander fernhalten. Wir haben zu viel Spaß zusammen.«

XIX

Nachdem Dad und Xandra aufgetaucht waren, ging alles sehr schnell. Beim Essen an diesem Abend (in einem touristischen Restaurant, das mein Dad zu meiner Überraschung ausgesucht hatte) nahm er am Tisch einen Anruf von jemandem bei der Versicherung meiner Mutter entgegen, und noch nach all den Jahren wünschte ich, ich hätte mehr davon mithören können. Aber es war laut in dem Restaurant, und Xandra (während sie ihren Weißwein in großen Schlucken trank – vielleicht hatte *er* aufgehört zu trinken, aber sie ganz sicher nicht) beschwerte sich abwechselnd darüber, dass sie nicht rauchen durfte, und erzählte mir auf unkoordinierte Art und Weise, wie sie aus einem Buch aus der Bücherei das Hexen gelernt hatte, damals auf der Highschool, irgendwo in Fort Lauderdale. (»Wicca nennt man das, genau gesagt. Ist eine Erdreligion.«) Jemand anderen hätte ich fragen können, was es genau bedeute, eine Hexe zu sein (Zaubersprüche und Opfer? Pakt mit dem Teufel?), aber bevor ich dazu Gelegenheit hatte, war sie schon woanders und sprach davon, dass sie Gelegenheit gehabt hatte, aufs College zu gehen, und wie sehr sie es bedaure, dass sie es nicht getan hatte (»ich sag dir, was mich inter-

266

ssiert hätte. Englische Geschichte und so. Heinrich der Achte, Ma-
ia Stuart«). Aber dann war sie nicht aufs College gegangen, weil sie
esessen war von diesem Typen. »*Besessen*«, zischte sie und fixierte
nich mit scharfen, farblosen Augen.

Wieso die Besessenheit von diesem Typen Xandra daran gehin-
ert hatte, aufs College zu gehen, habe ich nie erfahren, denn Dad
eendete sein Telefongespräch und bestellte (was ich mit einem ko-
nischen Gefühl zur Kenntnis nahm) eine Flasche Champagner.

»Ich kann nicht das ganze verdammte Ding austrinken«, sag-
e Xandra, die bei ihrem zweiten Glas Wein war. »Sonst kriege ich
Kopfschmerzen.«

»Na, wenn ich schon keinen Champagner trinken kann, dann we-
igstens du«, sagte mein Vater und lehnte sich zurück.

Xandra deutete mit dem Kopf auf mich. »Lass *ihn* welchen trin-
en«, schlug sie vor. »Ober, bringen Sie noch ein Glas.«

»Sorry«, sagte der Kellner, ein Italiener mit harten Kanten, der
ussah, als sei er es gewohnt, mit außer Rand und Band geratenen
ouristen fertigzuwerden. »Kein Alkohol, wenn er unter achtzehn
st.«

Xandra fing an, in ihrer Handtasche zu wühlen. Sie trug ein brau-
es Trägerkleid und hatte sich einen so kräftigen Strich von Rouge
der Bronzer oder irgendeinem braunen Puder unter die Wangen-
nochen gepinselt, dass ich den starken Drang verspürte, ihn mit der
ingerspitze zu verwischen.

»Lass uns rausgehen und eine rauchen«, sagte sie zu meinem Va-
er. Es folgten ein paar lange Sekunden, in denen sie einen feixenden
lick wechselten, bei dem ich schmerzhaft berührt den Kopf einzog.
Dann schob Xandra ihren Stuhl zurück, warf ihre Serviette auf die
itzfläche und sah sich nach dem Kellner um. »Oh, gut, er ist weg.«
ie griff nach meinem (fast) leeren Wasserglas und ließ Champagner
ineinschwappen.

Bevor sie zurückkamen, war das Essen serviert worden, und ich
atte mir verstohlen noch ein großes Glas Champagner eingegos-
en. »Mmmm!«, machte Xandra. Ihr Blick war glasig, und sie glänz-

te ein bisschen, als sie ihren kurzen Rock herunterzog und sich ur
den Tisch herum auf ihren Stuhl schob, ohne sich die Mühe zu ma
chen, ihn ganz herauszuziehen. Sie klatschte sich die Serviette au
den Schoß und zog ihren wuchtigen, leuchtend roten Teller Canne
loni zu sich heran. »Sieht ja toll aus!«

»Meins auch«, sagte mein Dad, der bei italienischem Essen wäh
lerisch war und den ich schon oft über Pasta-Gerichte hatte mäkel
hören, die mit Tomaten überhäuft und in Marinara-Sauce ertränl
waren – genau wie das, was jetzt vor ihm stand.

Sie machten sich über ihr Essen her (das vermutlich ziemlich ka
war, wenn man bedachte, wie lange sie weg gewesen waren) und nah
men ihre Unterhaltung nahtlos wieder auf. »Na, jedenfalls ist nicht
daraus geworden.« Er lehnte sich zurück und spielte verwegen m
einer Zigarette, die er nicht anzünden durfte. »So geht's einem.«

»Ich wette, du warst großartig.«

Er zuckte die Achseln. »Selbst wenn du jung bist«, sagte er, »ist e
ein hartes Spiel. Es geht nicht nur um Talent. Hat auch viel mit Aus
sehen und Glück zu tun.«

»Trotzdem.« Xandra betupfte sich den Mundwinkel mit ihrer ur
die Fingerspitze gewickelten Serviette. »Ein Schauspieler. Ich sehe e
total vor mir.« Die gescheiterte Schauspielerkarriere meines Vater
war eins seiner Lieblingsthemen, und obwohl sie einen ganz interes
sierten Eindruck machte, sagte mir irgendetwas, dass auch sie nich
zum ersten Mal davon hörte.

»Und ob ich mir wünsche, ich wäre dabeigeblieben?« Mein Da
betrachtete sein alkoholfreies Bier (oder war es dreiprozentig? Vo
meinem Platz aus konnte ich es nicht erkennen). »Ich muss sage
ja. Das ist eins von den Dingen, die man sein Leben lang bedauer
Ich hätte gern etwas mit meinem Talent angefangen, aber den Luxu
konnte ich mir nicht leisten. Komisch, wie das Leben einem manch
mal in die Quere kommt.«

Sie waren tief in ihrer eigenen Welt versunken, und ich hätte genau
so gut in Idaho sein können, aber das war mir recht. Ich kannte di
Geschichte. Mein Dad, ein Schauspielstar auf dem College, hatte ku

e Zeit lang seinen Lebensunterhalt als Schauspieler verdient: als Off-
timme in Werbespots und mit ein paar Nebenrollen (als ermordeter
Playboy und als verwöhnter Sohn eines Mafiabosses) im Fernsehen
und beim Film. Nachdem er meine Mutter geheiratet hatte, war seine
Karriere im Sande verlaufen. Er hatte eine lange Liste von Gründen,
weshalb ihm der Durchbruch nicht gelungen war, aber ich hatte ihn
oft sagen hören: Wenn meine Mutter als Model ein bisschen erfolg-
reicher gewesen wäre oder sich mehr darum bemüht hätte, wäre so
viel Geld da gewesen, dass er sich auf die Schauspielerei hätte konzentrieren können, ohne sich um einen Tagesjob kümmern zu müssen.

Mein Dad schob seinen Teller beiseite. Ich sah, dass er nicht viel
gegessen hatte. Oft war das bei ihm ein Zeichen dafür, dass er trank
oder gleich damit anfangen würde.

»Irgendwann musste ich einfach meine Verluste begrenzen und
aussteigen.« Er zerknüllte seine Serviette und warf sie auf den Tisch.
Ich fragte mich, ob er Xandra schon von Mickey Rourke erzählt hatte, den er – neben mir und meiner Mutter – als Hauptschuldigen an
der Entgleisung seiner Karriere betrachtete.

Xandra nahm einen großen Schluck Wein. »Hast du je daran gedacht, wieder damit anzufangen?«

»Ich *denke* daran, natürlich. Aber«, er schüttelte den Kopf, als weise er ein unerhörtes Ansinnen zurück, »nein. Im Grunde ist die Antwort ein Nein.«

Der Champagner kitzelte meinen Gaumen, ein fernes, staubiges
Funkeln, in die Flasche gefüllt in einem glücklicheren Jahr, als meine Mutter noch lebte.

»Ich meine, in der *Sekunde,* in der er mich zum ersten Mal sah,
wusste ich, er konnte mich nicht leiden«, sagte mein Dad leise zu ihr.
Also hatte er ihr schon von Mickey Rourke erzählt.

»Dauernd hieß es, Mickey hier, Mickey da, Mickey will dich kennenlernen, aber als ich da hereinkam, wusste ich sofort, dass es aus
war.«

»Der Typ ist doch offensichtlich ein Freak.«

»Damals nicht, nein. Um die Wahrheit zu sagen, damals bestand

tatsächlich eine gewisse Ähnlichkeit – nicht nur äußerlich, sonder
auch im Stil des Schauspielens. Sagen wir so: Ich war klassisch aus
gebildet, ich hatte meine Bandbreite, aber ich konnte die gleiche Ar
von Stille herüberbringen wie Mickey, weißt du, diese flüsternde
Lautlosigkeit …«

»Uuuuh, jetzt machst du mir Gänsehaut. *Flüsternde Lautlosigkei*
Wie du das *sagst* …«

»Ja, aber Mickey war der Star. Für zwei war nicht genug Platz.«

Ich sah zu, wie sie sich ein Stück Käsekuchen teilten wie zwei Tur
teltäubchen in einem Werbespot, und versank in einem rötlichen
ungewohnten, frei fließenden Gedankenstrom: Die Lichter im Lokal
waren zu hell, mein Gesicht glühte vom Champagner, und ich dach
te in wirren, ungezügelten Bahnen an meine Mutter nach dem To
ihrer Eltern, als sie zu ihrer Tante Bess hatte ziehen müssen, in ei
Haus neben den Bahngleisen, mit braunen Tapeten und Plastikbe
zügen auf den Polstermöbeln. Tante Bess – die alles mit Crisco brie
und ein Kleid meiner Mutter mit der Schere zerschnitten hatte, we
das psychedelische Muster sie störte – war eine klobige, verbitterte
irisch-amerikanische Jungfer, die die katholische Kirche verlasse
hatte und in eine winzige Psychopathensekte eingetreten war, die e
für unrecht hielt, Tee zu trinken oder Aspirin zu nehmen. Auf der
einzigen Foto, das ich kannte, waren ihre Augen vom gleichen ver
blüffenden Silberblau wie die meiner Mutter, aber sie blickten rot
umrandet und irre aus einem reizlosen Kartoffelgesicht. Für mein
Mutter waren die achtzehn Monate bei Tante Bess die traurigste Ze
ihres Lebens gewesen. Die Pferde verkauft, die Hunde verschenk
lange, tränenreiche Abschiede am Straßenrand, die Arme um de
Hals von Clover und Chalkboard und Paintbox und Bruno geschlun
gen. Ins Haus zurückgekehrt, hatte Tante Bess zu meiner Mutter ge
sagt, sie sei verwöhnt, und Menschen, die den Herrn nicht fürchte
ten, bekämen immer, was sie verdienten.

»Und der Produzent, weißt du – ich meine, sie wussten alle, we
Mickey war, jeder kannte ihn, und er erwarb sich bereits den Ru
schwierig zu sein …«

»Sie hat es nicht verdient«, sagte ich laut und unterbrach das Gespräch der beiden.

Dad und Xandra verstummten und starrten mich an, als hätte ich mich in ein Gila-Monster verwandelt.

»Ich meine, warum sagt man so was?« Es war nicht richtig, dass ich laut redete, und trotzdem purzelten die Worte ungebeten aus meinem Mund, als habe jemand auf einen Knopf gedrückt. »Sie war so toll, und warum waren alle so scheußlich zu ihr? Sie hat nichts von dem verdient, was ihr passiert ist.«

Mein Dad und Xandra warfen sich einen Blick zu, und er winkte nach der Rechnung.

XX

Als wir das Restaurant verließen, brannte mein Gesicht wie Feuer, und ich hatte ein grelles Tosen in den Ohren. Es war nicht mal schrecklich spät, als ich in die Wohnung der Barbours zurückkam, aber irgendwie stolperte ich über den Schirmständer und machte einen Riesenlärm, und als Mr. und Mrs. Barbour mich sahen, erkannte ich (an ihren Gesichtern mehr als an meinem eigenen Empfinden), dass ich betrunken war.

Mr. Barbour schaltete den Fernsehapparat mit der Fernbedienung ab. »Wo bist du gewesen?«, fragte er in festem, aber gutmütigem Ton.

Ich griff nach der Sofalehne. »Unterwegs mit Dad und …« Ich hatte ihren Namen vergessen; nur noch an das X konnte ich mich erinnern.

Mrs. Barbour sah ihren Mann mit hochgezogenenen Brauen an: *Was habe ich dir gesagt?*

»Na, dann sieh zu, dass du ins Bett kommst, mein Freund«, sagte Mr. Barbour fröhlich und mit einer Stimme, die trotz allem bewirkte, dass mir das Leben im Allgemeinen wieder ein bisschen besser erschien. »Aber weck Andy nicht auf.«

271

»Dir ist doch nicht übel, oder?«, fragte Mrs. Barbour.

»Nein«, sagte ich, aber das stimmte nicht; in der Nacht lag ic
noch lange wach im oberen Bett und wälzte mich kläglich hin un
her, während das Zimmer sich um mich drehte, und zweimal schra
ich überrascht und mit klopfendem Herzen hoch, weil es mir so vor
kam, als wäre Xandra hereingekommen und redete mit mir. Was s
sagte, verstand ich nicht, aber die raue, holprige Kadenz ihrer Stim
me war unverwechselbar.

XXI

»Na«, sagte Mr. Barbour am nächsten Morgen beim Frühstück un
legte mir eine Hand auf die Schulter, während er mir den Stuhl he
auszog. »Festessen mit dem alten Dad, hm?«

»Ja, Sir.« Ich hatte rasende Kopfschmerzen, und bei dem Geruc
ihres French Toasts drehte sich mir der Magen um. Etta hatte m
unauffällig eine Tasse Kaffee aus der Küche gebracht und zwei Asp
rin auf die Untertasse gelegt.

»Draußen in Las Vegas, sagst du?«

»Ja.«

»Und woher kommen seine Brötchen?«

»Bitte?«

»Womit beschäftigt er sich da draußen?«

»Chance«, sagte Mrs. Barbour in neutralem Ton zu ihm.

»Na, ich meine … ich will sagen …« Mr. Barbour merkte, da
die Frage vielleicht ein wenig taktlos gestellt war. »In welcher Bra
che arbeitet er?«

»Äh …« Ich verstummte. Was *machte* mein Dad? Ich hatte ke
ne Ahnung.

Mrs. Barbour war anscheinend beunruhigt über die Wendung, d
das Gespräch nahm. Es sah aus, als wollte sie etwas sagen, aber stat
dessen meldete sich Platt, der neben mir saß, wütend zu Wort. »We
muss ich denn einen blasen, um hier eine Tasse Kaffee zu kriegen?

fragte er seine Mutter und schob dabei mit einer Hand auf dem Tisch seinen Stuhl zurück.

Es wurde schrecklich still.

»*Er* hat welchen.« Platt deutete mit dem Kopf auf mich. »*Er* kommt betrunken nach Hause, und *er* kriegt Kaffee?«

Es blieb schrecklich still, und dann sagte Mr. Barbour in einem eisigen Ton, der selbst den von Mrs. Barbour in den Schatten stellte: »Das reicht jetzt, Partner.«

Mrs. Barbour zog die hellen Brauen zusammen. »Chance …«

»Nein, diesmal verteidigst du ihn nicht. Geh auf dein Zimmer«, sagte er zu Platt. »Sofort.«

Wir alle saßen da, starrten auf unsere Teller und lauschten dem wütenden Stampfen von Platts Schritten, dem ohrenbetäubenden Knallen der Tür und – wenige Sekunden später – der lauten Musik, die wieder losging. Bis zum Ende des Frühstücks sagte kaum jemand ein Wort.

XXII

Mein Dad, der es mit allem eilig hatte und immer darauf brannte, »die Show auf die Bühne zu bringen«, wie er es nannte, verkündete, er habe vor, innerhalb einer Woche in New York alles zu erledigen und zu dritt nach Las Vegas zurückzufliegen. Und er hielt Wort. Am Montagmorgen um acht erschienen Möbelpacker in Sutton Place und fingen an, das Apartment auseinanderzunehmen und in Kisten zu verpacken. Ein Antiquariatsbuchhändler kam und sah sich die Kunstbücher meiner Mutter an, und jemand anders begutachtete ihre Möbel – und schier ehe ich michs versah, verschwand mein Zuhause in schwindelerregendem Tempo vor meinen Augen. Ich sah, wie die Vorhänge entfernt und die Bilder abgenommen und die Teppiche zusammengerollt und weggetragen wurden, und musste an einen Trickfilm denken, den ich einmal gesehen hatte: Eine Cartoonfigur mit einem Radiergummi rubbelte ihren Tisch weg, die Lampe, den Stuhl, das Fenster mit dem Panoramablick und das ganze behaglich eingerichtete Arbeitszimmer, und am Ende schwebte der Radiergummi in einem beunruhigenden Meer von Weiß.

Ich litt unter dem, was passierte, konnte es aber nicht verhindern. Also trieb ich mich herum und sah zu, wie die Wohnung sich Stück für Stück in nichts auflöste – wie eine Biene, die dabei zusieht, wenn ihr Korb zerstört wird. An der Wand über dem Schreibtisch meiner Mutter (zwischen zahlreichen Urlaubsbildern und alten Schulfotos) hing ein Schwarzweißfoto aus ihrer Zeit als Model, das im Central Park aufgenommen worden war. Es war ein sehr scharfer Abzug, und noch die winzigsten Details waren mit beinahe schmerzhafter Deutlichkeit zu erkennen: ihre Sommersprossen, der grobe Stoff ihres Mantels, die Windpockennarbe über ihrer linken Augenbraue. Fröhlich schaute sie hinaus in das verwirrende Durcheinander im Wohnzimmer, wo mein Dad ihre Papiere und Malsachen wegwarf und ihre Bücher für den Secondhand-Buchladen verpackte. Eine Szene, die sie sich wahrscheinlich nie hatte träumen lassen, zumindest hoffe ich das.

XXIII

Meine letzten Tage bei den Barbours vergingen wie im Fluge, so schnell, dass ich mich kaum an sie erinnern kann, abgesehen von einer hastigen Wasch- und Reinigungsaktion in letzter Minute und mehreren hektischen Expeditionen zu der Weinhandlung auf der Lexington Avenue, um Kartons zu holen. Mit schwarzem Filzstift schrieb ich die Adresse meiner exotisch klingenden neuen Heimat darauf:

Theodore Decker c/o Xandra Terrell
6219 Desert End Road
Las Vegas, NV

Niedergeschlagen standen Andy und ich da und betrachteten die beschrifteten Kartons in seinem Zimmer. »Als ob du auf einen anderen Planeten umziehst«, stellte er fest.

»Mehr oder weniger.«

»Nein, im Ernst. Diese Adresse. Als wäre es eine Bergbaukolonie auf dem Jupiter. Ich frage mich, wie deine Schule aussehen wird.«

»Weiß der Himmel.«

»Mann, vielleicht ist es eine von denen, über die man in der Zeitung liest. Banden. Metalldetektoren.« Andy war auf unserer (angeblich) aufgeklärten und fortschrittlichen Schule so sehr misshandelt worden, dass eine staatliche Schule in seinen Augen auf einer Ebene mit dem Strafvollzugssystem stand. »Was machst du dann?«

»Den Schädel rasieren, schätze ich. Und mir ein Tattoo stechen lassen.« Es gefiel mir, dass er nicht versuchte, munter oder fröhlich über den Umzug zu reden, anders als Mrs. Swanson oder Dave (der offensichtlich erleichtert war, weil er nicht länger mit meinen Großeltern würde verhandeln müssen). Niemand sonst in der Park Avenue redete viel über meinen Abschied, aber ich sah an Mrs. Barbours angespanntem Gesichtsausdruck, wenn von meinem Vater und seiner »Freundin« die Rede war, dass ich mir das alles nicht komplett einbildete. Außerdem erschien mir die Zukunft mit Dad und Xandra gar nicht schlecht oder beängstigend, sondern vielmehr unfassbar wie ein schwarzer Tintenklecks über dem Horizont.

XXIV

»Na ja, ein Tapetenwechsel wird dir vielleicht guttun«, meinte Hobie, als ich ihn vor meiner Abreise noch einmal besuchte. »Selbst wenn die Tapete keine ist, die du dir ausgesucht hättest.« Wir aßen zur Abwechslung im Esszimmer, am hinteren Ende eines Tisches, der lang genug für zwölf Personen war. Silberkrüge und Ornamente erstreckten sich in opulente Dunkelheit. Trotzdem kam es mir vor wie der letzte Abend damals in unserer alten Wohnung an der 7th Avenue, als meine Mutter, mein Vater und ich mit chinesischem Essen au dem Take-away auf den Umzugskartons saßen.

Ich sagte nichts. Mir war elend zumute, und die Entschlossenhei im Geheimen zu leiden, machte mich unkommunikativ. In der Be klommenheit der vergangenen Woche, während die Wohnung leer geräumt und die Sachen meiner Mutter zusammengelegt, in Kiste verpackt und zum Verkauf weggekarrt wurden, hatte ich mich nac der Dunkelheit und der Ruhe in Hobies Haus gesehnt, nach den voll gestopften Zimmern und dem Geruch von altem Holz, Teeblätter und Tabakrauch, Schalen mit Orangen auf dem Sideboard und Ker zenleuchtern, umrankt von geschmolzenem Wachs.

»Ich meine, deine Mutter …« Er machte eine taktvolle Pause. »E wird ein neuer Anfang sein.«

Ich betrachtete meinen Teller. Er hatte ein Lamm-Curry mit ei ner zitronengelben Sauce gemacht, und es schmeckte mehr franzö sisch als indisch.

»Du hast doch keine Angst, oder?«

Ich hob den Kopf. »Angst wovor?«

»Davor, mit ihm zusammenzuleben.«

Ich spähte in die Schatten hinter seinem Kopf und überlegte »Nein«, sagte ich. »Eigentlich nicht.« Aus irgendeinem Grund wirk te mein Dad seit seiner Rückkehr lockerer und entspannter. Dami dass er nicht mehr trank, konnte ich es nicht erklären, denn norma lerweise war er im nüchternen Zustand schweigsam, sichtlich volle Selbstmitleid und so dicht davor auszurasten, dass ich immer darau achtete, mindestens eine Armlänge Abstand zu halten.

»Hast du sonst noch jemandem erzählt, was du mir erzählt hast?

»Worüber?« Verlegen senkte ich den Kopf und nahm einen Löffe Curry. Es war eigentlich ziemlich gut, wenn man sich erst mal dar an gewöhnt hatte, dass es gar kein Curry war.

»Ich glaube, er trinkt nicht mehr«, sagte ich in die jetzt folgen de Stille hinein. »Wenn Sie das meinen? Es geht ihm anscheinen besser. Also …« Unsicher ließ ich den Satz in der Schwebe. »Na ja.

»Wie gefällt dir seine Freundin?«

Auch darüber musste ich nachdenken. »Ich weiß es nicht«, gestand ich.

Hobie schwieg liebenswürdig und griff nach seinem Weinglas, ohne mich aus den Augen zu lassen.

»Irgendwie kenne ich sie ja eigentlich nicht, oder? Sie ist okay, schätze ich. Ich weiß nicht, was ihm an ihr gefällt.«

»Warum nicht?«

»Na ja …« Ich wusste nicht, wo ich anfangen sollte. Mein Dad konnte charmant zu den »Ladys« sein, wie er sie nannte. Er hielt ihnen die Türen auf und berührte sanft ihr Handgelenk, um einem Satz Nachdruck zu geben, und ich hatte gesehen, wie Frauen sich seinetwegen überschlugen – ein Spektakel, das ich kühl verfolgte, während ich mich fragte, wie irgendjemand auf eine so durchsichtige Nummer hereinfallen konnte. Es war so, als sähe ich kleinen Kindern dabei zu, wie sie sich von einem billigen Zauberer etwas vormachen ließen. »Ich weiß nicht. Ich habe wohl gedacht, sie würde besser aussehen oder so.«

»Auf das Aussehen kommt's nicht an, wenn sie nett ist«, sagte Hobie.

»Ja, aber so nett ist sie nicht.«

»Oh.« Pause. »Machen sie denn den Eindruck, dass sie zusammen glücklich sind?«

»Ich weiß nicht. Na ja – schon«, gestand ich. »Zum Beispiel ist er nicht mehr dauernd so sauer.« Ich fühlte, wie Hobies unausgesprochene Frage schwer auf mir lastete. »Und er ist mich holen gekommen. Ich meine, das brauchte er ja nicht. Sie hätten auch wegbleiben können, wenn sie mich nicht wollten.«

Damit war dieses Thema beendet, und während wir zu Ende aßen, redeten wir über andere Dinge. Aber als ich gehen musste, als wir durch den von Fotos gesäumten Korridor gingen, vorbei an Pippas Zimmer, wo ein Nachtlicht brannte und Cosmo am Fußende ihres Bettes schlief, und als er mir die Haustür aufhielt, sagte er: »Theo.«

»Ja?«

»Du hast meine Adresse und meine Telefonnummer.«

»Ja.«

»Na, dann.« Ihm war offenbar fast so unbehaglich zumute wie mir. »Ich wünsche dir eine gute Reise. Pass auf dich auf.«

»Sie aber auch«, sagte ich, und wir schauten einander an.

»Tja.«

»Tja. Dann gute Nacht.«

Er stieß die Tür ganz auf, und ich verließ das Haus – zum letzten Mal, wie ich glaubte. Ich konnte mir nicht vorstellen, ihn jemals wiederzusehen, aber damit lag ich völlig falsch.

II

Wenn wir am stärksten sind – wer weicht zurück?
Am glücklichsten – wer fühlt sich lächerlich?
Und sind wir grausam – was kann man uns tun?

ARTHUR RIMBAUD

KAPITEL 5

Badr al-Dine

I

Ich hatte zwar beschlossen, den Koffer im Postzimmer meines alten Wohnhauses zu lassen, wo José und Goldie zuverlässig darauf aufpassen würden, aber ich wurde doch immer nervöser, je näher das Datum der Abreise rückte. Also entschied ich mich in letzter Minute, noch einmal hinzugehen, und zwar aus einem Grund, der mir heute ziemlich dämlich vorkommt: In der Hast, das Bild aus der Wohnung zu schaffen, hatte ich wahllos eine Menge Zeug mit in den Koffer geworfen, unter anderem den größten Teil meiner Sommersachen. Einen Tag, bevor mein Dad mich bei den Barbours abholen sollte, fuhr ich eilig hinunter zur 57th Street, um den Koffer noch einmal aufzumachen und ein paar der besseren Hemden herauszuholen.

José war nicht da. Ein neuer, breitschultriger Kerl (Marco V stand auf seinem Namensschild) baute sich vor mir auf und versperrte mir den Weg. Seine klobige, unnachgiebige Haltung hatte mehr von einem Wachmann als von einem Portier. »Sorry, kann ich dir helfen?«, fragte er.

Ich erklärte ihm die Sache mit meinem Koffer. Aber nachdem er das Register durchsucht hatte – mit einem dicken Zeigefinger fuhr er an der Spalte mit den Daten herunter –, zeigte er keine Neigung, hineinzugehen und mir meinen Koffer vom Regal herunterzuholen. »Und du hast ihn weshalb hiergelassen?«, fragte er zweifelnd und kratzte sich an der Nase.

»José hat gesagt, das ginge in Ordnung.«

»Hast du eine Quittung?«

»Nein«, sagte ich nach einer kurzen Pause verwirrt.

»Tja, dann kann ich dir nicht helfen. Wir haben keine Unterlagen hier. Außerdem verwahren wir kein Gepäck für Hausfremde.«

283

Ich hatte lange genug in dem Gebäude gewohnt, um zu wissen, dass das nicht stimmte, aber darüber würde ich nicht mit ihm streiten. »Hören Sie«, sagte ich, »ich habe hier gewohnt. Ich kenne Goldie und Carlos und alle anderen. Ich meine – kommen Sie«, fuhr ich nach einer eisigen, unbestimmt langen Pause fort, in der ich spürte, wie seine Aufmerksamkeit abschweifte. »Wenn Sie mit mir nach hinten gehen, zeige ich Ihnen den Koffer.«

»Tut mir leid. Nur Mitarbeiter und Mieter dürfen dahinter hinein.«

»Er ist aus Segeltuch und hat eine Schleife am Griff. Mein Name steht dran, okay? Decker?« Zum Beweis zeigte ich auf das Schild, das noch an unserem alten Briefkasten hing, als Goldie aus der Pause zurückkam.

»Hey, sieh mal, wer da ist! Das ist mein Junge«, sagte er zu Marco V. »Ich kannte ihn schon, als er noch so klein war. Was gibt's denn, Theo, mein Freund?«

»Nichts. Also – na ja, ich verlasse die Stadt.«

»Ach ja? Schon nach Vegas?«, fragte Goldie. Beim Klang seiner Stimme und mit seiner Hand auf der Schulter fühlte sich plötzlich alles leicht und tröstlich an. »Da draußen wohnen ein paar verrückte Leute, stimmt's?«

»Vermutlich«, sagte ich zweifelnd. Dauernd erzählte man mir, wie verrückt es in Las Vegas für mich werden würde, und ich begriff überhaupt nicht, wieso, denn ich würde ja kaum viel Zeit in Casinos oder Clubs verbringen.

»Ver*mut*lich?« Goldie verdrehte die Augen und schüttelte den Kopf auf seine drollige Art, die meine Mutter in boshaften Augenblicken oft nachgemacht hatte. »O mein Gott, ich sage dir. Diese Stadt? Die Gewerkschaften, die sie da haben – Wahnsinn. Restaurantjobs, Hoteljobs … *sehr* gutes Geld, wohin man auch guckt. Und das Wetter? Sonne, jeden Tag, das ganze Jahr. Es wird dir gefallen da draußen, mein Freund. Wann, sagst du, reist du ab?«

»Äh, heute. Ich meine, morgen. Deshalb wollte ich …«

»Ach, kommst du wegen deinem Koffer? Hey, alles klar.« Goldie sagte etwas scharf Klingendes auf Spanisch zu Marco V, und der zuckte ungerührt die Achseln und ging nach hinten in den Postraum.

»Er ist in Ordnung, der Marco«, sagte Goldie leise zu mir. »Aber er weiß nichts von deinem Koffer, weil ich und José nichts ins Buch geschrieben haben, wenn du weißt, was ich meine.«

Natürlich wusste ich das. Alle Gegenstände, die kamen und gingen, mussten ein- und ausgetragen werden. Indem sie den Koffer nicht etikettierten und nicht ins offizielle Register eintrugen, hatten sie mich davor beschützt, dass jemand anders ihn abholen konnte.

»Hey«, sagte ich unbeholfen, »danke, dass Sie für mich aufgepasst haben …«

»*No problemo*«, sagte Goldie. »Hey, danke, Mann.« Er nahm Marco den Koffer ab. »Wie gesagt«, fuhr er mit leiser Stimme fort, und ich musste dicht an seiner Seite bleiben, um ihn zu verstehen, »Marco ist ein guter Kerl, aber viele Mieter haben sich beschwert, weil das Gebäude unterbesetzt war, als … du weißt schon.« Er sah mich vielsagend an. »Ich meine, zum Beispiel Carlos, der konnte an dem Tag nicht zu seinem Dienst kommen; ich glaube nicht, dass es seine Schuld war, aber sie haben ihn rausgeschmissen.«

»Carlos?« Carlos war der älteste und zurückhaltendste unter den Portiers. Er sah aus wie ein alterndes mexikanisches Matinee-Idol mit seinem bleistiftdünnen Schnurrbart und den grauen Schläfen. Seine schwarzen Schuhe waren immer auf Hochglanz poliert, und seine weißen Handschuhe waren weißer als alle anderen. »Sie haben Carlos rausgeschmissen?«

»Ich weiß. Unglaublich. Vierunddreißig Jahre, und«, Goldie deutete ruckartig mit dem Daumen über die Schulter, »*pffft*. Und jetzt – die Verwaltung ist irgendwie sicherheitsbewusst geworden. Neues Personal, neue Vorschriften, wer kommt und geht, muss registriert werden, und so weiter … Aber egal.« Er ging rückwärts zur Haustür und stieß sie auf. »Ich rufe dir ein Taxi, mein Freund. Fährst du direkt zum Flughafen?«

»Nein.« Ich hob die Hand, um ihn aufzuhalten. Ich war so abge-

lenkt gewesen, dass ich gar nicht gemerkt hatte, was er tat, aber e
schob mich zur Seite. *Ist ja schon gut*, sagte diese Geste.

»Nein, nein«, er schleppte den Koffer zum Randstein, »alles ir
Ordnung, mein Freund«, und konsterniert begriff ich, dass er dach
te, ich wollte ihn daran hindern, den Koffer zu tragen, weil ich keir
Trinkgeld für ihn hatte.

»Hey, Moment«, sagte ich, aber im selben Augenblick pfiff Gol
die und stürmte mit erhobener Hand auf die Straße hinaus. »Hier
Taxi!«, schrie er.

Bestürzt blieb ich im Hauseingang stehen, als das Taxi schwung
voll an der Bordsteinkante hielt. »Bingo!« Goldie riss die hintere Tü
auf. »Ist das ein Timing?« Bevor mir einfiel, wie ich ihn bremser
konnte, ohne wie ein Idiot auszusehen, hatte er mich schon auf der
Rücksitz geschoben und lud den Koffer in den Kofferraum. Dann
schlug er mit der flachen Hand auf das Dach, freundlich, wie er war

»Gute Reise, *amigo*.« Er sah mich an und schaute dann zum Him
mel. »Genieß die Sonne da draußen für mich. Du weißt ja, wie e
mir mit der Sonne geht – ich bin ein Tropenvogel, weißt du? Ich
kann's nicht erwarten, nach Puerto Rico zurückzukommen und mi
den Bienen zu plaudern. *Hmmm* ...«, sang er, und dabei schloss e
die Augen und legte den Kopf zur Seite. »Meine Schwester hat einer
Korb mit zahmen Bienen, und die singe ich in den Schlaf. Gibt e
Bienen in Vegas?«

»Das weiß ich nicht.« Ich tastete unauffällig meine Taschen ab und
versuchte herauszufinden, wie viel Geld ich hatte.

»Na, wenn du Bienen siehst, sag ihnen, Goldie lässt sie grüßen
Sag ihnen, ich komme.«

»¡Hey! ¡Espera!« Das war José, der noch im Fußballtrikot von sei
nem Spiel im Park geradewegs zur Arbeit kam und mit erhobene
Hand in seinem wiegenden, kopfwippenden Sportlergang auf mich
zulief.

»Hey, *manito*, du reist ab?« Er beugte sich herunter und schob der
Kopf durch das Taxifenster herein. »Du musst uns ein Bild schicker
für unten!« Unten im Keller, wo die Portiers ihre Livree anzogen, wa

eine ganze Wand tapeziert mit Postkarten und Polaroids aus Miami und Cancun, Puerto Rico und Portugal, die Mieter und Pförtner im Laufe der Jahre nach Hause in die East 57th Street geschickt hatten.

»Genau!«, sagte Goldie. »Schick uns ein Foto! Und nicht vergessen!«

»Ich ...« Ich würde sie vermissen, aber es kam mir schwul vor, so etwas laut auszusprechen. Also sagte ich nur: »Okay. Macht's gut.«

»Du auch.« José wich mit erhobener Hand zurück. »Und halt dich fern von den Blackjack-Tischen.«

»Hey, Kleiner«, sagte der Taxifahrer, »soll ich dich jetzt irgendwo hinfahren oder was?«

»Hey, hey, immer mit der Ruhe, alles cool«, sagte Goldie zu ihm und sah dann mich an. »Wird schon schiefgehen, Theo.« Er schlug ein letztes Mal auf das Wagendach. »Viel Glück, Mann. Wir sehen uns. Gott segne dich.«

II

»Sag mir nicht«, protestierte mein Vater, als er am nächsten Morgen bei den Barbours erschien, um mich mit dem Taxi abzuholen, »dass du *diesen ganzen Scheiß* mit ins Flugzeug nehmen willst.« Neben dem Koffer mit dem Gemälde hatte ich ja noch einen, nämlich den, den ich ursprünglich hatte mitnehmen wollen.

»Ich glaube, du überschreitest das zulässige Gewicht«, meinte Xandra ein bisschen hysterisch. In der giftigen Hitze auf dem Gehweg konnte ich ihr Haarspray selbst aus einiger Entfernung riechen. »Man darf nur eine bestimmte Menge mitnehmen.«

Mrs. Barbour, die mit mir heruntergekommen war, sagte geschmeidig: »Oh, das wird schon gehen mit den beiden Stücken. Ich überschreite ständig mein Limit.«

»Ja, aber das kostet Geld.«

»Ich glaube, Sie werden feststellen, dass es ziemlich preiswert ist«, sagte Mrs. Barbour. Obwohl es noch früh war und sie weder

Schmuck noch Lippenstift trug, gelang es ihr, selbst in Sandalen und einem einfachen Baumwollkleid, den Eindruck makelloser Bekleidung zu erwecken. »Vielleicht müssen Sie am Check-in zwanzig Dollar extra bezahlen, aber das sollte doch kein Problem sein, oder?«

Sie und mein Dad starrten einander an wie zwei Katzen. Dann schaute mein Vater weg. Ich genierte mich ein bisschen wegen seines Sportjacketts; es erinnerte mich an Typen, die in der *Daily News* abgebildet waren, weil sie als organisierte Gangster verdächtigt wurden.

»Du hättest mir sagen sollen, dass du zwei Gepäckstücke hast«, sagte er mürrisch in die (mir willkommene) Stille hinein, die auf ihre hilfreiche Bemerkung folgte. »Ich weiß nicht, ob das ganze Zeug in den Kofferraum passt.«

Ich stand am Randstein vor dem offenen Kofferraum des Taxis und war kurz davor, den Koffer bei Mrs. Barbour zu lassen und sie später anzurufen, um ihr zu erzählen, was er enthielt. Aber bevor ich mich vollends entschließen konnte, etwas zu sagen, hatte der breitschultrige russische Taxifahrer Xandras Reisetasche aus dem Kofferraum genommen und meinen Koffer hineingewuchtet, und nach einigem Stoßen und Schieben passte alles.

»Sehen Sie? Nicht so schwer!« Er schlug den Deckel zu und wischte sich über die Stirn. »Weicher Koffer!«

»Aber meine Reisetasche!« Xandra geriet in Panik.

»Kein Problem, Madame. Die kann zu mir auf den Vordersitz. Oder nach hinten zu Ihnen, wenn Sie wollen.«

»Dann ist ja alles in Ordnung«, sagte Mrs. Barbour. Sie beugte sich zu mir herüber und gab mir rasch einen Kuss – den ersten, seit ich dort war, einen Luftkuss zwischen zwei Ladys beim Lunch, der nach Minze und Gardenien duftete. »Bye-bye, alle miteinander«, sagte sie. »Ich wünsche eine fantastische Reise, ja?« Andy und ich hatten uns schon am Tag zuvor verabschiedet. Ich wusste zwar, dass er traurig über mein Weggehen war, aber ich war doch gekränkt, weil er nicht bis zu meiner Abreise gewartet hatte, sondern mit dem Rest der Familie in das Haus in Maine gefahren war, das er angeblich o sehr verabscheute. Was Mrs. Barbour anging, so schien sie nicht übermäßig betrübt zu sein, mich gehen zu sehen, obwohl mir ganz schlecht war.

Der Blick ihrer grauen Augen war klar und kühl, als sie mir ins Gesicht schaute. »Vielen Dank, Mrs. Barbour«, sagte ich. »Für alles. Und grüßen Sie Andy noch einmal von mir.«

»Das werde ich ganz sicher tun«, versprach sie. »Du warst ein schrecklich guter Gast, Theo.« Im Dampfdunst der Morgenhitze auf der Park Avenue hielt ich ihre Hand noch einen Moment länger fest – in der leisen Hoffnung, sie würde mich auffordern, mich bei ihr zu melden, sollte ich irgendetwas brauchen –, aber sie sagte nur: »Dann viel Glück«, und dann gab sie mir noch einen kühlen kleinen Kuss, bevor sie sich zurückzog.

III

Dass ich New York verließ, konnte ich noch nicht richtig begreifen. Ich war in meinem ganzen Leben nie länger als acht Tage woanders gewesen. Auf der Fahrt zum Flughafen starrte ich aus dem Autofenster auf die Reklametafeln für Striptease-Clubs und Schadenersatzanwälte, die ich wahrscheinlich eine ganze Weile nicht wiedersehen würde, und mir kam ein Gedanke, bei dem es mich eiskalt überlief. Was war mit der Sicherheitskontrolle? Ich war noch nicht oft geflogen (nur zweimal, und einmal war ich noch im Kindergarten gewesen), und ich wusste nicht mal, was zu einer Sicherheitskontrolle gehörte. Röntgenstrahlen? Eine Gepäckdurchsuchung?

»Machen sie am Flughafen alles auf?«, fragte ich mit schüchterner Stimme, und dann wiederholte ich die Frage, weil mich anscheinend niemand gehört hatte. Ich saß vorn auf dem Beifahrersitz, damit Dad und Xandra hinten ihre romantische Zweisamkeit genießen konnten.

»O ja«, der Fahrer, ein fleischiger, breitschultriger Sowjet mit großen Gesichtszügen und schweißfeuchten, apfelroten Wangen. Er hat-

te Ähnlichkeit mit einem fett gewordenen Gewichtheber. »Und wa
sie nicht aufmachen, röntgen sie.«

»Auch wenn ich es aufgebe?«

»O ja«, sagte er beruhigend. »Sie durchsuchen alles nach Spreng
stoff. Ist völlig sicher.«

»Aber …« Ich überlegte, wie ich formulieren sollte, was ich wisse
musste, ohne mich zu verraten, doch mir fiel nichts ein.

»Keine Sorge«, sagte der Fahrer. »Jede Menge Polizei am Flugha
fen. Und vor drei oder vier Tagen? *Straßensperren.*«

»Na, ich kann nur sagen, ich kann's nicht erwarten, hier wegzu
kommen, verdammt«, sagte Xandra mit ihrer rauchigen Stimm
Perplex dachte ich einen Moment lang, sie spräche mit mir, aber a
ich mich umdrehte, hatte sie sich meinem Dad zugewandt.

Mein Dad legte ihr die Hand aufs Knie und sagte etwas zu ihr, s
leise, dass ich es nicht verstand. Er trug seine getönte Brille, saß ent
spannt da, sein Kopf rollte auf der Rückenlehne hin und her, un
etwas Lockeres, Jugendliches lag in seinem flachen Tonfall, in der
geheimen Etwas, das da zwischen den beiden hin und her waberte
als er Xandras Knie drückte. Ich drehte mich nach vorn und schaut
hinaus in das Niemandsland, das draußen vorbeirauschte: lang ge
streckte, flache Gebäude, Bars und Karosseriewerkstätten, Parkplä
ze, die in der Morgenhitze flimmerten.

»Weißt du, ich hab nichts gegen eine Sieben in der Flugnummer
sagte Xandra leise. »Nur Achten machen mich fertig.«

»Ja, aber die Acht ist eine Glückszahl in China. Sieh dir die in
ternationale Ankunftstafel an, wenn wir in Vegas landen. Sämtlich
Flüge aus Beijing? Acht acht acht.«

»Du mit deiner Weisheit der Chinesen.«

»Zahlenmuster. Alles Energie. Wo sich Himmel und Erde treffen.

»›Himmel und Erde‹. Wenn du das sagst, klingt es wie Magie.«

»Ist es auch.«

»Ach ja?«

Sie tuschelten. Im Rückspiegel sahen ihre Gesichter albern au
und waren zu dicht beieinander. Als mir klar wurde, dass sie sic

290

üssen würden (etwas, das mich immer noch schockierte, egal, wie
ft ich sie dabei beobachtete), richtete ich den Blick starr geradeaus.
Jnd plötzlich dachte ich, wenn ich nicht schon wüsste, wie mei-
e Mutter gestorben war, würde mich keine Macht der Erde davon
berzeugen können, dass diese beiden sie nicht ermordet hatten.

IV

Während wir auf unsere Bordkarten warteten, rechnete ich starr vor
ngst dauernd damit, dass die Security an Ort und Stelle, in der
chlange am Check-in, meinen Koffer öffnete und das Bild entdeck-
. Aber die mürrische Frau mit der Shag-Frisur, an deren Gesicht
h mich immer noch erinnere (ich hatte dafür gebetet, dass wir
icht zu ihr gehen müssten, wenn wir an der Reihe wären), würdig-
 meinen Koffer kaum eines Blickes, als sie ihn auf das Transport-
and wuchtete.

Ich sah ihm nach, wie er wackelnd davonglitt, unbekannten An-
estellten und Prozeduren entgegen, und im bunten Gedränge der
remden fühlte ich mich gefangen und verängstigt – und auch auf-
illig, als ob alle mich anstarrten. Seit dem Tag, an dem meine Mut-
r gestorben war, hatte ich keine so dichte Menschenmenge mehr
rlebt oder so viele Polizisten an einem Ort gesehen wie hier. Natio-
algardisten mit Gewehren standen neben den Metalldetektoren,
nbewegt in ihren Kampfanzügen, und ließen kalte Blicke über die
fenge wandern.

Rucksäcke, Aktenkoffer, Einkaufstaschen und Kinderwagen, wip-
ende Köpfe überall in der Abflughalle, so weit das Auge reichte.
chlurfend bewegte ich mich in der Schlange vor der Sicherheits-
ontrolle voran, und dann hörte ich jemanden rufen – meinen Na-
en, dachte ich. Ich erstarrte.

»Na los, *los*«, sagte mein Dad und versuchte, hinter mir auf einem
ein hüpfend seinen Slipper auszuziehen. Er stieß mir den Ellenbo-
en ins Kreuz. »Steh nicht so rum, du hältst den ganzen Betrieb auf!«

Ich trat durch den Metalldetektor und schaute starr vor Ang
auf den Teppich. Jeden Augenblick rechnete ich damit, dass sic
eine Hand auf meine Schulter legte. Babys weinten. Alte Leute a
motorisierten Wägelchen tuckerten vorbei. Was würden sie m
mir anstellen? Würde ich ihnen klarmachen können, dass es nic
ganz so war, wie es aussah? Ich stellte mir einen Raum mit Wän
den aus Betonschalsteinen vor, wie im Kino – Türenschlagen, wi
tende Cops in Hemdsärmeln, *vergiss es, du gehst nirgendwohi*
Kleiner.

Hinter der Kontrolle, im hallenden Korridor, hörte ich deutlich
zielstrebige Schritte dicht hinter mir. Wieder blieb ich stehen.

»Jetzt erzähl mir nicht«, mein Dad sah sich um und verdrehte en
nervt die Augen, »du hast was vergessen.«

»Nein.« Ich warf einen Blick hinter mich. »Ich …« Da war ni
mand. Passagiere fluteten rechts und links an mir vorbei.

»Mein Gott, er ist weiß wie ein Laken, verdammt«, stellte Xand
fest. Sie sah meinen Vater an. »Geht's ihm nicht gut?«

»Oh, der wird schon wieder«, sagte mein Vater und ging weite
»Wenn er erst im Flugzeug sitzt. War eine harte Woche für alle B
teiligten.«

»Scheiße, ich an seiner Stelle würde auch ausrasten, wenn ich i
Flugzeug steigen sollte«, befand Xandra unverblümt. »Nach den
was er durchgemacht hat.«

Mein Vater, der einen kleinen Rollkoffer hinter sich herzog, de
meine Mutter ihm vor ein paar Jahren zum Geburtstag geschen
hatte, blieb wieder stehen.

»Armer Junge«, sagte er, und sein mitfühlender Blick überrasch
mich. »Du hast doch keine Angst, oder?«

»Nein«, sagte ich viel zu schnell. Ich wollte niemandes Aufmer
samkeit erregen oder mir ansehen lassen, dass ich auch nur halb
panisch aussah, wie ich mich tatsächlich fühlte.

Er zog die Stirn kraus und wandte sich dann ab. »Xandra?«, fra
te er und hob das Kinn. »Warum gibst du ihm nicht eine – du wei
schon?«

»Kapiert«, sagte Xandra clever. Sie blieb stehen, schob die Hand in ihre Handtasche und fischte zwei große, pistolenkugelförmige Pillen heraus. Die eine legte sie meinem Vater auf die ausgestreckte flache Hand, die andere gab sie mir.

»Danke.« Mein Dad ließ die Pille in die Tasche seines Jacketts gleiten. »Lass uns was besorgen, womit wir sie runterspülen können, ja? Steck sie ein«, sagte er, als er sah, dass ich die Pille zwischen Daumen und Zeigefinger hielt und ihre Größe bestaunte.

»Er braucht keine ganze.« Xandra griff nach dem Arm meines Vaters und beugte sich seitwärts hinunter, um den Riemen ihrer Plateausandale zurechtzuziehen.

»Stimmt«, sagte mein Dad. Er nahm mir die Pille ab, brach sie mit einer geschickten Bewegung entzwei und steckte die eine Hälfte ebenfalls in die Tasche seines Sportjacketts. Sie schlenderten weiter und zogen ihr Bordgepäck hinter sich her.

V

Die Pille war nicht stark genug, um mich einzuschläfern, aber sie machte mich high und happy und ließ mich im Salto durch klimatisierte Träume springen. Die Passagiere auf den Sitzen um mich herum flüsterten, als eine körperlose Flugbegleiterin das Ergebnis der während des Fluges veranstalteten Werbetombola verkündete: Abendessen und Drinks für zwei im Treasure Island Hotel. Ihre gedämpften Verheißungen ließen mich in einem Traum versinken, in dem ich in tiefem, grünlich-schwarzem Wasser schwamm, ein Wettstreit im Fackelschein, japanische Kinder, die nach einem Kissenbezug voll rosaroter Perlen tauchten. Die ganze Zeit hindurch rauschte das Flugzeug hell und weiß und konstant wie das Meer, aber in irgendeinem seltsamen Augenblick – ich war tief in meine königsblaue Decke gehüllt und träumte hoch über der Wüste – schienen die Triebwerke sich abzuschalten und zu verstummen, und ich schwebte rücklings in der Schwerelosigkeit, noch angeschnallt an meinen Sitz, der sich auf diese oder jene Weise aus den Reihen der anderen Sitze gelöst hatte und frei in der Kabine umhertrieb.

Mit einem Ruck stürzte ich zurück in meinen Körper, als das Flugzeug die Landebahn berührte, einmal hochschnellte und kreischend bremste.

»Und ... willkommen in Las Vegas, Nevada«, sagte der Pilot durch die Lautsprecher. »Die Ortszeit hier in der Stadt der Sünde ist elf Uhr siebenundvierzig.«

Geblendet vom gleißenden Licht in den Glasscheiben und spiegelnden Flächen trottete ich hinter Dad und Xandra her durch das Terminal, betäubt vom Rattern und Blitzen der Spielautomaten und von einer Musik, die laut und so früh am Morgen völlig unpassend plärrte. Der Flughafen sah aus wie der Times Square als Riesen-Einkaufszentrum: turmhohe Palmen, Video-Screens mit Feuerwerk und Gondeln und Showgirls und Sängern und Akrobaten.

Es dauerte lange, bis mein zweiter Koffer auf dem Gepäckband erschien. Ich kaute an den Fingernägeln und starrte wie gebannt auf ein Plakat mit einem grinsenden Komododrachen, einer Werbung für irgendeine Casino-Attraktion: »Über 2000 Reptilien erwarten Sie.« Die Menge vor dem Gepäckband sah aus wie eine Horde von bunten Nachtschwärmern vor einem drittklassigen Nightclub: Sonnenbrände, Disco-Hemden, winzige asiatische Ladys mit Juwelen und riesigen Sonnenbrillen mit Designer-Logo. Das Band drehte sich fast leer, und mein Dad (ich sah ihm an, dass er nach einer Zigarette lechzte) fing an, sich zu strecken und auf und ab zu gehen und sich mit den Knöcheln die Wange zu reiben, wie er es tat, wenn er etwas trinken wollte, aber dann kam er, der letzte Koffer, khakifarbenes Segeltuch mit rotem Etikett und dem bunten Band, das meine Mutter um den Griff geknotet hatte.

Mit einem großen Schritt stürzte mein Dad sich darauf und hatte ihn gepackt, bevor ich ihn erreichen konnte. »Wurde auch Zeit«, rief er unbeschwert und warf ihn auf den Gepäckwagen. »Na los, machen wir, dass wir hier rauskommen.«

Wir rollten durch die automatischen Türen hinaus und gegen ein

Wand aus atemberaubender Hitze. Meilenweit erstreckten sich geparkte Autos in alle Himmelsrichtungen, verhüllt und still. Ich blickte starr geradeaus – ein Blitzen wie von verchromten Messern, und der Horizont flirrte wie welliges Glas –, als könnte ich durch einen Blick zurück oder durch ein Zaudern jemanden in Uniform einladen, uns den Weg zu verstellen. Aber niemand packte mich beim Kragen, niemand schrie uns nach, wir sollten stehen bleiben. Niemand sah uns auch nur an.

Ich war desorientiert in dem grellen Licht, und als mein Dad vor einem neuen silberfarbenen Lexus stehen blieb und sagte: »Okay, das sind wir«, stolperte ich über den Randstein und wäre fast gefallen.

»Das ist unserer?« Ich schaute zwischen den beiden hin und her.

»Was denn?«, fragte Xandra kokett und klapperte auf ihren Plateauschuhen zur Beifahrerseite herum, während mein Vater die Schlösser mit einem Piepton aufspringen ließ. »Gefällt er dir nicht?«

Ein Lexus? Jeden Tag passierten mir alle möglichen großen und kleinen Dinge, von denen ich unbedingt meiner Mutter erzählen musste, und als ich jetzt blöde dastand und zusah, wie mein Dad das Gepäck in den Kofferraum legte, war mein erster Gedanke: *Wow, warte, bis sie das erfährt.* Kein Wunder, dass er nie Geld nach Hause geschickt hatte.

Mein Dad schnippte seine halb aufgerauchte Viceroy schwungvoll zur Seite. »Okay«, sagte er, »hops rein.« Die Wüstenluft hatte ihn elektrisiert. In New York hatte er einen leicht abgespannten und schmierigen Eindruck gemacht, aber hier draußen in der flimmernden Hitze wirkten sein weißes Sportjackett und seine Sektenführersonnenbrille plötzlich einleuchtend.

Das Auto – der Motor startete auf Knopfdruck – war sehr leise, und im ersten Moment merkte ich gar nicht, dass wir bereits hinaus in tiefenlosen Raum glitten. Ich war es gewohnt, auf dem Rücksitz eines Taxis durchgeschüttelt zu werden, und so fühlte ich mich in der geschmeidigen Kühle entrückt und gespenstisch: brauner Sand, wütendes Gleißen, Trance und Stille. Im Wind wehende Papierfetzen

peitschten den Maschendrahtzaun. Ich war immer noch schwerel
betäubt von der Tablette, und die verrückten Fassaden und Aufbau
ten am Strip und das wilde Schimmern an der Grenze zwischen Di
nen und Himmel fühlten sich an, als wären wir auf einem andere
Planeten gelandet.

Xandra und mein Dad hatten sich auf den Vordersitzen leise u
terhalten. Jetzt drehte sie sich zu mir um, Kaugummi kauend, gele
kig und sonnig, und ihr Schmuck funkelte im hellen Licht. »Und, w
sagst du?« Ihr Atem roch stark nach Juicy Fruit.

»Schon irre«, sagte ich und sah, wie erst eine Pyramide am Fen
ter vorbeisegelte, dann der Eiffelturm. Ich war zu sehr überwältig
um irgendetwas davon in mich aufzunehmen.

»Jetzt findest du es irre?«, sagte mein Dad, und die Art, wie er m
dem Fingernagel auf dem Lenkrad trommelte, erinnerte mich a
verschlissene Nerven und spätabendliche Streitereien, wenn er a
dem Büro nach Hause kam. »Dann warte mal, bis du es siehst, wen
abends die Lichter brennen.«

»Da drüben, sieh dir das an.« Xandra streckte den Arm aus ur
zeigte aus dem Fenster auf der Seite meines Dads. »Da ist der Vu
kan. Funktioniert richtig.«

»Tatsächlich wird er, glaube ich, gerade renoviert. Aber theor
tisch, ja. Heiße Lava. Zur vollen Stunde, jede Stunde.«

»Ausfahrt links in null Komma zwei Meilen«, sagte eine weibl
che Computerstimme.

Kirmesfarben, riesige Clownsköpfe und Triple-X-Schilder: D
Fremdartigkeit berauschte mich und ängstigte mich auch ein w
nig. In New York erinnerte mich alles an meine Mutter – jedes Ta
jede Straßenecke, jede Wolke, die über die Sonne hinwegzog –, ab
hier draußen in dieser heißen, mineralischen Leere war es, als hä
te sie nie existiert. Ich konnte mir nicht mal vorstellen, wie ihr Gei
auf mich herabschaute. In der dünnen, heißen Wüstenluft schien s
spurlos verbrannt zu sein.

Je weiter wir fuhren, desto mehr schrumpfte die unglaublic
Skyline zu einer Wildnis von Parkplätzen und Outlet-Malls zusan

nen. Gesichtslose Ringstraßen schlangen sich um Shopping Plazas: Circuit City, Toys'R'Us, Supermärkte und Drugstores, alles vierundzwanzig Stunden geöffnet und kein Anfang, kein Ende in Sicht. Der Himmel war weit und ohne Spuren, wie das Blau über dem Meer. Ich hatte Mühe wach zu bleiben und blinzelte im Licht, und benommen sinnierte ich über das teuer riechende Leder in diesem Auto und dachte an eine Geschichte, die ich oft von meiner Mutter gehört hatte: wie mein Dad einmal, als sie sich gerade kennengelernt hatten, in einem Porsche angerollt kam, den er sich von einem Freund geliehen hatte, um sie zu beeindrucken. Erst nach der Hochzeit erfuhr sie, dass der Wagen eigentlich nicht ihm gehörte. Anscheinend fand sie das komisch – aber angesichts anderer, weniger amüsanter Tatsachen, die ans Licht kamen, nachdem sie verheiratet waren (zum Beispiel seine mehrfachen Verhaftungen als Jugendlicher, warum, war nicht klar), wunderte es mich doch, dass sie an dieser Geschichte irgendetwas besonders Unterhaltsames finden konnte.

»Äh, hast du dieses Auto schon lange?«, fragte ich über die Unterhaltung auf dem Vordersitz hinweg.

»Oh – meine Güte – etwas mehr als ein Jahr jetzt, oder, Xan?«

Ein Jahr? Daran hatte ich noch zu knabbern, denn es bedeutete, dass mein Dad den Wagen (und Xandra) angeschafft hatte, bevor er verschwunden war. Als ich aufblickte, sah ich, dass die Ladenzeilen einem endlos erscheinenden Netz von kleinen Wohnhäusern mit Putzwänden gewichen waren. Trotz der schachtelartigen, ausgebleichten Gleichförmigkeit – Reihe um Reihe wie die Steine auf einem Friedhof – waren etliche Häuser in festlichen Pastellfarben angestrichen (Mintgrün, Rancho-Pink, milchiges Wüstenblau), und die scharfen Schatten und die stachligen Wüstenpflanzen hatten etwas aufregend Fremdländisches. Aufgewachsen in der Stadt, wo es nie genug Platz gab, war ich sogar angenehm überrascht. Es wäre mal was Neues, in einem Haus mit Garten zu wohnen, selbst wenn der Garten nur aus braunen Steinen und Kakteen bestand.

»Ist das immer noch Las Vegas?« Zum Zeitvertreib versuchte ich zu erkennen, wodurch sich einzelne Häuser voneinander unterschie-

297

den: Hier war es ein Türbogen, dort ein Swimmingpool oder ein
Palme.

»Was du jetzt siehst, ist ein ganz anderer Teil.« Mein Dad ex
halierte geräuschvoll und drückte seine dritte Viceroy aus. »Touris
ten bekommen das hier nie zu sehen.«

Wir fuhren jetzt schon eine ganze Weile, aber es gab keine Ori
entierungspunkte, und es war unmöglich zu erkennen, wohin ode
in welche Richtung wir fuhren. Die Kulisse war monoton und im
mer gleich, und ich befürchtete, wir würden an den pastellfarbene
Häusern vorbei und in die Alkali-Einöde dahinter fahren, in eine
sonnenverbrannten Trailer Park, wie ich ihn aus dem Kino kannt
Aber stattdessen wurden die Häuser zu meiner Überraschung wie
der größer, zweigeschossig, mit Kaktusgärten, Zäunen, Pools un
Garagen für zwei oder noch mehr Autos.

»Okay, das sind wir«, sagte mein Dad und bog in eine Straße ein
an deren Ecke eine imposante Granittafel mit kupfernen Buchstabe
stand: *Die Canyon Shadows Ranches.*

»Ihr wohnt *hier*?«, fragte ich beeindruckt. »Gibt's da einen Can
yon?«

»Nein, es heißt nur so«, sagte Xandra.

»Weißt du, es gibt eine Menge verschiedene Siedlungen hier drau
ßen.« Mein Dad massierte sich den Nasenrücken, und ich hörte a
dem altvertrauten, raspelnden Ton, den seine Stimme annahm, wen
er einen Drink brauchte, dass er müde und nicht besonders gut ge
launt war.

»Man nennt das Ranch Communitys«, erklärte Xandra.

»Genau. Von mir aus. Ach, halt die Schnauze«, fauchte mei
Dad und langte nach vorn, um die Lautstärke leiser zu drehen, a
die Frauenstimme in seinem Navi sich mit neuen Anweisunge
meldete.

»Sie haben alle verschiedene Themen, quasi«, sagte Xandra un
tupfte sich mit der Spitze des kleinen Fingers Lipgloss auf den Mun
»Da gibt's Pueblo Breeze, Ghost Ridge, Dancing Deer Villas. Spir
Flag heißt die Golf-Community? Und Encantada ist die schickst

nit 'ner Menge Investment-Immobilien – hey, du musst hier abbie-
en, Schätzchen.« Sie packte ihn beim Ellenbogen.

Mein Dad fuhr weiter geradeaus und antwortete nicht.

»Scheiße!« Xandra drehte sich um und schaute auf die Straße hinus, die hinter uns zurückblieb. »Warum musst du immer den lan-
en Weg nehmen?«

»Fang nicht mit deinen Abkürzungen an. Du bist genauso schlimm
vie die Navi-Lady.«

»Yeah, aber es geht schneller. Eine Viertelstunde. Jetzt müssen wir
anz um Dancing Deer rumfahren.«

Mein Dad atmete genervt aus. »Hör zu …«

»Was ist denn so schwer daran, nach Gitana Trails rüberzufahren
nd zweimal links und einmal rechts abzubiegen? Denn mehr ist das
icht. Wenn du am Desatoya …«

»Hey. Möchtest du ans Steuer? Oder lässt du mich jetzt den
cheißwagen fahren, verdammt?«

Ich wusste, dass ich meinen Vater besser nicht reizte, wenn er
n diesem Ton redete, und Xandra wusste es anscheinend auch. Sie
varf sich auf ihrem Sitz nach vorn und drehte mit bewusst bedäch-
igen Bewegungen, die ganz offensichtlich darauf abzielten, ihn zu
rgern, das Radio sehr laut auf und fing an, auf die Tasten zu drü-
ken und zwischen statischem Rauschen und Werbespots hin und
er zu schalten.

Die Stereolautsprecher waren so kraftvoll, dass ich das Dröhnen
n der Lehne meines weißen Ledersitzes fühlen konnte. *Vacation, all
ever wanted* … Licht stieg auf und brach durch wilde Wüstenwol-
en – ein endloser Himmel, ätzend blau wie in einem Computerspiel
der wie in den Halluzinationen eines Testpiloten.

»Vegas 99, mit der Musik der Achtziger und der Neunziger«, sag-
e eine schnelle, aufgeregte Radiostimme. »Und hier ist für Sie Pat
senatar in unserem Lapdance-Lunch mit den Ladys der Eightys.«

In der Siedlung »Desatoya Ranch Estates«, in 6219 Desert End
toad, wo in manchen Gärten Bauholz gestapelt war und der Wind
en Sand durch die Straße wehte, bogen wir in die Einfahrt eines

großen, spanisch – vielleicht auch maurisch – aussehenden Hause beigefarben verputzt, mit Fensterläden und Rundbogengiebeln un einem tonziegelgedeckten Dach, das sich in verschiedenen verblü fenden Winkeln neigte. Ich war beeindruckt von der ziellosen Wei läufigkeit mit Simsen und Säulen und dem verschnörkelten schmie deeisernen Tor, das an eine Kulisse erinnerte, wie eins der Häus in einer der Telemundo-Soaps, die unsere Pförtner immer im Pos zimmer anschauten.

Wir stiegen aus und gingen mit unseren Koffern außen herum zu Garageneinfahrt, als ich ein gespenstisches, verstörendes Geräusc hörte: ein Schreien oder Weinen, das aus dem Haus kam.

»Meine Güte, was ist denn das?« Entnervt ließ ich meine Koff fallen.

Xandra lehnte sich zur Seite, ein bisschen wacklig auf den hohe Schuhen, und kämpfte mit ihren Schlüsseln. »Oh, halt's Maul, hal Maul, scheiße, halt's Maul«, murmelte sie vor sich hin. Bevor sie d Tür ganz geöffnet hatte, kam mit schrillem Gekläff ein hysterische struppiger Mopp herausgeschossen und sprang und tanzte und tol te um uns herum.

»Platz!«, schrie Xandra. Durch die halb offene Tür kam Safar Musik (mit trompetenden Elefanten und schnatternden Affen), un zwar so laut, dass ich sie bis zur Garage hören konnte.

»Wow«, sagte ich und spähte ins Haus. Die Luft im Haus roch hei und abgestanden, nach altem Zigarettenrauch, neuem Teppichbode und – ganz ohne Frage – Hundescheiße.

»Den Zoowärter stellen Großkatzen vor eine ganze Reihe von ei zigartigen Herausforderungen«, dröhnte eine Stimme aus dem Ferr seher. »Wir begleiten Andrea und ihre Mitarbeiter auf ihrer mo gendlichen Runde.«

»Hey.« Ich blieb mit meinem Gepäck in der Tür stehen. »Ihr hal den Fernseher angelassen.«

»Ja.« Xandra drängte sich an mir vorbei. »Das ist ›Anim Planet‹. Läuft für ihn. Für Popper. Platz, hab ich gesagt!« Sie fauch te den Hund an, der mit seinen Krallen an ihren Knien kratzte, a

ie auf ihren Plateausohlen zum Fernseher humpelte und ihn ab-
chaltete.

»Er ist allein hiergeblieben?«, rief ich über das schrille Kläffen des
Hundes hinweg. Er war einer von diesen langhaarigen Mädchenhun-
den, und in sauberer Verfassung wäre er weiß und fluffig gewesen.

»Oh, er hat einen Trinkbrunnen von Petco.« Xandra wischte sich
mit dem Handrücken über die Stirn und stieg über den Hund hinweg. »Und einen von diesen großen Futterspendern.«

»Was ist das für eine Rasse?«

»Ein Malteser. Reinrassig. Ich hab ihn in der Tombola gewonnen.
Ich meine, ich weiß, er muss gebadet werden, es ist eine Wahnsinns-
arbeit, sie zu pflegen. Ganz recht, sieh dir nur an, was du mit meiner
Hose gemacht hast«, sagte sie zu dem Hund. »Weiße Jeans.«

Wir standen in einem großen, offenen Raum mit hohen Decken
und einer Treppe auf der einen Seite, die zu einem Mezzanin mit Geländer hinaufführte. Der Raum war fast so groß wie die ganze Wohnung, in der ich aufgewachsen war. Aber als meine Augen sich von
dem grellen Sonnenlicht erholt hatten, sah ich, wie kahl er war. Kno-
chenweiße Wände. Ein gemauerter Kamin mit künstlichem Jagdhüt-
ten-Appeal. Ein Sofa wie aus einem Krankenhauswartezimmer. Den
Glastüren zur Terrasse gegenüber erstreckte sich eine Wand mit Ein-
bauregalen, die größtenteils leer waren.

Mein Dad kam ächzend herein und ließ sein Gepäck auf den Teppichboden fallen. »Mein Gott, Xan, es riecht nach Scheiße hier drin.«

Xandra beugte sich vor, um ihre Handtasche abzulegen, und zog
den Kopf ein, als der Hund anfing, sie anzuspringen und an ihr her-
aufzuklettern und sich festzukrallen. »Janet sollte herkommen und
ihn rauslassen«, sagte sie über sein Gekreisch hinweg. »Sie hatte den
Schlüssel und alles. Meine Güte, Popper.« Naserümpfend drehte sie
den Kopf zur Seite. »Du stinkst.«

Ich war von den Socken, als ich sah, wie leer dieses Haus war.
Bis zu diesem Augenblick hatte ich nie hinterfragt, ob es notwendig
war, die Sachen und Teppiche und Antiquitäten meiner Mutter zu
verkaufen und die Bücher und fast alles andere in den Secondhand-

Laden zu bringen oder wegzuwerfen. Ich war aufgewachsen in einem Vier-Zimmer-Apartment, wo die Schränke aus den Nähten platzten, wo unter jedem Bett Kartons standen und wo Töpfe und Pfannen an der Decke hingen, weil auf den Küchenborden kein Platz war. Aber wie leicht wäre es gewesen, ein paar von ihren Sachen mit herzubringen, zum Beispiel die Silberdose, die ihrer Mutter gehört hatte, oder das Bild mit der kastanienbraunen Stute, das aussah wie ein Stubbs, oder wenigstens ihr Kindheitsexemplar von *Black Beauty*! Ein paar gute Bilder hätte er hier sehr wohl gebrauchen können oder ein paar von den Möbeln, die sie von ihren Eltern geerbt hatte. Er hatte ihre Sachen beseitigt, weil er sie hasste.

»Herr im Himmel!« Seine wütende Stimme übertönte das laute Gebell. »Dieser Hund hat das Haus zerstört. Ehrlich.«

»Na, ich weiß nicht – ich meine, ich weiß, es ist eine Sauerei, aber Janet hat gesagt ...«

»Ich hab dir *gesagt*, du sollst den Hund in Pflege geben. Oder, was weiß ich, ins Tierheim. Ich will ihn nicht im Haus haben. Er gehört nach draußen. Hab ich nicht gesagt, dass wir da ein Problem kriegen? Janet ist so beschissen unzuverlässig ...«

»Na, dann hat er eben ein paar Mal auf den Teppich gemacht? Na und? Und was zum Teufel hast *du* da zu glotzen?« Xandra stieg über den kläffenden Hund, und mit einem leichten Schreck begriff ich, dass ihre Wut mir galt.

VI

Mein neues Zimmer kam mir so leer und verwaist vor, dass ich nach dem Auspacken die Schiebetür des Wandschranks offen ließ, damit ich meine Kleider darin hängen sehen konnte. Ich hörte Dad, der unten noch immer wegen des Teppichs herumbrüllte. Leider brüllte Xandra ebenfalls und machte ihn damit immer wütender. Das war (wie ich ihr hätte sagen können, wenn sie mich gefragt hätte) genau die falsche Methode, ihn zu behandeln. Zu Hause hatte mein

Mutter es verstanden, die Wut meines Vaters zu ersticken, indem sie verstummt war – eine kleine, niemals flackernde Flamme der Verachtung, die allen Sauerstoff im Zimmer verzehrte und alles, was er sagte und tat, lächerlich wirken ließ. Irgendwann rauschte er dann mit donnerndem Türenknallen hinaus, und wenn er zurückkam – Stunden später und mit leisem Klicken des Schlüssels im Schloss –, ging er in der Wohnung herum, als wäre nichts gewesen, nahm sich ein Bier aus dem Kühlschrank und fragte in völlig normalem Ton, wo seine Post sei.

Von den drei leeren Zimmern im oberen Stockwerk hatte ich mir das größte ausgesucht; wie ein Hotelzimmer hatte es ein eigenes, einziges Badezimmer nebenan. Auf dem Boden lag ein schwerer, stahlblauer Plüschteppich. Eine nackte Matratze, mit einer Plastikpackung Bettwäsche auf dem Fußende. Perkalin, Marke Legends. Zwanzig Prozent reduziert. Ein sanftes mechanisches Summen kam aus den Wänden, wie das Summen eines Aquariumfilters. In so einem Zimmer, dachte ich, wurde im Fernsehen ein Callgirl oder eine Stewardess ermordet aufgefunden.

Mit einem Ohr achtete ich auf Dad und Xandra, als ich mich mit dem eingepackten Gemälde auf den Knien auf die Matratze setzte. Trotz abgeschlossener Tür zögerte ich, das Papier abzumachen, denn ich befürchtete, sie könnten heraufkommen, aber der Wunsch, es anzusehen, war unwiderstehlich. Vorsichtig, ganz vorsichtig, kratzte ich mit dem Daumennagel am Klebstreifen und schälte ihn vom Rand her hoch.

Das Bild rutschte leichter heraus, als ich es erwartet hatte, und unversehens musste ich einen Freudenschrei herunterschlucken. Zum ersten Mal sah ich das Bild bei Tageslicht. In dem nüchternen Zimmer mit seinen hartweißen Rigipswänden erwachten die gedämpften Farben zum Leben, und obwohl die Oberfläche des Gemäldes von einer geisterhaft zarten Staubschicht bedeckt war, atmete darin die Stimmung aus lichtdurchfluteter Luftigkeit einer Wand, die einem offenen Fenster gegenüberlag. War es das, was Leute wie Mrs. Swanson meinten, wenn sie sich über das Licht in der Wüste verbreiteten?

Zu gern hatte sie von ihrem »Aufenthalt« – wie sie es nannte – in Ne
Mexiko geschwärmt: ein weiter Horizont, ein endloser Himmel, sp
rituelle Klarheit. Aber durch irgendeinen Trick schien das Licht di
ses Bild tatsächlich zu verwandeln, genau wie die dunklen Konture
der Wassertanks auf den Dächern, durch das Fenster meiner Mutt
betrachtet, manchmal im Gewitterlicht eines späten Nachmittags ei
paar seltsame Augenblicke lang wie vergoldet und elektrifiziert d
standen, kurz bevor ein sommerlicher Wolkenbruch losging.

»Theo?« Mein Dad klopfte energisch an die Tür. »Hast du Hunger
Ich stand auf. Hoffentlich würde er nicht versuchen hereinzukom
men und feststellen, dass ich abgeschlossen hatte. Mein Zimmer w
kahl wie eine Gefängniszelle, aber die Regalborde im Wandschrar
reichten hoch, weit über die Augenhöhe meines Dads hinaus, ur
sie waren sehr tief.

»Ich hole uns was beim Chinesen. Willst du auch etwas?«

Würde mein Dad wissen, was für ein Bild es war, wenn er es säh
Bis jetzt war ich nicht davon ausgegangen, aber als ich es in diese
Licht sah, als ich das Leuchten sah, das es zurückwarf, wurde m
klar, dass jeder Trottel es wissen würde. »Äh, ich komme sofort
rief ich, und meine Stimme klang unecht und heiser. Ich schob d
Bild in einen Kissenbezug und versteckte es unter dem Bett, bev
ich das Zimmer eilig verließ.

VII

In den Wochen, bevor in Las Vegas die Schule anfing, lungerte i
mit den Stöpseln meines iPods in den Ohren, aber mit abgeschalt
tem Ton unten herum und erfuhr eine ganze Reihe von interessant
Tatsachen. Zunächst mal: Der frühere Job meines Dads hatte nic
annähernd so viele Geschäftsreisen nach Chicago und Phoenix e
fordert, wie er uns hatte glauben machen. Ohne dass meine Mutt
und ich etwas davon ahnten, war er in Wirklichkeit für ein paar M
nate nach Las Vegas geflogen, und in Vegas – in einer asiatisch g

stylten Bar im Bellagio – hatten er und Xandra sich kennengelernt. Sie trafen sich schon eine ganze Weile vor dem Verschwinden meines Dads, meiner Rechnung nach etwas mehr als ein Jahr, und ihren »Jahrestag« hatten sie nicht lange vor dem Tod meiner Mutter gefeiert, mit einem Essen im Delmonico Steakhouse und dem Bon-Jovi-Konzert im MGM Grand. (Bon Jovi! Es gab so viele Dinge, die ich zu gern meiner Mutter erzählt hätte – Tausende, wenn nicht Millionen –, aber es war schrecklich, dass sie diese irre komische Tatsache nun nie erfahren würde.)

Und noch etwas fand ich nach wenigen Tagen in dem Haus in der Desert End Road heraus: Was Xandra und mein Dad wirklich meinten, wenn sie sagten, mein Dad habe »mit dem Trinken aufgehört«, war, dass er von Scotch (dem Getränk seiner Wahl) auf Corona Light und Vicodin-Tabletten umgestiegen war. Ich hatte mich gewundert, wie oft das Friedenszeichen – oder war es V für Victory? – in allen möglichen unpassenden Situationen zwischen ihnen aufpoppte, und es wäre mir noch sehr viel länger ein Rätsel geblieben, wenn mein Dad nicht Xandra einmal ganz offen um eine Vicodin gebeten hätte, als er dachte, ich hörte nicht zu.

Über Vicodin wusste ich nur, dass eine wilde Filmschauspielerin, die ich gut fand, deswegen immer wieder in der Zeitung zu sehen war, wie sie aus ihrem Mercedes taumelte, während im Hintergrund das Blaulicht blitzte. Ein paar Tage später fand ich einen Plastikbeutel mit schätzungsweise dreihundert Pillen. Er lag auf der Küchentheke neben der Flasche Propecia, das mein Dad gegen Haarausfall benutzte, und einem Stapel unbezahlter Rechnungen. Xandra raffte den Beutel an sich und stopfte ihn in ihre Handtasche.

»Was ist das?«, fragte ich.

»Ähm – Vitamine.«

»Und warum sind sie in so einem Beutel?«

»Ich kriege sie von einem Bodybuilder auf der Arbeit.«

Das Verrückte war – und auch das war etwas, worüber ich gern mit meiner Mutter gesprochen hätte: Der neue, zugedröhnte Dad war ein sehr viel angenehmerer und berechenbarer Umgang als der alte Dad. Wenn mein Vater trank, war er ein Nervenbündel – laute unpassende Witze und aggressive Energieausbrüche bis zum Au genblick des Zusammenklappens –, aber wenn er aufhörte zu trin ken, war er noch viel schlimmer. Er schoss zehn Schritte vor mir und meiner Mutter auf dem Gehweg entlang, redete mit sich selbst und betastete die Taschen seines Anzugs, als suche er nach einer Waffe Er brachte Sachen mit nach Hause, die wir nicht haben wollten und uns nicht leisten konnten, zum Beispiel krokolederne Manolo Blah niks für meine Mutter (die hohe Absätze nicht ausstehen konnte) aber noch nicht mal in der richtigen Größe. Er schleppte Berge von Papier aus dem Büro nach Hause und saß dann bis Mitternacht da trank Eiskaffee und tippte Zahlen in den Taschenrechner, während der Schweiß an ihm herunterlief, als hätte er gerade vierzig Minuten auf dem Stepper trainiert. Oder er machte eine Riesenwelle wegen irgendeiner Party weit drüben in Brooklyn (»Was soll das heißen ›vielleicht sollte ich nicht hingehen‹? Scheiße, soll ich vielleicht leben wie ein Einsiedler? Willst du *das* damit sagen?«), und wenn er meine Mutter dann dorthin mitgeschleppt hatte, stürmte er zehn Minuten später wieder hinaus, nachdem er jemanden beleidigt oder sich öf fentlich über ihn lustig gemacht hatte.

Das hier, mit den Tabletten, war eine andere, liebenswürdiger Energie: eine Kombination aus Trägheit und Klarheit, verträumt albern, schwebend. Sein Gang war lockerer. Er schlief mehr, nickte behaglich ein, verlor den Faden seiner Argumentation, schlenderte barfuß und mit halb offenem Bademantel herum. Mit seinem leut seligen Gefluche, seiner nachlässigen Rasur, der entspannten Art wie er um die Zigarette in seinem Mundwinkel herumredete, war es fast so, als spielte er eine Rolle, irgendeinen coolen Typen aus einem *film noir* der fünfziger Jahre oder vielleicht aus *Ocean's Eleven,* einen trägen, übersättigten Gangster, der nicht viel zu verlieren hatte. Aber mitten in dieser neuen Lässigkeit schimmerte immer noch dieser irr und leicht heroische Ausdruck von schuljungenhafter Unverschämt heit, was umso anrührender war, als er auf den Herbst des Lebens zuging, halb zerstört und fahrlässig gegen sich selbst.

In dem Haus in der Desert End Road, in dem es das superteure Kabelfernseh-Abonnement gab, das meine Mutter für uns immer abgelehnt hatte, schloss er die Jalousien vor dem grellen Sonnenlicht, aß mit glasigem Blick wie ein Opium-Junkie rauchend vor dem Fernseher und sah mit abgeschaltetem Ton den Sportkanal, keine spezielle Sportart, sondern alles, was gerade gesendet wurde: Kricket, Jai Alai, Badminton, Krocket. Die Luft war zu kalt und hatte einen abgestandenen Kühlschrankgeruch. Stundenlang saß er bewegungslos da, der Rauchschnörkel seiner Viceroy schwebte zur Decke wie ein Weihrauchfädchen, und ebenso gut hätte er in die Betrachtung des Buddha, des Dharma und des Sangha versunken sein können statt in die Ranglisten der nationalen Golf-Turniere oder was es da sonst geben mochte.

Nicht ganz klar war mir, ob mein Dad einen Job hatte – und wenn ja, was für einen. Das Telefon klingelte zu allen Zeiten, bei Tag und bei Nacht. Mein Dad ging damit in den Flur, wandte mir den Rücken zu, lehnte sich mit dem Ellenbogen an die Wand und schaute auf den Teppich, während er sprach, und seine Körperhaltung ließ an einen Trainer am Ende eines harten Spiels denken. Meistens redete er mit gedämpfter Stimme, aber auch wenn er es nicht tat, war sein Beitrag zum Gespräch schwer zu verstehen: Die Rede war von Vigs, Siegerwetten, klaren Favoriten, Straight-ups und Spreads. Oft war er unterwegs, ohne zu sagen, wohin, und nicht selten kamen er und Xandra nachts nicht nach Hause. »Wir kriegen oft Gratiszimmer im MGM Grand«, erklärte er, rieb sich die Augen und ließ sich mit einem Seufzer der Erschöpfung in die Sofakissen zurückfallen – und wieder hatte ich das Gefühl, er spiele eine Rolle: den schwermütigen Playboy, ein Überbleibsel aus den Achtzigern, schnell gelangweilt. Du hast hoffentlich nichts dagegen. Wenn sie Spätschicht hat, ist es für uns einfacher, am Strip zu pennen.«

VIII

»Was sind das für Papiere, die hier überall liegen?«, fragte ich Xandra
eines Tages, als sie in der Küche ihren zahnweißen Diät-Drink an
rührte. Ich war verwirrt von den vorgedruckten Karten, die ich über
all im Haus fand: Gitterraster, vollgeschrieben mit endlos monoto
nen Reihen von Zahlen. Sie sahen irgendwie wissenschaftlich au
wie DNA-Sequenzen oder Spionagemitteilungen im binären Code

Sie schaltete den Mixer aus und schnippte sich eine Haarsträhn
aus den Augen. »Wie bitte?«

»Diese Arbeitsblätter oder was immer das ist.«

»Bakka-*rat*!«, sagte Xandra. Sie rollte das *r* und machte einen raf
finierten kleinen Schnalzer mit den Fingern.

»Oh«, sagte ich nach einer ausdruckslosen Pause, obwohl ich da
Wort noch nie gehört hatte.

Sie tauchte einen Finger in das Getränk und leckte ihn ab. »Wir ge
hen oft in den Bakkarat-Salon im MGM Grand, ja?«, sagte sie. »Dei
Dad notiert sich gern seine gespielten Partien.«

»Kann ich mal mitkommen?«

»Nein. Na ja, ich schätze, das *könntest* du *vielleicht*«, antwortet
sie, als hätte ich nach einem Urlaubsprospekt für irgendeine instabi
le islamische Region gefragt. »Aber Kinder sind in den Casinos nich
gerade superwillkommen, weißt du? Eigentlich darfst du da nich
mitkommen und zusehen.«

Na und, dachte ich. Irgendwo herumzustehen und Dad und Xan
dra beim Zocken zuzusehen, war nicht eben das, was ich mir unte
Spaß vorstellte. Laut sagte ich: »Aber ich dachte, da gibt's Tiger un
Piratenschiffe und so was.«

»Yeah, schön. Wahrscheinlich.« Sie streckte sich nach einem Gla
auf dem Küchenbord und entblößte dabei ein Viereck mit chinesi
schen Schriftzeichen in blauer Tusche zwischen ihrem T-Shirt un
der tief sitzenden Jeans. »Vor ein paar Jahren haben sie versuch
dieses ganze familienfreundliche Paket zu verkaufen. Hat aber nich
funktioniert.«

IX

Unter anderen Umständen hätte ich Xandra vielleicht gemocht – aber vermutlich könnte ich auch sagen, ich hätte den Jungen, der mich verprügelt hat, vielleicht gemocht, wenn er mich nicht verprügelt hätte. Sie war für mich der erste Hinweis darauf, dass Frauen über vierzig – Frauen, die zunächst nicht allzu toll aussahen – sexy sein konnten. Sie hatte zwar kein hübsches Gesicht (Glubschaugen, eine stumpfe kleine Nase, winzige Zähne), aber sie war noch gut in Form, sie trainierte, und ihre Arme und Beine waren von einem glänzenden Braun, das beinahe wie aufgesprüht aussah, als ob sie sich mit Unmengen von Cremes und Ölen einsalbte. Sie stakste auf ihren hohen Schuhen herum, ging aber schnell und zupfte dabei ständig an ihrem zu kurzen Rock, immer leicht nach vorne gebeugt, was sonderbar verlockend war. Auf einer gewissen Ebene fand ich sie abstoßend – ihre stotterige Stimme, ihr dickes, glänzendes Lipgloss, das aus einer Tube mit der Aufschrift »Lip Glass« kam, die zahlreichen Piercing-Löcher in ihren Ohren und die Lücke zwischen ihren Vorderzähnen, an der sie gern mit der Zunge herumspielte –, aber sie hatte auch etwas Heißblütiges, Erregendes, Toughes an sich, eine animalische Kraft, eine schnurrende, pirschende Anmutung, wenn sie die Plateauschuhe abgestreift hatte und barfuß herumlief.

Vanilla-Coke, Vanille-Fettstift, Vanille-Diätdrinks, Wodka Stolichnaya Vanille. Wenn sie nicht arbeitete, kleidete sie sich wie eine aufgetakelte Tennis-Mom: kurze weiße Röcke und jede Menge Goldschmuck. Sogar ihre Tennisschuhe waren neu und blitzweiß. Beim Sonnenbaden am Pool trug sie einen weißen Häkel-Bikini, ihr Rücken war breit, aber mager, mit vielen Rippen, wie bei einem Mann ohne Hemd. »Oh-oh, Garderoben-Fehlfunktion«, sagte sie, wenn sie sich im Liegestuhl aufrichtete, ohne daran zu denken, ihr Bikini-Oberteil zuzuhaken, und dann sah ich, dass ihre Brüste so braun waren wie der ganze Rest.

Sie sah gern Reality-Shows: *Survivor, American Idol*. Sie kaufte gern bei Intermix und Juicy Couture. Sie nannte ihre Freundin

Courtney und »Lästerschwester«, und vieles, über das sie lästerte
drehte sich leider um mich. »Ist das zu fassen?«, hörte ich sie ar
Telefon sagen, als mein Dad mal nicht zu Hause war. »So war da
nicht abgemacht. Ein Kind? Hallo? … Ja, es geht einem auf de
Keks«, fuhr sie dann fort und zog träge an ihrer Marlboro Ligh
An der Glastür zum Pool blieb sie stehen und schaute hinunter au
ihre frisch lackierten, melonengrünen Zehennägel. »Nein«, sagte si
nach einer kurzen Pause. »Ich weiß nicht, für wie lange. Ich meine
was glaubt er denn, was ich denke? Ich bin doch keine verdamm
te Hausmami.«

Ihre Klagen hörten sich immer gleich an, weder besonders auf
gebracht noch übertrieben, aber es war schwer zu sagen, wie ich si
dazu bringen konnte, mich zu mögen. Bis dahin war ich immer da
von ausgegangen, dass Frauen im Mütteralter es gern hatten, wen
man herumstand und versuchte, mit ihnen zu reden, aber bei Xan
dra, das lernte ich bald, war es besser, nicht herumzualbern ode
mich allzu eingehend zu erkundigen, wie der Tag gewesen war, wen
sie schlecht gelaunt nach Hause kam. Manchmal, wenn wir beide al
lein waren, schaltete sie vom Sportkanal auf Lifetime um, und wi
aßen ganz friedlich zusammen Obstsalat und guckten uns Filme ar
Aber wenn sie sich über mich ärgerte, hatte sie die Gewohnheit, au
fast alles, was ich sagte, in eisigem Ton mit »anscheinend« zu ant
worten, sodass ich mir ziemlich dämlich vorkam.

»Äh, ich kann den Öffner nicht finden.«

»Anscheinend.«

»Heute Abend gibt's eine Mondfinsternis.«

»Anscheinend.«

»Sieh mal, da kommen Funken aus der Steckdose.«

»Anscheinend.«

Xandra arbeitete abends. Meistens schwirrte sie gegen halb vie
nachmittags ab, in ihrer kurvenbetonenden Arbeitsuniform: schwar
zes Jackett und schwarze Hose aus einem elastischen, eng anliegen
den Stoff und die Bluse aufgeknöpft bis zu ihrem sommerspross
gen Schlüsselbein. Auf dem Namensschild an ihrem Blazer stand i

roßen Lettern XANDRA und darunter *Florida.* An dem Abend, ls wir in New York zusammen essen gegangen waren, hatte sie mir rzählt, sie versuche ins Immobiliengeschäft zu kommen, aber in Virklichkeit war sie, wie ich bald erfuhr, die Geschäftsführerin einer Bar namens »Nickels« in einem Casino am Strip. Manchmal kam sie nit Plastiktellern voller Barsnacks nach Hause, die in Klarsichtfo- ie gewickelt waren – Fleischbällchen und Chicken Teriyaki –, und lann saßen sie und mein Dad vor dem Fernseher und aßen bei ab- estelltem Ton.

Mit ihnen zu wohnen war, als teile ich mir eine Wohnung mit ,euten, mit denen ich mich nicht besonders gut verstand. Wenn sie u Hause waren, blieb ich in meinem Zimmer und hielt die Tür ge- chlossen. Und wenn sie ausgingen – was meistens der Fall war –, lurchstöberte ich die hinteren Bereiche des Hauses und versuchte nich an den offenen Grundriss zu gewöhnen. In vielen Zimmern tanden keine oder fast keine Möbel, und in dem offenen Raum und ler vorhanglosen Helligkeit – nichts als kahle Teppichböden und varallele Flächen – fühlte ich mich irgendwie ohne Anker.

Dennoch war es eine Erleichterung, mich nicht ständig entblößt nd wie auf einer Bühne zu fühlen, so wie bei den Barbours. Der Iimmel war von einem satten, besinnungslosen, niemals enden- en Blau, die Verheißung einer lächerlichen Glorie, die in Wirk- chkeit nicht da war. Niemanden kümmerte es, dass ich nie die Klei- er wechselte und nicht zur Therapie ging. Ich konnte nach Lust und aune herumalbern, den ganzen Vormittag im Bett verbringen und nir fünf Robert-Mitchum-Filme hintereinander anschauen, wenn nir danach war.

Dad und Xandra hielten ihre Schlafzimmertür blöderweise ver- chlossen, denn dort bewahrte Xandra ihren Laptop auf, den ich ur benutzen durfte, wenn sie zu Hause war und ihn für mich ins Vohnzimmer herunterholte. Beim Herumstöbern in ihrer Abwe- enheit fand ich Immobilien-Flyer, neue, noch im Karton verpackte Veingläser, einen Stapel von alten *TV Guides* und einen Karton mit erfledderten Billigtaschenbüchern: *Deine Mondzeichen, Die South-*

Beach-Diät, Poker Tells – Psychologie und Körpersprache und *Love* and *Players* von Jackie Collins.

Die Häuser ringsum standen leer – es gab keine Nachbarn. Für oder sechs Häuser weiter, auf der anderen Straßenseite, parkte ei alter Pontiac am Bordstein. Er gehörte einer müde aussehende Frau mit großen Titten und fransigem Haar, die ich manchmal spä nachmittags mit einer Packung Zigaretten in der Hand barfuß v ihrem Haus stehen und mit einem Handy telefonieren sah. Für mic hieß sie immer »Playa«, denn als ich sie das erste Mal sah, trug s ein T-Shirt mit der Aufschrift NICHT DAS PLAYA, SONDER DAS SPIEL IST SCHULD. Abgesehen von ihr, von Playa, war d einzige lebende Mensch, den ich in unserer Straße gesehen hatte, ei dickbäuchiger Mann in einem schwarzen Sporthemd ganz hinte am Ende der Sackgasse, wo er eine Mülltonne an den Straßenran rollte (obwohl ich ihm hätte sagen können, dass in unserer Straß kein Müll abgeholt wurde. Wenn es Zeit wurde, den Abfall wegzu bringen, musste ich mich in Xandras Auftrag mit dem Müllsac hinausschleichen und ihn ein paar Häuser weiter in den Containe vor der stillgelegten Baustelle werfen). Abends war es in der Stra ße stockdunkel, mal abgesehen von Playas und unserem Haus. D Gefühl der Isolation erinnerte mich an ein Buch über Pionierkir der in der Prärie von Nebraska, das wir in der dritten Klasse gelese hatten, nur dass ich weder Geschwister noch freundliche Stalltie noch Ma und Pa hatte.

Mit Abstand das Schlimmste aber war, dass ich mitten im Ni gendwo festsaß: Es gab weder Kinos noch Bibliotheken, nicht mal e nen Laden an der Ecke. »Gibt's hier keinen Bus oder so was?«, frag ich Xandra eines Abends in der Küche, als sie das abendliche Plastik tablett mit Atomic Chicken Wings und Blue Cheese Dip auswickelt

»Bus?« Xandra leckte sich einen Klecks Barbecue-Sauce vo Finger.

»Habt ihr hier keinen Personennahverkehr?«

»Nein.«

»Was machen die Leute denn dann?«

Xandra legte den Kopf schräg. »Sie fahren?«, sagte sie, als wäre ich ein Spasti, der noch nie was von Autos gehört hatte.

Aber eins muss man sagen: Es gab einen Pool. Am ersten Tag hatte ich mich innerhalb von einer Stunde ziegelrot verbrannt und eine schlaflose Nacht in der kratzigen neuen Bettwäsche verbracht. Danach ging ich immer erst nach draußen, wenn die Sonne unterging. Die Abenddämmerungen waren glutvoll und melodramatisch, mächtige Streifen in Orange und Karmesin und dem Zinnoberrot aus *Lawrence von Arabien,* und die Nacht fiel dunkel und hart herab wie eine zugeschlagene Tür. Xandras Hund Popper, der die meiste Zeit in einem braunen Plastikiglu an der Schattenseite des Zauns wohnte, rannte kläffend am Beckenrand hin und her, während ich auf dem Rücken im Wasser trieb und versuchte, in den verwirrenden weißen Sternenwolken die Sternbildern zu entdecken, die ich kannte: Lyra, die Königin Kassiopeia, der peitschenartige Skorpion mit dem Doppelstachel am Schwanz – all die freundlichen Kindheitsmuster, die mich unter den im Dunkeln leuchtenden Klebesternen aus dem Planetarium an meiner Zimmerdecke in New York funkelnd in den Schlaf begleitet hatten. Jetzt, in dieser Verwandlung – kalt und prachtvoll wie Gottheiten, die ihre Verkleidung abgeworfen hatten –, schien es, als wären sie durch das Dach und ins Firmament geflogen, in ihr wahres himmlisches Heim.

X

Die Schule fing in der letzten Augustwoche an. Von Weitem erinnerte mich der umzäunte Komplex der lang gestreckten, flachen, sandfarbenen Gebäude, die mit überdachten Gehwegen verbunden waren, an einen Minimum-Sicherheitstrakt. Aber kaum war ich durch die Türen getreten, schubsten mich die bunten Plakate und hallenden Korridore zurück in einen altbekannten Traum von Schule: überfüllte Treppen, summende Leuchtstofflampen, ein Biologieraum mit einem Leguan in einem klaviergroßen Terrarium, spind-

313

gesäumte Flure, die mir so vertraut waren wie die Kulissen einer oft gesehenen Fernsehserie. Und trotz der nur oberflächlichen Ähnlichkeit mit meiner alten Schule fühlte es sich auf irgendeiner seltsamen Wellenlänge doch tröstlich und real an.

Die andere Leistungsgruppe in Englisch las *Große Erwartungen.* Meine las *Walden,* und ich versteckte mich in der kühlen Stille des Buches, das mir Zuflucht vor dem Stahlblechglanz der Wüste gab. In der Vormittagspause (in der wir zusammengetrieben und hinausgeschickt wurden, auf einen mit Maschendrahtzaun umgebenen Schulhof neben den Verkaufsautomaten) stellte ich mich mit einem Taschenbuch in die schattigste Ecke, die ich finden konnte, und unterstrich mit einem Rotstift viele der besonders spannenden Sätze. »Die Mehrzahl der Menschen verbringt ihr Leben in stiller Verzweiflung.« – »Eine stereotype, wenn auch unbewusste Verzweiflung ist selbst hinter den sogenannten Vergnügungen und Unterhaltungen der Menschheit verborgen.« Was hätte Thoreau zu Las Vegas gesagt, mit all dem Licht und dem Lärm, dem Müll und den Tagträumen, den Projektionen und hohlen Fassaden?

Das Gefühl der Vergänglichkeit in meiner Schule war beunruhigend. Es gab viele Militärgören, viele Ausländer – nicht wenige davon Kinder von leitenden Angestellten, die nach Las Vegas gekommen waren, um dort in wichtigen Managementjobs für Bauunternehmen zu arbeiten. Einige von ihnen hatten im Laufe von neun oder zehn Jahren in ebenso vielen Staaten gelebt, und viele waren auch im Ausland gewesen: in Sydney, Caracas, Beijing, Dubai, Taipeh. Es gab aber etliche schüchterne, halb unsichtbare Jungen und Mädchen, deren Eltern vor dem strapaziösen Landleben geflohen waren und jetzt hier als Hotelpagen und Zimmermädchen arbeiteten. In diesem neuen Ökosystem wurde die Beliebtheit anscheinend nicht durch Geld oder wenigstens gutes Aussehen bestimmt. Es kam, wie ich bald herausfand, vor allem darauf an, wer am längsten in Las Vegas gelebt hatte, und deshalb saßen hinreißende mexikanische Schönheiten und die Erben international operierender Bauunternehmer in der Lunchpause allein, während die reizlosen

mittelmäßigen Kinder einheimischer Immobilienmakler und Auto-
händler zu Cheerleadern und Klassensprechern gewählt wurden und
die unangefochtene Elite der Schule bildeten.

Die Septembertage waren klar und schön, und im Laufe des Mo-
nats wich das bösartige Gleißen einer Art Lumineszenz, staubig und
golden. Manchmal aß ich meinen Lunch am spanischen Tisch, um
mein Spanisch zu üben, manchmal auch am deutschen Tisch; ich
sprach zwar kein Deutsch, aber ein paar der Kinder aus Deutsch II –
Kinder von Managern der Deutschen Bank und der Lufthansa – waren in New York aufgewachsen. Unter all meinen Fächern war Englisch das einzige, auf das ich mich freute, auch wenn es mich verstörte,
wie viele meiner Klassenkameraden Thoreau nicht mochten oder sogar über ihn herzogen, als sei er (der behauptete, niemals etwas Wertvolles von einem alten Menschen gelernt zu haben) ein Feind und
kein Freund. Seine Verachtung gegen den Kommerz (die ich belebend
empfand) verärgerte viele der lautstärkeren Schüler im Leistungskurs
Englisch. »Yeah, klar«, schrie ein unangenehmer Junge mit gegeltem
und zu steifen Stacheln gekämmten Haar, der aussah wie eine Figur
aus *Dragonball Z,* »das wäre vielleicht 'ne Welt, wenn *alle* einfach aussteigen und irgendwo im Wald rumschmollen wollten …«

»*Ich, ich, ich*«, winselte eine Stimme von hinten.

»Antisozial ist das«, rief ein großmäuliges Mädchen eifrig in das
Gelächter, das nach dem Winseln einsetzte. Sie rutschte auf ihrem
Stuhl herum und drehte sich nach der Lehrerin um (einer kraftlosen,
schlanggliedrigen Frau namens Mrs. Spear, die immer braune Sandalen
und erdfarbene Kleider trug und aussah, als leide sie unter starken
Depressionen). »Thoreau sitzt immer nur auf dem Hintern, und uns
erzählt er, wie gut er es hat …«

»… *weil*«, fuhr Dragonball-Z-Boy fort und wurde genussvoll immer lauter, »wenn alle aussteigen, wie er es sagt? Was für eine Gesellschaft hätten wir, wenn es nur Leute wie ihn gäbe? Dann hätten
wir keine Krankenhäuser und so was. Wir hätten keine Straßen.«

»Idiot«, murmelte eine mir willkommene Stimme – gerade so laut,
dass jeder ringsherum es hören konnte.

Ich drehte mich nach rechts und wollte sehen, wer das gewesen war: der nach Burnout aussehende Junge auf der anderen Seite des Ganges. Er hing schlaff auf seinem Stuhl und trommelte mit den Fingern auf dem Tisch. Als er sah, dass ich ihn anschaute, zog er ein überraschend lebhafte Augenbraue hoch, als wollte er fragen: *Was sagt man zu diesen bescheuerten Volltrotteln?*

»Hat dahinten jemand etwas zu sagen?«, fragte Mrs. Spear.

»Als ob Thoreau sich einen Dreck für Straßen interessiert hätte«, sagte der Burnout-Junge.

»Thoreau war der erste Umweltschützer«, sagte Mrs. Spear.

»Und der erste Vegetarier«, sagte ein Mädchen ganz hinten.

»Das passt«, sagte jemand. »Mr. Knackig-frisch.«

»Ihr kapiert alle nicht, was ich meine«, erklärte Dragonball-Z-Boy aufgeregt. »Jemand muss Straßen bauen, statt den ganzen Tag im Wald rumzusitzen und den Ameisen und Mücken zuzuschauen. Das nennt man Zivilisation.«

Mein Gangnachbar stieß ein scharfes, verächtliches Lachen aus. Er war bleich und dünn und nicht sehr sauber. Sein strähniges dunkles Haar fiel ihm in die Augen, und er hatte die ungesund fahle Haut eines Straßenjungen, schwielige Hände und schwarz geränderte Fingernägel, die bis an die Wurzel abgekaut waren. Er wirkte nicht wie die Skater-Ratten mit den glänzenden Haaren und der Skifahrer-Bräune in meiner Schule an der Upper West Side, Punks, deren Väter CEOs und Park-Avenue-Chirurgen waren, sondern wie ein Junge, der durchaus irgendwo auf dem Gehweg sitzen könnte, mit einem streunenden Hund an einem Strick.

»Nun, wollen wir uns einigen dieser Fragen zuwenden? Ich möchte, dass alle zu Seite fünfzehn zurückblättern«, sagte Mrs. Spear. »Wo Thoreau von seinem Lebensexperiment berichtet.«

»Was denn für ein Experiment?«, fragte Dragonball Z. »Wie unterscheidet sich einer, der im Wald lebt wie er, von einem Höhlenmenschen?«

Der dunkelhaarige Junge runzelte die Stirn und sackte noch weiter zusammen. Er erinnerte mich an die obdachlos aussehenden Kids

die an St. Mark's Place herumstanden, Zigaretten herumgehen ließen, ihre Narben verglichen und um Kleingeld bettelten: die gleichen
zerrissenen Kleider und dürren weißen Arme, die gleichen verdreh-
ten, schwarzen Lederarmbänder am Handgelenk. Ihre vielschichtige Komplexität war ein Signal, das ich nicht deuten konnte, aber im
Großen und Ganzen war die Botschaft klar: *anderer Stamm, vergiss
es, ich bin viel zu cool für dich, versuch gar nicht erst, mit mir zu reden.*
Dies war mein falscher erster Eindruck von dem einzigen Freund,
den ich in Las Vegas gefunden habe, und – wie sich zeigen sollte –
von einem der besten Freunde meines Lebens.

Sein Name war Boris. Irgendwie trafen wir uns an diesem Tag in
der Truppe wieder, die nach der Schule auf den Bus wartete.

»Aha. Harry Potter«, sagte er und musterte mich.

»Leck mich am Arsch«, sagte ich lustlos. Es war nicht das erste Mal, dass ich in Las Vegas diese Harry-Potter-Bemerkung hörte.
Meine New Yorker Kleidung – Khakis, weißes Oxford-Hemd und
die Schildpattbrille, die ich leider zum Sehen brauchte – ließ mich
an einer Schule, in der die meisten Leute Tanktops und Flip-Flops
trugen, wie ein Freak aussehen.

»Wo ist dein Besenstiel?«

»Hab ich in Hogwarts gelassen«, sagte ich. »Und du? Wo ist dein
Board?«

»Eh?« Er lehnte sich herüber und legte die gewölbte Hand hinter das Ohr wie ein alter, tauber Mann. Er war einen halben Kopf
größer als ich, und zu seinen Jungle-Boots und einer bizarren alten
Combat-Hose mit aufgerissenen Knien trug er ein vergammeltes altes T-Shirt mit einem Snowboarder-Logo, Never Summer, in weißen, gotischen Lettern.

»Dein Shirt«, sagte ich mit einer knappen Kopfbewegung. »Snow-
boarding ist ja eher nichts für die Wüste.«

»Njah.« Boris strich sich das strähnige dunkle Haar aus den Augen. »Ich kann nicht snowboarden. Ich hasse nur die Sonne.«

Wir saßen dann zusammen im Bus, auf dem Platz bei der Tür,
der offenbar nicht beliebt war, wenn man danach urteilen konn-

te, wie die anderen Kids sich schubsend und drängelnd nach hin
ten schoben. Aber ich war nicht mit Schulbussen aufgewachsen
und er anscheinend auch nicht, denn auch er fand es offensichtlich
nur natürlich, sich gleich vorn auf den ersten freien Sitz fallen zu
lassen. Eine Zeit lang sagten wir nicht viel, aber es war eine lange
Fahrt, und schließlich kamen wir ins Gespräch. Wie sich heraus
stellte, wohnte er auch in Canyon Shadows, aber weiter draußen
an dem Ende, das die Wüste allmählich zurückeroberte, wo viele
Häuser nicht zu Ende gebaut worden waren und der Sand die Stra
ßen verwehte.

»Wie lange bist du schon hier?«, fragte ich ihn. Es war die Frage
die alle Kids in meiner neuen Schule einander stellten, als säßen sie
eine Haftstrafe ab.

»Weiß nicht. Zwei Monate vielleicht?« Obwohl er ziemlich flie
ßend Englisch sprach, mit einem starken australischen Akzent, war
da auch noch der dunkle, träge Unterton von etwas anderem: ein
Hauch von Graf Dracula, vielleicht auch von einem KGB-Agenten
»Woher kommst du?«

»New York.« Mit Genugtuung sah ich, wie er wortlos stutzte, nur
seine zusammengezogenen Brauen verrieten ihn: *sehr cool.* »Und
du?«

Er verzog das Gesicht. »Na, mal sehen.« Er ließ sich zurücksa
cken und zählte die Länder an den Fingern ab. »Gewohnt hab ich in
Russland, Schottland, was vielleicht cool war, aber ich erinnere mich
nicht, Australien, Polen, Neuseeland, Texas zwei Monate, Alaska
Neuguinea, Kanada, Saudi-Arabien, Schweden, Ukraine ...«

»Meine Güte.«

Er zuckte die Achseln. »Aber hauptsächlich in Australien, Russ
land und Ukraine. Die drei.«

»Sprichst du Russisch?«

Seine Handbewegung interpretierte ich als *mehr oder weniger*
»Ukrainisch auch und Polnisch. Aber ich habe viel vergessen. Neu
lich hab ich überlegt, wie das Wort für ›Libelle‹ heißt, und wusste es
nicht.«

»Sag mal was.«

Er tat es. Es klang fauchend und guttural.

»Was heißt das?«

Er gluckste. »Es heißt ›Fick dich in den Arsch‹.«

»Ach ja? Auf Russisch?«

Er lachte und entblößte dabei angegraute und sehr unamerikani-sche Zähne. »Ukrainisch.«

»Ich dachte, in der Ukraine sprechen sie Russisch.«

»Ja, schon. Kommt drauf an, welcher Teil von Ukraine. Sind nicht so verschieden, die beiden Sprachen. Na ja«, Zungenschnalzen, Augenrollen, »nicht so sehr. Zahlen sind anders, Wochentage, paar Vokabeln. Mein Name wird auf Ukrainisch anders geschrieben, aber in Nordamerika ist es einfacher, russisch zu buchstabieren und Boris zu heißen, nicht B-o-r-y-s. Im Westen kennen alle Boris Jelzin.« Er legte den Kopf zur Seite. »Boris Becker …«

»Boris Badenow …«

»Hä?«, sagte er in scharfem Ton, als hätte ich ihn beleidigt.

»Bullwinkle? Die Cartoons? Boris und Natascha?«

»Ah ja. Fürst Boris! *Krieg und Frieden.* Ich heiße wie er. Aber Fürst Boris heißt mit Nachnamen Drubezkói und nicht, was du gesagt hast.«

»Und was ist deine erste Sprache? Ukrainisch?«

Er zuckte die Achseln. »Polnisch vielleicht.« Er lehnte sich zurück und schleuderte sein dunkles Haar mit einer kurzen Kopfbewegung zur Seite. Seine Augen waren hart und humorvoll, sehr schwarz. »Meine Mutter war Polin, aus Rzeszów, in der Nähe der ukraini-schen Grenze. Russisch, ukrainisch – die Ukraine war, wie du weißt, ein Satellitenstaat der UdSSR, und deshalb spreche ich beides. Vielleicht nicht ganz so viel Russisch – das ist am besten zum Fluchen und Schimpfen. Die slawischen Sprachen – Russisch, Ukrainisch, Polnisch, sogar Tschechisch – sprichst du eine, verstehst du irgendwie alle. Aber für mich ist Englisch jetzt am leichtesten. War früher umgekehrt.«

»Wie findest du Amerika?«

»Alle grinsen immer so breit. Na ja, die meisten Leute. Du vielleicht nicht so. Ich finde, es sieht dumm aus.«

Er war wie ich ein Einzelkind. Sein Vater (geboren in Sibirien, ein ukrainischer Staatsbürger aus Nowoagansk) war Experte für Bergbau und Exploration. »Superwichtiger Job, er reist in der ganzen Welt herum.« Boris' Mutter – die zweite Frau seines Vaters – war tot.

»Meine auch«, sagte ich.

Er zuckte die Achseln. »Sie ist schon ewig und drei Tage tot«, sagte er. »Sie war ein Alkie. Einmal abends war sie betrunken und ist aus dem Fenster gefallen und gestorben.«

»Wow«, sagte ich, ein bisschen verblüfft darüber, wie lässig er das abtat.

»Ja, ist scheiße«, sagte er gleichgültig und schaute aus dem Fenster.

»Und welche Nationalität hast du?«, fragte ich nach kurzem Schweigen.

»Hä?«

»Na, wenn deine Mutter Polin ist und dein Dad Ukrainer, und wenn du in Australien geboren bist, dann wärst du …«

»Indonesier«, sagte er mit unheilvollem Lächeln. Er hatte dunkle, teuflische, sehr ausdrucksvolle Augenbrauen, die sich dauernd bewegten, während er sprach.

»Wieso?«

»Na ja, in meinem Pass steht Ukraine. Und ich habe noch polnische Teilstaatsbürgerschaft. Aber Indonesien ist das Land, in das ich zurückmöchte.« Boris schleuderte sich das Haar aus dem Gesicht. »Also PNG.«

»Was?«

»Papua-Neuguinea. Da hab ich am liebsten gewohnt.«

»In Neuguinea? Ich dachte, da gibt's Kopfjäger.«

»Nicht mehr. Oder nicht so viele. Dieses Armband ist von da.« Er zeigte auf einen der vielen schwarzen Lederriemen an seinem Handgelenk. »Mein Freund Bami hat es für mich gemacht. Er war unser Koch.«

»Wie ist es da?«

»Nicht so schlecht.« Er sah mich auf seine tiefgründige, still amüsierte Art von der Seite an. »Ich hatte einen Papagei. Und eine zahme Gans. Und ich hab angefangen, Surfen zu lernen. Aber dann, vor sechs Monaten, hat mein Dad mich in dieses lausige Kaff in Alaska geschleppt. Seward Peninsula, dicht unter dem Polarkreis? Und dann, Mitte Mai, sind wir mit einem Propellerflugzeug nach Fairbanks geflogen und dann hierher gekommen.«

»Wow«, sagte ich.

»*Tod*langweilig da oben«, sagte Boris. »Haufenweise tote Fische und schlechtes Internet. Ich hätte weglaufen sollen – ich wünschte, ich hätte es getan.«

»Und dann was?«

»Ich wäre in Neuguinea geblieben. Hätte am Strand gewohnt. Jedenfalls waren wir, Gott sei Dank, nicht den ganzen Winter da. Vor ein paar Jahren waren wir oben im Norden von Kanada, in Alberta, diesem Ein-Straßen-Dorf am Pouce Coupé River. Dunkel die ganze Zeit, von Oktober bis März, und es gibt einen Scheißdreck zu tun; man kann höchstens lesen und CBC Radio hören. Musste fünfzig Kilometer fahren, um die Wäsche gewaschen zu kriegen. Trotzdem«, er lachte, »immer noch besser als die Ukraine. Ist Miami Beach im Vergleich dazu.«

»Was macht dein Dad noch mal?«

»Trinken hauptsächlich«, sagte Boris säuerlich.

»Dann sollte er meinen Dad kennenlernen.«

Wieder dieses plötzliche, explosionsartige Lachen – fast, als bespuckte er einen von oben bis unten. »Ja. Ausgezeichnet. Und Huren?«

»Würde mich nicht wundern«, sagte ich nach einer kurzen Pause verblüfft. Obwohl mich nicht viel von dem, was mein Dad tat, schockierte, hatte ich mir eigentlich nie vorgestellt, dass er sich in den Läden namens »Live Girls« und »Gentlemen's Club« herumtrieb, an denen wir manchmal auf dem Highway vorbeikamen.

Der Bus wurde leerer, und wir waren nur noch ein paar Straßen von unserem Haus entfernt. »Hey, da vorn ist meine Haltestelle«, sagte ich.

»Kommst du mit zu mir, fernsehen?«, fragte Boris.

»Ich weiß nicht ...«

»Ach, komm. Ist niemand da. Und ich hab *SOS Eisberg* auf DVD.

XI

Der Schulbus fuhr nicht ganz hinaus bis zum Rand von Canyon Sha
dows, wo Boris wohnte. Von der letzten Haltestelle war es noch ei
zwanzigminütiger Fußweg in glühender Hitze durch Straßen, übe
die der Sand wehte. Auch in meiner Straße gab es jede Menge Schi
der mit der Aufschrift »Zwangsversteigerung« und »Zu verkaufen
(und nachts konnte man ein Autoradio meilenweit hören), aber ic
hatte nicht geahnt, wie gespenstisch Canyon Shadows in den äußers
ten Ausläufern wurde: eine Spielzeugstadt, die draußen am Rand de
Wüste zerfaserte, unter einem bedrohlichen Himmel. Die meiste
Häuser sahen aus, als hätte noch nie jemand darin gewohnt. Ande
re – unvollendet – hatten Fenster mit schartigen Rändern und ohn
Glas, sie waren von Gerüsten umgeben und grau vom wehende
Sand, und davor lagerten Stapel von Zementsäcken und vergilbter
Baumaterial. Mit Brettern vernagelte Fenster ließen sie blind, lädie
und uneben aussehen wie zerschlagene und verpflasterte Gesichte
Je weiter wir kamen, desto verstörender wurde die Atmosphäre vo
Verlassenheit, als streiften wir über einen durch Strahlung oder Se
chen entvölkerten Planeten.

»Sie haben diesen Scheiß viel zu weit draußen gebaut«, sagte Bo
ris. »Jetzt holt die Wüste sich alles zurück. Genau wie die Banken.
Er lachte. »Scheiß auf Thoreau, was?«

»Diese ganze Stadt ist ein einziges ›Fick dich‹ an Thoreau.«

»Ich sag dir, wer hier gefickt ist: die Leute, denen diese Häuser ge
hören. Viele haben nicht mal Wasser. Sie werden alle wieder einka
siert, weil die Leute nicht zahlen können. Darum blecht mein Da
für unsere Bude so verdammt wenig Miete.«

»Hm«, sagte ich nach einer kurzen Pause verdutzt. Ich war nie a

322

ie Idee gekommen, mich zu fragen, wie mein Dad sich ein so gro-
es Haus wie unseres leisten konnte.

»Mein Dad bohrt Bergwerksschächte«, sagte Boris unvermittelt.

»Was?«

Er harkte sich mit den Fingern das schweißfeuchte Haar aus dem
ïesicht. »Die Leute hassen uns, wo wir hinkommen. Weil sie ih-
en versprechen, das Bergwerk wird der Umwelt nicht schaden, und
ann schadet das Bergwerk der Umwelt. Aber hier«, er zuckte die
.chseln in einer fatalistischen Russengebärde, »mein Gott, diese ver-
:hissene Sandgrube, wen interessiert das?«

»Aha«, gab ich von mir, und dabei fiel mir auf, wie weit unsere
timmen über die verlassene Straße hallten, »es ist *wirklich leer* hier
nten, was?«

»Ja. Ein Friedhof. Wohnt nur eine andere Familie hier – die Leute
ahinten. Großer Truck vor dem Haus, siehst du? Illegale Einwan-
erer, glaube ich.«

»Aber du und dein Dad, ihr seid legal hier, ja?« Das war ein Pro-
lem in der Schule: ein paar der Schüler waren es nicht, und in den
luren hingen Plakate deswegen.

Er machte ein Geräusch: *pfft, lächerlich.* »Natürlich. Dafür sorgt
as Bergwerk. Oder sonst jemand. Aber die Leute dahinten? Zwan-
ig, vielleicht dreißig Personen, alles Männer, alle wohnen in dem
Iaus. Drogendealer vielleicht.«

»Meinst du?«

»Läuft was Komisches da«, sagte Boris düster. »Mehr weiß ich
icht.«

Boris' Haus – zwischen zwei Brachen voller Müll – sah im Gro-
en und Ganzen aus wie das Haus von Dad und Xandra: Teppichbo-
en von Wand zu Wand, nagelneue Hausgeräte, der gleiche Grund-
ss, wenig Möbel. Aber drinnen war es ungemütlich warm, der Pool
'ar trocken und unten am Grund von einer dicken Sandschicht be-
eckt, und es gab nicht den Anschein eines Gartens, nicht mal Kak-
:en. Alle Oberflächen – Küchengeräte, Arbeitsplatten, Küchenfuß-
oden – waren von feinem Sand überzogen.

»Was trinken?«, fragte Boris. Er öffnete den Kühlschrank, und ic
sah deutsches Bier, eine glänzende Reihe von Flaschen.

»Oh, wow, danke.«

»In Neuguinea«, Boris wischte sich mit dem Handrücken übe
die Stirn, »als ich da gewohnt hab, ja? Wir hatten eine schlimm
Überschwemmung. Schlangen … sehr gefährlich und furchterre
gend … und nicht explodierte Seeminen aus dem Zweiten Weltkrie
schwammen im Garten rum … viele Gänse sind gestorben. Jeder
falls«, er öffnete eine Flasche Bier, »unser ganzes Wasser war verdo
ben. Typhus. Wir hatten nur Bier, Pepsi war alle, Lucozade war all
Jodtabletten waren alle: volle drei Wochen, mein Dad und ich un
sogar die Muslime, nichts zu trinken außer Bier! Zum Frühstüc
zum Mittagessen, immer.«

»Das klingt nicht so übel.«

Er verzog das Gesicht. »Hatte die ganze Zeit Kopfschmerzen. Ei
heimisches Bier, in Neuguinea – schmeckt sehr schlecht. Das hier i
der gute Stoff! In der Tiefkühlung ist auch Wodka.«

Ich wollte Ja sagen, um ihn zu beeindrucken, aber dann dachte ic
an die Hitze und den Heimweg und sagte: »Nein danke.«

Er stieß mit seiner Flasche klingend gegen meine. »Hast rech
Viel zu heiß, um tagsüber zu trinken. Mein Dad trinkt so viel, da
die Nerven in seinen Füßen tot sind.«

»Im Ernst?«

»Das heißt«, er legte sein Gesicht in Falten und bemühte sic
die Worte hervorzubringen, »periphere Neuropathie« (er sprach
»Neuro*pa*thie« aus). »In Kanada, im Krankenhaus, mussten sie ih
beibringen, wieder zu gehen. Er ist aufgestanden – auf den Bode
gefallen – seine Nase blutet – zum Piepen.«

»Klingt unterhaltsam.« Ich musste daran denken, wie mein eige
ner Dad mal auf Händen und Knien zum Kühlschrank gekroche
war, um Eis zu holen.

»Sehr. Was trinkt deiner? Dein Dad?«

»Scotch. Wenn er trinkt. Angeblich hat er jetzt aufgehört.«

»Hah«, sagte Boris, als habe er das schon einmal gehört. »Mei

324

Dad sollte wechseln – guter Scotch ist hier sehr billig. Hey, willst du mein Zimmer sehen?«

Ich erwartete etwas Ähnliches wie mein eigenes Zimmer und war überrascht, als ich so etwas wie ein zerlumptes Zelt betrat. Es stank abgestanden nach Marlboros, überall stapelten sich Bücher, alte Bierflaschen und Aschenbecher, und Haufen von schmutzigen Handtüchern und ungewaschenen Kleidungsstücken lagen verstreut auf dem Boden. An den Wänden wallte bedruckter Stoff – gelb, grün, indigo und violett –, und eine rote Hammer-und-Sichel-Flagge hing über der mit einem Batiktuch bedeckten Matratze. Es sah aus, als sei ein russischer Kosmonaut im Dschungel notgelandet und habe sich aus seiner Staatsflagge und allen einheimischen Sarongs und Textilien, die er finden konnte, einen Unterstand gebaut.

»Hast du das gemacht?«, fragte ich.

»Ich falte es zusammen und stecke es in einen Koffer.« Boris ließ sich auf die grellbunte Matratze fallen. »Dauert nur zehn Minuten, alles wieder anzubringen. Willst du *SOS Eisberg* sehen?«

»Klar.«

»Wahnsinnsfilm. Ich hab ihn sechs Mal gesehen. Zum Beispiel, wenn sie in ihr Flugzeug steigt, um die auf dem Eis zu retten?«

Aber irgendwie kamen wir an diesem Nachmittag nicht dazu, uns *SOS Eisberg* anzusehen, vielleicht weil wir nicht lange genug aufhörten zu reden, um hinunterzugehen und den Fernseher einzuschalten. Boris hatte ein interessanteres Leben hinter sich als irgendjemand sonst in meinem Alter, den ich kannte. Anscheinend war er nicht sehr oft zur Schule gegangen, und dann nur in die allererbärmlichste Sorte; da draußen in den trostlosen Gegenden, in denen sein Dad arbeitete, gab es oft gar keine Schule für ihn. »Es gibt ja Videos.« Er trank einen Schluck Bier und sah mich mit einem Auge an. »Und man kann Prüfungen machen. Aber dafür muss man Internet haben, und manchmal, zum Beispiel hoch oben in Kanada oder in der Ukraine, haben wir keins.«

»Und was machst du dann?«

Er zuckte die Achseln. »Viel lesen, schätze ich.« Ein Lehrer in

Texas, erzählte er, hatte ein Studienprogramm für ihn aus dem Net heruntergeladen.

»In Australien muss es doch eine Schule gegeben haben.«

Boris lachte. »Klar gab's die.« Er pustete sich eine verschwitzt Haarsträhne aus dem Gesicht. »Aber als meine Mum gestorben wa haben wir eine Zeit lang im Northern Territory gewohnt – im Arn hemland – eine Stadt namens Karmeywallag? Sogenannte Stad Meilenweit mitten im Nirgendwo – Wohnwagen für die Bergleut und eine Tankstelle mit 'ner Bar hinten dran, Bier und Whiskey un Sandwiches. Jedenfalls, die Frau von Mick, der die Bar hatte, Jud hieß sie«, er trank aus seiner Flasche, und das Bier lief ihm über Kinn, »mit Judy hab ich die ganze Zeit, jeden Tag immer nur Soap geguckt, und abends war ich bei ihr hinter der Theke, wenn mei Dad und seine Crew aus dem Bergwerk sich besoffen haben. Wäh rend Monsun konnte man nicht mal fernsehen. Judy hatte ihre Kas setten im Kühlschrank, damit sie nicht kaputtgingen.«

»Wieso kaputt?«

»Schimmel wächst im Nassen. Schimmel auf den Schuhen, Schim mel auf deinen Büchern.« Er zuckte die Achseln. »Damals hab ic nicht so viel geredet wie jetzt, weil ich konnte nicht so gut Englisc Sehr schüchtern, hab ich allein gesessen, immer für mich. Aber Judy Sie hat trotzdem mit mir gesprochen und war nett, obwohl ich vo dem, was sie sagte, kein Wort verstanden habe. Jeden Morgen bi ich zu ihr gegangen, und sie hat mir immer den gleichen guten Brat reis gemacht. Regen, Regen, Regen. Boden fegen, Geschirr spüler ihr helfen beim Saubermachen. Bin ihr überallhin nachgelaufen, wi eine Babygans. Das ist Tasse, das ist Besen, das ist Barhocker, da Bleistift. So war meine Schule. Fernsehen – Duran-Duran-Kasse ten und Boy George – alles auf Englisch. *McLeods Töchter* war ihr Lieblingssendung. Wir saßen immer zusammen vor dem Fernsehe und wenn ich was nicht wusste, hat sie es mir erklärt. Und wir habe über die Schwestern gesprochen, und wir haben geweint, als Clair bei Autounfall starb, und sie sagte, wenn sie eine Farm wie Drover hätte, dann würde sie mich mitnehmen, und wir würden da wohne

nd zusammen glücklich sein, und wir hätten lauter Frauen, die für
ns arbeiten, wie die McLeods. Sie war sehr jung und hübsch. Blonde
ocken und blaues Zeug auf den Augen. Ihr Mann hat sie Schlam-
e genannt und Pferdearsch, aber ich fand, sie sah aus wie Jodi aus
er Serie. Den ganzen Tag hat sie mit mir gesprochen und gesungen.
at mir alle Lieder in der Musikbox beigebracht. ›*Dark in the city,
e night is alive …*‹ Bald hatte ich gute Kenntnis entwickelt. Sprich
nglisch, Boris! Ich konnte ein bisschen Englisch aus der Schule in
olen – hallo Entschuldigung vielen Dank, aber zwei Monate mit
r, und ich nur noch schnatter schnatter schnatter! Hab seitdem
icht mehr aufgehört zu reden! Sie war sehr nett und freundlich zu
ir, immer. Aber sie ging in die Küche und weinte jeden Tag, weil
e Karmeywallag so sehr hasste.«

Es wurde spät, aber draußen war es immer noch heiß und hell.
Hey, ich hab Mörderhunger.« Boris stand auf und streckte sich, so-
ass ein Streifen Bauch zwischen seiner Combat-Hose und dem ver-
chlissenen Shirt zu sehen war, konkav und leichenweiß wie bei ei-
em verhungerten Heiligen.

»Was hast du zu essen?«

»Brot und Zucker.«

»Du machst Witze.«

Boris gähnte und rieb sich die roten Augen. »Du hast noch nie
rot mit Zucker gegessen?«

»Hast du nichts anderes?«

Er zuckte müde die Achseln. »Einen Gutschein für Pizza. Tolle Sa-
e. So weit draußen liefern sie nicht.«

»Ich dachte, ihr hattet einen Koch, wo ihr früher gewohnt habt?«

»Ja, hatten wir auch. In Indonesien. Und in Saudi-Arabien.« Er
uchte eine Zigarette – ich hatte abgelehnt, als er mir eine anbot.
r schien mir ein bisschen betrunken zu sein, denn er driftete wip-
end im Zimmer herum, als ob wir Musik hätten, aber es lief keine.
Äußerst cooler Typ namens Abdul Fataah. Das bedeutet ›Diener des
ffners der Tore der Ernährung‹.«

»Hör zu, wir gehen zu mir nach Hause.«

Er setzte sich auf das Bett und klemmte die Hände zwischen d̶
Knie. »Erzähl mir nicht, die Schlampe kocht.«

»Nein, aber sie arbeitet in einer Bar mit Buffet. Manchmal brin̶
sie Zeug zum Essen mit nach Hause.«

»Ausgezeichnet«, sagte Boris. Er wankte ein bisschen, als er au̶
stand. Er hatte jetzt drei Bier getrunken, und das vierte war in Arbe̶
An der Haustür nahm er einen Schirm und reichte mir auch eine̶

»Äh, wozu soll der gut sein?«

Er klappte seinen Schirm auf und ging hinaus. »Ist kühler daru̶
ter«, sagte er, und sein Gesicht sah im Schatten bläulich aus. »Un̶
kein Sonnenbrand.«

XII

Vor Boris hatte ich meine Einsamkeit ziemlich stoisch ertragen, ohn̶
so recht zu merken, wie allein ich war. Und ich glaube, wenn e̶
ner von uns in einem wenigstens halbwegs normalen Haushalt g̶
lebt hätte, mit Zapfenstreich und häuslichen Pflichten und Aufsic̶
durch Erwachsene, wären wir nicht ganz so schnell so unzertren̶
lich geworden, aber so waren wir praktisch von diesem Tag an stä̶
dig beieinander, schnorrten unser Essen zusammen und teilten d̶
Geld, das wir hatten.

In New York war ich mit vielen weltgewandten Kids aufgewac̶
sen – mit Kids, die im Ausland gelebt hatten und drei oder vier Spr̶
chen konnten, die Sommerprogramme in Heidelberg absolvierte̶
und ihre Ferien an Orten wie Rio und Innsbruck oder Cap d'Antib̶
verbrachten. Aber Boris stellte sie alle in den Schatten, wie ein alt̶
Hochseekapitän. Er hatte ein Kamel geritten. Er hatte Witchetty-M̶
den gegessen, Kricket gespielt, Malaria gehabt und in der Ukraine a̶
der Straße gelebt (»aber nur zwei Wochen«). Er hatte allein eine Sta̶
ge Dynamit gezündet und war in krokodilverseuchten australische̶
Flüssen geschwommen. Er hatte Tschechow auf Russisch gelesen u̶
Autoren, von denen ich noch nie gehört hatte, auf Ukrainisch u̶

olnisch. Er hatte die mittwinterliche Dunkelheit in Russland über-
tanden, wo die Temperaturen unter minus vierzig Grad fielen: end-
se Blizzards, Schnee und Glatteis, und als einzige Aufmunterung
ine grüne Neonpalme, die vierundzwanzig Stunden am Tag vor der
rovinzbar leuchtete, in die sein Vater gern zum Trinken hinging.
bwohl er nur ein Jahr älter als ich war – fünfzehn –, hatte er schon
chtig Sex mit einem Mädchen gehabt, in Alaska. Er hatte sie auf
em Parkplatz eines Supermarkts um eine Zigarette angehauen, sie
atte ihn gefragt, ob er sich mit ihr ins Auto setzen wollte, und das
var's gewesen. (»Aber weißt du was?«, fragte er und blies Rauch aus
em Mundwinkel. »Ich glaube nicht, dass es ihr besonders gefallen
at.«

»Dir denn?«

»Gott, ja. Obwohl, ich muss dir sagen, ich weiß, dass ich es nicht
chtig gemacht habe. Ich glaube, war zu eng in dem Auto.«)

Jeden Tag fuhren wir mit dem Bus zusammen nach Hause. Am
albfertigen Gemeindezentrum am Rand von Desatoya Estates, wo
ie Türen mit Vorhängeschlössern gesichert waren und die Palmen
ot und braun in ihren Kübeln standen, war ein verlassener Spiel-
latz, und dort holten wir uns Softdrinks und geschmolzene Scho-
oriegel aus dem schwindenden Bestand der Automaten, setzten
ns auf die Schaukeln, rauchten und redeten. Seine schlechten Lau-
en und finsteren Stimmungen, die häufig auftraten, wechselten sich
nit ungesunden Heiterkeitsausbrüchen ab. Er war wild und düster,
nanchmal konnte er mich so sehr zum Lachen bringen, dass ich
eitenstiche bekam, und wir hatten immer so viel zu erzählen, dass
vir oft die Zeit aus den Augen verloren und bis weit in die Dunkel-
eit hinein draußen sitzen blieben und redeten. In der Ukraine hatte
r mitangesehen, wie einem Abgeordneten auf dem Weg zu seinem
Auto in den Bauch geschossen wurde – rein zufällig, zwar nicht den
chützen, aber den breitschultrigen Mann in einem zu engen Mantel,
er in Dunkelheit und Schnee auf die Knie fiel. Er erzählte mir von
einer winzigen Blechdachschule am Rande des Chippewa-Reservats
n Alberta, sang mir polnische Kinderlieder vor (»in Polen wir ler-

nen als Hausaufgabe meistens ein Gedicht oder ein Lied auswendig
ein Gebet vielleicht, so was …«), und er brachte mir das Fluchen au
Russisch bei (»das ist der echte *Mat* – die Sprache der Gulags«). Er er
zählte mir auch, wie er in Indonesien von seinem Freund Bami, der
Koch, zum Islam bekehrt worden war: kein Schweinefleisch, Faste
im Ramadan und fünfmal am Tag in Richtung Mekka beten. »Abe
ich bin kein Muslim mehr.« Er zog die Fußspitze durch den Staul
Wir lagen rücklings auf dem Karussell, und uns war schwindlig vor
Kreiseln. »Hab ich vor einer Weile aufgegeben.«

»Warum?«

»Weil ich trinke.« (Das war das Understatement des Jahres. Bori
trank Bier, wie andere Kids Pepsi tranken, und er fing praktisch i
dem Augenblick an, als wir aus der Schule kamen.)

»Aber wen interessiert das?«, fragte ich. »Ich meine, wieso mus
das jemand wissen?«

Er schnaubte ungeduldig. »Weil es unrecht ist, den Glauben z
bekennen, wenn man ihn nicht ordentlich befolgt. Respektlos ge
gen den Islam.«

»Trotzdem. ›Boris von Arabien‹, das hat einen gewissen Klang.«

»Leck mich.«

»Nein, im Ernst.« Ich lachte und stemmte mich auf den Ellenbo
gen hoch. »Hast du wirklich an das alles geglaubt?«

»An was alles?«

»Du weißt schon. Allah und Muhammed. ›Es gibt keinen Got
außer Gott‹ …?«

»Nein«, sagte er ein bisschen wütend, »mein Islam war was Po
litisches.«

»Was, du meinst, wie beim Schuhbomber?«

Er lachte schnaufend. »Scheiße, nein. Außerdem, der Islam lehr
keine Gewalt.«

»Was dann?«

Er richtete sich auf dem Karussell auf, und sein Blick wa
wachsam. »Was meinst du damit, was dann? Was willst du dami
sagen?«

»Bleib ruhig! Das war eine Frage.«

»Nämlich …?«

»Wenn du dich dazu bekehrt hast und so, woran hast du dann geglaubt?«

Er gluckste, als hätte ich ihn vom Haken gelassen. »Geglaubt? Ha! Ich glaube an *nichts*!«

»Was? Du meinst, jetzt.«

»Ich meine, nie. Na ja – die Jungfrau Maria, ein bisschen. Aber Allah und Gott …? Nicht so sehr.«

»Wieso zum Teufel wolltest du dann Muslim sein?«

»Weil«, er streckte die Hände aus, wie er es manchmal tat, wenn er nicht weiterwusste, »so wunderbare Leute, sie waren alle so freundlich zu mir!«

»Das ist ein Anfang.«

»Ja, war es, wirklich. Sie haben mir einen arabischen Namen gegeben – Badr al-Dine. *Badr* ist der Mond, und es bedeutet so was wie ›Mond der Treue‹, aber sie haben gesagt: ›Boris, du bist *badr*, denn du leuchtest überall, weil du jetzt Muslim bist, strahlst in die Welt mit deiner Religion, leuchtest überall, wo du gehst.‹ Es gefiel mir, Badr zu sein. Und die Moschee war erstklassig. Ein verfallener Palast – nachts schienen die Sterne rein – Vögel im Dach. Ein alter Pavaner hat uns den Koran beigebracht. Und sie haben mir auch zu essen gegeben und waren freundlich und haben dafür gesorgt, dass ich sauber war und saubere Sachen hatte. Manchmal bin ich auf meinem Gebetsteppich eingeschlafen. Und beim *salah*, im Morgengrauen, wenn die Vögel aufwachten, hörte man immer das Geräusch von Flügelschlagen!«

Sein australo-ukrainischer Akzent war auf jeden Fall sehr seltsam, aber sein Englisch war fast so flüssig wie meins, und in Anbetracht der kurzen Zeit, die er in Amerika gelebt hatte, war er ziemlich bewandert in *amerikanskii* Gebräuchen. Dauernd brütete er über seinem zerfledderten Taschenwörterbuch (sein Name stand in kyrillischen Buchstaben vorn auf den Einband gekritzelt und in säuberlichen Lettern auf Englisch darunter:

331

BORYS VOLODYMYROVYCH PAVLYKOVSKY), und ich fand ständig alte Servietten aus dem 7-Eleven und andere Zettel mit Listen von Wörtern und Begriffen, die er notiert hatte:

zügeln und zähmen
Geschwindigkeit
Trattoria
Gangster = крутой пацан
Propinquität
Pflichtversäumnis

Wenn sein Wörterbuch ihn im Stich ließ, befragte er mich. »Was bedeutet Oberstufe?«, fragte er mich vor dem schwarzen Brett auf dem Flur in der Schule. »HWS-Lehre? Poly-TK?« (Bei ihm klang es wie Polly-Tick.) Von den meisten Angeboten auf der Speisekarte der Cafeteria hatte er noch nie gehört: Fajitas, Falafel, Truthahn-Terrazzini. Obwohl er eine Menge über Filme und Musik wusste, war er um Jahrzehnte hinter der Zeit zurück; er hatte keine Ahnung von Sport oder Computerspielen oder Fernsehen, und abgesehen von ein paar großen europäischen Marken wie Mercedes oder BMW konnte er ein Auto nicht vom anderen unterscheiden. Das amerikanische Geld brachte ihn durcheinander und die amerikanische Geographie manchmal auch: In welcher Provinz lag Kalifornien? Und konnte ich ihm sagen, wie die Hauptstadt von New England hieß?

Aber er war es gewohnt, allein zu sein. Vergnügt machte er sich für die Schule fertig, besorgte sich Fahrgelegenheiten, unterschrieb seine Zeugnisse selbst und klaute seine Lebensmittel und das, was er für die Schule brauchte, im Supermarkt. Ungefähr einmal pro Woche machten wir in der erstickenden Hitze einen meilenweiten Umweg, überschattet von Schirmen wie indonesische Stammesangehörige, und nahmen den popeligen Ortsverkehrsbus namens CAT, mit dem, soweit ich es erkennen konnte, niemand zu uns hinausfuhr außer Betrunkenen, Leuten, die zu arm für ein Auto waren, und Kids. Er fuhr in langen Abständen, und wenn wir ihn verpassten, mussten en wir eine ganze Weile herumstehen und auf den nächsten warten, ber an einer der Haltestellen gab es eine Shopping Plaza mit einem isgekühlten, blitzenden, personell unterbesetzten Supermarkt, und ort stahl Boris für uns Steaks, Butter, Beuteltee, Gurken (eine beondere Delikatesse für ihn), Packungen mit Speck – und einmal, als ch erkältet war, sogar Hustensirup. Das alles schob er in das aufgechnittene Futter seines hässlichen Regenmantels (ein Männermanel, viel zu groß für ihn, mit Hängeschultern und einer finsteren Ostlock-Optik, der an Lebensmittelrationierung und Sowjet-Fabriken enken ließ, an Industriekomplexe in Lemberg oder Odessa). Während er herumspazierte, stand ich Schmiere am Anfang des Ganges, o zittrig vor Nervosität, dass ich manchmal Angst hatte, ich könne in Ohnmacht fallen, aber schon bald füllte ich mir auch selbst die aschen mit Äpfeln und Schokolade (ebenfalls Dinge, die Boris gern ß), bevor ich dreist an die Theke trat und Brot und Milch und anere Sachen kaufte, die zum Stehlen zu groß waren.

Zu Hause in New York, ich war ungefähr elf, hatte meine Muter mich in meiner Tagesstätte zu einem Kurs namens »Kinder in er Küche« angemeldet, und dort hatte ich gelernt, ein paar einfahe Mahlzeiten zu kochen: Hamburger, gegrillten Käse (den mache ich manchmal abends für meine Mutter, wenn sie lange arbeiten nusste) und etwas, das Boris »Ei und Toasts« nannte. Boris saß auf er Arbeitsplatte, ließ die Fersen gegen den Unterschrank baumeln und redete mit mir, während ich kochte, und nachher wusch er das Geschirr ab. In der Ukraine, erzählte er mir, hatte er manchmal als aschendieb gearbeitet, um Geld für Essen zu bekommen. »Bin verolgt worden, ein oder zwei Mal. Aber erwischt nie.«

»Vielleicht sollten wir irgendwann mal zusammen zum Strip fahen«, sagte ich. Wir standen bei mir zu Hause mit Messer und Gabel n der Küchentheke und aßen unsere Steaks direkt aus der Pfanne. Das wäre genau der richtige Ort dafür. Ich hab noch nie so viele Berunkene gesehen wie da, und sie sind alle von außerhalb.«

Er hörte auf zu kauen und sah mich schockiert an. »Und warum ollten wir? Ist doch so leicht zu klauen hier, so große Geschäfte!«

»Ich sag ja nur.« Das Geld, das ich von den Portiers gekriegt hatt
und das Boris und ich nach und nach in kleinen Dollarbeträgen aus
gaben, an Automaten und in dem 7-Eleven-Supermarkt neben de
Schule, den Boris immer »das Magazin« nannte, würde noch ein
Weile reichen, aber nicht ewig.

»Ha! Und was mach ich, wenn du verhaftet wirst, Potter?« Er war
dem Hund, dem er beigebracht hatte, auf den Hinterbeinen zu tan
zen, ein großes Stück von seinem Steak zu. »Wer kocht dann das Es
sen? Und wer kümmert sich um Snaps hier?« Er nannte Xandra
Hund Popper immer nur »Amyl« und »Nitrat« und »Poptschik« un
»Snaps«, aber nie bei seinem richtigen Namen. Ich nahm ihn imme
öfter mit ins Haus, obwohl ich das nicht sollte; ich hatte es einfac
satt, dass er ständig an seiner Kette zerrte, um durch die Glastür her
einzuschauen, und sich die Lunge aus dem Leib kläffte. Drinnen wa
er überraschend ruhig; er lechzte nach Aufmerksamkeit und blie
uns immer eifrig auf den Fersen, die Treppe rauf und wieder run
ter, und er rollte sich in meinem Zimmer auf dem Teppich zusam
men und schlief, wenn Boris und ich uns unterhielten und stritte
und Musik hörten.

»Im Ernst, Boris.« Ich strich mir die Haare aus den Augen (ic
musste dringend zum Frisör, aber dafür wollte ich kein Geld aus
geben). »Ich sehe keinen großen Unterschied, ob man Steaks ode
Brieftaschen klaut.«

»Ist *großer* Unterschied, Potter.« Er breitete die Arme aus, um mi
zu zeigen, wie groß der Unterschied war. »Werktätige Personen be
stehlen? Oder große, reiche Firma bestehlen, die das Volk ausraubt?

»Costco raubt das Volk nicht aus. Costco ist ein Discount-Super
markt.«

»Na prima. Privaten Bürgern den Grundbedarf des Alltagsleben
stehlen. Das ist dein superschlauer Plan. Aus!«, sagte er zu der
Hund, der laut kläffend um noch ein Stück Fleisch bettelte.

»Ich würde doch keinen armen Werktätigen bestehlen.« Ich war
Popper selbst ein Stück Steak hin. »In Vegas laufen jede Menge halb
seidene Leute rum, die bündelweise Bargeld bei sich haben.«

»Halbseiden?«

»Zweifelhaft. Unehrlich.«

»Ah.« Die dunkle Braue hob sich winkelförmig. »Okay. Aber wenn u Geld von Halbseidenen stiehlst, von Gangstern zum Beispiel, erden sie dir doch wahrscheinlich was tun, *nie*?«

»Hattest du in der Ukraine keine Angst, dass dir einer was tut?«

Er zuckte die Achseln. »Mich verprügeln vielleicht. Aber nicht schießen.«

»Erschießen?«

»Ja, *erschießen*. Guck nicht überrascht. Hier Cowboy Country. /er weiß? Jeder hat Pistolen.«

»Ich rede nicht von Polizisten. Ich rede von betrunkenen Touris- n. Samstags abends wimmelt es davon.«

»Ha!« Er stellte die Pfanne auf den Boden, damit der Hund die Res- fressen konnte. »Wahrscheinlich wirst du enden im Knast, Potter. ockere Moral, Sklave der Wirtschaft. Sehr schlechter Bürger, du.«

XIII

littlerweile – um den Oktober herum – aßen wir fast jeden Abend usammen. Boris, der vor dem Essen oft drei oder vier Bier getrun- en hatte, wechselte dann zu heißem Tee. Nach dem Essen gab es n Gläschen Wodka, eine Gewohnheit, die ich ihm abgeschaut hatte •Das hilft dir, dein Essen zu verdauen«, erklärte Boris), dann fläzten ir uns herum, lasen und machten Hausaufgaben; manchmal strit- n wir uns, und oft tranken wir uns vor dem Fernseher in den Schlaf.

»Geh nicht!«, sagte Boris eines Abends bei ihm zu Hause, als ich gen Ende der *Glorreichen Sieben* aufstand, kurz vor der letzten hießerei, als Yul Brynner seine Leute zusammentrommelt. »Du rpasst den besten Teil.«

»Ja, aber es ist gleich elf.«

Boris, der auf dem Boden lag, stemmte sich auf einem Ellenbo- en hoch. Langhaarig, schmalbrüstig, schmächtig und dünn, war er in beinahe jeder Hinsicht das genaue Gegenteil von Yul Bryn ner, und trotzdem gab es da eine seltsame Familienähnlichkeit: Si strahlten die gleiche verschlagene Wachsamkeit aus, amüsiert un ein bisschen grausam, und in den schrägen Augen lag etwas Mor golen- oder Tatarenhaftes.

»Ruf Xandra an, sie soll kommen und dich abholen.« Er gähnt »Wann macht sie Feierabend?«

»Xandra? Vergiss es.«

Boris gähnte noch einmal, und seine Lider waren schwer vor Wodka. »Dann schlaf hier.« Er rollte sich auf die Seite und rieb sic mit einer Hand das Gesicht. »Werden sie dich vermissen?«

Würden sie überhaupt nach Hause kommen? In manchen Näc ten taten sie es nicht. »Das bezweifle ich.«

»Sei still.« Boris langte nach seinen Zigaretten und richtete sic auf. »Pass auf. Jetzt kommen die Schurken.«

»Hast du den Film schon gesehen?«

»Russisch synchronisiert, wenn du das glauben kannst. Aber seh schwaches Russisch. Für Weicheier. Sagt man das, Weicheier? Meh für Lehrerinnen als für Revolvermänner, das will ich sagen.«

XIV

Obwohl ich bei den Barbours elend traurig gewesen war, betrachte ich jetzt die Wohnung in der Park Avenue voller Sehnsucht als ve lorenes Paradies. Am Computer in der Schule hatte ich zwar Zugan zu E-Mails, aber Andy war kein großer Schreiber, und die Nachrich ten, die ich zur Antwort auf meine bekam, waren frustrierend un persönlich. (*Hi, Theo. Hoffe, du hattest einen schönen Sommer. Da dy hat ein neues Boot – die* Absalom. *Mutter setzt keinen Fuß darau aber ich wurde leider gezwungen. Japanisch II bereitet mir ein bissche Kopfschmerzen, aber alles andere ist okay.*) Mrs. Barbour beantwort te pflichtbewusst die Briefe, die ich ihr auf Papier schrieb, mit ein oder zwei Zeilen auf ihren monogrammgezierten Briefkarten, ab auch da las ich nie etwas Persönliches. Sie fragte immer: *Wie geht es dir?* und endete immer mit: *Wir denken an dich,* aber niemals stand da: *Du fehlst uns* oder *Wir würden dich gern sehen.*

Ich schrieb an Pippa in Texas, aber sie war zu krank, um zu antworten, und das war auch okay, denn die meisten Briefe schickte ich nicht ab.

Liebe Pippa,
wie geht es dir? Wie gefällt es dir in Texas? Ich habe viel an dich gedacht. Hast du das Pferd geritten, das du gern hast? Hier ist es toll. Ich frage mich, ob es bei dir heiß ist, denn hier ist es sehr heiß

Wie langweilig. Ich warf das Blatt weg und fing von vorn an.

Liebe Pippa,
wie geht es dir? Ich denke an dich und hoffe, es geht dir gut. Ich hoffe, in Texas ist ~~alles okay~~ es wunderbar für dich. Ich muss gestehen, ich finde es hier ziemlich grässlich, aber ich habe ein paar Freunde gefunden und gewöhne mich wohl ein bisschen ein.
Kriegst du kein Heimweh? Ich schon. Ich vermisse New York sehr. Ich wünschte, wir würden näher beieinander wohnen. Was macht dein Kopf? Hoffentlich geht es besser. Es tut mir leid, dass

»Ist sie deine Freundin?«, fragte Boris. Er biss krachend in einen Apfel und schaute mir über die Schulter.

»Hau ab!«

»Was ist mit ihr passiert?«, fragte er, und als ich nicht antwortete: »Hast du sie geschlagen?«

»Was?« Ich hatte nur halb zugehört.

»Auf den Kopf? Entschuldigst du dich deswegen? Hast du sie geschlagen oder so was?«

»Ja, genau«, sagte ich, und an seinem ernsten, interessierten Gesichtsausdruck erkannte ich, dass er meinte, was er sagte.

»Glaubst du, ich verprügle Mädchen?«

Er zuckte die Achseln. »Vielleicht hat sie verdient.«

»Äh, also wir schlagen in Amerika keine Frauen.«

Er spuckte stirnrunzelnd einen Apfelkern aus. »Nein, Amerikaner schikanieren nur kleinere Länder, die eine andere Meinung haben als sie.«

»Boris, halt die Klappe und lass mich in Ruhe.«

Aber er hatte mich mit seinen Kommentaren aus dem Konzept gebracht, und statt einen neuen Brief an Pippa anzufangen, schrieb ich an Hobie.

Lieber Mr. Hobart,
hallo, wie geht es Ihnen? Gut, hoffe ich. Ich habe nie geschrieben und Ihnen für Ihre Freundlichkeit in meinen letzten Wochen in New York gedankt. Ich hoffe, Ihnen und Cosmo geht es gut, obwohl ich weiß, dass Sie beide Pippa vermissen. Wie geht es ihr? Ich hoffe, sie hat wieder mit ihrer Musik anfangen können. Ich hoffe auch

Aber auch diesen Brief schickte ich nicht ab. Deshalb war ich entzückt, als ich einen Brief bekam, einen langen Brief auf richtigem Papier, von niemand anderem als Hobie.

»Was hast du da?«, fragte mein Vater misstrauisch, als er den New Yorker Poststempel sah, und riss mir den Brief aus der Hand.

»Was?«

Aber mein Vater hatte den Umschlag schon aufgerissen. Er überflog den Brief rasch und verlor das Interesse. »Hier.« Er gab ihn mir zurück. »Sorry, Kleiner. Mein Fehler.«

Der Brief selbst, ein Kunstwerk zum Anfassen, war schön: schweres Papier, eine sorgfältige Handschrift, das Raunen von stillen Zimmern und Geld.

Lieber Theo,

ich wollte gern hören, wie es dir geht, und bin doch froh, dass ich nichts höre, denn es bedeutet hoffentlich, dass du glücklich und beschäftigt bist. Hier färbt sich das Laub, der Washington Square ist nass und gelb, und es wird kalt. Samstags morgens trödeln Cosmo und ich im Village herum. Ich nehme ihn auf den Arm und trage ihn in den Käseladen – ich weiß nicht, ob das völlig legal ist –, aber die Mädels hinter der Theke heben Käsereste und -rinden für ihn auf. Er vermisst Pippa genauso sehr wie ich, aber er genießt – genau wie ich – immer noch das Essen. Manchmal speisen wir vor dem Kamin, denn Väterchen Frost steht vor der Tür.

Ich hoffe, du hast dich dort ein bisschen eingewöhnt und Freunde gefunden. Wenn ich mit Pippa telefoniere, habe ich nicht den Eindruck, sie ist dort, wo sie ist, sehr glücklich, aber gesundheitlich geht es ihr deutlich besser. Zu Thanksgiving werde ich hinüberfliegen; ich weiß nicht, wie sehr Margaret sich darüber freuen wird, mich zu Gast zu haben, aber Pippa möchte mich sehen, also komme ich. Wenn sie mir erlauben, Cosmo mit ins Flugzeug zu nehmen, kommt er vielleicht auch mit.

Ich lege ein Foto bei, von dem ich dachte, es könnte dir gefallen: ein Chippendale-Sekretär, der eben angeliefert wurde, in sehr schlechtem Zustand. Man hat mir gesagt, er habe in einem ungeheizten Schuppen in der Gegend von Watervliet, New York, gestanden. Stark verschrammt und angestoßen, und der Giebel ist entzweigebrochen, aber ... sieh dir diese rückwärtsgeschwungenen, tragenden Krallen an dem Kugelklauenfuß an! Die Füße kommen auf dem Foto nicht gut heraus, aber man sieht deutlich den Druck der Klauen. Es ist ein Meisterstück, und ich wünschte nur, man hätte es besser gepflegt. Ich weiß nicht, ob du die bemerkenswerte Maserung in dem außergewöhnlichen Giebel sehen kannst.

Was den Laden angeht: Ich öffne ihn ein paar Mal in der

Woche nach Vereinbarung, aber meistens beschäftige ich mich
unten mit Dingen, die ich von Privatkunden geschickt bekom-
me. Mrs. Skolnik und ein paar Leute in der Nachbarschaft
haben sich nach dir erkundigt. Hier ist fast alles wie immer –
nur Mrs. Cho im koreanischen Supermarkt hatte einen klei-
nen Schlaganfall (einen sehr kleinen, sie arbeitet schon wieder).
Und der Coffeeshop an der Hudson, den ich so gern mochte,
hat zugemacht: sehr traurig. Ich bin heute Morgen dort vorbei-
gegangen, und es sieht aus, als würde daraus jetzt ein – ach,
ich weiß nicht, wie man es nennt. Ein Laden für japanischen
Krimskrams.

Ich sehe, ich rede wie üblich zu viel, und der Platz auf dem
Papier geht zu Ende, aber ich hoffe wirklich, du bist glücklich
und gesund, und es ist alles ein bisschen weniger einsam da
draußen, als du befürchtet hast. Wenn es irgendetwas gibt, das
ich hier für dich tun kann, oder wenn ich dir irgendwie helfen
kann, sei bitte sicher, ich werde es tun.

XV

Als ich in dieser Nacht neben Boris betrunken auf meiner Hälfte de
mit dem Batiktuch umhüllten Matratze lag, versuchte ich mich zu er
innern, wie Pippa ausgesehen hatte. Aber der Mond schien so grol
und klar durch das vorhanglose Fenster, dass ich stattdessen an ein
Geschichte denken musste, die meine Mutter mir erzählt hatte – wi
sie mit ihren Eltern zu den Pferdeausstellungen gefahren waren, al
kleines Mädchen auf dem Rücksitz ihres alten Buicks. »Die Fahrte
dauerten ewig – manchmal zehn Stunden durch raues Land. Rie
senrad, Rodeo-Arena mit Sägemehl und überall roch es nach Pop
corn und Pferdemist. Eines Abends waren wir in San Antonio, un
ich hatte so eine Art Kernschmelze – wollte mein eigenes Zimmer
weißt du, meinen Hund, mein Bett –, und Daddy hob mich auf den
Jahrmarkt hoch und sagte, ich solle den Mond anschauen. ›Wenn d

Heimweh hast‹, sagte er, ›schaust du einfach hoch zu ihm. Denn der Mond ist derselbe, egal, wo du hingehst.‹ Und als er gestorben war und ich zu Tante Bess ziehen musste – und selbst jetzt noch, in der Stadt, wenn ich den Vollmond sehe, dann ist es, als ob er mir sage, ich soll nicht zurückschauen oder über irgendetwas traurig sein, denn zu Hause ist überall da, wo *ich* bin.« Dann gab sie mir einen Kuss auf die Nase. »Oder wo *du* bist, Puppy. Der Mittelpunkt meiner Erde bist du.«

Neben mir raschelte es. »Potter?«, sagte Boris. »Bist du wach?«

»Kann ich dich was fragen?«, sagte ich. »Wie sieht der Mond in Indonesien aus?«

»Wovon redest du?«

»Oder, keine Ahnung, in Russland? Ist er da genauso wie hier?«

Er klopfte mir sacht mit den Fingerknöcheln an die Schläfe. Diese Geste, das wusste ich inzwischen, bedeutete: *Idiot.* »Ist überall gleich.« Gähnend stützte er sich auf sein mit Armbändern umwickeltes dürres Handgelenk. »Und wieso?«

»Weiß nicht.« Nach einer angespannten Pause fragte ich: »Hörst du das?«

Eine Tür war zugeschlagen. »Was war das?« Ich drehte mich zu ihm um. Wir schauten einander an und lauschten. Unten waren Stimmen zu hören – Leute lachten, polterten herum, es krachte, als sei etwas umgefallen.

»Ist das dein Dad?« Ich setzte mich auf – und dann hörte ich eine Frauenstimme, betrunken und schrill.

Auch Boris richtete sich auf, knochig und kränklich-bleich in dem Licht, das durch das Fenster hereinfiel. Unten hörte es sich an, als würden Sachen umgeworfen und Möbel verschoben.

»Was reden sie?«, flüsterte ich.

Boris spitzte die Ohren. Ich konnte jedes kleinste Detail an seinem Hals erkennen. »Blödsinn«, sagte er. »Sie sind betrunken.«

Wir saßen beide da und lauschten – Boris intensiver als ich.

»Wer ist denn da bei ihm?«, fragte ich.

»Irgendeine Hure.« Er hörte noch einen Moment lang stirnrun-

zelnd zu, und ich sah sein Profil scharf im Mondlicht. Dann legte e
sich wieder hin. »Zwei Stück.«

Ich drehte mich um und warf einen Blick auf meinen iPod. E
war 3:17 Uhr.

»Scheiße«, stöhnte Boris und kratzte sich den Bauch. »Wieso ha
ten die nicht die Klappe?«

»Ich hab Durst«, sagte ich nach einer kurzen Pause schüchtern.

Er schnaubte. »Ha! Du willst da jetzt nicht raus, glaub mir.«

»Was machen sie denn da?« Eine der Frauen hatte gerade ge
kreischt – ob vor Lachen oder aus Angst, konnte ich nicht erkenner

Wir lagen brettsteif da, starrten an die Decke und lauschten der
ominösen Krachen und Poltern.

»Ukrainisch?«, fragte ich nach einer Weile. Ich verstand zwar kei
Wort von dem, was sie sagten, aber ich war inzwischen lange genu
mit Boris zusammen gewesen, um den Klang des Ukrainischen vor
Russischen zu unterscheiden.

»Hundert Punkte, Potter«, sagte er. »Zünde mir eine Zigarette an.

Wir reichten sie im Dunkeln hin und her, bis wieder irgendw
eine Tür zugeschlagen wurde und die Stimmen verhallten. Schließ
lich atmete Boris in einem letzten rauchenden Seufzer aus, dreht
sich um und drückte die Zigarette in dem überquellenden Aschen
becher neben dem Bett aus. »Gute Nacht«, flüsterte er.

»Gute Nacht.«

Er schlief beinahe sofort ein – ich hörte es an seinem Atem –, abe
ich lag noch eine ganze Weile wach, meine Kehle war rau, und mi
war ein bisschen übel von der Zigarette. Wie war ich in diesem selt
samen neuen Leben gelandet, wo betrunkene Ausländer nachts ur
mich herum schrien und meine Sachen schmutzig waren und nie
mand mich liebte? Boris schnarchte ahnungslos neben mir. Als ic
im Morgengrauen endlich einschlief, träumte ich von meiner Mut
ter: Sie saß mir gegenüber in der Linie 6 und schwankte leicht, un
ihr Gesicht war ganz ruhig im flackernden künstlichen Licht.

Was machst du hier?, fragte sie. *Fahr nach Hause! Sofort! Wir tre*
fen uns in der Wohnung. Aber ihre Stimme passte nicht ganz, und a

ch genauer hinschaute, sah ich, dass sie es gar nicht war, sondern jemand, der sich für sie ausgab. Ich schnappte erschrocken nach Luft und wachte auf.

XVI

Boris' Vater war eine geheimnisvolle Gestalt. Boris erklärte es mir: Er war oft mitten im Nirgendwo im Außendienst in seinem Bergwerk, wo er wochenlang bei seiner Crew blieb. »Wäscht sich nicht«, sagte Boris streng. »Ist dauernd stinkbesoffen.« Das verbeulte Kurzwellenradio in der Küche gehörte ihm (»Aus der Breschnjew-Zeit«, sagte Boris, »aber er schmeißt es nicht weg«), und auch die russischen Zeitungen und die *USA Today*-Nummern, die ich manchmal herumliegen sah. Einmal war ich in eins der Badezimmer in Boris' Haus marschiert (eine ziemlich trostlose Angelegenheit – kein Duschvorhang, keine Klobrille und in der Wanne wuchs schwarzes Zeug) und hatte einen ziemlichen Schrecken gekriegt, weil ein Anzug seines Dads, tropfnass und übelriechend, wie ein Kadaver am Duschkopf baumelte: Rau, unförmig, aus klumpigem Wollstoff, braun wie ausgegrabene Wurzeln, tropfte er grausig auf den Boden wie ein feucht atmender Golem aus der alten Heimat oder vielleicht wie ein Kleidungsstück, das der Polizei ins Schleppnetz gegangen war.

»Was ist?«, fragte Boris, als ich herauskam.

»Wäscht dein Dad seine Anzüge?«, fragte ich. »Da drin im Waschbecken?«

Boris lehnte sich an den Türrahmen, nagte an der Ecke seines Daumennagels und zuckte ausweichend die Achseln.

»Das ist doch wohl ein Witz«, sagte ich, und als er mich nur anstarrte, fügte ich hinzu: »Was denn? Gibt's keine Reinigungen in Russland?«

»Er hat 'ne Menge Schmuck und schickes Zeug«, brummelte Boris böse um seinen Daumen herum. »Rolex-Uhr. Ferragamo-Schuhe. Er kann seinen Anzug saubermachen, wie er will.«

»Stimmt«, sagte ich und wechselte das Thema.

Ein paar Wochen verbrachte ich ohne einen Gedanken an Boris' Dad. Aber dann kam der Tag, als Boris zu spät im Leistungskurs Englisch erschien, mit einem weinroten Bluterguss unter dem Auge.

»Ah, hab einen Football ins Gesicht gekriegt«, erklärte er in fröhlichem Ton, als Mrs. Spear (»Spirsézkaja«, wie er sie nannte) ihn argwöhnisch fragte, was passiert sei.

Ich wusste, dass er log. Als ich über den Gang hinweg zu ihm hinüberschaute, fragte ich mich während der ganzen lustlosen Diskussion unserer Klasse über Ralph Waldo Emerson, wie er es geschafft hatte, sich dieses blaue Auge zu holen, nachdem ich am Abend zuvor nach Hause gegangen war, um mit Popper spazieren zu gehen (Xandra ließ ihn so lange draußen angebunden, dass ich mich allmählich für ihn verantwortlich fühlte).

»Was hast du gemacht?«, fragte ich, als ich ihn nach der Stunde erwischte.

»Hä?«

»Wo hast du das her?«

Er zwinkerte. »Ach, komm.« Er stieß mich mit der Schulter an.

»Was denn? Warst du betrunken?«

»Mein Dad ist nach Hause gekommen«, sagte er, und als ich nicht antwortete: »Was noch, Potter? Was glaubst du?«

»Mein Gott, wieso denn?«

Er zuckte die Achseln. »Gut, dass du weg warst.« Er rieb sich das heile Auge. »Konnt's nicht glauben, als er auftauchte. Hab unten auf der Couch geschlafen. Erst dachte ich, du bist das.«

»Und was ist passiert?«

»Ach.« Boris seufzte übertrieben. Er hatte auf dem Weg zur Schule geraucht, ich roch es in seinem Atem. »Er hat die Bierflaschen auf dem Boden gesehen. Deshalb.«

»Er hat dich geschlagen, weil du getrunken hast?«

»Weil er hackedicht war, darum. Er war sturzbesoffen – ich glaube, er wusste nicht, dass ich das war, den er da verprügelte. Heute Morgen – da hat er mein Gesicht gesehen und geheult, und es hat ihm leidgetan. Na, jedenfalls wird er eine Weile nicht wiederkommen.«

»Wieso nicht?«

»Er hat da draußen eine Menge laufen, sagt er. Kommt erst in drei Wochen wieder. Das Bergwerk ist in einer Gegend, wo sie staatliche Bordelle haben, weißt du?«

»Die sind nicht staatlich«, sagte ich – und fragte mich plötzlich, ob sie es vielleicht doch waren.

»Na, du weißt, was ich meine. Aber ein Gutes hat es: Er hat mir Gelder dagelassen.«

»Wie viel?«

»Viertausend.«

»Du machst Witze.«

»Nein, nein«, er schlug sich an die Stirn, »ich denke in Rubel, sorry! Ungefähr zweihundert Dollar, aber immerhin. Hätte um mehr bitten sollen, aber hatte ich nicht den Mut.«

Wir waren an der Ecke des Flurs angekommen, wo ich zur Algebrastunde abbiegen musste. Boris hatte »Amerikanische Staatsbürgerkunde« – der Fluch seines Daseins. Es war ein Pflichtkurs selbst nach den halbherzigen Maßstäben unserer Schule, aber wenn ich mir vorstellte, wie man Boris die *Bill of Rights* oder den Unterschied zwischen den ausdrücklichen und den impliziten Befugnissen des amerikanischen Kongresses klarmachen wollte, musste ich daran denken, wie ich einmal versucht hatte, Mrs. Barbour zu erklären, was ein Internet-Server war.

»Na, wir sehen uns nach der Stunde«, sagte Boris. »Erklär mir noch mal, bevor ich gehe: Was ist der Unterschied zwischen Federal Bank und Federal Reserve?«

»Hast du jemandem was erzählt?«

»Was erzählt?«

»Du weißt schon.«

»Was denn, willst du mich anzeigen?« Boris lachte.

»Nicht *dich*. Ihn.«

»Und warum? Warum ist das eine gute Idee? Sag mir. Damit ich abgeschoben werden kann?«

»Stimmt«, sagte ich nach einer unbehaglichen Pause.

»Also wir sollten heute Abend essen gehen!«, sagte Boris. »In einem Restaurant! Vielleicht in dem mexikanischen.« Nach anfänglichem Misstrauen und Gemecker hatte Boris Gefallen an mexikanischen Essen gefunden: unbekannt in Russland, sagte er aber nach einer Gewöhnungsphase nicht schlecht. Nur wenn es zu scharf gewürzt war, rührte er es nicht an. »Wir können den Bus nehmen.«

»Der Chinese ist näher. Und das Essen ist besser.«

»Ja, aber – erinnerst du dich?«

»Oh. Ja. Stimmt.« Als wir das letzte Mal da gegessen hatten, waren wir abgehauen, ohne zu bezahlen. »Vergiss es.«

XVII

Boris mochte Xandra viel mehr als ich. Er raste los und hielt ihr Türen auf, machte ihr Komplimente zur neuen Frisur und trug Sachen für sie. Ich zog ihn mit ihr auf, seit ich ihn einmal dabei erwischt hatte, wie er ihr in den Ausschnitt starrte, als sie sich vorbeugte, um ihr Handy von der Küchentheke zu angeln.

»Gott, sie ist heiß«, sagte Boris, als wir oben in meinem Zimmer waren. »Meinst du, dein Dad hätte was dagegen?«

»Er würde es wahrscheinlich nicht merken.«

»Nein, im Ernst. Was glaubst du, was dein Dad mit mir machen würde?«

»Wenn?«

»Wenn ich und Xandra.«

»Keine Ahnung. Wahrscheinlich ruft er die Polizei.«

Er schnaubte verächtlich. »Wieso?«

»Nicht deinetwegen. Ihretwegen. Unzucht mit Minderjährigen.«

»Schön wär's.«

»Geh und fick sie, wenn du willst«, sagte ich. »Von mir aus kann sie in den Knast wandern.«

Boris rollte sich auf den Bauch und sah mich verschlagen an. »Sie nimmt Kokain, weißt du das?«

»Was?«

»Kokain.« Er tat, als schnupfe er.

»Du machst Witze«, sagte ich, und als er mich spöttisch angrinste, fragte ich: »Woher willst du das wissen?«

»Ich weiß es einfach. Die Art, wie sie redet. Außerdem knirscht sie mit den Zähnen. Achte mal drauf.«

Ich wusste nicht, worauf ich achten sollte. Aber dann kamen wir eines Nachmittags herein, als mein Dad nicht zu Hause war, und sahen, wie sie sich über dem Couchtisch aufrichtete und die Nase hochzog, und dabei hielt sie mit einer Hand ihr Haar im Nacken zusammen. Als sie den Kopf zurücklegte und ihr Blick auf uns fiel, sagte einen Moment lang niemand etwas. Dann wandte sie sich ab, als wären wir nicht da.

Wir gingen die Treppe hinauf und in mein Zimmer. Obwohl ich noch nie jemanden Rauschgift hatte schnupfen sehen, war sogar mir klar, was sie da getan hatte.

»Gott, sexy«, sagte Boris, als ich die Tür geschlossen hatte. »Wo sie es wohl aufbewahrt?«

»Keine Ahnung.« Ich ließ mich auf mein Bett fallen. Xandra verließ das Haus; ich hörte ihren Wagen in der Einfahrt.

»Glaubst du, sie gibt uns was ab?«

»Vielleicht gibt sie *dir* was ab.«

Boris setzte sich neben dem Bett auf den Boden, zog die Knie an und lehnte sich an die Wand. »Glaubst du, sie verkauft es?«

»Nie im Leben«, sagte ich ungläubig nach einer kurzen Pause. »Meinst du?«

»Ha! Gut für dich, wenn sie es tut.«

»Wieso?«

»Cash im Haus!«

»Und was hätte ich davon?«

Er musterte mich mit einem durchtriebenen, abschätzenden Blick. »Wer bezahlt hier die Rechnungen, Potter?«

»Hm.« Es war das erste Mal, dass mir diese Frage, deren große praktische Bedeutung mir sofort klar war, in den Sinn kam. »Ich weiß es nicht. Mein Dad, glaube ich. Aber Xandra gibt was dazu.«

»Und wo kriegt er es her? Seine Gelder?«

»Keine Ahnung«, sagte ich. »Er telefoniert mit Leuten, und dann geht er weg.«

»Liegen Scheckbücher rum? Bargeld?«

»Nein. Nie. Chips manchmal.«

»Sind so gut wie Bargeld«, sagte Boris sofort und spuckte ein abgebissenes Stückchen Daumennagel auf den Boden.

»Ja. Bloß kannst du sie im Casino nicht eintauschen, wenn du unter achtzehn bist.«

Boris gluckste. »Komm. Uns fällt schon was ein, wenn es nötig ist. Wir ziehen dir deine Homojacke an, die Schuluniform mit dem Wappen drauf, und dann gehst du an den Schalter und sagst: ›Ich *bitte* um Verzeihung, Miss …‹«

Ich rollte mich herum und boxte ihn kräftig auf den Arm. »Leck mich am Arsch.« Es kränkte mich, wie er meinen Tonfall nachäffte, als wäre ich ein näselnder Snob.

»So darfst du nicht reden, Potter«, sagte er genussvoll und rieb sich den Arm. »Da geben sie dir nicht einen einzigen beschissenen Cent. Ich will nur sagen, ich weiß, wo mein Dad sein Scheckbuch aufbewahrt, und im Notfall«, er streckte die flachen Hände aus, »okay?«

»Okay.«

»Ich meine, wenn ich einen falschen Scheck ausstellen muss, stelle ich einen falschen Scheck aus«, sagte er philosophisch. »Gut zu wissen, dass ich es kann. Ich sag ja nicht, brich in ihr Zimmer ein und wühl in ihren Sachen, aber trotzdem: Ist gute Idee, die Augen offen zu halten, ja?«

XVIII

Boris und sein Vater feierten Thanksgiving nicht, und Xandra und mein Dad hatten einen Tisch für ein »Romantisches Festtagsdinner« im MGM Grand reserviert. »Willst du mitkommen?«, fragte mein Vater, als er sah, dass ich mir den Prospekt auf der Küchentheke anschaute: Herzen und Feuerwerksraketen und blau-weiß-rote Girlanden über einer Platte mit Truthahnbraten. »Oder machst du was anderes?«

»Nein danke.« Er wollte nett sein, aber die Vorstellung, bei einem romantischen Festtagsdings mit Xandra und Dad zusammen zu sein, war mir unbehaglich. »Ich hab schon was vor.«

»Was denn?«

»Ich feiere Thanksgiving mit jemandem.«

»Mit wem?«, fragte mein Vater in einem seltenen Anfall von elterlicher Fürsorglichkeit. »Mit einem Freund?«

»Lass mich raten«, sagte Xandra. Sie stand barfuß, bekleidet nur mit dem »Miami Dolphins«-Trikot, in dem sie schlief, vor dem Kühlschrank und spähte hinein. »Mit derselben Person, die die Orangen und Äpfel auffisst, die ich mitbringe.«

»Ach komm«, sagte mein Dad schläfrig. Er trat hinter sie und schlang die Arme um sie. »Du magst den kleinen Russki doch. Wie heißt er? Boris.«

»Na klar mag ich ihn. Was wohl nur gut ist, denn er ist ja praktisch ständig hier. Scheiße«, sie entwand sich meinem Dad und klatschte sich auf den nackten Schenkel, »wer hat diese Mücke reingelassen? Theo, ich weiß nicht, wieso du nicht daran denken kannst, dass die Tür zum Pool zubleibt! Ich hab's dir doch immer wieder gesagt.«

»Na ja, wisst ihr, ich könnte Thanksgiving natürlich auch mit euch beiden feiern, wenn euch das lieber ist«, sagte ich freundlich und lehnte mich an die Küchentheke. »Wieso eigentlich nicht?«

Damit wollte ich Xandra ärgern, und zu meiner Freude sah ich, dass es klappte. »Die Reservierung ist nur für zwei.« Sie warf ihr Haar zurück und sah meinen Dad an.

»Ich bin sicher, da wird denen was einfallen.«

»Aber dann müssen wir vorher anrufen.«

»Na schön, dann ruf doch an.« Es sah ein bisschen aus, als sei e stoned, als er ihr locker auf den Rücken klopfte und dann ins Wohn zimmer schlenderte, um sich die Football-Resultate anzusehen.

Xandra und ich standen einen Moment lang da und schauten ein ander an. Dann wandte sie sich ab, als blicke sie in eine trostlose unhaltbare Vision der Zukunft. »Ich brauche einen Kaffee«, sagt sie lustlos.

»Ich hab die Tür nicht offen gelassen«, sagte ich.

»Ich weiß nicht, wer das immer macht. Ich weiß nur, dass die se komischen Amway-Vertreter da drüben ihren Pool nicht abge lassen haben, als sie weggezogen sind, und jetzt gibt's hier zig Mü cken, wohin man auch guckt – ehrlich, da ist doch schon wiede eine. Scheiße!«

»Hey, sei nicht sauer. Ich muss nicht mitkommen.«

Sie nahm die Dose mit den Kaffeefiltern herunter. »Was soll da jetzt heißen?«, fragte sie. »Soll ich die Reservierung ändern ode nicht?«

»Was bequatscht ihr beiden denn da?«, rief mein Vater leise au dem anderen Zimmer, wo er in seinem Nest aus kringelverzierte Untersetzern, alten Zigarettenpackungen und ausgefüllten Bakka rat-Zetteln hockte.

»Gar nichts«, rief Xandra zurück. Ein paar Augenblicke später, al die Kaffeemaschine anfing zu zischen und zu knattern, rieb sie sic das Auge, und ihre Stimme klang rau vom Schlaf, als sie sagte: »Ic habe nicht gesagt, ich will nicht, dass du mitkommst.«

»Ich weiß. Das hab ich auch nicht behauptet.« Pause. »Und nu damit du es weißt: Ich bin nicht der, der die Tür immer offen lässt Es ist Dad, wenn er zum Telefonieren rausgeht.«

Xandra griff in den Schrank und holte ihren »Planet Hollywood« Becher heraus. Sie sah mich über die Schulter hinweg an. »Du gehs doch nicht wirklich zu ihm zum Essen, oder? Zu dem kleinen Russ ki, oder was er sonst ist?«

350

»Nein. Wir wollen nur fernsehen.«

»Soll ich euch was mitbringen?«

»Boris mag die Cocktail-Würstchen, die du mit nach Hause bringst. Und ich die Chicken Wings. Die scharfen.«

»Sonst noch was? Wie ist es mit diesen Mini-Taquito-Dingern? Die magst du doch auch, oder?«

»Das wäre super.«

»Gut. Ich werde euch versorgen. Lasst nur die Finger von meinen Zigaretten, mehr verlange ich nicht. Mir ist es egal, ob ihr raucht«, fuhr sie fort und hob die Hand, um mir das Wort abzuschneiden. »Ich will euch nicht hochgehen lassen, aber jemand klaut Packungen aus dem Karton hier drin, und der kostet mich ungefähr fünfundzwanzig Dollar die Woche.«

XIX

Seit Boris mit dem blauen Auge aufgekreuzt war, stellte ich mir seinen Vater als specknackigen Sowjet mit Schweinsäuglein und einem Bürstenhaarschnitt vor. Tatsächlich war er, wie ich überrascht sah, als ich ihn schließlich kennenlernte, dünn und blass wie ein ausgehungerter Dichter. Bleichsüchtig und mit eingefallener Brust, rauchte er unaufhörlich, er trug billige Hemden, die in der Wäsche grau geworden waren, und trank unzählige Tassen gezuckerten Tee. Aber wenn man ihm in die Augen schaute, sah man, dass der Eindruck der Gebrechlichkeit täuschte. Er war drahtig und konzentriert, und schlechte Laune schimmerte in seinem Blick. Mit seinem schmalen Körperbau und den kantigen Gesichtszügen sah er aus wie Boris, hatte aber tückische, rot geränderte Augen und winzige, bräunliche Zähne. Er erinnerte mich an einen tollwütigen Fuchs.

Ich hatte ihn zwar im Vorübergehen schon gesehen und ihn auch (zumindest nahm ich an, dass er es war) nachts im Haus herumpoltern hören, aber von Angesicht zu Angesicht begegnete ich ihm zum ersten Mal ein paar Tage vor Thanksgiving. Wir kamen eines

Tages nach der Schule lachend und schwatzend ins Haus, und da saß er zusammengesunken am Küchentisch, vor sich eine Flasche und ein Glas. Ungeachtet seiner schäbigen Kleidung trug er teure Schuhe und jede Menge Goldschmuck, und als er mit roten Augen aufblickte, verstummten wir sofort. Etwas in seinem Gesicht riet einem trotz seiner schmächtigen Statur, ihm nicht allzu nahe zu kommen.

»Hi«, sagte ich zögernd.

»Hallo«, antwortete er mit versteinerter Miene und einem viel stärkeren Akzent als Boris. Dann wandte er sich an Boris und sagte etwas auf Ukrainisch. Ein kurzes Gespräch begann, das ich mit Interesse verfolgte. Es war interessant zu sehen, wie Boris sich veränderte, wenn er eine andere Sprache sprach – er wirkte lebhafter und aufmerksamer, als wohnte plötzlich eine andere, effizientere Person in seinem Körper.

Völlig überraschend streckte Mr. Pavlikovsky mir schließlich beide Hände entgegen. »Danke«, sagte er mit schwerer Zunge.

Ich hatte Angst, mich ihm zu nähern – als ob ich mich einem wilden Tier nähern sollte –, aber ich trat trotzdem vor und streckte linkisch ebenfalls beide Hände aus. Er nahm sie. Seine Hände fühlten sich schwielig und kalt an.

»Du bist ein guter Mensch.« Der Blick seiner blutunterlaufenen Augen war mir entschieden zu intensiv. Ich wollte wegschauen und schämte mich dafür.

»Gott sei mit dir und segne dich alle Tage«, sagte er. »Du bist wie ein Sohn für mich. Weil du meinen Sohn in deine Familie gelassen hast.«

In meine Familie? Verwirrt sah ich Boris an.

Mr. Pavlikovskys Blick richtete sich auf ihn. »Du sagst ihm, was ich gesagt habe?«

»Er sagt, du bist ein Teil unserer Familie hier«, erklärte Boris in gelangweiltem Ton, »und wenn es jemals was gibt, das er für dich tun kann …«

Zu meiner großen Überraschung zog Mr. Pavlikovsky mich an sich und umarmte mich fest. Ich schloss die Augen und strengte nich an, seinen Geruch zu ignorieren: Haarcreme. Schweiß, Alkohol und irgendein scharfes, unangenehm beißendes Cologne.

»Was sollte *das* denn?«, fragte ich leise, als wir oben in Boris' Zimmer waren und die Tür geschlossen hatten.

Boris verdrehte die Augen. »Glaub mir, das willst du nicht wissen.«

»Ist er immer so besoffen? Wie behält er denn seinen Job?«

Boris gackerte. »Hohe Position in der Firma«, sagte er. »Oder so was.«

Wir blieben in Boris' düsterem tuchverhangenen Zimmer, bis wir hörten, wie draußen in der Einfahrt der Truck seines Vaters startete. »Er wird eine Zeitlang nicht zurückkommen«, sagte Boris, als ich den Vorhang wieder vor das Fenster fallen ließ. »Er hat ein schlechtes Gewissen, weil er mich so oft allein lässt. Er weiß, jetzt kommt ein Feiertag, und er hat gefragt, ob ich nicht bei dir bleiben kann.«

»Machst du doch sowieso dauernd.«

»Das weiß er.« Boris strich sich das Haar aus den Augen. Darum hat er dir gedankt. Aber – das macht dir hoffentlich nichts aus – ich hab ihm eine falsche Adresse gegeben.«

»Warum?«

»Weil«, er nahm die Beine zur Seite, damit ich mich neben ihn setzen konnte, ohne fragen zu müssen, »ich glaube, vielleicht möchtest du nicht, dass er mitten in der Nacht betrunken vor eurem Haus anrollt. Deinen Vater und Xandra aus dem Bett holt. Außerdem – sollte er dich je fragen – er glaubt, dein Nachname ist Potter.«

»Warum?«

»Ist besser so«, sagte Boris ruhig. »Glaub mir.«

XX

Boris und ich lagen bei mir zu Hause auf dem Boden vor dem Fernseher, aßen Kartoffelchips und tranken Wodka. Wir schauten uns die Thanksgiving-Parade von Macy's an. In New York schneite es. Meh-

rere Ballons waren eben vorbeigezogen – Snoopy, Ronald McDo
nald, SpongeBob, Mr. Peanut –, und eine hawaiianische Tanztrupp
in Lendenschurzen und Baströcken führte eine Nummer am He
rald Square auf.

»Bin froh, dass ich nicht dabei bin«, sagte Boris. »Ich wette, di
frieren sich den Arsch ab.«

»Ja«, sagte ich, aber ich hatte keinen Blick für die Ballons ode
die Tänzer oder irgendetwas anderes. Als ich den Herald Square ir
Fernsehen sah, fühlte ich mich, als wäre ich Millionen Lichtjahr
weit von der Erde entfernt gestrandet und empfinge jetzt Signale au
den Anfangstagen des Radios: Sprecherstimmen und Publikumsap
plaus von einer verschwundenen Zivilisation.

»Idioten. Nicht zu fassen, dass die sich so anziehen. Die lande
im Krankenhaus, diese Mädels.« So heftig Boris sich über die Hitz
in Las Vegas beklagte, so unerschütterlich war seine Überzeugung
dass man von jeder Art von »Kälte« krank werden müsse: von un
geheizten Swimmingpools, von der Klimaanlage bei mir zu Haus
sogar vom Eis in seinen Drinks.

Er rollte sich auf den Rücken und reichte mir die Flasche. »Du un
deine Mutter, ihr seid zu dieser Parade gegangen?«

»Nein.«

»Warum nicht?« Boris gab Popper einen Kartoffelchip.

»*Nekulturny*«, sagte ich – ein Wort, das ich von ihm gelernt hatt
»Und zu viele Menschen.«

Er zündete sich eine Zigarette an und hielt mir die Packung hir
»Bist du traurig?«

»Ein bisschen.« Ich lehnte mich hinüber zu dem brennende
Streichholz, das er mir hinhielt. Ich konnte nicht aufhören, an da
vorige Thanksgiving zu denken; immer wieder lief es in meiner
Kopf ab wie ein Film, den ich nicht anhalten konnte: Meine Mutte
tappte barfuß und in einer alten, an den Knien zerrissenen Jeans her
um, öffnete eine Flasche Wein, goss mir Ginger Ale in ein Champa
gnerglas, stellte ein paar Oliven auf den Tisch, band sich ihre Feier
tags-Scherz-Schürze um und packte die Truthahnbrust aus, die sie i

354

Chinatown für uns gekauft hatte, nur um gleich naserümpfend vor dem Geruch zurückzuzucken – »O Gott, Theo, das Ding ist hinüber, halte mir die Tür auf.« Der Ammoniakgestank ließ einem die Augen tränen, und sie hielt das Paket vor sich wie eine nicht detonierte Granate und rannte damit die Feuertreppe hinunter zur Mülltonne unten auf der Straße, während ich mich aus dem Fenster hängte und dort oben genussvoll würgende Geräusche machte. Wir hatten dann eine spartanische Mahlzeit zu uns genommen: Grüne Bohnen aus der Dose, Cranberrys aus der Dose und braunen Reis mit gerösteten Mandeln: »Unser vegetarisches sozialistisches Thanksgiving«, hatte sie es genannt. Wir hatten wegen eines ihrer Projekte in der Agentur nachlässig geplant. Nächstes Jahr, versprach sie (wir waren beide erschöpft vom Lachen, denn der verdorbene Truthahn hatte uns aus irgendeinem Grund in große Heiterkeit versetzt), würden wir ein Auto mieten und zu ihrem Freund Jed nach Vermont fahren, oder wir würden in irgendeinem fabelhaften Lokal einen Tisch reservieren, zum Beispiel im Gramercy Tavern. Aber das war eine Zukunft, die es nie gegeben hatte: Ich feierte ein alkoholisiertes Kartoffelchips-Thanksgiving mit Boris vor dem Fernseher.

»Was sollen wir essen, Potter?« Boris kratzte sich den Bauch.

»Was? Hast du Hunger?«

Er wackelte mit der Hand hin und her: *Comme ci, comme ça.* »Du nicht?«

»Nicht besonders.« Mein Gaumen war wund von den vielen Chips, und von den Zigaretten wurde mir allmählich flau.

Plötzlich heulte Boris vor Lachen los und richtete sich auf. »Hör nur!« Er gab mir einen Tritt und deutete auf den Fernsehapparat. »Hast du das gehört?«

»Was denn?«

»Den Nachrichtensprecher. Er hat eben seinen Kindern ein frohes Fest gewünscht. ›Bastard und Casey‹.«

»Ach komm.« Boris verhörte sich dauernd bei englischen Wörtern – akustische Malapropismen, manchmal amüsant, meistens nur nervig.

»›Bastard und Casey‹! Das ist Hammer, was? Casey, okay – aber sein eigenes Kind im Feiertagsfernsehen Bastard zu nennen?«

»Das hat er nicht gesagt.«

»Na schön, wenn du alles weißt, was hat er denn gesagt?«

»Scheiße, woher soll ich das wissen?«

»Wieso streitest du dann mit mir? Wieso glaubst du immer, du weißt es besser? Was hat dieses Land für ein Problem? Wie konnte ein so blödes Volk so arrogant und reich werden? Amerikaner .. Filmstars … Fernsehleute … die geben ihren Kindern Namen wie Apple und Blanket und Bear und Bastard und alles mögliche verrückte Zeug.«

»Und damit willst du sagen …?«

»Ich will sagen, die Demokratie ist ein Vorwand für jeden Scheiß dreck. Gewalt … Habgier … Dummheit … alles ist okay, wenn Amerikaner es tun, ja? Hab ich recht?«

»Du kannst wirklich einfach nicht mal die Klappe halten, stimmt's?«

»Ich weiß, was ich gehört hab, ha! Bastard! Ich sag dir was. Wenn ich glaube, mein Kind ist ein Bastard, dann würde ich es verflucht noch mal anders nennen.«

Im Kühlschrank lagen Chicken Wings und Taquitos und Cocktail-Würstchen, die Xandra mitgebracht hatte, und Teigtaschen aus dem Chinarestaurant in der Shopping Plaza, wo mein Vater gern aß. Aber als wir schließlich so weit waren, dass wir essen wollten, war die Flasche Wodka (Boris' Beitrag zu Thanksgiving) halb leer, und wir waren auf dem besten Wege, uns zu übergeben. Boris, der manchmal eine ernsthafte Phase hatte, wenn er betrunken war, eine russenhafte Neigung zu schweren Themen und unbeantwortbaren Fragen, saß auf der Marmortheke, schwenkte ein auf die Gabel gespießtes Cocktail-Würstchen und schwatzte ein bisschen wild über Armut und Kapitalismus und Klimawandel und über die Welt, die im Arsch war.

Irgendwann sagte ich völlig verwirrt: »Boris, halt die Klappe. Ich will das nicht hören.« Er war in mein Zimmer gegangen und hatte mein Schulexemplar von *Walden* herausgeholt, und jetzt las er mir

auter Stimme eine Passage, die irgendeine These untermauerte, die
r aufgestellt hatte.

Er warf mit dem Buch nach mir – zum Gück war es ein Paper-
back –, und es streifte meinen Wangenknochen. »*Istshésni!* Hau ab!«

»Ich wohne hier, du ignorantes Arschloch.«

Das Cocktail-Würstchen, das immer noch auf der Gabel steckte,
egelte knapp an meinem Kopf vorbei. Aber wir lachten beide. Als
die Hälfte des Nachmittags vorbei war, waren wir sternhagelvoll; wir
wälzten uns auf dem Teppich, stolperten übereinander, lachten und
fluchten und krochen auf Händen und Knien herum. Im Fernsehen
lief ein Footballspiel und ging uns beiden auf die Nerven, aber es
war zu anstrengend, die Fernbedienung zu suchen und den Kanal
zu wechseln. Boris war so breit, dass er immer wieder versuchte, mit
mir Russisch zu sprechen.

»Sprich Englisch oder halt's Maul.« Ich versuchte, mich am Geländer festzuhalten, und wich seinem Schwinger so ungeschickt aus,
dass ich krachend auf dem Couchtisch landete.

»*Ty menjá dostál! Poschól ty!*«

»Quak quak quak«, antwortete ich mit einer weinerlichen Mäd-
chenstimme und lag dabei mit dem Gesicht auf dem Teppich. Der
Fußboden schwankte und bäumte sich auf wie das Deck eines Schiffs.
»Backe backe Balalaika.«

»Scheiß *télik*!« Boris kippte neben mir auf den Boden und trat albern nach dem Fernseher. »Will diese Scheiße nicht sehen!«

»Na, ehrlich, scheiße«, ich rollte mich herum und hielt mir den
Bauch, »ich auch nicht.« Meine Augen blieben nicht richtig in der
Spur, und die Gegenstände hatten Lichtkränze, die über die norma-
len Grenzen hinaus schimmerten.

»Lass uns Wetter gucken.« Boris watete auf den Knien durch das
Wohnzimmer. »Will das Wetter in Neuguinea sehen.«

»Dann musst du es suchen. Ich weiß nicht, auf welchem Kanal.«

»Dubai!«, schrie Boris und kippte nach vorn – und dann kam ein
Brei aus russischen Wörtern. Ich erkannte einen oder zwei Flüche.

»*Anglijski!* Sprich Englisch!«

»Gibt Schnee da?« Er rüttelte an meiner Schulter. »Mann sagt es schneit, verrückter Mann, *ty wjesscháesch*? Schnee in Dubai! Ein Wunder, Potter! Schau!«

»Das ist *Dublin,* du Trottel. Nicht Dubai.«

»*Walí otsjuda!* Verpiss dich!«

Dann muss ich einen Blackout gehabt haben (ein allzu typischer Vorfall, wenn Boris eine Flasche mitbrachte), denn als Nächstes wurde mir bewusst, dass das Licht völlig anders war und ich neben einer Kotzlache auf dem Teppich vor der Schiebetür kniete und die Stirn ans Glas presste. Boris schlief fest; er lag mit dem Gesicht nach unten auf dem Sofa und schnarchte vergnügt. Ein Arm hing schlaff herunter. Poptschik schlief auch; sein Kinn ruhte zufrieden auf Boris' Hinterkopf. Ich fühlte mich miserabel. Tote Schmetterlinge auf dem Wasser im Pool. Hörbares Maschinensummen. Ertrunkene Grillen und Käfer, kreiselnd in den Plastikkörben der Filter. Darüber die untergehende Sonne, grell und unmenschlich lodernd, blutrote Wolkenschichten, die an Endzeitaufnahmen von Katastrophen und Verheerungen erinnerten: Detonationen auf pazifischen Atollen, flüchtende Wildtiere vor Flammenwänden.

Vielleicht hätte ich geweint, wenn Boris nicht da gewesen wäre. Stattdessen ging ich ins Bad und übergab mich noch einmal, und nachdem ich Wasser aus dem Hahn getrunken hatte, kam ich mit Papierhandtüchern zurück und wischte die Sauerei vom Teppich auf, obwohl ich solche Kopfschmerzen hatte, dass ich kaum etwas sehen konnte. Die Kotze hatte eine scheußlich orangegelbe Farbe von den gegrillten Chicken Wings und ließ sich nur schwer entfernen. Sie hinterließ einen Fleck, und während ich mit Geschirrspülmittel daran herumschrubbte, versuchte ich mühsam, mich an tröstliche Gedanken an New York festzuhalten – an die Wohnung der Barbours mit dem chinesischen Porzellan und den freundlichen Pförtnern, an das zeitlose Refugium in Hobies Haus mit alten Büchern und laut tickenden Uhren, alten Möbeln und samtenen Vorhängen, mit den Sedimenten der Vergangenheit allenthalben, in stillen Zimmern, wo alles ruhig war und einleuchtend. Nachts, wenn mich die

Fremdheit meiner Umgebung überwältigte, wiegte ich mich oft in den Schlaf, indem ich an seine Werkstatt dachte, an den schweren Duft von Bienenwachs und Rosenholzspänen und an die schmale Treppe hinauf in den Salon, wo staubige Sonnenstrahlen auf Orientteppiche schienen.

Ich rufe ihn an, dachte ich. Warum nicht? Ich war immer noch betrunken genug, um das für eine gute Idee zu halten. Aber das Telefon klingelte und klingelte. Schließlich – nach zwei oder drei Versuchen und einer trostlosen halben Stunde vor dem Fernseher, wo ich, schwitzend vor Übelkeit, mit mörderischen Bauchschmerzen auf den Wetterbericht starrte (vereiste Straßen, Kaltfronten in Montana) – beschloss ich, Andy anzurufen. Ich ging in die Küche, um Boris nicht zu wecken. Kitsey kam ans Telefon.

»Wir können uns nicht unterhalten«, sagte sie hastig, als sie begriff, dass ich es war. »Wir sind spät dran. Wir gehen essen.«

»Wo?« Ich blinzelte. Mein Kopf tat immer noch so weh, dass ich kaum aufrecht stehen konnte.

»Zu den Van Nesses, drüben in der Fifth. Freunde von Mum.«

Im Hintergrund hörte ich unverständliches Geheul von Toddy, und Platt brüllte: »Lass mich in *Ruhe*!«

»Kann ich Andy kurz sprechen?« Ich blickte starr auf den Küchenfußboden.

»Nein, wirklich, wir – Mum, ich komme schon!«, hörte ich sie schreien. »Alles Gute zu Thanksgiving.«

»Gleichfalls«, sagte ich. »Grüß alle von mir« – aber da hatte sie schon aufgelegt.

XXI

Meine Befürchtungen in Bezug auf Boris' Vater hatten sich ein wenig gelegt, nachdem er meine Hände ergriffen und mir dafür gedankt hatte, dass ich mich um Boris kümmerte. Obwohl Mr. Pavlikovsky (»Mister!«, krähte Boris) wirklich furchterregend aussah, war ich doch zu der Auffassung gekommen, dass er nicht ganz so schrecklich war, wie es den Anschein hatte. In der Woche nach Thanksgiving fanden wir ihn zweimal nach der Schule in der Küche. Er murmelte ein paar freundliche Worte, nicht mehr, während er am Tisch saß, seinen Wodka herunterkippte, sich mit einer Papierserviette die feuchte Stirn betupfte und in seinem zerbeulten Radio laut die russischen Nachrichten hörte. Aber dann waren wir eines Abends mit Popper unten (ich hatte ihn von zu Hause mitgebracht) und schauten uns einen alten Peter-Lorre-Film mit dem Titel *Die Bestie mit den fünf Fingern* an, als die Haustür laut zugeschlagen wurde.

Boris schlug sich an die Stirn. »Scheiße!« Ehe ich michs versah, drückte er mir Popper in die Arme, packte mich beim Kragen, zog mich hoch und gab mir einen Stoß ins Kreuz.

»Was …?«

Er wedelte hektisch mit der Hand – *hau ab!* »Der Hund«, zischte er, »mein Dad bringt ihn um. Schnell!«

Ich lief durch die Küche und so leise wie möglich zur Hintertür hinaus. Draußen war es sehr dunkel. Zum ersten Mal in seinem Leben gab Popper keinen Laut von sich. Ich setzte ihn ab und wusste, er würde dicht bei mir bleiben, als ich jetzt außen herum zu den Wohnzimmerfenstern ging, an denen keine Vorhänge hingen.

Sein Dad benutzte einen Gehstock – das hatte ich noch nicht gesehen. Er stützte sich schwer darauf und humpelte in das helle Zimmer wie eine Figur in einem Theaterstück. Boris stand da, die Arme vor der schmalen Brust gekreuzt und um den Oberkörper geschlungen.

Er und sein Vater hatten Streit – genauer gesagt, sein Vater redete wütend auf ihn ein. Boris starrte zu Boden. Die Haare hingen ihm ins Gesicht, und deshalb sah ich nur seine Nasenspitze.

Abrupt warf er den Kopf in den Nacken, sagte ein paar scharfe Worte und wandte sich ab, um zu gehen. Boris' Dad – so hinterhältig, dass ich kaum Zeit hatte, auch nur zu ahnen, was da kommt – ließ seinen Stock vorwärtsschnellen wie eine Schlange, quer über Boris' Schultern, und schlug ihn damit zu Boden. Bevor er wieder aufstehen

360

konnte – er kauerte auf Händen und Knien –, trat Mr. Pavlikovsky ihn ganz hinunter, packte ihn dann hinten beim Hemd und riss den Stolpernden auf die Beine. Auf Russisch keifend und kreischend, schlug er ihm mit seiner roten, beringten Hand ins Gesicht, rechts und links: *klatsch klatsch*. Schließlich stieß er ihn von sich. Boris taumelte in die Mitte des Zimmers, und sein Vater holte mit dem Gehstock aus und schlug ihm die Krücke mitten ins Gesicht.

Halb im Schock wich ich vor dem Fenster zurück, so orientierungslos, dass ich über einen Müllsack stolperte und hinfiel. Popper – erschrocken über den Lärm – rannte hin und her und winselte hoch und schrill. Ich rappelte mich panisch inmitten von scheppernden Dosen und Bierflaschen gerade wieder hoch, als die Tür aufflog und ein Viereck aus gelbem Licht auf den Zementboden fiel. So schnell, wie ich konnte, war ich auf den Beinen, raffte Popper an mich und rannte los.

Aber es war nur Boris. Er holte mich ein, packte mich beim Arm und zerrte mich die Straße hinunter.

»Meine Güte.« Ich ließ mich ein Stück zurückfallen und wollte mich umsehen. »Was war denn das?«

Hinter uns flog die Haustür auf. Mr. Pavlikovskys Silhouette stand im Lichtschein, mit einer Hand aufgestützt, schüttelte die Faust und brüllte etwas auf Russisch.

Boris zog mich weiter. »Komm schon!« Wir rannten die dunkle Straße entlang, und unsere Schuhe klatschten auf den Asphalt, bis die Stimme seines Vaters schließlich verhallt war.

»Scheiße«, sagte ich und ging langsamer, als wir um die Ecke gebogen waren. Mein Herz klopfte, und in meinem Kopf drehte sich alles. Popper zappelte winselnd und wollte heruntergelassen werden; ich setzte ihn auf den Asphalt, und er rannte im Kreis um uns herum. »Was ist denn passiert?«

»Ach, nichts.« Boris klang grundlos fröhlich und wischte sich mit einem nassen, schniefenden Geräusch über die Nase. »›Ein Sturm im Wasserglas‹, sagen wir auf Polnisch. Er hatte einfach zu viel.«

»Zu viel von dir oder zu viel gesoffen?«

»Beides. Aber ein Glück, dass er Poptschik nicht gesehen hat, denn sonst – keine Ahnung. Er findet, Tiere gehören nach draußen. Hier«, sagte er und hielt eine Wodkaflasche hoch, »sieh mal, was ich habe! Hab sie auf dem Weg nach draußen geklaut.«

Ich roch das Blut an ihm, bevor ich es sah. Ein Halbmond stand am Himmel – nicht sehr hell, aber hell genug –, und als ich vor ihm stand und ihn anschaute, sah ich, dass es ihm aus der Nase lief und dass sein Hemd davon ganz dunkel war.

»Mann«, sagte ich, immer noch atemlos, »ist alles okay?«

»Lass uns auf den Spielplatz gehen, Atem holen«, sagte Boris. Sein Gesicht, sah ich, war schlimm zugerichtet: Ein Auge war zuge-schwollen, und aus einer hässlichen, hakenförmigen Platzwunde an der Stirn floss ebenfalls Blut.

»Boris! Wir sollten nach Hause gehen.«

Er zog eine Braue hoch. »Nach Hause?«

»Zu *mir* nach Hause. Egal. Du siehst schlimm aus.«

Grinsend entblößte er blutige Zähne und stieß mir den Ellenbo-gen in die Rippen. »Njah, ich brauche was zu trinken, bevor ich Xan-dra entgegentrete. Komm schon, Potter. Kannst du nicht auch einen Absacker gebrauchen? Nach alldem?«

XXII

Die Rutschbahn auf dem Spielplatz neben dem Rohbau des Gemein-dezentrums glänzte silbern im Mondlicht. Wir setzten uns auf den Rand des leeren Springbrunnens, ließen die Füße in das trockene Be-cken baumeln und reichten die Flasche hin und her, bis wir die Zeit aus dem Auge verloren.

»Das war das Krasseste, was ich je gesehen habe.« Ich wischte mir mit dem Handrücken über den Mund. Die Sterne drehten sich langsam.

Boris stützte sich auf die Hände, lehnte sich zurück und hob das Gesicht zum Himmel. Er sang auf Polnisch vor sich hin.

Wszystkie dzieci, nawet źle,
pogrążone są we śnie,
a ty jedna tylko nie.
A-s-s, a-a-a …

»Er macht einem eine Scheiß-Angst«, sagte ich. »Dein Dad.«

»Ja«, sagte Boris fröhlich und wischte sich den Mund an der Schulter seines blutgetränkten Hemds ab. »Er hat Leute umgebracht. Einmal hat er unten im Schacht einen Mann totgeschlagen.«

»Quatsch.«

»Nein, ist wahr. In Neuguinea ist das passiert. Er hat versucht, dass es so aussieht, als ob lockere Steine heruntergefallen sind und den Mann getötet haben. Aber wir mussten danach trotzdem sofort abreisen.«

Ich dachte darüber nach. »Dein Dad ist nicht, äh, sehr stämmig«, sagte ich. »Ich meine, ich kann mir eigentlich nicht vorstellen …«

»Njah, nicht mit den Fäusten. Mit einer, wie heißt das«, er tat so, als würde er wogegen schlagen, »mit einer Rohrzange.«

Ich schwieg. Die Geste, mit der Boris die imaginäre Rohrzange niederfahren ließ, wirkte überzeugend.

Boris hatte sich umständlich eine Zigarette angezündet und blies seufzend den Rauch von sich. »Willst du?« Er reichte sie mir und zündete sich eine neue an. Dann rieb er sich mit den Fingerknöcheln den Kiefer. »Ah«, sagte er und bewegte ihn hin und her.

»Tut es weh?«

Er lachte schläfrig und boxte mich auf die Schulter. »Was glaubst du, du Idiot?«

Nicht lange, und wir taumelten vor Lachen und tappten auf Händen und Knien im Kies herum. So betrunken ich auch war, mein Kopf war hoch oben, kalt und seltsam klar. Irgendwann – staubbedeckt vom Rollen und Rutschen auf dem Boden – torkelten wir in fast schwarzer Finsternis nach Hause. Reihen von verlassenen Häusern und die gigantische Wüstennacht um uns herum, hell knisternde Sterne über uns und Poptschik, der hinter uns hertrottete, während wir Seite an Seite weitertorkelten und so heftig lachten, dass wir würgten und uns fast am Straßenrand übergeben mussten.

Er sang aus voller Lunge, das gleiche Lied wie vorher:

A-a-a, a-a-a,
byly sobie kotki dwa.
A-a-a, kotki dwa,
szarobure …

Ich gab ihm einen Tritt. »Englisch!«

»Hey, ich bring's dir bei. *A-a-a, a-a-a …*«

»Dann sag mir, was es bedeutet.«

»Gut, mach ich. ›Es waren mal zwei kleine Kätzchen‹«, sang Boris

… die waren beide grau und braun.
A-a-a …

»*Zwei kleine Kätzchen?*«

Er schlug nach mir und verlor fast das Gleichgewicht. »Warte, scheiße! Das Gute kommt erst noch.« Er wischte sich über den Mund, warf den Kopf in den Nacken und sang:

Oh, schlafe, mein Liebling,
Und ich gebe dir einen Stern vom Himmel,
Alle Kinder schlafen tief,
Alle andern, auch die bösen,
Alle Kinder schlafen außer dir.
A-a-a, a-a-a …
Es waren mal zwei kleine Kätzchen …

Als wir bei mir zu Hause ankamen – wir machten viel zu viel Krach und zischten einander immer wieder an –, war die Garage leer: Niemand da. »Gott sei *Dank*!«, sagte Boris inbrünstig, und er warf sich auf den Beton und dem Herrn zu Füßen.

Ich packte ihn beim Hemdkragen. »Steh auf!«

Drinnen, im Licht, sah ich, wie übel er zugerichtet war: überall Blut und das Auge zu einem glitzernden Schlitz verquollen. »Warte«, sagte ich und setzte ihn mitten auf den Teppich im Wohnzimmer. Dann eierte ich ins Bad, um etwas für seine Platzwunde zu holen. Aber ich fand nur Shampoo und eine Flasche mit grünem Parfüm, die Xandra auf einer Werbeveranstaltung im Wynn Hotel gewonnen hatte. Betrunken erinnerte ich mich an etwas, das meine Mutter gesagt hatte: Parfüm wirke im Notfall antiseptisch. Ich ging ins Wohnzimmer zurück. Boris lag, alle viere von sich gestreckt, auf dem Teppich, und Popper schnüffelte beunruhigt an seinem blutbefleckten Hemd.

»Hier.« Ich schob den Hund zur Seite und betupfte die blutige Stelle an seiner Stirn mit einem feuchten Lappen. »Halt still.«

Boris zuckte zurück und knurrte: »Scheiße, was machst du da?«

»Klappe«, sagte ich und hielt sein Haar über den Augen zurück.

Er murmelte etwas auf Russisch. Ich bemühte mich, vorsichtig zu sein, aber ich war genauso betrunken wie er, und als ich Parfüm auf die Wunde sprühte, kreischte er auf und schlug mich auf den Mund.

»Scheiße, was soll das?« Ich betastete meine Lippe und sah, dass mein Finger blutig war. »Sieh mal, was du gemacht hast!«

»*Bljad.*« Er hustete und schlug in die Luft. »Das stinkt. Was hast du da auf mich gespritzt, du Hure?«

Ich fing an zu lachen – ich konnte nicht anders.

»*Drecksack!*«, schrie er und gab mir einen so heftigen Stoß, dass ich umfiel. Aber er lachte auch. Er hielt mir die Hand hin, um mir hochzuhelfen, aber ich trat sie beiseite.

»Verpiss dich!« Vor Lachen brachte ich die Worte kaum heraus. »Du riechst wie Xandra.«

»Gott, ich krieg keine Luft. Ich muss das abwaschen.«

Wir stolperten hinaus, rissen uns unterwegs die Kleider herunter und hüpften auf einem Bein, um aus den Hosenbeinen zu kommen, und dann stürzten wir uns in den Pool – keine gute Idee, begriff ich zu spät im Augenblick des Kippens, bevor ich ins Wasser eintauchte, sturzbetrunken und unfähig zu gehen. Das kalte Wasser prallte mir so hart entgegen, dass es mir den Atem verschlug.

Ich paddelte hektisch an die Oberfläche. Meine Augen brannten und das Chlor drang scharf in meine Nase. Ein Wasserstrahl von Boris traf mich ins Gesicht, und ich spuckte zurück. Er war weiß verschwommen in der Dunkelheit, hohle Wangen, schwarzes Haar, das rechts und links am Kopf klebte. Lachend rangen wir miteinander und tauchten uns gegenseitig unter, obwohl ich mit den Zähnen klapperte und viel zu betrunken und von Übelkeit gepackt war, um im zwei Meter tiefen Wasser herumzutoben.

Boris tauchte. Eine Hand spannte sich um meinen Fußknöchel und zog mich nach unten, und ich starrte plötzlich gegen eine dunkle Wand aus Luftblasen.

Ich wand mich, ich wehrte mich, und es war wieder wie im Museum, eingesperrt in der Dunkelheit und kein Weg hinauf oder hinaus. Ich schlug um mich und strampelte, und panischer Atem schwebte blubbernd an meinen Augen vorbei: Unterwasserglocken, Finsternis. Endlich – gerade als ich die Lunge voll Wasser saugen wollte – riss ich mich los und durchbrach die Oberfläche.

Keuchend klammerte ich mich an den Beckenrand und schnappte nach Luft. Als meine Sicht wieder klar war, sah ich, wie Boris sich hustend und fluchend auf die Stufen warf. Atemlos vor Wut bewegte ich mich halb schwimmend, halb springend hinter ihn und hakte einen Fuß um seinen Knöchel, sodass er klatschend vorn überfiel.

»Arschloch«, prustete ich, als er strampelnd auftauchte. Er wollte etwas sagen, aber ich spritzte ihm eine breite Fontäne ins Gesicht und dann gleich noch eine, und ich schob die Finger in seine Haare und drückte ihn hinunter. »Du elender Scheißer!«, schrie ich, als er keuchend wieder hochkam. Das Wasser strömte ihm über das Gesicht. »Mach das *nie wieder* mit mir.« Ich hatte ihm beide Hände auf die Schultern gelegt und wollte mich über ihn stürzen – ihn untertauchen, richtig lange –, aber da langte er herum und packte meinen Arm, und ich erkannte, dass er bleich war und zitterte.

»Stopp«, sagte er krächzend, und ich sah, wie seltsam unscharf
eine Augen geworden waren.

»Hey«, sagte ich, »ist alles okay?« Aber er hustete so sehr, dass
r nicht antworten konnte. Seine Nase blutete wieder, und das Blut
quoll dunkel zwischen seinen Fingern hervor. Ich half ihm hoch, und
usammen kollabierten wir auf der Pooltreppe, halb im Wasser, halb
draußen, zu erschöpft, um ganz hinauszusteigen.

XXIII

Die helle Sonne weckte mich. Wir lagen in meinem Bett: mit nas-
en Haaren, halb bekleidet und frierend in der klimatisierten Kälte.
Popper schnarchte zwischen uns. Das Bettzeug war feucht und roch
nach Chlor, und ich hatte hämmernde Kopfschmerzen und einen
hässlichen Metallgeschmack im Mund, als hätte ich eine Handvoll
Kleingeld gelutscht.

Ich lag sehr still da; ich hatte das Gefühl, ich würde mich übergeben, wenn ich den Kopf auch nur einen Zentimeter weit bewegte.
Dann – sehr vorsichtig – richtete ich mich auf.

»Boris?« Ich rieb mir mit der flachen Hand den Nacken. Der Kis-
enbezug war mit rostbraunen Blutstreifen beschmiert. »Bist du
wach?«

»O Gott«, stöhnte Boris. Totenbleich und klebrig verschwitzt,
wälzte er sich auf den Bauch und krallte die Hände in die Matratze.
Er war nackt bis auf seine Sid-Vicious-Armbänder und eine Unterhose, die aussah wie eine von mir. »Ich muss brechen.«

»Aber nicht hier.« Ich gab ihm einen Tritt. »Hoch mit dir.«

Brummelnd stolperte er hinaus. In meinem Badezimmer hörte
ich ihn würgen. Von dem Geräusch wurde mir übel, aber ich fand
es auch rasend komisch. Ich drehte mich herum und lachte in mein
Kissen. Als er wieder hereingestolpert kam und sich den Schädel
hielt, sah ich erschrocken sein blaues Auge, die blutverklebte Nase
und die verkrustete Wunde auf der Stirn.

»Mann«, sagte ich, »das sieht übel aus. Das muss genäht werden.«

»Weißt du was?« Boris warf sich bäuchlings auf die Matratze.

»Was?«

»Wir kommen zu spät in die scheiß Schule!«

Wir warfen uns auf den Rücken und brüllten vor Lachen. Trotz aller Schwäche und Übelkeit glaubte ich, ich würde nie mehr aufhören können.

Boris rollte sich herum und tastete mit einem Arm auf dem Boden herum. Einen Augenblick später kam sein Kopf wieder hoch. »Ah! Was ist das?«

Ich richtete mich auf und griff eifrig nach dem Glas Wasser oder dem, was ich dafür hielt. Er hielt es mir unter die Nase – und der Geruch ließ mich würgen.

Boris johlte. Blitzschnell war er über mir: spitze Knochen und klamme Haut, ein Geruch von Schweiß und Kotze und noch etwas anderem, roh und schmutzig wie stehendes Tümpelwasser. Er kniff mich schmerzhaft in die Wange und goss mir das Glas Wodka ins Gesicht. »Zeit für deine Medizin! Na, na«, sagte er, als ich ihm das Glas aus der Hand schlug, dass es durch die Luft flog, und ihm einen Schlag auf den Mund verpassen wollte, der ihn aber nur streifte. Popper bellte aufgeregt. Boris nahm mich in den Schwitzkasten, raffte mein schmutziges Hemd vom vergangenen Tag auf und wollte es mir in den Mund stopfen, aber ich war zu schnell und schleuderte ihn vom Bett, sodass er mit dem Kopf gegen die Wand flog. »Au scheiße«, sagte er. Schlaftrunken rieb er sich das Gesicht mit der flachen Hand und kicherte.

Unsicher stand ich auf, und kalter Schweiß prickelte auf meiner Haut. Ich suchte mir den Weg ins Bad, und in einem heftigen Schwall – und noch einem, mit einer Hand gegen die Wand gestützt – entleerte ich meinen Mageninhalt ins Klo. Nebenan hörte ich ihn lachen.

»Steck dir zwei Finger in den Hals«, rief er – und dann noch etwas, das ich nicht verstand, weil ein neuer Brechreiz mich schüttelte.

Als es vorbei war, spuckte ich ein oder zwei Mal aus und wischte mir mit dem Handrücken über den Mund. Das Badezimmer war verwüstet: Die Dusche tropfte, die Tür stand offen, klatschnasse Handtücher und blutige Waschlappen lagen zusammengeknüllt auf dem Boden. Immer noch fröstelnd vor Übelkeit, trank ich aus den gewölbten Händen am Waschbecken und wusch mir das Gesicht. Mein nackter Oberkörper im Spiegel war geduckt und bleich, und ich hatte eine dicke Lippe, wo Boris' Faust mich in der Nacht getroffen hatte.

Boris lag immer noch auf dem Boden wie eine Puppe ohne Knochen, den Kopf aufrecht an die Wand gelehnt. Als ich hereinkam, klappte er das heile Auge auf und gluckste. »Alles besser?«

»Leck mich! Quatsch mich nicht an, du Arsch!«

»Geschieht dir recht. Hab ich dir nicht gesagt, du sollst nicht mit dem Glas rumspielen?«

»Ich?«

»Weißt du nicht mehr, was?« Mit der Zungenspitze strich er über die Oberlippe, um zu fühlen, ob es wieder angefangen hatte zu bluten. Ohne Hemd sah man all die Lücken zwischen seinen Rippen, die Spuren alter Schläge und die roten Hitzeflecken hoch oben auf seiner Brust. »Das Glas auf dem Boden, *sehr* schlechte Idee. Bringt Unglück! Ich hab dir gesagt, du sollst es nicht da stehen lassen! Großes Unglück für uns!«

»Du hättest es mir aber nicht über den Kopf zu schütten brauchen.« Linkisch setzte ich mir die Brille auf und griff mir die erstbeste Hose vom gemeinschaftlichen Wäschehaufen auf dem Fußboden.

Boris drückte seine Nasenwurzel zwischen Daumen und Zeigefinger und lachte. »Wollte dir nur helfen. Bisschen Schnaps und gleich geht es dir besser.«

»Ja, vielen Dank auch.«

»Ist wahr. Wenn du ihn unten behalten kannst. Kopfschmerzen gehen weg wie durch Zauberei. Mein Dad ist kein hilfreicher Mensch, aber das ist eine sehr hilfreiche Sache, die er mir erzählt hat. Schönes kaltes Bier ist am besten, wenn du hast.«

»Hey, komm mal her.« Ich stand am Fenster und schaute auf den Pool hinunter.

»Hä?«

»Komm her. Das musst du sehen.«

»Erzähl's mir einfach«, brummte Boris auf dem Boden. »Ich wi
nicht aufstehen.«

»Du solltest aber.«

Da unten sah es aus wie nach einem Mord. Eine Kette von Bluts
tropfen schlängelte sich über die Steinplatten zum Becken. Schuh
Jeans, ein blutgetränktes Hemd, alles lag wild durcheinander auf der
Boden. Einer von Boris' verschlissenen Stiefeln lag am tiefen End
im Wasser. Und schlimmer noch – im flachen Wasser vor der Trep
pe schwamm eine Schicht Kotze wie fettiger Schaum.

XXIV

Später, nach ein paar halbherzigen Durchgängen mit dem Poolsau
ger, saßen wir auf der Küchentheke, rauchten die Viceroys meine
Dads und schwatzten. Es war kurz vor Mittag – zu spät, um auc
nur daran zu denken, noch in die Schule zu fahren. Boris sah zer
lumpt und verstört aus. Sein Hemd hing auf der einen Seite von de
Schulter herunter. Er hatte mit den Schranktüren geknallt und sic
bitterlich beschwert, weil kein Tee im Haus war, und dann hatte e
abscheulichen Kaffee auf die russische Art gemacht, indem er da
Kaffeemehl in einem Topf auf dem Herd gekocht hatte.

»Nein, nein«, sagte er, als er sah, dass ich mir eine normale Tass
einschenkte. »Sehr stark, ganz kleine Menge.«

Ich kostete davon und verzog das Gesicht.

Er tauchte einen Finger hinein und leckte ihn ab. »Keks wäre nett.

»Machst du Witze?«

»Brot und Butter?«, fragte er hoffnungsvoll.

Ich rutschte von der Theke herunter, so behutsam ich konnte
denn mir tat der Kopf weh, und suchte herum, bis ich in einer Schub
lade ein paar Zuckerpäckchen und eine Packung Tortilla-Chips fand
die Xandra vom Buffet in ihrer Bar mitgebracht hatte.

»Irre«, sagte ich und sah ihm ins Gesicht.

»Was?«

»Dass dein Dad so was getan hat.«

»Ist nichts.« Boris drehte den Kopf zur Seite, um einen ganzen Mais-Chip einzuschieben. »Einmal hat er mir eine Rippe gebrochen.«

Nach einer langen Pause und weil mir sonst nichts einfiel, sagte ich: »Eine gebrochene Rippe ist nicht so ernst.«

»Nein, aber tut weh. Diese hier.« Er zog sein Hemd hoch und zeigte mir die Rippe.

»Ich dachte, er bringt dich um.«

Er stieß mich mit der Schulter an. »Ah, ich hab ihn absichtlich provoziert. Ihm widersprochen. Damit du Poptschik rausbringen konntest. Hör zu, alles ist gut«, sagte er herablassend, als ich nicht aufhörte, ihn anzustarren. »Gestern Abend hatte er Schaum vor dem Mund, aber es wird ihm leidtun, wenn er mich jetzt sieht.«

»Vielleicht solltest du eine Zeitlang hierbleiben.«

Boris lehnte sich zurück, stützte sich auf die Hände und lächelte wegwerfend. »Gibt keinen Grund zur Aufregung. Er kriegt manchmal Depressionen, das ist alles.«

»Aja.« In den alten Zeiten von Johnny Walker Black Label hatte mein Dad – mit Kotze auf dem Oberhemd, während wütende Mitarbeiter bei uns zu Hause anriefen – seine Wutanfälle (manchmal unter Tränen) auf »Depressionen« geschoben.

Boris lachte, anscheinend ehrlich erheitert. »Na und? Du bist nicht traurig manchmal?«

»Er gehört dafür ins Gefängnis.«

»Oh, hör auf.« Der schlechte Kaffee war ihm langweilig geworden, und er hatte sich zum Kühlschrank aufgemacht, um ein Bier zu holen. »Mein Vater – schlecht gelaunt, schön, aber er liebt mich. Er hätte mich bei einem Nachbarn lassen können, als er die Ukraine verlassen hat. Meinen Freunden Max und Serjoscha ist es so gegangen, und Max ist dann auf der Straße gelandet. Außerdem gehöre ich selbst ins Gefängnis, wenn du so denken willst.«

»Wie bitte?«

»Ich habe versucht, ihn umzubringen einmal. Im Ernst!«, fügte e
hinzu, als er sah, wie ich ihn anschaute. »Wirklich.«

»Das glaub ich nicht.«

»Ist aber wahr«, sagte er resigniert. »Es tut mir auch leid. In un
serem letzten Winter in Ukraine ich hab ihn getrickst, damit er hin
ausgeht – war er so betrunken, dass er es getan hat. Dann hab ich di
Tür abgeschlossen. War sicher, er stirbt im Schnee. Gut, dass er nich
getan hat, eh?« Er lachte laut. »Dann säße ich jetzt fest in Ukraine
mein Gott. Müsste im Bahnhof schlafen.«

»Was ist denn passiert?«

»Keine Ahnung. War nicht spät genug in der Nacht. Hat ihn je
mand gesehen und ins Auto genommen – irgendeine Frau, nehm
ich an, wer weiß? Ist jedenfalls losgezogen und hat weitergetrun
ken. Ein paar Tage später wieder ist gekommen nach Hause – un
ich hatte Glück, denn er erinnerte sich nicht, was passiert war
Hat er mir stattdessen einen Fußball mitgebracht und versprochen
von jetzt an trinkt er nur noch Bier. Das klappte vielleicht einen
Monat.«

Ich rieb mir das Auge hinter dem Brillenglas. »Was wirst du in
der Schule sagen?«

Er öffnete die Bierflasche. »Hä?«

»Na, ich meine nur.« Der Bluterguss in seinem Gesicht hatte di
Farbe von rohem Fleisch. »Die Leute werden fragen.«

Er grinste und stieß mir den Ellenbogen in die Seite. »Ich sage
du warst das.«

»Nein, im Ernst.«

»Das *ist* mein Ernst.«

»Boris, das ist nicht komisch.«

»Ach, jetzt komm. Football, Skateboard.« Das schwarze Haar fie
ihm ins Gesicht wie ein Schatten, und er warf es zurück. »Du wills
doch nicht, dass sie mich wegbringen, oder?«

»Okay«, sagte ich nach einer unbehaglichen Pause.

»Denn Polen«, er reichte mir die Bierflasche, »ich glaube, da

372

... wär's. Bei Ausweisung. Obwohl Polen«, er lachte, aber es klang eher wie ein alarmierendes Kläffen, »besser als Ukraine, mein Gott!«

»Dahin können sie dich nicht zurückschicken, oder?«

Stirnrunzelnd schaute er auf seine Hände. Sie waren schmutzig, und er hatte Blut unter den Nägeln. »Nein«, sagte er heftig. »Denn vorher bringe ich mich um.«

»Oh, buhuhu.« Boris drohte ständig damit, sich aus diesem oder jenem Grund umzubringen.

»Ich mein's ernst! Vorher sterbe ich! Lieber ich bin tot.«

»Nein, bist du nicht.«

»Doch, bin ich doch. Der Winter – du hast keine Ahnung, wie das ist. Sogar die Luft ist schlecht. Überall grauer Beton und der Wind ...«

»Na, irgendwann muss da doch auch Sommer sein.«

»Ach Gott.« Er griff nach meiner Zigarette, nahm einen tiefen Zug und blies eine lange Rauchfahne zur Decke. »Mücken. Stinkender Schlamm. Alles riecht nach Schimmel. Ich war so ausgehungert und einsam – ich meine, im Ernst, manchmal hatte ich solchen Hunger, dass ich zum Fluss ging und überlegte, ob ich mich ertränken soll.«

Ich hatte Kopfschmerzen. Boris' Kleider (meine, genau genommen) drehten sich im Trockner umeinander. Draußen schien die Sonne hell und niederträchtig.

»Keine Ahnung, wie es dir geht«, sagte ich, »aber ich könnte was Richtiges zu essen gebrauchen.«

»Was machen wir dann?«

»Wir hätten in die Schule gehen sollen.«

»Pffff.« Boris ließ keinen Zweifel daran, dass er nur in die Schule ging, weil ich es tat und weil es sonst nichts zu tun gab.

»Nein, wirklich. Wir hätten gehen sollen. Heute ist Pizza-Tag.«

Boris verzog mit aufrichtigem Bedauern das Gesicht. »Scheiße.«

Das war ein zweiter Grund für die Schule: Zumindest bekamen wir dort etwas zu essen. »Jetzt ist zu spät.«

XXV

Manchmal wachte ich nachts heulend auf. Das Schlimmste an de
Explosion war, wie fest sie sich in meinem Körper verankert hatte
die Hitze, der knochenerschütternde Schlag. In meinen Träume
gab es immer einen hellen und einen dunklen Weg hinaus, und ic
musste den dunklen nehmen, weil der helle Weg heiß war, erfüllt vo
flackerndem Feuer. Aber auf dem dunklen Weg lagen die Leichen.

Zum Glück war Boris nie verärgert oder auch nur erschrocke
wenn ich ihn weckte; als käme er aus einer Welt, in der nächtliche
Schmerzgeheul nichts Ungewöhnliches war. Manchmal hob er dan
Poptschik auf, der schnarchend an unserem Fußende lag, und leg
te mir das schlaffe, schlafende Knäuel auf die Brust. So niedergehal
ten – und umgeben von der Wärme der beiden – lag ich dann d
und zählte auf Spanisch oder versuchte, mir alle russischen Wörte
einfallen zu lassen, die ich kannte (hauptsächlich Schimpfwörter
bis ich wieder einschlief.

In der ersten Zeit in Vegas hatte ich, damit es mir besser ging, ve
sucht, mir vorzustellen, meine Mutter lebte noch und ginge zu Haus
in New York ihrem Alltag nach – plauderte mit den Pförtnern, hol
sich Kaffee und einen Donut im Schnellrestaurant und wartete ne
ben dem Zeitungsstand auf dem Bahnsteig auf die Linie 6. Aber da
hatte nicht lange funktioniert. Wenn ich jetzt mein Gesicht in einer
fremden Kissen vergrub, das nicht nach ihr oder nach zu Hause roch
dachte ich an die Wohnung der Barbours in der Park Avenue un
manchmal auch an Hobies Townhouse im Village.

Es tut mir leid, dass dein Vater die Sachen deiner Mutter ver-
kauft hat. Wenn du mir etwas gesagt hättest, dann hätte ich
etwas davon erstehen und für dich aufbewahren können. Wenn
wir traurig sind – zumindest mir geht es so –, kann es tröstlich
sein, sich an vertrauten Gegenständen festzuhalten, an den Din-
gen, die sich nicht verändern.

Deine Beschreibung der Wüste – dieses ozeanische, endlo-

se Gleißen – klingt schrecklich, aber auch sehr schön. Vielleicht
hat diese rohe Leere etwas für sich. Das Licht alter Zeiten ist
anders als das Licht von heute, und doch fühle ich mich hier
in diesem Hause auf Schritt und Tritt an die Vergangenheit er-
innert. Aber wenn ich an dich denke, ist es, als wärest du mit
einem Schiff auf das Meer hinausgefahren – in eine fremdar-
tige Helligkeit, wo es keine Wege gibt, sondern nur Sterne und
den Himmel.

Dieser Brief klemmte zwischen den Seiten einer alten Hardcover-
Ausgabe von *Wind, Sand und Sterne* von Saint-Exupéry, die ich immer wieder las. Ich bewahrte ihn in dem Buch auf, und vom dauernden Lesen wurde er zerknittert und schmutzig.

Boris war der einzige Mensch in Vegas, dem ich erzählt hatte, wie
meine Mutter gestorben war, und ich muss ihm zugutehalten, dass
er diese Information unaufgeregt zur Kenntnis nahm; sein eigenes
Leben war so erratisch und voller Gewalt gewesen, dass ihn die Geschichte anscheinend kein bisschen erschreckte. Starke Explosionen
hatte er schon gesehen, draußen in den Bergwerken seines Vaters
bei Batu Hijau und anderen Orten, von denen ich noch nie gehört
hatte, und ohne die Einzelheiten zu kennen, konnte er eine ziemlich
akkurate Vermutung hinsichtlich der verwendeten Sprengstoffsor-
te abgeben. So redselig er war, er hatte doch auch eine verschwie-
gene Seite, und ich konnte darauf vertrauen, dass er es niemandem
erzählte, ohne dass ich ihn darum bitten musste. Vielleicht, weil er
selbst mutterlos war und eine enge Bindung zu Leuten wie Bami oder
Jewgeni, dem »Leutnant« seines Vaters, und Judy, der Frau des Barkeepers in Karmeywallag, entwickelt hatte. Jedenfalls fand er meine Anhänglichkeit Hobie gegenüber kein bisschen eigenartig. »Die
Leute versprechen zu schreiben, und sie tun es nicht«, sagte er, als
wir uns in der Küche Hobies neuesten Brief anschauten. »Aber dieser Typ schreibt dir dauernd.«

»Ja, er ist nett.« Ich hatte den Versuch aufgegeben, Boris zu erklären, wer Hobie war – sein Haus, seine Werkstatt, seine nachdenk-

liche Art zuzuhören, die so anders war als die meines Vaters, abe
mehr als alles andere eine angenehme Atmosphäre des Geistes: neb
lig, herbstlich, ein mildes, einladendes Mikroklima, das dafür sorg
te, dass ich mich in seiner Gesellschaft sicher und behaglich fühlte.

Boris steckte den Finger in das offene Glas mit Erdnussbutter, da
zwischen uns auf dem Tisch stand, und leckte ihn ab. Er liebte Erd
nussbutter, die es (genau wie Marshmallows) in Russland nicht gab
»'ne alte Schwuchtel?«, fragte er.

Ich war verdattert. »Nein«, sagte ich sofort und dann: »Ich weiß
es nicht.«

»Egal.« Boris schob mir das Glas herüber. »Ich hab schon ein paar
süße alte Schwuchteln gekannt.«

»Ich glaube nicht, dass er eine ist«, sagte ich unsicher.

Boris zuckte die Achseln. »Wen kümmert's? Wenn er gut zu dir ist
Keiner von uns findet je genug Freundlichkeit auf der Welt, oder?«

XXVI

Boris mochte meinen Vater inzwischen gern und der ihn auch. E
begriff besser als ich, wovon mein Vater lebte, und obwohl er sich
ohne dass man es ihm gesagt hatte, geflissentlich von ihm fern
hielt, wenn er verloren hatte, verstand er doch auch, dass mein Va
ter etwas brauchte, was ich ihm nicht geben wollte: ein Publikum
im Rausch des Gewinnens, wenn er aufgedreht und voller Schlag
kraft in der Küche auf und ab marschierte und jemanden haben
wollte, der seinen Geschichten zuhörte und ihn lobte, weil er so
tüchtig gewesen war. Wenn wir ihn dort unten hörten, wie er, auf
gepumpt und high im Abwind eines Gewinns, triumphierend her
umpolterte und großen Lärm machte, dann legte Boris sein Buch
weg und lief die Treppe hinunter, um geduldig dazustehen und sich
anzuhören, wie mein Dad langweilig und Karte für Karte seinen
Abend am Bakkarat-Tisch schilderte, was dann oft in (für mich
unerträgliche Geschichten von ähnlichen Triumphen mündete, di

bis in seine College-Zeit und die gescheiterte Schauspielerkarriere
zurückreichten.

»Du hast mir nie erzählt, dass dein Dad beim Film war!«, sagte
Boris, als er mit einer Tasse kalt gewordenem Tee wieder heraufkam.

»Er war nicht in vielen. Nur in zweien, ungefähr.«

»Aber trotzdem. Der eine – das ist ein echt *großer* Film – dieser
Polizeifilm, weißt du, wo der Polizist sich bestechen lässt. Wie hieß
er noch?«

»Er hatte keine sehr große Rolle. War nur für ungefähr eine Sekunde zu sehen. Er hat einen Anwalt gespielt, der auf offener Straße
erschossen wird.«

Boris zuckte die Achseln. »Na und? Ist trotzdem interessant. Wenn
er je in die Ukraine käme, würden die Leute ihn behandeln wie einen Star.«

»Dann kann er ja hinfahren. Und Xandra kann er gleich mitnehmen.«

Boris' Begeisterung für das, was er »intellektuelle Gespräche«
nannte, fand ein dankbares Ventil in meinem Vater. Ich selbst interessierte mich nicht für Politik und noch viel weniger für die dies-
bezüglichen Ansichten meines Vaters und hatte deshalb keine Lust,
mich auf die sinnlosen Diskussionen über internationale Ereignisse
einzulassen, an denen mein Vater, wie ich wusste, seinen Spaß hatte.
Boris hingegen – ob betrunken oder nüchtern – war ihm gern gefällig. Oft fuchtelte mein Vater bei diesen Gesprächen mit den Armen und ahmte die ganze Zeit Boris' Akzent nach, und zwar so, dass
sich mir die Nackenhaare sträubten. Aber Boris merkte es entweder
nicht, oder es störte ihn nicht. Manchmal, wenn er hinunterging,
um Teewasser aufzusetzen, und dann nicht zurückkam, fand ich sie
schließlich in der Küche, wo sie vergnügt wie zwei Schauspieler in
einem Theaterstück über den Zerfall der Sowjetunion oder sonst
was diskutierten.

»Ah, Potter!«, sagte er, wenn er heraufkam. »Dein Dad. So ein
netter Kerl!«

Ich zog die Ohrstöpsel meines iPods heraus. »Wenn du meinst.«

377

»Im Ernst.« Boris ließ sich auf den Boden fallen. »Er ist so gesprächig und intelligent. Und er liebt dich.«

»Keine Ahnung, wie du darauf kommst.«

»Hör auf! Er will mit dir ins Reine kommen, aber er weiß nicht wie. Er wünscht, du wärest da unten und würdest diskutieren mit ihm, nicht ich.«

»Das hat er dir gesagt?«

»Nein. Ist aber wahr! Ich weiß es.«

»Fast wäre ich drauf reingefallen.«

Boris sah mich durchtrieben an. »Wieso hasst du ihn so sehr?«

»Ich *hasse* ihn nicht.«

»Er hat deiner Mutter das Herz gebrochen«, sagte Boris mit Bestimmtheit. »Als er sie verlassen hat. Aber du musst ihm verzeihen. Das alles ist Vergangenheit jetzt.«

Ich starrte ihn an. War es das, was mein Dad den Leuten erzählte?

»Was für ein Blödsinn.« Ich setzte mich auf und warf mein Comicheft zur Seite. »Meine Mutter«, wie sollte ich das erklären? »du kapierst das nicht, er war ein Arschloch für uns, und wir waren *froh,* als er verschwunden ist. Ich meine, ich weiß, du findest ihn wahnsinnig toll und so …«

»Und warum ist er so schrecklich? Weil er sich mit anderen Frauen getroffen hat?« Boris streckte mir seine aufwärtsgewandten Handflächen entgegen. »Das kommt vor. Er hat sein Leben. Was hat das mit dir zu tun?«

Ungläubig schüttelte ich den Kopf. »Mann«, sagte ich, »er hat dich eingeseift.« Es erstaunte mich immer wieder, wie es meinem Dad gelang, Fremde zu bezaubern und einzuwickeln. Sie liehen ihm Geld, empfahlen ihn zur Beförderung, machten ihn mit wichtigen Leuten bekannt, luden ihn ein, ihre Ferienhäuser zu benutzen, gerieten vollständig in seinen Bann – und dann ging das alles irgendwie den Bach hinunter, und er wanderte zum Nächsten weiter.

Boris schlang die Arme um die Knie und lehnte den Kopf an die Wand. »Okay, Potter«, sagte er liebenswürdig. »Dein Feind – mein Feind. Wenn du ihn hasst, hasse ich ihn auch. Aber«, er legte den

Kopf auf die Seite, »hier bin ich. In seinem Haus. Was soll ich tun? Mit ihm sprechen, nett und freundlich sein? Oder respektlos?«

»Das sage ich doch gar nicht. Ich sage nur, du sollst nicht alles glauben, was er dir erzählt.«

Boris gluckste. »Ich glaube *niemandem* alles, was er mir erzählt.« Er trat freundschaftlich gegen meinen Fuß. »Nicht mal dir.«

XXVII

Sosehr mein Dad ihn auch mochte, strengte ich mich doch ziemlich an, ihn davon abzulenken, dass Boris praktisch bei uns eingezogen war. Es fiel mir nicht allzu schwer, denn zwischen Glücksspiel und Drogen war mein Dad so abgelenkt, dass er es nicht mal bemerkt hätte, wenn ich einen Luchs oben im Zimmer hätte schlafen lassen. Die Verhandlungen mit Xandra waren ein bisschen schwieriger; sie neigte eher dazu, sich über die Kosten zu beschweren, obwohl Boris den Haushalt zuverlässig mit geklautem Knabberzeug versorgte. Wenn sie zu Hause war, blieb er oben und ging ihr aus dem Weg. Stirnrunzelnd vertiefte er sich in *Der Idiot* auf Russisch und hörte Musik aus meinen tragbaren Lautsprechern. Ich brachte ihm Bier und Essen von unten herauf und lernte, ihm den Tee aufzubrühen, wie er ihn mochte: kochend heiß, mit drei Stück Zucker.

Inzwischen war es kurz vor Weihnachten, auch wenn man es am Wetter nicht merkte: Abends wurde es kühl, aber tagsüber war es hell und warm. Bei Wind flatterte der Sonnenschirm am Pool, und das Knattern klang wie Gewehrschüsse. Nachts blitzte es, aber es fiel kein Regen, und manchmal stieg der Sand auf der Straße in kleinen Wirbeln auf, die hierhin und dorthin irrten.

Der Gedanke an die Feiertage deprimierte mich, aber Boris blieb gelassen. »Das ist für kleine Kinder, das alles«, sagte er verachtungsvoll und stützte sich auf meinem Bett auf die Ellenbogen. »Baum, Spielzeug. Wir machen unser eigenes *prasdnik* am Heiligabend. Was meinst du?«

»*Prasdnik?*«

»Du weißt schon. Eine Art Feiertagsparty. Kein richtiges Heilige
Abendmahl, aber ein nettes Essen. Kochen was Besonderes – un
vielleicht laden wir deinen Vater ein und Xandra. Glaubst du, di
möchten was essen mit uns?«

Zu meiner großen Überraschung waren mein Vater und soga
Xandra entzückt über diese Idee (mein Vater wohl hauptsächlich
weil ihm das Wort *prasdnik* gefiel und er Spaß daran hatte, Bori
dazu zu bringen, dass er es immer wieder laut sagte). Am 23. gin
gen Boris und ich einkaufen, mit richtigem Geld, das mein Vater un
gegeben hatte (zum Glück, denn unser gewohnter Supermarkt wa
so voll mit Feiertagseinkäuferinnen, dass man nicht unbesorgt hätt
klauen können). Wir kauften Kartoffeln und ein Huhn und divers
unappetitliche Zutaten (Sauerkraut, Pilze, Erbsen, saure Sahne) fü
ein polnisches Festtagsgericht, das Boris angeblich zubereiten konn
te, Pumpernickel-Rollen (Boris bestand auf Schwarzbrot, denn wei
ßes, behauptete er, sei ganz verkehrt für dieses Essen), ein Pfund But
ter, saure Gurken und ein paar Weihnachtssüßigkeiten.

Boris hatte gesagt, wir würden essen, wenn der erste Stern ar
Himmel erschiene – der Stern von Bethlehem. Aber wir waren e
nicht gewohnt, für andere außer uns zu kochen, und infolgedesse
verspäteten wir uns am Heiligen Abend. Um acht war das Sauerkrau
fertig, und das Huhn (das wir nach den Anweisungen auf der Ver
packung zubereitet hatten) brauchte noch zehn Minuten, als mei
Dad – ein Weihnachtslied pfeifend – in die Küche kam und munte
auf die Theke klopfte, um unsere Aufmerksamkeit auf sich zu ziehen

»Kommt, Jungs!« Sein Gesicht war rot und glänzend, und e
sprach sehr schnell und in einem angespannten Stakkato, das ic
nur zu gut kannte. Er trug einen von seinen schicken alten Dolce-&
Gabbana-Anzügen aus New York, aber keine Krawatte. Der Hemd
kragen war nicht zugeknöpft und lag lässig um den Hals. »Kämm
euch die Haare und macht euch ein bisschen fein. Wir gehen all
zusammen aus. Hast du nichts Besseres zum Anziehen, Theo? D
musst doch noch was haben.«

»Aber …« Ich starrte ihn frustriert an. Das war typisch für meinen Dad – einfach aufzukreuzen und im letzten Moment den Plan umzuschmeißen.

»Ach, kommt. Das Huhn kann warten. Oder? Klar kann es.« Er sprach schnell wie ein Maschinengewehr. »Das andere da könnt ihr auch in den Kühlschrank stellen. Wir essen es morgen als Weihnachtslunch – ist es dann auch *prasdnik*? Oder ist *prasdnik* nur am Heiligen Abend? Bringe ich da was durcheinander? Na, okay, jedenfalls essen wir unsers dann. Am Ersten Weihnachtstag. Neue Tradition. Aufgewärmtes schmeckt sowieso besser. Passt auf, das wird *fantastisch*. Boris«, er bugsierte Boris bereits aus der Küche, »welche Hemdgröße trägst du, Genosse? Weißt du nicht? Ein Paar von meinen alten Brooks-Brothers-Hemden, eigentlich sollte ich sie dir alle schenken, erstklassige Hemden, versteh mich nicht falsch, wahrscheinlich reichen sie dir bis an die Knie, aber mir sind sie am Hals ein bisschen zu eng, und wenn du die Ärmel hochkrempelst, werden sie ganz gut aussehen …«

XXVIII

Ich war jetzt seit fast einem halben Jahr in Las Vegas, aber erst zum vierten oder fünften Mal am Strip, und Boris (der sich ganz zufrieden in dem kleinen Orbit zwischen Schule, Shopping Plaza und Zuhause bewegte) war praktisch überhaupt noch nie im eigentlichen Vegas gewesen. Staunend starrten wir die Neon-Wasserfälle an, Elektrizität loderte und pulsierte in sprudelnden Kaskaden um uns herum, und Boris' aufwärtsgewandtes Gesicht leuchtete rot und dann golden in der irrwitzigen Lichterflut.

Im Venetian Hotel steuerten Gondolieri über einen echten Kanal mit echtem, chemisch riechendem Wasser, und kostümierte Opernsänger sangen *Stille Nacht* und *Ave Maria* unter einem künstlichen Himmel. Boris und ich trotteten hinterher; wir kamen uns schäbig und armselig vor, schlurften mit den Schuhen über den Boden und waren viel zu überwältigt, um das alles aufzunehmen. Mein Dad hatte für uns einen Tisch in einem feinen, eichenholzgetäfelten italienischen Restaurant reserviert – einer Außenstelle des berühmteren Schwesterrestaurants in New York. »Bestellt, was ihr wollt, Leute«, er zog den Stuhl für Xandra zurück, »ich lade euch ein. Keine Hemmungen.«

Wir nahmen ihn beim Wort. Wir aßen Spargel-Flan mit Schalotten-Vinaigrette, geräucherten Lachs, Carpaccio vom Kanadischen Zackenbarsch, Perciatelli mit Artischocken und Schwarzen Trüffeln, knusprig gebratenen Forellenbarsch mit Safran und Favabohnen, gegrilltes Flankensteak, geschmorte Short Ribs und zum Nachtisch Panna Cotta, Kürbistorte und Feigen-Eiscreme. Es war mit Abstand das beste Essen, das ich seit Monaten oder vielleicht überhaupt jemals zu mir genommen hatte, und Boris, der sich den Zackenbarsch gleich zweimal bestellt hatte, war in Ekstase. »Ah, *fabelhaft*«, sagte er zum fünfzehnten Mal und schnurrte praktisch, als die hübsche junge Kellnerin zum Kaffee noch einen Extrateller mit Bonbons und Biscotti brachte. »Danke! Danke Ihnen, Mr. Potter, Xandra«, sagte er noch einmal. »Es ist köstlich.«

Mein Dad – im Vergleich zu uns hatte er nicht allzu viel gegessen (Xandra auch nicht) – schob seinen Teller weg. Die Haare an seinen Schläfen waren feucht, und sein Gesicht war so hellrot, dass es praktisch leuchtete. »Dank sei dem kleinen Chinesen mit der ›Cubs‹-Mütze, der heute Nachmittag im Salon die ganze Zeit gegen die Bank gewettet hat«, sagte er. »Mein Gott. Es war, als *könnten* wir gar nicht verlieren.« Im Auto hatte er uns seinen Gewinn schon gezeigt: eine dicke Rolle Hunderter, umwickelt mit einem Gummiband. »Merkur im Krebs und der Mond hoch am Himmel! Ehrlich – das war Magie. Wisst ihr, manchmal ist da ein Licht am Tisch, wie ein sichtbares Leuchten, und das bist *du*, versteht ihr? *Du* bist das Licht! Da gibt's diesen fantastischen Dealer hier, Diego, ich *liebe* Diego – ich meine, es ist verrückt, er sieht aus wie dieser Maler, Diego Rivera, nur in einem superscharfen Smoking. Hab ich euch schon von Diego erzählt? Ist seit vierzig Jahren hier draußen, seit den Tagen de lten Flamingo. Ein großer, kräftiger, prachtvoll aussehender Kerl. Mexikaner, wisst ihr? Schnelle, schlüpfrige Hände, große Ringe«, er wackelte mit den Fingern, »Bak-ka-RRRAT! Gott, ich liebe diese Old-School-Mexikaner im Saal. Scheiße, Mann, die sind so *stylish*! Muffige alte, elegante Burschen, haben sich gut gehalten, wisst ihr? Jedenfalls, wir saßen an Diegos Tisch, ich und dieser kleine Chinese, und der war auch ziemlich abgefahren – Hornbrille und kein Wort Englisch, wisst ihr, immer nur: ›San Bin! San Bin!‹ Trank die ganze Zeit seinen verrückten Ginseng-Tee, den sie alle trinken. Schmeckt nach Staub, aber ich liebe den Geruch, es ist der Geruch des Glücks, und es war unglaublich, eine *solche* Strähne und die ganzen Chinesinnen hinter uns aufgereiht, während wir *jedes* Blatt kriegten – glaubst du«, er wandte sich an Xandra, »es wäre okay, wenn wir sie in den Bakkarat-Salon mitnehmen und ihnen Diego zeigen? Ich bin sicher, Diego wäre ein Riesen-Kick für sie. Ob seine Schicht noch im Gange ist? Was meinst du?«

»Er wird nicht da sein.« Xandra sah gut aus – ihre Augen funkelten regelrecht, sie trug ein samtenes Minikleid und juwelenbesetzte Sandalen, und ihr Lippenstift war röter als sonst. »Jetzt nicht.«

»Manchmal, an Feiertagen, macht er zwei Schichten hintereinander.«

»Ach, sie wollen dahinten bestimmt nicht hin. Viel zu weit zu Fuß. Man braucht eine halbe Stunde, quer durch die Casino-Säle und wieder zurück.«

»Ja, aber ich weiß, er würde meine Jungs gern kennenlernen.«

»Wahrscheinlich«, sagte Xandra liebenswürdig und strich mit der Fingerspitze auf dem Rand ihres Glases entlang. Die kleine goldene Taube an ihrer Halskette funkelte an ihrer Kehle. »Er ist ein netter Kerl. Aber Larry, ich meine, was ich sage – ich weiß, du nimmst mich nicht ernst, aber wenn du mit den Dealern allzu plumpvertraulich wirst, hast du eines Tages die Security am Arsch.«

Mein Vater lachte. »Gott!«, rief er frohlockend und schlug mit der flachen Hand so laut auf den Tisch, dass ich zusammenzuckte. »Wenn ich es nicht besser wüsste, würde ich heute wirklich glauben, dass Diego uns an seinem Tisch geholfen hat. Ich meine, vielleicht hat er es ja auch getan. Telepathisches Bakkarat! Setz deine sowjetischen Forscher da mal *darauf* an«, sagte er zu Boris. »Das wird euer Wirtschaftssystem da drüben in Schwung bringen.«

Boris räusperte sich milde und hob sein Wasserglas. »Verzeihung, darf ich etwas sagen?«

»Ist es Zeit für eine Ansprache? Sollten wir einen Toast vorbereiten?«

»Ich danke euch allen für eure Gesellschaft. Und ich wünsche uns allen Gesundheit und Glück und dass wir alle bis zum nächsten Weihnachtsfest leben.«

In der überraschten Stille, die darauf folgte, knallte in der Küche ein Champagnerkorken, und dann brach Gelächter aus. Es war kurz nach Mitternacht: Seit zwei Minuten war Weihnachten. Mein Vater lehnte sich zurück und lachte auch. »Fröhliche Weihnachten!«, brüllte er, und dann nahm er ein Schmucketui aus der Tasche und schob es zu Xandra hinüber. Boris und mir warf er zwei Bündel Zwanziger (fünfhundert Dollar! Für jeden!) quer über den Tisch zu. Und obwohl in der uhrenlosen, klimagesteuerten Casino-Nacht Wörter wie *Tag* und *Weihnachten* ziemlich sinnlose Konstrukte waren, erschien mir inmitten der laut klingenden Gläser der Gedanke an *Glück* gar nicht so untergangsbedroht oder fatal.

KAPITEL 6

Wind, Sand und Sterne

I

m Laufe des nächsten Jahres war ich so beschäftigt damit, New York
nd mein altes Leben zu verdrängen, dass ich kaum merkte, wie
ie Zeit verging. Die Tage verstrichen gleichförmig in einem grellen
icht ohne Jahreszeiten: verkaterte Vormittage im Schulbus, unse-
e Rücken wund und rot, weil wir am Pool eingeschlafen waren, der
enzingestank von Wodka und Poppers permanenter Geruch nach
assem Hund und Chlor, Boris, der mir beibrachte, auf Russisch zu
ählen, nach dem Weg zu fragen und einen Drink anzubieten, ge-
auso geduldig, wie er mich das Fluchen gelehrt hatte. Ja, bitte, das
ätte ich gern. Vielen Dank, Sie sind sehr freundlich. *Goworíte li wy
o-angíijski?* Sprechen Sie Englisch? *Ja nemnógo goworjú po-rússki.*
ch spreche ein wenig Russisch.

Egal ob Winter oder Sommer, die Tage waren in grelles Licht ge-
aucht, und die Wüstenluft verbrannte unsere Nasenlöcher und ver-
orrte unsere Kehlen. Alles war lustig, alles brachte uns zum Lachen.
Manchmal kurz vor dem Sonnenuntergang, wenn das Blau des Him-
nels sich violett einzutrüben begann, gab es wilde, wie neon-um-
andete, Maxfield-Parrish-artige Wolken, die golden und weiß über
ie Wüste zogen wie eine göttliche Offenbarung, die die Mormo-
en nach Westen führte. *Goworíte médlenno,* sagte ich, sprechen Sie
angsam, und *Powtoríte, poschálujsta.* Wiederholen Sie bitte. Aber
vir waren so gut aufeinander eingespielt, dass wir gar nicht zu reden
rauchten, wenn wir nicht wollten; wir wussten, wie wir beim ande-
en mit einer hochgezogenen Braue oder einem Zucken des Mun-
es hysterische Lachanfälle auslösen konnten. Abends aßen wir im
chneidersitz auf dem Boden und hinterließen fettige Fingerabdrü-
ke in unseren Schulbüchern. Durch unsere Essensgewohnheiten

waren wir fehlernährt, an unseren Armen und Beinen bildeten sich weiche braune Flecken – Vitamin-Mangel, sagte die Krankenschwester in der Schule und gab jedem von uns eine schmerzhafte Spritze in den Arsch und ein buntes Glas mit Kaubonbons für Kinder. (»Mein Hintern tut weh«, sagte Boris, rieb sich das Gesäß und verfluchte die harten Metallsitze im Schulbus.) Weil wir dauernd schwimmen gingen, war ich von Kopf bis Fuß mit Sommersprossen übersät, und durch mein Haar (so lang war es nie wieder) zogen sich wegen der Pool-Chemikalien helle Strähnen. Im Grunde fühlte ich mich okay, obwohl nach wie vor eine Schwere auf meiner Brust lag, die nie weg ging, und wegen der ganzen Süßigkeiten, die wir aßen, meine Backenzähne verfaulten. Abgesehen davon ging es mir gut. Und so verstrich die Zeit ziemlich angenehm, bis Boris – kurz nach meinem fünfzehnten Geburtstag – ein Mädchen namens Kotku kennenlernte und alles anders wurde.

Der Name Kotku (*Kotiku* in der ukrainischen Variante) ließ sie interessanter klingen, als sie war; sie hieß auch nicht wirklich so, es war nur ein Kosename (»Miezekätzchen« auf Polnisch), den Boris ihr gegeben hatte. Ihr Nachname war Hutchins, ihr Vorname eigentlich Kylie, Keiley, Kaylee oder so, und sie hatte ihr Leben lang in Clark County, Nevada, gewohnt. Sie war auf unserer Schule und nur eine Klasse über uns, aber deutlich älter – volle drei Jahre älter als ich. Offenbar hatte Boris schon seit einer Weile ein Auge auf sie geworfen, doch davon hatte ich nichts mitbekommen, bis er sich eines Nachmittags auf mein Bett warf und erklärte: »Ich bin verliebt.«

»Ach ja? In wen?«

»Die Kleine aus Gemeinschaftskunde. Von der ich das Gras gekauft habe. Ich meine, sie ist schon achtzehn, kannst du das glauben? *Gott,* sie ist *wunderschön.*«

»Du hast Gras?«

Er stürzte sich im Spaß auf mich und erwischte mich an der Schulter: Er kannte meine Schwachstelle ganz genau, ein Punkt direkt unter dem Schulterblatt, in die er seine Finger bohren konnte, bis ich jaulte. Aber ich war nicht in der Stimmung und schlug zurück, hart

»Autsch! Scheiße!«, sagt Boris, rollte sich zur Seite und rieb sich mit den Fingerspitzen das Kinn. »Warum hast du das gemacht?«

»Hoffentlich tut es weh«, sagte ich. »Wo ist dieses Gras?«

Wir redeten nicht weiter über Boris' Angebetete, zumindest nicht in jenem Tag, doch als ich ein paar Tage später aus dem Matheunterricht kam, sah ich ihn bei den Spinden über einem Mädchen aufragen. Boris war schon nicht besonders groß für sein Alter, aber dieses Mädchen war winzig, egal wie viel älter als wir sie aussehen mochte: dazu flachbrüstig, mit knochigen Hüften, hohen Wangenknochen, einer glänzenden Stirn und einem spitzen, dreieckigen Gesicht. Nasenpiercing. Schwarzes Tanktop. Abgeblätterter schwarzer Nagellack, schwarzes Haar mit orangefarbenen Strähnen, kontrastarme, helle, chlorblaue Augen, die dick mit schwarzem Kajal umrandet waren. Sie war definitiv niedlich – sogar scharf, aber der Blick, mit dem sie mich bedachte, war beängstigend, sie hatte etwas von einer zickigen Fast-Food-Bedienung oder vielleicht einem bösartigen Babysitter.

»Und wie findest du sie?«, fragte Boris gespannt, als er mich nach der Schule einholte.

Ich zuckte die Achseln. »Sie ist schon süß. Irgendwie.«

»Irgendwie?«

»Also echt, Boris, ich meine, sie sieht aus, als wäre sie, was, fünfundzwanzig.«

»Ich weiß! Es ist super!«, sagte er mit schwärmerischem Blick. »Achtzehn Jahre! Volljährig! Sie kann Alkohol kaufen ohne Problem! Außerdem lebt sie schon immer hier und weiß, welche Läden Alter nicht kontrollieren.«

II

Hadley, das gesprächige Mädchen mit der College-Jacke aus meinem Kurs in amerikanischer Geschichte, kräuselte die Nase, als ich nach Boris' älterer Schnitte fragte. »Die?«, sagte sie. »Eine *Mega*-Schlampe.« Hadleys große Schwester war in derselben Stufe wie Kyla oder Kayleigh oder wie immer sie hieß. »Und ihre Mutter ist eine stadtbekannte Nutte. Dein Freund sollte aufpassen, dass er sich nicht irgendeine Krankheit holt.«

»Tja«, sagte ich, überrascht von ihrer Heftigkeit, obwohl ich das vielleicht nicht hätte sein sollen. Hadley, ein Soldatenkind, war Mitglied des Schwimmteams und sang im Schulchor; sie hatte eine normale Familie mit drei Geschwistern, einem Weimaraner namens Gretchen, den sie aus Deutschland mitgebracht hatten, und einem Dad, der sie anbrüllte, wenn sie abends zu spät nach Hause kam.

»Ganz ehrlich«, fuhr Hadley fort. »Sie macht mit den Freunden von anderen Mädchen rum – sie macht auch mit anderen Mädchen rum – sie macht mit *jedem* rum. Außerdem steht sie auf Gras, glaube ich.«

»Oh.« Keiner dieser Faktoren war meiner Ansicht nach ein Grund, Kylie oder wie auch immer nicht zu mögen, vor allem da Boris und ich seit einigen Monaten selbst leidenschaftlich kifften. Was mich jedoch störte – und zwar sehr –, war die Art, wie Kotku (ich werde sie weiter mit dem Namen nennen, den Boris ihr gegeben hat, weil ich mich nicht mehr an ihren richtigen Namen erinnern kann) über Nacht zwischen uns getreten war und praktisch Besitz von Boris ergriffen hatte.

Erst war er freitagabends beschäftigt. Dann das ganze Wochenende – nicht nur abends, sondern auch tagsüber. Bald hieß es, Kotku hier und Kotku da, und ehe ich michs versah, aßen Popper und ich abends alleine vor dem Fernseher.

»Ist sie nicht fantastisch?«, fragte Boris mich wieder, nachdem er sie das erste Mal mit zu mir gebracht hatte – ein höchst misslungener Abend, an dem wir uns alle drei so bekifft hatten, dass wir uns kaum noch bewegen konnten, bevor die beiden auf dem Sofa herumrollten, während ich mit dem Rücken zu ihnen auf dem Boden saß und versuchte, mich auf die Wiederholung von *Outer Limits – Die unbekannte Dimension* zu konzentrieren. »Was denkst du?«

»Nun ja, ich meine ...« Was wollte er von mir hören? »Sie mag dich. Ganz sicher.«

Er zappelte rastlos herum. Wir saßen draußen am Pool, obwohl es zu windig und zu kalt zum Schwimmen war. »Nein, wirklich. Was hältst *du* von *ihr*? Sag die Wahrheit, Potter«, fuhr er fort, als ich zögerte.

»Ich weiß nicht«, sagte ich skeptisch und dann – als er mich weiterhin ansah: »Ehrlich? Ich weiß nicht, Boris. Sie wirkt irgendwie verzweifelt.«

»Ja? Ist das schlecht?«

Er klang ernsthaft neugierig – nicht wütend, nicht sarkastisch.

»Na ja«, sagte ich verblüfft. »Vielleicht nicht.«

Boris, die Wangen rosig vom Wodka, legte die Hand aufs Herz. Ich liebe sie, Potter. Ehrlich. Das ist das Wahrhaftigste, was mir im ganzen Leben passiert ist.«

Ich war so verlegen, dass ich den Blick abwenden musste.

»Kleine dünne Hexe!« Er seufzte selig. »In meinen Armen sie ist so knochig und leicht! Wie Luft!« Rätselhafterweise schien Boris Kotku genau aus den Gründen zu mögen, warum ich sie so beunruhigend fand: ihr streunerkatzenhaft geschmeidiger Körper, ihre dürre, bedürftige Reife. »Und so tapfer und klug, so ein großes Herz! Alles, was ich will, ist auf sie aufzupassen und sie vor diesem Mike zu beschützen. Weißt du?«

Ich goss mir stumm einen weiteren Wodka ein, obwohl ich eigentlich keinen mehr brauchte. Die ganze Kotku-Sache war doppelt verwirrend, weil Kotku – wie Boris mir selbst mit unverkennbar stolzem Unterton berichtet hatte – schon einen Freund hatte: einen sechsundzwanzigjährigen Typen namens Mike McNatt, der ein Motorrad hatte und für einen Pool-Reinigungs-Service arbeitete. »Super«, sagte ich, als Boris mir diese Neuigkeit verkündete. »Wir sollten ihn herbestellen, damit er uns beim Saugen hilft.« Ich hatte es gründlich satt, mich um den Pool zu kümmern (eine Aufgabe, die hauptsächlich an mir hängenblieb), vor allem weil Xandra nie die richtigen oder genug Chemikalien besorgte.

Boris wischte sich mit dem Handballen die Augen. »Im Ernst, Pot
ter. Ich glaube, sie hat Angst vor ihm. Sie will Schluss machen, abe
sie traut sich nicht. Sie versucht, ihn zu überreden, zu einem Armee
Rekrutierer zu gehen.«

»Du solltest aufpassen, dass der Kerl dich nicht sucht.«

»Mich?« Er schnaubte. »Um sie mache ich mir Sorgen. Sie ist s
winzig! Siebenunddreißig Kilo!«

»Ja, ja.« Kotku behauptete, »borderline-magersüchtig« zu sein
und brauchte, um Boris in Aufregung zu versetzen, nur zu erwäh
nen, dass sie den ganzen Tag noch nichts gegessen hatte.

Er gab mir einen Klaps auf den Kopf. »Du sitzt zu viel herum
hier allein«, sagte er, hockte sich neben mich und ließ seine Füß
in den Pool baumeln. »Komm heute Abend zu Kotku. Bring je
mand mit.«

»Zum Beispiel …?«

Boris zuckte die Schultern. »Was ist mit heißem kleinem Blondi
mit Jungsfrisur, aus deinem Geschichtskurs? Die Schwimmerin?«

»Hadley?« Ich schüttelte den Kopf. »Niemals.«

»Doch! Mach! Sie ist heiß! Und sie würde garantiert kommen!«

»Glaub mir, das ist keine gute Idee.«

»Ich frag sie für dich! Komm schon. Sie ist freundlich und rede
immer mit dir. Sollen wir sie anrufen?«

»Nein! Das ist es nicht … lass es!« Ich packte seinen Ärmel, als e
aufstehen wollte.

»Kein Mumm!«

»Boris!« Er war schon auf dem Weg zum Telefon im Haus. »Nich
Ich meine es ernst. Sie wird nicht kommen.«

»Und warum nicht?«

Sein spöttischer Unterton ärgerte mich. »Ehrlich? Weil …« *Ko*
ku eine Schlampe ist, wollte ich antworten, was nur die offenkundi
ge Wahrheit war, doch stattdessen sagte ich: »Also, Hadley steht au
der Ehrenliste der Klassenbesten und so. Sie will bestimmt nicht be
Kotku abhängen.«

»Was?« Boris raste empört los. »Diese Hexe. Was hat sie gesagt?

»Nichts. Es ist bloß …«

»Doch, hat sie!« Er kam zum Pool zurückgestürmt. »Sag's mir besser!«

»Jetzt komm. Es ist nichts. Mach dich locker, Boris«, sagte ich, als ich sah, wie wütend er war. »Kotku ist Lichtjahre älter. Sie sind nicht mal in derselben Stufe.«

»Das hochnäsige Flittchen. Was hat Kotku ihr getan?«

»*Chill*, Mann.« Mein Blick landete auf der Wodka-Flasche, die von einem reinen weißen Sonnenstrahl erleuchtet wurde wie ein Lichtschwert. Er hatte viel zu viel getrunken, und ein Streit war das Letzte, was ich wollte. Doch ich war selbst so betrunken, dass mir nichts einfiel, wie ich ihn auf lockere oder lustige Art von dem Thema abbringen konnte.

III

Viele andere, bessere Mädchen in unserem Alter mochten Boris – am auffälligsten Saffi Caspersen, eine Dänin, die Englisch mit einem hochgestochenen britischen Akzent sprach, eine Nebenrolle in einer Cirque du Soleil-Produktion hatte und mit großem Abstand das schönste Mädchen in unserer Stufe war. Saffi war mit uns im Leistungskurs Literatur (wo sie einige interessante Dinge über *Das Herz ist ein einsamer Jäger* zu sagen hatte), und obwohl sie als arrogant galt, mochte sie Boris. Das konnte jeder sehen. Sie lachte, wenn er Witze machte, alberte in seiner Arbeitsgruppe herum, und ich hatte gesehen, wie sie im Flur schwärmerisch mit ihm sprach – und Boris ebenso enthusiastisch und auf seine russische Art gestikulierend antwortete. Trotzdem schien er sie – mysteriöserweise – kein bisschen anziehend zu finden.

»Aber warum nicht?«, fragte ich ihn. »Sie ist das attraktivste Mädchen aus unserer Klasse.« Ich hatte immer gedacht, Dänen wären groß und blond, aber Saffi war eher klein und brünett und hatte etwas Märchenhaftes an sich, was durch ihr glitzerndes Bühnen-Make-up auf dem offiziellen Foto, das ich von ihr gesehen hatte, noch betont wurde.

»Gut aussehend, ja. Aber sie ist nicht sehr scharf.«

»Boris, sie ist *ober*scharf. Bist du verrückt?«

»Ah, sie arbeitet zu hart.« Boris setzte sich, ein Bier in der einen Hand, neben mich und griff mit der anderen nach meiner Zigarette. »Zu brav. Immer nur lernen und proben und irgendwas. Kotku« er blies eine Rauchwolke aus und gab mir die Zigarette zurück, »sie ist wie wir.«

Ich schwieg. Wie war ich von AP-Kursen auf College-Niveau in einer Kategorie mit einer Außenseiterin wie Kotku gelandet?

Boris stupste mich an. »Ich glaube, du magst sie selber. Saffi.«

»Nein, nicht wirklich.«

»Tust du doch. Lad sie ein.«

»Ja, vielleicht«, sagte ich, obwohl ich wusste, dass ich nicht den Mumm hatte. In meiner alten Schule, wo Ausländer und Austauschschüler sich für gewöhnlich höflich am Rand hielten, wäre jemand wie Saffi zugänglicher gewesen, aber in Vegas war sie beliebt, zu viele Menschen umringten sie – und dann war da auch noch das mittelgroße Problem, wozu ich sie hätte einladen sollen. In New York hätte ich mit ihr Eislaufen, ins Kino oder ins Planetarium gehen können. Aber ich konnte mir kaum vorstellen, wie Saffi Caspersen Klebstoff schnüffelte, auf dem Spielplatz Bier aus Flaschen in braunen Papiertüten trank oder sonst irgendwas von dem machte, was Boris und ich so zusammen machten.

IV

Ich traf mich immer noch mit ihm – nur nicht mehr so oft. Immer häufiger übernachtete er bei Kotku und ihrer Mutter in den Double R Apartments – eigentlich ein Hotel für Durchreisende, ein heruntergekommenes Motel aus den 1950ern an dem Highway zwischen Flughafen und dem Strip, wo Typen, die aussahen wie illegale Einvanderer, im Hof um den leeren Pool herumstanden und über Motorradteile stritten. (»Double R?«, fragte Hadley. »Du weißt, wofür das steht, oder? ›Ratten‹ und ›Riesenkakerlaken‹.«) Kotku kam zum Glück nur selten mit, wenn Boris mich besuchte, doch selbst wenn sie nicht da war, redete er ununterbrochen von ihr. Kotku hätte einen coolen Musikgeschmack, sie hätte ihm eine Mix-CD mit superheißem Hiphop gebrannt, die ich mir wirklich anhören müsste. Kotku mochte ihre Pizza nur mit grünen Paprika und Oliven. Kotku wollte ganz *unbedingt* ein elektrisches Keyboard – außerdem ein Siamkatzenbaby oder vielleicht auch ein Frettchen, aber sie durfte im Double R keine Haustiere halten. »Ernsthaft, du musst mehr Zeit mir ihr verbringen, Potter.« Er rempelte mich von der Seite an. »Du wirst sie mögen.«

»Ach, lass gut sein.« Ich dachte an ihr affektiertes Getue, wenn ich dabei war – an ihre gemeine Art, an den falschen Stellen zu lachen und mich ständig abzukommandieren, Bier aus dem Kühlschrank zu holen.

»Nein! Sie mag dich! Wirklich! Ich meine, sie sieht dich wie kleinen Bruder. Das hat sie gesagt.«

»Mit mir spricht sie kein Wort.«

»Weil du nicht mit ihr redest.«

»Bumst ihr miteinander?«

Boris machte ein ungeduldiges Geräusch, den Laut, den er von sich gab, wenn etwas nicht so lief, wie *er* wollte.

»Schmutzige Fantasie«, sagte er, strich eine Strähne aus den Augen und dann: »Was? Was denkst du? Soll ich dir eine Karte malen?«

»Eine Karte *zeichnen*.«

»Hä?«

»So heißt das. ›Soll ich dir eine Karte zeichnen.‹«

Boris verdrehte die Augen. Er wedelte wild mit den Händen und fing wieder davon an, wie intelligent Kotku sei, wie »unglaublich klug« und weise, wie viel Leben sie schon gelebt hätte und dass es ungerecht von mir sei, sie zu verurteilen und auf sie herabzublicken, ohne mir die Mühe zu machen, sie kennenzulernen. Doch während ich so dasaß, nur halb zuhörte und nebenbei einen alten *Film noir* (*Mord in der Hochzeitsnacht,* Dana Andrews) im Fernsehen guckte, dachte ich unwillkürlich, dass er Kotku in einem Kurs getroffen hatte, der im Grunde ein Förderkurs in Gemeinschaftskunde war, gedacht für Schüler, die (selbst an unserer extrem unanspruchsvollen Schule) nicht intelligent genug waren, ohne zusätzliche Hilfe einen Abschluss zu schaffen. Boris – gut in Mathematik, ohne etwas dafür zu tun, und besser in Sprachen als jeder andere, den ich je getroffen hatte – war als Ausländer gezwungen worden, den Kurs Gemeinschaftskunde für Idioten zu belegen: eine Vorschrift der Schule, die ihn ärgerte. (»Denn wozu? Als ob ich irgendwann wählen würde für Kongress?«) Aber Kotku – achtzehn! In Clark County geboren und aufgewachsen! – hatte keine solche Entschuldigung.

Immer wieder ertappte ich mich bei hässlichen Gedanken dieser Art, die ich nach Kräften abzuschütteln versuchte. Was kümmerte es mich? Ja, Kotku war eine Schlampe, und ja, sie war zu dumm, um den normalen Gemeinschaftskundekurs zu bestehen, sie trug billige Reifenohrringe aus dem Drugstore, die sich ständig irgendwo verhakten, und ja, obwohl sie nur siebenunddreißig Kilo oder so wog, machte sie mir trotzdem eine Heidenangst, als könnte sie mich mit ihren spitzen Stiefeln tot treten, wenn sie wütend genug wurde. (»Sie ist kleiner Fighta-Nigga«, hatte Boris selbst einmal geprahlt und irgendwelche Gang-Handzeichen gemacht oder das, was er dafür hielt, um mir dann eine Geschichte zu erzählen, wie Kotku irgendeinem Mädchen ein blutiges Büschel Haare ausgerissen hatte – denn da war noch so eine Sache mit Kotku, sie geriet dauernd in gefährliche Streitereien mit anderen Mädchen, meistens White Trash wie sie selber, aber hin und wieder auch echte Gangsta-Girls, Schwarze oder Latinas.) Doch wen kümmerte es, was für ein Scheißmädchen Boris mochte? Waren wir nicht immer noch Freunde? Beste Freunde Praktisch Brüder?

Andererseits: Im Grunde gab es nicht direkt ein Wort für Boris und mich. Bis Kotku auftauchte, hatte ich auch nicht allzu viel darüber nachgedacht. Es ging bloß um schläfrige, klimatisierte Nachmittage, faul und betrunken, die Jalousien gegen das grelle Licht herabgelassen, leere Zuckertütchen und getrocknete Orangenschalen auf dem Teppich verstreut, »Dear Prudence« vom White Album (das Boris verehrte) oder wieder und wieder derselbe düstere Radiohead-Song:

For a minute there
I lost myself, I lost myself …

Der Kick von dem Klebstoff, den wir schnüffelten, kam mit einem tiefen mechanischen Dröhnen wie das Rauschen von Propellern im Wind: *Motoren an!* Wir sanken zurück aufs Bett in die Dunkelheit wie Fallschirmspringer, die rückwärts aus einem Flugzeug fielen, obwohl man – so berauscht, so weit weg – mit der Tüte über dem Gesicht aufpassen musste, sonst konnte man sich blutige Klebstoffknubbel aus Haaren und Nase ziehen, wenn man wieder zu sich kam. Erschöpfter Schlaf, Rücken an Rücken, in schmutzigen Laken, die nach Zigarettenasche und Hund rochen, Poptschik, den Bauch nach oben und schnarchend, in der Luft das unterschwellige Flüstern der Klimaanlage, wenn man genau genug hinhörte. Ganze Monate verstrichen, in denen der Wind nie aufhörte, aufgewehter Sand prasselte gegen die Fensterscheiben, die Oberfläche des Pools sah faltig und düster aus. Morgens starker Tee und geklaute Schokolade. Boris, der an einem Büschel meiner Haare riss und mir in die Rippen trat. *Aufwachen, Potter. Aus den Federn.*

Ich redete mir ein, dass ich ihn nicht vermisste, doch das stimmte nicht. Ich bekiffte mich alleine, guckte den Porno- und *Playboy*-Kanal, las *Die Früchte des Zorns* und *Das Haus mit den sieben Giebeln*, die sich, so kam es mir vor, ein totes Rennen um den Titel des langweiligsten Buches aller Zeiten lieferten, und daddelte gefühlt Tausende von Stunden – genug Zeit, um Dänisch oder Gitarre zu lernen, wenn ich es versucht hätte – mit einem ramponierten Skateboard, das Boris und ich in einem der zwangsversteigerten Häuser am Ende des Blocks gefunden hatten, auf der Straße herum. Ich ging mit Hadley zu Partys des Schwimmteams – ohne Alkohol, mit Eltern – und an Wochenenden auf Partys von Kids, deren Eltern nicht da waren und die ich kaum kannte, Xanax-Tabletten und Jägermeister, und nachts um zwei so zugedröhnt in dem zischenden Bus, dass ich mich am Vordersitz festhalten musste, um nicht in den Gang zu fallen. Wenn ich mich nach der Schule langweilte, war es nie ein Problem, mit jemandem aus der großen Schar der teilnahmslosen Kiffer abzuhängen, die zwischen dem Del Taco und den Automatenhallen für Jugendliche auf dem Strip herumlungerten.

Trotzdem war ich einsam. Es war Boris, den ich vermisste, sein ganzes impulsives Chaos: düster, unbekümmert, heißblütig und erschreckend gedankenlos. Boris, blass und teigig, mit seinen geklauten Äpfeln und seinen russischen Romanen, abgekauten Fingernägeln und über den Boden schleifenden Schnürsenkeln. Boris – angehender Alkoholiker und in vier Sprachen fließend des Fluchens mächtig –, der mir Essen vom Teller klaute, wenn ihm danach war, und betrunken auf dem Fußboden eindöste, mit hochrotem Gesicht, als hätte man ihn geohrfeigt. Selbst wenn er, ohne zu fragen, etwas mitnahm, was er nur zu häufig tat – ständig verschwanden kleine Dinge, DVDs und Lehrmittel, aus meinem Spind, und mehr als einmal hatte ich ihn dabei ertappt, wie er meine Taschen nach Geld durchsuchte –, bedeutete ihm sein eigener Besitz so wenig, dass es eigentlich gar kein Stehlen war. Immer wenn er selbst zu Geld kam, teilte er es zur Hälfte mit mir, und alles, was ihm gehörte, gab er mir bereitwillig, wenn ich danach fragte (und manchmal auch, wenn nicht, wie als Mr. Pavlikovskys goldenes Feuerzeug, das ich beiläufig bewundert hatte, im Außenfach meines Rucksacks auftauchte).

Das Komische daran war: Ich hatte mir Sorgen gemacht, Boris könnte – wenn überhaupt – derjenige sein, der ein bisschen zu anhänglich war, wenn *anhänglich* das richtige Wort ist. Als er sich zum ersten Mal im Bett umgedreht und einen Arm über meine Hüfte gestreckt hatte, lag ich einen Moment lang im Halbschlaf da, wusste nicht, was ich machen sollte, und starrte auf meine alten Socken auf dem Fußboden, leere Bierflaschen, meine Taschenbuchausgabe von

Die rote Tapferkeitsmedaille. Schließlich täuschte ich – verlegen – ein Gähnen vor und versuchte, mich wegzudrehen, doch er zog mich seufzend näher an sich, schläfrig und kuschelnd.

Pst, Potter, flüsterte er in meinen Nacken. *Bin nur ich.*

Es war seltsam. War es seltsam? Ja, und auch wieder nicht. Ich war kurz danach wieder eingeschlafen, eingelullt von seinem bitteren, bierigen, ungewaschenen Geruch und seinem entspannten Atem in meinem Ohr. Mir war bewusst, dass ich es nicht erklären konnte, ohne dass es nach mehr klang, als es war. In Nächten, in denen ich mit einem würgenden Angstgefühl hochschreckte, war er da, fing mich auf, zog mich zurück unter seine Decke und murmelte irgendeinen Unsinn auf Polnisch, seine Stimme heiser und fremd vom Schlaf. Wir dösten im Arm des anderen ein und hörten Musik von meinem iPod (Thelonious Monk, Velvet Underground, Musik, die meine Mutter gemocht hatte) und wachten manchmal aneinandergeklammert auf wie Schiffbrüchige oder viel jüngere Kinder.

Und doch (das war der verschwommene Teil, das, was mich beunruhigte) hatte es auch andere Nächte gegeben, ungleich verwirrender und verdrehter, halbnackte Handgemenge, blasses Licht, das aus dem Bad hereinfiel, alles von einem Glanz überzogen und ohne meine Brille unscharf: Hände am Körper des anderen, grob und schnell, umgetretene Bierflaschen, die auf den Teppich schäumten – Spaß und keine so große Sache, wenn es tatsächlich passierte, unbedingt lohnend für den Moment von scharfem Keuchen, in dem ich die Augen nach innen verdrehte und alles vergaß. Und wenn wir am nächsten Morgen auf dem Bauch an gegenüberliegenden Seiten des Bettes stöhnend aufwachten, reduzierte sich das Ganze auf ein paar zusammenhanglose, flackernde Bilder im Gegenlicht, abgehackt und schlecht ausgeleuchtet wie in einem Experimentalfilm, das unvertraute Zucken von Boris' Gesichtszügen eine bereits verblassende Erinnerung und nichts davon bedeutungsvoller für unser wirkliches Leben als ein Traum. Wir sprachen nie darüber; wenn wir uns für die Schule fertig machten, bewarfen wir uns mit Schuhen, bespritzten uns mit Wasser, kauten Aspirin-Tabletten gegen unseren Kater, lachten und alberten den ganzen Weg bis zur Bushaltestelle. Ich wusste die Leute würden das Falsche denken, wenn sie davon erführen, ich wollte nicht, dass jemand es herausfand, und ich wusste, dass Boris es auch nicht wollte, aber gleichzeitig wirkte er so vollkommen unbeschwert, dass ich mir ziemlich sicher war, dass es bloß ein Spaß war, nichts, was man zu ernst nehmen oder worüber man sich aufregen sollte. Und doch hatte ich mehr als einmal überlegt, ob ich den Nerv aufbringen sollte, etwas zu sagen: irgendeine Grenze ziehen, die Dinge klarstellen, nur um absolut sicherzugehen, dass er keine falschen Ideen entwickelte. Aber der Moment war nie gekommen. Und nun hatte es keinen Sinn mehr, es anzusprechen oder deswegen verlegen zu sein, obwohl mich diese Tatsache auch nicht tröstete.

Ich hasste es, wie sehr ich ihn vermisste. Bei mir zu Hause wurde viel getrunken, jedenfalls von Xandra, dazu jede Menge Türen knallen (»Also, wenn ich es nicht war, *musst* du es gewesen sein« hörte ich sie schreien), und ohne Boris war es schlimmer (sie hielten sich mehr zurück, wenn er im Haus war). Ein Teil des Problems bestand darin, dass sich Xandras Arbeitszeiten in der Bar verändert hatten: Dienstpläne waren umgestellt worden, sie hatte eine Menge Stress, Kollegen waren weg oder auf andere Schichten verlegt worden. Wenn ich mittwochs und montags aufstand, um zur Schule zu gehen, war sie oft gerade erst nach Hause gekommen, saß allein vor ihrer Lieblingsvormittagssendung, zu aufgekratzt, um zu schlafen, und trank Pepto-Bismol direkt aus der Flasche.

»Armes erschöpftes Ich.« Sie versuchte zu lächeln, als sie mich auf der Treppe sah.

»Du solltest schwimmen gehen. Davon wirst du müde.«

»Nein danke, ich häng hier einfach weiter mit meinem Pepto ab. Der Wahnsinn mit Kaugummigeschmack.«

Was meinen Dad betraf, war er sehr viel öfter zu Hause – und verbrachte Zeit mit mir, was ich genoss, auch wenn seine Stimmungsschwankungen mich fertigmachten. Die Football-Saison hatte begonnen, sein Gang wirkte gelöst. Nachdem er etwas auf seinem BlackBerry nachgesehen hatte, klatschte er mich ab und tanzte urchs Wohnzimmer: »Bin ich ein Genie oder was? Was?« Er konsultierte Quoten, Spielberichte und – gelegentlich – ein Taschenbuch namens *Skorpion: Eine Vorhersage Ihres Sportjahres.* »Du musst immer sehen, dass du einen Vorsprung kriegst«, sagte er, während er Tabellen studierte und Zahlen in seinen Taschenrechner tippte, als würde er seine Einkommenssteuer berechnen. »Du brauchst bloß eine Trefferquote von dreiundfünfzig, vierundfünfzig Prozent, um ordentlich von dem Kram leben zu können – verstehst du, Bakkarat ist ausschließlich zur Unterhaltung, dafür braucht man kein besonderes Talent, ich setze mir ein Limit, das ich nie überschreite, aber mit Sportwetten kann man richtig Geld verdienen, wenn man diszipliniert ist. Du musst es angehen wie ein Investor. Nicht wie ein Fan, nicht mal wie ein Spieler, denn das Geheimnis ist, normalerweise gewinnt das bessere Team, und der Handicapper ist gut darin, die Quoten zu bestimmen. Aber ein Handicapper hat auch seine Beschränkungen, was die öffentliche Meinung betrifft. Er sagt nicht voraus, wer gewinnt, sondern wer nach Ansicht der Öffentlichkeit gewinnen soll. Und diese Abweichung zwischen dem Favoriten der Herzen und den harten Fakten – *Scheiße,* siehst du diesen Wide Receiver in der Endzone, wieder ein Big Point für Pittsburgh, dass die jetzt punkten, brauchen wir so dringend wie ein Loch im Kopf – jedenfalls, wie gesagt, wenn ich mich wirklich hinsetze und meine Hausaufgaben mache, im Gegensatz zu Joe Beefburger, der fünf Minuten den Sportteil liest und dann entscheidet, auf welches Team er jetzt? Wer ist dann im Vorteil? Siehst du, ich bin keiner von diesen Trotteln, die durch dick und dünn mit glasigen Augen von den Giants schwärmen – Scheiße, das hätte deine Mutter dir sagen können. Skorpion heißt Kontrolle – das bin ich. Ich bin ehrgeizig. Will um jeden Preis gewinnen. Aus diesem Antrieb kam auch meine Schauspielerei, als ich noch Schauspieler war. Sonne im Skorpion, Aszendent Löwe. Steht alles in meinem Horoskop. Du wiederum bist ein Krebs, ein Einsiedlerkrebs, immer alles verstecken, dich in dein Gehäuse zurückziehen, vollkommen anderer Modus Operandi. Es ist nicht gut, es ist nicht schlecht, es ist einfach, wie es ist. Jedenfalls, wie

auch immer, meine Tendenz wird durch die jeweilige Mannschafts
aufstellung bestimmt, aber gleichzeitig kann es nicht schaden, au
Transite, Progressionen und Sonnenbögen am Spieltag zu achten …

»Hat Xandra dich auf all diese Sachen gebracht?«

»Xandra? Die Hälfte aller Sportwetter in Vegas hat einen Astrolo
gen in der Kurzwahl gespeichert. Jedenfalls, wie gesagt, machen di
Planeten unter ansonsten gleichen Bedingungen einen Unterschied
Ja. Das würde ich auf jeden Fall sagen. Sachen wie, hat ein Spieler ei
nen guten Tag, hat er einen schlechten Tag, ist er neben der Spur, wa
auch immer. Offen gestanden, hilft es, einen kleinen Vorsprung z
haben, wenn man kleinere, wie soll ich es ausdrücken, ha, ha, *Liqui
ditätslücken* hat, aber«, er zeigte mir ein fettes Bündel Geldscheine
zusammengerollte Hunderter mit einem Gummiband drum herum
»dieses Jahr ist es für mich fantastisch gelaufen. Dreiundfünfzig Pro
zent, tausend Einsätze pro Jahr. Das ist der magische Punkt.«

Sonntage waren, was er Großwetttage nannte. Wenn ich aufstand
wuselte er in einem Geraschel verstreuter Zeitungen bereits fröhlic
und rastlos herum, als wäre Weihnachtsmorgen, machte Schränk
auf und wieder zu, redete mit den Sporttickern auf seinem Black
Berry und knabberte Maischips direkt aus der Tüte. Wenn ich nac
unten kam und ihm auch nur eine Weile zusah, während die wichti
gen Spiele liefen, gab er mir manchmal »ein Stück«, wie er es nann
te – zwanzig Dollar, fünfzig, wenn er gewann. »Um dein Interess
zu wecken«, erklärte er, beugte sich auf dem Sofa vor und rieb sic
nervös die Hände. »Siehst du – was wir brauchen, ist, dass die Colt
in der ersten Hälfte des Spiels vom Platz gefegt werden. Vernich
tet. Und bei den Cowboys und den Niners muss das Ergebnis in de
zweiten Hälfte über dreißig Punkte gehen – ja!«, rief er, sprang be
geistert auf und reckte die Faust. »Fumble! Ballbesitz Redskins. Wi
sind im Geschäft!«

Aber es war verwirrend, denn es waren die Cowboys, die de
Ball verloren hatten. Ich dachte, die Cowboys sollten mit mindes
tens fünfzehn Punkten Vorsprung gewinnen. Seine Loyalitätswech
sel mitten im Spiel passierten so schnell, dass ich sie nicht mitbekan

nd mich oft blamierte, weil ich das falsche Team anfeuerte, doch ich
enoss sein Delirium, wenn wir wahllos zwischen Spielen und Wet-
en hin und her surften, die ganztägigen Gelage mit fettigem Essen,
nd ich schnappte mir die Zwanziger und Fünfziger, die er mir zu-
arf, als wären sie vom Himmel gefallen. Zu anderen Gelegenheiten
rgriff ihn – erst auf der Krone, dann im Tal einer Welle von heise-
em Enthusiasmus – ein vages Unbehagen, das, soweit ich es erken-
en konnte, nicht viel mit dem Spielstand der Matches zu tun hatte,
nd er lief ohne erkennbaren Grund, die Hände auf dem Kopf ge-
altet, auf und ab und starrte auf den Fernseher wie ein Mann, der
on einer geschäftlichen Pleite aus der Bahn geworfen worden war:
r redete auf Trainer und Spieler ein, fragte, was verdammt noch
aal mit ihnen los war, was zum Teufel passierte. Manchmal folgte
r mir seltsam demütig in die Küche. »Ich werde da drinnen fertig-
emacht«, sagte er humorlos und lehnte slapstickhaft am Tresen, bis
eine zusammengekauerte Pose irgendwie an einen Bankräuber er-
nnerte, der sich wegen einer Schusswunde krümmte.

X-Achsen. Y-Achsen. Zurückgelegte Yards, alle Optionen abde-
ken. Bis etwa fünf Uhr hielt das weiße Wüstenlicht an Spieltagen die
nentrinnbare Sonntagsdüsternis fern – Herbst, der in den Winter
berging, die Einsamkeit der Oktoberdämmerung, Schule am nächs-
en Tag –, doch zum Ende dieser Football-Nachmittage gab es immer
inen langen stillen Moment, wo die Stimmung der Menge umkippte
nd alles verzweifelt und ungewiss wurde, auf dem Bildschirm und
nseits davon, der grelle stählerne Glanz der Fenster zum Innen-
of verblasste, wurde erst gold und dann grau, lange Schatten und
bend senkten sich über die Stille der Wüste, eine Traurigkeit, die
ch nicht abschütteln konnte, ein Gefühl von Menschen, die stumm
u den Stadionausgängen strebten, und kaltem Regen, der auf Col-
egestädte im Osten fiel.

Die Panik, die mich dann ergriff, ist schwer zu erklären. Diese
pieltage endeten auf eine derart abrupte Weise, fast so, als ob je-
and Blut verloren hätte, die mich daran erinnerte, wie ich zuge-
ehen hatte, als die Einrichtung unserer New Yorker Wohnung in

Kartons gepackt und weggeschafft worden war: ein Gefühl von Bo
denlosigkeit und Fließen, nichts, woran man sich festhalten konnte
Oben schloss ich die Tür meines Zimmers, schaltete alle Lichter an
rauchte Gras, wenn ich welches hatte, hörte Musik über meine trag
baren Lautsprecher – vorher ungehörte Musik wie Schostakowitsch
und Erik Satie, die ich für meine Mutter auf meinen iPod geladen
hatte und seitdem nicht dazu gekommen war zu löschen – und sah
mir Bücher aus der Bibliothek an, meistens Kunstbände, weil sie
mich an sie erinnerten.

*Die Meisterwerke holländischer Malerei. Delft: Das Goldene Zeit
alter. Zeichnungen von Rembrandt, anonymen Schülern und Nachfol
gern.* An einem Computer in der Schule hatte ich recherchiert, dass
es ein Buch über Carel Fabritius gab (ein schmales Bändchen von le
diglich hundert Seiten), das jedoch in der Schulbibliothek nicht vor
rätig war, und die Zeit, die wir am Computer verbrachten, wurde so
streng überwacht, dass ich zu paranoid war, um online weiterzufor
schen – vor allem nachdem ein gedankenloser Klick auf einen Link
(*Het Puttertje, Der Distelfink, 1654*) mich auf eine beängstigend of
fiziell aussehende Seite namens Missing Art Database geführt hatte
die mich aufforderte, mich mit Namen und Adresse anzumelden
Der unerwartete Anblick der Worte *Interpol* und *Verschwunden* hatt
mich so erschreckt, dass ich den Computer in meiner Panik komplett
ausgeschaltet hatte, was wir eigentlich nicht tun sollten. »Was hast
du da gerade gemacht?«, wollte Mr. Ostrow, der Bibliothekar wissen
ehe ich den Rechner wieder hochfahren konnte. Er griff über meine
Schulter und tippte das Passwort ein.

»Ich ...« Trotz allem war ich erleichtert, dass ich keine Pornoseite
angeguckt hatte, als er durch Browser-Chronik zu blättern begann
Eigentlich hatte ich mir von den fünfhundert Dollar, die mein Vater
mir zu Weihnachten geschenkt hatte, einen billigen Laptop kaufen
wollen, aber das Geld war mir irgendwie abhandengekommen – *Mis
sing Art,* sagte ich mir, kein Grund über das Wort *verschwunden* in
Panik zu geraten, zerstörte Kunstwerke waren schließlich auch ver
schwunden, oder? Und obwohl ich keinen Namen angegeben hatte

eunruhigte es mich, dass ich über die IP-Adresse der Schule ver-
ucht hatte, auf die Datei zuzugreifen. Soviel ich wusste, hatten die
rmittler meine Spur nach ihrem Besuch bei mir im Auge behalten
nd wussten, dass ich in Vegas war. Die Verbindung war zwar mi-
imal, aber real.

Das Gemälde war – ziemlich raffiniert, wie ich fand – in einem
auberen Kopfkissenbezug versteckt, den ich mit Klebeband an die
ückseite des Kopfteils meines Bettes geklebt hatte. Von Hobie hat-
e ich gelernt, wie vorsichtig man mit alten Dingen umgehen musste
manchmal trug er bei der Arbeit an besonders empfindlichen Stü-
ken weiße Stoffhandschuhe), und ich berührte es nie mit nackten
Händen, nur an den Rändern. Ich nahm es nur heraus, wenn Dad
nd Xandra nicht da waren und eine Weile garantiert nicht zurück-
ommen würden – doch selbst wenn ich es nicht sehen konnte, ge-
oss ich das Wissen, dass es da war, wegen der Tiefe und Solidität, die
s den Dingen gab, der Festigung eines Systems, einer unsichtbaren,
undamentalen Richtigkeit, die mich beruhigte, so wie es mich trös-
ete zu wissen, dass sich weit entfernt in baltischen Gewässern unbe-
elligt Wale tummelten und Mönche in obskuren Zeitzonen unun-
erbrochen Gesänge für die Rettung der Welt anstimmten.

Es herauszunehmen und zu betrachten, war nichts, was man
eichtfertig tat. Selbst in der Geste, die Hand danach auszustrecken,
g ein Gefühl von Ausweitung, von Schweben und Erhebung, und
enn ich es lange genug angesehen hatte, die Augen trocken von der
iefgekühlten Wüstenluft, schien an irgendeinem seltsamen Punkt
er Raum zwischen mir und ihm zu verschwinden, sodass, wenn
ch aufblickte, nicht ich, sondern das Bild real war.

1622 – 1654. Sohn eines Lehrers. Weniger als ein Dutzend mit
icherheit ihm zugeschriebene Werke. Laut van Bleyswijck, dem
tadthistoriker von Delft, porträtierte Fabritius in seinem Atelier
erade den Küster der Oude Kerk von Delft, als um halb elf Uhr
ormittags das Lager der Delfter Pulvermühle explodierte. Die Lei-
he des Malers Fabritius wurde von benachbarten Bürgern aus den
rümmern seines Ateliers gezogen, »mit großer Trauer«, hieß es

in dem Buch, »und nicht wenigen Mühen«. Was mich an diese
kurzen Darstellungen in den geliehenen Büchern fesselte, war da
Element des Zufalls: willkürliche Katastrophen, seine und mein
die an einem unsichtbaren Punkt konvergierten, der *Big Bang*, w
mein Vater es nannte, nicht in irgendeiner Weise spöttisch ode
abschätzig, sondern in respektvoller Anerkennung der Mächte de
Schicksals, die auch sein eigenes Leben bestimmten. Man konnt
die Zusammenhänge jahrelang studieren und es nie begreifen – e
ging immer um Dinge, die zusammenkamen, Dinge, die ausein
anderbrachen, *Zeitschleifen,* meine Mutter, die draußen vor de
Museum stand, als die Zeit flackerte und das Licht seltsam wur
de, Ungewissheiten, die am Rand einer unermesslichen Helligke
schwebten. Die vereinzelte Möglichkeit, die alles verändern könnt
oder auch nicht.

Im ersten Stock war das Wasser aus dem Hahn zu stark gechlor
um es zu trinken. Nachts wehte ein trockener Wind Müll und leer
Bierdosen über die Straße. Feuchtigkeit und Schwüle waren für An
tiquitäten das Schlimmste überhaupt, hatte Hobie mir erklärt un
an der Standuhr, die er restaurierte, als ich New York verlassen hat
te, gezeigt, wie das Holz wegen der Feuchtigkeit von innen verfau
war (»Jemand hat eimerweise Wasser über einen Steinboden gekipp
siehst du, wie weich das Holz ist, wie angegriffen?«).

Zeitschleife: eine Art, die Dinge zweimal oder öfter zu sehen. Ge
nau wie sich die Rituale meines Vaters, seine Wettsysteme, all sei
ne Orakel und Magie auf ein Bewusstseinsfeld unerkannter Muste
bezogen, so war auch die Explosion in Delft Teil eines komplizie
ten Gefüges von Ereignissen, die bis in die Gegenwart nachwirkte
»Das Geld ist nicht wichtig«, sagte mein Dad. »Geld repräsentie
nur die Energie dahinter, damit kann man ihm folgen, dem Flus
des Zufalls.« Der Distelfink sah mich aus glänzenden, unverände
lichen Augen fest an. Das Holzbrett war winzig, »nur wenig grö
ßer als ein DIN-A4-Blatt«, wie eins meiner Kunstbücher berichte
te, obwohl all diese Daten und Größen, die toten Lehrbuchfakte
auf ihre Weise genauso irrelevant waren wie die Statistiken auf de

Sportseiten, als die Packers im vierten Quarter mit zwei Punkten führten und es angefangen hatte, fein und eisig aufs Spielfeld zu schneien. Das Gemälde, seine Magie und Lebendigkeit, war wie dieser eigenartig luftige Augenblick, als der Schneefall einsetzte, grünliches Licht und wirbelnde Flocken vor den Kameras, und man sich nicht mehr um das Spiel und darum kümmerte, wer gewann oder verlor, sondern nur diesen sprachlosen stürmischen Moment in sich aufsaugen wollte. Wenn ich das Gemälde betrachtete, spürte ich dieselbe Konvergenz in einem Punkt: ein flüchtiger sonnenbeschienener Augenblick, der jetzt und für immer existierte. Nur gelegentlich bemerkte ich die Kette am Knöchel des Finken oder dachte daran, wie grausam dieses Leben für ein kleines lebendiges Wesen sein musste – kurz aufzuflattern und immer wieder am selben hoffnungslosen Ort zu landen.

V

Gut war: Ich freute mich, wie nett mein Dad zu mir war. Er führte mich zum Essen aus – schick, in Restaurants mit weißen Tischdecken, nur wir beide –, und zwar mindestens einmal die Woche. Manchmal lud er Boris ein mitzukommen, was der immer sofort annahm – die Verlockung eines guten Essens war stark genug, um selbst Kotkus Anziehungskräfte zu überwinden –, aber seltsamerweise fand ich es netter, wenn mein Dad und ich allein waren.

»Weißt du«, sagte er bei einem dieser Essen, wir ließen uns, obwohl es schon spät war, Zeit beim Dessert, redeten über die Schule, alles Mögliche (dieser neue, zugewandte Dad! Wo war er hergekommen?), »weißt du, ich finde es wirklich nett, dich besser kennengelernt zu haben, seit du hier draußen bist, Theo.«

»Also, ähm, ja, ich auch«, sagte ich verlegen, meinte es aber ernst.

»Ehrlich«, mein Dad fuhr sich mit der Hand durchs Haar, »danke, dass du mir eine zweite Chance gegeben hast, Junge. Denn ich habe einen Riesenfehler gemacht. Ich hätte nie zulassen dürfen, dass meine Beziehung zu deiner Mutter meiner Beziehung zu dir in die Quere kommt. Nein, nein«, sagte er und hob die Hand, »ich mache deiner Mutter keine Vorwürfe, darüber bin ich längst hinweg. Es ist bloß, sie hat dich *so* sehr geliebt, dass ich mir mit euch beiden immer vorkam wie ein Eindringling. Eine Art Fremder im eigenen Haus. Ihr beiden wart so eng«, er lachte traurig, »da war nicht viel Platz für einen Dritten.«

»Also …« Meine Mutter und ich, die auf Zehenspitzen durch die Wohnung schlichen, flüsterten, versuchten, ihm aus dem Weg zu gehen. Geheimnisse, Lachen. »Ich meine, ich war bloß …«

»Nein, nein, du brauchst dich nicht zu entschuldigen. Ich bin der Vater, ich bin derjenige, der es hätte besser wissen müssen. Es wurde nur immer mehr zu einer Art Teufelskreis, wenn du weißt, was ich meine. Ich fühlte mich entfremdet, ausgestoßen, habe eine Menge getrunken. Ich hätte das nie zulassen dürfen. Ich habe ein paar wirklich wichtige Jahre deines Lebens verpasst. Ich bin derjenige, der da mit klarkommen muss.«

»Äh …« Ich fühlte mich so mies, dass ich nicht wusste, was ich sagen sollte.

»Ich will dich nicht in eine Ecke drängen, Kumpel. Ich sag bloß, dass ich froh bin, dass wir jetzt Freunde sind.«

»Also, ja«, ich starrte auf meinen leer gekratzten Teller Crème brûlée, »ich auch.«

»Und ich meine – ich will es wiedergutmachen. Siehst du, die Sportwetten laufen so gut dieses Jahr«, mein Dad trank einen Schluck Kaffee, »deshalb möchte ich ein Sparkonto für dich eröffnen. Ein bisschen was beiseitelegen, verstehst du. Denn, ich hab mich, als ich … ich hab mich längst nicht so um dich gekümmert wie deine Mom, in all den Monaten, die ich weg war.«

»Dad!«, sagte ich beunruhigt. »Das musst du nicht tun.«

»Aber ich will es! Du hast doch eine Sozialversicherungsnummer, oder?«

»Klar.«

»Also, zehntausend hab ich schon zusammen. Das ist ein gutes tart. Wenn wir nach Hause kommen und du denkst dran, mir die Nummer zu geben, eröffne ich ein Konto auf deinen Namen, wenn ich das nächste Mal bei der Bank vorbeikomme, okay?«

VI

Außerhalb der Schule hatte ich Boris kaum gesehen bis auf einen Samstagnachmittag, als mein Dad uns zu Kohlenfisch und Bialy-toker Kuchen ins Carnegie Deli im Mirage eingeladen hatte. Aber dann kam er ein paar Wochen vor Thanksgiving unerwartet die Treppe hochgepoltert und sagte: »Dein Dad hat einen schlechten Lauf, wusstest du das?«

Ich legte *Silas Marner* zur Seite, das Buch, das wir für die Schule lasen. »Was?«

»Na, er hat an Zweihundert-Dollar-Tischen gespielt – zweihundert Dollar pro Einsatz«, sagte er. »Da kann man eintausend in fünf Minuten verlieren, locker.«

»Tausend Dollar sind nichts für ihn«, erwiderte ich und, als Boris schwieg: »Wie viel, sagst du, hat er verloren?«

»Hab ich gar nicht gesagt«, antwortete Boris. »Aber eine Menge.«

»Bist du sicher, dass er dich nicht nur verarscht hat?«

Boris lachte. »Könnte sein.« Er setzte sich aufs Bett und lehnte sich auf die Ellbogen zurück. »Du weißt nichts davon?«

»Na ja«, meines Wissens hatte mein Vater beim Sieg der Bills letzte Woche groß abgeräumt, »ich wüsste nicht, wie es ihm *allzu* schlecht gehen könnte. Er hat mich ins Bouchon und so Läden eingeladen.«

»Ja, aber vielleicht gibt es guten Grund dafür«, sagte Boris weise.

»Einen Grund? Was für einen Grund?«

Er sah aus, als wollte er etwas sagen, überlegte es sich jedoch anders.

»Nun, wer weiß«, meinte er, zündete eine Zigarette an und nahm einen intensiven Zug. »Dein Dad – er ist halb russisch.«

»Schon klar.« Ich griff nach der Zigarette. Ich hatte Boris und mei-

409

nem Vater oft genug bei ihren gestenreichen »intellektuellen Gesprä
chen« zugehört, in denen sie die zahlreichen berühmten Spieler de
russischen Geschichte erörterten: Puschkin, Dostojewski und ander
Namen, die ich nicht kannte.

»Nun – sehr Russisch, sich ständig beklagen, wie schlecht alles ist
weißt du! Selbst wenn Leben großartig ist – behalt es für dich. D
willst den Teufel nicht in Versuchung führen.« Er trug ein abgelegte
Frackhemd meines Vaters, so oft gewaschen, dass es beinahe durch
sichtig war, und so weit, dass es sich um seinen Körper bauschte wi
die Tracht eines Arabers oder Hindu. »Nur, bei deinem Dad, manch
mal ist es schwer zu sagen, was Spaß und was Ernst ist.« Er mustert
mich eingehend. »Was denkst du?«

»Nichts.«

»Er weiß, dass wir reden. Deshalb hat er es mir erzählt. Er würd
es mir nicht erzählen, wenn er nicht wollte, dass *du* es weißt.«

»Ja.« Ich war mir ziemlich sicher, dass dem nicht so war. Mei
Dad war der Typ, der in der richtigen Stimmung sein Privatlebe
freudig mit der Frau seines Chefs oder sonst jemand Unangemesse
nem erörtern würde.

»Er würde es dir selbst erzählen«, sagte Boris, »wenn er denke
würde, dass du es wissen willst.«

»Hör mal. Wie du selbst gesagt hast …« Mein Dad hatte eine Nei
gung zum Masochismus, eine Vorliebe für die zu groß geratene Ges
te; an unseren gemeinsamen Sonntagen liebte er es, sein Unglück z
übertreiben, zu stöhnen und zu schwanken, nach einem verlorene
Spiel lautstark zu lamentieren, er wäre »fertiggemacht« oder »ver
nichtet« worden, selbst wenn er bei einem Dutzend anderer Spiel
gewonnen hatte und auf seinem Taschenrechner die Profite addier
te. »Manchmal trägt er ein bisschen dick auf.«

»Nun, ja, ist wahr«, sagte Boris vernünftig. Er nahm mir die Ziga
rette wieder ab, zog einmal intensiv daran und gab sie mir freundlic
zurück. »Du kannst den Rest haben.«

»Nein danke.«

Es folgte ein kurzes Schweigen, in dem wir die Zuschauer eine

ootball-Spiels jubeln hörten, das mein Dad im Fernsehen verfolg-
e. Dann lehnte Boris sich wieder auf die Ellbogen und fragte: »Was
ibt es zu essen unten?«

»Scheiß gar nichts.«

»Ist noch was übrig vom Chinesen, dachte ich.«

»Nicht mehr. Irgendjemand hat es gegessen.«

»Mist. Vielleicht gehe ich zu Kotku, ihre Mom hat tief gefrorene
izza. Willst du mitkommen?«

»Nein, danke.«

Boris lachte und machte eins seiner unecht aussehenden Gang-
Handzeichen. »Wie du willst, yo«, sagte er mit seiner »Gangsta«-
timme (zu unterscheiden von seiner normalen Stimme durch die
Gesten und das »yo«), stand auf und schlenderte mit rollendem Gang
inaus. »Nigga muss essen.«

VII

Das Seltsame bei Boris und Kotku war, wie schnell ihre Beziehung
ins Reizbare, Handgreifliche abrutschte. Sie knutschten immer noch
tändig rum und konnten kaum die Hände voneinander lassen, doch
obald sie den Mund aufmachten, war es, als würde man einem seit
ünfzehn Jahren verheirateten Ehepaar zuhören. Sie stritten über
leine Geldsummen, wer zuletzt wem das Mittagessen im Einkaufs-
entrum bezahlt hatte, und ihre Gespräche klangen, wenn ich sie
nitbekam, etwa so:

Boris: »Was! Ich wollte nur nett sein!«

Kotku: »Das war aber nicht besonders nett!«

Boris, der hinter ihr her lief, um sie einzuholen: »Das ist mein
Ernst, Kotíku! Ich wollte nur nett zu dir sein.«

Kotku: [schmollt]

Boris versucht vergeblich, sie zu küssen: »Was habe ich getan? Was
st los? Warum denkst du, dass ich nicht mehr nett bin?«

Kotku: [schweigt]

411

Das Problem mit Mike, dem Pool-Reiniger – Boris' romantischen Rivalen – war durch Mikes äußerst willkommene Entscheidung gelöst worden, sich der Küstenwache anzuschließen. Kotku telefonierte offenbar weiter jede Woche stundenlang mit ihm, was Boris aus irgendeinem Grund nicht weiter beunruhigte. (»Sie versucht nur ihn zu unterstützen, verstehst du.«) Doch es war erschreckend, wie eifersüchtig er in der Schule war. Er kannte ihren Stundenplan auswendig, und sobald unser Kurs zu Ende war, rannte er los, um sie zu suchen, als argwöhnte er, dass sie ihn in Wirtschaftsspanisch betrog. Als Popper und ich eines Nachmittags nach der Schule allein zu Hause waren, rief er an und fragte: »Kennst du einen Typen, der Tyler Olowska heißt?«

»Nein.«

»Er ist in deinem Kurs Amerikanische Geschichte.«

»Tut mir leid. Es ist ein großer Kurs.«

»Also, pass auf. Kannst du über ihn herausfinden? Wo er wohnt vielleicht?«

»Wo er *wohnt*? Geht es um Kotku?«

Plötzlich – und zu meiner großen Überraschung – klingelte es an der Tür: vier erhabene Glockenschläge. In meiner ganzen Zeit in Las Vegas hatte noch nie jemand an unserer Tür geläutet, kein einziges Mal. Boris hatte es am anderen Ende der Leitung auch gehört. »Was ist das?«, fragte er. Der Hund rannte im Kreis und bellte wie verrückt.

»Da ist jemand an der Tür.«

»An der *Tür*?« In unserer verlassenen Straße – ohne Nachbarn, ohne Müllabfuhr, sogar ohne Laternen – war das ein bedeutendes Ereignis. »Was glaubst du, wer es ist?«

»Ich weiß nicht. Ich ruf dich zurück.«

Ich hob den praktisch hysterischen Poptschik hoch und schaffte es (obwohl er in meinem Arm zappelte und quiekend versuchte sich zu befreien), mit einer Hand die Tür zu öffnen.

»Na, wen haben wir denn da«, sagte eine angenehme Stimme mit einem New Jersey-Akzent. »Was für ein niedlicher kleiner Bursche.«

Ich blinzelte in die Nachmittagssonne zu einem sehr großen, sehr

ehr braunen und sehr dünnen Mann unbestimmbaren Alters hoch. Er sah halb aus wie ein Rodeo-Reiter, halb wie ein abgefuckter Saon-Entertainer. Die Gläser seiner goldenen Pilotenbrille waren oben iolett getönt; er trug ein weißes Sportjackett zu einem roten Wesernhemd mit Druckknöpfen aus Perlmutt und schwarze Jeans, doch vas mir vor allem auffiel, war sein Haar: halb Toupet, halb transplaniert oder aufgesprayt, von einer Textur wie Fiberglaswolle und einer dunklen braunen Farbe wie Schuhcreme in der Dose.

»Los, lass ihn runter!« Er nickte Popper zu, der immer noch versuchte, sich aus meinen Armen zu winden. Seine Stimme war tief, ein Gebaren ruhig und freundlich: Abgesehen von dem Akzent war er der perfekte Texaner bis hin zu den Stiefeln und allem. »Lass ihn herumlaufen! Mich stört es nicht. Ich liebe Hunde.«

Als ich Poptschik losließ, bückte der Mann sich, um ihm den Kopf zu tätscheln, wie ein schlaksiger Cowboy am Lagerfeuer. So seltsam der Fremde auch aussah, bewunderte ich unwillkürlich, wie entspannt und behaglich er sich in seiner Haut zu fühlen schien.

»Ja, ja«, sagte er. »Ein niedlicher kleiner Bursche. Ja, das bist du!« Seine gebräunten Wangen waren von feinen Fältchen überzogen wie ein vertrockneter Apfel. »Hab selbst drei von den Rackern zu Hause. Rehpinscher.«

»Verzeihung?«

Er richtete sich auf, lächelte mich an und präsentierte zwei gerade Reihen strahlend weißer Zähne. »Zwergpinscher«, sagte er. »Neurotische kleine Viecher, knabbern alles im Haus an, wenn ich weg bin, aber ich liebe sie. Wie heißt du, Junge?«

»Theodore Decker«, sagte ich und fragte mich, wer er war.

Wieder lächelte er, die kleinen Augen hinter seiner halb getönten Pilotenbrille zwinkerten. »Hey! Ein New Yorker! Ich kann es in deiner Stimme hören, hab ich recht?«

»Das ist richtig.«

»Ein Junge aus Manhattan, würde ich vermuten. Korrekt?«

»Genau.« Noch nie hatte jemand vermutet, dass ich aus Manhattan kam, bloß weil er mir zugehört hatte.

»Hey – ich bin gebürtig von und aufgewachsen in Canarsie
Brooklyn. Immer nett, jemanden von der Ostküste zu treffen. Ich
bin Naaman Silver.« Er streckte die Hand aus.

»Freut mich, Sie kennenzulernen, Mr. Silver.«

»Mister!« Er lachte herzlich. »Ich mag höfliche Jungs. Viele von
deiner Sorte gibt es nicht mehr. Bist du Jude, Theodore?«

»Nein«, sagte ich und wünschte, ich hätte Ja gesagt.

»Nun, ich sag dir was. Wenn's nach mir geht, ist jeder, der in New
York geboren ist, ein Jude ehrenhalber. So sehe ich das. Bist du je in
Canarsie gewesen?«

»Nein, Sir.«

»Nun, früher in der alten Zeit war es ein großartiges Viertel, aber
jetzt …« Er zuckte die Achseln. »Meine Familie hat vier Generationen dort gelebt. Mein Großvater Saul hat eines der ersten koscheren
Restaurants in Amerika geführt. Ein großes, bekanntes Lokal, weißt
du. Aber es musste schließen, als ich noch ein Kind war. Und nach
dem Tod meines Vaters ist meine Mutter mit uns dann nach Jersey
gezogen, damit wir näher bei Onkel Harry und seiner Familie waren.« Er stemmte eine Hand in seine schmale Hüfte und sah mich
an. »Ist dein Dad zu Hause, Theo?«

»Nein.«

»Nicht?« Er blickte an mir vorbei ins Haus. »Das ist schade. Weißt
du, wann er zurückkommt?«

»Nein, Sir«, sagte ich.

»*Sir*, das gefällt mir. Du bist ein guter Junge. Ich sag dir was, du
erinnerst mich an mich selbst in deinem Alter. Frisch aus der Jeschi-
wa«, er hielt die Hände hoch, an seinen gebräunten, behaarten Hand-
gelenken klimperten goldene Armreifen, »und diese Hände? Weiß
wie Milch. Genau wie deine.«

»Ähm …« Ich stand immer noch verlegen in der Tür. »Möchten
Sie hereinkommen?« Ich war mir nicht sicher, ob ich einen Fremden ins Haus bitten sollte, doch ich war allein und langweilte mich.
»Sie können warten, wenn Sie möchten. Aber ich weiß nicht, wann
er nach Hause kommt.«

Wieder lächelte er. »Nein danke. Ich muss noch bei einer Menge anderer Leute vorbeischauen. Aber ich sag dir was, ich werde ehrlich zu dir sein, weil du ein netter Junge bist. Dein Dad hat bei mir fünf Punkte auf dem Zettel. Du weißt, was das heißt?«

»Nein, Sir.«

»Nun, gesegnet seiest du. Das brauchst du auch nicht zu wissen, und ich hoffe, du weißt es nie. Aber erlaube mir die Bemerkung, dass das keine gute Geschäftspolitik ist.« Er legte freundlich eine Hand auf meine Schulter. »Ob du es glaubst oder nicht, Theodore, ich verfüge über soziales Gespür. Ich mag es nicht, zum Haus eines Mannes zu kommen und mit seinem Kind zu verhandeln, wie ich es jetzt mit dir tue. Normalerweise würde ich deinen Dad an seinem Arbeitsplatz aufsuchen, und wir würden uns dort auf ein Wort zusammensetzen. Er ist nur recht schwer aufzuspüren, wie du vielleicht schon weißt.«

Ich hörte das Telefon im Haus klingeln: Boris, da war ich mir ziemlich sicher. »Vielleicht solltest du rangehen«, sagte Mr. Silver freundlich.

»Nein, das ist schon okay.«

»Nur zu. Ich denke, das solltest du besser tun. Ich warte hier.«

Zunehmend irritiert ging ich wieder ins Haus und nahm das Telefon ab. Wie vermutet war es Boris. »Wer war das?«, fragte er. »Nicht Kotku, oder?«

»Nein. Pass auf …«

»Ich glaube, sie ist mit diesem Tyler Olowska nach Hause gegangen. Ich hab so ein komisches Gefühl. Na ja, vielleicht ist sie nicht mit ihm *nach Hause* gegangen. Aber sie haben die Schule gemeinsam verlassen – sie hat auf dem Parkplatz mit ihm geredet. Weißt du, sie hat die letzte Stunde mit ihm zusammen, Werken oder so was …«

»Boris, es tut mir leid, ich kann jetzt *wirklich* nicht, ich ruf dich zurück, okay?«

»Ich nehme dein Wort dafür, dass du da drinnen nicht deinen Dad am Rohr hattest«, sagte Mr. Silver, als ich an die Haustür zurückkam. Ich blickte an ihm vorbei zu dem weißen Cadillac, der am

Straßenrand parkte. In dem Wagen saßen zwei Männer – ein Fahrer
und ein weiterer Mann auf dem Beifahrersitz. »Das war nicht dein
Dad, richtig?«

»Nein, Sir.«

»Sonst würdest du es mir sagen, oder?«

»Ja, Sir.«

»Warum glaube ich dir nicht?«

Ich schwieg, weil ich nicht wusste, was ich sagen sollte.

»Spielt keine Rolle, Theodore.« Er bückte sich erneut, um Popper
hinter den Ohren zu kraulen. »Früher oder später erwische ich ihn.
Und du denkst bestimmt daran, ihm auszurichten, was ich gesagt
habe? Und dass ich hier war?«

»Ja, Sir.«

Er zeigte mit einem langen Finger auf mich. »Wie war noch mal
mein Name?«

»Mr. Silver.«

»Mr. Silver. Das ist richtig. Nur zur Kontrolle.«

»Was soll ich ihm ausrichten?«

»Sag ihm, dass Spielen was für Touristen ist«, sagte er. »Nicht für
Einheimische.« Leicht, ganz leicht legte er seine schmale braune
Hand auf meinen Kopf. »Gott segne dich.«

VIII

Als Boris eine halbe Stunde später vor der Tür stand, versuchte ich
ihm von Mr. Silvers Besuch zu erzählen, doch selbst wenn er kurz
zuhörte, war er in erster Linie wütend auf Kotku, weil sie mit einem
anderen Jungen geflirtet hatte, diesem Tyler Olowska oder wie auch
immer, einem reichen Kiffer, der ein Jahr älter als wir und Mitglied
des Golf-Teams war. »Die kann mich mal«, sagte er heiser, als wir
im Erdgeschoss auf dem Fußboden saßen und Kotkus Gras rauchten. »Sie geht nicht an ihr Telefon. Ich weiß, dass sie gerade bei ihm
ist, *ich weiß es.*«

»Ach, komm.« So besorgt ich wegen Mr. Silver war, hatte ich es noch mehr satt, über Kotku zu reden. »Er hat wahrscheinlich bloß ein bisschen Gras gekauft.«

»Ja, aber steckt mehr dahinter, ich *weiß*. Sie will gar nicht mehr, dass ich bei ihr übernachte, ist dir das aufgefallen? Hat jetzt immer *was zu erledigen*. Sie trägt nicht mal die Kette, die ich ihr gekauft habe.«

Meine Brille saß schief auf der Nase, ich schob sie wieder nach oben. Boris hatte die blöde Kette nicht mal gekauft, sondern in einem Laden im Einkaufszentrum geklaut, er hatte sie eingesteckt und war rausgelaufen, während ich (aufrechter Bürger im Schuljackett) die Verkäuferin mit dämlichen, aber höflichen Fragen darüber ablenkte, was mein Dad und ich Mom zum Geburtstag schenken wollten. »Hm«, sagte ich bemüht mitfühlend.

Boris stierte finster vor sich hin, seine Stirn war wie eine Gewitterwolke. »Sie ist eine Hure. Neulich? Hat so getan, als würde sie weinen im Unterricht – damit dieses Schwein Olowska hat *Mitleid* mit ihr. Fotze.«

Ich zuckte die Achseln – kein Widerspruch von mir in diesem Punkt – und gab ihm den Joint.

»Sie mag ihn nur, weil er Geld hat. Seine Familie hat zwei Mercedes. E-Klasse.«

»Das ist ein Auto für Omas.«

»Unsinn. In Russland ist Gangster-Auto. Und«, er nahm einen tiefen Zug, hielt mit tränenden Augen die Luft in der Lunge und wedelte mit den Händen, *warte, warte, das Beste kommt erst noch, Moment, warte, bis du das hörst, ja?*, »weißt du, wie er sie nennt?«

»Kotku?« Boris nannte sie so beharrlich Kotku, dass die Leute an der Schule – sogar Lehrer – angefangen hatten, sie ebenfalls Kotku zu rufen.

»Genau!« Boris stieß empört einen Schwall von Rauch aus. »Mein *Name*! Die *klítschka*, die ich ihr gegeben habe. Und vor ein paar Tagen im Flur? Ich habe gesehen, wie er ihren Kopf zerzaust hat.«

Auf dem Couchtisch lagen neben Quittungen und Kleingeld

ein paar halb geschmolzene Pfefferminzbonbons aus der Hosen
tasche meines Vaters, und ich wickelte eins aus und steckte e
in den Mund. Ich war high wie ein Fallschirmspringer, und di
Süße kribbelte brennend durch meinen ganzen Körper. »Den Kop
zerzaust?« Das Bonbon klapperte laut gegen meine Zähne. »Wi
bitte?«

»So«, Boris machte eine strubbelnde Handbewegung, bevor er ei
nen letzten Zug an dem Joint nahm und ihn ausdrückte, »ich wei
das Wort nicht.«

»Ich würde mir deswegen keine allzu großen Sorgen machen.« Ic
ließ den Kopf gegen die Couch sacken. »Hör mal, du solltest eins vo
diesen Pfefferminzbonbons probieren. Die sind echt super.«

Boris wischte sich mit einer Hand übers Gesicht und schüttelt
dann den Kopf wie ein Hund, der Wasser abschüttelt. »Wow.« Er fuh
sich mit beiden Händen durch sein verfilztes Haar.

»Ja. Ich auch«, sagte ich nach einer vibrierenden Pause. Meine Ge
danken waren gedehnt und zähflüssig und kämpften sich nur lang
sam an die Oberfläche.

»Was?«

»Ich bin echt stoned.«

»Ach ja?« Er lachte. »Wie stoned?«

»Ziemlich weggeblasen, Alter.« Das Pfefferminzbonbon auf mei
ner Zunge fühlte sich intensiv und riesig an, so groß wie ein Felsbro
cken, als ob ich damit im Mund kaum sprechen konnte.

Es folgte ein friedliches Schweigen. Es war etwa halb sechs an
Nachmittag, doch das Licht war noch rein und klar. Ein paar weiß
Hemden von mir hingen neben dem Pool, bauschten sich und flat
terten wie strahlend weiße Segel. Als ich die Augen schloss, brann
te rotes Licht durch meine Lider, ich ließ mich auf die (unvermitte
äußerst bequeme) Couch zurücksinken, als wäre sie ein schaukeln
des Boot, und dachte an das Hart-Crane-Gedicht, das wir in Eng
lisch gelesen hatten. Die Brücke. Wie konnte es sein, dass ich da
Gedicht nie gelesen hatte, als ich noch in New York war? Und das
ich die Brooklyn Bridge nie beachtet hatte, als ich sie praktisch täg

ich gesehen hatte? Möwen und schwindelerregende Sturzflüge. *Ich denk an Bilder, Projektionen …*

»Ich könnte sie erwürgen«, sagte Boris unvermittelt.

»Was?«, fragte ich überrascht, weil ich nur das Wort erwürgen und Boris' unverkennbar hässlichen Tonfall gehört hatte.

»Die beschissene dürre Fut. Sie macht mich so wütend.« Boris stieß mich mit der Schulter an. »Komm schon, Potter. Würdest du ihr nicht gern das selbstgefällige Grinsen aus dem Gesicht wischen?«

»Na ja …«, sagte ich nach einer benommenen Pause: Es handelte ich offensichtlich um eine Fangfrage. »Was ist eine Fut?«

»Im Prinzip dasselbe wie eine Fotze.«

»Oh.«

»Ich meine, was denkt sie.«

»Genau.«

Es folgte ein so langes und sonderbares Schweigen, dass ich überlegte aufzustehen und Musik anzumachen, obwohl ich mich nicht entscheiden konnte, was. Alles halbwegs Muntere schien verkehrt, und ich wollte ganz bestimmt nichts Düsteres oder Neurotisches auflegen, das ihn noch weiter aufrührte.

»Ähm«, sagte ich nach einer Pause, von der ich hoffte, dass sie geniemend lang gewesen war. »In einer Viertelstunde fängt *Krieg der Welten* an.«

»Ich geb ihr Krieg der Welten«, sagte Boris ominös. Er stand auf.

»Wohin gehst du?«, fragte ich. »Zum Double R?«

Boris sah mich finster an. »Los, lach nur«, sagte er bitter und zog umständlich seinen grauen *Sovietskoje*-Regenmantel an. »Für deinen Dad sind es die Drei R, wenn er diesem Typen nicht das Geld zurückzahlt, das er ihm schuldet.«

»Drei R?«

»Revolver, Rand von Straße oder Regenrinne«, sagte Boris mit einem dunklen, slawischen Glucksen.

War das aus einem Film, fragte ich mich. Die Drei R? Woher hatte (
das? Obwohl ich die Ereignisse des Nachmittags bis dahin ziemlic
erfolgreich verdrängt hatte, hatte Boris mich mit seiner Abschieds
bemerkung gründlich verschreckt, und ich saß eine Stunde lang stan
da, guckte *Krieg der Welten* ohne Ton und lauschte dem Knirsche
der Eiswürfelmaschine und dem Knattern des Windes im Sonnen
schirm auf dem Hof. Popper – der meine Stimmung aufgenomme
hatte – war genauso angespannt wie ich und sprang immer wiede
kläffend vom Sofa, um Geräusche im Haus zu erkunden. Als kur
nach Einbruch der Dunkelheit tatsächlich ein Wagen in unsere Ein
fahrt bog, rannte er zur Tür und veranstaltete einen Radau, dass ic
mich halb zu Tode erschreckte.

Aber es war nur mein Vater. Er wirkte zerknittert, glasig und nich
besonders gut gelaunt.

»Dad?« Ich war immer noch so stoned, dass meine Stimme vie
zu laut und seltsam klang.

Er blieb am Fuß der Treppe stehen und sah mich an.

»Heute war ein Mann hier. Ein Mr. Silver.«

»Ach ja?«, sagte mein Vater ziemlich beiläufig. Doch er stand gan
still, eine Hand aufs Geländer gelegt.

»Er hat gesagt, er hätte versucht, dich zu erreichen.«

»Wann war das?« Er kam in den Raum.

»Heute Nachmittag so gegen vier, glaub ich.«

»War Xandra hier?«

»Ich habe sie nicht gesehen.«

Er legte eine Hand auf meine Schulter und schien eine Weile nach
zudenken. »Nun«, meinte er, »ich fände es nett von dir, wenn d
nichts davon sagen würdest.«

Das Ende von Boris' Joint lag noch im Aschenbecher, wie mir i
diesem Moment bewusst wurde. Mein Vater bemerkte meinen Blicl
nahm den Joint und schnupperte daran.

»Dachte schon, ich hätte so was gerochen.« Er steckte die Kipp in die Jackentasche. »Du stinkst ein bisschen, Theo. Woher habt ihr Jungs das?«

»Ist alles okay?«

Die Augen meines Dads sahen ein bisschen gerötet und unfokussiert aus. »Klar doch«, sagte er. »Ich geh nur kurz hoch und mach ein paar Anrufe.« Er roch stark nach abgestandenem Zigarettenqualm und Ginseng-Tee, den er dauernd trank, eine Gewohnheit, die er sich von den chinesischen Geschäftsmännern im Bakkarat-Salon abgeguckt hatte: Es gab seinem Schweiß einen markanten, fremden Geruch. Während ich beobachtete, wie er die Treppe hochstieg, sah ich, dass er die Joint-Kippe aus der Jackentasche zog und noch einmal nachdenklich unter seine Nase hielt.

X

Sobald ich oben in meinem Zimmer die Tür abgeschlossen hatte – Popper war immer noch nervös und rannte steifbeinig herum –, wanderten meine Gedanken zu dem Gemälde. Ich war stolz auf meine Kopfkissenbezug-hinter-dem-Kopfteil-Idee gewesen, doch jetzt begriff ich, wie dumm es war, das Gemälde überhaupt im Haus zu haben – nicht dass ich irgendwelche Alternativen gehabt hätte, wenn ich es nicht in dem Müllcontainer ein paar Häuser weiter (der in meiner gesamten Zeit in Las Vegas noch kein einziges Mal geleert worden war) oder in einem der verlassenen Häuser gegenüber verstecken wollte. Boris' Haus war nicht sicherer als meins, und sonst gab es niemanden, den ich gut genug kannte und dem ich vertraute. Der einzige andere Ort war die Schule, ebenfalls eine schlechte Idee, doch auch wenn ich wusste, dass es eine bessere Wahl geben musste, fiel sie mir nicht ein. In der Schule wurden hin und wieder willkürliche Spind-Inspektionen durchgeführt, und ich zählte – wegen meiner Verbindung zu Kotku durch Boris – jetzt möglicherweise zu der Sorte Abschaum, dessen Spind man zufällig durchsuchte. Trotzdem, selbst wenn jemand es in meinem Spind fand – der Direktor,

Mr. Detmars, der furchterregende Basketballtrainer, oder sogar einer der Mietbullen von dem Sicherheitsdienst, der hin und wieder hinzugezogen wurde, um den Schülern Angst einzujagen –, wäre es immer noch besser, als wenn Dad oder Mr. Silver es entdeckten.

In dem Kopfkissenbezug war das Gemälde in mehrere Schichten Zeichenpapier gewickelt – gutes Papier, Archivpapier, das ich aus dem Kunstraum der Schule mitgenommen hatte – und darunter in eine innere doppelte Schutzschicht aus weißen Leinengeschirrtüchern, um die Oberfläche vor den (nicht vorhandenen) Säuren in dem Papier zu schützen. Aber ich hatte das Bild so oft herausgenommen, um es zu betrachten – und dabei die zugeklebte obere Klappe der Verpackung geöffnet –, dass das Papier eingerissen war und das Paketband nicht mehr klebte. Nachdem ich eine Weile auf dem Bett gelegen und an die Decke gestarrt hatte, stand ich auf, holte die extrabreite Rolle festes Klebeband, die von unserem Umzug übrig geblieben war, und löste den Kopfkissenbezug vom Kopfteil.

Es in den Händen zu halten und nicht auszupacken, um einen Blick darauf zu werfen – die Verlockung war zu groß. Eilig zog ich es heraus und wurde beinahe sofort von seinem Glanz umhüllt, etwas beinahe Musikalischem, einer innewohnenden Süße, die jenseits einer tiefen, bis ins Blut gehenden Harmonie der Stimmigkeit nicht zu erklären war, so wie das Herz langsam und sicher schlug, wenn man mit einem Menschen zusammen war, bei dem man sich geborgen und geliebt fühlte. Das Bild strahlte eine Kraft aus, ein Leuchten, eine Frische wie das Morgenlicht in meinem alten Zimmer in New York, das erhaben und doch erheiternd war, ein Licht, das allem klare Konturen gab und es doch feiner und lieblicher erscheinen ließ, als es in Wirklichkeit war, und umso lieblicher, da es ein Teil der Vergangenheit und unwiederbringlich war: schimmernde Tapeten und der alte Rand-McNally-Globus im Halbschatten.

Kleiner Vogel, gelber Vogel. Ich riss mich aus meiner Benommenheit, schob das Bild zurück in seine Hülle aus mit Papier umwickelten Geschirrtüchern, schlug sie in zwei oder drei (vier? fünf?) alte Sportseiten meines Dads ein und wickelte – impulsiv und auf meie bekiffte Art zielstrebig – Klebeband darum, bis kein Fetzen Zeiung mehr zu sehen war und die komplette Rolle extrabreiten Klebebands verbraucht war. Niemand würde dieses Paket aus einer Laune heraus öffnen. Selbst mit einem guten Messer statt nur einer Schere würde man schön lange brauchen, um es aufzuschneiden. Als ich schließlich fertig war – das Bündel sah aus wie ein seltsamer Science-Fiction-artiger Kokon –, stopfte ich das mumifizierte Gemälde samt Kopfkissenbezug in meine Büchertasche und legte sie am Fußende unter meine Bettdecke. Gereizt und mit einem Stöhnen machte Popper Platz. So winzig er war und so albern er aussah, war er doch ein grimmiger Kläffer und verteidigte seinen Platz an meiner Seite verbissen, und ich wusste, dass er, wenn jemand die Zimmertür öffnen würde, während ich schlief – selbst wenn es Xandra oder mein Dad waren, die er beide nicht besonders mochte –, aufspringen und Alarm schlagen würde.

Was als beruhigender Gedanke begonnen hatte, verwandelte sich ein weiteres Mal in Fantasien von Fremden und Einbrechern. Die Klimaanlage war so kalt eingestellt, dass ich zitterte, und als ich die Augen schloss, spürte ich, wie ich aus meinem Körper herausschwebte und schnell nach oben trieb wie ein losgerissener Ballon, nur um mit einem heftigen Zucken hochzuschrecken, wenn ich die Augen wieder öffnete. Also hielt ich sie geschlossen und versuchte, mir so gut ich konnte, das Hart-Crane-Gedicht ins Gedächtnis zu rufen, wobei nicht viel herauskam, obwohl selbst in einzelnen Wörtern wie *Möwe, Verkehr, Lärm* und *Morgen* etwas mitschwang von einen weiten Flügen und Bögen von hoch oben bis tief unten, bis ich kurz vor dem Einschlafen von einer sinnlich konkreten Erinnerung an den schmalen, windigen und nach Abgasen stinkenden Park in der Nähe unserer alten Wohnung am East River überwältigt wurde, wo der Verkehrslärm körperlos über einen hinwegrausche, während der Fluss sich in reißenden, verwirrenden Strömungen kräuselte, dass es manchmal aussah, als würde er in zwei verschiedene Richtungen fließen.

XI

In jener Nacht schlief ich nicht viel und war, als ich das Gemälde am nächsten Tag in meinem Spind in der Schule verstaute, so erschöpft, dass ich nicht einmal bemerkte, dass Kotku (die an Boris hing, als wäre nichts geschehen) eine dicke Lippe hatte. Erst als ich Eddie Riso, einen harten Typen aus dem Abschlussjahrgang, fragen hörte: »Gegen eine Tür gerannt?«, sah ich, dass jemand ihr einen ordentlichen Schlag ins Gesicht verpasst hatte. Sie lief herum, lachte ein bisschen nervös und erzählte den Leuten, sie habe sich an einer Wagentür gestoßen, jedoch derart verlegen, dass es sich (zumindest für mich) nicht besonders glaubwürdig anhörte.

»Warst du das?«, fragte ich Boris, als ich ihn im Englischunterricht das nächste Mal alleine (oder relativ alleine) sah.

Boris zuckte die Schultern. »Ich wollte es nicht.«

»Was soll das heißen, du wolltest es nicht?«

Boris wirkte schockiert. »Sie hat mich gezwungen!«

»Sie hat dich gezwungen«, wiederholte ich.

»Hör mal, bloß weil du eifersüchtig auf sie bist …«

»Du kannst mich mal«, sagte ich, »Kotku ist mir scheißegal – ich habe meine eigenen Sorgen. Meinetwegen kannst du ihr den Schädel einschlagen.«

»O Gott, Potter«, sagte Boris, unvermittelt ernüchtert. »Ist er zurückgekommen? Dieser Typ?«

»Nein«, sagte ich nach einer Pause. »Noch nicht. Scheiß drauf, ehrlich«, sagte ich, als Boris mich weiter anstarrte. »Es ist *sein* Problem, nicht meins. Er muss sich halt irgendwas ausdenken.«

»Mit wie viel steht er in der Kreide?«

»Keine Ahnung.«

»Kannst du das Geld nicht für ihn besorgen?«

»*Ich?*«

Boris wandte den Blick ab. Ich boxte ihm gegen den Arm. »Nein, ehrlich, wie meinst du das, Boris? Kann *ich* es nicht für ihn besorgen? Wovon redest du?«, fragte ich, als er nicht antwortete.

»Vergiss es«, sagte er hastig und lehnte sich auf seinem Stuhl zurück, und ich hatte keine Chance, das Gespräch weiterzuverfolgen,
weil in diesem Moment die Spirsézkaja den Raum betrat, bereit und
entschlossen, mit uns über *Silas Marner* zu sprechen, und das war's
dann.

XII

An jenem Abend kam mein Dad früh nach Hause, beladen mit Tüten von seinem Lieblingschinesen, darunter eine Extraportion der
scharf gewürzten Klöße, die ich mochte – und war so gut gelaunt, als
hätte ich Mr. Silver und die Sachen vom Abend zuvor nur geträumt.

»Und …«, sagte ich und hielt inne. Nachdem Xandra ihre Früh-
lingsrollen gegessen hatte, spülte sie am Waschbecken Gläser, und
in ihrer Gegenwart traute ich mich nicht, allzu deutlich zu werden.

Er lächelte mich mit seinem breiten Dad-Lächeln an, dem Lächeln, mit dem er von Stewardessen manchmal ein Upgrade in die
erste Klasse bekam.

»Und was?« Er schob seine Schale mit Garnelen nach Szechuan
Art zur Seite und griff nach einem Glückskeks.

»Ähm …« Xandra hatte das Wasser laut aufgedreht. »Hast du alles geklärt?«

»Was?«, fragte er leichthin, »Bobo Silver, meinst du?«

»Bobo?«

»Hör mal, ich hoffe, du hast dir deswegen keine Sorgen gemacht,
oder doch?«

»Na ja …«

»Bobo«, er lachte, »man nennt ihn auch ›The Mensch‹. Er ist eigentlich ein netter Kerl – nun, du hast ja selbst mit ihm gesprochen –,
wir hatten bloß ein paar Missverständnisse, das ist alles.«

»Was heißt fünf Punkte auf dem Zettel haben?«

»Sieh mal, das war bloß ein Versehen«, sagte er. »Ich meine, diese
Leute sind schon echte Typen. Sie haben ihre eigene Sprache, ihre

eigene Art, die Dinge zu regeln. Aber, hey«, er lachte schon wiede
»das ist wirklich super – als ich ihn im Caesar's getroffen habe, Bob
bezeichnet das als sein ›Büro‹, weißt du, am Pool im Caesar's – jeder
falls als ich ihn dort getroffen habe, weißt du, was er immer wiede
gesagt hat? ›Das ist ein guter Junge, den du da hast, Larry. Ein echte
kleiner Gentleman.‹ Mal ehrlich, ich weiß nicht, was du zu ihm ge
sagt hast, aber ich bin dir tatsächlich was schuldig.«

»Hä«, sagte ich neutral und nahm mir noch was von dem Rei
Aber innerlich war ich beinahe trunken über seinen Stimmungs
aufschwung – dieselbe Flut der Erleichterung, die ich als kleine
Kind empfunden hatte, wenn das Schweigen gebrochen wurde, sei
ne Schritte leichter wurden und man ihn über etwas lachen oder vc
dem Rasierspiegel summen hörte.

Mein Dad brach seinen Glückskeks auf und lachte. »Siehst du
sagte er, knüllte den Zettel zusammen und warf ihn mir zu. »Ich fra
ge mich, wer in Chinatown rumsitzt und sich dieses Zeug ausdenkt.

Ich las es laut vor: »»Sie haben eine außergewöhnliche Ausstattung
für das Schicksal, gehen Sie vorsichtig damit um.‹«

»Außergewöhnliche Ausstattung?«, fragte Xandra, trat hinter ih
und legte die Arme um seinen Hals. »Klingt irgendwie versaut.«

»Oha«, mein Dad drehte sich um und küsste sie, »so eine schmut
zige Fantasie. Der Quell der Jugend.«

»Offensichtlich.«

XIII

»Dir habe ich auch schon mal eine dicke Lippe verpasst«, sagte Bori
der wegen der Sache mit Kotku offensichtlich ein schlechtes Gewis
sen hatte, da er sie während unseres umgänglichen Schweigens i
Schulbus aus heiterem Himmel erneut zur Sprache brachte.

»Ja, und ich hab deinen Kopf gegen die scheiß Wand geknallt.«

»Ich wollte es nicht.«

»Was wolltest du nicht?«

»Dir auf den Mund schlagen.«

»Wolltest du es bei ihr?«

»Irgendwie schon«, sagte er ausweichend.

»Irgendwie.«

Boris gab einen verzweifelten Laut von sich. »Ich hab ihr gesagt, s tut mir leid! Zwischen uns ist alles gut, kein Problem! Und außerdem, was geht dich das an?«

»*Du* hast davon angefangen, nicht ich.«

Er sah mich einen Moment sonderbar und unfokussiert an und achte dann. »Kann ich dir was erzählen?«

»Was?«

Er beugte seinen Kopf ganz nah an meinen. »Kotku und ich sind gestern Nacht auf Trip gegangen«, sagte er leise. »Wir haben zusammen LSD geschluckt. Es war super.«

»Wirklich? Woher hattet ihr es?« An Ecstasy kam man in der Schule einigermaßen problemlos heran – Boris und ich hatten es mindestens ein Dutzend Mal genommen, magische sprachlose Nächte, in denen wir halb delirierend in die Wüste, den Sternen entgegengewandert waren –, aber Acid hatte nie jemand.

Boris rieb sich die Nase. »Ah. Nun. Ihre Mom kennt so einen unheimlichen, alten Typen namens Jimmy, der in einem Waffenladen arbeitet. Er hat uns fünf Tabletten verkauft – ich weiß nicht, warum ich fünf genommen habe, ich wünschte, ich hätte sechs gekauft. Jedenfalls hab ich noch welche. Gott, es war fantastisch.«

»Ach ja?« Als ich ihn eingehender betrachtete, fiel mir auf, dass seine Pupillen immer noch erweitert und eigenartig aussahen. »Bist du immer noch drauf?«

»Vielleicht ein bisschen. Ich hab bloß ungefähr zwei Stunden geschlafen. Jedenfalls wir haben uns total versöhnt. Es war wie – sogar die Blumen auf der Bettdecke ihrer Mom waren freundlich. Und wir waren aus demselben Stoff wie die Blumen, und wir haben gemerkt, wie sehr wir uns lieben und brauchen, egal was, und wie alles Hässliche, das zwischen uns passiert ist, nur aus Liebe geschah.«

»Wow«, sagte ich in einem Ton, der wohl trauriger geklungen ha-

ben muss als beabsichtigt, so wie Boris die Brauen zusammenzog
und mich ansah.

»Und?«, fragte ich, als er mich weiter anstarrte. »Was ist?«

Er blinzelte und schüttelte den Kopf. »Nein, ich kann es einfach
sehen. Den Dunst von Traurigkeit, irgendwie, um deinen Kopf. Al‹
ob du wärst ein Soldat oder so was, eine Person aus der *Geschichte*
vielleicht jemand, der über ein Schlachtfeld läuft, voller tiefer Ge
fühle ...«

»Boris, du bist immer noch total breit.«

»Nicht wirklich«, sagte er verträumt. »Ich tauche nur immer wie
der noch mal irgendwie kurz ein. Und die Objekte verströmen nach
wie vor bunte Funken, wenn ich sie richtig aus den Augenwinkeln
ansehe.«

XIV

Eine Woche verstrich ereignislos, sowohl mit meinem Dad als auch
an der Kotku-Front – so viel Zeit, dass ich mich sicher genug fühl
te, den Kopfkissenbezug wieder mit nach Hause zu nehmen. Als ich
ihn aus meinem Spind genommen hatte, war mir aufgefallen, wie
ungewöhnlich sperrig (und schwer) das Paket wirkte, und nachdem
ich es oben in meinem Zimmer aus dem Kissenbezug genommen
hatte, erkannte ich auch, warum. Ich musste offensichtlich völlig zu
gedröhnt gewesen sein, als ich es gepackt und zugeklebt hatte: All
diese Schichten Zeitungspapier, umwickelt mit einer kompletten ex
trabreiten Rolle schwerem, Glasfaser-verstärktem Paketband, hatt‹
ich in meinem panischen und zugekifften Zustand für eine beson
nene Vorsichtsmaßnahme gehalten, doch im nüchternen Licht de‹
Nachmittags sah es aus, als wäre das Bündel von einem Verrückte›
und/oder Obdachlosen gepackt, ja, praktisch mumifiziert worden
Es war mit so viel Klebeband umwickelt, dass es nicht einmal mehr
richtig viereckig war. Ich holte das schärfste Küchenmesser, das ich
finden konnte, und säbelte an einer Ecke herum – zunächst vor

sichtig aus Angst, das Messer könnte abrutschen und das Gemälde beschädigen, dann immer energischer. Aber ich war erst zur Hälfte durch eine gut sieben Zentimeter dicke Schicht gedrungen, und meine Hände wurden schon müde, als ich Xandra ins Haus kommen hörte, also schob ich das Paket zurück in den Kissenbezug und klebte es wieder an mein Kopfbrett, bis sie und mein Dad mit Sicherheit eine Weile außer Haus sein würden.

Boris hatte versprochen, dass wir die beiden übrig gebliebenen LSD-Tabletten gemeinsam einwerfen würden, sobald sich sein Verstand wieder eingerenkt hätte, wie er sich ausdrückte. Er fühlte sich nach wie vor ein bisschen abgespaced, gestand er ein, sah bewegliche Muster in der unechten Holzmaserung der Schultische, und als er danach wieder Gras geraucht hatte, war er die ersten paar Male wieder voll drauf gekommen.

»Das klingt irgendwie heftig«, sagte ich.

»Nein, es ist cool. Ich kann machen, dass es aufhört, wenn ich will. Ich denke, wir sollten es auf dem Spielplatz nehmen«, fügte er hinzu. »Am Thanksgiving-Feiertag vielleicht.« Auf dem verlassenen Spielplatz hatten wir auch immer unser Ecstasy geschluckt, bis auf das erste Mal, bei dem Xandra an meine Zimmertür geklopft und uns gebeten hatte, ihr zu helfen, die Waschmaschine zu reparieren, wozu wir natürlich außerstande waren, doch während des besten Teils des Rausches eine Dreiviertelstunde mit ihr in der Waschküche rumzustehen, war ein gewaltiger Stimmungskiller gewesen.

»Ist es viel stärker als E?«

»Nein – das heißt, ja, schon, aber es ist wunderbar, vertrau mir. Ich wollte die ganze Zeit, dass Kotku und ich draußen an der frischen Luft sind, aber so nah an Highway war *too much*, Lichter, Autos – vielleicht dieses Wochenende?«

Darauf konnte man sich doch schon mal freuen. Aber als ich gerade anfing, mich wieder gut und sogar allgemein optimistisch zu fühlen – der Kabelsportsender war seit einer Woche nicht eingeschaltet gewesen, was definitiv eine Art Rekord sein musste –, wartete mein Vater eines Tages zu Hause auf mich, als ich aus der Schule kam.

»Ich muss mit dir reden, Theo«, sagte er, sobald ich hereingekommen war. »Hast du eine Minute?«

Ich stutzte. »Na ja, okay, klar.« Das Wohnzimmer sah aus wie nach einem Einbruch, überall waren Papiere verstreut, sogar die Sofakissen waren leicht verrutscht.

Nachdem er bis jetzt auf- und abgelaufen war – ein wenig steif als täte ihm das Knie weh –, blieb er stehen. »Komm hierher«, sagte er freundlich. »Setz dich.«

Ich setzte mich. Mein Dad atmete aus, nahm mir gegenüber Platz und fuhr sich mit einer Hand durchs Haar.

»Der Anwalt«, begann er, beugte sich, die Hände zwischen der Knien gefaltet, vor und sah mir offen in die Augen.

Ich wartete.

»Der Anwalt deiner Mom. Ich meine – ich weiß, es ist kurzfristig aber du musst ihn wirklich unbedingt für mich anrufen.«

Draußen war es windig, aufgewehter Sand prasselte gegen die Glastüren, und die Markise im Innenhof flatterte wie eine knatternde Fahne. »Was?«, fragte ich nach einer vorsichtigen Pause. Sie hatte davon gesprochen, einen Anwalt aufzusuchen, nachdem er uns verlassen hatte – wegen einer Scheidung, dachte ich, wusste jedoch nicht, was daraus geworden war.

»Nun«, mein Dad atmete tief ein und blickte zur Decke, »die Sache ist die. Ich schätze, dir ist aufgefallen, dass ich nicht mehr auf Sport wette, richtig? Also«, fuhr er fort, »ich will aufhören. Solange ich noch einen Vorsprung habe, sozusagen. Es ist nicht …« Er hielt inne und schien nachzudenken. »Ich meine, ganz ehrlich, ich bin ziemlich gut geworden in dem Kram, einfach indem ich meine Hausaufgaben gemacht habe und diszipliniert war. Ich kaue lange auf meinen Zahlen herum. Ich wette nicht aus einem Impuls heraus. Und ich meine wie gesagt, ich war ziemlich erfolgreich. Ich habe in den letzten paar Monaten eine Menge Geld auf die Seite gelegt. Es ist nur …«

»Klar«, sagte ich unsicher in das nachfolgende Schweigen hinein und fragte mich, worauf er hinauswollte.

»Ich meine, warum das Schicksal herausfordern? Denn«, er legte die Hand aufs Herz, »ich *bin* Alkoholiker. Ich bin der Erste, der das zugeben würde. Ich darf *überhaupt nichts* trinken. Ein Drink ist zu viel, und tausend sind nicht genug. Den Alkohol aufzugeben, war das Beste, was ich je getan habe. Aber ehrlich, mit dem Spielen ist es selbst mit meinen Suchttendenzen immer irgendwie anders gewesen, klar, ich war ein paarmal in Schwulitäten, aber ich war nie wie einer von diesen Typen, die, ich weiß nicht, so tief in den Schlamassel geraten, dass sie Geld veruntreuen, den Familienbetrieb ruinieren oder was auch immer. Aber«, er lachte, »wenn man nicht früher oder später die Haare rasiert bekommen will, sollte man nicht beim Frisör rumhängen, richtig?«

»Und?«, fragte ich wieder vorsichtig, nachdem ich eine Weile gewartet hatte, dass er fortfuhr.

»Also – puh.« Mein Dad fuhr sich mit beiden Händen durchs Haar und sah dabei jungenhaft aus, benommen, ungläubig. »Die Sache ist die. Ich möchte an diesem Punkt in meinem Leben ein paar wirklich große Veränderungen vornehmen. Denn ich habe die Chance, bei einem tollen Unternehmen einzusteigen. Ein Kumpel von mir hat ein Restaurant. Und, also, ich glaube, es wird eine *wirklich* tolle Sache für uns alle – im Grunde eine Chance, wie man sie nur einmal im Leben kriegt. Verstehst du? Xandra hat es im Moment bei der Arbeit echt schwer, weil ihr Chef so ein Arschloch ist, und, ich weiß nicht, ich denke einfach, dass es viel normaler und gesünder wäre.«

Mein Dad? Ein Restaurant? »Wow – das ist super«, sagte ich. »Wow.«

»Ja.« Mein Dad nickte. »Es ist *wirklich* großartig. Aber die Sache ist die, um so ein Lokal zu eröffnen …«

»Was für ein Restaurant?«

Mein Dad gähnte und rieb sich die roten Augen. »Oh, weißt du – nur schlichte amerikanische Küche. Steak, Hamburger und so. Bloß einfach und gut zubereitet. Aber die Sache ist die, damit mein Kumpel den Laden eröffnen und seine Restaurant-Steuern bezahlen kann …«

»Restaurant-Steuern?«

»O Gott, ja, du glaubst nicht, was für Abgaben es hier alles gibt
Man muss seine Restaurant-Steuer bezahlen, die Steuer für die Lizenz zum Alkoholausschank, Haftpflichtversicherung – man muss
gewaltig in Vorkasse gehen, um einen solchen Laden an den Start
und ans Laufen zu bringen.«

»Nun.« Jetzt begriff ich, worauf er hinauswollte. »Wenn du das
Geld von meinem Sparkonto brauchst …«

Mein Dad sah mich überrascht an. »Was?«

»Du weißt schon, das Konto, das du für mich eröffnet hast. Wenn
du das Geld brauchst, ist das in Ordnung.«

»Oh, ja.« Mein Dad schwieg einen Moment. »Danke, das ist wirklich nett von dir, Kumpel. Aber eigentlich …« Er war aufgestanden
und lief wieder auf und ab. »Also, die Sache ist die, ich sehe da eine
echt clevere Möglichkeit, wie wir das machen können. Nur eine
kurzfristige Lösung, um den Laden aufzumachen und in Schwung
zu bringen, weißt du. Das haben wir in ein paar Wochen wieder
raus – ich meine, ein Lokal wie dieses, in der Lage und so, das is
wie eine Lizenz zum Geld drucken. Es geht nur um das Startkapital
Diese Stadt ist verrückt, was Steuern, Abgaben und dergleichen an
geht. Ich meine«, er lachte, halb entschuldigend, »weißt du, ich würde nicht darum bitten, wenn es nicht ein Notfall wäre …«

»Verzeihung?«, fragte ich nach einer verwirrten Pause.

»Ich meine, wie gesagt. Du musst wirklich unbedingt diesen An
ruf für mich machen. Hier ist die Nummer.« Er hat für mich alle
auf einen Zettel geschrieben – die Nummer fing mit 212 an, der Vor
wahl von Manhattan, wie mir sofort auffiel. »Du musst diesen Typen
anrufen und persönlich mit ihm sprechen. Er heißt Bracegirdle.«

Ich blickte auf den Zettel und sah meinen Dad an. »Ich verste
he nicht.«

»Du musst es auch nicht verstehen. Du musst nur tun, was ich
dir sage.«

»Was hat das mit mir zu tun?«

»Hör zu, mach es einfach. Sag ihm, wer du bist und dass du ihn in
einer geschäftlichen Angelegenheit sprechen musst, bla bla bla …«

»Aber …« Wer war diese Person? »Was soll ich sagen?«

Mein Vater atmete tief durch und bemühte sich, seine Mimik zu ontrollieren, etwas, worin er ziemlich gut war.

»Er ist ein Anwalt«, sagte er atemlos. »Der Anwalt deiner Mutter. :r muss veranlassen, dass dieser Betrag«, beim Anblick der Sum- ne, auf die er zeigte, *$ 65 000,* fielen mir beinahe die Augen aus lem Kopf, »auf *dieses* Konto überwiesen wird.« Er fuhr mit dem 'inger zu einer Zahlenfolge, die direkt darunter stand. »Sag ihm, :h hätte entschieden, dich auf eine Privatschule zu schicken. Er •raucht deinen Namen und deine Sozialversicherungsnummer. Das st alles.«

»Eine Privatschule?«, fragte ich nach einer desorientierten Pause.

»Nun, verstehst du, aus Steuergründen.«

»Ich will nicht auf eine Privatschule.«

»Warte – warte – hör mich zu Ende an. Solange diese Mittel offi- iell zu deinem Vorteil verwendet werden, haben wir kein Problem. Jnd ich meine, ich könnte auch selber anrufen, es ist nur, wenn vir das richtig angehen, würden wir ungefähr dreißigtausend Dol- ar sparen, die sonst die Regierung kassieren würde. Verdammt, ich *chicke* dich auf eine Privatschule, wenn du willst. Ein Internat. Mit lem ganzen zusätzlichen Geld könnte ich dich nach Andover schi- :ken. Ich will bloß nicht, dass die Hälfte davon bei der Steuerbe- 1örde landet, verstehst du, was ich sage? Also – ehrlich, so wie das 3anze eingerichtet ist, kostet es, bis du aufs College gehst, am Ende *lich* Geld, weil es bedeutet, dass du dich nicht für ein Stipendium)ewerben kannst. Wenn die Leute, die am College für die Finanzie- ·ungsberatung zuständig sind, einen Blick auf dieses Konto werfen, :tufen sie dich in eine andere Einkommensklasse und nehmen dir im :rsten Jahr fünfundsiebzig Prozent davon ab, peng. Auf diese Weise :ommst du in den vollen Nutzen des Geldes, verstehst du? Gleich etzt. Wenn es tatsächlich etwas Gutes bewirken könnte.«

»Aber …«

»*Aber* …« Falsettstimme, heraushängende Zunge, dämlicher Blick. •Ach, nun, komm, Theo«, sagte er mit seiner normalen Stimme, als ich ihn weiterhin ansah. »Ich schwöre bei Gott, für so was habe ich keine Zeit. Du musst diesen Anruf unverzüglich machen, bevor die Büros im Osten schließen. Wir müssen das einfach so schnell wie möglich erledigen, okay?«

»Aber warum muss *ich* anrufen?«

Mein Dad seufzte und verdrehte die Augen. »Hör zu, komm mir nicht damit, Theo«, sagte er. »Ich weiß, dass du im Bild bist, weil ich gesehen habe, wie du die Post kontrolliert hast – ja«, sagte er über meine Einwände hinweg, »ja, das machst du, jeden Tag bist du wie der Blitz an diesem verdammten Briefkasten.«

Ich war so perplex, dass ich nicht wusste, was ich erwidern sollte. »Aber …« Ich blickte auf den Zettel, und wieder sprang mir der Betrag entgegen: *$ 65 000.*

Ohne Vorwarnung holte mein Dad aus und ohrfeigte mich, so fest und schnell, dass ich eine Sekunde lang nicht wusste, wie mir geschah. Dann, beinahe ehe ich blinzeln konnte, schlug er mich noch einmal, ein Zeichentrick-*Wham,* ein Knacken wie der Blitz einer Kamera, diesmal mit der Faust. Als ich schwankte – meine Knie waren weich geworden, und vor den Augen war alles weiß –, packte er mich am Kragen und riss mich hoch, sodass ich auf Zehenspitzen stehen musste.

»Hör zu.« Er brüllte mir direkt ins Gesicht – seine Nase knapp fünf Zentimeter vor meiner –, doch Popper sprang und bellte wie verrückt, und das Klingeln in meinen Ohren hatte einen solchen Pegel erreicht, dass ich ihn wie über lautes Radiorauschen hinweg hörte. »Du wirst diesen Typen anrufen«, er raschelte mit dem Zettel vor meinem Gesicht, »und ihm verdammt noch mal sagen, was ich dir erkläre. Mach es nicht schwerer als nötig, denn ich werde dich dazu *zwingen,* Theo, ungelogen, ich werde dir den Arm brechen, ich werde dich grün und blau und *windelweich* prügeln, wenn du dich nicht sofort ans Telefon hängst. Okay? Okay?«, wiederholte er in der benommenen, in den Ohren summenden Stille. Sein Zigarettenatem schlug mir sauer ins Gesicht. Er ließ meine Kehle los, machte einen Schritt zurück. »Hast du mich gehört? Sag was.«

434

Ich wischte mir mit dem Arm übers Gesicht. Eine Träne rollte über meine Wange, doch das war automatisch wie Wasser aus dem Hahn, ohne damit verbundene Gefühle.

Mein Dad kniff die Augen zu und öffnete sie wieder, dann schüttelte er den Kopf. »Sieh mal«, sagte er mit brüchiger Stimme und nach wie vor schwer atmend. »Es tut mir leid.« Er *klang* nicht, als täte es ihm leid, wie ich in einem klaren harten Rückzugswinkel meines Bewusstseins bemerkte, er klang, als wollte er mich immer noch windelweich prügeln. »Aber, ich schwöre, Theo. Vertrau mir in dieser Sache einfach. Du musst das für mich tun.«

Vor meinen Augen war alles verschwommen, ich rückte meine Brille gerade. Mein Atem ging so heftig, dass er das lauteste Geräusch im Zimmer war.

Mein Dad stemmte die Hände in die Hüften und verdrehte die Augen zur Decke. »Ach, komm schon«, sagte er. »Lass es einfach.«

Ich sagte nichts. So standen wir einen weiteren langen Moment oder zwei da. Popper hatte aufgehört zu bellen und blickte zwischen meinem Dad und mir hin und her, als versuchte er zu verstehen, was los war.

»Es ist bloß … also, weißt du?« Jetzt war er wieder die pure Vernünftigkeit. »Tut mir leid, Theo, ich schwöre, es tut mir echt leid, aber ich stecke wirklich in einer Zwickmühle, wir brauchen das Geld sofort, in dieser Minute, wirklich.«

Er versuchte, mir in die Augen zu sehen: Sein Blick war offen, vernünftig. »Wer ist dieser Typ?«, fragte ich und sah nicht meinen Dad, sondern die Wand hinter ihm an, während meine Stimme aus irgendeinem Grund verdörrt und seltsam klang.

»Der Anwalt deiner Mutter. Wie oft muss ich dir das noch erklären?« Er massierte sich die Fingerknöchel, als hätte er sich bei dem Schlag wehgetan. »Siehst du, die Sache ist die, Theo«, ein weiteres Seufzen, »ich meine, es tut mir leid, aber ich schwöre, ich wäre nicht so erregt, wenn es nicht so wichtig wäre. Weil ich wirklich, wirklich im Verzug bin. Es ist nur vorübergehend, verstehst du – nur bis der Laden läuft. Denn die ganze Geschichte könnte platzen, einfach so«,

Fingerschnippen, »wenn ich nicht langsam anfange, ein paar Kredi
te abzuzahlen. Und den Rest – den *werde* ich benutzen, um dich au
eine bessere Schule zu schicken. Eine Privatschule vielleicht. Das fän
dest du doch gut, oder?«

Von seinem eigenen Vortrag mitgerissen, wählte er bereits di
Nummer. Er gab mir das Telefon und rannte los, bevor jemand ant
wortete, um am Zweitanschluss auf der anderen Seite des Wohnzim
mers mitzuhören.

»Hallo«, sagte ich zu der Frau, die sich meldete, »ähm, Verzei
hung …« Meine Stimme war kratzig und unsicher, ich konnte nich
recht glauben, was geschah. »Kann ich bitte Mr. ähm …«

Mein Vater stieß auf der anderen Seite des Zimmers mit dem Fin
ger auf den Zettel: *Bracegirdle.*

»Mr., ähm, Bracegirdle sprechen«, sagte ich laut.

»Und wen darf ich melden?« Sowohl meine als auch ihre Stimm
klangen viel zu laut, was daran lag, dass mein Dad auf dem andere
Anschluss mithörte.

»Theodore Decker.«

»Oh, ja«, sagte die Stimme eines Mannes, als er am anderen End
abnahm. »Hallo! Theodore! Wie geht es dir?«

»Gut.«

»Du klingst, als hättest du eine Erkältung. Sag, bist du ein weni
erkältet?«

»Ähm, ja«, sagte ich unsicher. Aus der Ferne formulierte mei
Vater mit übertriebenen Lippenbewegungen stumm das Wort *Kehl
kopfentzündung.*

»Wie bedauerlich«, sagte die hallende Stimme – so laut, dass ic
den Hörer ein Stück vom Ohr weghalten musste. »Man denkt nie
dass Leute sich in der Sonne, wo du bist, erkälten können. Ich bin au
jeden Fall froh, dass du anrufst – ich hatte keine gute Möglichkei
direkt mit dir Kontakt aufzunehmen. Ich weiß, es ist wahrscheinlic
immer noch sehr schwer für dich. Aber ich hoffe, besser als bei un
serem letzten Treffen.«

Ich schwieg. Ich hatte diese Person getroffen?

436

»Es war eine üble Zeit«, sagte Mr. Bracegirdle, der mein Schweigen richtig deutete.

Die fließende samtige Stimme schlug einen Akkord in mir an. »Okay, wow«, sagte ich.

»Der Schneesturm, erinnerst du dich?«

»Stimmt.« Er war etwa eine Woche nach dem Tod meiner Mutter aufgetaucht: ein ältlicher Mann mit vollem weißen Haar – elegant gekleidet, gestreiftes Hemd, Fliege. Er und Mrs. Barbour kannten sich offenbar, jedenfalls schien er sie zu kennen. Er hatte mir gegenüber auf dem Sessel, der dem Sofa am nächsten stand, Platz genommen und viel geredet, verwirrende Dinge, obwohl das Einzige, was wirklich bei mir hängenblieb, die Geschichte war, wie er meine Mutter kennengelernt hatte: ein gigantischer Schneesturm, kein Taxi in Sicht, als – angekündigt von einer Ladung feuchten Schnees – ein besetztes Taxi um die Ecke 84th Street und Park Avenue kam. Das Fenster wurde heruntergekurbelt – meine Mutter (»eine Vision der Schönheit«) fuhr bis zur East 75th Street, ob er auch in die Richtung wolle?

»Sie hat immer von diesem Sturm gesprochen«, sagte ich. Mein Vater sah mich – den Hörer am Ohr – scharf an. »Und davon, dass die Stadt damals komplett lahmgelegt war.«

Er lachte. »Was für eine hinreißende junge Dame! Ich kam von einer späten Besprechung – mit einer älteren Treuhänderin an der Park Avenue, Ecke 92nd Street, eine Reederei-Erbin, inzwischen leider verstorben. Jedenfalls kam ich aus dem Penthouse auf die Straße – beladen mit meinem schweren Aktenkoffer natürlich –, und es waren etwa dreißig Zentimeter Schnee gefallen. Vollkommene Stille. Kinder zogen Schlitten über die Park Avenue. Nördlich der 72nd Street fuhren keine U-Bahnen mehr, also stapfte ich durch den knietiefen Schnee, als plötzlich ein Yellow Cab mit deiner Mutter darin vorbeikam! Und knirschend bremste. Als wäre sie von einer Suchmannschaft geschickt worden. ›Steigen Sie ein, ich nehme Sie mit.‹ Midtown Manhattan war völlig menschenleer … Schneeflocken tanzten, alle Lichter der Stadt brannten. Und wir glitten mit knapp fünf Stundenkilometern dahin – wir hätten auch auf einem Schlitten sitzen können –, überfuhren rote Ampeln, weil es sinnlos war anzuhalten. Ich weiß noch, dass wir uns über Fairfield Potter unterhalten haben – in New York war gerade eine Ausstellung zu Ende gegangen – und dann über Frank O'Hara und Lana Turner und darüber, in welchem Jahr das alte Horn-and-Hardart-Automaten-Restaurant endgültig geschlossen wurde. Und dann haben wir festgestellt, dass wir gegenüber voneinander arbeiten. Es war der Beginn einer wunderbaren Freundschaft, wie man so sagt.«

Ich blickte zu meinem Dad. Er hatte einen seltsamen Gesichtsausdruck, die Lippen fest aufeinandergepresst, als müsste er sich jeden Moment auf dem Teppich übergeben. »Ich möchte auf eine Privatschule gehen«, platzte ich heraus.

»Wirklich?«, sagte Mr. Bracegirdle. »Ich denke, das könnte eine ausgezeichnete Idee sein. An was hattest du gedacht? Zurück in den Osten? Oder irgendwo dort draußen?«

Das hatten wir uns noch nicht überlegt. Ich sah meinen Dad an.

»Ähm«, sagte ich, »ähm«, während mein Vater Grimassen zog und hektisch mit der Hand winkte.

»Möglicherweise gibt es auch im Westen gute Internate, obwohl ich nichts davon weiß«, sagte Mr. Bracegirdle. »Ich war in Milton, was für mich eine wunderbare Erfahrung war. Mein ältester Sohn ist auch dorthin gegangen, jedenfalls ein Jahr, aber für ihn war es nicht der richtige Ort …«

Während er weiterredete – über Milton, Kent und diverse andere Internate, auf die Kinder von Freunden oder Bekannten gegangen waren –, kritzelte mein Dad etwas auf einen Zettel, den er mir zuwarf. *Geld telegrafisch anweisen,* stand darauf, *Anzahlung.*

»Ähm«, sagte ich, weil ich nicht wusste, wie ich das Thema anders ansprechen sollte, »hat meine Mutter mir Geld hinterlassen?«

»Nun, nicht direkt«, sagte Mr. Bracegirdle, der nach der Frage oder vielleicht auch nur wegen der plumpen Unterbrechung ein wenig kühler klang. »Sie hatte zum Ende hin einige finanzielle Sorgen, wie du bestimmt selber weißt. Aber du hast eine Ausbildungsversiherung. Außerdem hat sie kurz vor ihrem Tod ein kleines UTMA für dich eingerichtet.«

»Was ist das?« Mein Dad hörte – den Blick auf mich gerichtet – ganz genau zu.

»Ein Uniform Transfer to Minors. Eine dir überschriebene Geldsumme, die ebenfalls für deine Ausbildung eingesetzt werden soll. Aber sie darf nicht anderweitig verwendet werden – jedenfalls nicht, solange du noch minderjährig bist.«

»Wieso nicht?«, fragte ich nach einer kurzen Pause, weil er den letzten Punkt anscheinend besonders betont hatte.

»So bestimmt es das Gesetz«, erwiderte er knapp. »Aber wenn du eine Schule besuchen möchtest, lässt sich bestimmt etwas machen. Ich weiß von einer Mandantin, die einen Teil der Ausbildungsversicherung ihres ältesten Sohnes benutzt hat, um damit einen schicken Kindergarten für ihre Jüngste zu bezahlen. Nicht dass ich zwanzigtausend Dollar im Jahr auf diesem Level für eine vernünftige Ausgabe halte – das müssen die teuersten Buntstifte in Manhattan sein! Aber ja, nur damit du verstehst, wie es funktioniert.«

Ich sah meinen Dad an. »Es gibt also keine Möglichkeit, dass Sie mir, sagen wir, fünfundsechzigtausend Dollar anweisen können«, sagte ich. »Wenn ich sie in dieser Minute brauchen würde.«

»Nein! Absolut nicht! Also vergiss das einfach wieder!« Sein Ton hatte sich verändert – offensichtlich hatte er seine Meinung über mich revidiert, ich war nicht mehr der Sohn meiner Mutter und ein guter Junge, sondern ein fieser kleiner Raffzahn. »Darf ich dich übrigens fragen, wie du zufällig auf diese spezielle Summe kommst?«

»Ähm …« Ich blickte zu meinem Dad, der sich die Augen zuhielt. *Scheiße,* dachte ich und merkte dann, dass ich es laut gesagt hatte.

»Nun, tut nichts zur Sache«, sagte Mr. Bracegirdle mit samtweicher Stimme. »Es ist schlicht nicht möglich.«

»Keinesfalls?«

»Keinesfalls, keineswegs.«

»Okay, gut.« Ich überlegte angestrengt, doch mein Verstand rann-

te in zwei Richtungen gleichzeitig. »Könnten Sie mir dann einen Tei
schicken? Zum Beispiel die Hälfte?«

»Nein. Alles müsste direkt mit dem College oder der Schule dei
ner Wahl geregelt werden. Anders ausgedrückt, ich muss Rechnun
gen sehen und Rechnungen bezahlen. Außerdem erfordert es ein
Menge Papierkram. Und für den unwahrscheinlichen Fall, dass d
dich entscheidest, *nicht* aufs College zu gehen …«

Während er verwirrend weiter über die diversen Details und Be
dingungen der Anlagen sprach, die meine Mutter für mich getätig
hatte (die sämtlich ziemlich restriktiv waren, was die Möglichkeite
betraf, dass mein Vater oder ich unmittelbar konkret auszugebende
Geld in die Hände bekamen), hielt mein Dad den Hörer ein Stüc
von seinem Ohr weg, und in seinem Gesicht spiegelte sich etwas, da
ziemlich genau wie Entsetzen aussah.

»Nun, ähm, das ist gut zu wissen, vielen Dank, Sir«, sagte ich
dringend bemüht, das Gespräch zu beenden.

»Es hat natürlich auch steuerliche Vorteile. Wenn man das Gel
auf diese Weise anlegt. Aber sie wollte vor allem sichergehen, das
dein Vater niemals in der Lage sein würde, es anzurühren.«

»Oh?«, sagte ich unsicher in das überlange Schweigen, das folg
te. Irgendetwas an seinem Tonfall hatte meinen Verdacht geweckt
dass er wusste, dass mein Vater die Lord-Vader-artige Präsenz sei
könnte, die hörbar (zumindest für mich, ob auch für ihn, konnte ic
nicht sagen) in der Leitung atmete.

»Es gibt auch noch andere Erwägungen. Also«, schickliche
Schweigen, »ich weiß nicht, ob ich dir das erzählen sollte, aber e
wurde bereits zwei Mal von unautorisierter Partei versucht, eine grö
ßere Geldsumme von dem Konto abzuheben.«

»Was?«, fragte ich nach einer allzu langen Pause.

»Weißt du«, sagte Mr. Bracegirdle, seine Stimme klang so weit ent
fernt, als würde sie vom Grund des Meeres kommen, »ich bin de
Verwalter des Kontos. Und etwa zwei Monate nach dem Tod deine
Mutter ist während der üblichen Geschäftszeiten jemand in die Ban
in Manhattan gekommen und hat versucht, meine Unterschrift au

440

…en Dokumenten zu fälschen. Nun, in der Hauptfiliale kennt man mich und hat mich sofort angerufen, doch noch während des Telefonats ist der Mann hinausgeschlüpft, bevor ein Wachmann ihn ansprechen und nach einem Ausweis fragen konnte. Das ist jetzt, du lieber Himmel, fast zwei Jahre her. Aber dann – erst vergangene Woche – hast du den Brief bekommen, den ich dir deswegen geschrieben habe?«

»Nein«, sagte ich, als ich schließlich begriff, dass ich etwas sagen musste.

»Nun, ohne zu sehr ins Detail zu gehen, es gab einen sonderbaren Anruf. Von jemandem, der vorgab, dein Anwalt im Westen zu sein, und um einen Transfer der Gelder bat. Als wir dann gründlicher nachgeprüft haben, mussten wir feststellen, dass eine Partei mit Zugang zu deiner Sozialversicherungsnummer in deinem Namen einen recht hohen Kreditrahmen beantragt und auch bekommen hat. Weißt du zufällig etwas darüber?

Nun, kein Grund zur Sorge«, fuhr er fort, als ich nichts sagte. Ich habe eine Kopie deiner Geburtsurkunde, die habe ich der Kredit gebenden Bank zugefaxt und das Konto sofort geschlossen. Außerdem habe ich Equifax und sämtliche Kreditagenturen alarmiert. Auch wenn du noch minderjährig und gesetzlich nicht befugt bist, einen solchen Vertrag abzuschließen, könnte man dich für solcherart in deinem Namen aufgenommene Schulden zur Verantwortung ziehen, sobald du volljährig bist. Ich rate dir in jedem Fall dringend, sehr vorsichtig mit deiner Sozialversicherungsnummer zu sein. Es ist theoretisch auch möglich, eine neue Sozialversicherungsnummer zugeteilt zu bekommen, obwohl der bürokratische Aufwand so zermürbend ist, dass ich davon abraten würde …«

Ich war in kaltem Schweiß gebadet, als ich auflegte – und völlig unvorbereitet für das Heulen, das mein Vater ausstieß. Ich dachte, er wäre wütend – wütend auf mich –, aber als er einfach so dastand, das Telefon immer noch in der Hand, betrachtete ich ihn eingehender und erkannte, dass er weinte.

Es war grauenhaft. Ich hatte keine Ahnung, was ich machen soll-

te. Er klang, als ob er mit kochendem Wasser übergossen wurde – al
ob er sich in einen Werwolf verwandelte – als ob er gefoltert wurde
Ich ließ ihn dort sitzen – Poptschik rannte vor mir die Treppe hoch
und wollte offensichtlich auch nichts mit dem Geheul zu tun haben –
ging in mein Zimmer, schloss die Tür ab und setzte mich, den Kopf ir
Händen, aufs Bett. Ich wollte Aspirin, aber nicht ins Bad gehen, um e
zu holen, wünschte, Xandra würde sich beeilen und nach Hause kom
men. Die Schreie von unten waren fürchterlich, als ob er mit einen
Flammenwerfer verbrannt wurde. Ich nahm meinen iPod, versuch
te, irgendwelche eher laute Musik zu finden, die nicht aufwühlen
war (Schostakowitschs Vierte, was zwar klassisch, aber *schon* ein we
nig aufwühlend war), legte mich mit den Ohrstöpseln aufs Bett un
starrte an die Decke, während Popper mit aufgestellten Ohren, di
Nackenhaare gesträubt, dastand und auf die geschlossene Tür starrte

XV

»Er hat mir erzählt, du hättest ein Vermögen«, sagte Boris später ar
jenem Abend auf dem Spielplatz, während wir herumsaßen und war
teten, dass die Drogen wirkten. Ich wünschte halb, wir hätten einer
anderen Abend ausgewählt, um sie zu nehmen, aber Boris hatte dar
auf beharrt, dass ich mich danach besser fühlen würde.

»Du hast geglaubt, ich hätte ein Vermögen und wollte dir nicht
davon erzählen?« Wir saßen, so kam es mir vor, schon eine Ewig
keit auf den Schaukeln und warteten auf ich weiß nicht genau was.

Boris zuckte die Schultern. »Ich weiß nicht. Es gibt vieles, was dr
mir nicht erzählst. Ich hätte es *dir* erzählt. Aber das ist in Ordnung.

»Ich weiß nicht, was ich machen soll.« Obwohl sie noch sehr fein
waren, begann ich glitzernde, graue, kaleidoskopartige Muster ir
dem Kies zu meinen Füßen zu bemerken – schmutziges Eis, Rauter
funkelnde Scherben. »Es wird langsam unheimlich.«

Boris stieß mich an. »Es gibt etwas, das ich dir auch nicht erzähl
habe, Potter.«

»Was?«

»Mein Dad muss weggehen. Wegen seines Jobs. In ein paar Monaten, erst zurück nach Australien. Und dann, glaube ich, nach Russland.«

Es entstand ein Schweigen, das vielleicht fünf Sekunden dauerte, die sich anfühlten wie eine Stunde. Boris? Weg? Alles schien eingefroren, als wäre der Planet stehen geblieben.

»Na ja, *ich* gehe nicht«, sagte Boris gelassen. Sein Gesicht flackerte im Licht des Mondes, irritierend elektrifiziert, wie ein Schwarzweißfilm aus der Stummfilmzeit. »Scheiß drauf. Ich haue ab.«

»Wohin?«

»Weiß nicht. Willst du mitkommen?«

»Ja«, sagte ich, ohne zu überlegen, und dann: »Kommt Kotku mit?«

Er verzog das Gesicht. »Ich weiß nicht.« Alles hatte eine derart filmische Qualität angenommen, steif und wie im Bühnenlicht, dass jeder Anschein realen Lebens verschwunden war. Wir waren neutralisiert worden, fiktionalisiert, verflacht, mein Gesichtsfeld war von einem schwarzen Rechteck begrenzt, ich konnte Untertitel unter dem lesen, was er sagte. Und dann sackte genau im selben Moment der Boden in meinem Bauch weg. *O Gott,* dachte ich, fuhr mir mit beiden Händen durchs Haar und fühlte mich viel zu überwältigt, um zu erklären, was ich fühlte.

Boris redete weiter, und ich merkte, dass ich mich nicht für immer in dieser körnigen Nosferatu-Welt verirren wollte, scharfe Schatten und Farblosigkeit, es war wichtig, ihm zuzuhören und sich nicht in der künstlichen Beschaffenheit der Dinge zu verlieren.

»… ich glaube, ich kann das schon verstehen«, sagte er traurig, während um ihn herum Pünktchen und Regentropfen des Verfalls tanzten. »Bei ihr wäre es nicht mal Abhauen, sie ist volljährig, weißt du? Aber sie hat schon mal auf der Straße gelebt, und es hat ihr nicht gefallen.«

»Kotku hat auf der Straße gelebt?« Ich verspürte eine unerwartete Welle des Mitleids mit ihr – irgendwie mit Orchestermusik unterlegt, fast einem filmischen Crescendo, obwohl die Traurigkeit an sich vollkommen real war.

»Nun, ich auch, in der Ukraine. Aber ich war immer mit meinen Freunden Max und Serjoscha zusammen – und nie länger als ein paar Tage am Stück. Manchmal war es Spaß. Wir haben in den Kellern leerer Gebäude geschlafen – haben getrunken, Butorphanol genommen, sogar Lagerfeuer gemacht. Aber wenn mein Dad ausgenüchtert war, bin ich immer nach Hause gegangen. Aber bei Kotku es war anders. Dieser eine Freund von ihrer Mutter – er hat sie zu Sachen gezwungen. Deshalb ist sie abgehauen. Hat in Hauseingängen geschlafen. Um Kleingeld gebettelt – Typen für Geld einen geblasen. Ist eine Weile von Schule abgegangen – es war mutig von ihr, zurückzukommen und zu versuchen, die Schule zu beenden, nach dem, was passiert ist. Denn, ich meine, die Leute reden. Du weißt schon.«

Wir bedachten schweigend die Furchtbarkeit all dessen, und ich hatte das Gefühl, in diesen wenigen Worten das volle Gewicht und Ausmaß von Kotkus und auch von Boris' Leben erfahren zu haben.

»Es tut mir leid, dass ich Kotku nicht mag!« Ich meinte es wirklich ernst.

»Na, mir tut es auch leid«, erwiderte Boris vernünftig. Seine Stimme schien direkt in mein Bewusstsein zu dringen, ohne durch meine Ohren zu gehen. »Aber sie mag dich auch nicht. Sie findet, du bist verwöhnt. Du hast nicht mal annähernd durchgemacht, was sie und ich erlebt haben.«

Das schien eine gerechte Kritik. »Klingt fair«, sagte ich.

Es war, als würde eine gewichtige, flackernde Zeitspanne verstreichen: zitternde Schatten, Rauschen, das Summen eines nicht zu sehenden Projektors. Als ich meine ausgestreckte Hand betrachtete, war sie mit Staubkörnern gesprenkelt und hell wie ein halb zersetzter alter Filmschnipsel.

»Wow, jetzt sehe ich es auch.« Boris wandte sich mir zu – eine irgendwie verlangsamte, handgekurbelte Bewegung, vierzehn Bilder pro Sekunde. Sein Gesicht war kalkweiß, und seine Pupillen waren dunkel und riesig.

»Sehen?«, fragte ich vorsichtig.

»Du weißt schon.« Er wedelte mit seiner im Scheinwerferlicht leuchtenden, schwarzweißen Hand durch die Luft. »Alles ist flach, wie Film.«

»Aber du …?« Es ging nicht nur mir so? Er sah es auch?

»Natürlich«, sagte Boris, der mit jedem Moment weniger aussah wie ein Mensch und mehr wie ein zerfallenes Stück Nitrofilm, und hinter ihm strahlte Licht aus einer versteckten Quelle. »Aber ich wünschte, wir könnten haben etwas in Farbe. Wie ›Mary Poppins‹ vielleicht.«

Als er das sagte, fing ich so unkontrolliert und heftig an zu lachen, dass ich beinahe von der Schaukel gefallen wäre, weil ich in diesem Moment sicher wusste, dass er dasselbe sah wie ich. Mehr noch: Wir *erschufen* es. Was immer die Droge uns sehen ließ, wir konstruierten es gemeinsam. Und mit dieser Einsicht schaltete der Virtuelle-Realität-Simulator auf Farbe um. Es geschah für uns beide gleichzeitig, *pop!* Wir sahen uns an und lachten einfach, alles war urkomisch, sogar die Rutsche des Spielplatzes lächelte uns an, und irgendwann tief in der Nacht, als wir auf dem Spielturm schaukelten und Funkenströme aus unseren Mündern regneten, hatte ich die Epiphanie, dass Lachen Licht war und Licht Lachen und dass dies das Geheimnis des Universums war. Stundenlang sahen wir zu, wie die Wolken sich zu immer neuen intelligenten Mustern formierten, wälzten uns im Dreck und dachten, es wäre Seegras (!), lagen auf dem Rücken und sangen für die einladenden dankbaren Sterne »Dear Prudence« – wirklich eine der großartigsten Nächte meines Lebens, trotz allem, was später geschah.

XVI

Boris übernachtete bei mir, weil ich näher beim Spielplatz wohnte und er (in seinem eigenen Lieblingsausdruck für Berauschtheit) *w gowno* war, was »hacke« oder »hackedicht« oder etwas in der Richtung bedeutete – jedenfalls zu weggetreten, um noch ohne Begleitung im Dunkeln nach Hause zu finden. Und das war ein Glück, denn so war ich nicht allein im Haus, als am nächsten Nachmittag um halb vier Mr. Silver vorbeischaute.

Obwohl wir kaum geschlafen hatten und ein bisschen wackelig auf den Beinen waren, fühlte sich alles noch immer ein klein wenig magisch an und voller Licht. Wir tranken Orangensaft, guckten Zeichentrickfilme (eine gute Idee, weil es die ausgelassene Technicolor-Stimmung des Abends auszudehnen schien) und – schlechte Idee – hatten gerade den zweiten Joint des Nachmittags geteilt, als es an der Tür klingelte. Poptschik, der die ganze Zeit extrem gereizt gewesen war – er spürte, dass wir irgendwie neben der Spur waren, und hatte uns angebellt, als ob wir besessen wären –, drehte sofort durch, beinahe so als hätte er etwas in der Richtung erwartet.

Sofort stürzte alles wieder auf mich ein. »Verdammte Scheiße«, sagte ich.

»*Ich* geh«, sagte Boris sofort, klemmte Poptschik unter den Arm und schlenderte los, barfuß und mit nacktem Oberkörper, scheinbar vollkommen unbekümmert. Doch nach höchstens einer Sekunde, so fühlte es sich an, kam er aschfahl zurück.

Er sagte nichts, und das musste er auch nicht. Ich stand auf, zog Turnschuhe an, band sie fest zu (wie ich es mir vor unseren Ladendiebstahlsexpeditionen für den Fall angewöhnt hatte, dass ich fliehen musste) und ging zur Tür. Mr. Silver war wieder da – weißes Sportjackett, Schuhcreme-Frisur, das volle Programm –, nur stand diesmal neben ihm ein großer Typ mit verwischten Tattoos, die sich über beide Unterarme schlängelten, und einem Baseballschläger aus Aluminium in der Hand.

»Hallo, Theodore!«, Mr. Silver schien ehrlich erfreut, mich zu sehen. »Wie geht's, wie steht's?«

»Gut.« Ich staunte, wie unbekifft ich mich mit einem Schlag fühlte. »Und selbst?«

»Ich kann mich nicht beklagen. Das ist aber eine ziemliche Beule die du da im Gesicht hast, Kumpel.«

Ich berührte vorsichtig meine Wange. »Hm.«

»Da solltest du dich besser drum kümmern. Dein Freund sagt mir, dein Dad ist nicht zu Hause.«

»Äh, das ist richtig.«

»Alles okay mit euch beiden? Habt ihr zwei hier draußen heute Nachmittag irgendwelche Probleme?«

»Ähm, nein, eigentlich nicht.« Weder schwang der Typ den Schläger, noch machte er sonst irgendwie bedrohliche Gesten, doch ich konnte nicht umhin, mir ziemlich bewusst zu sein, dass er den Schläger überhaupt hatte.

»Denn wenn«, fuhr Mr. Silver fort, »falls du je Probleme irgendwelcher Art hast? Kann ich mich, *zack,* einfach so, darum kümmern.«

Wovon redete er? Ich blickte an ihm vorbei auf die Straße zu seinem Wagen. Selbst durch die getönten Scheiben konnte ich die anderen Männer sehen, die darin warteten.

Mr. Silver seufzte. »Freut mich zu hören, dass du keine Probleme hast, Theodore. Ich wünschte, ich könnte dasselbe sagen.«

»Verzeihung?«

»Denn die Sache ist die«, fuhr er fort, als hätte ich gar nichts gesagt, »ich habe ein Problem. Ein wirklich großes. Mit deinem Vater.«

Da ich nicht wusste, was ich darauf antworten sollte, starrte ich auf seine Cowboystiefel. Sie waren aus schwarzem Krokodilleder, mit schrägen Absätzen und so glänzend poliert, dass sie mich an die Girlie-Westernstiefel erinnerten, die Lucie Lobo, eine abgefahrene Stylistin aus der Agentur meiner Mutter, immer getragen hatte.

»Weißt du, die Sache ist die«, sagte Mr. Silver. »Mir gehören fünfzig Riesen von einem Schuldschein deines Dads. Und das bereitet mir ein paar sehr große Probleme.«

»Er kriegt das Geld zusammen«, sagte ich verlegen. »Wenn Sie ihm, ich weiß nicht, vielleicht noch ein wenig mehr Zeit geben …«

Mr. Silver sah mich an. Er rückte seine Brille zurecht.

»Hör zu«, sagte er freundlich. »Wenn dein Dad sein letztes Hemd darauf wetten will, wie irgendwelche Schwachköpfe mit einem be-

schissenen Ball rumhantieren – ich meine, verzeih meine Ausdrucks
weise. Aber es fällt mir schwer, Mitleid mit einem Typen wie ihm auf
zubringen. Er erfüllt seine Verpflichtungen nicht, ist drei Woche
mit den Raten im Rückstand, erwidert meine Anrufe nicht«, er zähl
te die Vergehen an den Fingern ab, »er trifft eine Verabredung, mich
heute Mittag zu treffen, und dann taucht er nicht auf. Weißt du, wie
lange ich gesessen und auf den Penner gewartet habe? *Eineinhal*
Stunden. Als ob ich nichts Besseres zu tun hätte.« Er legte den Kop
zur Seite. »Es sind Typen wie dein Dad, die Typen wie mich und Yur
ko hier im Geschäft halten. Meinst du, es gefällt mir, zu euch nach
Hause zu kommen? Den weiten Weg hier raus zu fahren?«

Ich hatte das für eine rhetorische Frage gehalten – offensichtlich
würde niemand bei klarem Verstand gerne den ganzen Weg bis zu
unserem Haus zurücklegen –, da jedoch ungeheuerlich viel Zeit ver
strich und er mich immer noch anstarrte, als würde er tatsächlich
eine Antwort erwarten, blinzelte ich schließlich unbehaglich und
sagte: »Nein.«

»*Nein.* Vollkommen richtig, Theodore. Ganz gewiss nicht. Wi
haben Besseres zu tun, ich und Yurko, glaub mir, als den ganzen
Nachmittag hinter einem Penner wie deinem Dad herzujagen. Also
tu mir bitte einen Gefallen und richte ihm aus, dass wir das Ganz
wie Gentlemen regeln können, sobald er sich mit mir zusammen
setzt und die Sache klärt.«

»Die Sache klärt?«

»Er muss mir bringen, was er mir schuldet.« Er lächelte, doch di
graue Tönung am oberen Rand seiner Pilotenbrille ließ seine Auge
beunruhigend verschlagen wirken. »Und ich möchte, dass du ihn
sagst, er soll das für mich tun, Theodore. Denn, glaub mir, wenn ic
das nächste Mal hier rauskomme, werde ich nicht mehr so nett sein.

XVII

Als ich ins Wohnzimmer zurückkam, saß Boris still da, guckte Zeichentrickfilme ohne Ton und streichelte Popper – der trotz seiner vorherigen Aufgeregtheit fest in seinem Schoß schlief.

»Lächerlich«, meinte er knapp.

Er sprach das Wort so aus, dass ich einen Moment brauchte, um zu begreifen, was er gesagt hatte. »Genau«, sagte ich, »ich sag ja, er ist ein Spinner.«

Boris schüttelte den Kopf und lehnte sich auf der Couch zurück. Ich meine nicht den alten Typen mit der Perücke, der aussieht wie Leonard Cohen.«

»Du glaubst, es ist eine Perücke?«

Er verzog das Gesicht, als wollte er sagen, wen kümmert's. »Ihn auch, aber ich meine den großen Russen mit dem Metall- wie sagt man?«

»Baseballschläger.«

»Das war bloß Show«, sagte er abschätzig. »Er hat nur versucht, dir Angst zu machen, der Wichser.«

»Woher weißt du, dass er Russe war?«

Er zuckte die Achseln. »Weil ich weiß. Niemand hat solche Tätowierungen in USA. Russischer Staatsbürger, keine Frage. Er wusste, dass ich auch Russe bin, sobald ich Mund aufgemacht habe.«

Es verging eine Weile, bis mir bewusst wurde, dass ich dasaß und ins Leere starrte. Boris hob Poptschik so behutsam von seinem Schoß auf das Sofa, dass er nicht aufwachte. »Willst du eine Weile hier verschwinden?«

»O Gott.« Ich schüttelte unvermittelt den Kopf – die Wucht des Besuches hatte mich aus irgendeinem Grund gerade erst wirklich getroffen, eine verzögerte Reaktion. »Scheiße, ich *wünschte,* mein Dad wäre zu Hause gewesen. Weißt du? Ich wünschte, der Typ hätte ihm den Arsch versohlt. Echt. Er hat es verdient.«

Boris trat mir gegen den Knöchel. Seine Füße waren schwarz vor Dreck, die Nägel dank Kotku schwarz lackiert.

449

»Weißt du, was ich gestern gegessen habe?«, fragte er gesellig. »Zwei Nestlé und eine Pepsi.« Für Boris waren alle Schokoriegel »Nestlé«, so wie alle nicht alkoholischen Getränke mit Kohlensäure »Pepsi« waren. »Und weißt du, was ich heute gegessen habe?« Er zeigte mit Daumen und Zeigefinger eine Null. »Nol.«

»Ich auch nicht. Von dem Zeug wird man appetitlos.«

»Ja, aber ich muss etwas essen. Mein Bauch …« Er zog eine Grimasse.

»Sollen wir Pfannkuchen holen?«

»Ja – irgendwas – ist mir egal. Hast du Geld?«

»Ich guck mal.«

»Gut, ich glaube, ich habe ungefähr fünf Dollar.«

Während Boris Schuhe und ein Hemd suchte, spritzte ich mir ein bisschen Wasser ins Gesicht, begutachtete meine Pupillen und die Beule am Kinn, knöpfte mein Hemd wieder auf, als ich sah, dass es falsch zugeknöpft war, ließ dann Poptschik vor die Tür und warf ein paar Mal den Tennisball für ihn, weil er keinen richtigen Spaziergang an der Leine gemacht hatte und ich wusste, dass er sich eingesperrt fühlte. Als wir wieder hereinkamen, war Boris – mittlerweile bekleidet – im Erdgeschoss. Wir hatten kurz das Wohnzimmer durchsucht, lachten und laberten, schmissen unsere Münzen zusammen und überlegten, wohin wir gehen wollten und wie wir am schnellsten dorthin kamen, als wir plötzlich bemerkten, dass Xandra hereingekommen war und mit einem komischen Gesichtsausdruck im Zimmer stand.

Sofort hörten wir beide auf zu reden und sortierten unser Kleingeld schweigend weiter. Es war keine Uhrzeit, zu der Xandra normalerweise nach Hause kam, aber ihr Schichtplan war manchmal völlig unregelmäßig, und es war nicht das erste Mal, dass sie uns überraschte. Aber dann sagte sie mit unsicher klingender Stimme meinen Namen.

Wir vergaßen das Kleingeld. Im Allgemeinen nannte Xandra mich *Kiddo* oder *Hey, du*, alles Mögliche, nur nicht Theo. Mir fiel auf, dass sie noch ihre Arbeitsuniform trug.

»Dein Dad hatte einen Autounfall«, sagte sie. Es war, als ob sie sich an Boris statt an mich richten würde.

»Wo?«, fragte ich.

»Es ist vor zwei Stunden passiert. Das Krankenhaus hat mich bei der Arbeit angerufen.«

Boris und ich sahen uns an. »Wow«, sagte ich. »Was ist passiert? Hat er den Wagen zu Schrott gefahren?«

»Er hatte einen Blutalkohol von 3,9 Promille.«

Die Zahl sagte mir nichts, die Tatsache, dass er getrunken hatte, dagegen schon. »Wow«, sagte ich und steckte mein Kleingeld ein, dann: »Und wann kommt er nach Hause?«

Sie sah mich leeren Blickes an. »Nach Hause?«

»Aus dem Krankenhaus.«

Sie schüttelte hastig den Kopf, sah sich nach einem Stuhl um und setzte sich. »Du verstehst nicht.« Ihre Miene war seltsam und ausdruckslos. »Er ist gestorben. Er ist tot.«

XVIII

An die nächsten sechs oder sieben Stunden erinnere ich mich nur verschwommen. Etliche von Xandras Freunden kamen vorbei: ihre beste Freundin Courtney, ihre Arbeitskollegin Jane und ein Paar namens Stewart und Lisa, die netter und viel normaler waren als die Leute, die Xandra normalerweise zu Gast hatte. Boris kramte großzügig die Reste von Kotkus Gras hervor, was alle Anwesenden zu schätzen wussten. Dankenswerterweise bestellte irgendjemand (vielleicht war es Courtney) Pizza – wie sie Domino's dazu brachte, sie zu uns nach Hause zu liefern, weiß ich nicht, denn Boris und ich hatten seit einem Jahr vergeblich gefleht und gebettelt und alle nur erdenklichen Schmeicheleien und Ausreden probiert.

Während Janet neben Xandra saß und den Arm um sie legte, Lisa ihren Kopf tätschelte, Stewart in der Küche Kaffee machte und Courtney auf dem Küchentisch einen Joint drehte, beinahe so fach-

männisch gebaut wie einer von Kotkus, hielten Boris und ich un
überwältigt im Hintergrund. Es war schwer zu glauben, dass mein
Dad tot sein konnte, während seine Zigaretten noch auf dem Kü
chentresen lagen und seine alten weißen Tennisschuhe an der Hin
tertür standen. Offenbar – es kam alles in der verkehrten Reihenfol
ge heraus, sodass ich es mir im Kopf zusammensetzen musste – wa
mein Dad um kurz vor zwei Uhr am Nachmittag mit dem Lexu
auf die Gegenfahrbahn des Highways geraten, frontal in einen Sat
telschlepper gerast und auf der Stelle tot gewesen (der Fahrer de
LKW zum Glück nicht, genauso wenig wie die Insassen des Wagens
der auf den Laster aufgefahren war, obwohl sich dessen Fahrer ei
Bein gebrochen hatte). Die Mitteilung über den Blutalkohol war ein
Überraschung und auch wieder nicht – ich hatte vermutet, dass mei
Vater wieder trank, obwohl ich ihn nicht dabei gesehen hatte –, abe
was Xandra verblüffte, war nicht seine extreme Trunkenheit (er hatt
praktisch bewusstlos am Steuer gehangen), sondern der Unfallort –
außerhalb von Vegas auf dem Weg in die Wüste Richtung Westen
»Er hätte es mir erzählt, er hätte es mir erzählt«, jammerte sie auf ir
gendeine Frage von Courtney, nur warum, dachte ich düster, auf den
Boden sitzend und die Hände vor den Augen, glaubte sie, dass es im
Wesen meines Vaters lag, über irgendetwas die Wahrheit zu sagen?

Boris hatte einen Arm um meine Schulter gelegt. »Sie weiß e
nicht, oder?«

Ich wusste, dass er von Mr. Silver sprach. »Sollte ich …«

»Wohin wollte er?«, fragte Xandra Courtney und Janet beinah
aggressiv, als hätte sie sie im Verdacht, Informationen zurückzuhal
ten. »Was hat er da draußen gemacht?« Es war eigenartig, sie imme
noch in ihrer Arbeitsuniform zu sehen, weil sie sich normalerweis
sofort umzog, wenn sie nach Hause kam.

»Er ist nicht zu dem Treffen mit dem Typen gegangen, wie er soll
te«, flüsterte Boris.

»Ich weiß.« Möglicherweise hatte er vorgehabt, zu dem klären
den Gespräch mit Mr. Silver zu fahren. Aber wahrscheinlich – wi
meine Mutter und ich es so oft und fatal geahnt hatten – hatte er au

dem Weg in irgendeiner Bar Halt gemacht, auf ein oder zwei Kurze, um die Nerven zu beruhigen, wie er immer sagte. Und wer konnte wissen, was ihm in diesem Moment möglicherweise durch den Kopf gegangen war? Sicher nichts was Xandra unter diesen Umständen weiterhelfen würde, doch es wäre weiß Gott nicht das erste Mal, dass er sich angesichts seiner Verpflichtungen aus der Stadt verdrücken wollte.

Ich weinte nicht. Obwohl ich immer wieder von Fassungslosigkeit und Panik gepackt wurde, schien alles hochgradig irreal, und ich sah mich ständig nach ihm um, jedes Mal erstaunt über die Abwesenheit seiner Stimme unter den anderen, diese gefällige, gemessene Aspirin-Werbung-Stimme (*Vier von fünf Ärzten ...*), die sich gegen alle anderen im Raum durchsetzte.

Xandra schwankte zwischen relativer Gefasstheit – sie wischte sich Augen ab, holte Teller für die Pizza und schenkte allen roten Wein aus, der irgendwoher aufgetaucht war – und tränenreichen Zusammenbrüchen. Nur Poptschik war glücklich: So viele Leute hatten wir nur selten zu Besuch, und er lief von einem zum anderen und ließ sich auch durch wiederholte Zurückweisung nicht entmutigen. An irgendeinem verschwommenen Punkt am späten Abend – Xandra weinte zum zwanzigsten Mal in Courtneys Armen, *o mein Gott, er ist nicht mehr, ich kann es nicht glauben* – zog Boris mich beiseite und sagte: »Potter, ich muss gehen.«

»Nein, bitte nicht.«

»Kotku flippt total aus. Ich soll jetzt bei ihr sein! Sie hat mich seit achtundvierzig Stunden nicht gesehen.«

»Pass auf, sag ihr, dass sie vorbeikommen kann, wenn sie will – erzähl ihr, was passiert ist. Es wäre wirklich total beschissen, wenn du jetzt gehst.«

Xandra war durch ihre Trauer und die Gäste zunehmend abgelenkt, sodass Boris sich nach oben schleichen und den Anruf aus ihrem Zimmer machen konnte – ein Zimmer, das normalerweise abgeschlossen war und das Boris und ich nie zu Gesicht bekamen. Etwa zehn Minuten später kam er die Treppe hinuntergehuscht.

»Kotku hat gesagt, soll bleiben«, erklärte er und hockte sich nebe
mich. »Sie sagt, ich soll ausrichten, dass es ihr leidtut.«

»Wow.« Ich war den Tränen nahe und rieb mir das Gesicht, dami
er nicht sah, wie überrascht und gerührt ich war.

»Na ja, ich meine, sie weiß, wie es ist. Ihr Vater ist auch gestorben.

»Ach ja?«

»Ja, vor ein paar Jahren. Auch bei einem Autounfall. Sie stande
sich nicht sehr nahe …«

»Wer ist gestorben?«, fragte Janet, die schwankend hinter uns auf
getaucht war, eine krause, seidenbebluste Präsenz, die nach Gras und
Kosmetika roch. »Ist noch jemand gestorben?«

»Nein«, antwortete ich knapp. Ich mochte Janet nicht – sie wa
die dumme Tussi, die angeboten hatte, sich um Popper zu küm
mern, und ihn dann mit seinem Futter-Portionierer allein gelas
sen hatte.

»Nicht du, er.« Sie machte einen Schritt zurück und wandte ihr
benebelte Aufmerksamkeit Boris zu. »Ist jemand gestorben? Den
du nahestandest?«

»Mehrere Menschen, ja.«

Sie blinzelte. »Woher kommst du?«

»Warum?«

»Deine Stimme klingt komisch. Irgendwie britisch oder so – nein
warte. Wie eine Mischung aus Britisch und Transsylvanien.«

Boris johlte. »Transsylvanien?« Er bleckte die Zähne. »Willst du
dass ich dich beiße?«

»Oh, ihr albernen Jungen«, sagte sie undeutlich, tippte Boris mi
dem Fuß ihres Weinglases auf den Kopf und schlenderte davon, un
sich von Stewart und Lisa zu verabschieden, die im Aufbruch be
griffen waren.

Xandra hatte offenbar eine Pille genommen. (»Vielleicht meh
als eine«, flüsterte Boris mir ins Ohr.) Sie schien kurz vor der Be
wusstlosigkeit. Boris – es war mies von mir, aber ich weigerte mic
schlichtweg – nahm ihr die brennende Zigarette aus der Hand und
drückte sie aus, bevor er Courtney half, sie die Treppe hinauf in ih

immer zu manövrieren, wo sie bei offener Tür, das Gesicht nach unten auf ihrem Bett lag.

Ich stand in der Tür, während Boris und Courtney ihr die Schuhe auszogen – neugierig, wenigstens einmal den Raum zu sehen, den sie und mein Dad immer abgeschlossen hatten. Schmutzige Tassen und Aschenbecher, Stapel von *Glamour*-Heften, ein bauschiger grüner Bettüberwurf, der Laptop, den ich nie benutzen durfte, ein teures Rad – wer hätte geahnt, dass sie dort drinnen ein Trimmrad hatten?

Xandras Schuhe waren abgestreift, doch sie hatten beschlossen, sie ansonsten bekleidet zu lassen. »Willst du, dass ich über Nacht bleibe?«, fragte Courtney Boris leise.

Boris räkelte sich schamlos und gähnte. Sein Hemd rutschte hoch, und seine Jeans saß so tief, dass man sehen konnte, dass er keine Unterhose trug. »Nett von dir«, sagte er. »Aber sie ist fürs Erste weggetreten, glaube ich.«

»Es macht mir nichts aus.« Vielleicht war ich stoned – ich *war* stoned –, aber sie lehnte sich so dicht zu ihm hin, dass es aussah, als wollte sie ihn anmachen, was ich urkomisch fand.

Irgendwie muss ich ein halb würgendes oder lachendes Geräusch von mir gegeben haben, da Courtney sich umdrehte, gerade rechtzeitig, um meine Geste an Boris mitzubekommen, ein Daumen, der zur Tür wies – *schaff sie hier raus!*

»Alles okay mit dir?«, fragte sie kühl und musterte mich von oben bis unten. Boris lachte auch, setzte jedoch ein ernstes Gesicht auf, ehe sie sich wieder ihm zuwandte, seine Miene ganz seelenvoll und besorgt, was mich noch mehr zum Lachen brachte.

XIX

Xandra blieb bewusstlos, bis alle gegangen waren – so tief ohnmächtig, dass Boris einen Taschenspiegel aus ihrer Handtasche (die er auf Pillen und Bargeld gefilzt hatte) nahm und ihr unter die Nase hielt, um zu sehen, ob sie noch atmete. In ihrer Brieftasche waren zweihundertneunundzwanzig Dollar, die zu nehmen mir kein allzu schlechtes Gewissen bereitete, weil Xandra noch all ihre Kreditkarten und einen nicht eingelösten Scheck über zweitausendfünfundzwanzig Dollar besaß.

»Wusste ich's doch, dass Xandra nicht ihr richtiger Name ist.« Ich warf Boris ihren Führerschein zu: orangestichiges Gesicht, eine andere Dauerwellenfrisur, Name Sandra Jaye Terrell, keine Einschränkungen. »Ich frag mich, wozu diese Schlüssel passen?«

Boris saß wie ein Arzt aus einem alten Film auf der Bettkante, fühlte ihren Puls und hielt den Spiegel ins Licht. »Da da«, murmelte er und dann noch etwas, das ich nicht verstand.

»Hä?«

»Sie ist bewusstlos.« Er stupste mit einem Finger gegen ihre Schulter, bevor er sich über sie beugte und in die Nachttischschublade blickte, wo ich hektisch durch einen verwirrenden Haufen Kleinkram wühlte: Münzen, Roulettechips, Lipgloss, Bierdeckel, falsche Wimpern, Nagellackentferner, abgegriffene Taschenbücher (*Der wunde Punkt: Die Kunst, nicht unglücklich zu sein*), Parfümprober, alte Kassetten, seit zehn Jahren abgelaufene Versicherungskarten und ein Schwung Streichholzbriefchen von einer Anwaltskanzlei in Reno mit dem Aufdruck VERTRETUNG BEI ALKOHOL AM STEUER UND ALLEN DROGENDELIKTEN.

»Hey, gib mir die.« Boris steckte einen Streifen Kondome ein. »Und was ist das?« Er nahm etwas, das auf den ersten Blick aussah wie eine Coladose, jedoch klapperte, als er es schüttelte. Er hielt sein Ohr daran. »Ha!« Er warf es mir zu.

»Saubere Arbeit.« Ich schraubte den – erkennbar unechten – Deckel ab und kippte den Inhalt auf den Nachttisch.

»Wow«, sagte ich nach einem Moment. In der Dose bewahrt Xandra offensichtlich ihr Trinkgeld auf – teils Bargeld, teils Spielchips, dazu noch eine Menge anderer Dinge. So viele, dass ich Mühe hatte, sie alle zu registrieren – zumal mein Blick sofort auf die Diamant-und-Smaragd-Ohrringe gefallen war, die meine Mutter vermisst hatte, kurz bevor mein Vater abgehauen war.

456

»Wow«, sagte ich noch einmal und hielt einen von ihnen zwischen Daumen und Zeigefinger. Meine Mutter hatte diese Ohrringe zu fast jeder Cocktail-Party getragen und wann immer sie sich sonst schick gemacht hatte – die blaugrüne Transparenz der Steine, ihr verruchtes Drei-Uhr-morgens-Glitzern gehörten zu ihr wie ihre Augenfarbe oder der würzig dunkle Geruch ihres Haars.

Boris kicherte. Zwischen all dem Bargeld hatte er ein Filmdöschen entdeckt, das er sich sofort schnappte und mit zitternden Händen öffnete. Er tunkte den kleinen Finger hinein und probierte den Inhalt. »Bingo!« Er strich mit dem Finger über das Zahnfleisch. »Jetzt wird Kotku sich ärgern, dass sie nicht vorbeigekommen ist.«

Ich präsentierte ihm die Ohrringe in meiner offenen Hand. »Ja, nett«, sagte er, ohne richtig hinzusehen. Er klopfte ein kleines Puderhäufchen aus der Dose auf den Nachttisch. »Dafür bekommst du ein paar tausend Dollar.«

»Die haben meiner Mutter gehört.« Das meiste von ihrem Schmuck hatte mein Vater noch in New York verkauft, inklusive ihres Eherings. Aber jetzt stellte ich fest, dass Xandra einiges für sich abgezweigt hatte, und zu sehen, was sie ausgewählt hatte, stimmte mich eigenartig traurig – nicht die Perlen oder die Rubinbrosche, sondern billigen Modeschmuck, den meine Mutter als Teenager getragen hatte, darunter ein Armband aus ihrer Highschool-Zeit mit Hufeisen-, Ballettschuh- und Kleeblatt-Anhängern.

Boris richtete sich auf, kniff sich in die Nase und gab mir den gerollten Geldschein. »Möchtest du auch?«

»Nein.«

»Komm schon. Danach geht es dir besser.«

»Nein, danke.«

»Das sind zusammen bestimmt vier oder fünf Achtel-Unzen. Vielleicht mehr! Wir können eine behalten und den Rest verkaufen.«

»Hast du das Zeug schon mal genommen?«, fragte ich skeptisch und betrachtete die auf dem Bett liegende Xandra. Obwohl sie offensichtlich ausgezählt war, gefiel es mir nicht, diese Gespräche über ihren Rücken hinweg zu führen.

»Yeah. Kotku mag es. Ist aber teuer.« Eine Weile lang wirkte er komplett abwesend, dann blinzelte er schnell. »Wow. Komm«, sagte er lachend. »Hier. Weißt du gar nicht, was verpasst.«

»Ich bin auch so schon total hinüber.« Ich blätterte das Geld durch.

»Ja, aber das macht dich wieder nüchtern.«

»Boris, ich kann hier nicht rumalbern.« Ich steckte die Ohrringe und das Armband mit den Anhängern ein. »Wenn wir abhauen müssen wir sofort aufbrechen. Bevor alle möglichen Leute auftauchen.«

»Welche Leute?«, fragte Boris skeptisch und strich den Finger unter seiner Nase hin und her.

»Glaub mir, das geht ganz schnell. Das Jugendamt oder so schaltet sich ein.« Ich hatte das Bargeld gezählt – tausenddreihunderteinundzwanzig Dollar plus Kleingeld; die Chips waren zusammen sehr viel mehr wert, knapp fünftausend Dollar, aber die konnte ich ihr auch dalassen. »Die Hälfte für dich, die Hälfte für mich.« Ich begann, das Geld auf zwei Stapel aufzuteilen. »Das reicht für zwei Tickets. Wahrscheinlich ist es für den letzten Flug schon zu spät, aber wir sollten schon mal aufbrechen und einen Wagen zum Flughafen nehmen.«

»Jetzt? Heute Nacht?«

Ich hörte auf zu zählen und sah ihn an. »Ich habe hier draußen niemanden. Keinen Menschen. *Nada.* Die stecken mich so schnell in ein Heim, dass ich gar nicht weiß, was mich getroffen hat.«

Boris wies mit dem Kopf auf Xandra – was äußert entnervend war, weil sie flach ausgebreitet auf der Matratze zu sehr aussah wie eine Tote. »Was ist mit ihr?«

»Was, verdammt noch mal?«, sagte ich nach einer Pause. »Was sollen wir denn machen? Warten, bis sie aufwacht und feststellt, dass wir sie abgezockt haben?«

»Weiß nicht.« Boris musterte sie skeptisch. »Sie tut mir nur leid.«

»Also mir nicht. *Sie* will mich nicht. Sie wird sie anrufen, sobald sie kapiert, dass sie mich am Bein hat.«

»Sie? Ich verstehe nicht, wer ist diese *sie*.«

»Boris, ich bin minderjährig.« Ich spürte, wie meine Panik auf llzu vertraute Weise anschwoll – vielleicht ging es in der Situation nicht buchstäblich um Leben und Tod, doch es fühlte sich auf jeden Fall so an, ein Haus, in dem sich Rauch ausbreitete und alle Ausgänge versperrt wurden. »Ich weiß nicht, wie das in deinem Land funktioniert, aber ich habe *keine* Familie, keine Freunde hier …«

»Mich! Du hast mich!«

»Was willst du denn machen? Mich adoptieren?« Ich stand auf. »Hör zu, wenn du mitkommst, müssen wir uns beeilen. Hast du deinen Pass? Den brauchst du für den Flug.«

Boris hob nach russischer Manier die Hände zu einer *Mir reicht's jetzt schon*-Geste. »Warte! Das geht alles viel zu schnell.«

Ich blieb auf halbem Weg zur Tür stehen. »Scheiße, was ist dein Problem?«

»*Mein* Problem?«

»*Du* wolltest abhauen! Du warst derjenige, der mich gefragt hat, ob ich mitkomme! Gestern Nacht!«

»Wohin willst du? Nach New York?«

»Wohin denn sonst?«

»Ich will irgendwohin, wo es warm ist«, sagte er sofort. »Kalifornien.«

»Das ist verrückt! Wen kennen wir …«

»Kalifornien!«, krähte er.

»Also gut.« Auch wenn ich fast nichts über Kalifornien wusste, konnte man sicher davon ausgehen, dass Boris (abgesehen von den Takten von »California Über Alles«, die er summte) noch weniger wusste. »Wohin in Kalifornien? Welche Stadt?«

»Wen interessiert's?«

»Es ist ein großer Staat.«

»Fantastisch! Das wird ein Spaß! Wir bleiben ununterbrochen high – lesen Bücher – machen Lagerfeuer. Schlafen am Strand.«

Einen langen unerträglichen Moment sah ich ihn an. Sein Gesicht loderte, und sein Mund war schwarz von dem Rotwein.

»Also gut«, wiederholte ich – in vollem Bewusstsein, dass ich von einer Klippe in den größten Fehler meines Lebens sprang, Kleindiebstahl, mit einem Pappbecher auf dem Bürgersteig betteln, Obdachlosigkeit und auf der Straße schlafen, der Absturz, von dem ich mich nie wieder erholen würde.

Er war ausgelassen. »Also der Strand? Ja?«

So kam man vom rechten Weg ab: so schnell. »Wohin du willst.« Ich strich mir eine Strähne aus den Augen, todmüde. »Aber wir müssen sofort aufbrechen. Bitte.«

»Was, in dieser Minute?«

»Ja. Musst du noch mal nach Hause und irgendwas holen?«

»*Heute Nacht?*«

»Ich meine es ernst, Boris.« Mit ihm zu diskutieren, ließ meine Panik wieder ansteigen. »Ich kann nicht bloß hier rumsitzen und warten …« Das Gemälde war ein Problem, ich war mir nicht sicher, wie das funktionieren sollte, aber wenn ich Boris erst mal aus dem Haus hatte, konnte ich mir irgendwas überlegen. »Bitte, mach hin.«

»Ist staatliche Fürsorge in USA so schlimm?«, fragte Boris skeptisch. »Bei dir klingt wie die Bullen.«

»Kommst du mit? Ja oder nein?«

»Ich brauche noch Zeit«, sagte er und folgte mir, »wir können nicht sofort aufbrechen! Wirklich – ich schwöre. Warte noch ein bisschen. Gib mir einen Tag! Einen Tag!«

»Warum?«

Er schien perplex. »Na ja, ich meine, weil …«

»Weil?«

»Weil – ich Kotku treffen muss! Und – alles Mögliche! Ehrlich, du kannst nicht *heute Nacht* aufbrechen«, wiederholte er und dann, als ich nichts sagte: »Glaub mir. Es wird dir leidtun, ehrlich. Komm mit zu mir! Warte noch bis morgen!«

»Ich kann nicht warten«, erwiderte ich knapp, nahm meine Hälfte des Geldes und ging zurück zu meinem Zimmer.

»Potter …« Er kam mir nach.

»Ja?«

»Ich muss dir etwas Wichtiges sagen.«

»Boris«, ich drehte mich um, »was verdammt noch mal? Was ist denn?« Wir waren stehen geblieben und starrten uns an. »Wenn du etwas zu sagen hast, dann sag es, los.«

»Ich habe Angst, du wirst wütend.«

»Was ist los? Was hast du getan?«

Boris blieb stumm und kaute an seinem Daumennagel.

»Also was?«

Er wandte den Blick ab. »Du musst bleiben«, sagte er vage. »Du machst einen Fehler.«

»Vergiss es«, fauchte ich und wandte mich wieder ab. »Wenn du nicht mitkommen willst, dann eben nicht, okay? Aber ich kann hier nicht die ganze Nacht rumstehen.«

Boris könnte fragen – dachte ich –, was in dem Kopfkissenbezug steckte, zumal es nach meiner überenthusiastischen Verpackungsaktion so dick und sonderbar geformt war. Aber während ich den Bezug von der Rückseite meines Kopfteils löste und in meine Reisetasche packte (zusammen mit meinem iPod, Notebook, Aufladekabel, *Wind, Sonne und Sterne,* ein paar Bildern von meiner Mom, meiner Zahnbürste und Kleidung zum Wechseln), blickte er mich nur schweigend und finster an. Als ich aus den Tiefen des Kleiderschranks meinen alten Schulblazer hervorkramte (der mir mittlerweile zu klein war, obwohl er beim Kauf zusammen mit meiner Mutter noch nicht gepasst hatte), nickte er und meinte: »Gute Idee, das.«

»Was?«

»Damit siehst du nicht mehr so obdachlos aus.«

»Es ist November«, sagte ich. Ich hatte nur einen warmen Pullover aus New York mitgebracht, den ich in die Tasche stopfte, bevor ich den Reißverschluss zuzog. »Es ist bestimmt kalt.«

Boris lümmelte sich an die Wand. »Was wirst du machen dann? Auf der Straße leben, im Bahnhof, wo?«

»Ich kann einen Freund anrufen, bei dem ich schon mal gewohnt habe.«

»Wenn sie dich wollten, diese Leute, dann hätten sie dich schon adoptiert.«

»Sie konnten nicht! Wie hätten sie?«

461

Boris verschränkte die Arme. »Sie wollten dich nicht, diese Familie. Das hast du mir selbst erzählt – viele Male. Außerdem, du hörst nie was von ihnen.«

»Das ist nicht wahr«, sagte ich nach einer kurzen, verwirrten Pause. Erst vor wenigen Monaten hatte Andy mir eine (für seine Verhältnisse) beinahe lange E-Mail geschickt, in der er berichtet hatte, was in der Schule los war, ein Skandal um einen Tennis-Trainer, der Mädchen aus unserer Klasse angegrapscht hatte, obwohl dieses Leben so weit entfernt war, dass es mir so vorkam, als würde ich über Leute lesen, die ich nicht kannte.

»Zu viele Kinder«, sagte Boris, ein bisschen selbstgefällig, so kam es mir vor. »Nicht genug Platz? Schon vergessen den Teil? Du hast gesagt, die Mutter und der Vater wären froh gewesen, dich loszuwerden.«

»Du kannst mich mal.« Ich bekam schon jetzt massive Kopfschmerzen. Was würde ich machen, wenn die Jugendfürsorge auftauchte und mich auf die Rückbank eines Wagens verfrachtete? Wen – in Nevada – könnte ich anrufen? Mrs. Spear? Mrs. Playa? Den fetten Verkäufer aus dem Modellbau-Geschäft, der uns den Klebstoff ohne die Modelle verkaufte?

Boris folgte mir nach unten, wo wir in der Mitte des Wohnzimmers von einem gequält aussehenden Popper aufgehalten wurden, der unseren Weg kreuzte, direkt vor uns Platz nahm und uns anstarrte, als wüsste er ganz genau, was los war.

»O Scheiße.« Ich stellte die Tasche ab. Danach herrschte Schweigen.

»Boris«, sagte ich, »kannst du nicht …«

»Nein.«

»Kann Kotku …«

»Nein.«

»Na, dann scheiß drauf«, ich hob ihn hoch und klemmte ihn unter den Arm, »ich lasse ihn nicht hier, damit sie ihn einsperrt und verhungern lässt.«

»Und wohin willst du?«, fragte Boris, als ich zur Haustür ging.

»Hä?«

»Zu Fuß? Zum Flughafen?«

»Warte!« Ich setzte Poptschik wieder ab. Mir war plötzlich übel, als könnte ich jeden Moment Rotwein auf den Teppich kotzen. »Darf man in Flugzeugen Hunde mitnehmen?«

»Nein«, sagte Boris unbarmherzig und spuckte einen abgekauten Daumennagel aus.

Er stellte sich an wie ein Arschloch, ich wollte ihn am liebsten schlagen. »Okay«, sagte ich. »Vielleicht will jemand am Flughafen ihn. Oder, scheiß drauf, ich nehm den Zug.«

Er wollte etwas Spöttisches sagen, hatte die Lippen schon auf eine Weise geschürzt, die ich gut kannte, doch dann entgleisten – ziemlich unvermittelt – seine Gesichtszüge. Ich drehte mich um und sah Xandra mit wildem Blick, die Augen Mascara-verschmiert, schwankend auf dem oberen Treppenabsatz stehen.

Wir starrten sie wie versteinert an. Nach einer, so schien es, Jahrhunderte langen Pause öffnete sie den Mund, schloss ihn wieder, stützte sich am Geländer ab und fragte heiser: »Hat Larry seine Schlüssel in dem Bankschließfach gelassen?«

Wir stierten geschockt vor uns hin, bis uns klar wurde, dass sie auf eine Antwort wartete. Ihr Haar war wie ein Heuhaufen; sie wirkte komplett desorientiert und so unsicher auf den Beinen, dass sie jeden Moment die Stufen hinunterzufallen drohte.

»Ähm, ja«, sagte Boris laut. »Ich meine, nein.« Und dann, als sie weiter dort stand: »Alles in Ordnung. Geh wieder ins Bett.«

Sie murmelte etwas und stolperte schwankend zurück in ihr Zimmer. Wir standen beide eine Weile bewegungslos da. Dann nahm ich – leise und mit einem Kribbeln im Nacken – meine Tasche und schlüpfte durch die Vordertür hinaus (das Letzte, was ich von dem Haus sah – und von Xandra, weil ich mich vorher nicht noch mal umgesehen hatte). Boris und Popper folgten mir, und zu dritt liefen wir, so schnell wir konnten, vom Grundstück weg bis zum Ende der Straße, begleitet von Poptschiks klackernden Krallen auf dem Bürgersteig.

»Na gut«, sagte Boris mit dem humorvollen Unterton, den er an-

schlug, wenn wir im Supermarkt beinahe erwischt worden waren.
»Okay. Vielleicht nicht *ganz* so viel weggetreten, wie ich dachte.«

Ich war in kaltem Schweiß gebadet, die Nachtluft war kühl, abe
angenehm. Weiter im Westen zuckten lautlose Frankenstein-Blitze
in der Dunkelheit.

»Nun, wenigstens ist sie nicht tot, was?« Er gluckste. »Ich hab mi
gemacht Sorgen um sie. Himmel!«

»Gib mir mal dein Handy.« Ich zog umständlich mein Jacket
über. »Ich muss einen Wagen rufen.«

Er fischte es aus seiner Tasche und gab es mir. Es war ein Prepaid
Handy, das er gekauft hatte, um Kotku zu kontrollieren.

»Nein, behalt es.« Er hob die Hände, als ich versuchte, es ihm zu
rückzugeben, nachdem ich meinen Anruf gemacht hatte: Lucky Cab
777-7777, die Nummer, die an der Bank jeder fragwürdigen Bushal
testelle in Vegas klebte. Dann zog er ein Bündel Scheine aus der Ta
sche – seine Hälfte des von Xandra gestohlenen Geldes – und ver
suchte, es mir zu geben.

»Vergiss es«, sagte ich und blickte mich nervös zum Haus um. Ich
hatte Angst, sie könnte noch einmal aufwachen und uns auf der Stra
ße suchen. »Es ist deins.«

»Nein! Vielleicht brauchst du es!«

»Ich will es nicht.« Ich steckte die Hände in die Taschen, dami
er es mir nicht aufdrängen konnte. »Außerdem brauchst du es viel
leicht selber.«

»Komm schon, Potter! Ich wünschte, du würdest nicht gehen i
diesem *Moment*.« Er wies auf die Straße, die Reihe leerer Häuser
»Wenn du nicht mit zu mir kommst – penn ein oder zwei Tage hier
Das Backsteinhaus hat sogar Möbel. Ich bring dir Essen, wenn d
willst.«

»Oder hey, ich könnte auch Domino's anrufen.« Ich steckte da
Handy ein. »Wo sie doch jetzt auch in dieser Straße ausliefern un
so.«

Er verzog das Gesicht. »Sei nicht wütend.«

»Bin ich nicht.« Und das war ich wirklich nicht – nur so desorien

iert, dass ich das Gefühl hatte, ich könnte jeden Moment, ein Buch
auf dem Gesicht, aufwachen.

Ich merkte, dass Boris in den Himmel guckte und vor sich hin
summte, eine Zeile aus einem der Velvet-Underground-Songs meiner Mutter: *But if you close the door ... the night could last forever ...*

»Was ist mit dir?« Ich rieb mir die Augen.

»Hä?« Er sah mich lächelnd an.

»Was ist los? Sehe ich dich wieder?«

»Schon möglich«, sagte er in demselben fröhlichen Ton, mit dem
er sich, wie ich mir vorstellte, schon von Bami und Judy, der Frau des
Barkeepers in Karmeywallag und allen anderen verabschiedet hatte,
von denen er sich je im Leben getrennt hatte. »Wer weiß?«

»Treffen wir uns in ein oder zwei Tagen?«

»Nun ...«

»Komm nach. Nimm ein Flugzeug – das Geld hast du. Ich ruf dich
an und gebe dir durch, wo ich bin. Sag nicht Nein.«

»Also gut«, sagte Boris in demselben munteren Tonfall. »Ich sage
nicht Nein.« Doch es war unüberhörbar, dass er Nein *sagte*.

Ich schloss die Augen. »O Gott.« Ich war so müde, dass sich vor
meinen Augen alles drehte und ich gegen den Drang ankämpfen
musste, mich auf den Boden zu legen, ein spürbarer Sog, der mich
in den Rinnstein zog. Als ich die Augen öffnete, sah ich, dass Boris
mich besorgt ansah.

»Guck dich an«, sagte er. »Fällst um beinahe.« Er griff in seine
Tasche.

»Nein, nein, nein.« Ich machte einen Schritt zurück, als ich sah,
was er in der Hand hatte. »Niemals. Vergiss es.«

»Danach fühlst du dich besser!«

»Das hast du von dem anderen Zeug auch behauptet.« Ich war
nicht aufgelegt zu weiterem Seegras oder singenden Sternen. »Wirklich, ich will nicht.«

»Aber das ist anders. Vollkommen anders. *Es macht dich nüchtern.*
Macht klaren Kopf – versprochen.«

»Sicher.« Eine Droge, die einen nüchtern und den Kopf klar machte, klang ganz und gar nicht nach Boris, obwohl er deutlich mehr im Hier und Jetzt zu sein schien als ich.

»Guck mich an«, sagte er vernünftig. »Ja.« Er wusste, dass er mich hatte. »Rede ich wirr? Schaum vor dem Mund? Nein – bin bloß hilfsbereit! Hier«, sagte er und klopfte ein wenig Pulver auf seinen Handrücken, »komm, ich flöß dir ein.«

Halb ging ich davon aus, dass es ein Trick war – dass ich auf der Stelle ohnmächtig werden und weiß der Himmel wo aufwachen würde, vielleicht in einem der leeren Häuser auf der anderen Straßenseite. Aber ich war so müde, dass mir alles egal war, und vielleicht wäre es ja auch okay gewesen. Ich beugte mich vor und ließ mir von ihm ein Nasenloch zuhalten. »Da!«, sagte er aufmunternd. »So. Jetzt schniefen.«

Und beinahe sofort *fühlte* ich mich besser. Es war wie ein Wunder. »Wow«, sagte ich und kniff mir wegen des scharfen, angenehmen Kribbelns in die Nase.

»Hab ich dir nicht gesagt?« Er schüttete bereits mehr Pulver aus. »Hier, andere Nase. Nicht ausatmen. Okay, *jetzt.*«

Alles schien heller und klarer, einschließlich Boris selbst.

»Was habe ich dir gesagt?« Er nahm selbst noch eine kleine Prise. »Tut es dir nicht leid, dass du nicht hörst zu?«

»Du willst das Zeug verkaufen, *Gott*«, sagte ich und blickte in den Himmel. »Warum?«

»Ist eine Menge wert. Paar tausend von Dollar.«

»Das bisschen?«

»Ist nicht so wenig! Das sind viele Gramm – zwanzig, vielleicht mehr. Könnte Vermögen machen, wenn ich es aufteile klein und an Mädchen wie K. T. Bearman verkaufe.«

»Du kennst K. T. Bearman?« Katie Bearman war in dem Jahrgang über uns, hatte ein eigenes Auto – ein schwarzes Cabriolet – und stand in der sozialen Leiter so weit über uns, dass sie ebenso gut ein Filmstar hätte sein können.

»Klar. Skye, KT, Jessica, all diese Mädchen. Jedenfalls«, er bot mir das Döschen noch einmal an, »jetzt kann ich Kotku kaufen Keyboard, das sie sich wünscht. Keine Geldsorgen mehr.«

Wir reichten uns die Dose ein paar Mal hin und her, bis ich beann, die Zukunft und die Dinge im Allgemeinen sehr viel optimistischer zu sehen. Und während wir, unsere Nasen reibend und plappernd, auf der Straße standen, neugierig beäugt von Popper, hatte ich das Gefühl, die Wunderbarkeit New Yorks auf der Zungenspitze u spüren, eine Flüchtigkeit, die ich vermitteln konnte. »Ehrlich, es st großartig«, sagte ich. Die Worte sprudelten in Spiralen aus mir heraus. »Wirklich, du musst kommen. Wir können zum Brighton Beach fahren – dort hängen all die Russen rum. Na ja, ich war noch nie dort. Aber man kann mit der U-Bahn hinfahren – es ist die Endstation. Dort gibt es eine große russische Gemeinde, Restaurants mit Räucherfisch und Störrogen. Meine Mutter und ich haben immer davon gesprochen, eines Tages dorthin zu fahren, der Juwelier, mit dem sie zusammenarbeitete, hat ihr Tipps gegeben, in welche Läden sie gehen soll, doch wir haben es nie gemacht. Es soll aber toll sein. Also, ich meine – ich habe Geld für die Schule – du kannst auf meine Schule gehen. Nein – absolut. Ich habe ein Stipendium. Na ja, ich hatte eins. Aber der Typ hat gesagt, solange es für die Ausbildung verwendet wird, könnte es *irgend*jemandes Ausbildung sein. Nicht bloß meine. Es ist mehr als genug für uns beide da. Obwohl, ich meine, die öffentlichen Schulen sind auch gut in New York, dort kenne ich Leute, eine öffentliche Schule ist auch okay.«

Ich plapperte immer noch, als Boris sagte: »Potter.« Bevor ich etwas antworten konnte, fasste er mein Gesicht mit beiden Händen und küsste mich auf den Mund. Und während ich noch blinzelnd dastand – es war beinahe schon wieder vorüber, ehe ich begriffen hatte, was passiert war –, hob er Popper an den Vorderbeinen hoch und küsste auch ihn mitten auf die Nasenspitze.

Dann gab er ihn mir. »Da drüben ist dein Wagen.« Er strubbelte Popper ein letztes Mal durchs Fell. Und tatsächlich – als ich mich umdrehte, kroch ein Wagen die Straße hinauf, der Fahrer studierte die Hausnummern.

Wir standen da und sahen uns an – ich schwer atmend und vollkommen verdutzt.

»Viel Glück«, sagte Boris. »Ich werde dich nicht vergessen.« Dann tätschelte er Poppers Kopf. »Tschüss, Poptschik. Pass auf ihn auf, ja?«, sagte er zu mir.

Später – in dem Taxi und danach – sollte ich diesen Augenblick immer wieder abspulen und staunen, dass ich gewunken und so überaus nonchalant gegangen war. Warum hatte ich ihn nicht am Arm gepackt und ein letztes Mal angefleht, in den Wagen zu steigen, komm schon, *scheiß drauf, Boris,* es ist wie Schule schwänzen, und wenn die Sonne aufgeht, frühstücken wir in Maisfeldern? Ich kannte ihn gut genug, um zu wissen, dass er, wenn man ihn richtig und im richtigen Moment fragte, fast alles machen würde; und in jenem Augenblick, in dem ich mich abwendete, wusste ich, dass er mir nach gerannt und lachend in den Wagen gesprungen wäre, wenn ich ihn ein letztes Mal gefragt hätte.

Aber das tat ich nicht. Und in Wahrheit war es vielleicht besser so – das sage ich jetzt, obwohl ich es für eine Weile bitter bereute. Mehr als alles andere war ich jedoch erleichtert, dass ich mich in meinem unvertraut redseligen Zustand zurückgehalten hatte, mit dem einen herauszuplatzen, das mir auf der Zunge lag, dem einen, das ich nie gesagt hatte, obwohl es etwas war, das wir beide gut genug wussten, ohne dass ich es ihm laut auf der Straße sagen musste – und das war natürlich: *Ich liebe dich.*

XX

Ich war so müde, dass die Wirkung der Drogen nicht lange vorhielt, zumindest der Wohfühlteil nicht.

Der Taxifahrer – ein verpflanzter New Yorker, so wie er sich anhörte – roch sofort, dass etwas nicht stimmte, und versuchte, mir eine Karte mit der Nummer eines Sorgentelefons für jugendliche Ausreißer zu geben, die ich zurückwies. Als ich ihn aufforderte, mich zum Bahnhof zu fahren (obwohl ich nicht einmal wusste, ob es eine Zugverbindung nach Vegas gab – aber doch bestimmt), schüttelte er loß den Kopf. »Du weißt schon, dass Amtrak keine Hunde an Bord lässt, Brille, oder?«

»Nicht?«, fragte ich mit sinkendem Mut.

»Im Flugzeug – vielleicht, ich weiß nicht.« Er war ein jüngerer Typ, der schnell redete, mit einem Babyface, leicht übergewichtig, T-Shirt mit dem Aufdruck PENN AND TELLER: LIVE AT THE RIO. »Man muss einen Korb oder so was haben. Wahrscheinlich hast du im Bus die besten Chancen. Aber Kinder unter einem bestimmten Alter dürfen nur mit schriftlicher Erlaubnis ihrer Eltern reisen.«

»Ich hab Ihnen doch gesagt! Mein Dad ist gestorben! Seine Freundin schickt mich zu meiner Familie an der Ostküste.«

»Na, hey, dann hast du doch nichts zu befürchten, oder?«

Für den Rest der Fahrt hielt ich den Mund. Der Tod meines Vaters war noch nicht gesackt, und gelegentlich wurde ich von den Lichtern, die auf dem Highway vorüberglitten, mit einem Schwall von Übelkeit wieder daran erinnert. Ein Unfall: Darüber dass er betrunken Auto fahren könnte, hatten wir uns in New York wenigstens keine Sorgen machen müssen – unsere große Angst war immer nur gewesen, dass er vor einen Wagen stolpern oder wegen seiner Brieftasche erstochen werden würde, wenn er nachts um drei aus einer zwielichtigen Bar taumelte. Was würde mit seinem Leichnam geschehen? Die Asche meiner Mutter hatte ich im Central Park verstreut, obwohl es offenbar eine Bestimmung gab, die das untersagte; doch eines Abends war ich bei Anbruch der Dunkelheit mit Andy an eine einsame Stelle westlich des Pond gelaufen und hatte – während Andy Schmiere stand – ihre Urne ausgekippt. Was mich weit mehr irritiert hatte als das Verstreuen ihrer Überreste an sich, war die Tatsache, dass die Urne in zerrissenen Zeitungsschnipseln mit Sex-Kleinanzeigen verpackt war: GESCHMEIDIGE ASIATINNEN und FEUCHTE HEISSE ORGASMEN waren zwei Phrasen, die mir wahllos ins Auge fielen, als das graue Pulver, von der Farbe von Mondgestein, im Licht der Maidämmerung in der Luft geschwebt hatte.

Dann waren da plötzlich Lichter, und der Wagen blieb stehen. »Okay, Brille«, sagte mein Fahrer und drehte sich um. Wir standen

auf dem Parkplatz der Greyhound-Station. »Wie sagtest du noch
war dein Name?«

»Theo«, antwortete ich, ohne nachzudenken, was ich sofort be
reute.

»Also gut, Theo. J. P.« Er streckte seine Hand über die Rückenleh
ne, um meine zu schütteln.

»Möchtest du meinen Rat in einer Sache annehmen?«

»Klar«, sagte ich ein wenig mutlos. Trotz allem anderen, was pas
sierte, und das war ziemlich viel, war mir extrem unbehaglich be
dem Gedanken, dass der Typ wahrscheinlich gesehen hatte, wie Bo
ris mich auf der Straße geküsst hatte.

»Es geht mich ja nichts an, aber du brauchst irgendwas, worin d
Fluffy hier transportieren kannst.«

»Verzeihung?«

Er wies mit dem Kopf auf meine Tasche. »Passt er da rein?«

»Ähm …«

»Wahrscheinlich musst du diese Tasche sowieso zum Gepäck ge
ben. Sie könnte zu groß sein, um sie mit in den Bus zu nehmen – si
verstauen sie im Laderaum. Es ist nicht wie im Flugzeug.«

»Ich …« Das alles war zu kompliziert. »Ich habe nichts.«

»Warte. Lass mich mal in meinem Büro nachsehen.« Er stieg au
ging zum Kofferraum und kam mit einer großen Stoffeinkaufsta
sche von einem Bioladen mit dem Aufdruck *The Greening of Ame
rica* zurück.

»An deiner Stelle würde ich reingehen und die Fahrkarte ohn
Fluffy Boy kaufen«, sagte er. »Lass ihn hier draußen bei mir, nur fü
alle Fälle, okay?«

Mein neuer Kumpel hatte recht gehabt, was die Fahrt in einen
Greyhound ohne ein von einem Erziehungsberechtigten unter
schriebenes Formular für allein reisende Kinder betraf – und es gal
noch weitere Beschränkungen für Kinder. Die Frau hinter dem Ver
kaufsfenster – eine blasse Chicana mit nach hinten gekratztem Haa
begann mit monotoner Stimme, die lange unheilvolle Liste vorzu
tragen. Kein Umsteigen. Keine Fahrten, die länger als fünf Stunde

dauerten. Wenn die auf dem Formular für allein reisende Kinder
benannte Person nicht mit einem gültigen Dokument ihrer Identi-
ät am Zielbahnhof erschien, um mich abzuholen, würde man mich
der Obhut der Jugendfürsorge oder Gesetzesvertretern meines Ziel-
orts überstellen.

»Aber …«

»Das gilt für alle Kinder unter fünfzehn Jahren. Ohne Ausnahme.«

»Aber ich bin nicht *unter* fünfzehn.« Hektisch kramte ich meinen
offiziell aussehenden Personalausweis des Staates New York hervor.
Ich *bin* fünfzehn. Sehen Sie.« Enrique – der womöglich die Wahr-
cheinlichkeit vorausgesehen hatte, dass ich in dem landen könnte,
was er ›Das System‹ nannte – hatte mich kurz nach dem Tod meiner
Mutter zu einem Fotografen geschleift, und auch wenn ich mich damals gewehrt hatte, von wegen Big Brothers weit reichende Kralle
und so (»Wow, mit deinem eigenen Barcode«, hatte Andy gesagt und
ihn neugierig betrachtet), war ich jetzt dankbar, dass er so voraus-
chauend gewesen war, mich wie einen Gebrauchtwagen anzumelden. Ich wartete betäubt im schmutzigen Neonlicht wie ein Flücht-
ing, während die Ticketverkäuferin den Ausweis aus verschiedenen
Winkeln und bei unterschiedlichem Lichteinfall betrachtete, bis sie
ihn schließlich für echt befand.

»Fünfzehn«, sagte sie argwöhnisch und gab ihn mir zurück.

»Genau.« Ich wusste, dass ich jünger aussah. Mir wurde klar,
dass sich die Frage, in Sachen Popper ehrlich zu sein, gar nicht stell-
e, denn auf einem großen Schild neben dem Verkaufstresen stand
in roten Lettern: DER TRANSPORT VON HUNDEN, KATZEN,
VÖGELN, NAGETIEREN, REPTILIEN UND ANDEREN TIEREN
IST AUSGESCHLOSSEN.

Mit dem Bus selber hatte ich Glück: Er ging um 01.45 Uhr mit
Anschluss nach New York und sollte in einer Viertelstunde abfah-
en. Während die Maschine mit einem mechanischen Schmatzen
mein Ticket ausspuckte, stand ich benommen da und überlegte, was
um Teufel ich mit Popper machen sollte. Als ich wieder hinausging,
hoffte ich halb, der Fahrer wäre weggefahren – vielleicht um Popper

zu einem liebevolleren und sichereren Zuhause zu bringen –, doch stattdessen trank er eine Dose Red Bull und telefonierte auf seinem Handy, Popper war nirgends zu sehen. Er beendete den Anruf, als er mich dort stehen sah. »Was denkst du?«

»Wo ist er?« Ich blickte erschöpft auf die Rückbank. »Was haben Sie mit ihm gemacht?«

Er lachte. »Jetzt sieht man ihn nicht … und jetzt sieht man ihn!« Mit einer schwungvollen Geste, nahm er ein nachlässig gefaltetes Exemplar der USA Today von der Stofftasche auf dem Beifahrersitz – und darin lag, in einem Pappkarton friedlich Kartoffelchips kauend, Popper.

»Ablenkung«, sagte er. »Der Karton füllt die Tasche aus, sodass sie nicht hundeförmig aussieht, und gibt ihm ein wenig Bewegungsfreiheit. Und dann die Zeitung – das perfekte Requisit. Deckt ihn zu, lässt die Tasche voll aussehen, wiegt nicht viel.«

»Glauben Sie, es wird klappen?«

»Nun, ich meine, er ist so ein kleines Kerlchen – keine drei Kilo oder was? Ist er still?«

Ich sah den auf dem Boden des Kartons zusammengerollten Popper skeptisch an. »Nicht immer.«

J. P. wischte sich mit den Handrücken den Mund ab und gab mir die Tüte Kartoffelchips. »Gib ihm ein paar von denen, wenn er zappelig wird. Ihr werdet alle paar Stunden Pause machen. Setz dich so weit nach hinten wie möglich und achte darauf, ihn ein Stück vom Busbahnhof wegzutragen, bevor du ihn rauslässt, damit er sein Geschäft erledigen kann.«

Ich hängte die Tasche über die Schulter und legte den Arm darum. »Sieht man es?«, fragte ich ihn.

»Nein. Nicht, wenn ich es nicht wüsste. Aber darf ich dir einen Tipp geben? Ein Zauberergeheimnis?«

»Klar.«

»Du darfst nicht auf die Tasche gucken. Überallhin, nur nicht auf die Tasche. Die Landschaft, deine Schnürsenkel … okay, so ist gut – genau. Selbstbewusst und natürlich, das ist der Trick. Aber wenn du glaubst, dass die Leute dich im Visier haben, funktioniert auch verrottet oder auf dem Boden nach einer verlorenen Kontaktlinse suchen. Verschütte deine Chips – stoße dir den Zeh – verschluck dich in deinem Getränk – irgendwas.«

Wow, dachte ich. Es hieß offensichtlich nicht umsonst Lucky Cab. Er lachte wieder, als hätte ich laut geredet. »Hey, ist doch eine blöde Regel, keine Hunde im Bus.« Er trank noch einen großen Schluck Red Bull. »Ich meine, was sollst du denn machen? Ihn am Straßenrand aussetzen?«

»Sind Sie ein Zauberer oder so was?«

Er lachte. »Wie hast du das erraten? Ich trete mit Kartentricks in einer Bar in Orleans auf – wenn du alt genug wärst, um reinzukommen, würde ich sagen, komm mal vorbei und guck dir meine Show an. Also, das Geheimnis ist, die Aufmerksamkeit der Leute immer von dem *abzulenken,* wo die heiklen Sachen passieren. Das ist das oberste Gesetz der Magie, Brille. Ablenkung. Immer dran denken.«

XXI

Utah. Als die Sonne aufging, entfaltete sich die San Rafael Swell in unirdischen Panoramen wie Marslandschaften: Sandstein und Schiefer, Schluchten und einsame rostrote Tafelberge. Ich konnte kaum schlafen, zum Teil wegen der Drogen, zum Teil aus Angst, Popper könnte zappeln oder jaulen, doch während wir über die gewundenen Gebirgsstraßen fuhren, saß er vollkommen still in seiner Tasche auf dem Fensterplatz neben mir. Tatsächlich war mein Koffer klein genug, um ihn mit in den Bus zu nehmen, worüber ich aus einer Reihe von Gründen glücklich war: mein Pullover, *Wind, Sand und Sterne,* aber vor allem das Gemälde, das sich sogar eingepackt und außer Sichtweite anfühlte wie ein Amulett, wie eine heilige Ikone, die von einem Kreuzritter in die Schlacht getragen wurde. Hinten im Bus saß außer mir noch ein schüchtern aussehendes Latino-Pärchen mit einem Haufen Plastikdosen mit Essen auf dem Schoß sowie

473

ein alter Säufer, der Selbstgespräche führte, und wir schafften es bes
tens über die gewundenen Straßen durch Utah bis nach Grand Junc
tion, Colorado, wo wir fünfzig Minuten Aufenthalt hatten. Nachden
ich meinen Koffer in ein Schließfach gepackt hatte, führte ich Pop
per immer außer Sichtweite des Fahrers auf die Rückseite des Bus
bahnhofs, kaufte uns bei Burger King ein paar Hamburger und füll
te ihm Wasser in den Plastikdeckel einer Fast-Food-Schale, die ich
im Müll gefunden hatte. Von Grand Junction schlief ich, eine Stunde
und sechzehn Minuten, bis zu unserem Zwischenhalt in Denver, wo
gerade die Sonne unterging – und Popper und ich aus schierer Er
leichterung, den Bus verlassen zu dürfen, so weit über dunkle unbe
kannte Straßen liefen, dass ich beinahe Angst hatte, mich zu verirren
obwohl ich froh war, ein Hippie-Café mit junger und freundlicher
Bedienung zu entdecken (»Bring ihn mit rein!«, sagte das Mädchen
mit dem lilafarbenen Haar hinter dem Tresen, als sie sah, dass ich
Popper vor der Tür anband, »wir lieben Hunde!«), wo ich nicht nur
zwei Truthahn-Sandwiches (eins für mich, eins für ihn) kaufte, son
dern auch noch einen veganen Brownie und eine fettige Papiertüte
mit selbst gebackenen vegetarischen Hundekuchen.

Ich las bis spät, cremefarbenes Papier, das in einem matten Licht
kreis vergilbte, während draußen unbekannte Weiten vorbeirausch
ten – über die Continental Divide und hinaus aus den Rockies – und
Popper nach der Herumtollerei in Denver glücklich in seiner Tasche
schlummerte.

Irgendwann schlief auch ich ein, wachte wieder auf und las noch
ein wenig. Gegen zwei Uhr nachts, Saint-Exupéry erzählte gerade die
Geschichte von seinem Flugzeugabsturz in der Wüste, erreichten wir
Salinas, Kansas (»*Crossroads of America*«) – zwanzig Minuten Pau
se unter einer von Motten umschwirrten Natriumdampflampe, wo
Popper und ich auf dem dunklen leeren Parkplatz einer Tankstelle
herumliefen, ich, den Kopf noch voll von dem Buch und gleichzei
tig euphorisch darüber, zum ersten Mal im Leben im Heimatstaat
meiner Mutter zu sein. War sie auf ihren Runden mit ihrem Vater je
durch diese Stadt gekommen, Wagen, die auf dem 9th Street Inter

state Exit vorbeiglitten, beleuchtete Getreidesilos, die in der meilenweiten Leere aufragten wie Raumschiffe? Wieder im Bus schliefen Poptschik und ich – müde, schmutzig, erschöpft und fröstelnd – von Salina bis Topeka und von Topeka bis Kansas City, Missouri, in das wir bei Sonnenaufgang rollten.

Meine Mutter hatte mir oft erzählt, wie flach die Landschaft ihrer Kindheit war – so flach, dass man Wirbelstürme sehen konnte, die Meilen entfernt über die Prärie fegten –, aber ich konnte die Weite immer noch nicht recht fassen, der ununterbrochene Himmel, so gewaltig, dass man sich von der Unendlichkeit erdrückt fühlte. Gegen Mittag hatten wir eineinhalb Stunden Aufenthalt in St. Louis, (reichlich Zeit für Poppers Spaziergang und ein grässliches Roastbeef-Sandwich zum Mittagessen, aber die Gegend war zu riskant, um sich weiter vorzuwagen) und – zurück am Bahnhof – den Umstieg in einen anderen Bus. Als ich – nur ein oder zwei Stunden später – aufwachte, merkte ich, dass der Bus stehen geblieben war, Popper friedlich in seiner Tasche saß und die Nasenspitze herausstreckte, während eine schwarze Frau mittleren Alters mit knallpinkem Lippenstift über mir stand und mich andonnerte: »Dieser Hund darf nicht in dem Bus mitfahren.«

Ich starrte sie desorientiert an, bis mir zu meinem Entsetzen klar wurde, dass sie nicht irgendein Passagier, sondern die Busfahrerin persönlich war, komplett mit Mütze und Uniform.

»Hast du gehört, was ich gesagt habe?«, wiederholte sie und wies aggressiv mit dem Kopf zur Seite. Sie war breit wie ein Preisboxer, auf dem Namensschild an ihrem imposanten Busen stand *Denese*. »*Dieser* Hund darf nicht in diesem *Bus* mitfahren.« Dann wedelte sie ungeduldig mit einer Hand, als wollte sie sagen: *Stopf ihn verdammt noch mal zurück in die Tasche!*

Ich deckte seinen Kopf zu – er schien nichts dagegen zu haben – und saß mit sich rapide verkrampfenden Eingeweiden da. Wir waren in einer Stadt namens Effingham, Illinois, stehen geblieben: Edward-Hopper-Häuser, ein Gerichtsgebäude wie eine Filmkulisse, ein handgeschriebenes Banner mit der Aufschrift *Crossroad of Opportunity!*

Die Fahrerin fuhr mit ausgestrecktem Finger herum. »Hat einer von Ihnen hier hinten irgendwelche Einwände gegen das Tier?«

Die anderen Passagiere auf den hinteren Sitzen (ein Typ mit ungepflegtem Schnurrbart, eine erwachsene Frau mit Zahnklammer, eine ängstliche schwarze Mom mit einem Mädchen im Grundschulalter, ein W.-C.-Fields-mäßig aussehender alter Knacker mit Schläuchen in der Nase und einem Sauerstoffkanister) wirkten alle zu überrascht, um etwas zu sagen, obwohl das kleine Mädchen mit runden Augen beinahe unmerklich den Kopf schüttelte: *Nein.*

Die Fahrerin wartete. Sie sah sich um, bevor sie sich wieder mir zuwandte. »Okay. Das ist eine gute Nachricht für dich und den Wauwau, Schätzchen. Denn wenn *einer*«, sie drohte mir mit dem Finger, »wenn *irgendeiner* von diesen Fahrgästen hier hinten sich an *irgendeinem* Punkt darüber beschwert, dass du ein Tier an Bord hast, werde ich dafür sorgen, dass ihr aussteigt. Verstanden?«

Sie warf mich nicht raus? Ich blinzelte sie an und hatte Angst mich zu bewegen oder ein Wort zu sagen.

»*Hast du verstanden?*«, wiederholte sie noch bedrohlicher.

»Danke.«

Sie schüttelte ein wenig streitlustig den Kopf. »O nein. Dank nicht mir, Schätzchen. Denn ich werfe dich aus dem Bus, wenn es auch nur eine einzige Klage gibt. Eine.«

Ich saß zitternd da, während sie den Mittelgang hinunterging und den Bus anließ. Als wir von dem Parkplatz fuhren, war ich zu ängstlich, auch nur einen verstohlenen Blick auf die anderen Passagiere zu werfen, obwohl ich spürte, dass mich alle ansahen.

Neben meinem Knie schnaubte Popper leise und machte es sich wieder bequem. So leid er mir auch tat, hatte ich ihn nie, verglichen mit anderen Artgenossen, für einen besonders interessanten oder intelligenten Hund gehalten. Stattdessen hatte ich eine Menge Zeit damit zugebracht, mir zu wünschen, er wäre ein coolerer Hund, ein Border Collie oder Labrador oder vielleicht ein Rettungshund, irgendeine clevere, neurotische Pitbull-Mischung aus dem Tierheim, ein rauflustiger kleiner Köter, der Bällen nachjagte und Menschen biss – eigentlich praktisch alles außer dem, was er war: ein Mädchenhund, ein Spielzeug, total schwul, ein Hund, den auf der Straße auszuführen mir peinlich war. Nicht, dass Popper nicht niedlich gewesen wäre, er war vielmehr genau die Sorte winziger tänzelnder Knuffel, den viele Menschen mochten – vielleicht nicht ich, aber irgendein kleines Mädchen wie das auf der anderen Seite des Ganges würde ihn doch, wenn sie ihn am Straßenrand fand, bestimmt mit nach Hause nehmen und ihm Schleifchen ins Fell binden?

Ich saß stocksteif da und durchlebte die Panik, die wie ein Blitzschlag durch meinen Körper gezuckt war, immer wieder: das Gesicht der Fahrerin, mein Schock. Wirklich Angst machte mir das Wissen, dass ich, wenn sie mich zwang, Popper auszusetzen, mit ihm in der Einöde des tiefsten Illinois aussteigen musste (und was dann?). Regen, zwischen lauter Maisfeldern alleine am Straßenrand. Auf der anderen Seite des Ganges hatte die Mutter den Arm um das kleine Mädchen gelegt und sang ganz leise: *You are my sunshine.* Bis auf ein paar Krümel der Kartoffelchips, die der Taxifahrer mir geschenkt hatte, hatte ich nichts mehr zu essen. Draußen zogen endlose Felder und kleine namenlose Städte vorbei, ich hatte einen unangenehmen salzigen Geschmack im Mund, fror und fühlte mich verloren, starrte auf ödes Farmland und dachte an Lieder, die meine Mutter mir vor Urzeiten vorgesungen hatte. *Toot, toot, tootsie goodbye, toot, toot, tootsie, don't cry.* In Ohio – es wurde dunkel und die Lichter in den traurigen, kleinen, weit voneinander entfernt liegenden Häusern gingen an – fühlte ich mich endlich sicher genug einzudösen, schlief mit hin und her sackendem Kopf bis Cleveland, einer kalten, weiß erleuchteten Stadt, wo ich um zwei Uhr morgens umstieg. Ich traute mich nicht, mit Popper den langen Spaziergang zu machen, den er brauchte, weil ich Angst hatte, dass uns jemand sehen könnte (denn was sollten wir bloß machen, wenn wir ertappt wurden? Für immer in Cleveland bleiben?). Auch er wirkte ängstlich, also standen wir zehn Minuten zitternd auf der Straße, bevor ich ihm ein bisschen Wasser gab, ihn wieder in die Tasche steckte und zurück zum Busbahnhof ging, um einzusteigen.

Es war mitten in der Nacht, offenbar schliefen alle, was das Um
steigen erleichterte. Am nächsten Mittag wechselten wir in Buf
falo erneut den Bus, der sich durch vor dem Bahnhof aufgetürmter
Schneematsch kämpfte. Der Wind war beißend mit einer stechender
kalten Feuchtigkeit; nach zwei Jahren in der Wüste hatte ich verges
sen, wie sich ein richtiger Winter anfühlte – schmerzhaft und rau
Boris hatte keine meiner SMS erwidert, was vielleicht verständlich
war, da ich sie an Kotkus Handy schickte, aber ich schickte trotzdem
eine weitere: BFALO, NY; HEUTE ABEND NYC. ALLES OKAY BEI DIR;
WAS VON X GEHOERT?

Buffalo ist ein gutes Stück entfernt von New York City, aber bi
auf einen fiebrigen, traumartigen Zwischenstopp in Syracuse, wo ich
Popper ausführte, ihm Wasser gab und uns beiden Blätterteigteil
chen mit Käse kaufte, weil es nichts anderes gab – schaffte ich es, fas
die gesamte Strecke durch Batavia, Rochester, Syracuse und Bing
hamton zu schlafen, die Wange an die Fensterscheibe gelegt, durch
deren Spalt kalte Luft strömte, während die Vibration mich zurück
zu *Wind, Sand und Sterne* und einem einsamen Cockpit hoch übe
der Wüste trug.

Ich glaube, seit dem Halt in Cleveland muss ich unmerklich im
mer kränker geworden sein, denn als ich schließlich am Port Autho
rity Terminal aus dem Bus stieg, brannte mein Körper vor Fieber
Mich fröstelte, meine Knie waren weich, und die Stadt – nach der ich
mich so heftig gesehnt hatte – wirkte fremd, lärmend und kalt, Abga
se, Müll und Fremde, die in allen Richtungen an mir vorbeihasteten

Im Terminal wimmelte es von Bullen. Wohin ich auch blickte, sah
ich Plakate für Obdachlosenasyle, Sorgentelefone für Ausreißer, und
am Ausgang wurde ich eingehend von einer Polizistin beobachtet –
nach gut sechzig Stunden im Bus war ich müde und schmutzig und
wusste, dass ich eine Musterung eigentlich nicht bestand –, doch
niemand hielt mich auf, und ich sah mich nicht um, bis ich durch
die Tür und ein gutes Stück vom Busbahnhof entfernt war. Diver
se Männer unterschiedlichen Alters und verschiedener Nationalitä
riefen mir auf der Straße etwas zu, sanfte Stimmen drangen aus al

len Richtungen an mein Ohr (*Hey, kleiner Bruder? Wo willst du hin? Soll ich dich mitnehmen?*), doch obwohl besonders ein rothaariger Typ normal, nett und kaum älter als ich aussah, beinahe wie jemand, mit dem ich befreundet sein könnte, war ich New Yorker genug, um sein freundliches Hallo zu ignorieren und weiterzugehen, als wüsste ich, wohin ich wollte.

Ich hatte gedacht, Popper wäre außer sich vor Freude, aus dem Bus rauszukommen, doch als ich ihn auf dem Bürgersteig der 8th Avenue absetzte, war alles zu viel für ihn und er so verschreckt, dass er nicht mehr als etwa einen Block weit laufen wollte. Er war noch nie in einer Großstadt gewesen, alles machte ihm Angst (Autos, Hupen, Menschenbeine, leere Plastiktüten, die über den Bürgersteig geweht wurden), und er zerrte ungeduldig vorwärts, schoss auf Zebrastreifen zu, sprang hin und her, rannte panisch um mich herum und wickelte die Leine um meine Beine, sodass ich stolperte und beinahe vor einen Transporter gefallen wäre, der noch eine Kreuzung überqueren wollte, bevor die Ampel auf Rot sprang.

Nachdem ich den strampelnden Popper hochgehoben und wieder in seine Tasche gesteckt hatte (wo er verzweifelt scharrte und schnaufte, bevor er sich beruhigte), stand ich mitten im Rushhour-Verkehr und versuchte, mich zu orientieren. Alles schien so viel schmutziger und unfreundlicher, als ich es in Erinnerung hatte – auch kälter, die Straßen grau wie eine alte Zeitung. *Que faire,* wie meine Mutter zu sagen pflegte. Ich konnte ihre Stimme beinahe hören, ihren leichten, unbekümmerten Tonfall.

Wenn mein Vater herumgelaufen war, Küchenschränke zugeknallt und geklagt hatte, dass er einen Drink wollte, hatte ich mich oft gefragt, wie es sich anfühlte, »einen Drink zu wollen« – wie es sich anfühlte, Alkohol zu wollen und nichts anderes, keine Pepsi oder sonst was. *Jetzt,* dachte ich düster, *weiß ich es.* Ich hätte sterben können für ein Bier, doch ich war klug genug, nicht in ein Deli zu gehen und zu versuchen, als Minderjähriger eins zu kaufen. Sehnsüchtig dachte ich an Mr. Pavlikovskys Wodka, den täglichen Schuss Wärme, an den ich mich wie selbstverständlich gewöhnt hatte.

Und was noch wichtiger war: Ich starb beinahe vor Hunger. Ich war nur ein paar Häuser entfernt von einer edlen Konditorei und so hungrig, dass ich direkt hineinspazierte und mir das erste Törtchen kaufte, das mir ins Auge fiel (mit Grüner-Tee-Geschmack und einer Art Vanillefüllung, bizarr, aber trotzdem köstlich). Mit dem Zucker im Blut ging es mir sofort besser, und während ich aß und mir die Vanillesauce von den Fingern leckte, starrte ich staunend auf die zielstrebigen Massen. Als ich Vegas verlassen hatte, war ich irgendwie sehr viel zuversichtlicher gewesen, wie sich alles entwickeln würde. Würde Mrs. Barbour das Jugendamt anrufen und melden, dass ich aufgetaucht war? Nein, hatte ich gedacht, doch jetzt kam ich ins Grübeln. Dann war da noch die nicht so unbedeutende Frage von Popper, da Andy auf Hunde (neben Milchprodukten, Nüssen, Klebeband, Senf und ungefähr fünfundzwanzig anderen verbreiteten Haushaltsprodukten) stark allergisch reagierte – und nicht nur auf Hunde, sondern auch auf Katzen, Pferde, Zirkustiere und das klasseneigene Meerschweinchen (»Pig Newton«), das wir in der zweiten Klasse gehabt hatten, weshalb es im Haus der Barbours keine Haustiere gab. Irgendwie war mir das in Vegas nicht als unüberwindbares Problem erschienen, aber jetzt – auf der dunklen und kälter werdenden 8th Avenue – schon.

Weil ich nicht wusste, was ich sonst machen sollte, lief ich Richtung Park Avenue los. Der Wind schlug mir unwirtlich ins Gesicht, und der Geruch von Regen in der Luft machte mich nervös. Der Himmel in New York schien viel tiefer und schwerer als im Westen – schmutzige Wolken wie von Radiergummi verwischte Bleistiftstriche auf rauem Papier. Es war, als hätte die Wüste, ihre Offenheit, meine Weitsicht geschult. Hier wirkte alles feucht und beengt.

Laufen half, meinen steifen Seemannsgang loszuwerden. Ich ging nach Osten bis zur Bibliothek (die Löwen! Ich blieb einen Moment still stehen wie ein heimkehrender Soldat, der einen ersten Blick auf sein Zuhause wirft) und bog dann in die 5th Avenue – die Laternen brannten, es war immer noch ziemlich voll, aber die Straßen leerten sich zum Abend hin – Richtung Central Park South. Ich war müde, und mir war kalt, doch der Anblick des Parks bestärkte trotzdem mein Herz, und ich rannte über die 57th Street (Straße der Freude!) in die belaubte Dunkelheit. Die Gerüche und Schatten, sogar die gesprenkelten Stämme der Platanen hoben meine Stimmung, und mir war, als ob ich hinter dem greifbaren einen anderen Park sehen würde, eine Landkarte der Vergangenheit, einen Geisterpark, dunkel vor Erinnerungen, lange zurückliegende Schulausflüge und Zoobesuche. Ich ging auf dem Bürgersteig der 5th Avenue am Zaun entlang und blickte in den Park, die Wege im Schatten der Bäume strahlten im Schein der Laternen, rätselhaft und einladend wie der Wald aus *Der König von Narnia*. Wenn ich einen Abzweig nahm und einem dieser erleuchteten Wege folgte, würde ich in einem anderen Jahr wieder herauskommen, vielleicht in einer anderen Zukunft, in der meine Mutter – gerade zurück von der Arbeit – leicht windzerzaust auf der Bank (unserer Bank) am Pond auf mich warten würde: Sie würde ihr Handy einstecken, aufstehen und mich küssen, *hallo, mein Schatz, wie war die Schule, was möchtest du heute zu Abend essen?*

Dann blieb ich plötzlich stehen. Eine vertraute Gestalt im Anzug hatte sich an mir vorbeigedrängelt und ging vor mir über den Bürgersteig. Der helle Schopf leuchtete in der Dunkelheit, weißes Haar, das aussah, als sollte es lang und in einem Pferdeschwanz getragen werden. Er war in Gedanken versunken, ramponierter als gewöhnlich, doch ich erkannte ihn trotzdem sofort, die Art, wie er den Kopf neigte, ein leises Echo von Andy: Mr. Barbour, komplett mit Aktenkoffer, auf dem Weg von der Arbeit nach Hause.

Ich rannte, um ihn einzuholen. »Mr. Barbour?«, rief ich. Er führte Selbstgespräche, doch ich hörte nicht, was er sagte. »Mr. Barbour, ich bin's, Theo«, sagte ich laut und fasste seinen Ärmel.

Mit schockierender Heftigkeit fuhr er herum und stieß meine Hand weg. Es war tatsächlich Mr. Barbour, ich hätte ihn überall erkannt. Aber die Augen, aus denen er mich direkt ansah, waren die eines Fremden – hell, hart und voller Verachtung.

»Keine Almosen mehr!«, rief er mit schriller Stimme. »Verschwinde!«

481

Ich hätte die offenkundige Manie erkennen müssen. Es war eine verstärkte Version des Blicks, den mein Vater manchmal an Spieltagen gehabt hatte – oder was das betrifft auch, als ihm die Sicherung durchgebrannt war und er mich geschlagen hatte. Ich hatte Mr. Barbour nie erlebt, wenn er seine Medikamente nicht genommen hatte (Andy war typisch zurückhaltend in der Beschreibung der »Euphorien« seines Vaters gewesen, und damals wusste ich noch nicht von Zwischenfällen wie seinem Versuch, den Außenminister zu erreichen, oder dass er einmal im Pyjama zur Arbeit erschienen war) und seine Wut schien so wesensfremd für den zerstreuten und unbedachten Mr. Barbour, den ich kannte, dass ich nur beschämt zurückweichen konnte. Er starrte mich lange wütend an, strich über den Ärmel seines Mantels (als ob er beschmutzt wäre oder ich ihn durch meine Berührung kontaminiert hätte) und stolzierte davon.

»Hast du diesen Mann um Geld angebettelt?«, fragte ein anderer Mann, der wie aus dem Nichts aufgetaucht war, während ich noch verdutzt auf dem Bürgersteig stand. »Hast du?«, wiederholte er drängender, als ich mich abwendete. Er war von dicklicher Statur, trug einen farblosen Anzug, der nach verheiratet mit Kindern aussah, und seine trottelige Art war mir unheimlich. Als ich ihm ausweichen wollte, stellte er sich mir in den Weg und ließ eine schwere Hand auf meine Schulter sinken, doch ich entwand mich seinem Griff und rannte panisch in den Park.

Über von welkem Laub feuchte und gelbe Wege lief ich zum Pond, wo ich instinktiv direkt zu unserem Rendezvous Point ging (wie meine Mutter und ich unsere Bank genannt hatten) und mich zitternd setzte. Es war mir wie ein unglaubliches und unfassbares Glück erschienen, Mr. Barbour auf der Straße zu treffen, und vier oder fünf Sekunden lang hatte ich geglaubt, nach der ersten Verlegenheit und Verwirrung würde er mich freudig begrüßen, ein paar Fragen stellen, *ach, nicht so wichtig, dafür ist auch später noch Zeit,* und mich mit nach Hause nehmen. *Du liebe Güte, was für ein Abenteuer. Wird Andy sich freuen, dich zu sehen!*

Jesses, dachte ich und fuhr mir, immer noch aufgewühlt, durchs

Haar. In einer perfekten Welt wäre Mr. Barbour das Mitglied der Familie gewesen, das ich am liebsten auf der Straße getroffen hätte – lieber noch als Andy, bestimmt lieber als seine Geschwister und lieber auch als Mrs. Barbour mit ihren eisigen Pausen, ihren feinen gesellschaftlichen Spitzfindigkeiten und ihrem kühlen, unergründlichen Blick.

Aus Gewohnheit checkte ich zum gefühlt zehntausendsten Mal meine SMS und war trotz allem erfreut, endlich eine Nachricht vorzufinden – eine Nummer, die ich nicht erkannte, doch es musste Boris sein. HEY! HOFFE, ALLES OKAY. NICHT ZU WUETEND. RUF X AN. GEHT MIR AUF NERVEN.

Ich versuchte, ihn zurückzurufen – ich hatte ihm auf der Fahrt circa fünfzig SMS geschickt –, aber niemand nahm ab, und bei Kotkus Handy landete ich direkt auf der Mailbox. Xandra konnte waren. Ich ging mit Popper zurück zum Central Park South, kaufte an einem Stand, der gerade zumachte, drei Hotdogs (eins für Popper, zwei für mich) und erwog, während wir auf einer entlegenen Bank direkt hinter dem Scholars' Gate aßen, meine Möglichkeiten. In meinen Wüstenfantasien von New York hatte ich manchmal perverse Visionen gehabt, wie Boris und ich auf der Straße lebten, um den St. Mark's Place oder Tompkins Square, möglicherweise mit Münzen in Pappbechern klimpernd, zusammen mit den Skater-Punks, die sich früher über Andy und mich in unseren Schuluniformen lustig gemacht hatten. Aber allein und mit Fieber in der novemberlichen Kälte war die reale Aussicht, auf der Straße zu schlafen, ungleich weniger reizvoll.

Das Verdammte war: Ich war bloß fünf Blocks von Andys Haus entfernt. Ich überlegte, ihn anzurufen – ihn vielleicht zu bitten, mich zu treffen –, und entschied mich dann dagegen. Bestimmt könnte ich ihn anrufen, wenn ich verzweifelt war: Er würde sich bereitwillig aus dem Haus schleichen, mir Kleidung zum Wechseln, aus dem Portemonnaie seiner Mutter gestohlenes Geld oder – wer weiß – vielleicht einen Schwung übrig gebliebener Krebsfleisch-Kanapees oder die gesalzenen Erdnüsse mitbringen, die die Barbours ständig aßen. Aber das Wort *Almosen* wirkte noch in mir nach. Sosehr ich Andy mochte, mein Auszug war fast zwei Jahre her. Und ich konnte nicht vergessen, wie Mr. Barbour mich angesehen hatte. Offensichtlich war irgendwas völlig schiefgelaufen, ich war nur nicht ganz sicher, was – mal abgesehen von der Gewissheit, dass ich – in meinem alles umhüllenden Gifthauch, der mich nie ganz verließ, konstruiert aus Scham, Wertlosigkeit und dem Gefühl, anderen zur Last zu fallen – irgendwie schuld daran war.

Unbeabsichtigt – ich hatte ins Leere gestarrt – traf mein Blick auf den eines Mannes auf der Bank gegenüber. Ich guckte schnell weg, doch es war schon zu spät; er stand auf und kam zu mir rüber.

»Süßes Hündchen«, sagte er, blieb stehen, um Popper zu tätscheln, und dann, als ich nicht antwortete: »Wie heißt du? Was dagegen, wenn ich mich setze?« Er war ein drahtiger Typ, klein, aber kräftig aussehend, und er stank. Ich mied seinen Blick und stand auf, doch als ich mich zum Gehen abwandte, packte er blitzschnell mein Handgelenk.

»Was ist los«, sagte er mit hässlicher Stimme, »magst du mich nicht?«

Ich riss mich los und rannte – Popper lief mir auf die Straße nach, zu schnell, weil er den Stadtverkehr und die schnellen Autos nicht gewöhnt war, und ich konnte ihn gerade noch rechtzeitig hochheben und über die 5th Avenue zum Hotel Pierre rennen. Mein Verfolger wurde auf der anderen Straßenseite von der inzwischen roten Ampel festgehalten und zog die Blicke einiger Fußgänger auf sich, doch als ich mich, sicher im Licht des warmen, hell erleuchteten Eingangs des Hotels – gut gekleidete Paare, Portiers, die Taxis heranwinkten – noch einmal zu ihm umdrehte, sah ich, dass er wieder im Park verschwunden war.

Die Straßen waren lauter, als ich sie in Erinnerung hatte – und sie rochen auch stärker. An der Ecke vor A La Vieille Russie wurde ich von dem vertrauten alten Midtown-Gestank überwältigt: Kutschpferde, Busabgase, Parfüm und Urin. So lange hatte ich Vegas als ein Provisorium betrachtet und gedacht, mein richtiges Leben wäre

484

das in New York – aber stimmte das? *Nicht mehr,* dachte ich düster, als ich den ausdünnenden Fußgängerstrom betrachtete, der an Bergdorf's vorbeieilte.

Obwohl meine Glieder schmerzten und das Fieber mich erneut frösteln ließ, lief ich gut zehn Blocks und versuchte immer noch, das zitternde flaue Gefühl aus den Beinen zu bekommen, diese durchdringende Vibration der Busse. Aber schließlich wurde mir die Kälte zu viel, und ich winkte ein Taxi heran. Es wäre eine bequeme Busfahrt gewesen, immer die 5th Avenue hinunter bis ins Village, doch nach drei ganzen Tagen in Greyhound-Bussen konnte ich die Vorstellung, auch nur eine Minute länger in einem weiteren Bus herumgeschaukelt zu werden, nicht ertragen.

Der Gedanke, unangekündigt bei Hobie aufzutauchen, war mir auch nicht besonders behaglich – kein bisschen behaglich, da wir seit einer Weile keinen Kontakt mehr gehabt hatten, mein Fehler, nicht seiner, an irgendeinem Punkt hatte ich einfach aufgehört zurückzuschreiben. Einerseits war es der natürliche Lauf der Dinge, andererseits hatte Boris' beiläufige Spekulation (»alte Schwuchtel?«) mich unterschwellig abgestoßen, und seine letzten zwei oder drei Briefe waren unbeantwortet geblieben.

Ich fühlte mich schlecht, ich fühlte mich schrecklich. Obwohl es nur eine kurze Fahrt war, musste ich auf der Rückbank eingedöst sein, denn als der Taxifahrer hielt und fragte »Hier okay?«, schreckte ich hoch und versuchte für einen Moment perplex, mich zu erinnern, wo ich war.

Der Laden war – wie ich bemerkte, als das Taxi wegfuhr – geschlossen und dunkel, als wäre er während der ganzen Zeit meiner Abwesenheit von New York nie geöffnet gewesen. Die Fensterscheiben waren von einem Schmutzfilm überzogen, und als ich hineinblickte, sah ich, dass manche Möbel mit Laken zugedeckt waren. Sonst hatte sich überhaupt nichts verändert, bis auf die zusätzliche Staubschicht, mit der all die alten Bücher und der Zierrat – die Marmorkakadus und Obeliske – bedeckt waren.

Mein Mut sank. Ich stand eine lange Minute oder zwei auf der

Straße, bevor ich mich traute zu klingeln. Mir schien, als hätte ich dem fernen Echo Ewigkeiten nachgelauscht, obwohl wahrscheinlich kaum Zeit verging, und ich hatte mir gerade eingeredet, dass niemand zu Hause war (und was würde ich dann machen? Zurück zum Times Square laufen und versuchen, irgendwo ein billiges Hotel zu finden, oder mich freiwillig als Ausreißer bei der Polizei melden?) als die Tür urplötzlich geöffnet wurde und ich mich nicht Hobie, sondern einem Mädchen in meinem Alter gegenübersah.

Sie war es – Pippa. Immer noch winzig (ich war viel größer geworden als sie) und dünn, aber viel gesünder aussehend als bei unserer letzten Begegnung, voller im Gesicht. Sie hatte jede Menge Sommersprossen, und ihr Haar war auch anders, es schien in einer anderen Farbe und Textur nachgewachsen zu sein, nicht rotblond, sondern dunkler, rostrot, und ein wenig widerspenstig wie das ihrer Tante Margaret. Sie war gekleidet wie ein Junge, dicke Socken, eine alte Cordhose, ein zu großer Pullover, dazu nur ein rosa-orangefarben gestreiftes Tuch, wie es eine überkandidelte Großmutter tragen würde. Sie sah mich aus ihren goldbraunen Augen fragend an, die Stirn gerunzelt, höflich, aber zurückhaltend: ein Fremder. »Kann ich helfen?«, fragte sie.

Sie hat mich vergessen, dachte ich bestürzt. Wie konnte ich erwarten, dass sie sich erinnerte? Es war lange her, und ich wusste, dass auch ich anders aussah. Es war, wie jemanden zu erblicken, den man für tot gehalten hatte.

Und dann tauchte hinter ihr – in farbbeklecksten Chinos und einer an den Ellenbogen durchgescheuerten Strickjacke die Treppe hinunterpolternd – Hobie auf. *Er hat sein Haar geschnitten*, war mein erster Gedanke, es war stoppelkurz und viel weißer, als ich es in Erinnerung hatte. Seine Miene war leicht verärgert, und einen niederschmetternden Augenblick lang glaubte ich, er würde mich auch nicht erkennen. »Gütiger Gott.« Er machte unvermittelt einen Schritt zurück.

»Ich bin's«, sagte ich hastig. Ich hatte Angst, er würde mir die Tür vor der Nase zuschlagen. »Theodore Decker. Erinnern Sie sich?«

Pippa blickte rasch zu ihm auf – offensichtlich kannte sie meinen

Namen, auch wenn sie *mich* nicht erkannt hatte –, und die freundliche Überraschung in ihren Gesichtern war so verblüffend, dass ich anfing zu weinen.

»Theo.« Seine Umarmung war kräftig und väterlich und so innig, dass ich noch mehr weinen musste. Dann war seine Hand auf meiner Schulter, eine schwere ankernde Hand, der Inbegriff von Sicherheit und Autorität. Er führte mich in die Werkstatt, das Mattgold und die satten Holzgerüche, von denen ich geträumt hatte, die Treppe hinauf in den längst verloren geglaubten Salon mit seinem Samt, den Urnen und Bronzestatuen. »Es ist wundervoll, dich zu sehen«, sagte er und »Du siehst völlig erschöpft aus« und »Wann bist du zurückgekommen?« und »Hast du Hunger?« und »Meine Güte, bist du groß geworden« und »Diese Haare! Wie Mogli, der Junge aus dem Dschungel!« und – (inzwischen besorgt) – »Ist es dir hier drin zu beengt und stickig? Soll ich ein Fenster aufmachen?« und, als Popper den Kopf aus der Tasche steckte: »Hallo! Wen haben wir denn da?«

Pippa hob ihn lachend hoch und knuddelte ihn in ihren Armen. Ich fühlte mich so benommen vor Fieber – knallrot und glühend wie die Stäbe eines elektrischen Heizkörpers und so ankerlos, dass ich mich nicht einmal schämte zu weinen. Ins Bewusstsein drangen mir nur noch meine Erleichterung, hier zu sein, und mein schmerzendes, übervolles Herz.

In der Küche gab es Pilzsuppe, auf die ich keinen Hunger hatte, doch sie war warm, und mir war eiskalt – und während ich aß (Pippa aß im Schneidersitz auf dem Fußboden und spielte mit Poptschik, ließ die Troddel ihres Großmuttertuchs in sein Gesicht baumeln, Popper/Pippa, wie hatte ich die Verwandtschaft ihrer Namen übersehen können?), berichtete ich ihm kurz und bruchstückhaft vom Tod meines Vaters und dem, was danach los war. Während Hobie mir mit verschränkten Armen zuhörte, wurde seine Miene immer besorgter und die Furchen in seiner störrischen Stirn immer tiefer.

»Du musst sie anrufen«, sagte er. »Die Frau deines Vaters.«

»Aber sie ist nicht seine Frau! Sie ist bloß seine Freundin! Ich bin ihr völlig egal.«

Er schüttelte entschieden den Kopf. »Spielt keine Rolle. Du musst sie anrufen und ihr sagen, dass es dir gut geht. Ja, ja, das musst du«, überging er meine versuchten Einwände. »Kein Aber. Jetzt sofort. In diesem Augenblick. Pips«, in der Küche gab es ein altmodisches Wandtelefon, »komm, lass uns kurz hier verschwinden.«

Obwohl Xandra so ungefähr der letzte Mensch auf der Welt war, mit dem ich sprechen wollte – vor allem nachdem ich ihr Schlafzimmer gefilzt und ihr Trinkgeld geklaut hatte –, war ich so überwältigt vor Erleichterung, dass ich alles getan hätte, was er verlangte. Während ich die Nummer wählte, sagte ich mir, dass sie wahrscheinlich nicht rangehen würde (bei uns riefen ständig Telefonwerber und Inkassounternehmen an, sodass sie nur selten Anrufe von Nummern entgegennahm, die sie nicht kannte). Deshalb war ich überrascht, als sie nach dem ersten Klingeln antwortete.

»Du hast die Tür offen gelassen«, sagte sie beinahe sofort vorwurfsvoll.

»Was?«

»Du hast den Hund rausgelassen. Er ist weggelaufen – ich kann ihn nirgendwo finden. Wahrscheinlich ist er von einem Auto überfahren worden oder irgendwas.«

»Nein.« Ich blickte starr in den schwarzen, mit Backstein gepflasterten Hof. Es regnete, Tropfen prasselten gegen die Fensterscheiben, seit zwei Jahren der erste echte Regen, den ich sah. »Er ist bei mir.«

»Oh.« Sie klang erleichtert. Dann schärfer: »Wo bist du? Mit Boris irgendwo?«

»Nein.«

»Ich habe mit ihm gesprochen – total vollgedröhnt, so wie er sich angehört hat. Er wollte mir nicht sagen, wo du bist. Ich weiß, dass er es weiß.« Obwohl es im Westen noch früh war, klang ihre Stimme rau, als hätte sie getrunken oder geweint. »Ich sollte euch bei den Bullen anzeigen, Theo. Ich weiß, dass ihr beide das Geld und den Kram geklaut habt.«

»Ja, genau wie du die Ohrringe meiner Mom.«

488

»Was …«

»Die mit den Smaragden. Die haben meiner Großmutter gehört.«

»Ich habe sie nicht *gestohlen*.« Jetzt war sie wütend. »Wie kannst du es wagen. Larry hat sie mir geschenkt, er hat sie mir geschenkt nach …«

»Ja, nachdem er sie meiner Mutter gestohlen hatte.«

»Ähm, Verzeihung, aber deine Mom ist tot.«

»Ja, aber das war sie noch nicht, als er sie ihr gestohlen hat. Es war ungefähr ein Jahr vor ihrem Tod. Sie hat die Versicherung angerufen«, sagte ich lauter, um sie zu übertönen. »Und Anzeige bei der Polizei erstattet.« Ich wusste nicht, ob das mit der Polizei stimmte, aber es hätte durchaus sein können.

»Ähm, ich schätze, du hast noch nie etwas von ehelichem Güterrecht gehört.«

»Genau. Und du hast wohl noch nie was von einem Familienerbstück gehört. Du und mein Dad, ihr wart nicht mal verheiratet. Er hatte kein Recht, sie dir zu schenken.«

Schweigen. Ich hörte, wie am anderen Ende ein Feuerzeug klickte und sie müde inhalierte. »Hör zu, Junge. Darf ich mal was sagen? Nicht wegen dem Geld, ehrlich. Oder dem Koks. Obwohl ich dir verdammt noch mal versichern kann, dass ich so was in deinem Alter noch nicht gemacht habe. Du denkst, du bist ziemlich clever und alles, und das bist du wohl auch, aber du bist auf einem üblen Weg, du und wie-heißt-er-noch. Ja, ja«, fuhr sie lauter über meinen versuchten Einwand hinweg fort, »ich mag ihn auch, aber er bedeutet Ärger, der Junge.«

»Du musst es ja wissen.«

Sie lachte kalt. »Weißt du was, Bürschchen? Ich hab schon ein paar Runden gedreht – und ja, ich weiß es. Er landet garantiert im Gefängnis, noch vor seinem achtzehnten Geburtstag, und du wirst direkt neben ihm sitzen. Ich meine, ich kann es dir nicht verdenken«, sagte sie und hob erneut die Stimme, »ich habe deinen Dad geliebt, obwohl er bestimmt nicht viel getaugt hat, genau wie deine Mutter, nach allem, was er mir erzählt hat.«

489

»Okay. Das reicht. Du kannst mich mal am Arsch lecken.« Ich zit
terte vor Wut. »Ich lege jetzt auf.«

»Nein – warte. Warte. Tut mir leid. Das über deine Mutter hätt‹
ich nicht sagen sollen. Deswegen wollte ich auch gar nicht mit di›
sprechen. Bitte. Bleibst du noch einen Moment dran?«

»Ich warte.«

»Erstens – vorausgesetzt, es kümmert dich –, ich lasse deinen Da‹
einäschern. Bist du damit einverstanden?«

»Mach, was du willst.«

»Du hattest nie viel für ihn übrig, oder?«

»Ist das alles?«

»Noch eine Sache. Mir ist es ehrlich gesagt egal, wo du bist. Abe›
ich brauche eine Adresse, unter der ich dich erreichen kann.«

»Und wozu das?«

»Sei kein Klugscheißer. Irgendwann wird jemand von deine›
Schule oder so anrufen …«

»Darauf würde ich mich nicht verlassen.«

»… und dann brauche ich, ich weiß nicht, irgendeine Erklärung
wo du bist. Wenn du nicht willst, dass die Bullen dein Foto auf Milch‹
kartons drucken oder so.«

»Das halte ich für einigermaßen unwahrscheinlich.«

»*Einigermaßen unwahrscheinlich*«, wiederholte sie in einer gemei‹
nen, gedehnten Imitation meiner Stimme. »Nun, mag sein. Aber gi‹
sie mir trotzdem, und dann sind wir quitt. Ich meine«, sagte sie, al‹
ich nicht antwortete, »ich sag dir ganz offen, es ist mir egal, wo d‹
bist. Ich will bloß nicht diejenige sein, die hier draußen verantwortlich ist, falls es ein Problem gibt und ich Kontakt mit dir aufnehmen muss.«

»Es gibt einen Anwalt in New York. Bracegirdle heißt er. George
Bracegirdle.«

»Hast du eine Telefonnummer?«

»Guck sie nach«, sagte ich. Pippa war in den Raum gekommen
um eine Schüssel Wasser für den Hund zu holen, und ich drehte
mich verlegen zur Wand, um sie nicht ansehen zu müssen.

»Brace *Girdle*?«, fragte Xandra. »So wie man es spricht? Was zum Teufel ist das für ein Name?«

»Hör zu, ich bin sicher, du bist in der Lage, ihn zu finden.«

Wir schwiegen, bis Xandra sagte: »Weißt du was?«

»Was denn?«

»Das war dein Vater, der gestorben ist? Dein eigener Vater. Und du benimmst dich, als wäre es, ich weiß nicht, ich würde sagen der Hund, aber noch *nicht mal* der Hund. Denn ich weiß, dass es dir nahegehen würde, wenn der Hund überfahren würde, zumindest glaube ich das.«

»Sagen wir, ich hab mir genauso viel aus ihm gemacht wie er sich aus mir.«

»Und ich sag *dir* was. Du und dein Dad, ihr seid euch sehr viel ähnlicher, als du vielleicht denkst. Du bist ganz sein Sohn, durch und durch.«

»Und du bist voller Scheiße«, sagte ich nach einer kurzen verächtlichen Pause – eine Erwiderung, die die Situation meinem Eindruck nach ziemlich gut auf den Punkt brachte. Aber noch lange nachdem ich aufgelegt hatte, als ich niesend und zitternd in einem heißen Bad saß und in dem hellen Dunst danach (Aspirin-Tabletten schluckend, die Hobie mir gegeben hatte, bevor ich ihm durch den Flur in das muffige Gästezimmer folgte, *pack dich gut ein, in der Truhe sind zusätzliche Decken, nein, nicht mehr reden, ich lasse dich jetzt allein*), hallte ihre letzte spitze Bemerkung in meinem Kopf wider, als ich mein Gesicht in das schwere, fremd riechende Kissen drehte. Es war nicht wahr – genauso wenig wie das, was sie über meine Mutter gesagt hatte. Allein bei der Erinnerung an ihre kratzige trockene Stimme in der Leitung fühlte ich mich schmutzig. Scheißblödekuh, dachte ich. Vergiss es. Sie war eine Million Meilen weit weg. Aber obwohl ich todmüde – mehr als todmüde – und das klapprige Messingbett das weichste Bett war, in dem ich je geschlafen hatte, zogen sich ihre Worte die ganze Nacht wie ein hässlicher Faden durch meine Träume.

III

*Wir sind so gewohnt, uns vor anderen zu verstellen,
dass wir uns schließlich vor uns selber verstellen.*
FRANÇOIS DE LA ROCHEFOUCAULD

KAPITEL 7

Der-Laden-hinter-dem-Laden

I

Von dem Geklapper eines Müllwagens aufzuwachen war, als wäre ich in ein anderes Universum katapultiert worden. Mein Hals tat weh. Ich lag ganz still unter der Daunendecke und atmete die dunkle Luft aus getrockneter Duftmischung, verbranntem Kaminholz und – ganz schwach – dem unverwüstlichen Aroma von Terpentin, Harz und Lack.

Eine Weile lag ich nur da. Popper – der sich nachts an meinen Füßen zusammengerollt hatte – war nirgends zu sehen. Ich hatte in meiner schmutzigen Kleidung geschlafen. Angetrieben von einem Niesanfall richtete ich mich schließlich auf, zog meinen Pullover über das Hemd, griff tastend unter das Bett, um mich zu vergewissern, dass der Kissenbezug noch da war, und tappte dann über den kalten Boden ins Bad. Mein Haar war in Knoten getrocknet, zu wirr, um es durchzukämmen, und selbst nachdem ich Wasser darübergegossen und von vorne begonnen hatte, an einer Stelle so verfilzt, dass ich schließlich aufgab und es mit einer verrosteten Nagelschere aus der Schublade mühsam absäbelte.

Himmel, dachte ich und wandte mich zum Niesen vom Spiegel ab. Ich war seit geraumer Zeit nicht mehr in der Nähe eines Spiegels gewesen und erkannte mich kaum wieder: Beule und Aknepickel am Kinn, das Gesicht fleckig und von der Erkältung geschwollen – auch die Augen verquollen, schläfrig mit schweren Lidern, was mich irgendwie dumm und verschlagen aussehen ließ, jemand, der nicht zur Schule ging, sondern zu Hause unterrichtet wurde. Wie ein von einer Sekte großgezogenes und gerade von örtlichen Gesetzesvertretern gerettetes Kind, das blinzelnd aus einem mit Feuerwaffen und Milchpulver vollgestopften Keller geführt wird.

Es war spät: neun. Als ich aus meinem Zimmer kam, drang das morgendliche Klassikprogramm auf WNYC an mein Ohr, die traumartig vertraute Stimme des Moderators, Köchelverzeichnis-Nummern, eine sedierte Ruhe, das gleiche warme Schnurren des nichtkommerziellen öffentlichen Radios, zu dem ich so oft am Sutton Place aufgewacht war. Als ich in die Küche kam, saß Hobie mit einem Buch am Tisch.

Doch er las nicht, er starrte vor sich hin. Als er mich sah, schreckte er zusammen.

»Nun, da bist du ja«, sagte er und stand auf, um einen Haufen Post und Rechnungen ungeordnet zur Seite zu schieben, damit ich mich setzen konnte. Er trug seine Werkstattkleidung, Cordhose mit durchgescheuerten Knien sowie einen alten, mottenzerfressenen, torfbraunen Pullover, und seine hohe Stirn, die kahlen Schläfen und die neue Kurzhaarfrisur verliehen ihm die nachdenkliche Aura des marmornen Senators auf dem Cover von Hadleys Lateinbuch. »Wie ist das Befinden?«

»Gut, danke«, krächzte ich mit heiserer Stimme.

Er ließ die Brauen wieder sinken und sah mich fest an. »Gütiger Himmel«, sagte er. »Heute Morgen klingst du wie ein Rabe.«

Was meinte er damit? Glühend vor Scham rutschte ich auf dem Stuhl, den er mir hingeschoben hatte – zu verlegen, um ihm in die Augen zu sehen –, und starrte auf sein Buch, *Leben und Briefe* von einem Lord So-wie-noch, ein antiquarischer Band, wahrscheinlich aus einem seiner Nachlassverkäufe, die alte Mrs. So-und-so oben in Poughkeepsie, gebrochene Hüfte, keine Kinder, alles sehr traurig.

Er goss mir eine Tasse Tee ein und schob einen Teller in meine Richtung. In dem Bemühen, mein Unbehagen zu kaschieren, senkte ich den Kopf, machte mich über den Toast her – und hätte beinahe gewürgt, denn mein Hals war so wund, dass ich nicht schlucken konnte. Zu hastig griff ich nach meinem Tee, verschüttete ihn auf das Tischtuch und mühte mich, ihn mit der Serviette aufzusaugen.

»Nein – nein, macht nichts – hier …«

Meine Serviette war durchweicht, und ich wusste nicht, wohin danit. In meiner Verwirrung ließ ich sie auf den Toast fallen und schob die Finger unter meine Brillengläser, um mir die Augen zu reiben. »Verzeihung«, stammelte ich.

»Verzeihung?« Er sah mich an, als hätte ich ihn nach dem Weg zu einem Ort gefragt, von dem er nicht genau wusste, wie man dorthin gelangte. »Also, komm schon …«

»Bitte schicken Sie mich nicht weg.«

»Was war das? Dich *wegschicken*? Wohin wegschicken?« Er schob eine halbmondförmige Brille auf die Nasenspitze und sah mich über den Rand der Gläser hinweg an. »Sei nicht albern«, sagte er spielerisch und leicht verärgert. »Ich sage dir, wohin ich dich schicken sollte, nämlich direkt wieder ins Bett. Du hörst dich an, als hättest du den Schwarzen Tod.«

Aber seine ganze Art beruhigte mich nicht. Gelähmt vor Verlegenheit, entschlossen, nicht loszuheulen, starrte ich auf die verlassene Stelle neben dem Ofen, wo früher Cosmos Korb gestanden hatte.

»Ach ja«, sagte Hobie, als er mich in die leere Ecke gucken sah. »Ja. So ist das. Taub wie ein Schellfisch, drei bis vier Anfälle die Woche, doch wir wollten trotzdem, dass er ewig lebt. Ich habe geflennt wie ein Baby. Wenn mir jemand gesagt hätte, dass Welty noch vor Cosmo abtreten würde – er hat sein halbes Leben damit verbracht, den Hund zum und vom Tierarzt zu tragen … sieh mal«, sagte er mit veränderter Stimme, beugte sich vor und versuchte, mir in die Augen zu blicken, während ich nach wie vor sprachlos und elend dasaß. »Nun komm. Ich weiß, du hast eine Menge durchgemacht, aber es besteht nicht die geringste Notwendigkeit, sich jetzt darüber zu echauffieren. Du siehst mitgenommen aus – doch, doch, ja, tust du«, sagte er nachdrücklich. »Sehr mitgenommen sogar und – Gesundheit!« Er verzog leicht das Gesicht. »Eine üble Dosis von irgendwas, so viel ist sicher. Nicht grübeln – alles wird gut. Warum gehst du nicht wieder ins Bett, und wir bereden das später.«

»Ich weiß, aber«, ich wandte den Kopf ab, um ein feuchtes, geräuschvolles Niesen zu unterdrücken, »ich hab sonst nirgends, wo ich hingehen kann.«

499

Er lehnte sich auf seinem Stuhl zurück: liebenswürdig, behutsam und ein wenig verstaubt. »Theo«, er tippte auf seine Unterlippe, »wie alt bist du?«

»Fünfzehn. Fünfzehneinhalb.«

»Und«, er schien zu überlegen, wie er die Frage stellen sollte, »was ist mit deinem Großvater?«

»Oh«, sagte ich nach einer Pause hilflos.

»Hast du mit ihm gesprochen? Er weiß, dass du sonst nirgendwohin kannst?«

»Na ja, scheiße«, es rutschte mir einfach so raus; Hobie hob die Hand, um mich zu beruhigen, »Sie verstehen das nicht. Ich meine – ich weiß nicht, ob er Alzheimer hat oder was, aber als sie ihn angerufen haben, wollte er nicht mal mit mir sprechen.«

Hobie stützte das Kinn schwer in die Hand und beäugte mich wie ein skeptischer Lehrer. »Also hast du nicht mit ihm gesprochen.«

»Nein – ich meine, nicht persönlich – da war diese Frau, die uns geholfen hat …« Xandras Freundin Lisa (die mir eifrig durchs Haus gefolgt war und die sanfte, aber zunehmend drängende Sorge geäußert hatte, dass »die Familie« benachrichtigt werden müsse) hatte sich irgendwann in eine Ecke zurückgezogen, die Nummer gewählt, die ich ihr gegeben hatte – und später mit einem Gesichtsausdruck wieder aufgelegt, der Xandra das einzige Lachen des Abends entlockt hatte.

»Diese Frau?«, fragte Hobie in die Stille, die sich über uns gesenkt hatte, und in einem Tonfall, mit dem man vielleicht einen Psychiatriepatienten ansprechen würde.

»Genau. Ich meine«, ich wischte mir mit der Hand übers Gesicht. Die Farben in der Küche waren zu intensiv, mir war schwummrig, ich fühlte mich benommen, außer Kontrolle, »ich glaube, Dorothy hat das Telefon abgenommen, und Lisa hat erzählt, sie hätte nur gesagt ›Okay, warte‹ – nicht mal ›O nein!‹ oder ›Was ist passiert?‹ oder ›Wie furchtbar!‹ – bloß ›Einen Moment, ich hol ihn‹, und dann kam mein Opa an den Apparat, und Lisa hat ihm von dem Unfall erzählt und er hat zugehört und gesagt, nun, es täte ihm leid, das zu hören, ber in einem ganz bestimmten Ton. Nicht ›Was kann ich tun?‹ oder Wo ist die Beerdigung?‹ oder irgendwas. Bloß ›Danke für den Anruf, sehr nett von Ihnen, Tschüss.‹ Ich meine – ich hätte es ihnen sagen können«, fügte ich nervös hinzu, als Hobie nicht antwortete. »Aber, eigentlich mochten sie meinen Dad nicht – sie mochten ihn wirklich nicht. Dorothy ist seine Stiefmutter, und sie haben sich vom ersten Tag an gehasst, aber mit Grandpa Decker hat er sich auch nie verstanden …«

»Schon gut, schon gut. Ganz ruhig.«

»… und na ja, mein Dad hatte als Jugendlicher irgendwelchen Ärger, das könnte etwas damit zu tun gehabt haben – er wurde festgenommen, ich weiß nicht, weswegen. Ich weiß ehrlich nicht warum, aber so lange ich mich erinnern kann, wollten sie nie etwas mit ihm zu tun haben und mit mir auch nicht …«

»Beruhige dich! Ich versuche doch gar nicht …«

»… denn ich schwöre, ich hab sie praktisch nie gesehen, ich kenne sie eigentlich gar nicht, aber es gibt keinen Grund dafür, dass sie mich hassen – nicht, dass mein Opa ein so toller Typ wäre, er hat meinen Dad sogar ziemlich misshandelt …«

»Pst – Schluss jetzt! Ich will dir gar keine Daumenschrauben anlegen, ich möchte es bloß wissen – nein, hör mir zu«, sagte er, als ich widersprechen wollte, und tat meine Worte mit einem Handwedeln ab, als würde er Fliegen vom Tisch verscheuchen.

»Der Anwalt meiner Mutter ist hier. In der Stadt. Begleiten Sie mich zu ihm? Nein«, sagte ich verwirrt, als er die Augenbrauen zusammenzog, »nein, kein richtiger *Anwalt,* sondern einer, der Geld verwaltet? Ich habe mit ihm telefoniert. Vor meiner Abreise.«

»Mal ehrlich«, sagte Pippa, die lachend und mit vor Kälte rosigen Wangen hereinplatzte, »was ist mit diesem Hund los? Hat er noch nie ein Auto gesehen?«

Knallrotes Haar, grüne Wollmütze, der Schock, sie am helllichten Tag zu sehen, war wie ein Spritzer kaltes Wasser. Sie humpelte ein wenig, wahrscheinlich eine Folge des Unfalls, aber mit einer grashüpferartigen Leichtigkeit wie der graziöse Auftakt zu einem Tanzschritt, und sie war zum Schutz gegen die Kälte in so viele Schichter gepackt, dass sie aussah wie ein bunter kleiner Kokon mit Füßen.

»Er hat gejault wie eine Katze.« Sie wickelte einen ihrer vielen ge musterten Schals ab, während Poptschik mit der Leine im Mund un ihre Füße tänzelte. »Macht er dieses merkwürdige Geräusch immer Ich meine, ein Taxi kam vorbei und – wusch! In der Luft! Ich hal ihn wie einen Drachen fliegen lassen! Die Leute haben sich kaputtge lacht. Ja«, sie bückte sich, um den Hund anzusprechen und ihm mi den Fingerknöcheln über den Kopf zu reiben, »du brauchst ein Bad stimmt's? Ist er ein Malteser?«, fragte sie und blickte auf.

Ich nickte vehement, während ich versuchte, mit dem Handrü cken auf dem Mund, ein Niesen zu unterdrücken.

»Ich liebe Hunde.« Ich hörte kaum, was sie sagte, so verwirrt wai ich, weil sie mir direkt in die Augen sah. »Ich habe ein Hundebuch und ich habe alle Rassen auswendig gelernt. Wenn ich einen großer Hund hätte, dann einen Neufundländer wie Nana in Peter Pan, und wenn ich einen kleinen Hund hätte – na ja, ich wechsle dauernd mei ne Meinung. Ich mag alle kleinen Terrier, vor allem Jack Russells, die sind auf der Straße immer so lustig und freundlich. Aber ich kenn auch einen wunderbaren Basenji. Und neulich habe ich einen wirk lich tollen Pekinesen getroffen. Total winzig und echt intelligent. I China durften nur Mitglieder der königlichen Familie sie besitzen Es ist eine uralte Rasse.«

»Malteser sind auch uralt«, krächzte ich, froh, einen interessanter Beitrag leisten zu können. »Sie reichen zurück bis ins antike Grie chenland.«

»Hast du deswegen einen Malteser ausgesucht? Weil sie ural sind?«

»Ähm ...« Ich unterdrücke ein Husten.

Sie sagte noch etwas – zu dem Hund, nicht zu mir –, aber ich hatt den nächsten Niesanfall. Hobie griff hastig nach dem nächstbester Tuch in Griffweite – eine Serviette – und reichte es mir.

»So, jetzt ist aber genug«, sagte er. »Zurück ins Bett. Nein, nein« wehrte er ab, als ich ihm die Serviette zurückgeben wollte, »behal te sie. Und jetzt sag mir«, er betrachtete meinen verwüsteten Teller, verschütteter Tee und durchgeweichter Toast, »was ich dir zum Frühstück bringen soll?«

Niesend hob ich die Achseln zu einem breiten, russischen Schulterzucken, das ich Boris abgeschaut hatte: *Irgendwas.*

»Also gut, dann mache ich dir ein bisschen Haferbrei, wenn du nichts dagegen hast. Das schont den Hals. Hast du keine Socken?«

»Ähm …« Sie war mit dem Hund beschäftigt, senfgelber Pullover und Haare wie Herbstlaub, und ihre Farben vermischten sich mit den hellen Farben in der Küche: gestreifte Äpfel in einer gelben Schale, ein stechendes silbernes Glitzern von der Kaffeedose, in der Hobie seine Pinsel aufbewahrte.

»Pyjama?«, fragte Hobie. »Nicht? Ich werde sehen, was ich noch von Weltys Sachen finde. Wenn du aus deinen Klamotten geschlüpft bist, stecke ich sie in die Wäsche. Und jetzt ab mit dir«, sagte er und klopfte mir so unvermittelt auf die Schulter, dass ich zusammenzuckte.

»Ich …«

»Du kannst bleiben. So lange du willst. Und keine Sorge, ich gehe mit dir zu deinem Notar oder Anwalt. Alles wird gut.«

II

Erschöpft und zitternd schlich ich zurück durch den dunklen Flur und schlüpfte unter die eiskalte Decke. Das Zimmer roch feucht, und obwohl es zahlreiche interessante Dinge zu betrachten gab – ein Paar Greife aus Terrakotta, viktorianische Perlarbeiten, sogar eine Kristallkugel –, erfüllten mich die tiefbraunen Wände, dunkel und trocken wie Kakaopulver, mit einem Gefühl von Hobies und auch Weltys Stimme, ein freundliches Braun, das mich bis ins Mark durchdrang und in einem warmen altmodischen Tonfall zu mir sprach, sodass ich mich, in meinem düsteren Fieberstrom treibend, von ihrer beruhigenden Gegenwart eingehüllt fühlte, während Pippa ihren eigenen schillernd bunten Schein verbreitete, und ich dachte auf verworrene Weise an dunkelrote Blätter und Funken, die von einem Lagerfeuer in die Dunkelheit stoben, auch an mein Gemälde und daran, wie es vor einem so satten, dunklen, Licht schluckenden Hintergrund aussehen würde. Gelbe Federn. Ein purpurroter Tupfer. Glänzende schwarze Augen.

Ich erwachte mit einem Schock – panisch, mit den Armen rudernd, wieder im Bus, wo jemand versuchte, das Bild aus meinem Rucksack zu stehlen – und sah Pippa, die den schläfrigen Hund hochhob, ihr Haar heller als alles andere im Raum.

»Tut mir leid, aber er muss mal raus«, sagte sie. »Nies mich nicht an.«

Ich rappelte mich auf die Ellenbogen. »Tut mir leid, hi«, sagte ich dämlich, wischte mir mit dem Arm übers Gesicht und fügte hinzu: »Ich fühl mich besser.«

Aus ihren irritierenden, goldbraunen Augen ließ sie den Blick durchs Zimmer schweifen. »Ist dir langweilig? Soll ich dir ein paar Buntstifte bringen?«

»Buntstifte?« Ich war verwirrt. »Wozu?«

»Ähm, um damit zu malen …?«

»Na ja …«

»Ist keine große Sache«, meinte sie. »Du hättest bloß Nein sagen müssen.«

Damit war sie weg, gefolgt von Popper, und hinterließ nur ihren Zimtkaugummigeruch. Ich vergrub das Gesicht in den Kissen und fühlte mich von meiner eigenen Dummheit erdrückt. Obwohl ich lieber gestorben wäre, als es irgendjemandem zu erzählen, machte ich mir Sorgen, dass mein überschwänglicher Drogenkonsum mein Gehirn und mein Nervensystem beschädigt hatte und auf eine irreparable und vielleicht nicht ohne Weiteres offensichtliche Weise womöglich auch meine Seele.

Während ich noch grübelnd dalag, piepte mein Handy: RATE, WO ICH BIN? POOL@MGM GRAND!!!!

Ich blinzelte. BORIS? simste ich zurück.

JA, BIN ICH!

Was machte er dort? ALLES OKAY? antwortete ich.

JA, ABER MUEDE! HABEN DEN STOFF WEGGEZOGEN OMG:)

Und dann ein weiteres Piepen:

* SUPER * SPASS. PARTY. PARTY. UND DU? SCHLAEFST UNTER BRUECKE?

NYC, simste ich zurück, KRANK IM BETT. WARUM BIST DU IM MGM-SR?

BIN HIER MIT KT UND AMBER ETC!!!;:)

Und eine Sekunde später: KENNST DU DRINK WHITE RUSSIAN? SEHR LECKER, ABER KEIN GUTER NAME FUER DRINK

Es klopfte. »Alles in Ordnung?« Hobie steckte den Kopf durch die Tür. »Kann ich dir irgendwas bringen?«

Ich legte das Handy weg. »Nein danke.«

»Na, dann sag mir bitte Bescheid, wenn du Hunger hast. Es gibt jede Menge zu essen, der Kühlschrank ist so voll, dass ich die Tür kaum zukriege, wir hatten zu Thanksgiving Besuch – was ist das für ein Lärm?«

»Bloß mein Telefon.« Boris hatte gesimst: DIE LETZTEN TAGE WAREN UNGLAUBLICH!!!

»Nun, ich lass dich in Ruhe. Sag mir Bescheid, wenn du irgendwas brauchst.«

Als er weg war, drehte ich mich zur Wand und tippte: MGMGR? MIT KT BEARMAN?!

Die Antwort kam beinahe unverzüglich: JA! UND AMBER & MIMI & JESSICA & KTS SCHWESTER JORDAN, DIE IST AUF *COLEGE* :-D WAAAS???

WAR SCHLECHTER ZEITPUNKT ZU GEHEN FUER DICH!!!! :-D

Und fast direkt danach, noch bevor ich antworten konnte: MUSS SCHLUSS MACHEN, AMBR BRAUCHT IHR TEL.

RUF MICH SPAETER AN, simste ich zurück. Doch ich erhielt keine Antwort – und es sollte sehr, sehr lange dauern, bis ich wieder von Boris hörte.

III

An diesem und den ein oder zwei folgenden Tagen, an denen ich ir
einem verblüffend weichen alten Pyjama von Welty herumtappte
versank ich dermaßen in dem heillosen Durcheinander meines Fie
berwahns, dass ich mich wieder am Port Authority wähnte, auf de
Flucht vor Leuten, mir einen Weg durch eine Menschenmenge bah
nend und gebückt in Tunneln, von deren Decke öliges Wasser au
mich herabtropfte, oder zurück in Las Vegas in dem städtischen Bu
auf der Fahrt durch windgepeitschte Industriegebiete, aufgewehte
Sand, der gegen die Scheiben prasselte, und kein Geld, um meiner
Fahrschein zu bezahlen. Die Zeit glitt in Verwehungen unter mir
hinweg wie überfrorene Nässe auf einem Highway, unterbrocher
von unvermittelten, kurzen stechenden Augenblicken, in denen mei
ne Räder blockierten und ich in die reale Zeit zurückgeschleuder
wurde: Hobie, der mir Aspirin und Ginger Ale mit Eis brachte, Pop
tschik – frisch gebadet, fluffig und schneeweiß –, der auf das Fußende des Bettes sprang und über meine Füße trampelte.

»Hey«, sagte Pippa, kam ans Bett und stupste mich in die Seite
damit ich ihr Platz machte, »rutsch mal ein Stück.«

Ich richtete mich auf und tastete nach meiner Brille. Ich hatte vor
dem Gemälde geträumt – ich hatte es herausgeholt und betrachtet
oder nicht? – und sah mich ängstlich um, um mich zu vergewissern
dass ich es wieder eingepackt hatte, bevor ich eingeschlafen war.

»Was ist los?«

Ich zwang mich, sie direkt anzusehen. »Nichts.« Ich war schon ein
paar Mal unter das Bett gekrochen, nur um den Kissenbezug zu berühren, und fragte mich jetzt unwillkürlich, ob ich achtlos gewesen
war und eine Ecke hervorragte. *Nicht nach unten gucken,* ermahnte
ich mich. *Schau sie an.*

»Hier«, sagte Pippa. »Hab was für dich gebastelt. Streck die Hand
aus.«

»Wow«, sagte ich und starrte auf das stachelige, leuchtend gelb-
grüne Origami auf meiner Handfläche. »Danke.«

»Weißt du, was es ist?«

»Äh …« Reh? Kuh? Gazelle? Panisch blickte ich zu ihr auf.

»Gibst du auf? Ein Frosch! Sieht man das nicht? Stell ihn auf den Nachttisch. Er sollte hüpfen, wenn man so darauf drückt, siehst du?«

Während ich verlegen mit dem Papierfrosch spielte, spürte ich ihren Blick auf mir – Augen, in denen Licht und Wildheit lagen, eine sorglose Macht wie in den Augen eines kleinen Kätzchens.

»Kann ich mal sehen?« Sie schnappte sich meinen iPod und scrollte eifrig durch die Listen. »Hm«, sagte sie. »Nett! Magnetic Fields, Mazzy Star, Nico, Nirvana, Oscar Peterson. Keine Klassik?«

»Doch, ein paar Stücke«, sagte ich beschämt. Eigentlich war alles, was sie erwähnt hatte, von meiner Mutter, bis auf Nirvana, und selbst davon war einiges ihrs.

»Ich würde dir ein paar CDs brennen. Aber ich habe meinen Computer in der Schule gelassen. Ich könnte dir was schicken – in letzter Zeit habe ich viel Avo Pärt gehört, frag mich nicht warum, ich muss es über Kopfhörer hören, weil es meine Mitbewohnerinnen wahnsinnig macht.«

Voller Angst, sie könnte mich beim Starren erwischen, und doch unfähig, den Blick loszureißen, beobachtete ich, wie sie mit gesenktem Kopf meinen iPod studierte: hellrosarote Ohren, die Narbe unter ihrem glühend roten Haar. Im Profil, den Blick gesenkt, wirkten ihre Augen lang und schwerlidrig, mit einer Zartheit darin, die mich an die Engel und Edelknaben aus dem Band mit nordeuropäischen Meisterwerken erinnerte, den ich mir immer wieder aus der Bücherei ausgeliehen hatte.

»Hey …« Die Worte verdörrten in meinem Mund.

»Ja?«

»Ähm …« Warum war es nicht wie vorher? Warum fiel mir nichts ein?

»Ohoho!« Sie sah zu mir auf und lachte dann wieder, zu heftig, um zu sprechen.

»Was ist?«

»Warum guckst du mich so an?«

»Wie?«, fragte ich beunruhigt.

»Wie …« Ich war nicht sicher, wie ich die stieläugige Grimasse deuten sollte, die sie zog. Ein Mensch, der erstickte? Ein Junge mit Down-Syndrom? Ein Fisch?

»Werd nicht gleich wütend. Du bist bloß so ernst. Es ist«, sie blickte wieder auf den iPod und brach in Gelächter aus, »auweia, Schostakowitsch«, sagte sie, »*schwere Kost.*«

An wie viel erinnerte sie sich, fragte ich mich, glühend vor Scham und doch unfähig, die Augen von ihr zu wenden. So etwas konnte man nicht fragen, aber ich wollte es trotzdem wissen. Hatte sie auch Albträume? Angst vor großen Menschenmengen? Schweißausbrüche und Panikattacken? Hatte sie je das Gefühl, sich selbst von Weitem zu beobachten – wie ich so oft –, als hätte die Explosion meinen Körper und meine Seele auseinandergerissen, sodass sie jetzt zwei getrennte Wesenheiten bildeten, die ein paar Meter voneinander entfernt verharrten? Ihr Lachen hatte eine sich selbst antreibende verwegene Unbekümmertheit, die ich von meinen wilden Nächten mit Boris nur zu gut kannte, einen hysterischen Unterton, den ich (zumindest bei mir selbst) mit der Erfahrung assoziierte, dem Tod knapp entronnen zu sein. An manchen Nächten in der Wüste war mir regelrecht schlecht vor Lachen gewesen, stundenlang hatte ich mir zuckend den Bauch gehalten und hätte mich mit Vergnügen vor ein Auto geworfen, nur damit es aufhörte.

IV

Obwohl es mir noch längst nicht gut ging, erhob ich mich am Montagmorgen aus dem Nebel meiner Schmerzen und Verschlafenheit und trottete pflichtschuldig in die Küche, um Mr. Bracegirdles Kanzlei anzurufen. Aber als ich nach ihm fragte, informierte seine Sekretärin mich (nachdem sie mich kurz hatte warten lassen und dann zu schnell wieder in der Leitung war), dass Mr. Bracegirdle nicht im Büro sei, und nein, sie habe auch keine Nummer, unter der er zu ereichen war, und nein, sie könne mir leider nicht sagen, wann er zurückkommen würde. Ob sonst noch etwas anliege?

»Nun ...« Ich hinterließ Hobies Nummer und bereute gerade, dass ich zu begriffsstutzig gewesen war, um trotzdem einen Termin zu vereinbaren, als das Telefon klingelte.

»212, wie?«, fragte die reiche, schlaue Stimme.

»Ich habe Vegas verlassen«, sagte ich blöde. Mit meinen verstopften Nebenhöhlen klang ich nasal und ein bisschen beschränkt. »Ich bin in der Stadt.«

»Ja, das dachte ich mir.« Sein Ton war freundlich, aber kühl. »Was kann ich für dich tun?«

Als ich ihm vom Tod meines Vaters erzählte, atmete er tief ein. »Nun«, sagte er bedächtig, »das tut mir leid. Wann ist es passiert?«

»Letzte Woche.«

Er hörte mir zu, ohne mich zu unterbrechen; in den gut fünf Minuten, die ich brauchte, um ihn auf den neuesten Stand zu bringen, bekam ich mit, wie er mindestens zwei andere Anrufe abwies. »Ach du liebes bisschen«, sagte er, als ich fertig geredet hatte. »Das ist ja eine Geschichte, Theodore.«

Ach du liebes bisschen: In anderer Stimmung hätte ich vielleicht gelächelt. Das war auf jeden Fall ein Mensch, den meine Mutter gekannt und gemocht hatte.

»Muss schrecklich für dich gewesen sein dort draußen«, sagte er. »Natürlich tut mir dein Verlust furchtbar leid. Es ist alles *sehr* traurig. Aber offen gestanden – und das zu sagen, fällt mir jetzt leichter – wusste niemand, was zu tun war, als er auftauchte. Deine Mutter hatte mir natürlich ein paar Dinge anvertraut – sogar Samantha hatte Bedenken geäußert – nun, es war eine schwierige Situation, wie du weißt. Aber ich glaube nicht, dass irgendjemand so etwas erwartet hat. Gangster mit Baseball-Schlägern.«

»Na ja ...« *Gangster mit Baseball-Schlägern,* ich hatte nicht beabsichtigt, dass er gerade auf dieses Detail ansprang. »Er stand bloß da und hatte ihn in der Hand. Es war nicht so, als ob er mich geschlagen hätte oder irgendwas.«

509

»Nun«, er lachte, ein unbeschwertes Lachen, das die Spannung löste, »fünfundsechzigtausend Dollar klang wie eine *auffällig* präzise Summe. Ich muss auch gestehen, dass ich meine Autorität als dein Rechtsbeistand ein wenig überschritten habe, als wir telefoniert haben, obwohl ich hoffe, dass du mir das unter den Umständen verzeihst. Es war bloß, dass ich einen faulen Braten gerochen habe.«

»Wie bitte?«, fragte ich nach einer makabren Pause.

»Am Telefon. Das Geld. Man *kann* es sich auszahlen lassen, jedenfalls die Ausbildungsversicherung. Man muss eine hohe Strafsteuer zahlen, aber es ist möglich.«

Möglich? Ich hätte es kriegen können? Eine alternative Zukunft blitzte vor meinem inneren Auge auf: Mr. Silver bezahlt, Dad, der im Bademantel auf dem BlackBerry die Sportergebnisse checkte, ich in Spirsézkajas Klasse, Boris, der auf der anderen Seite des Gangs auf seinem Stuhl lümmelte.

»Obwohl ich dir auch mitteilen muss, dass die angesparte Summe ein wenig darunter liegt«, sagte Mr. Bracegirdle. »Aber gut angelegt und stetig wachsend! Nicht, dass wir es unter den gegebenen Umständen nicht einrichten könnten, dass du einen Teilbetrag sofort bekommst, aber deine Mutter war selbst bei all ihren finanziellen Problemen immer entschlossen, das Geld nicht anzurühren. Dass dein Vater es in die Hände bekommt, wäre das Letzte gewesen, was sie gewollt hätte. Und nur unter uns, ja, ich halte es für sehr klug, dass du auf eigene Verantwortung nach New York City zurückgekehrt bist. Sorry«, ein gedämpftes Gespräch, »ich hab einen Termin um elf, ich muss los – du wohnst jetzt bei Samantha, nehme ich an?«

Die Frage erwischte mich unvorbereitet. »Nein«, sagte ich, »bei Freunden im Village.«

»Nun, prächtig, solange du es bequem hast. Wie dem auch sei, ich fürchte, ich muss jetzt wirklich los. Was hältst du davon, wenn wir diese Unterhaltung in meinem Büro fortsetzen? Ich stelle dich nochmal zu Patsy durch, damit sie dir einen Termin gibt.«

»Super«, sagte ich, »danke.« Aber als ich auflegte, war mir übel – als ob jemand in meine Brust gepackt und eine Menge hässliches feuchtes Zeug um mein Herz herausgerissen hätte.

»Alles in Ordnung?« Hobie, der durch die Küche kam, blieb abrupt stehen, als er meinen Gesichtsausdruck sah.

»Klar.« Aber der Weg durch den Flur bis zu meinem Zimmer war lang – und nachdem ich die Tür geschlossen hatte und wieder ins Bett gekrochen war, fing ich an zu weinen oder halb zu weinen, ein widerliches trockenes Keuchen, mein Gesicht ins Kissen gepresst, während Poptschik mit der Pfote an meinem Hemd zupfte und ängstlich an meinem Nacken schnupperte.

V

Vor dem Telefonat hatte ich mich eigentlich schon besser gefühlt, doch es war, als ob diese Neuigkeit einen Rückfall ausgelöst hätte. Während das Fieber im Laufe des Tages wieder stieg und mich erneut benommen und kraftlos machte, konnte ich an nichts anderes denken als an meinen Dad: *Ich muss ihn anrufen,* dachte ich und schreckte immer wieder im Bett hoch, wenn ich gerade eingedöst war, als ob sein Tod nicht real, sondern nur eine Probe, ein Testlauf gewesen wäre. Der wirkliche (permanente) Tod sollte erst noch passieren, und es blieb Zeit, ihn aufzuhalten, wenn ich meinen Dad nur finden konnte, wenn er nur an sein Handy ginge, wenn Xandra ihn von der Arbeit aus erreichen könnte, *ich muss ihn erreichen, ich muss es ihm sagen.* Später – der Tag war vorbei, es war dunkel, und ich war in einen unruhigen Wachtraum gefallen, in dem mein Dad mich heftig tadelte, weil ich irgendwelche Flugreservierungen durcheinandergebracht hatte – bemerkte ich Licht im Flur und einen winzigen Schatten im Gegenlicht, Pippa, die, fast als hätte sie jemand geschubst, unvermittelt ins Zimmer stolperte, sich skeptisch umdrehte und fragte: »Soll ich ihn wecken?«

»Warte«, sagte ich, halb zu ihr – halb zu meinem Dad, der schnell

in die Dunkelheit zurücksank, einen randalierenden Mob von Sta
dionbesuchern jenseits eines hohen bogenförmigen Tors.

»Entschuldigung?«, fragte ich, einen Arm über die Augen gelegt
desorientiert vom grellen Licht der Lampe.

»Nein, ich muss mich entschuldigen. Es ist bloß – ich meine«, – si
strich sich eine Strähne aus dem Gesicht –, »ich fahre ab und wollt
mich noch verabschieden.«

»Verabschieden?«

»Oh.« Sie zog ihre blassen Brauen zusammen, blickte zur Tür zu
Hobie (der verschwunden war) und dann wieder zu mir. »Gut. Also.

Ihre Stimme klang ein wenig panisch. »Ich fahre zurück. Heut
Abend. Jedenfalls war es schön, dich zu sehen. Ich hoffe, dass sic
bei dir alles klärt.«

»Heute Abend?«

»Ja, mein Flug geht gleich. Sie hat mich aufs Internat geschickt?«
sagte sie, als ich sie weiter anstarrte. »Ich war nur zu Thanksgivin
hier? Und für einen Arzttermin? Schon vergessen?«

»O ja. Richtig.« Ich starrte sie eindringlich an und hoffte, dass ic
noch schlief. Internat hörte sich vage vertraut an, doch ich hatte ge
dacht, das hätte ich nur geträumt.

»Ja«, auch sie wirkte verlegen, »schade, dass du nicht früher ge
kommen bist, es war lustig. Hobie hat gekocht – wir hatten jede Men
ge Besuch. Ich hatte Glück, dass ich überhaupt kommen durfte –
ich brauchte eine Erlaubnis von Dr. Camenzind. An meiner Schul
kriegt man zu Thanksgiving nicht frei.«

»Was machen sie denn sonst?«

»Sie feiern es nicht. Na ja – ich glaube, sie machen vielleicht einer
Truthahn für die Leute, die es feiern.«

»Was für eine Schule ist das?«

Als sie – mit einem leicht spöttischen Zucken um die Mundwin
kel – den Namen nannte, war ich schockiert. Das Mont-Haefeli-In
stitut war eine Schule in der Schweiz – laut Andy international kaun
anerkannt –, auf die nur die dümmsten und massiv gestörten Mäd
chen gingen.

512

»Mont-Haefeli? Echt? Ich dachte, das wäre eine …« Das Wort *psychiatrisch* klang verkehrt. »Wow.«

»Na ja, Tante Margaret sagt, ich werde mich schon daran gewöhnen.« Sie spielte mit dem Origami-Frosch auf dem Nachttisch und versuchte, ihn hüpfen zu lassen, aber er war verbogen und neigte sich zur Seite. »Und die Aussicht ist wie der Berg auf der Buntstiftschachtel von Caran d'Ache. Schneebedeckte Gipfel, Bergwiesen mit Blumen und so weiter. Ansonsten ist es wie einer dieser langweiligen europäischen Horrorfilme, in denen nicht viel passiert.«

»Aber …« Ich hatte das Gefühl, irgendetwas verpasst zu haben, oder vielleicht schlief ich doch noch. Der einzige Mensch, den ich kannte, der auf Mont-Haefeli gegangen war, war James Vielliers' Schwester, und sie war dorthin geschickt worden, weil sie ihrem Freund mit einem Messer in die Hand gestochen hatte.

»Ja, es ist schon merkwürdig dort.« Sie ließ den Blick gelangweilt durchs Zimmer schweifen. »Eine Schule für Verrückte. Aber es gab nicht viele Schulen, auf die ich mit meiner Kopfverletzung hätte gehen können. Es gibt da eine angeschlossene Klinik«, meinte sie achselzuckend. »Fest angestellte Ärzte. Es ist eine größere Sache, als man annehmen sollte. Seit dem Schlag auf den Kopf habe ich Probleme, aber es ist nicht so, als ob ich bekloppt oder Kleptomanin wäre.«

»Ja, aber«, ich versuchte immer noch, das Wort *Horrorfilm* zu verdrängen, »in der Schweiz? Das ist ziemlich cool.«

»Wenn du das sagst.«

»Ich kannte mal ein Mädchen, Lallie Foulkes, die auf Le Rosey gegangen ist. Sie hat gesagt, dass es dort jeden Morgen eine Schokoladenpause gab.«

»Also wir kriegen nicht mal Marmelade auf den Toast.« Ihre Hand zeichnete sich blass und sommersprossig von ihrem dunklen Mantel ab. »Nur die Mädchen mit den Essstörungen. Wenn man Zucker in den Tee haben will, muss man sich Tütchen aus dem Schwesternzimmer klauen.«

»Ähm …« Das wurde ja immer schlimmer. »Kennst du ein Mädchen namens Dorit Vielliers?«

»Nein. Sie war dort. Aber dann wurde sie woanders hingeschickt Ich glaube, sie hat versucht, jemandem das Gesicht zu zerkratzen. Sie war eine Zeitlang im Arrest.«

»Was?«

»So nennen sie es nicht.« Sie rieb sich die Nase. »Es ist ein Haus das La Grange genannt wird – alles ist auf Melkmädel und unechten Bauernstil getrimmt, weißt du. Schöner als die anderen Wohnhäuser. Aber die Türen sind alarmgesichert, und es gibt Wärter und so.«

»Nun, ich meine …« Ich dachte an Dorit Villiers – krauses goldenes Haar, leere blaue Augen wie ein geistesgestörter Weihnachtsengel – und wusste nicht, was ich sagen sollte.

»In La Grange stecken sie nur die wirklich Verrückten. Ich wohne mit einem Haufen Französisch sprechender Mädchen in Bessonet. Angeblich damit ich besser Französisch lerne, aber es führt nur dazu, dass niemand mit mir redet.«

»Du solltest ihr sagen, dass es dir nicht gefällt! Deiner Tante.«

Sie verzog das Gesicht. »Das mache ich ja. Aber dann erklärt sie mir, wie viel es kostet. Oder sie klagt, dass ich ihre Gefühle verletze Wie dem auch sei«, sagte sie beklommen in einem *Ich muss los*-Ton und blickte sich um.

»Hä«, sagte ich schließlich nach einer beduselten Pause. Tag und Nacht war mein Delirium koloriert gewesen von dem Wissen, dass sie im Haus war. Wenn ich ihre Stimme oder ihre Schritte im Flur vernahm, spürte ich jedes Mal einen Energieschub der Freude: Wir würden uns ein Zelt aus Decken bauen, sie würde an der Eisbahn auf mich warten, ein helles Summen der Aufregung über all die Dinge, die wir machen würden, wenn ich wieder gesund war – es kam mir tatsächlich so vor, als *hätten* wir einiges gemacht, zum Beispiel regenbogenfarbene Bonbonketten aufgefädelt, während im Radio Belle and Sebastian lief, und später waren wir durch eine nichtexistente Automatenspielhalle am Washington Square geschlendert.

Hobie stand diskret im Flur. »Tut mir leid.« Er sah auf seine Uhr. »Ich möchte dich wirklich nicht hetzen …«

»Klar«, sagte sie und zu mir: »Dann auf Wiedersehen. Ich hoffe, es geht dir bald besser.«

»Warte!«

»Was?« Sie drehte sich noch einmal halb um.

»Weihnachten bist du doch wieder hier, oder?«

»Nee. Bei Tante Margaret.«

»Und wann kommst du dann zurück?«

»Na ja«, sie zog eine Schulter leicht hoch, »weiß nicht. In den Osterferien vielleicht.«

»Pips …«, sagte Hobie, obwohl er eigentlich nicht sie, sondern mich meinte.

»Gut.« Sie strich sich das Haar aus den Augen.

Ich wartete, bis ich hörte, wie die Haustür geschlossen wurde, bevor ich aufstand und den Vorhang öffnete. Durch die staubige Scheibe sah ich sie gemeinsam die Treppe vor dem Haus hinuntergehen, Pippa mit pinkfarbenem Schal und Mütze, leicht gehetzt neben Hobies großer, gut gekleideter Gestalt.

Nachdem sie um die Ecke gebogen waren, starrte ich noch eine Weile auf die leere Straße, bevor ich mich benommen und verzweifelt zu ihrem Zimmer schleppte und – unfähig zu widerstehen – die Tür einen Spalt öffnete.

Es sah genauso aus wie vor zwei Jahren, nur leerer. *Der Zauberer von Oz-* und *Save Tibet-*Poster. Kein Rollstuhl. Auf dem Sims vor dem Fenster eine dicke Schicht weißer Hagelkörner. Aber es roch nach ihr, es war noch warm und atmete ihre Gegenwart, und ich stand da und sog ihre Aura ein. Ich spürte, wie sich ein glückliches Lächeln über mein Gesicht breitete, einfach weil ich dastand mit ihren Märchenbüchern, ihren Parfümflaschen, ihrem Tablett mit glitzernden Haarspangen und ihrer Valentinskarten-Sammlung: Seidenpapier, Cupidos und Kolumbinen, edwardianische Verehrer, die Rosensträuße an ihr Herz drückten. Auf Zehenspitzen schlich ich barfuß zu den silbern gerahmten Fotos auf ihrem Nachttisch – Welty und Cosmo, Welty und Pippa, Pippa und ihre Mutter (das gleiche Haar, die gleichen Augen), mit einem jüngeren und schlankeren Hobie …

515

Ich hörte ein leises Summen im Zimmer, und drehte mich schuldbewusst um – kam jemand? Nein: Es war nur der nach seinem Bad schneeweiße Poptschik, der es sich auf den Kissen ihres ungemachten Betts bequem gemacht hatte und sabbernd und selig beinahe schnurrte. Und obwohl es irgendwie erbärmlich war, Trost in ihren zurückgelassenen Sachen zu finden wie ein kleines Hündchen, das sich in einem alten Mantel zusammenrollt, kroch ich neben ihm unter die Laken und lächelte albern über den Duft ihrer Decke und deren samtene Berührung an meiner Wange.

VI

»Also wirklich«, sagte Mr. Bracegirdle, während er erst Hobies und dann meine Hand schüttelte, »Theodore – ich muss schon sagen – je älter du wirst, desto mehr ähnelst du deiner Mutter. Ich wünschte, sie könnte dich jetzt sehen.«

Ich versuchte ihm in die Augen zu blicken, ohne verlegen zu wirken. In Wahrheit hatte ich zwar das glatte Haar und die helldunkle Hauttönung meiner Mutter geerbt, sah jedoch viel mehr aus wie mein Vater, eine Ähnlichkeit, die so ausgeprägt war, dass kein geschwätziger Passant und keine Café-Kellnerin sie unkommentiert gelassen hatte. Nicht, dass ich jemals besonders glücklich darüber gewesen wäre, dem Elternteil zu ähneln, den ich nicht leiden konnte, aber nach seinem Tod war es noch irritierender, eine jüngere Version seines schmollenden Betrunken-am-Steuer-Gesichts im Spiegel zu erblicken.

Hobie und Mr. Bracegirdle plauderten gedämpft – Mr. Bracegirdle erzählte Hobie, wie er meine Mutter kennengelernt hatte, was bei Hobie eine Erinnerung wachrief: »Ja! Ich weiß noch – dreißig Zentimeter in weniger als einer Stunde! Mein Gott, ich kam von einer Auktion, und alles stand still, ich war Uptown in den alten Parke-Bernet-Galleries.«

»In der Madison Avenue gegenüber vom Carlyle?«

»Ja – war ein ziemlich weiter Fußmarsch nach Hause.«

»Sie handeln mit Antiquitäten? Im Village? Sagt Theo?«

Ich saß höflich da und lauschte ihrer Unterhaltung: gemeinsame Bekannte, Galeriebesitzer und Kunstsammler, die Rakers und die Rehnbergs, die Fawcetts, die Vogels und die Mildebergers, weiter über verschwundene New Yorker Wahrzeichen wie das Restaurant Lutèce oder das Café des Artistes, was hätte deine Mutter gedacht, Theodore, sie liebte das Café des Artistes. (Woher wusste er das, frage ich mich.) Während ich viele Dinge, die mein Dad in gehässiger Stimmung über meine Mutter angedeutet hatte, keinen Moment lang geglaubt hatte, schien es, als hätte Mr. Bracegirdle sie sehr viel besser gekannt, als ich mir je hätte ausmalen können. Selbst die nicht-juristischen Bücher auf seinen Regalen deuteten auf eine Übereinstimmung hin, ein Echo geteilter Interessen. Kunstbücher: Agnes Martin, Edwin Dickinson. Außerdem Lyrik, Erstausgaben. Ted Berrigan. *Meditations in an Emergency.* Ich erinnerte mich an den Tag, an dem sie mit rosigen Wangen und glücklich mit exakt derselben Ausgabe von Frank O'Hara nach Hause gekommen war – die sie, wie ich annahm, bei The Strand entdeckt hatte, da wir für so etwas sonst nicht das Geld hatten. Aber als ich darüber nachdachte, wurde mir klar, dass sie mir nie erzählt hatte, woher das Buch stammte.

»Nun, Theodore«, rief Mr. Bracegirdle mich in die Gegenwart zurück. Er war zwar schon älter, hatte jedoch die gelassene, sonnengebräunte Aura eines Mannes, der viel Zeit auf dem Tennisplatz verbrachte, und mit den dicken dunklen Ringen unter seinen Augen etwas von einem leutseligen Panda. »Du bist inzwischen so alt, dass ein Richter deinem Wunsch in dieser Angelegenheit oberste Priorität einräumen würde«, sagte er. »Zumal natürlich niemand Widerspruch gegen Ihre Vormundschaft einlegen könnte«, fuhr er an Hobie gewandt fort: »Wir könnten auch offiziell eine vorläufige Vormundschaft für die anstehende Übergangszeit beantragen, doch ich denke, das wird nicht nötig sein. Das Arrangement ist offensichtlich im besten Interesse des Minderjährigen. Sofern Sie damit einverstanden sind?«

»Mehr als das«, sagte Hobie. »Ich bin glücklich, wenn er glücklich ist.«

»Sie sind also umfassend bereit, bis auf Weiteres als Theos informeller Vormund zu fungieren?«

»Informell, mit schwarzer Krawatte, was immer erforderlich ist.«

»Um deine schulische Ausbildung müssen wir uns auch kümmern. Wenn ich mich recht entsinne, war von einem Internat die Rede. Aber das ist für den Augenblick vielleicht ein bisschen viel auf einmal, oder?«, fragte Mr. Bracegirdle, als er meine verzweifelte Miene sah. »Dich gleich wieder wegzuschicken, wo du gerade angekommen bist und die Ferien vor der Tür stehen? Im Augenblick besteht keine Notwendigkeit, irgendwas zu entscheiden, sollte ich meinen« sagte er mit einem Seitenblick zu Hobie. »Ich denke, es wäre in Ordnung, wenn du für den Rest des Schuljahres einfach aussetzt, und wir klären das alles später. Und du weißt, dass du mich natürlich *jederzei* anrufen kannst. Tag und Nacht.« Er schrieb eine Telefonnummer auf eine Visitenkarte. »Das ist meine Privatnummer, und die ist für mein Handy – mein lieber Mann, da hast du dir aber einen hässlicher Husten eingefangen!«, sagte er und blickte auf. »Ein übler Husten du hast das untersuchen lassen, oder? Und das ist meine Nummer in Bridgehampton. Ich hoffe, du wirst nicht zögern, mich anzurufen wenn du etwas brauchst, warum auch immer.«

Ich gab mir alle Mühe, meinen nächsten Hustenanfall zu unterdrücken. »Danke ...«

»Und das ist ganz bestimmt das, was du willst?« Er sah mich durchdringend an, sodass ich mich fühlte wie im Zeugenstand. »Die nächsten paar Wochen bei Mr. Hobart bleiben?«

Das mit den *nächsten paar Wochen* gefiel mir gar nicht. »Ja«, sagte ich in meine Faust, »aber ...«

»Denn – ein Internat.« Er faltete die Hände, lehnte sich auf seinem Stuhl zurück und betrachtete mich. »Langfristig höchstwahrscheinlich das Beste für dich, aber ich glaube ehrlich gesagt, in Anbetracht der Umstände könnte ich auch meinen Freund Sam Ungerer an der Buckfield School anrufen, und wir könnten dich sofort dor unterbringen. Irgendwas ließe sich bestimmt arrangieren. Es ist eine ausgezeichnete Schule. Und ich glaube, es wäre möglich, dafür zu sorgen, dass du nicht in einem Wohnheim, sondern im Haus des Direktors oder eines der Lehrer wohnst, damit du in einem eher familiären Umfeld leben kannst, wenn das etwas wäre, was dir gefallen könnte.«

Er und Hobie sahen mich beide an, ermutigend, dachte ich. Ich starrte auf meine Schuhe und wollte nicht undankbar erscheinen, wünschte jedoch, dass die Vorschläge in dieser Richtung aufhören würden.

»Nun.« Mr. Bracegirdle und Hobie wechselten einen Blick – irrte ich mich, oder hatte ich einen Hauch von Resignation und/oder Enttäuschung in Hobies Miene gesehen? »Solange es das ist, was du willst, und Mr. Hobart einverstanden ist, kann ich fürs Erste nicht erkennen, was gegen dieses Arrangement sprechen sollte. Aber ich bitte dich dringend, darüber nachzudenken, wo du gern sein würdest, Theodore, damit wir uns um eine Lösung für das nächste Schuljahr oder vielleicht sogar schon für ein paar Sommerkurse kümmern können, wenn du magst.«

VII

Vorläufige Vormundschaft. In den folgenden Wochen gab ich mir alle Mühe, mich am Riemen zu reißen und nicht zu viel darüber nachzudenken, was *vorläufig* bedeuten könnte. Ich bewarb mich für ein Early-College-Programm in der City, weil ich mir dachte, dass es mich davor bewahren würde, in die hinterste Provinz geschickt zu werden, falls es mit Hobie aus irgendeinem Grund nicht klappte. Während Poptschik auf dem Teppich zu meinen Füßen schnarchte, saß ich den ganzen Tag in meinem Zimmer im schwachen Licht der Lampe über Materialien zur Prüfungsvorbereitung gebeugt, lernte Daten, Beweise, Theoreme, lateinische Vokabeln und so viele unregelmäßige spanische Verben auswendig, dass ich selbst in meinen

519

Träumen auf endlose Spalten und Tabellen blickte und daran verzweifelte, sie in der Reihe zu behalten.

Es war, als wollte ich mich bestrafen – vielleicht sogar etwas gutmachen gegenüber meiner Mutter –, indem ich mir so hohe Ziele steckte. Hausaufgaben war ich nicht mehr gewöhnt – in Vegas war ich nicht unbedingt ein fleißiger Schüler gewesen, und die schiere Menge des zu lernenden Stoffs kam mir wie Folter vor, Lampen, die mir ins Gesicht schienen, die Ungewissheit, die richtige Antwort nicht zu kennen, die fatalen Folgen, wenn ich versagte. Ich rieb mir die Augen, versuchte, mich mit kalten Duschen und Eiskaffee wach zu halten, und spornte mich selber an, indem ich mich daran erinnerte, dass ich etwas Gutes tat, obwohl die permanente Paukerei sich selbstzerstörerischer anfühlte als aller Klebstoff, den ich je geschnüffelt hatte, und ab irgendeinem Punkt der Erschöpfung wurde das Lernen selbst zu einer Art Droge, die mich so auslaugte, dass ich meine Umgebung kaum noch wahrnahm.

Und trotzdem war ich dankbar für die Arbeit, weil sie mich durchgängig zu benommen machte, um nachzudenken. Die Scham, die mich quälte, hatte keinen klaren Ursprung, was sie umso zersetzender agieren ließ: Ich wusste nicht, warum ich mich so verdorben und wertlos fühlte, so falsch – nur dass es so war, und wenn ich vor meinen Büchern aufblickte, stürzte jedes Mal von allen Seiten eine Flut schmutziger Gewässer auf mich ein. Das hatte zum Teil mit dem Gemälde zu tun. Ich wusste, dass aus seinem Besitz nichts Gutes erwachsen würde, doch ich wusste auch, dass ich es schon zu lange behalten hatte, um mich noch zu melden. Mich Mr. Bracegirdle anzuvertrauen, wäre tollkühn gewesen. Meine Position war zu unsicher; er konnte es ohnehin kaum erwarten, mich aufs Internat zu schicken. Und wenn ich, wie ich es häufig tat, daran dachte, mich Hobie zu offenbaren, verzettelte ich mich in diversen theoretischen Szenarien, von denen keines mehr oder weniger plausibel erschien als die anderen.

Ich gab Hobie das Gemälde, und er würde sagen: »Oh, keine große Sache«, sich irgendwie (mit der Logistik dieses Teils hatte ich Proble-

me) darum kümmern, irgendwelche Bekannten anrufen, eine großartige Idee haben, was zu tun war, oder so was in der Art, ohne bekümmert oder wütend zu sein, und alles würde gut?

Oder: Ich gab Hobie das Gemälde, und er rief die Polizei an.

Oder: Ich gab Hobie das Gemälde, er behielt es für sich und sagte
dann: »Was, bist du verrückt geworden? Gemälde? Ich weiß nicht,
wovon du redest.«

Oder: Ich gab Hobie das Gemälde, er nickte mitfühlend, erklärte
mir, dass ich das Richtige getan habe, und rief dann, sobald ich das
Zimmer verlassen hatte, seinen eigenen Anwalt an, um mich auf ein
Internat oder in ein Heim zu verfrachten (wo, mit oder ohne Gemälde, ohnehin die meisten meiner Szenarien endeten).

Aber der ungleich größere Teil meines Unbehagens hatte mit meinem Vater zu tun. Ich wusste, dass ich keine Schuld an seinem Tod
hatte, und war doch auf eine bis ins Mark gehende, irrationale und
völlig unerschütterliche Weise überzeugt, dass es doch so war. In
Anbetracht der Kälte, mit der ich mich im Moment seiner finalen
Verzweiflung von ihm abgewandt hatte, schien die Tatsache, dass er
gelogen hatte, irrelevant. Vielleicht hatte er gewusst, dass es in meiner Macht lag, seine Schulden zu bezahlen – ein Umstand, der mich
verfolgte, seit Mr. Bracegirdle ihn so beiläufig erwähnt hatte. Aus
dem Schatten jenseits der Schreibtischlampe starrten mich Hobies
Terrakotta-Greife mit glänzenden Glasaugen an. Hatte mein Vater
geglaubt, dass ich ihn absichtlich auflaufen ließ? Dass ich seinen Tod
wollte? Nachts träumte ich, dass er verprügelt und über Casino-Park-
plätze gejagt wurde, und mehr als einmal schreckte ich hoch und sah
ihn auf dem Stuhl neben meinem Bett sitzen und mich stumm beobachten, nur die Glut seiner Zigarette glühte im Dunkeln. Aber sie
haben gesagt, dass du gestorben bist, sagte ich laut, bevor ich begriff,
dass er nicht da war.

Ohne Pippa war es totenstill im Haus. Die verschlossenen offiziellen Räume muffelten feucht wie welkes Laub. Ich strich ziellos
herum, betrachtete ihre Sachen, fragte mich, wo sie war und was
sie machte, und strengte mich an, mich durch so dürftige Fäden wie

ein rotes Haar im Abfluss der Badewanne oder einen zusammenge-
knüllten Socken unter dem Sofa mit ihr verbunden zu fühlen. Aber
sosehr ich das nervöse Kribbeln ihrer Gegenwart vermisste, das Haus
an sich besänftigte mich, das Gefühl von Sicherheit und Schutz: alte
Porträts und schlecht beleuchtete Flure, laut tickende Uhren. Es war
als hätte ich als Kabinensteward auf der *Marie Céleste* angeheuert
Während ich mich durch anhaltende Stille und Flecken von Schatten
und tief stehendem Sonnenlicht bewegte, ächzten die Dielen unter
meinen Schritten wie das Deck eines Schiffs, und das Rauschen des
Verkehrs auf der Sixth Avenue drang gerade noch hörbar an mein
Ohr. Während ich oben mit schwirrendem Kopf über Differential-
gleichungen, dem Newtonschen Abkühlungsgesetz und unabhängigen Variablen brütete, *wir nutzen die Tatsache, dass Tau konstant
ist, um seine Ableitung zu eliminieren,* war Hobies Präsenz ein Anker, ein freundliches Gewicht: Ich fand es beruhigend, wenn ich das
gedämpfte Hämmern hörte und wusste, dass er unten mit seinen
Werkzeugen, Hautklebern und mehrfarbigen Hölzern leise vor sich
hin werkelte.

Bei den Barbours hatte mein fehlendes Taschengeld mich ständig geplagt. Meine an Mrs. Barbour zu richtenden Bitten um Geld
fürs Mittagessen, in der Schule anfallende Auslagen und andere kleine Ausgaben lösten in mir jedes Mal eine ängstliche Nervosität aus
die in keinem Verhältnis zu den Summen stand, die sie immer unbekümmert ausgezahlt hatte. Mit meinem monatlichen Stipendium
zum Lebensunterhalt von Mr. Bracegirdle war es mir weniger peinlich, mich unangemeldet bei Hobie eingenistet zu haben. Ich konnte Poptschiks Tierarztrechnungen bezahlen, ein kleines Vermögen
denn er hatte schlechte Zähne und eine leichte Herzwurmerkran-
kung (meines Wissens hatte Xandra ihm während meiner gesamten
Zeit in Vegas nie Medikamente oder Spritzen geben lassen). Auch
meine eigenen beträchtlichen Zahnarztrechnungen (sechs Füllun-
gen, zehn höllische Stunden auf einem Zahnarztstuhl) konnte ich
begleichen und mir außerdem einen Laptop, ein iPhone sowie die
dringend benötigten Schuhe und Wintersachen kaufen. Und auch

venn Hobie kein Haushaltsgeld annehmen wollte, brachte ich trotzdem Lebensmittel für ihn mit, die ich bezahlte: Milch, Zucker und
Waschpulver von Grand Union, aber noch öfter frische Produkte von
dem Bauernmarkt auf dem Union Square, wilde Pilze und Winesap-
Äpfel, Rosinenbrot, ein kleiner Luxus, über den er sich sichtlich freu-
e, während er die großen Waschpulverkartons nur traurig musterte,
bevor er sie wortlos in die Vorratskammer brachte.

Es war vollkommen anders als die beengte, komplizierte und
übertrieben förmliche Atmosphäre bei den Barbours, wo alles ein-
studiert und festgelegt war wie in einer Broadway-Produktion, eine
tickige Perfektion, der Andy sich ständig entzogen hatte, um sich
wie ein scheuer Tintenfisch in sein Zimmer zurückzuziehen. Im Gegensatz dazu lebte und schwebte Hobie wie ein großer Meeressäu-
ger in seiner eigenen milden Atmosphäre voller dunkelbrauner Tee-
und Tabakflecken, wo jede Uhr im Haus etwas anderes anzeigte und
die Zeit sich nicht an einem Standardmaß orientierte, sondern stattdessen mit einem gelassenen Ticken dahinträufelte und dem Tempo seines mit Antiquitäten vollgestopften toten Gewässers gehorch-
e, weit entfernt von der massenproduzierten, kunstharzverklebten
Version der Welt. Obwohl er gerne ins Kino ging, gab es keinen
Fernseher, er las alte Romane mit marmoriertem Einband, er besaß
kein Handy, sein Computer, ein prähistorischer IBM-Rechner, war
so groß wie ein Koffer und nutzlos. In vorwurfsloser Stille vergrub
er sich in seiner Arbeit, bog Furniere über Wasserdampf, drechsel-
e Tischbeine, und seine zufriedene Versunkenheit stieg aus seiner
Werkstatt nach oben und breitete sich im Haus aus wie die Wärme
eines Holzofens im Winter. Er war zerstreut und freundlich, er war
nachlässig, konfus, bescheiden und sanft. Wenn man ihn ansprach,
hörte er einen oft erst beim zweiten oder dritten Mal, er verlor seine Brille, verlegte Brieftasche, Schlüssel und Reinigungszettel und
rief mich ständig nach unten, damit ich mit ihm auf allen vieren
einen kleinen Beschlag oder ein winziges Metallstück suchte, das
er auf den Boden hatte fallen lassen. Hin und wieder öffnete er auf
Verabredung für ein oder zwei Stunden den Laden, doch das war –

soweit ich es beurteilen konnte – kaum mehr als ein Vorwand, un
sich mit Freunden und Bekannten zu treffen und eine Flasche Sher
ry zu öffnen, und wenn er doch ein Möbelstück vorführte und un
ter dem Ah und Oh seiner Zuschauer Schubladen auf und zu schob
geschah das offenbar hauptsächlich in dem Geist, in dem Andy und
ich vor langer Zeit in der Erzählstunde unsere Spielsachen hervor
gekramt hatten.

Wenn er tatsächlich irgendwann ein Stück verkaufte, bekam ich e
nie mit. Sein Reich (wie er es nannte) war die Werkstatt oder besse
»die Klinik«, wo sich verkrüppelte Stühle und Tische stapelten und
seiner Behandlung harrten. Wie ein Gärtner, der mit seinen Treib
hauspflanzen beschäftigt war und Läuse von jedem Blatt wischte
vertiefte er sich in die Beschaffenheit und Maserung jedes einzelnen
Möbelstücks, seine versteckten Schubladen, Narben und Wunder
Zwar besaß er einige moderne Holzwerkzeuge – einen Nuthobel, ei
nen kabellosen elektrischen Bohrer und eine Kreissäge –, benutzt
sie jedoch kaum. (»Wenn man für etwas Ohrstöpsel braucht, kann
ich nicht viel damit anfangen.«) Er ging früh runter in seine Werk
statt und blieb, wenn er an etwas Bestimmtem arbeitete, manchma
bis nach Einbruch der Dunkelheit dort, doch für gewöhnlich kam e
wenn es dämmerte, nach oben und goss sich – bevor er sich zum Es
sen frisch machte – jeden Tag sorgfältig den gleichen Daumen brei
Whiskey in ein Glas: müde, freundlich, die Hände von Lampenru
schwarz und mit einer rauen soldatischen Erschöpfung. Hat er dich
zum Essen eingeladen, simste Pippa mir.

Ja 2 oder 3 x

Er mag nur leere restaurants wo keiner hingeht

Stimmt letzte woche waren wir in einem lokal wie ein pharaonen
grab

Ja er geht nur in läden deren besitzer ihm leidtun! Weil er angst ha
dass sie pleite machen und er sich dann schuldig fühlt

Ich mag es lieber wenn er kocht

Frag ihn ob er dir lebkuchen macht ich wünschte ich hätte jetz
welche

Das Abendessen war die Tageszeit, auf die ich mich am meisten freute. In Vegas hatte ich mich – vor allem nachdem Boris die Sache mit Kotku angefangen hatte – nie an die Trostlosigkeit gewöhnt, mir alleine ein Abendessen zusammenzukratzen, mit einer Tüte Chips auf meiner Bettkante zu sitzen oder vertrockneten Reis aus einer Aluschale zu löffeln, die von dem Fertigmenu meines Dads übrig geblieben war. Im fröhlichen Gegensatz dazu drehte sich Hobies ganzer Tag um das Abendessen. Wo sollen wir essen? Wer kommt zu Besuch? Was soll ich kochen? Magst du Pot-au-feu? Nicht? Noch nie gegessen? Limonen- oder Safran-Reis? Eingemachte Feigen oder Aprikosen? Möchtest du mit mir zum Jefferson Market laufen? Sonntags hatten wir manchmal Gäste, neben Professoren von der New School und Columbia, in Orchesterfördervereinen und Denkmalschutzvereinigungen engagierten Damen der Gesellschaft und diversen lieben Freundinnen aus der Nachbarschaft auch Händler und Sammler jeder Couleur, von verrückten alten Schachteln mit fingerlosen Handschuhen, die auf dem Flohmarkt edwardianischen Schmuck verkauften, bis hin zu reichen Leuten, die auch bei den Barbours nicht fehl am Platz gewirkt hätten (wie ich erfuhr, hatte Welty vielen dieser Menschen geholfen, ihre Sammlung aufzubauen, indem er ihnen Ratschläge gab, was sie kaufen sollten). Meistens verfolgte ich ihre Unterhaltung völlig ahnungslos (Saint Simon? Das Münchner Opernfestival? Coomaraswamy? Die Villa in Pau?). Aber selbst wenn die Räumlichkeiten förmlich und die Gesellschaften »elegant« waren, hatten die Leute bei Hobies Lunches offenbar nichts dagegen, sich selbst zu bedienen und von einem Teller im Schoß zu essen, ganz anders als die starren Tischsitten bei den Partys, die im Haus der Barbours frostig dahinklimperten.

Bei diesen Essen, so liebenswürdig und interessant Hobies Gäste auch sein mochten, hatte ich tatsächlich ständig Angst, dass irgendjemand auftauchen könnte, der mich von den Barbours kannte. Ich hatte ein schlechtes Gewissen, weil ich Andy immer noch nicht angerufen hatte, aber nach der Begegnung mit seinem Vater auf der

Straße schämte ich mich noch mehr, weil Andy jetzt wusste, das
ich wieder in der Stadt angeschwemmt worden war, ohne eine eige
ne Unterkunft.

Und auch wenn es eine vergleichsweise kleine Sache war, plagt
mich auch noch immer die Erinnerung daran, wie ich zum erste
Mal bei Hobie aufgetaucht war. Obwohl er die Geschichte, wie ic
unvermittelt vor seiner Tür gestanden hatte, nie in meiner Anwesen
heit ausbreitete, vor allem weil er sah, wie verlegen ich wurde, erzähl
te er sie den Leuten trotzdem – nicht dass ich es ihm übel nahm –
es war eine zu gute Geschichte, um sie nicht zu erzählen. »Es ist s
passend, wenn man Welty kannte«, sagte Hobies enge Freundin Mr.
DeFrees, eine auf Aquarelle des 19. Jahrhunderts spezialisierte Händ
lerin, die ungeachtet ihrer steifen Kleidung und starken Parfüms ein
große Knuddlerin war und die Angewohnheit alter Damen hatt
einem beim Reden am Arm zu fassen oder den Kopf zu tätschel
»Denn, mein Lieber, Welty war agora*manisch*. Er liebte Menscher
weißt du, liebte den Marktplatz. Das Hin und Her. Geschäfte, Ware
Gespräche, Austausch. Es war dieses kleine Stück Kairo aus seine
Kindheit, ich habe immer gesagt, er wäre absolut glücklich geweser
in Pantoffeln im Souk seine Teppiche zu präsentieren. Er hatte da
Talent eines Antiquitätenhändlers, weißt du – er wusste, was zu wer
gehörte. Jemand kam in den Laden ohne die geringste Absicht, etwa
zu kaufen, vielleicht nur, um sich während eines Schauers unterzu
stellen, Welty bot ihm eine Tasse Tee an, und am Ende wurde ein Ess
zimmertisch nach DesMoines geliefert. Oder ein Student wollte nu
gucken, und Welty kramte genau den passenden kleinen preiswerte
Druck hervor. Alle waren glücklich, weißt du. Er wusste, dass nich
jeder, der hereinkam, in der Lage war, ein großes wichtiges Stück z
erwerben – es ging immer darum, Passendes zusammenzubringer
das richtige Zuhause für ein Objekt zu finden.«

»Nun, und die Leute haben ihm vertraut«, sagte Hobie, der m
Mrs. DeFrees' Fingerhut Sherry und einem Glas Whiskey für sic
hereinkam. »Er hat immer gesagt, seine Behinderung hätte ihn z
einem guten Verkäufer gemacht, und ich glaube, da ist etwas drar

›Der sympathische Krüppel.‹ Keine Fehden, keine Hühnchen zu rup-
fen. Immer außen vor und zugewandt.«

»Ah, Welty war niemals bei irgendwas außen vor.« Mrs. DeFrees
nahm ihr Sherryglas entgegen und tätschelte liebevoll Hobies Ärmel,
Rosettenschliff-Diamanten funkelten an ihrer kleinen weißen Hand
mit Haut wie Papier. »Er war, Gott segne ihn, immer mittendrin, hat
sein Lachen gelacht, nie ein Wort der Klage. Wie dem auch sei, mein
Lieber«, sagte sie und sah wieder mich an, »dass du dich nicht ver-
tust. Welty wusste ganz genau, was er tat, als er dir diesen Ring gegeben hat. Denn indem er ihn dir gegeben hat, hat er dich direkt zu
Hobie geführt, verstehst du?«

»Ja, genau«, sagte ich – und musste aufstehen und in die Küche
gehen, so sehr wühlte mich dieses Detail auf. Denn natürlich hatte
er mir nicht nur den Ring gegeben.

VIII

In Weltys altem Zimmer, das jetzt mein Zimmer war, obwohl noch
seine alte Lesebrille und seine Füllfederhalter in den Schreibtisch-
schubladen verstaubten, lag ich nachts wach, lauschte dem Straßenlärm und grübelte. In Vegas war mir der Gedanke gekommen, dass
mein Dad oder Xandra, sollten sie das Gemälde finden, vielleicht
nicht wussten, worum es sich handelte, jedenfalls nicht sofort. Aber
Hobie würde es wissen. Immer wieder ertappte ich mich bei Fantasi-
en, wie ich nach Hause kam, wo Hobie mit dem Bild in der Hand auf
mich wartete – »Was ist das?« –, weil es keinen Trick, keine Ausrede,
keine präventive Antwort gab, mit der ich einer solchen Katastrophe begegnen könnte, und wenn ich mich hinkniete und die Hand
unters Bett streckte, um den Kopfkissenbezug zu berühren (wie ich
es blindlings und in wahllosen Abständen tat), dann nur kurz an-
getäuscht und hektisch, als hätte ich ein zu heißes Gericht aus der
Mikrowelle angefasst.

Ein Hausbrand. Der Besuch eines Kammerjägers. Das Wort

INTERPOL in großen roten Lettern auf der Missing Art Database Wenn jemand die Verbindung herstellen wollte, war Weltys Ring ein positiver Beweis, dass ich in dem Saal mit dem Gemälde gewesen war. Meine Zimmertür war so alt und hing so schief in den Angeln, dass sie nicht einmal richtig schloss, ich musste sie mit einem eisernen Türstopper zudrücken. Was, wenn er getrieben von einem unerwarteten Impuls auf die Idee kam, nach oben zu kommen und zu putzen? Obwohl das zugegebenermaßen untypisch für den zerstreuten und nicht besonders ordentlichen Hobie gewesen wäre, den ich kannte. Nein es macht ihm nichts aus wenn du chaotisch bist e kommt nie in mein zimmer außer um die laken zu wechseln & staub zu wischen, hatte Pippa gesimst, was mich veranlasst hatte, unverzüglich mein Bett neu zu beziehen und mit einem sauberen T-Shirt eine Dreiviertelstunde lang hektisch alle Oberflächen in meinem Zimmer abzuwischen – die Greife, die Kristallkugel, das Kopfbrett des Bettes. Schnell wurde das Staubwischen zu einer zwanghaften Angewohnheit – so sehr, dass ich losging und mir meine eigenen Staubtücher kaufte, obwohl Hobies Haus voll davon war. Ich wollte nicht, dass er mich Staub wischen sah, ja, ich konnte nur hoffen, dass ihm das Wort *Staub* gar nicht erst in den Sinn kam, sollte er zufällig den Kopf durch die Tür stecken.

Da ich das Haus unbeschwert nur mit Hobie zusammen verlassen konnte, verbrachte ich die meisten Tage an meinem Schreibtisch in meinem Zimmer und nahm mir selbst zum Essen kaum Zeit. Wenn er ausging, begleitete ich ihn zu Galerien, Nachlassverkäufen, Ausstellungsräumen und Auktionen, bei denen ich mit ihm ganz hinten stand (»Nein, nein«, sagte er, als ich ihn auf die leeren Stühle weiter vorne hinwies, »wir wollen doch die Tafeln mit den Bieternummern sehen können.«) – anfangs spannend genau wie die Filme, doch nach ein paar Stunden so ermüdend wie irgendetwas aus *Analysis: Konzepte und Lösungen*.

Aber auch wenn ich mich (leidlich erfolgreich) bemühte, desinteressiert zu tun, und ihm scheinbar gleichgültig durch Manhattan folgte, klebte ich in Wahrheit mit derselben Ängstlichkeit an ihm mit der Poptschik in Vegas – verzweifelt einsam – ständig hinter Boris und mir hergelaufen war. Ich ging mit ihm zu versnobten Lunches. Ich ging mit ihm zu Schätzungen. Ich ging mit ihm zu seinem Schneider. Ich ging mit ihm zu schlecht besuchten Vorträgen über obskure Möbeltischler aus dem Philadelphia der 1770er Jahre. Ich ging mit ihm zu Konzerten des Opera Orchestra, obwohl die so langweilig waren und sich so endlos hinzogen, dass ich Angst hatte, ich könnte tatsächlich einschlafen und in den Gang fallen. Ich ging mit ihm zu Abendessen bei den Amstisses (in der Park Avenue und unbehaglich nahe bei den Barbours), den Vogels, den Krasnovs und den Mildebergers, wo die Konversation entweder zum Schielen öde war oder mein Verständnis so weit überstieg, dass ich nie viel mehr sagen konnte als *Hmmm*. (»Armer Junge, das muss hoffnungslos uninteressant für dich sein«, sagte Mrs. Mildeberger fröhlich, offenbar ohne zu begreifen, wie wahr sie gesprochen hatte.) Andere Freunde wie Mr. Abermathy – etwa so alt wie mein Dad und in der Vergangenheit in irgendeinen nur spärlich erwähnten Skandal oder eine Schmach verwickelt – waren so sprunghaft und eloquent, so komplett abschätzig mir gegenüber (»Und *wie*, sagtest du, bist du an dieses Kind gekommen, James?«), dass ich sprachlos, schüchtern und überfordert zwischen chinesischen Antiquitäten und griechischen Vasen saß, etwas Schlaues sagen wollte und gleichzeitig Angst hatte, in irgendeiner Weise Aufmerksamkeit zu erregen. Mindestens ein oder zwei Mal die Woche besuchten wir Mrs. DeFrees in ihrem mit Antiquitäten vollgestopften Stadthaus (der Uptown-Entsprechung von Hobies) in der East 36th Street, wo ich auf der Kante eines dürren Stuhls hockte und versuchte, ihre furchterregenden Bengalkatzen zu ignorieren, die ihre Krallen in meine Knie gruben (»Er ist ein aufgewecktes Geschöpf, nicht wahr?«, hörte ich sie nicht direkt *sotto voce* sagen, als sie sich auf der anderen Seite des Zimmers über ein paar Aquarelle von Edward Lear beugten). Manchmal begleitete sie uns zu Christie's oder Sotheby's, wo Hobie jeden Preis studierte, Schubladen aufzog und zuschob, mich auf diverse handwerkliche Details hinwies, sich in seinem Katalog mit Bleistift Notizen machte, bevor sie nach Zwischenstationen in einer oder zwei Galerien in die 36th Street zurückkehrte und wir ins Sant Ambroeus gingen, wo Hobie in seinem schicken Anzug an der Bar stand und einen Espresso trank, während ich ein Schokoladencroissant aß, die Jugendlichen beobachtete, die mit Büchertüten hereinkamen, und hoffte, dass ich niemanden von meiner alten Schule traf.

»Möchte dein Dad noch einen Espresso?«, fragte der Barkeeper als Hobie sich entschuldigt hatte, um auf die Toilette zu gehen.

»Nein danke, nur die Rechnung, glaube ich.« Ich war erbärmlich begeistert, wenn Leute Hobie für meinen Vater hielten. Obwohl er alt genug war, mein Großvater zu sein, strahlte er eine Vitalität aus, die mehr zu den europäischen Dads passte, die man in der East Side sah – gepflegte, gesetzte, selbstbeherrschte Väter in zweiter Ehe, die mit fünfzig oder sechzig Kinder hatten. In seinem Galerie-Outfit an einem Espresso nippend und friedlich auf die Straße blickend hätte er auch ein Schweizer Industriemagnat oder ein Restaurantbesitzer mit ein oder zwei Michelin-Sternen sein können: gediegen, spät verheiratet und wohlhabend. Warum, dachte ich traurig, wenn er, den Mantel über den Arm gelegt, zurückkehrte, hatte meine Mutter nicht jemanden wie ihn geheiratet – oder Mr. Bracegirdle, jemanden, mit dem sie tatsächlich etwas gemeinsam hatte? Vielleicht älter, aber sympathisch, jemanden, der Galerien und Streichquartette mochte, in Antiquariaten stöberte, jemanden, der aufmerksam, kultiviert und freundlich war? Der sie geschätzt, ihr hübsche Kleider gekauft, ihr zum Geburtstag eine Reise nach Paris geschenkt und ihr das Leben geboten hätte, das sie verdient hatte? Es wäre ihr nicht schwergefallen, so jemanden zu finden, wenn sie es versucht hätte. Männer hatten sie geliebt: Von den Portiers über meine Lehrer und die Väter meiner Klassenkameraden bis hin zu ihrem Chef Sergio (der sie aus mir unbekannten Gründen Dollybird genannt hatte), sogar Mr. Barbour war immer eilig aufgesprungen wenn sie mich nach einer Übernachtung abholte, hatte freigebig gelächelt und ihren Ellenbogen gefasst, wenn er sie zum Sofa führte, sein Ton leise und umgänglich, wollen Sie nicht Platz nehmen, möchten Sie etwas zu trinken, eine Tasse Tee vielleicht, irgendwas? Ich glaubte nicht, dass ich mir eingebildet hatte – nicht nur jedenfalls –, wie eindringlich Mr. Bracegirdle mich betrachtete, beinahe so, als würde er sie ansehen oder in meinem Gesicht nach einer Spur von ihr suchen. Aber selbst im Tod war mein Dad nicht auszuradieren, sosehr ich versucht hatte, ihn aus dem Bild zu wünschen – denn er war immer da, in meinen Händen, meiner Stimme und meinem Gang, meinem verstohlenen Seitenblick, wenn ich mit Hobie ein Restaurant verließ und meine ganze Kopfhaltung an seine alte eitle Angewohnheit erinnerte, sich in jeder spiegelnden Oberfläche prüfend zu mustern.

IX

Im Januar hatte ich meine Prüfungen: die leichte und die schwierige. Die leichte fand im Klassenraum einer Highschool in der Bronx statt: schwangere Mütter, diverse Taxifahrer und eine schnatternde Schar von Grand-Concourse-Homegirls mit kurzen Felljäckchen und glitzernden Fingernägeln. Aber der Test war in Wahrheit nicht so leicht wie vermutet, mit sehr viel mehr Fragen über arkane Angelegenheiten der Regierung des Staates New York, als ich erwartet hatte (wie viele Monate im Jahr tagte die gesetzgebende Versammlung in Albany? Woher zum Teufel sollte ich das wissen?), sodass ich deprimiert und in Gedanken versunken mit der U-Bahn nach Hause fuhr. Und der schwierige Test (abgeschlossenes Klassenzimmer, nervöse Eltern, die sich in den Fluren drängelten, die angespannte Atmosphäre eines Schachturniers) war offenbar für hyperaktive menschenscheue MIT-Sprösslinge konzipiert worden, jede Menge Multiple-Choice-Antworten, die sich so ähnlich waren, dass ich buchstäblich ahnungslos war, wie ich abgeschnitten hatte.

Na und, sagte ich mir auf dem Weg die Canal Street hinunter zur U-Bahn-Station, die Hände in den Taschen, die Achselhöhlen nach

Klassenzimmerschweiß stinkend. Vielleicht schaffte ich es nicht in das Early-College-Programm – und was dann? Ich musste gut abschneiden, sehr gut, in den oberen dreißig Prozent, wenn ich überhaupt eine Chance haben wollte.

Hybris: ein Wort, das häufig in den Vorbereitungstests auftauchte, dann aber in der eigentlichen Prüfung doch nicht vorgekommen war. Ich kämpfte mit fünftausend Bewerbern um einer von ungefähr dreihundert Plätzen – ich wusste nicht, was passieren würde, wenn ich den Schnitt nicht schaffte. Ich glaubte nicht, dass ich es ertragen würde, in Massachusetts bei diesen Ungerers zu leben, von denen Mr. Bracegirdle dauernd sprach, diesem aufrichtig guten Direktor und seiner »Mannschaft«, wie Mr. Bracegirdle sie nannte, Mom und drei Jungen, die ich mir als aufsteigende Reihe der gleichen pfannkuchengesichtigen, bleich lächelnden Internats-Rabauken vorstellte, die Andy und mich in den schlechten alten Zeiten mit fröhlicher Regelmäßigkeit verprügelt und gezwungen hatten, Wollmäuse vom Boden zu essen. Aber wie konnte ich es, wenn ich bei dem Test durchfiel (oder genauer gesagt, nicht gut genug abschnitt, um es in das Early-College-Programm zu schaffen), einrichten, dass ich in New York bleiben durfte? Ich hätte mir besser ein erreichbareres Ziel stecken sollen, irgendeine vernünftige Highschool in der City, bei der ich eine Chance hatte angenommen zu werden. Aber Mr. Bracegirdle hatte so beharrlich von diesem Internat geschwärmt, frische Luft, Herbstfarben, sternklarer Himmel und die vielen Freuden des Landlebens (»*Stuyvesant?* Warum würdest du hierbleiben und auf die Stuyvesant High School gehen wollen, wenn du ganz aus New York rauskommen kannst? Ein bisschen die Beine ausstrecken, freier atmen? In einem familiären Umfeld leben?«), dass ich Highschools, sogar die allerbesten, weiträumig gemieden hatte.

»Ich weiß, was deine Mutter für dich gewollt hätte«, sagte er mehrfach. »Sie hätte sich einen Neuanfang für dich gewünscht. Raus aus der Stadt.« Und er hatte recht. Aber wie konnte ich ihm erklären, dass diese alten Wünsche in der Kette von Unordnung und Sinnlosigkeit, die auf ihren Tod folgte, bedeutungslos waren?

Immer noch in Gedanken bog ich um die Ecke zur U-Bahn-Station und fischte gerade die MetroCard aus der Tasche, als mir an einem Zeitungsstand eine Schlagzeile ins Auge fiel:

MEISTERWERKE AUS DEM MUSEUM IN
DER BRONX WIEDERENTDECKT
GESTOHLENE KUNST IM MILLIONENWERT

Ich blieb auf dem Bürgersteig stehen, Pendler strömten zu beiden Seiten an mir vorbei. Dann machte ich kehrt – steif, mit klopfendem Herzen und dem Gefühl beobachtet zu werden –, kaufte ein Exemplar (der Erwerb einer Zeitung war für einen Jungen meines Alters doch gewiss weniger verdächtig, als er mir vorkam?) und rannte über die Straße zu den Bänken an der Sixth Avenue, um zu lesen.

Auf einen anonymen Tipp hin hatte die Polizei in einem Wohnhaus in der Bronx drei Gemälde gefunden – einen George van der Mijn, einen Wybrand Hendriks und einen Rembrandt, die alle seit der Explosion in dem Museum vermisst worden waren. Die Gemälde waren in Silberfolie eingewickelt in einem Lagerraum auf dem Speicher zwischen einer Reihe von Ersatzfiltern für die zentrale Klimaanlage des Hauses versteckt. Der Dieb, sein Bruder und die Schwiegermutter des Bruders – Besitzerin der Immobilie – waren in Untersuchungshaft und warteten auf ihre Kautionsanhörung; wenn sie in allen ihnen vorgeworfenen Punkten für schuldig befunden wurden, drohte ihnen eine Gesamtstrafe von bis zu zwanzig Jahren.

Es war ein seitenlanger Artikel mit einer Chronologie der Ereignisse und Grafiken. Der Dieb – ein Rettungssanitäter – war nach dem Aufruf zur Evakuierung zurückgeblieben, hatte die Gemälde von der Wand genommen, sie in ein Tuch gewickelt, unter einer faltbaren Trage versteckt und damit unbemerkt das Museum verlassen. »Ausgewählt ohne jeden Blick für den Wert«, erklärte der FBI-Ermittler, der für den Artikel interviewt worden war. »Hat einfach zugegriffen. Der Typ hatte nicht die leiseste Ahnung von Kunst. Nachdem er die Gemälde nach Hause geschafft hatte, wusste er nicht, was er mit den Bildern anfangen sollte, beriet sich mit seinem Bruder, und gemeinsam versteckten sie die Werke im Haus der Schwiegermutter, ohne deren Wissen, wie sie behauptet.« Nach einer kurzen Internetrecherche hatten die Brüder offenbar begriffen, dass der Rembrandt zu berühmt war, um ihn zu verkaufen, doch ihr Versuch, eines der weniger bekannten Werke abzusetzen, hatte die Ermittler schließlich zu dem Versteck auf dem Speicher geführt.

Aber vor allem der letzte Absatz des Artikels sprang mir ins Auge, als wäre er in roter Schrift gedruckt.

Auch was weitere nach wie vor vermisste Kunstwerke betrifft, haben die Ermittler neue Hoffnung geschöpft, und die Behörden verfolgen mehrere Spuren in der Region. »Je öfter man die Bäume schüttelt, desto mehr fällt herunter«, sagte Richard Nunnally von der Kunstraub-Abteilung des FBI. »In der Regel schaffen Kunstdiebe ihre Beute möglichst schnell außer Landes, doch der Fund in der Bronx bestätigt den Verdacht, dass wahrscheinlich eine Reihe von Amateuren am Werk waren, unerfahrene Laien, die aus einem Impuls heraus gestohlen haben und nicht über das Know-how verfügen, die Objekte zu verkaufen oder zu verstecken.« Laut Nunnally werden zur Stunde einige am Tatort anwesende Personen erneut kontaktiert und durchleuchtet: »Natürlich denken wir jetzt, dass sich viele dieser vermissten Bilder womöglich hier in der Stadt direkt vor unserer Nase befinden.«

Mir wurde übel. Ich stand auf, warf die Zeitung in den nächsten Mülleimer und streifte – anstatt die U-Bahn zu nehmen – zurück über die Canal Street und eine Stunde lang in der Eiseskälte durch Chinatown, Tee-Salons mit billigem Elektronippes und blutroten Teppichen, starrte durch beschlagene Fenster auf Mahagoniständer mit gegrillter Peking-Ente und dachte: *Scheiße, Scheiße.* Rotwangige Straßenverkäufer, eingepackt wie Mongolen, priesen über qualmenden Rosten ihre Ware an. Distriktsstaatsanwalt. FBI. Neue Informationen. *Wir sind entschlossen, diese Fälle mit aller gesetzlichen Härte strafrechtlich zu verfolgen, und absolut zuversichtlich, dass schon bald weitere vermisste Werke auftauchen werden. Interpol, die UNESCO und andere nationale und internationale Agenturen arbeiten in dieser Sache eng mit den lokalen Behörden zusammen.*

Überall tauchte die Nachricht auf. Sämtliche Zeitungen brachten etwas darüber: Sogar zwischen chinesischen Schriftzeichen in Mandarin blickte mir aus Kisten mit nicht identifizierbarem Gemüse und Aalen auf Eis der wiedergefundene Rembrandt entgegen.

»Wirklich beunruhigend«, sagte Hobie später am Abend beim Essen mit den Amstisses, die Stirn sorgenvoll zerfurcht. Er konnte über nichts anderes sprechen als die wiedergefundenen Gemälde. »Überall verwundete Menschen, verblutende Menschen, und da kommt dieser Bursche und schnappt sich die Bilder von der Wand. Trägt sie draußen im *Regen* mit sich herum.«

»Nun, das überrascht mich ehrlich gesagt nicht«, sagte Mr. Amstiss, der an seinem vierten Scotch on the rocks arbeitete. »Nach Mutters zweitem Herzinfarkt? Man glaubt nicht, was für ein Chaos diese Trottel vom Beth Israel Medical Center hinterlassen haben. Schwarze Fußspuren *überall* auf dem Teppich. Wir haben noch wochenlang Spritzenkappen aus Plastik auf dem Fußboden gefunden, der Hund hätte beinahe eine verschluckt. Und sie haben auch etwas zerbrochen, irgendwas aus dem Porzellanschrank, Martha, was war es noch?«

»Also, Sie werden mich bestimmt nicht bei einer Klage über Notärzte und Rettungssanitäter ertappen«, sagte Hobie. »Ich war wirklich beeindruckt von den Leuten, die hergekommen sind, als Juliet krank war. Ich bin bloß froh, dass man die Gemälde gefunden hat, bevor sie zu stark beschädigt wurden, das hätte wirklich eine – Theo?«, sagte er ziemlich unvermittelt, sodass ich rasch von meinem Teller aufblickte. »Ist alles in Ordnung?«

»Tut mir leid. Ich bin bloß müde.«

»Kein Wunder«, sagte Mrs. Amstiss, die amerikanische Geschichte an der Columbia University lehrte; sie war auch diejenige, die

Hobie mochte und mit der er befreundet war, während Mr. Amstiss die bedauerliche Hälfte des Pakets darstellte. »Du hattest einen anstrengenden Tag. Machst du dir Sorgen wegen deines Tests?«

»Nein, eigentlich nicht«, sagte ich, ohne nachzudenken, was mir sofort leidtat.

»Oh, ich bin sicher, er schafft es«, meinte Mr. Amstiss. »Du schaffst das«, sagte er in einem Ton zu mir, als könnte man das von jedem Idioten erwarten, und dann wieder an Hobie gewandt: »Die meisten Early-College-Programme haben ihren Namen nicht verdient, hab ich recht, Martha? Glorifizierte Highschools. Schwierig, angenommen zu werden, doch wenn man es geschafft hat, ein Kinderspiel. So ist das heutzutage mit den jungen Leuten – Teilnahme, Mitarbeit und dann erwarten sie einen Preis. Jeder gewinnt. Wissen Sie, was einer von Marthas Studenten neulich zu ihr gesagt hat? Erzähl es ihnen, Martha. Der Junge kommt nach dem Seminar zu ihr und will mir ihr reden. Ich sollte nicht Junge sagen – ein älteres Semester. Und wissen Sie, was er gesagt hat?«

»Harold«, sagte Mrs. Amstiss.

»Er sagt, er macht sich Sorgen wegen seiner Testergebnisse und möchte ihren Rat. Weil es ihm *schwerfällt, sich Dinge zu merken.* Ist das nicht die Krönung? Ein Examensstudent in amerikanischer Geschichte, dem es *schwerfällt, sich Dinge zu merken?*«

»Nun, ich finde es weiß Gott auch schwer, mir Sachen zu merken«, sagte Hobie freundlich, stand auf, um abzuräumen, und lenkte das Gespräch in andere Bahnen.

Aber spät an jenem Abend, als die Amstisses gegangen waren und Hobie schlief, saß ich in meinem Zimmer, starrte auf die Straße, lauschte dem entfernten Dröhnen der LKW auf der Sixth Avenue und gab mir alle Mühe, meine Panik kleinzureden.

Doch was sollte ich machen? Ich hatte Stunden an meinem Laptop verbracht und mich im Eiltempo durch gefühlt Hunderte von Artikeln geklickt – *Le Monde, Daily Telegraph, Times of India, La Republica,* Sprachen, die ich nicht einmal lesen konnte, jede Zeitung der Welt hatte darüber berichtet. Die Geldbußen, die zu den Haftstrafen hinzukamen, waren ruinös: zweihunderttausend, eine halbe Million Dollar. Und noch schlimmer: Die Frau, der das Haus gehörte, wurde belangt, weil die Gemälde in ihrer Immobilie gefunden worden waren. Das bedeutete, dass Hobie höchstwahrscheinlich auch Ärger bekommen würde – viel schlimmeren Ärger als ich. Die Frau, eine Kosmetikerin im Ruhestand, behauptete, sie habe keine Ahnung gehabt, dass die Bilder sich in ihrem Haus befunden hatten. Aber Hobie? Ein Antiquitätenhändler? Wer würde ihm, selbst wenn er mich unschuldig und aus reiner Herzensgüte aufgenommen hatte, glauben, dass er nichts davon gewusst hatte?

Meine Gedanken fuhren Achterbahn. *Auch wenn die Diebe aus einem Impuls heraus handelten und vorher in keiner Weise aktenkundig geworden waren, wird ihre Unerfahrenheit uns nicht davon abhalten, bei ihrer Strafverfolgung die Strenge des Gesetzes anzulegen.* Ein Kommentator aus London hatte mein Gemälde in einem Atemzug mit dem wiedergefundenen Rembrandt erwähnt: *… hat die Aufmerksamkeit auf weitere wertvolle Werke gelenkt, die nach wie vor vermisst werden, insbesondere Carel Fabritius' Distelfink von 1654, einzigartig in den Annalen der Kunst und daher von unschätzbarem Wert …*

Ich löschte zum dritten oder vierten Mal die Browserchronik und schaltete den Computer aus, bevor ich ein wenig steif ins Bett kroch und das Licht ausmachte. Ich hatte noch die Tüte mit Pillen, die ich Xandra gestohlen hatte – Hunderte in verschiedenen Farben und Formen, laut Boris alles Schmerzmittel, und auch wenn sie meinen Dad immer sofort umgehauen hatten, hatte ich ihn auch darüber klagen hören, dass sie ihn nachts wach hielten –, aber nachdem ich gut eine Stunde gelähmt vor Unbehagen und Unentschlossenheit dagelegen, mich seekrank von einer auf die andere Seite gewälzt und den Widerschein der Lichter vorbeifahrender Autos an der Decke verfolgt hatte, machte ich die Lampe wieder an, kramte in der Nachttischschublade und wählte zwei verschiedenfarbige Pillen aus, eine blaue und eine gelbe, weil ich mir dachte, wenn die eine mich nicht einschlafen ließ, dann vielleicht die andere.

Von unschätzbarem Wert. Ich drehte mich zur Wand. Der wiedergefundene Rembrandt war auf vierzig Millionen geschätzt worden. Aber vierzig Millionen waren immerhin noch ein konkreter Wert.

Von der Avenue drang der schrille Lärm einer Feuerwehrsirene und verlor sich langsam in der Ferne. Autos, LKW, laut lachende Paare, die aus den Bars kamen. Während ich wach lag, versuchte an beruhigende Dinge wie Schnee und Sterne in der Wüste zu denken, und hoffte, dass ich nicht versehentlich eine tödliche Mischung geschluckt hatte, klammerte ich mich fest an die einzige hilfreiche oder tröstliche Information, die meine Online-Lektüre zutage gefördert hatte: Gestohlene Gemälde waren praktisch unmöglich aufzuspüren, wenn niemand versuchte, sie zu verkaufen oder an einen anderen Ort zu bringen, weshalb nur zwanzig Prozent aller Kunstdiebe gefasst wurden.

KAPITEL 8

Der-Laden-hinter-dem-Laden, Fortsetzung

I

Meine Angst und Sorge wegen des Bilds waren so groß, dass davon die Ankunft des Briefes ein wenig überschattet wurde: Ich war für das Frühjahrssemester eines Early-College-Programms angenommen worden. Die Nachricht war so ein Schock für mich, dass ich den Brief in eine Schreibtischschublade stopfte, wo er zwei Tage lang neben Weltys Briefpaper mit Monogramm lag, bis ich schließlich den Mut aufbrachte, zum oberen Absatz der Treppe zu gehen (aus der Werkstatt drang das lebhafte Kratzen einer Handsäge) und zu rufen: »Hobie?«

Das Sägen verstummte.

»Ich bin angenommen.«

Hobies großes blasses Gesicht tauchte am Fuß der Treppe auf. »Was hast du gesagt?« Noch wie in Trance, vertieft in seine Arbeit, noch nicht ganz da, wischte er sich die Hände ab und hinterließ weiße Abdrücke auf seiner schwarzen Schürze. Sein Gesichtsausdruck veränderte sich, als er den Umschlag sah. »Ist es das, was ich denke?«

Wortlos reichte ich ihm den Brief. Er las ihn, sah mich an – und lachte dann sein irisches Lachen, wie ich es nannte, rau und ein wenig überrascht von sich selbst.

»Gut gemacht!«, sagte er, band seine Schürze ab und hängte sie über das Treppengeländer. »Ich bin froh, das sage ich dir ganz ehrlich. Und wann wolltest du es erwähnen? An deinem ersten Schultag?«

Ich fühlte mich schrecklich, weil er sich so freute. Bei unserem Abendessen zur Feier des Anlasses – ich, Hobie und Mrs. DeFrees bei einem kleinen, schlecht besuchten Italiener um die Ecke – blickte ich zu dem Wein trinkenden Paar an dem einzigen anderen be-

setzten Tisch, und statt wie erhofft glücklich zu sein, war ich nur ge
reizt und wie betäubt.

»Prost!«, sagte Hobie. »Der schwierige Teil ist vorbei. Jetzt kanns
du ein bisschen freier atmen.«

»Du musst so froh sein«, sagte Mrs. DeFrees, die sich den ganze
Abend bei mir untergehakt hatte, immer wieder meinen Arm drück
te und entzückt zwitscherte. (»Du siehst *bien élégante* aus«, hatt
Hobie zu ihr gesagt, als er sie auf die Wange küsste: graues, hochge
stecktes Haar und Samtbändchen, die durch die Glieder ihres Dia
mantarmbands gefädelt waren.)

»Ein Vorbild an Entschlossenheit!«, lobte Hobie mich ihr gegen
über. Ich fühlte mich noch schlechter, wenn ich hörte, wie er seine
Freunden erzählte, wie fleißig ich gelernt hatte und was für ein aus
gezeichneter Schüler ich war.

»Nun, das ist wundervoll. Freust du dich nicht? Und so kurzfris
tig! Versuch, ein wenig glücklicher auszusehen, mein Lieber. Wan
fängt er an?«, fragte sie Hobie.

II

Die angenehme Überraschung war, dass das Early-College-Pro
gramm nach der traumatischen Aufnahmeprüfung nicht annähern
so rigoros war, wie ich befürchtet hatte. In gewisser Hinsicht war e
die am wenigsten fordernde Schule, die ich je besucht hatte: kein
Leistungskurse, keine einschüchternden Vorträge über Abschluss
tests und Aufnahmeprüfungen an Ivy-League-Unis, keine Mathe
die einem das Genick brach, und keine Pflichtsprachkurse – eigent
lich überhaupt keine Pflichtkurse. Mit wachsendem Erstaunen sah
ich mich in diesem akademischen Paradies für Nerds um, in da
ich gestolpert war, und begriff, warum so viele begabte und talen
tierte Highschool-Schüler aus allen fünf Stadtbezirken sich dumm
und dämlich geschuftet hatten, um einen Platz zu ergattern. Es gab
keine Tests, keine Prüfungen, keine Noten. Es gab Kurse, in dene

man Solarpaneele baute, Seminare mit Nobelpreisträgern in Wirtschaftswissenschaft und Kurse, in denen man nichts anderes machte, als Tupac-Alben zu hören oder Folgen von *Twin Peaks* zu gucken. Den Schülern stand es frei, sich nach Gutdünken Seminare in Robotik oder der Geschichte der Computerspiele auszudenken, wenn sie wollten. Man hatte die Wahl zwischen interessanten Alternativen, in der Mitte des Semesters musste man zu Hause ein paar Essays schreiben und am Ende des Semesters ein Projekt präsentieren. Doch obwohl ich wusste, wie viel Schwein ich gehabt hatte, war es mir trotzdem unmöglich, Glück oder auch nur Dankbarkeit für mein Los zu empfinden. Es war, als hätte ich eine chemische Veränderung meines Bewusstseins erlitten, als wäre der Säure-Basen-Haushalt meiner Seele ins Ungleichgewicht geraten und hätte mir das Leben an Stellen ausgesaugt, die unmöglich zu reparieren waren, oder andersherum: als wäre ich das Skelett einer lebendigen Koralle, die versteinerte.

Ich konnte tun, wonach mir war. Ich hatte es schon einmal getan: alles ausblenden und vorwärtsmarschieren. Vier Vormittage die Woche stand ich um acht Uhr auf, duschte in der freistehenden Wanne mit Krallenfüßen in dem Bad, das von Pippas Zimmer abging (Duschvorhang mit Pusteblumenmuster und der Duft ihres Erdbeer-Shampoos, der mir mit dem Dampf in die Nase stieg und mich mit einem Gefühl ihrer lächelnden Präsenz scheinbar spöttisch umhüllte). Dann – abrupter Absturz zurück auf die Erde – stieg ich aus der Dampfwolke und kleidete mich schweigend in meinem Zimmer an, steckte – nachdem ich den panisch hin und her rennenden und vor Angst quiekenden Poptschik einmal um den Block geschleift hatte – den Kopf in die Werkstatt, verabschiedete mich von Hobie, schulterte meinen Rucksack und fuhr mit der U-Bahn zwei Stationen Richtung Downtown.

Die meisten Schüler belegten fünf oder sechs Kurse, doch ich beschränkte mich auf das vorgeschriebene Minimum von vier: Kunst, Französisch, Einführung in den europäischen Film, Russische Literatur in Übersetzung. Ich wollte eigentlich einen russischen Sprachkurs nehmen, aber Russisch 101 – der Einführungskurs – wurde erst im Wintersemester angeboten. Mit reflexhafter Gleichgültigkeit erschien ich zu meinen Kursen, sprach, wenn ich angesprochen wurde, erledigte meine Aufgaben und ging wieder nach Hause. Manchmal aß ich nach der Schule in einem der billigen mexikanischen oder italienischen Restaurants rund um die NYU, Flipperautomaten und Plastikpflanzen, Sportübertragungen auf Breitwandfernsehern und während der Happy Hour das Bier für einen Dollar (jedoch nicht für mich: Es war seltsam, mich wieder an mein Leben als Minderjähriger anzupassen, wie eine Rückkehr zu Kindergarten und Wachsmalkreiden). Weil man sich dort kostenlos so viel Sprite nachnehmen konnte, wie man wollte, lief ich hinterher voll auf Zucker, den Kopf gesenkt und den iPod aufgedreht, durch den Washington Square Park zu Hobies Haus. Wegen meiner ständigen Angst (der wiedergefundene Rembrandt war immer noch überall in den Nachrichten) hatte ich große Probleme einzuschlafen, und jedes Mal wenn es unerwartet klingelte, sprang ich auf, als wäre ein Großbrand ausgebrochen.

»Du verpasst etwas, Theo«, sagte Susanna, meine Beratungslehrerin (duzen war obligatorisch, alle waren gute Freunde), »die Angebote außerhalb des Lehrplans sind es, die unseren Schülern auf einem städtischen Campus Anschluss ermöglichen. Vor allem unseren jüngeren Schülern. Man kann sich leicht verlieren.«

»Na ja …« Sie hatte recht: Ich war einsam in der Schule. Die Achtzehn-, Neunzehnjährigen gaben sich nicht mit den Jüngeren ab, und obwohl es jede Menge Schüler in meinem Alter und jünger gab (sogar einen mickrigen Zwölfjährigen, der angeblich einen IQ von 260 hatte), war ihr Leben so klösterlich und ihre Sorgen schienen mir so albern und fremd, dass es mir vorkam, als sprächen sie eine vergessene Mittelschulsprache, die ich nicht mehr beherrschte. Sie lebten zu Hause bei ihren Eltern, sorgten sich um Dinge wie ihren Notendurchschnitt, Italienisch im Ausland und Sommerpraktika bei der UNO; sie flippten aus, wenn man sich in ihrer Gegenwart eine Zigarette ansteckte; sie waren gewissenhaft, unbeschädigt, ahnungslos und meinten es gut. Bei allem, was ich mit ihnen gemeinsam hatte, hätte ich ebenso gut versuchen können, mit den Achtjährigen aus der Public School 41 in Greenwich Village abzuhängen.

»Ich sehe, du hast Französisch gewählt. Der Französisch-Club trifft sich einmal die Woche in einem französischen Restaurant am University Place. Und dienstags gehen sie zur Alliance Française und gucken französischsprachige Filme. Das hört sich doch an, als könnte es dir Spaß machen.«

»Kann sein.« Der Leiter des französischen Instituts, ein ältlicher Algerier, hatte mich bereits angesprochen (es war ein Schock, als ich seine große feste Hand auf meiner Schulter spürte, war ich zusammengeschreckt, als würde ich überfallen) und mir ohne Vorrede erklärt, dass er ein Seminar unterrichtete, an dem ich vielleicht teilnehmen wollte. Die Wurzeln des modernen Terrorismus, beginnend mit der FLN und dem Algerienkrieg – ich hasste es, dass alle Dozenten in dem Programm offenbar wussten, wer ich war, und sich erkennbar in Kenntnis »der Tragödie« an mich wandten, wie Mrs. Lebowitz (»Nenn mich Ruthie!«) es genannt hatte. Auch sie – Mrs. Lebowitz – hatte mir zugesetzt, ich sollte mich dem Filmclub anschließen, nachdem sie meinen Essay über *Fahrraddiebe* gelesen hatte. Außerdem meinte sie, ich könnte vielleicht Gefallen an dem Philosophie-Club finden, bei dem es unter anderem wöchentliche Diskussionen zu den großen Fragen gab, wie sie sich ausdrückte. »Ähm, vielleicht«, sagte ich höflich.

»Nun, ausgehend von deinem Aufsatz habe ich den Eindruck, dass du dich angezogen fühlst von dem, was ich in Ermangelung eines besser geeigneten Wortes das Metaphysische nennen möchte. Zum Beispiel die Frage, warum gute Menschen leiden müssen«, fuhr sie fort, als ich sie weiter nichtssagend ansah. »Ist Schicksal Zufall? Dein Essay beschäftigt sich weniger mit den filmischen Aspekten De Sicas, als vielmehr mit dem elementaren Chaos und der Ungewissheit der Welt, in der wir leben.«

»Ich weiß nicht«, sagte ich in der folgenden verlegenen Pause. Handelte mein Essay wirklich von diesen Dingen? *Fahrraddiebe* hatte mir nicht mal gefallen (genauso wenig wie *Kes, Die Möwe, Lacombe,*

Lucien oder irgendeiner der anderen extrem deprimierenden ausländischen Filme, die wir in Mrs. Lebowitz' Kurs gesehen hatten).

Mrs. Lebowitz sah mich so lange an, bis mir unbehaglich wurde. Dann schob sie ihre hellrote Brille hoch und sagte: »Nun, das meiste, was wir in dem Kurs ›Europäischer Film‹ durchnehmen, ist ziemlich schwere Kost. Deswegen dachte ich, du hättest vielleicht Lust, an einem meiner Seminare für Hauptfachstudenten teilzunehmen. ›Screwball-Komödien der Dreißiger‹ oder ›Die Stummfilm-Ära‹. Wir gucken Dr. Caligari, aber auch viel Buster Keaton und viel Charlie Chaplin – Chaos, verstehst du, aber in einem unbedrohlichen Kontext. Lebensbejahend.«

»Mal sehen«, sagte ich. Aber ich hatte nicht die Absicht, mich auch nur mit dem kleinsten Bröckchen zusätzlicher Arbeit zu belasten, egal wie lebensbejahend es sein mochte. Denn praktisch von dem Moment an, in dem ich die Schule betreten hatte, war der trügerische Energieschub, mit dem ich mich in das Early-College-Programm gekämpft hatte, in sich zusammengebrochen. Die reichhaltigen Angebote berührten mich nicht; ich hatte nicht das Bestreben, mich auch nur ein bisschen mehr anzustrengen, als ich unbedingt musste. Ich wollte bloß durchkommen, den Kopf über Wasser halten.

Deshalb schlug die enthusiastische Begrüßung meiner Lehrer rasch in Resignation und ein vages, unpersönliches Bedauern um. Ich suchte keine Herausforderungen, entwickelte meine Talente nicht, erweiterte meinen Horizont nicht, nutzte die mir zur Verfügung gestellten Möglichkeiten nicht. Ich stellte mich nicht auf das Programm ein, wie Susanna es taktvoll formulierte. Im weiteren Verlauf des Semesters distanzierten meine Dozenten sich sogar allmählich von mir, und die Ermahnungen bekamen einen vorwurfsvolleren Ton. (»Die akademischen Angebote scheinen Theo in keinem Bereich zu größerer Anstrengung anzuspornen.«) Ich wurde immer argwöhnischer, dass der einzige Grund für meine Aufnahme in das Programm »die Tragödie« gewesen war. Jemand im Zulassungsbüro hatte meine Bewerbung markiert, sie an den Leiter weitergereicht, mein Gott, der arme Junge, ein Opfer des Terrorismus, bla, bla, bla die Schule hat eine Verantwortung, wie viele freie Plätze haben wir noch, meinen Sie, wir können ihn unterbringen? Höchstwahrscheinlich hatte ich das Leben eines Junggenies aus der Bronx ruiniert – irgendein armer Klarinette spielender Loser aus einer Sozialsiedlung, der nach wie vor wegen seiner Mathehausaufgaben verprügelt wurde und als Fahrschein-Abknipser in einem Tickethäuschen enden würde, anstatt am California Institute of Technology Strömungslehre zu unterrichten, weil ich seinen oder ihren rechtmäßigen Platz eingenommen hatte.

Offensichtlich war da jemandem ein Fehler unterlaufen. »Theodore nimmt kaum am Unterricht teil und zeigt kein Interesse, seinem Studium mehr Aufmerksamkeit zu widmen als unbedingt nötig«, schrieb mein Französischprofessor in einem vernichteten Zwischenbericht zur Semestermitte, den – in Abwesenheit eines streng beaufsichtigenden Elternteils – niemand außer mir zu sehen bekam. »Es bleibt zu hoffen, dass seine mangelhaften Leistungen ihn anspornen werden, sich doch noch zu bewähren, damit er in der zweiten Semesterhälfte mehr von seiner Situation profitieren kann.«

Aber ich hatte kein Bedürfnis, von meiner Situation zu profitieren, und noch weniger, mich doch noch zu bewähren. Wie ein Mann ohne Gedächtnis streifte ich durch die Straßen (anstatt meine Hausaufgaben zu machen, ins Sprachlabor zu gehen oder einen der Clubs zu besuchen, zu denen ich eingeladen worden war), fuhr alleine U-Bahn bis zur Endstation, wo ich durch Viertel mit Schnapsläden und Salons für Haarverlängerung lief wie durchs Fegefeuer. Doch schon bald verlor sich auch mein Interesse an meiner neu entdeckten Mobilität – Hunderte Kilometer von Gleisen, Fahren einfach nur so –, und ich vertiefte mich wie ein Stein, der lautlos im Wasser versinkt, in müßige Arbeiten in Hobies Werkstatt, eine willkommene Schläfrigkeit unterhalb des Straßenniveaus, wo ich, abgeschottet von dem Lärm der Stadt und all den himmelwärts strebenden Drohgebärden der Bürotürme und Wolkenkratzer, zufrieden Tischplatten polierte und stundenlang klassische Musik auf WNYC hörte.

Denn was kümmerte mich das *Passé composé* oder die Werke von

Turgenjew? War es verkehrt, die Decke über den Kopf ziehen und ausschlafen zu wollen, in dem friedlichen Haus herumzulaufen, vorbei an Schubladen voller alter Muscheln, gefalteter Polsterstoffe in Weidenkörben unter dem Sekretär im Salon, und wenn das Licht bei Sonnenuntergang in heftigen Korallenmustern durch die Lünette über der Haustür schien? Es dauerte nicht lange, bis ich zwischen Schule und Werkstatt in eine Art selbstvergessenen Halbschlaf fiel, eine verdrehte, traumartige Version meines früheren Lebens, in der ich durch vertraute Straßen lief und doch in unvertrauten Umständen lebte, unter anderen Gesichtern. Und obwohl ich auf dem Weg zur Schule oft an mein altes, verlorenes Leben mit meiner Mutter dachte – die U-Bahn-Station Canal Street, beleuchtete Blumenauslagen auf dem koreanischen Markt, alles Mögliche konnte diese Erinnerungen auslösen –, war es, als wäre vor der Zeit in Vegas ein schwarzer Vorhang gefallen.

Nur in unbedachten Momenten drang es manchmal durch, impulsiv und rebellisch, sodass ich mitten auf dem Bürgersteig stehen blieb. Irgendwie war die Gegenwart zu einem kleineren und sehr viel uninteressanteren Ort geschrumpft. Vielleicht lag es bloß daran, dass ich nüchterner durchs Leben ging, nicht mehr die chronische verschwenderische Pracht jener lodernden adoleszenten Räusche, unser eigener kleiner Zwei-Mann-Kriegerstamm, der durch die Wüste tobte; vielleicht fühlte es sich einfach so an, wenn man älter wurde, obwohl es unvorstellbar war, dass Boris (in Warschau, Karmeywallag, Neuguinea oder wo auch immer) ein so gesetztes Vorspiel-zum-Erwachsen-Sein-Leben führte wie jenes, in das ich gerutscht war. Andy und ich – sogar Tom Cable und ich – hatten immer endlos darüber geredet, was wir als Erwachsene werden wollten, während Boris anscheinend nie einen Gedanken an seine Zukunft weiter als bis zum nächsten Essen verschwendete. Ich konnte mir nicht vorstellen, dass er sich in irgendeiner Weise darauf vorbereitete, seinen Lebensunterhalt zu verdienen oder ein produktives Mitglied der Gesellschaft zu werden. Aber wenn man mit Boris zusammen war, wusste man, dass das Leben voller großartiger, alberner Möglichkeiten steckte – weit größer als irgendwas, was sie einem in der Schule beibrachten. Ich hatte es lange aufgegeben, ihm zu simsen oder ihn anzurufen; die Nachrichten an Kotkus Handy blieben unbeantwortet, sein Festnetzanschluss in Vegas war abgemeldet. Ich glaubte nicht mehr daran, dass ich ihn – bei seinem enormen Bewegungsradius – jemals wiedersehen würde. Und doch dachte ich beinahe täglich an ihn. Die russischen Romane, die ich für die Schule las, erinnerten mich an ihn; russische Romane, *Die sieben Säulen der Weisheit* und auch die Lower Eastside – Tattoo-Studios, Läden, die Piroggen verkauften, Marihuana-Duft in der Luft, alte polnische Damen, die mit Einkaufstüten beladen von links nach rechts schwankten, und Jugendliche, die in den Eingängen von Bars entlang der Second Avenue rauchten.

Und manchmal – unerwartet und mit einer Schärfe, die beinahe schmerzhaft war – dachte ich an meinen Vater. Chinatown mit seiner protzigen Schäbigkeit und seinen unsicheren, undeutbaren Stimmungen erinnerte mich an ihn: Spiegel und Aquarien, Ladenfenster mit Plastikblumen und Töpfen mit Glücksbambus. Manchmal wenn ich die Canal Street hinunterlief, um für Hobie bei Pearl Paint pulverisierten Bimsstein und venezianisches Terpentin zu kaufen, schlenderte ich bis zur Mulberry Street zu einem Restaurant, das mein Dad gemocht hatte, in der Nähe der U-Bahn, acht Stufen hinunter in einen Keller mit fleckigen Kunststofftischen, wo ich knusprige Frühlingszwiebelpfannkuchen und scharf gewürztes Schweinefleisch kaufte, Gerichte, auf die ich zeigen musste, weil die Karte auf Chinesisch war. Als ich zum ersten Mal beladen mit fettigen Papiertüten bei Hobie aufgetaucht war, hatte seine ausdruckslose Miene mich stutzen lassen, ich stand im Zimmer wie ein Schlafwandler, der mitten im Traum aufgewacht war, und fragte mich, an wen genau ich gedacht hatte – jedenfalls bestimmt nicht an Hobie; er gehörte nicht zu denen, die zu jeder Tages- und Nachtzeit Heißhunger auf chinesisches Essen hatten.

»Oh, ich *mag* es«, beteuerte er hastig, »ich denke nur nie daran.« Und so aßen wir unten in der Werkstatt direkt aus den Kartons, Hobie auf seinem Hocker in seiner schwarzen Schürze, die Ärmel bis zum Ellbogen hochgekrempelt, mit Stäbchen, die zwischen seinen großen Fingern eigenartig klein aussahen.

III

Die informelle Natur meines Aufenthalts bei Hobie bereitete mir ebenfalls Sorgen. Obwohl Hobie selbst in seiner diffusen Güte anscheinend nichts gegen meine Anwesenheit in seinem Haus einzuwenden hatte, betrachtete Mr. Bracegirdle das Ganze offensichtlich als ein Provisorium, und sowohl er als auch meine Beratungslehrerin hatten mir in aller Ausführlichkeit erklärt, dass die Wohnheime an meiner Schule zwar für ältere Schüler reserviert wären, man in meinem Fall jedoch eine Lösung finden könne. Aber jedes Mal wenn die Frage meiner Unterbringung aufkam, verstummte ich und starrte auf meine Schuhe. Die Wohnheime waren überfüllt, überall tote Fliegen, der käfigartige Fahrstuhl war mit Graffiti beschmiert und klapperte wie ein Gefängnislift. Die Wände waren mit Konzert-Flyern tapeziert, die Fußböden klebrig von verschüttetem Bier, und auf den Sofas im Fernsehraum lungerte ein zombiehafter Mob von in Decken gehüllten Kolossen und zugedröhnten Typen mit Gesichtsbehaarung – aus meiner Sicht erwachsene Männer, große unheimliche Typen über zwanzig –, die sich im Flur gegenseitig mit leeren Bierdosen bewarfen. »Nun, du bist noch ein wenig jung«, sagte Mr. Bracegirdle, als ich – in die Enge getrieben – meine Befürchtungen äußerte, obwohl der wahre Grund für meine Bedenken etwas war, worüber ich nicht sprechen konnte: Wie konnte ich mir – unter meinen Umständen – mit jemandem ein Zimmer teilen? Was war mit Sicherheitsvorkehrungen? Sprinkleranlagen? Diebstahl? *Die Schule ist nicht haftbar für den persönlichen Besitz der Schüler,* hieß es in dem Handbuch, das man mir gegeben hatte. *Wir empfehlen, für alle wertvollen Gegenstände, die mitgeführt werden, eine spezielle Versicherung abzuschließen.*

In einer Trance der Angst stürzte ich mich in die Aufgabe, mich für Hobie unverzichtbar zu machen: Ich erledigte Botengänge, reinigte Pinsel, half ihm, seine restaurierten Stücke zu inventarisieren und Beschläge und alte Möbelholzreste zu sortieren. Während er Schulterbretter schnitzte und neue Stuhlbeine drechselte, bis sie zu den alten passten, schmolz ich auf der Kochplatte Bienenwachs für die Politur: sechzehn Teile Bienenwachs, vier Teile Harz, ein Teil venezianisches Terpentin, eine duftende Masse, zähflüssig wie karamellisierter Zucker, die anzurühren sehr befriedigend war. Schon bald lehrte er mich, wie man die rot-auf-weiße Grundierung für eine Vergoldung legte: An den Stellen des Möbelstücks, die man natürlich mit der Hand berühren würde, musste das Gold immer ein wenig abgerieben werden, dann eine leichte Tönung mit Lampenruß, der in den Spalten und auf den Rückseiten verrieben wurde. (»Die Patinierung ist immer eines der größten Probleme. Aber wenn man mit neuem Holz die Wirkung von altem erzielen will, lässt sich eine vergoldete Patina immer am leichtesten fälschen.«) Und wenn die Vergoldung nach der Rußbehandlung immer noch zu hell und frisch aussah, brachte er mir bei, wie man sie mit einer Nadelspitze zerkratzte – leichte unregelmäßige Ritze von unterschiedlicher Tiefe – und anschließend mit einem Bund alter Schlüssel ein wenig eindellte, bevor man den Staubsaugerbeutel darüber ausleerte, um sie zu mattieren. »Stark restaurierten Stücken, bei denen es keine abgenutzten Stellen und ehrlichen Narben gibt, muss man selbst ein paar Altersmacken verpassen. Und der Trick ist«, erklärte er und wischte sich mit dem Handrücken über die Stirn, »man darf es nicht zu schön machen.« Mit *schön* meinte er »regelmäßig«. Alles zu gleichmäßig Abgenutzte war absolut verräterisch; wahres Alter war, wie ich an den echten Stücken erkannte, die durch meine Hände gingen, ungleichförmig, schief, unberechenbar, hier tönend, dort düster, warme asymmetrische Streifen auf einem Rosenholzschrank, wo die Strahlen der tief stehenden Sonne auf das Holz gefallen waren, während die andere Seite so dunkel war wie an dem Tag, an dem es geschnitten wurde. »Was lässt Holz altern? Was immer du willst. Hitze und Kälte, Kaminruß, zu viele Katzen – oder das hier«, sagte er und machte einen Schritt zurück, als ich mit einem Finger über die raue, beschmierte Oberseite einer Mahagoni-Kommode strich. »Was glaubst du, was diese Oberfläche ruiniert hat?«

»O je ...« Ich hockte mich auf die Fersen und sah, dass der Überzug – schwarz und klebrig wie die verbrannte Kuchenkruste einer Fertigbackmischung, die man nicht essen wollte – in einen klaren, satten Glanz ausfächerte.

Hobie lachte. »Haarspray. Kaum zu glauben, oder?«, sagte er und kratzte mit dem Daumennagel daran, bis sich eine schwarze Flocke löste. »Die alte Schönheit hat es als Frisierkommode benutzt. Über die Jahre entsteht eine Schicht wie aus Lack. Ich weiß nicht, was die da reintun, aber es abzulösen, ist ein Albtraum, vor allem das Zeug aus den Sechzigern und Siebzigern. Es wäre ein wirklich interessantes Objekt, wenn sie den Lack nicht ruiniert hätte. Wir können die Oberseite nur säubern, sodass man das Holz wieder sieht, und vielleicht ein wenig wachsen. Aber es ist ein wunderschönes altes Stück, oder?«, sagte er voller Wärme und strich mit dem Finger über eine Kante. »Schau, wie die Beine gedrechselt sind, und diese Maserung, das Muster – und siehst du die Fladerung hier und hier, eine perfekte Entsprechung, sorgfältig ausgewählt?«

»Müssen wir die Kommode auseinandernehmen?« Obwohl es für Hobie ein ungeliebter Teil seiner Arbeit war, genoss ich das chirurgische Drama, ein Stück in seine Einzelteile zu zerlegen und dann komplett wieder zusammenzubauen – schnell zu arbeiten, bevor der Leim hart wurde, wie hektische Ärzte bei einer Blinddarmoperation auf hoher See.

»Nein«, er klopfte, ein Ohr an das Holz gelegt, auf die Kommode. »scheint ziemlich solide zu sein, aber die Schubladenführung ist beschädigt.« Er zog eine klemmende Schublade auf. »Das kommt davon, wenn man zu viel Kram reinstopft. Die passen wir neu an.« Er zerrte die Schublade ganz heraus und verzog das Gesicht bei dem quietschenden Geräusch von Holz, das über Holz schrammte. »Wir feilen die Stellen ab, wo sie hakt. Siehst du die Rundung? Das repariert man am besten, indem man die Nut ausfräst – dadurch wird sie breiter, doch ich glaube nicht, dass wir die Führungsnute aus den Schwalbenschwanzzinkungen stemmen müssen – du erinnerst dich, wie wir es bei diesem Eichenmöbel gemacht haben?« Er strich mit dem Finger über die Kante. »Mahagoni verhält sich allerdings ein wenig anders. Genau wie Walnuss. Erstaunlich, wie häufig Holz an Stellen abgetragen wird, die eigentlich gar keine Probleme bereiten. Insbesondere Mahagoni ist so fein gemasert, vor allem so altes Mahagoni, dass man wirklich nur dort schleifen will, wo es unbedingt nötig ist. Ein bisschen Paraffin an die Führung, und sie ist so gut wie neu.«

IV

Und so verstrich die Zeit. Frühling ging in den Sommer über – Luftfeuchtigkeit und Müllgestank, die Straßen voller Menschen, der Götterbaum dunkel und dicht belaubt – und der Sommer in den Herbst, verlassen und kühl. Abends las ich *Eugen Onegin* oder studierte eins von Weltys zahlreichen Möbelbüchern (mein Favorit war ein uraltes zweibändiges Werk *Chippendale-Möbel: Originale und Fälschungen*) oder Jansons dicke und befriedigende *Geschichte der Kunst*. Obwohl ich im Keller manchmal sechs oder sieben Stunden mit Hobie arbeitete, meist ohne ein Wort mit ihm zu wechseln, fühlte ich mich im Licht seiner Aufmerksamkeit nie einsam: Dass ein Erwachsener, der nicht meine Mutter war, so mitfühlend und im Einklang mit mir sein konnte, so vollkommen präsent, verwunderte mich. Wegen unseres großen Altersunterschieds waren wir schüchtern im Umgang miteinander; es gab eine Förmlichkeit, eine Generationen bedingte Reserviertheit, doch gleichzeitig hatten wir in der Werkstatt eine Art Telepathie entwickelt, sodass ich ihm die richtige Feile oder den passenden Beitel schon anreichte, bevor er mich darum gebeten hatte. »Kunstharz-verklebt« war seine Kurzformel für alle minderwertigen Arbeiten und Billigprodukte im Allgemeinen; er hatte mir eine Reihe von Originalen gezeigt, wo die Holzverbindungen ungestört zwei hundert Jahre oder länger gehalten hatten, während das Problem be vielen neueren Arbeiten darin bestand, dass sie zu fest hielten, da Holz zu eng zusammenfügten, es splittern oder nicht atmen ließen »Denk immer daran, die Person, für die wir eigentlich arbeiten, is der Mensch, der dieses Möbelstück in einhundert Jahren restauriert Ihn wollen wir beeindrucken.« Wenn er ein Möbel zusammenleim te, war es meine Aufgabe, die richtigen Schraubzwingen an den vor gesehenen Stellen bereitzulegen, während er die einzelnen Teile in präziser Anordnung arrangierte, Zapfen an Schlitz – mühselige Vor bereitungen für das eigentliche Leimen und Fixieren, wenn wir in den wenigen Minuten, bevor der Leim aushärtete, fieberhaft arbeite mussten und er mit ruhigen Händen wie ein Chirurg das richtige Tei griff, wo ich mich ungeschickt anstellte, ohnehin in erster Linie dafü zuständig, die Kanten zusammenzudrücken, während er die Zwin gen ansetzte (nicht nur die üblichen G- und F-Form-Schraubzwin gen, sondern auch eine exzentrische Ansammlung von Gegenstän den, die er zu diesem Zweck bereithielt, wie Matratzensprungfedern Wäscheklammern, alte Stickringe, Fahrradschläuche und – als Ge wichte – bunte Sandsäckchen aus Kaliko sowie diverse zusammen gesuchte Objekte wie alte bleierne Türstopper und gusseiserne Spar schweine). Wenn er niemanden brauchte, der ihm zur Hand ging fegte ich Späne auf und hängte die Werkzeuge wieder an ihren Ha ken, und – wenn es sonst nichts zu tun gab – war ich auch zufrieden einfach dazusitzen und ihm zuzusehen, wie er Beitel schärfte ode mit einem Topf heißem Wasser auf der Kochplatte Holz über dem Wasserdampf bog. OMG da unten stinkt es, simste Pippa. Die dämpfe sind furchtbar wie hältst du das aus? Aber ich liebte den Geruch – er frischend giftig – und das Gefühl von Holz unter meinen Händen.

V

Während der ganzen Zeit hatte ich weiter sorgfältig die Nachrichten über meine Co-Kunsträuber in der Bronx verfolgt. Sie hatten sich sämtlich schuldig bekannt – auch die Schwiegermutter – und die gesetzlichen Höchststrafen aufgebrummt bekommen: Geldstrafen in den Hunderttausenden und Haftstrafen von fünf bis fünfzehn Jahren ohne Bewährung. Offenbar war man allgemein der Ansicht, dass alle drei nach wie vor glücklich in Morris Heights leben und fette italienische Mahlzeiten im Haus ihrer Mom verputzen würden, wenn sie nicht den dummen Versuch unternommen hätten, den Wybrand Hendriks an einen Händler zu verkaufen, der die Polizei alarmiert hatte.

Doch das linderte meine Sorge nicht. Als ich eines Tages aus der Schule nach Hause kam, quoll mir aus dem Obergeschoss dichter Rauch entgegen, und im Flur vor meinem Zimmer liefen Feuerwehrmänner herum. »Mäuse«, sagte Hobie, der blass und mit wirrem Blick in seinem Arbeitskittel und mit seiner Schutzbrille auf dem Kopf durch das Haus streifte wie ein verrückter Wissenschaftler, »Klebefallen kann ich nicht ertragen, sie sind grausam, und ich habe es vor mir hergeschoben, den Kammerjäger zu rufen, gütiger Gott, das ist unerhört, es geht nicht, dass sie meine elektrischen Kabel durchknabbern, ohne den Feueralarm hätte das ganze Haus *so* hochgehen können, hier« – (an den Feuerwehrmann gewandt) –, »ist es in Ordnung, wenn er reinkommt?« Er wich irgendwelchem Gerät aus, »das musst du sehen«, machte ein paar Schritte zurück und wies auf ein glimmendes Knäuel verkohlter Mäuse hinter der Fußleiste. »Guck dir das an! Ein ganzes Nest von den Viechern!« Obwohl Hobies Haus nach allen Regeln der Kunst alarmgesichert war – nicht nur gegen Feuer, sondern auch gegen Einbruch – und außer an einem Teil der Fußleiste im Flur auch kein nennenswerter Schaden entstanden war, hatte mich der Zwischenfall schwer erschüttert (was, wenn Hobie nicht zu Hause gewesen wäre? Was, wenn das Feuer in meinem Zimmer ausgebrochen wäre?), denn eine derartige Menge von Mäusen hinter einem halben Meter Fußleiste konnte nur bedeuten, schlussfolgerte ich, dass es anderswo noch mehr Mäuse (und durchgekaute Kabel) geben musste, weshalb ich mich fragte, ob ich ungeachtet Hobies Aversion gegen Mäusefallen selber welche aufstellen sollte. Mein Vorschlag, sich eine Katze anzuschaffen – wenngleich von Hobie und der Katzenliebhaberin Mrs. DeFrees begeistert aufgenommen –, wurde wohlwollend erörtert, aber nie in die Tat umgesetzt, und verschwand rasch wieder in der Versenkung. Dann, ein paar Wochen später, als ich mich gerade fragte, ob ich die Katzenfrage noch einmal aufbringen sollte, wäre ich beim Betreten meines Zimmers beinahe in Ohnmacht gefallen, weil er auf dem Teppich neben meinem Bett kniete und *unter* das Bett griff, wie ich dachte, während er in Wahrheit nur das Kittmesser vom Boden aufheben wollte; er ersetzte gerade die gesprungene untere Scheibe des Fensters.

»Oh, hallo!«, sagte Hobie, stand auf und wischte sich das Hosenbein ab. »Tut mir leid! Ich wollte dich nicht erschrecken! Seit deiner Ankunft habe ich vor, diese neue Scheibe einzusetzen. Bei diesen alten Fenstern nehme ich natürlich Wellenglas von Bendheim, aber wenn man ein paar durchsichtige Stücke dazwischensetzt, ist es eigentlich auch egal – Vorsicht, pass auf«, sagte er und »alles in Ordnung?«, als ich die Schultasche fallen ließ und in einen Sessel sank wie ein traumatisierter Oberleutnant, der eben vom Schlachtfeld hereingestolpert kam.

Es war zum Verrücktwerden, wie meine Mutter gesagt hätte. Ich wusste nicht, was ich machen sollte. Obwohl ich mir nur allzu bewusst war, wie sonderbar Hobie mich bisweilen ansah, wie irre ich ihm vorkommen musste, vegetierte ich nach wie vor in dem leichten Dunst meines inneren Tumultes: Jedes Mal wenn jemand vor der Tür stand, schreckte ich hoch, wenn das Telefon klingelte, sprang ich auf, als hätte ich mich verbrüht. »Vorahnungen«, die mich trafen wie Stromstöße, ließen mich mitten im Unterricht aufstehen und nach Hause eilen, um mich zu vergewissern, dass das Bild noch in dem Kissenbezug steckte, dass niemand die Verpackung angerührt oder versucht hatte, das Klebeband aufzuschneiden. Auf meinem Computer durchforschte ich das Internet nach gesetzlichen Bestimmungen, die sich auf Kunstraub bezogen, doch die Fragmente, die ich zusammentrug, waren weit gestreut und ergaben zusammen kein irgendwie relevantes und schlüssiges Bild. Aber dann tat sich nach acht ansonsten ereignislosen Monaten bei Hobie unerwartet eine Lösung auf.

Ich kam gut aus mit allen von Hobies Transport- und Lager-Hilfen. Die meisten von ihnen waren New Yorker Iren, träge, gutmütige Kerle, die es nicht ganz bis in die Polizei oder Feuerwehr geschafft hatten – Mike, Sean, Patrick, Little Frank (der kein bisschen klein, sondern von der Statur eines großen Gefrierschranks war) –, aber auch zwei Israelis, die Raviv und Avi hießen, sowie – mein persönlicher Favorit – ein russischer Jude namens Grischa. (»Russischer Jude‹ ist Widerspruch in sich«, erklärte er in einer üppigen Rauchwolke seiner Mentholzigarette. »Jedenfalls für russisches Denken. Denn ›Jude‹ ist für Antisemit nicht dasselbe wie wahrer Russe – Russland ist berüchtigt dafür.«) Grischa war in Sewastopol geboren und behauptete, sich auch daran zu erinnern (»schwarzes Wasser, Salz«), obwohl seine Eltern auswanderten, als er zwei war. Er war blond mit einem ziegelsteinroten Gesicht, einer erstaunlichen Augenfarbe, so türkis wie Rotkehlcheneier, er hatte einen dicken Bauch vom Trinken und ging so nachlässig mit seiner Kleidung um, dass manchmal die unteren Knöpfe seines Hemdes offen standen, obwohl er sich, seiner lockeren, arroganten Art nach zu urteilen, offensichtlich für gut aussehend hielt (was er womöglich auch einmal gewesen war). Im Gegensatz zu Mr. Pavlikovsky mit seiner steinernen Miene war er ziemlich redselig, voller Witze, *Anekdóty,* wie er sie nannte, die er in einem ulkigen, monotonen Schnellfeuer-Tonfall erzählte. »Du denkst, du kannst fluchen, *Maschór?*«, hatte er leutselig gefragt und von dem Schachbrett in einer Ecke der Werkstatt aufgeblickt, wo er und Hobie nachmittags manchmal eine Partie spielen. »Dann, los. Mal sehen, ob ich kriege rote Ohren.« Und ich hatte einen so Tränen treibenden Schwall von Unflat ausgestoßen, dass selbst Hobie – der kein Wort verstand – sich lachend zurückgelehnt und die Ohren zugehalten hatte.

An einem trüben Nachmittag kurz nach Beginn meines ersten Herbstsemesters war ich zufällig allein zu Hause, als Grischa vorbeikam, um einige Möbel abzuliefern. »Hier, *Maschór*«, sagte er und schnippte seine Zigarettenkippe mit vernarbtem Daumen und Zeigefinger weg. *Maschór* – einer von mehreren spöttischen Spitznamen, die er mir gegeben hatte – bedeutete auf Russisch »Major« »Mach dich nützlich. Komm und hilf mir mit dem Müll in dem Laster.« Für Grischa waren alle Möbel »Müll«.

Ich blickte an ihm vorbei zu dem Laster. »Was hast du denn? Ist es schwer?«

»Wenn es schwer wäre, *popryguntschik*, würde ich fragen dich?«

Wir trugen die Möbel herein – ein mit Polstermaterial eingewickelter, vergoldeter Spiegel, ein Kerzenständer, ein Satz Esszimmerstühle –, und sobald alles ausgepackt war, lehnte Grischa sich an eine Anrichte, an der Hobie gerade arbeitete (nachdem er zunächst mit einem Finger darübergestrichen hatte, um sich zu vergewissern, dass sie nicht klebte), und zündete sich eine Kool an. »Willst du eine?«

»Nein danke.« Eigentlich wollte ich schon, aber ich hatte Angst, dass Hobie den Rauch an mir riechen würde.

Grischa fächerte den Qualm mit einer Hand mit schmutzigen Nägeln von sich. »Und was machst du?«, fragte er. »Willst du mir heute Nachmittag helfen?«

»Wobei helfen?«

»Leg weg Buch mit nackten Frauen«, (Jansons *Geschichte der Kunst*), »und fahr mit mir nach Brooklyn.«

»Wozu?«

»Ich muss ein paar von diesem Müll ins Lager bringen, könnte jemand brauchen, der mit anpackt. Mike sollte helfen, aber heute *krank*. Ja! Gestern Abend haben Giants gespielt und verloren, er hatte einen Haufen Kohle in dem Spiel. Wette, er liegt zu Hause in Inwood im Bett mit Kater und blaue Auge.«

VI

Auf der Fahrt nach Brooklyn in dem Laster voller Möbel hielt Grischa einen unaufhaltsamen Monolog darüber, was für ein feiner Charakter Hobie einerseits sei, der jedoch andererseits Weltys Unternehmen ruinierte. »Ein ehrlicher Mann in einer unehrlichen Welt? Ein Leben in Zurückgezogenheit? Es tut mir hier, in Herz, weh zu sehen, wie er jeden Tag sein Geld aus dem Fenster wirft. Nein, nein«, sagte er und hob die Hände, als ich etwas sagen wollte, »was er macht, braucht Zeit, Restaurierungen, Handarbeit wie die Alten Meister – ich verstehe. Er ist Künstler – kein Geschäftsmann. Aber erklär mir bitte, warum er bezahlt für Lager draußen am Brooklyn Naval Yard, anstatt Bestand zu räumen und Rechnungen zu bezahlen? Ich meine – guck dir bloß den Müll im Keller an! Sachen, die Welty bei Auktionen gekauft hat – und jede Woche kommt mehr. Laden oben ist vollgestopft! Er sitzt auf einem Vermögen – würde hundert Jahren dauern, alles zu verkaufen! Leute gucken ins Fenster – Bargeld in der Hand – wollen etwas kaufen – sorry, Lady! Verpiss dich! Laden ist geschlossen! Und er sitzt unten mit seinen Tischlerwerkzeugen und arbeitet zehn Stunden, um zu schnitzen *so kleines*« – (Daumen und Zeigefinger) – »Stück Holz für irgendeinen beschissenen Oma-Stuhl.«

»Ja, aber er hat auch Kunden. Erst letzte Woche hat er einen ganzen Schwung Sachen verkauft.«

»Was?«, fragte Grischa und riss den Blick von der Straße, um mich wütend anzustarren. »Verkauft? An wen?«

»An die Vogels. Er hat den Laden für sie geöffnet – sie haben einen Bücherschrank, einen Spieltisch ...«

Grischa blickte finster drein. »*Diese* Leute. Seine sogenannten *Freunde*. Weißt du, warum sie bei ihm kaufen? Weil sie wissen, dass sie bei ihm einen niedrigen Preis kriegen – ›Öffnungszeiten nach Vereinbarung‹, ha! Wäre besser für ihn, wenn er den Laden für diese Aasgeier geschlossen hält. Ich meine«, Faust auf Brustbein, »du kennst mein Herz. Hobie ist wie Familie für mich. Aber«, er rieb drei

Finger aneinander, eine alte Boris-Geste, *Geld, Geld!,* »unklug in Ge-
schäftsdingen. Er verschenkt sein letztes Streichholz, letzten Bissen
Nahrung, was immer, an jeden Schwindler und Betrüger. Guck dir
an und sieh selbst – bald, in vier, fünf Jahren sitzt er bankrott auf der
Straße, wenn er nicht jemanden findet, der den Laden für ihn führt.«

»Wie wer zum Beispiel?«

»Na ja«, er zuckte die Achseln, »jemand vielleicht wie meine
Cousine Lidiya. Die Frau kann verkaufen Wasser an einen Ertrin-
kenden.«

»Du solltest es ihm sagen. Ich weiß, dass er jemanden sucht.«

Grischa lachte zynisch. »Lidiya? In *dem* Loch arbeiten? Hör zu –
Lidiya verkauft Gold, Rolex, Diamanten aus Sierra Leone. Wird vor
Limousine zu Hause abgeholt. Weiße Lederhose ... bodenlanger Zo-
belpelz ... Fingernägel bis *hier.* Niemals wird Frau wie sie ganzen Tag
sitzen in Trödelladen voller Staub und altem Müll.«

Er hielt und stellte den Motor ab. Wir standen vor einem kas-
tenartigen, aschgrauen Gebäude in einer verlassenen Hafengegend,
leere Grundstücke und Autolackiererereien, die Art Umgebung, in die
Gangster in Filmen immer mit dem Typen fahren, den sie umbringen wollen.

»Lidiya – Lidiya ist sexy Lady«, sagte er nachdenklich. »Lange Beine – fette Möpse – attraktiv. Große Lust auf Leben. Aber für so ein
Geschäft will man lieber keinen großen Glitzer wie sie.«

»Sondern?«

»Jemanden wie Welty. Er hatte etwas unschuldig, weißt du? Wie
Gelehrter. Oder Priester. Er war Großvater für alle. Trotzdem sehr
cleverer Geschäftsmann. Schön, wenn man nett ist, gut Freund mit
allen, aber wenn dein Kunde vertraut dir und glaubt, kleinster Preis
ist von dir, musst du machen deine Profit, ha! So ist Handel, *Maschór,*
Lauf von beschissene Welt.«

Nachdem man uns die Tür aufgedrückt hatte, kamen wir an einen
Tresen mit einem einsamen, Zeitung lesenden Italiener. Während
Grischa sich eintrug, studierte ich eine Broschüre, die neben ausge-
stellter Blasenfolie und Paketbändern in einem Regal lag:

ARISTON KUNSTLAGER
TOPMODERNE AUSSTATTUNG
BRANDSCHUTZ, KLIMATISIERUNG,
VIDEOÜBERWACHUNG
INTEGRITÄT – QUALITÄT – SICHERHEIT
ANFORDERUNGSSPEZIFISCHE LAGERBEDINGUNGEN
FÜR KUNST JEDER ART
SICHERE AUFBEWAHRUNG IHRER
WERTSACHEN SEIT 1968

Bis auf den Mann hinter dem Empfangstresen war das Gebäude menschenleer. Wir beluden den Lastenfahrstuhl und fuhren – mithilfe einer Schlüsselkarte und eines in ein Tastenfeld einzugebenden Codes – in den fünften Stock. Dort gingen wir durch einen langen gesichtslosen Flur nach dem anderen, Kameras an den Decken, anonyme nummerierte Türen, Gang D, Gang E, fensterlose, todessternartige Wände, die sich scheinbar bis in die Unendlichkeit erstreckten, eine Aura von unterirdischen Militärarchiven oder vielleicht den Mauern eines Kolumbariums auf einem futuristischen Friedhof.

Hobie hatte eines der größeren Lager – eine Doppeltür, breit genug für einen Laster. »Da wären wir«, sagte Grischa, hantierte laut mit dem Schlüssel in dem Vorhängeschloss herum und warf die Metalltüren scheppernd auf. »Guck dir den ganzen Scheiß an, den er hier drin hat.« Der Raum war so vollgestopft mit Möbeln und anderen Objekten (Lampen, Bücher, Porzellan, kleine Bronzestatuen, dazu alte B.-Altman-Tüten voller Papiere und modernder Schuhe), dass ich nach einem ersten verwirrten Blick zurückweichen und die Türen wieder schließen wollte, als wären wir versehentlich in die Wohnung eines kürzlich verstorbenen, sammelwütigen Rentners gestolpert.

»Zweitausend im Monat zahlt er dafür«, sagte Grischa düster, als wir die Stühle von der Polsterung befreiten und vorsichtig auf einen Kirschholztisch stapelten. »Vierundzwanzigtausend Dollar im Jahr Er sollte vielen Geld lieber nutzen, um sich mit Scheinen seine Zigaretten anzuzünden, anstatt zu zahlen Mieten für diese Dreckloch.«

»Was ist mit den kleineren Lagern?« Einige der Türen waren vergleichsweise winzig – etwa so groß wie ein Koffer.

»Leute sind verrückt«, sagte Grischa resigniert. »Für Platz so groß wie Kofferraum von Auto? Hunderte von Dollars im Monat?«

»Also«, ich wusste nicht, wie ich es fragen sollte, »was hält die Leute denn davon ab, hier illegale Sachen aufzubewahren?«

»Illegal?« Grischa tupfte sich mit einem schmutzigen Taschentuch erst die Stirn und dann den Kragenrand im Nacken ab. »Du meinst wie Waffen oder was?«

»Genau. Oder zum Beispiel Diebesgut?«

»Was sie davon abhält? Ich sag dir. Gar nichts hält sie davon ab. Wenn du hier etwas vergräbst, findet es niemand, es sei denn, du wirst umgebracht oder in den Knast geschickt und zahlst deine Miete nicht. Neunzig Prozent dieser Sachen – alte Babyfotos und Plunder von Großmütterchens Speicher. Aber – wenn Wände sprechen könnten, weißt du? Wahrscheinlich sind hier Millionen von Dollars versteckt, wenn man wüsste, wo man suchen muss. Geheimnisse aller Art. Waffen, Juwelen, Leichen von Mordopfern – verrückte Sachen. Warte«, er knallte die Tür krachend zu und fummelte an dem Riegel herum, »hilf mir mit dem Scheißding. Gott, ich hasse diesen Kasten. Ist wie Tod, weißt du?« Er wies den endlosen sterilen Flur hinunter. »Alles verschlossen, vor dem Leben versiegelt! Jedes Mal wenn ich komme hier, ich habe Gefühl, als ob schwer atmen. Schlimmer als beschissene Bibliothek.«

An jenem Abend holte ich die Gelben Seiten aus Hobies Küche, trug sie in mein Zimmer und schlug die Rubrik *Lager: Kunst* auf. Es gab Dutzende von Firmen in Manhattan und den umliegenden Boroughs, etliche mit imposanten Anzeigen, in denen sie ihre Dienste anpriesen: *Weiße Handschuhe von Haustür zu Haustür!* Die Comicfigur eines Butlers präsentierte eine Visitenkarte auf einem silbernen Tablett: *BLINGEN AND TARKWELL, SEIT 1928. Wir bieten diskrete und vertrauliche Lagerung auf dem neuesten Stand der Technik für Geschäfts- und Privatkunden aus vielen Bereichen. ArtTech. Nachlassfragen. Archivlösungen. Komplett klimatisierte Lagerkapazitäten mit Temperaturkontrolle nach Anforderungen der AAM (American Association of Museums) bei 21 Grad und 50 Prozent relativer Luftfeuchtigkeit.*

Aber das war alles viel zu kompliziert. Garantiert wollte ich keine Aufmerksamkeit darauf lenken, dass ich ein Kunstwerk einlagerte. Ich brauchte etwas Sicheres und Unauffälliges. Eine der größten Ketten hatte zwanzig Filialen in Manhattan – darunter ein Lager jenseits der East 60th Street am Fluss, in meiner alten Nachbarschaft, nur ein paar Straßen entfernt von der Wohnung, in der ich mit meiner Mutter gelebt hatte. *Unsere Räumlichkeiten werden von einer rund um die Uhr besetzten Sicherheitszentrale überwacht und sind mit modernsten Rauch- und Branddetektoren ausgestattet.*

Im Flur sagte Hobie etwas. »Was?«, fragte ich heiser, laut und falsch und klappte das Telefonbuch über meinem Finger zu.

»Moira ist hier. Willst du mit uns im Lokal an der Ecke einen Hamburger essen gehen?« Mit dem Lokal an der Ecke meinte er das White Horse.

»Klingt super, ich bin sofort fertig.« Ich wandte mich wieder den Anzeigen in den Gelben Seiten zu. *Schaffen Sie Platz für Ihr Sommerhobby! Einfache Lösungen für Sport- und Freizeitgeräte!* Und alles klang so einfach: keine Kreditkarte erforderlich, eine Kaution, und los ging's.

Am nächsten Tag zog ich, anstatt zur Schule zu gehen, den Kissenbezug unter meinem Bett hervor, klebte ihn mit Klebeband zu, stopfte ihn in eine braune Bloomingdale's-Tüte und nahm ein Taxi zu einem Sportgeschäft am Union Square, wo ich nach einigem Zögern ein billiges Zweimannzelt kaufte, bevor ich ein Taxi zur 60th Street nahm.

In dem futuristischen verglasten Büro des Lagers war ich der einzige Kunde. Ich hatte mir eine Geschichte zurechtgelegt (eifriger Camper, ordnungsfanatische Mom), doch die Männer an dem Tresen wirkten komplett desinteressiert an meiner großen, sorgfältig beschrifteten Sporttasche mit dem kunstvoll heraushängenden Etikett des Zweimannzelts. Genauso wenig, wie es irgendjemand auch nur im Geringsten bemerkenswert oder ungewöhnlich fand, dass ich das Schließfach für ein Jahr im Voraus in bar bezahlen wollte – oder vielleicht besser zwei Jahre? War das in Ordnung? »Geldautomat ist gleich da vorne«, sagte der Puerto Ricaner an der Kasse und wies in die Richtung, ohne von seinem Sandwich mit Schinken und Ei aufzublicken.

So einfach, fragte ich mich in dem Fahrstuhl nach unten. »Schreib dir deine Schließfachnummer auf«, sagte der Typ an der Kasse, »und die Kombination und bewahr sie an einem sicheren Ort auf«, doch ich hatte beides längst auswendig gelernt – ich hatte genug James-Bond-Filme gesehen, um zu wissen, wie so was funktionierte – und warf den Zettel, sobald ich draußen war, in den nächsten Mülleimer.

Nachdem ich die gruftartige Stille und die stetig aus den Lüftungsschlitzen strömende muffige Luft in dem Lager hinter mir gelassen hatte, war ich geradezu ausgelassener Stimmung, wie von Scheuklappen befreit, und der blaue Himmel, der strahlende Sonnenschein, vertrauter morgendlicher Dunst aus Auspuffabgasen, das Rufen und Klagen der Hupen, all das erstreckte sich die Avenue hinunter in Richtung größerer und besserer Aussichten: ein sonniges Reich voller Menschen und Glück. Es war das erste Mal seit meiner Rückkehr nach New York, dass ich in der Nähe des Sutton Place war, und es fühlte sich an, als würde ich in einen angenehmen alten Traum zurückfallen, eine Überblendung zwischen Vergangenheit und Gegenwart, die vernarbte Oberfläche der Bürgersteige, sogar dieselben alten Spalten, über die ich auf dem Heimweg immer gehüpft war, in meiner Fantasie ein Flugzeug, die Flügel gekippt, *bereit zur Landung,* und im Tiefflug über das letzte Stück bis nach Hause – viele der alten Geschäfte gab es immer noch, das Deli, das griechische Diner, der Weinladen, all die vergessenen Gesichter der Nachbarschaft, die aus den trüben Tiefen meines Bewusstseins auftauchten, Sal, der Blumenhändler, Mrs. Battaglina aus dem italienischen Restaurant und Vinnie aus der Reinigung, der, das Bandmaß um den Hals, vor meiner Mutter kniete, um ihren Rock hochzustecken.

Ich war nur ein paar Ecken von unserem alten Haus entfernt, und als ich in Richtung 57th Street blickte, jene helle vertraute Flucht, in die die Sonne im genau richtigen Winkel fiel, um sich golden in den Fenstern zu spiegeln, dachte ich: Goldie! Jose!

Der Gedanke ließ mich schneller laufen. Es war Vormittag; einer von ihnen müsste Dienst haben, vielleicht sogar beide. Mein Versprechen, ihnen eine Postkarte aus Vegas zu schicken, hatte ich nicht gehalten: Sie würden sich riesig freuen, mich zu sehen, mich umringen, umarmen und mir auf den Rücken klopfen, gespannt zu hören, was alles passiert war, einschließlich des Todes meines Vaters. Sie würden mich nach hinten ins Postzimmer einladen, vielleicht Henderson, den Verwalter, anrufen und mir sämtlichen Klatsch aus dem Haus erzählen. Doch als ich inmitten von im Stau stehenden und hupenden Autos um die Ecke bog, sah ich schon von Weitem, dass das Haus komplett eingerüstet und die Fenster mit amtlichen Aushängen zugekleistert waren.

Ich blieb geschockt stehen und ging dann – ungläubig – näher bis zur Haustür. Die Art-déco-Türen waren verschwunden, statt der kühlen, düsteren Lobby mit ihren polierten Böden und der Sunburst-lackierten Holztäfelung klaffte eine Höhle aus Trümmern und Betonblöcken, aus der Bauarbeiter mit Helmen Schubkarren voller Schutt schoben.

»Was ist hier passiert?«, fragte ich einen Typen mit Helm und schmutzigem Gesicht, der gebückt ein wenig abseits stand und schuldbewusst einen Kaffee schlürfte.

»Was soll das heißen, was ist hier passiert?«

»Ich …« Ich trat einen Schritt zurück, blickte nach oben und sah, dass es nicht nur die Lobby war; sie hatten das komplette Gebäude entkernt, sodass man bis in den Hof auf der Rückseite blicken konnte. Die glasierten Mosaiken an der Fassade waren intakt geblieben, doch die Fenster waren staubig und blind mit nichts dahinter. »Ich habe früher hier gewohnt. Was ist hier los?«

»Die Besitzer haben verkauft«, rief er über den Lärm von Presslufthämmern hinweg. »Die letzten Mieter sind vor ein paar Monaten raus.«

»Aber …« Ich betrachtete die leere Hülle des Gebäudes, den staubigen von Scheinwerfern beleuchteten Trümmerhaufen im Innern – Männer brüllten, Kabel baumelten. »Was machen sie damit?«

»Luxuswohnungen. Ab fünf Millionen aufwärts – Swimmingpool auf dem Dach – ist das zu glauben?«

»O mein Gott.«

»Ja, man sollte meinen, es wäre denkmalgeschützt, oder nicht? Ein schönes altes Haus – gestern mussten wir mit Presslufthämmern die Marmorstufen in der Lobby wegstemmen, erinnerst du dich daran? Eine echte Schande. Ich wünschte, wir hätten sie unversehrt rausholen können. Marmor von solcher Qualität sieht man nur noch selten, schönen alten Marmor. Aber«, er zuckte die Schultern, »so läuft das eben in der City.«

Er rief jemandem über uns etwas zu – einem Mann, der einen Eimer Sand abseilte –, und ich ging mit einem Gefühl der Übelkeit weiter, direkt unter unserem alten Wohnzimmerfenster oder seiner ausgebombten Hülle vorbei, zu verstört, um nach oben zu blicken. *So ist er aus dem Weg, Kleiner,* hatte José gesagt, als er meinen Koffer auf das Regal im Postzimmer gehievt hatte. Einige der Mieter wie der alte Mr. Leopold hatten seit mehr als siebzig Jahren in dem Haus gewohnt. Was war mit ihm geschehen? Oder mit Goldie oder José? Oder – was das betraf – mit Cinzia? Cinzia, die immer ein Dutzend Putzjobs oder mehr gleichzeitig gehabt und nur ein paar Stunden pro Woche in unserem Haus gearbeitet hatte und an die ich bis zu diesem Moment auch eigentlich nie gedacht hatte, aber all das hatte so stabil gewirkt, so unveränderlich, das ganze soziale System des Hauses ein Netz, wo ich jederzeit anknüpfen, vorbeischauen, Leute treffen, Hallo sagen und erfahren konnte, was los war. Menschen, die meine Mutter gekannt hatten. Menschen, die meinen Dad gekannt hatten.

Und je weiter ich mich entfernte, desto fassungsloser wurde ich über diesen Verlust eines der wenigen festen Ankerpunkte auf dieser Welt, die ich für selbstverständlich gehalten hatte: vertraute Gesichter, fröhliche Begrüßungen: *Hey, Manito!* Denn ich hatte gedacht, dass wenigstens dieses letzte Relikt meiner Vergangenheit noch an dem Ort sein würde, wo ich es zurückgelassen hatte. Seltsam die Vorstellung, dass ich mich nie mehr bei José und Goldie für das Geld bedanken konnte, das sie mir geschenkt hatten – und noch seltsamer, dass ich ihnen nie erzählen könnte, dass mein Vater gestorben war: Denn wen kannte ich sonst, der ihn gekannt hatte oder den es kümmern würde? Sogar der Bürgersteig der 57th Street fühlte sich an, als könnte er unter meinen Füßen einbrechen und mich in eine Tiefe reißen, in der ich nie aufhören würde zu fallen.

IV

*Nicht Fleisch und Blut, das Herz
macht uns zu Vätern und Söhnen.*

<small>SCHILLER</small>

IV

KAPITEL 9

Alles, was möglich ist

I

Acht Jahre später – nachdem ich die Schule verlassen und angefangen hatte, für Hobie zu arbeiten – kam ich eines Nachmittags gerade aus der Bank of New York und ging aufgebracht und in Gedanken versunken die Madison Avenue hinunter, als ich meinen Namen hörte.

Ich drehte mich um. Die Stimme klang vertraut, doch den Mann erkannte ich nicht: um die dreißig, größer als ich, mit mürrischen grauen Augen und schulterlangem, farblos blondem Haar. Seine Kleidung – nachlässiger Tweedanzug, grober Rollkragenpullover – passte eher auf einen schlammigen Feldweg als in eine Straße der City, und er hatte die undefinierbare Ausstrahlung missratener Priviligiertheit wie jemand, der auf den Sofas von Freunden geschlafen, ein paar Drogen genommen und einen guten Teil des Vermögens seiner Eltern durchgebracht hatte.

»Ich bin's, Platt«, sagte er. »Platt Barbour.«

»Platt«, sagte ich verdutzt nach einer Pause. »Ist lange her. Gütiger Gott.« Es war schwierig, in diesem ausgenüchterten und zuvorkommend wirkenden Fußgänger den Lacrosse-Rüpel von früher wiederzuerkennen. Die Überheblichkeit war verschwunden, das alte aggressive Funkeln; jetzt wirkte er ausgelaugt, und seine Augen hatten etwas Ängstliches und Fatalistisches. Er hätte ein unglücklicher Ehemann aus den Suburbs sein können, der sich Sorgen wegen seiner untreuen Frau machte, oder vielleicht ein in Ungnade gefallener Lehrer an irgendeiner zweitklassigen Schule.

»Tja, nun, Platt. Wie geht es dir?«, fragte ich nach einem unbehaglichen Schweigen und machte einen Schritt zurück. »Bist du immer noch in der City?«

»Ja«, sagte er und fasste mit einer Hand seinen Nacken, er schien sich äußerst unwohl in seiner Haut zu fühlen. »Genau gesagt hab ich gerade einen neuen Job angefangen.« Er war nicht gut gealtert, früher war er der blondeste und attraktivste der Brüder gewesen, doch mittlerweile war er um Kinn und Hüften schwabbelig geworden, seine Gesichtszüge wirkten gröber und hatten ihre perverse frühere Jungvolk-Schönheit eingebüßt. »Ich arbeite für einen Wissenschaftsverlag. Blake-Barrows. Sie sitzen eigentlich in Cambridge, haben aber ein Büro in New York.«

»Großartig«, sagte ich, als hätte ich schon von dem Verlag gehört, was nicht der Fall war, nickte, spielte mit dem Kleingeld in meiner Hosentasche und plante bereits meine Flucht. »Nun, wirklich toll, dich zu sehen. Wie geht's Andy?«

Seine Miene schien zu erstarren. »Du weißt es nicht?«

»Na ja«, stotterte ich, »ich hab gehört, dass er auf dem MIT war. Vor ein oder zwei Jahren bin ich Win Temple mal über den Weg gelaufen – er sagte, Andy hätte ein Stipendium bekommen – Astrophysik?«

Platt strich sich über den Hinterkopf. »Tut mir leid. Ich bin mir nicht sicher, ob wir wussten, wie wir dich erreichen können. Es ist alles immer noch sehr konfus. Aber ich hatte gedacht, du hättest es inzwischen bestimmt gehört.«

»Was soll ich gehört haben?«

»Er ist tot.«

»Andy?«, sagte ich und, als er nicht reagierte: »Nein.«

Eine flüchtige Grimasse – beinahe schon wieder verschwunden in dem Moment, in dem ich sie sah. »Ja. Tut mir leid, das zu sagen, aber es war ziemlich übel. Andy – und Daddy auch.«

»Was?«

»Vor fünf Monaten. Er und Daddy sind ertrunken.«

»Nein.« Ich blickte auf den Bürgersteig.

»Das Boot ist gekentert. Vor Northeast Harbor. Wir waren wirklich nicht weit draußen, vielleicht hätten wir gar nicht rausfahren sollen, aber Daddy – du weißt ja, wie er war ...«

574

»O mein Gott.« Ich stand an jenem ungewissen Frühlingsnachmittag da – die Schule war gerade zu Ende, überall um mich herum liefen Kinder – und fühlte mich wie vor den Kopf geschlagen, benommen, wie das Opfer eines nicht witzigen Streiches. Obwohl ich im Laufe der Jahre oft an Andy gedacht und ihn ein oder zwei Mal nur knapp verpasst hatte, hatten wir nach meiner Rückkehr nach New York nie wieder Kontakt aufgenommen. Ich war mir sicher gewesen, dass ich ihm irgendwann über den Weg laufen würde – genau wie Win, James Villiers, Martina Lichtblau und ein paar anderen Leuten von meiner alten Schule. Aber auch wenn ich oft kurz davor gewesen war, den Hörer abzunehmen und mich bei ihm zu melden, hatte ich es irgendwie nie getan.

»Alles in Ordnung?«, fragte Platt, massierte sich den Nacken und wirkte so unbehaglich, wie ich mich fühlte.

»Ähm …« Ich wandte mich einem Schaufenster zu, um mich zu sammeln, und mein transparenter Geist begrüßte mich in der Scheibe, während hinter mir Menschenmassen vorbeiglitten.

»Mann«, sagte ich. »Ich kann es nicht glauben. Ich weiß nicht, was ich sagen soll.«

»Tut mir leid, so auf der Straße damit herauszuplatzen«, sagte Platt und rieb sich das Kinn. »Du siehst ein bisschen blass um die Nase aus.«

Blass um die Nase: ein Mr.-Barbour-Ausdruck. Mit einem Stich erinnerte ich mich daran, wie Mr. Barbour die Schubladen in Platts Zimmer durchsucht und angeboten hatte, ein Feuer für mich zu schüren. *Verfluchte Sache, was da passiert ist, guter Gott.*

»Dein Dad auch?« Ich blinzelte wie aus tiefem Schlaf gerüttelt. »Hast du das gerade gesagt?«

Er sah sich um, hob das Kinn auf eine Weise, die für einen Moment den arroganten alten Platt durchschimmern ließ, an den ich mich erinnerte, und sah auf die Uhr.

»Komm, hast du einen Moment?«, fragte er.

»Also …«

»Lass uns einen Drink nehmen«, sagte er und schlug mir so heftig mit der Hand auf die Schulter, dass ich zusammenzuckte. »Ich kenne ein ruhiges Lokal in der 3rd Avenue. Was meinst du?«

II

Wir saßen in der fast leeren Bar – ein eichengetäfeltes, früher berühmtes Lokal mit Ivy-League-Wimpeln an der Wand, in dem es nach Hamburger-Fett stank –, und Platt redete, weitschweifig, unruhig, monoton und so leise, dass ich konzentriert zuhören musste, um ihm zu folgen.

»Daddy«, sagte er und starrte in seinen Gimlet: Mrs. Barbours Drink. »Wir hatten alle Hemmungen, darüber zu sprechen – aber ... Chemisches Ungleichgewicht nannte meine Großmutter es. Bipolare Störung. Die erste Episode oder den ersten Anfall oder wie man das nennt, hatte er im ersten Jahr an der Harvard Law School, er hat es nie bis ins zweite geschafft. All diese wilden Pläne und der Enthusiasmus ... aggressiv in den Seminaren, ungebetene Wortbeiträge, er hatte es sich in den Kopf gesetzt, ein episches Gedicht über den Walfänger ›Essex‹ zu schreiben, was jedoch nur ein Haufen Blödsinn war, und dann ging sein Zimmerkollege, der offenbar einen stärker stabilisierenden Einfluss auf ihn hatte, als irgendjemand ahnte, für ein Auslandssemester nach Deutschland und – nun ja. Mein Großvater musste mit dem Zug nach Boston fahren und ihn abholen. Er war verhaftet worden, weil er vor dem Denkmal von Samuel Eliot Morison in der Commonwealth Avenue ein Feuer angezündet und sich seiner Festnahme durch die Polizei widersetzt hatte.«

»Ich wusste, dass er Probleme hatte. Aber ich hatte keine Ahnung, dass es so war.«

»Nun.« Platt starrte in seinen Drink und kippte ihn in einem Schluck herunter. »Das war alles, lange bevor ich gekommen bin. Es wurde anders, nachdem er Mommy geheiratet und eine Weile seine Medikamente genommen hatte, obwohl unsere Großmutter ihm nach alldem nie wieder richtig getraut hat.«

»Nach all was?«

»Oh, *wir Enkel* haben uns natürlich recht gut mit ihr verstanden«, sagte er hastig. »Aber man kann sich nicht vorstellen, was für Probleme Daddy gemacht hat, als er jünger war ... unendlich viel Geld verprasst, furchtbare Streitereien und Wutanfälle, ein paar schreckliche Probleme mit minderjährigen Mädchen ... hinterher weinte er, entschuldigte sich, und dann ging alles von vorne los ... Gaga hat ihm immer die Schuld am Herzinfarkt unseres Großvaters gegeben, die beiden haben sich im Büro meines Großvaters gestritten und *peng*. Aber mit seinen Medikamenten war er lammfromm. Ein wundervoller Vater – na ja – du weißt schon. Wundervoll mit uns Kindern.«

»Er war sehr liebenswürdig. Als ich ihn kannte.«

»Ja«, Platt zuckte die Achseln, »das war schon so. Nachdem er Mommy geheiratet hatte, war er auch eine Zeitlang im Lot. Dann – ich weiß nicht, was passiert ist. Er tätigte ein paar schrecklich unsolide Investitionen – das waren die ersten Anzeichen. Peinliche nächtliche Anrufe bei Bekannten und dergleichen. Hatte sich in ein Mädchen vom College verguckt, das ein Praktikum in seinem Büro machte – ein Mädchen, dessen Familie Mommy kannte. Es war schrecklich hart für sie.«

Aus irgendeinem Grund war ich unglaublich gerührt zu hören, dass er Mrs. Barbour »Mommy« nannte. »Davon wusste ich nichts«, sagte ich.

Platt runzelte die Stirn, ein hoffnungsloser, resignierter Ausdruck, der seine Ähnlichkeit mit Andy deutlich zum Vorschein brachte. »Wir wussten es selbst kaum – wir Kinder«, sagte er bitter und strich mit dem Daumen über die Tischdecke. »›Daddy ist krank‹ – mehr hat man uns nicht gesagt. Ich war auf dem Internat, als sie ihn eingewiesen haben, ich durfte nie am Telefon mit ihm sprechen, sie meinten, er sei zu krank, und ich habe wochenlang gedacht, er wäre tot und sie wollten es mir nicht sagen.«

»Daran erinnere ich mich. Es war schrecklich.«

»Woran?«

»Die, ähm, nervlichen Probleme.«

»Tja, aber«, die Wut, die in seinen Augen aufblitzte, überraschte mich, »und woher sollte *ich* das wissen, ob es ein ›nervliches Problem‹ war oder Krebs im Endstadium oder was weiß ich, verdammt noch mal? ›Andy ist so sensibel … Andy geht es in der Stadt besser … wir glauben nicht, dass ein Internat gut für seine Entwicklung wäre …‹ Also ich kann bloß sagen, dass Mommy und Daddy *mich* weggeschickt haben, praktisch sobald ich mir selbst die Schuhe zubinden konnte, eine blöde beschissene Reiterschule namens Prince George's, absolut drittklassig, aber oh, wow, eine so charakterbildende Erfahrung, eine so großartige Vorbereitung auf Groton, außerdem wurden dort auch sehr junge Schüler von sieben bis dreizehn aufgenommen. Du hättest den Prospekt sehen sollen, Jagdgründe in Virginia und so weiter, nur dass längst nicht alles bloß grüne Hügel und Reitkleidung war. Ich wurde in einem Stall von einem Pferd getreten und habe mir die Schulter gebrochen, und da lag ich in der Krankenstation mit Blick auf die leere Einfahrt, und kein einziges Auto kam. Nicht *ein* einziger verdammter Mensch hat mich besucht, nicht einmal Gaga. Außerdem war der Arzt betrunken und hat die Schulter schief gerichtet. Ich habe immer noch Probleme damit. Und ich hasse Pferde bis auf den heutigen beschissenen Tag.

Wie dem auch sei«, verlegener Wechsel des Tonfalls, »von dort hatten sie mich längst schon nach Groton verfrachtet, als Dads Probleme sich zugespitzt haben und er eingewiesen wurde. Offenbar gab es einen Zwischenfall in der U-Bahn … die Geschichten sind ein wenig widersprüchlich. Daddy erzählte eine Version und die Bullen eine andere, *aber«,* er zog die Brauen hoch, eine Art manierierte, zynische Marotte, »ab ging's für Daddy in die Klapse! Acht Wochen. Kein Gürtel, keine Schnürsenkel, keine scharfen Gegenstände. Dort wurde er mit Elektroschocktherapie behandelt, und das schien tatsächlich zu wirken, denn als er wieder rauskam, war er ein völlig neuer Mensch. Nun – du erinnerst dich, praktisch der Vater des Jahres.«

Ich dachte an meinen hässlichen Zusammenstoß mit Mr. Barbour auf der Straße und beschloss, ihn nicht zu erwähnen. »Was dann passiert?«

»Nun, wer weiß. Vor ein paar Jahren bekam er wieder Probleme und musste erneut eingewiesen werden?«

»Was für Probleme?«

»Oh«, Platt atmete geräuschvoll aus, »so ziemlich das Gleiche wie vorher, peinliche Anrufe, öffentliche Ausbrüche et cetera. Ihm fehlte nichts, natürlich, es ging ihm absolut prima, alles fing an, als im Haus irgendwelche Renovierungsarbeiten durchgeführt wurden, die er ablehnte, permanentes Hämmern und Sägen und die Konzerne, die die Stadt zerstörten, nichts, was nicht zunächst durchaus richtig gewesen wäre, aber dann eskalierte das Ganze bis zu dem Punkt, wo er glaubte, er würde verfolgt und fotografiert und rund um die Uhr beschattet. Er schrieb ziemlich wirre Briefe an diverse Leute, darunter auch Kunden seiner Firma … wurde im Yacht Club zu einer schrecklichen Plage … etliche Mitglieder haben sich beschwert, sogar einige seiner ältesten Freunde, und wer kann es ihnen verdenken?

Jedenfalls nachdem Daddy zum zweiten Mal aus der Klinik zurückgekommen ist, war er nie wieder der Alte. Die Stimmungsschwankungen waren weniger extrem, doch er konnte sich nicht konzentrieren und war permanent äußerst gereizt. Vor etwa einem halben Jahr hat er den Arzt gewechselt, unbezahlten Urlaub genommen und ist nach Maine gegangen – unser Onkel Harry hat dort oben ein Haus auf einer kleinen Insel, in dem sich außer dem Hausmeister niemand aufhielt, und Daddy meinte, das Meer würde ihm guttun. Wir haben uns abgewechselt, ihn dort zu besuchen … Andy war inzwischen am MIT in Boston, und Daddy aufgehalst zu bekommen, war das Letzte, was er wollte, aber leider war er näher dran als wir anderen, und es ist schon ein bisschen an ihm hängengeblieben.«

»Er ist nicht wieder in die, ähm«, ich wollte nicht *Klapse* sagen, »dorthin zurückgegangen, wo er vorher war?«

»Na ja, wie sollte ihn jemand dazu zwingen? Es ist nicht leicht, jemanden gegen seinen Willen einzuweisen, vor allem wenn er nicht zugibt, dass er ein Problem hat, was Daddy zu dem Zeitpunkt geleugnet hat, außerdem hat man uns versichert, es wäre alles eine Frage der Medikation, und er würde wieder quietschfidel, wenn die neue

Dosierung erst wirkte. Der Hausmeister hat uns regelmäßig Bericht erstattet und darauf geachtet, dass Daddy gut aß und seine Medikamente nahm, und Daddy hat jeden Tag mit seinem Psychologen telefoniert – ich meine, der Arzt hat *gesagt*, es wäre okay«, rechtfertigte er sich. »Für Daddy war es ja auch gut und schön zu fahren, zu schwimmen und zu segeln, wenn ihm danach war. Wahrscheinlich war es keine tolle Idee, noch *so* spät auszulaufen, doch die Bedingungen waren jetzt auch nicht extrem schlecht, als wir losgesegelt sind, und du kennst ja Daddy. Der furchtlose Seefahrer und all das. Verwegen und tollkühn.«

»Stimmt.« Ich hatte viele, viele Geschichten darüber gehört, wie Mr. Barbour bei einer »frischen Brise« losgesegelt war, die sich zu einem ausgewachsenen Nor'easter entwickelt hatte, Notstand in drei Bundesstaaten und Stromausfälle entlang der Atlantikküste, Andy, der seekrank und kotzend Salzwasser aus dem Boot schöpfte. Mr. Barbour selbst hatte – unter schallendem Gelächter bei seiner Virgin Mary und den sonntagmorgendlichen Eiern mit Speck – mehr als einmal die Geschichte erzählt, wie er und die Kinder während eines Hurrikans vor Long Island ins offene Meer getrieben worden waren, Funkgerät defekt, und Mrs. Barbour einen Priester von St. Ignatius Loyola in der Park Avenue, Ecke 84th Street angerufen und die ganze Nacht gebetet hatte (Mrs. Barbour!), bis die Schiff-an-Land-Meldung der Küstenwache kam. (»Beim ersten kräftigen Wind rennt sie nach Rom, war's nicht so, meine Liebe? Ha!«)

»Daddy ...« Platt schüttelte traurig den Kopf. »Mommy hat immer gesagt, wenn Manhattan keine Insel wäre, hätte er keine Minute lang hier leben können. Im Inland war er elend – sehnte sich ständig nach dem Wasser – musste es *sehen*, musste es *riechen*. Ich weiß noch, wie ich als Junge mal mit ihm von Connecticut nach Hause gefahren bin, und anstatt die 84 direkt nach Boston zu nehmen, mussten wir einen meilenweiten Umweg über die Küste machen. Den Blick immer Richtung Atlantik gerichtet – er war wirklich unglaublich feinfühlig, wie sich die Wolken veränderten, je näher man dem Ozean kam.« Platt schloss einen Moment lang seine zementgrauen Augen und öffnete sie wieder. »Du wusstest, dass Daddys kleine Schwester sich ertränkt hat, oder?«, sagte er so tonlos, dass ich kurz dachte, ich hätte mich verhört.

Ich blinzelte und wusste nicht, was ich sagen sollte. »Nein. Das wusste ich nicht.«

»Nun, hat sie«, sagte Platt tonlos. »Kitsey ist nach ihr benannt. Ist während einer Party von einem Boot in den East River gesprungen – angeblich aus Jux, das haben alle gesagt, ›ein Unfall‹, aber ich meine, jeder weiß, dass man so was nicht macht, die Strömungen waren wahnsinnig, haben sie direkt unter Wasser gezogen. Es ist noch ein weiterer Jugendlicher ertrunken, der hinterhergesprungen ist, um sie zu retten. Und dann war da Daddys Onkel Wendell, der in den Sechzigern eines Abends angetrunken wegen einer Wette versucht hat, ans Festland zu schwimmen – ich meine, Daddy hat immer davon gefaselt, dass das Wasser für ihn der Quell des Lebens an sich war, Jungbrunnen und dergleichen – sicher, das auch. Aber es war nicht nur Leben für ihn. Es war auch Tod.«

Ich erwiderte nichts. In Mr. Barbours Segelgeschichten, die nie besonders überzeugend noch zusammenhängend oder informativ gewesen waren, was den Sport an sich betraf, hatte immer eine eigene majestätische Dringlichkeit mitgeschwungen, ein reizvolles Kribbeln der Katastrophe.

»Und«, Platts Mund war eine schmale Linie, »das Verdammte daran war natürlich, dass er sich auf dem Wasser für unsterblich hielt. Sohn des Poseidon! Unsinkbar! Und wenn es nach ihm ging, je rauer die Gewässer, desto besser. Er wurde regelrecht Sturm-kirre, verstehst du? Sinkender Luftdruck war wie Lachgas für ihn. Aber an dem speziellen Tag … das Meer war zwar kabbelig, aber es war warm, einer dieser strahlend sonnigen Herbsttage, an denen man nur aufs Wasser rauswill. Andy war genervt, dass er kommen musste, er hatte eine Erkältung und war mit irgendwas Kompliziertem am Computer beschäftigt, aber keiner von uns dachte, dass konkrete Gefahr bestand. Der Plan war, mit ihm rauszufahren, ihn zu beruhigen und vielleicht bei dem Restaurant am Pier vorbeizuschauen, um ihn dazu zu bringen, etwas zu sich zu nehmen. Verstehst du«, er schlug rastlos die Beine übereinander, »Andy und ich waren allein mit ihm, und Daddy war offen gestanden ein bisschen neben der Kappe. Er war schon seit dem Vortag ziemlich aufgekratzt, redete ein bisschen wirr, ziemlich überdreht – Andy hatte Mommy angerufen, weil er Arbeit zu erledigen hatte und sich von der Situation überfordert fühlte, und Mommy hat mich angerufen. Bis ich hochgefahren war und mit der Fähre übergesetzt hatte, war Dad schon jenseits von Gut und Böse. Er faselte über wirbelnde Gischt, Schaumkronen und so weiter – der wilde grüne Atlantik – er war *voll drauf.* Andy konnte Daddy in diesen Stimmungen nie ertragen, er blieb oben in seinem Zimmer und hatte die Tür abgeschlossen. Ich nehme an, er hatte schon eine Party-Dosis Daddy gehabt, bevor ich ankam.

Ich weiß, rückblickend scheint es unklug, aber – verstehst du, ich hätte sie allein segeln *können.* Daddy drehte im Haus völlig durch, und was sollte ich machen, ihn niederringen und einsperren? Und dann hat Andy auch nie ans Essen gedacht, weißt du, der Schrank war leer, nichts im Kühlschrank außer ein paar Tiefkühlpizzas … ein kurzer Turn, ein kleiner Snack am Pier, das klang wie ein guter Plan, weißt du? ›Gib ihm was zu essen‹, hat Mommy immer gesagt, wenn Daddy anfing, ein bisschen zu fröhlich zu werden. ›Sieh zu, dass du irgendwas Essbares in ihn reinstopfst.‹ Das war immer die erste Verteidigungslinie. Setz ihn an den Tisch – mach ihm ein großes Steak. Oft brauchte es nicht mehr, um ihn wieder ins Lot zu bringen. Und ich meine – im Hinterkopf hatte ich den Gedanken, dass wir auf dem Festland, falls er sich nicht beruhigte, das Steakhaus vergessen und ihn in die Notaufnahme bringen könnten, wenn es sein muss. Ich habe Andy nur mitgenommen, um sicherzugehen. Ich dachte, ich könnte eine helfende Hand gebrauchen – ehrlich gesagt war ich am Abend zuvor lange aus gewesen und fühlte mich nicht ganz an Deck, wie Daddy zu sagen pflegte.« Er hielt inne und rieb sich die Hände an den Schenkeln seiner Tweedhose ab. »Na ja. Andy hat das Wasser nie besonders gemocht. Wie du weißt.«

»Ich erinnere mich.«

Platt verzog das Gesicht. »Ich habe Katzen gesehen, die besser schwimmen können als Andy. Ich meine, Andy war so ziemlich das tolpatschigste Kind, das ich je gesehen habe, von denen, die nicht sowieso völlig spastisch oder zurückgeblieben waren … gütiger Gott, du hättest ihn auf dem Tennisplatz sehen sollen, wir haben Witze darüber gemacht, dass er, wenn er an den Paralympics teilnehmen würde, alle Wettbewerbe gewinnen würde. Trotzdem hatte er weiß Gott genug Stunden auf dem Boot abgedient – es schien klug, einen zusätzlichen Mann an Bord zu haben, mit Daddy so unter Normalform, verstehst du? Wir hätten das Boot problemlos im Griff gehabt – ich meine, alles war *gut*, alles wäre bestens gewesen, nur dass ich den Himmel nicht so im Blick behalten habe, wie ich es hätte tun sollen, der Wind frischte auf, wir versuchten, das Hauptsegel zu reffen, und Daddy ruderte mit den Armen und brabbelte irgendwas über die leeren Räume zwischen den Sternen, wirklich komplett verrücktes Zeug, und auf einer Welle verlor er das Gleichgewicht und ging über Bord. Wir haben versucht, ihn wieder an Deck zu zerren, Andy und ich – und dann haben wir eine Breitseite im verkehrten Winkel bekommen, eine Riesenwelle, einer dieser steil aufragenden Kaventsmänner, die aus dem Nichts auftauchen und dich frontal erwischen, und *rumms,* waren wir gekentert. Nicht, dass die Luft übermäßig kalt gewesen wäre, aber zwölf Grad Wassertemperatur reichen für eine Unterkühlung, wenn man sich lange genug darin aufhält, was wir leider getan haben, und ich meine, Daddy, er *schwebte* irgendwo in der Stratosphäre …«

Unsere pummelige Collegestudentin-Kellnerin tauchte hinter Platt auf, um zu fragen, ob wir noch etwas bestellen wollten – ich sah sie, schüttelte leicht den Kopf und verscheuchte sie mit einem Blick.

»Es war die Unterkühlung, die Daddy am Ende erwischt hat. Er war so dünn geworden, null Körperfett, eineinhalb Stunden bei den Temperaturen im Wasser haben gereicht. Der Körper gibt die Wärme viel schneller ab, wenn man nicht vollkommen still hält. Andy …« Platt schien zu ahnen, dass die Kellnerin in der Nähe war, drehte sich um und hielt zwei Finger hoch, *noch mal das Gleiche.* »Na ja, Andys

Jacke hat man, noch mit der Leine am Boot befestigt, im Wasser gefunden.«

»O Gott.«

»Sie muss sich über seinem Kopf gespannt haben, als er über Bord ging. Es gibt einen Gurt um den Unterleib – ein bisschen unbequem, niemand trägt ihn gerne – jedenfalls war das Andys Jacke, noch mit Schäkeln am Rettungsseil befestigt, aber offenbar nicht richtig eingehakt, der kleine Scheißer. Also, mal ehrlich«, er hob die Stimme, »*absolut* typisch. Verstehst du? Hat sich nicht die Mühe gemacht, das Ding ordentlich festzuzurren? Er war immer so ein gottverdammter Trottel …«

Nervös blickte ich zu der Kellnerin, weil mir bewusst war, wie laut Platt geworden war.

»Gott.« Platt stieß sich sehr plötzlich vom Tisch ab. »Ich war immer so gemein zu Andy. Ein totales Arschloch.«

»Platt.« Ich wollte sagen, nein, warst du nicht, aber es stimmte.

Er blickte kopfschüttelnd zu mir auf. »Ich meine, mein Gott.« Seine Augen wirkten ausgebrannt und leer wie die der Hubschrauberpiloten in diesem Computerspiel (*AirCav II: Cambodian Invasion*), das Andy und ich gerne gespielt hatten. »Wenn ich an manche Sachen denke, die ich ihm angetan habe. Das verzeihe ich mir nie, niemals.«

»Wow«, sagte ich nach einer Weile und blickte auf Platts grobschlächtige Hände, die auf dem Tisch lagen – Hände, die nach all den Jahren immer noch brutal wirkten und einen Rest alter Grausamkeit ausstrahlten. Obwohl wir in der Schule beide unseren Anteil an Schikanen ertragen hatten, hatte Platts Niedertracht Andy gegenüber – einfallsreich, freudig und sadistisch – an offene Folter gegrenzt: in Andys Essen spucken, ja, seine Spielsachen zerstören, aber auch tote Guppys aus dem Aquarium oder Obduktionsfotos aus dem Internet auf sein Kopfkissen legen, die Decke wegziehen und ihn anpinkeln, während er schlief (um dann zu rufen, *Android hat ins Bett gemacht*). Seinen Kopf in der Badewanne Abu-Ghraib-mäßig unter Wasser zu drücken, ihn mit dem Gesicht in den Sandkasten auf dem Spielplatz zu pressen, bis er weinte und kaum noch Luft bekam. Ihm den Inhalator über den Kopf halten, während er keuchte und flehte, und ihn foppen: *Haben wollen? Haben wollen?* Außerdem eine grässliche Geschichte über Platt und einen Gürtel, den Speicher irgendeines Hauses auf dem Land, gefesselte Hände, eine provisorische Schlinge: schiere Gemeinheit. *Er hätte mich umgebracht,* hörte ich Andy in der Erinnerung mit seiner distanzierten, emotionslosen Stimme erzählen, *wenn die Babysitterin nicht mitbekommen hätte, wie ich auf den Boden getrampelt habe.*

Ein leichter Frühlingsregen klopfte an die Fenster der Bar. Platt blickte in sein leeres Glas und wieder auf.

»Komm kurz mit zu Mutter«, sagte er. »Ich weiß, dass sie dich unbedingt sehen will.«

»Jetzt?«, fragte ich, als mir klar wurde, dass er sofort meinte.

»Oh, bitte. Wenn nicht jetzt, dann später. Versprich es nicht nur, wie wir es alle auf der Straße unverbindlich tun. Es würde ihr so viel bedeuten.«

»Na ja …« Nun blickte ich auf die Uhr. Ich hatte noch ein paar Erledigungen zu machen, genau genommen hatte ich viel um die Ohren, etliche überaus drängende eigene Sorgen, doch es wurde langsam spät, der Wodka hatte mich benebelt, der Nachmittag war verflogen.

»Bitte«, sagte er und hob die Hand, um die Rechnung zu verlangen. »Sie wird mir nie verzeihen, wenn sie erfährt, dass ich dich getroffen und wieder habe gehen lassen. Komm doch auf einen Sprung mit rüber.«

III

In den Flur zu kommen war wie durch ein Portal zurück in die Vergangenheit zu treten: Chinesisches Porzellan, angestrahlte Landschaftsbilder, gedimmte Lampen mit Seidenschirm, alles genau so wie an dem Abend nach dem Tod meiner Mutter, als Mr. Barbour die Tür geöffnet hatte.

»Nein, nein«, sagte Platt, als ich aus Gewohnheit auf den Bullaugenspiegel zu und weiter ins Wohnzimmer gehen wollte. »Hier hinten.« Er ging zur Rückseite der Wohnung. »Bei uns ist jetzt alles sehr informell – Mommy empfängt ihre Leute normalerweise hier, wenn sie überhaupt jemanden trifft …«

Damals war ich nie auch nur in die Nähe von Mrs. Barbours innerem Heiligtum gekommen, doch als wir den Flur hinuntergingen, wehte uns der Duft ihres Parfüms entgegen – unverkennbar, weiße Blüten mit einer staubigen Fremdheit im Herzen – wie Gardinen vor einem offenen Fenster.

»Sie geht nicht mehr in dem Maße aus wie früher«, sagte Platt leise. »Keine großen Dinnerpartys und Galas mehr – vielleicht empfängt sie einmal die Woche jemanden auf eine Tasse Tee oder isst mit einer Freundin zu Abend. Aber das ist auch schon alles.«

Platt klopfte, lauschte. »Mommy?«, rief er und öffnete – auf eine undeutliche Antwort hin – die Tür einen Spalt. »Ich habe Besuch für dich. Du rätst nie, wen ich auf der Straße gefunden habe …«

Es war ein riesiges Zimmer, in altdamenhaftem 80er-Jahre-Apricot tapeziert. Direkt neben der Tür stand eine Sitzgruppe mit einem Sofa und Polstersesseln – jede Menge Zierrat, Stickkissen, neun oder zehn Zeichnungen alter niederländischer Meister: die Flucht nach Ägypten, Jakob und der Engel, die meisten vermutlich aus dem Rembrandtkreis, obwohl es eine winzige Braune-Tuschfeder-über-Bleistift-Zeichnung von Christi Fußwaschung des Heiligen Petrus gab, die mit so sicherer Hand ausgeführt war (die Rückenansicht des erschöpft gebückten Christus und der Faltenwurf seines Gewands, die komplexe Traurigkeit im Gesicht des Heiligen Petrus), dass sie auch von Rembrandt selbst stammen könnte.

Ich beugte mich vor, um sie genauer zu betrachten, als auf der anderen Seite des Zimmers eine Lampe mit pagodenförmigem Schirm anging. »Theo?«, hörte ich sie fragen, und da war sie, auf einen Haufen Kissen gestützt in einem ungewöhnlich großen Bett.

»Du? Ich glaube es nicht!«, sagte sie und streckte die Arme aus. »Du bist erwachsen geworden! Wo um alles in der Welt hast du gesteckt? Lebst du jetzt wieder in der Stadt?«

»Ja. Ich bin schon eine Weile wieder hier. Sie sehen wundervoll aus«, fügte ich pflichtschuldig hinzu, obwohl das nicht stimmte.

»Und du erst!« Sie legte beide Hände über meine. »Wie stattlich du bist! Ich bin recht überwältigt.« Sie sah sowohl älter als auch jünger aus, als ich sie in Erinnerung hatte: sehr blass, kein Lippenstift, Fältchen in den Augenwinkeln, doch die Haut immer noch weiß und glatt. Ihr silberblondes Haar (war es schon immer so silbern gewesen, oder war sie ergraut) fiel offen und ungekämmt auf ihre Schultern, sie trug eine Lesebrille und ein seidenes Bettjäckchen mit einer großen Diamantbrosche in Form einer Schneeflocke.

»Und hier findest du mich, in meinem Bett mit Näharbeiten beschäftigt wie eine alte Seemannswitwe«, sagte sie und wies auf ein halb fertiges Sticktuch. Zwei winzige Hunde – Yorkshire-Terrier – schliefen auf einem blassen Kaschmirüberwurf am Fußende, und als der kleinere der beiden mich sah, sprang er auf und fing wütend an zu bellen.

Ich lächelte unsicher, während sie versuchte, ihn zu beruhigen – der andere Hund machte inzwischen ebenfalls einen Riesenradau –, und sah mich um. Das Bett war ein modernes Doppelbett, das Kopfteil mit Stoff bespannt, doch sie hatte hier hinten auch eine Menge interessanter alter Objekte herumstehen, auf die ich als Kind nicht zu achten gewusst hätte. Offensichtlich war das Zimmer die Sargassosee der Wohnung, in der aus den sorgfältig dekorierten öffentlichen Räumen verbannte Stücke angeschwemmt wurden: nicht zueinander passende Beistelltische, asiatischer Nippes, eine umwerfende Sammlung silberner Tischglocken. Ein Spieltisch aus Mahagoni, der von Weitem aussah, als könnte er von Duncan Phyfe sein, und darauf (neben billigen Cloisonné-Aschenbechern und zahllosen Untersetzern) ein ausgestopfter Kardinal, mottenzerfressen, fragil, das Gefieder zu einem Rostbraun verblasst, den Kopf scharf zur Seite gelegt, sein Auge eine staubige schwarze Perle des Grauens.

»Ruhig, Ting-a-Ling, pst, ich ertrage das nicht. Das ist Ting-a-Ling«, sagte Mrs. Barbour und hielt den zappelnden Hund hoch, »er ist der Unartige, nicht wahr, mein Kleiner, keinen Moment Ruhe, und die andere mit der rosafarbenen Schleife ist Clementine. Platt«, rief sie über das Gebell hinweg, »Platt, bringst du ihn bitte in die Küche? Mit Gästen ist er eine ziemliche Plage«, sagte sie zu mir. »Ich hätte einen Hundetrainer kommen lassen sollen ...«

Während Mrs. Barbour ihre Stickerei zusammenrollte und in einen ovalen Korb packte, dessen Deckel mit Intarsien verziert war, setzte ich mich auf den Sessel neben ihrem Bett. Das Polster war fadenscheinig, doch das dezente Streifenmuster kam mir bekannt vor – ein ehemaliger Wohnzimmersessel, der ins Schlafzimmer verbannt worden war, derselbe Stuhl, auf dem meine Mutter vor vielen Jahren gesessen hatte, als sie mich nach einer Übernachtung bei den Barbours abholte. Ich strich über den Stoff. Und unvermittelt sah ich meine Mutter, wie sie aufstand, um mich zu begrüßen, in der hellgrünen Cabanjacke, die sie an dem Tag getragen hatte – schick genug, dass sie auf der Straße dauernd gefragt wurde, wo sie sie gekauft hatte, aber ganz verkehrt im Haus der Barbours.

»Theo?«, fragte Mrs. Barbour. »Möchtest du etwas trinken? Eine Tasse Tee? Oder etwas Stärkeres?«

»Nein danke.«

Sie klopfte auf die Tagesdecke aus Brokat auf dem Bett. »Komm, setz dich zu mir. Bitte. Ich möchte dich sehen können.«

»Ich ...« Bei ihrem gleichzeitig vertraulichen wie förmlichen Tonfall überfiel mich eine schreckliche Traurigkeit, und als wir uns ansahen, schien es, als würde die gesamte Vergangenheit durch diesen Moment neu definiert und in den Fokus gerückt, glasklar, eine vielschichtige Bewegungslosigkeit aus verregneten Frühlingsnachmittagen, einem dunklen Stuhl im Flur und ihrer Hand auf meinem Hinterkopf, leicht wie Luft.

»Ich bin so froh, dass du gekommen bist.«

»Mrs. Barbour«, sagte ich, trat ans Bett und nahm behutsam auf einer Pobacke Platz, »mein Gott. Ich kann es nicht glauben. Ich habe es gerade eben erst erfahren. Es tut mir so leid.«

Sie presste die Lippen aufeinander wie ein Kind, das versucht, nicht zu weinen. »Ja«, sagte sie, »nun«, und über uns senkte sich ein furchtbares und anscheinend nicht zu brechendes Schweigen.

»Es tut mir so leid«, wiederholte ich drängender, bewusst, wie unbeholfen ich mich anhörte, als könnte ich die Heftigkeit meiner Trauer durch Lautstärke vermitteln.

Sie blinzelte unglücklich, und weil ich nicht wusste, was ich tun sollte, legte ich meine Hand auf ihre, und so saßen wir unbehaglich lange da.

Am Ende war sie es, die zuerst sprach. »Wie dem auch sei.« Entschlossen tupfte sie eine Träne aus dem Augenwinkel, während ich fieberhaft nach Worten suchte. »Er hatte dich keine drei Tage vor seinem Tod noch erwähnt. Er war verlobt und wollte heiraten. Ein japanisches Mädchen.«

»Im Ernst? Wirklich?« So traurig ich war, musste ich unwillkürlich ein wenig lächeln: Andy hatte Japanisch als erste Fremdsprache gewählt, weil er so ein Faible für Fanservice-*Miko* und nuttige Manga-Girls in Matrosenuniform hatte. »Eine Japanerin aus Japan?«

»In der Tat. Ein winziges Ding mit Piepsstimme und einer Handtasche in Form eines Stofftiers. O ja, ich habe sie kennengelernt«, sagte sie mit hochgezogener Braue. »Andy hat bei Tee und Sandwiches im Pierre übersetzt. Sie war natürlich auch auf der Beerdigung – das Mädchen – Miyako hieß sie – nun ja. Andere Kulturen und so weiter, aber es stimmt, was man über die Reserviertheit der Japaner sagt.«

Der kleine Hund, Clementine, hatte sich wie ein Pelzkragen um Mrs. Barbours Schulter geschmiegt. »Ich muss gestehen, ich überlege, ob ich mir einen dritten anschaffen soll«, sagte sie und streichelte das Tier. »Was meinst du?«

»Ich weiß nicht«, sagte ich verwirrt. Es war äußerst untypisch für Mrs. Barbour, überhaupt jemanden zu irgendeinem Thema um seine Meinung zu bitten, und schon gar nicht mich.

»Ich muss sagen, sie waren mir ein großer Trost, die beiden. Meine alte Freundin Maria Mercedes de la Pereyra tauchte eine Woche nach der Beerdigung mit ihnen hier auf, ziemlich unerwartet, zwei

Welpen in einem Korb mit Schleifchen, und anfangs war ich mir zugegebenermaßen nicht sicher, aber ich glaube tatsächlich, dass ich noch nie ein so aufmerksames Geschenk bekommen habe. Vorher konnten wir nie Hunde halten wegen Andy. Er war so schrecklich allergisch. Erinnerst du dich?«

»Ja.«

Platt – immer noch in seiner Wildhüterjacke aus Tweed mit großen ausgebeulten Taschen für tote Vögel und Schrotpatronen – war wieder hereingekommen. Er zog sich einen Stuhl ans Bett. »Und, Mommy?« Er biss sich auf die Unterlippe.

»Und, Platypus.« Ein förmliches Schweigen. »Guter Tag bei der Arbeit?«

»Großartig.« Er nickte, als wolle er sich dessen selber nochmals versichern. »Ja. Wirklich sehr viel zu tun.«

»Das freut mich zu hören.«

»Neue Bücher. Eins über den Wiener Kongress.«

»Noch eins?« Sie wandte sich mir zu. »Und du, Theo?«

»Verzeihung?« Ich hatte die Einlegearbeit (ein Walfänger) im Deckel ihres Nähkorbs betrachtet und an den armen Andy gedacht: schwarzes Wasser, Salz in der Kehle, Übelkeit und Strampeln. Das Grauen und die Gemeinheit, ausgerechnet in dem Element zu sterben, das er am meisten hasste. *Das Problem besteht im Wesentlichen darin, dass ich Boote nicht ausstehen kann.*

»Erzähl mir, was fängst du dieser Tage mit dir selbst an?«

»Ähm, ich handele mit Antiquitäten. Vor allem amerikanische Möbel.«

»Nein!« Sie war entzückt. »Wie *absolut* perfekt!«

»Ja – unten im Village. Ich führe den Laden und kümmere mich um die Verkäufe. Mein Geschäftspartner«, es war immer noch neu und ungewohnt, es laut auszusprechen, »mein Geschäftspartner James Hobart, er ist der Kunsthandwerker, der sich um die Restaurierung der Objekte kümmert. Sie sollten irgendwann mal vorbeikommen.«

»Oh, herrlich. Antiquitäten!« Sie seufzte. »Also – du weißt, ich liebe alte Dinge. Ich wünschte, eins meiner Kinder hätte Interesse gezeigt. Ich hatte immer gehofft, wenigstens einer würde sich dafür begeistern.«

»Nun, es gibt ja immer noch Kitsey«, sagte Platt.

»Es ist seltsam«, fuhr Mrs. Barbour fort, als hätte sie ihn gar nicht gehört. »Nicht eins meiner Kinder hat auch nur den Hauch einer künstlerischen Ader. Ist das nicht außergewöhnlich? Kleine Philister, alle vier.«

»O bitte«, sagte ich in möglichst spielerischem Ton. »Ich erinnere mich an Toddy und Kitsey und all die Klavierstunden. Und Andy mit seiner Suzuki-Geige.«

Sie machte eine wegwerfende Handbewegung. »Du weißt, was ich meine. Keins meiner Kinder hat irgendeinen Sinn fürs *Visuelle*. Nicht die geringste Aufmerksamkeit oder Wertschätzung für Gemälde, Einrichtung und dergleichen. Wohingegen«, sie ergriff wieder meine Hand, »*du* als Kind, ich habe dich ständig dabei ertappt, wie du meine Gemälde im Flur betrachtet hast. Und du bist immer direkt zu den allerbesten gegangen. Die Landschaft von Frederic Church, mein Raphaelle Peale oder der John Singleton Copley – das ovale Porträt, das Mädchen mit der Haube, Öl auf Kupfer?«

»Das war ein Copley?«

»So ist es. Und gerade habe ich dich mit dem kleinen Rembrandt gesehen.«

»Es ist also ein Rembrandt?«

»Ja, nur der eine, die Fußwaschung. Die anderen sind alles Schüler. Meine eigenen Kinder hatten diese Zeichnungen ihr Leben lang um sich und haben nie das geringste Interesse daran gezeigt, habe ich nicht recht, Platt?«

»Ich denke schon, dass einige von uns in anderen Bereichen hervorragende Leistungen erbracht haben.«

Ich räusperte mich. »Wissen Sie, ich bin wirklich nur vorbeigekommen, um Hallo zu sagen«, sagte ich. »Es ist wundervoll, Sie zu sehen – alle beide.« Ich wandte mich Platt zu, um ihn einzubeziehen. »Ich wünschte, die Umstände wären glücklicher.«

»Bleibst du zum Essen?«

»Tut mir leid«, sagte ich, in die Ecke gedrängt. »Ich kann nicht, nicht heute Abend. Aber ich wollte wenigstens kurz hochkommen, um Sie zu sehen.«

»Dann kommst du ein anderes Mal zum Abendessen? Oder zum Lunch? Oder auf einen Drink?« Sie lachte. »Oder was immer du magst.«

»Zum Abendessen, sehr gerne.«

Sie hielt mir ihre Wange zum Küssen hin, wie sie es nie getan hatte, als ich klein war, nicht einmal mit ihren eigenen Kindern.

»Wie reizend, dass du wieder hier bist!«, sagte sie, fasste meine Hand und drückte sie an ihr Gesicht. »Wie in alten Zeiten.«

IV

Auf dem Weg zur Tür gab Platt mir mit seltsamer Geste die Hand – halb Gang-Mitglied, halb Burschenschafter mit einem Schuss internationaler Zeichensprache –, sodass ich nicht wusste, wie ich sie erwidern sollte. Ich zog meine Hand zurück, boxte – unschlüssig – mit meiner Faust gegen seine und kam mir albern vor.

»So, hey. Ich bin froh, dass wir uns über den Weg gelaufen sind«, sagte ich nach einem verlegenen Schweigen. »Melde dich.«

»Wegen des Abendessens? Oh, ja. Wahrscheinlich essen wir zu Hause, wenn das okay ist, Mommy geht eigentlich nicht mehr so gerne aus.« Er vergrub die Hände in den Taschen seiner Jacke und schockte mich dann mit der Bemerkung: »Ich hab deinen alten Freund Cable in letzter Zeit öfter gesehen. Ein bisschen öfter, als mir lieb ist, ehrlich gesagt. Es wird ihn bestimmt interessieren, dass ich dich getroffen habe.«

»*Tom* Cable?« Ich lachte ungläubig und nicht recht überzeugend die böse alte Erinnerung, wie wir gemeinsam von der Schule suspendiert worden waren und er mich hatte abfahren lassen, nachdem meine Mutter gestorben war, bereitete mir immer noch Unbehagen

»Du hast Kontakt zu ihm?«, fragte ich, als Platt nicht antwortete. »Ich habe seit Jahren nicht mehr an Tom gedacht.«

Platt grinste. »Ich muss gestehen, dass ich es damals seltsam fand, dass ein Freund von dem Jungen es mit einer Nulpe wie Andy ausgehalten hat«, sagte er leise und lehnte sich an den Türrahmen. »Nicht, dass ich etwas dagegen gehabt hätte. Andy brauchte weiß Gott jemanden, der mit ihm ausgeht, ihn stoned macht oder irgendwas.«

Andrip. Android. Pickelgesicht. Schwammkopf Hosenscheißer.

»Nicht?«, fragte Platt beiläufig, meinen nichtssagenden Blick missdeutend. »Ich dachte, du hättest auf so was gestanden. Cable war seinerzeit jedenfalls ein ziemlicher Kiffer.«

»Das muss gewesen sein, nachdem ich weg war.«

»Ja, vielleicht.« Platt sah mich auf eine Weise an, von der ich nicht sicher war, ob sie mir gefiel. »Mommy dachte jedenfalls immer, dass du kein Wässerchen trüben könntest, aber ich wusste, dass du mit Cable befreundet warst. Und Cable war ein kleiner Dieb.« Er lachte – scharf – auf eine Weise, die den alten, unangenehmen Platt in Erinnerung rief. »Ich habe Kitsey und Toddy gesagt, sie sollten ihre Zimmer abschließen, damit du nichts klaust.«

»Das war das also damals?« Ich hatte seit Jahren nicht mehr an den Zwischenfall mit den Sparschweinen gedacht.

»Na ja, ich meine, Cable …« Er blickte zur Decke. »Weißt du, ich war mit Toms Schwester Joey zusammen, verdammte Hacke, sie war auch ein Früchtchen.«

»Genau.« Ich erinnerte mich nur zu gut an Joey Cable – sechzehn und mit üppigem Vorbau –, die in winzigem T-Shirt und schwarzem Stringtanga im Flur des Hauses in den Hamptons an mir Zwölfjährigem vorbeigestreift war.

»Sloppy Jo! Was für einen Arsch sie hatte. Erinnerst du dich, wie sie dort draußen nackt um den Whirlpool stolziert ist? Jedenfalls Cable. Er wurde in den Hamptons dabei erwischt, wie er die Spinde in Daddys Club gefilzt hat, da kann er nicht älter als zwölf oder dreizehn gewesen sein. Das war, nachdem du weggegangen bist, was?«

»Muss wohl.«

»Das Gleiche ist in verschiedenen Clubs in der Gegend passiert. Während großer Turniere und dergleichen – er schlich sich in die Umkleidekabine und klaute, was immer er in die Finger bekam. Dann, vielleicht war er mittlerweile auf dem College – oh, verdammt, wo war das noch, nicht Maidstone, aber – egal, Cable hatte einen Sommerjob im Clubheim, half an der Bar aus, chauffierte alte Leutchen nach Hause, die zu betrunken waren, um noch selber zu fahren. Sympathischer Bursche, konnte gut reden – na, du weißt schon. Er brachte die alten Knacker dazu, ihre Kriegsgeschichten oder was auch immer zu erzählen. Gab ihnen Feuer, lachte über ihre Witze. Aber manchmal brachte er sie auch noch bis an die Haustür, und am nächsten Tag vermissten sie ihre Brieftasche.«

»Nun, ich habe ihn seit Jahren nicht gesehen«, sagte ich knapp. Der Ton, den Platt angeschlagen hatte, gefiel mir nicht. »Was macht er jetzt überhaupt?«

»Na ja, kannst du dir ja denken. Immer noch die alte Masche. Offen gestanden trifft er sich hin und wieder mit meiner Schwester, obwohl ich bestimmt wünschte, ich könnte dem ein Ende setzen. Jedenfalls«, fuhr er in leicht verändertem Tonfall fort, »ich will dich nicht aufhalten. Ich kann es kaum erwarten, Kitsey und Toddy zu erzählen, dass ich dich getroffen habe – vor allem Todd. Du hast ihn schwer beeindruckt – er spricht ständig von dir. Er ist nächstes Wochenende in der Stadt, und er will dich bestimmt sehen.«

V

Anstatt ein Taxi zu nehmen, ging ich zu Fuß, um den Kopf frei zu bekommen. Es war ein sauberer feuchter Frühlingstag, von Lichtstrahlen durchbohrte Gewitterwolken und Büroangestellte, die sich an den Kreuzungen drängten, aber für mich war der Frühling in New York immer eine vergiftete Zeit, mit den Narzissen, knospenden Bäumen und blutroten Tupfern wehte ein jahreszeitliches Echo des Todes meiner Mutter heran, ein dünner Film aus Halluzination

594

und Horror. Nach der Nachricht über Andy war es, als hätte jemand einen Röntgenschalter umgelegt und alles in ein fotografisches Negativ verwandelt, sodass ich trotz der Narzissen, Menschen, die ihre Hunde ausführten, und Verkehrspolizisten, die an Kreuzungen in ihre Trillerpfeifen bliesen, überall nur Tod sah: Auf den Bürgersteigen wimmelte es von Toten, Kadaver drängten aus den Bussen und eilten von der Arbeit nach Hause, in hundert Jahren würde nichts mehr von ihnen übrig sein außer Zahnfüllungen und Schrittmachern und vielleicht ein paar Fetzen Kleidung und Knochen.

Es war unvorstellbar. Eine Million Mal hatte ich daran gedacht, Andy anzurufen, und nur, weil es mir peinlich war, nie getan. Es stimmte, dass ich mit niemandem von früher Kontakt hielt, aber hin und wieder lief mir jemand aus unserer alten Schule über den Weg, und unsere alte Klassenkameradin Martina Lichtblau (mit der ich im Jahr zuvor eine kurze, unbefriedigende Affäre hatte, insgesamt drei Mal Vögeln auf einem ausklappbaren Sofa) – Martina Lichtblau hatte von ihm gesprochen, Andy ist jetzt in Massachusetts, habt ihr noch Kontakt, o ja, Andy, nach wie vor ein Mega-Nerd wie immer, nur dass er es jetzt so betont, dass es beinahe irgendwie retro und cool ist? Brillengläser dick wie Colaflaschen? Orangefarbene Cordhose und eine Frisur wie der Helm von Darth Vader?

Wow, Andy, dachte ich an jenem Abend, schüttelte den Kopf und griff über Martinas nackte Schulter nach einer ihrer Zigaretten. Damals hatte ich überlegt, wie schön es wäre, ihn zu treffen – schade, dass er nicht in New York war –, vielleicht würde ich ihn, wenn er in den Semesterferien zu Hause war, mal anrufen.

Aber dazu kam es einfach nie. Wegen meines Verfolgungswahns war ich nicht bei Facebook und guckte nur selten Nachrichten, trotzdem konnte ich mir nicht erklären, wieso ich nichts davon mitbekommen hatte – bis auf dass ich in den vergangenen Wochen aus lauter Sorge um den Laden kaum an etwas anderes gedacht hatte. Nicht, dass wir finanzielle Probleme gehabt hätten – wir hatten das Geld fast buchstäblich mit vollen Händen eingenommen, so viel, dass Hobie, der mir den Verdienst an seiner Rettung zuschrieb (er hatte kurz vor dem Bankrott gestanden), darauf bestanden hatte, mich zum Partner zu machen, worauf ich unter den gegebenen Umständen gar nicht besonders erpicht gewesen war. Aber meine Bemühungen, ihn von der Idee abzubringen, hatten ihn nur in seinem Entschluss bestärkt, dass ich an den Gewinnen teilhaben sollte, und je mehr ich versuchte, sein Angebot zurückzuweisen, desto beharrlicher wurde er. Mit der für ihn typischen Großzügigkeit schrieb er meine Zurückhaltung meiner »Bescheidenheit« zu, während ich in Wahrheit fürchtete, dass eine Partnerschaft ein offizielles Licht auf gewisse inoffizielle Machenschaften in dem Laden werfen könnte – Machenschaften, die den armen Hobie bis in die Sohlen seiner John-Lobb-Schuhe erschüttern würden, wenn er davon wüsste. Was er nicht tat. Denn ich hatte vorsätzlich eine Fälschung an einen Kunden verkauft, und der Kunde hatte es herausgefunden und machte Theater.

Ich hatte nichts dagegen, ihm das Geld zurückzugeben – tatsächlich war der Rückkauf des Stückes mit Verlust die einzige Möglichkeit, was in der Vergangenheit auch immer gut funktioniert hatte. Ich verkaufte stark veränderte Möbel oder unverhohlene Kopien als Originale; wenn der Kunde das Objekt – aus dem trüben Licht von Hobart und Blackwell – nach Hause transportierte und dort eine Unstimmigkeit entdeckte (»Nimm immer eine Taschenlampe mit«, hatte Hobie mir ganz zu Anfang geraten, »es hat seinen Grund, dass so viele Antiquitätenläden so dunkel sind«), bot ich – betrübt über die Verwicklungen, aber weiter überzeugt, dass es sich um ein Original handelte – zuvorkommend an, das Stück für zehn Prozent mehr, als der Sammler bezahlt hatte, zurückzukaufen, unter den üblichen vertraglichen Bedingungen. Damit stand ich da wie ein Guter, der an die Integrität seiner Ware glaubte und einem Kunden um dessen garantierter Zufriedenheit willen absurd weit entgegenkam, was den Kunden zumeist besänftigt und bewogen hatte, das Objekt doch zu behalten. Und was die drei oder vier Fälle betraf, in denen misstrauische Sammler mein Angebot angenommen hatten: Der Sammler hatte ja keine Ahnung, dass die Fälschung – indem sie von seinem Besitz in meinen überging, für einen Preis, der ihren Wert scheinbar bestätigte – über Nacht eine Provenienz bekam. Sobald ich sie wieder in meinen Händen hatte, gab es Dokumente, die belegten, dass sie Teil der berühmten So-und-so-Sammlung gewesen war. Trotz des Aufpreises, den ich für den Rückkauf der Fälschung an Mr. So-und-so zahlte (im Idealfall ein Schauspieler oder Modedesigner, der aus Hobby sammelte, wenn nicht ein per se als Sammler bekannter Käufer), konnte ich das Objekt dann manchmal für den doppelten Rückkaufpreis an irgendeinen Wall-Street-Big-Mac weiterverkaufen, der Chippendale nicht von Ethan Allen unterscheiden konnte, aber mehr als entzückt über die »offiziellen Dokumente« war, die bewiesen, dass sein Duncan-Phyfe-Sekretär oder was auch immer aus der Sammlung von Mr. So-und-so stammten, dem berühmten Philanthropen/Innenarchitekten/Broadway-Star/Zutreffendes bitte einsetzen.

Und bis jetzt hatte es funktioniert. Nur dieses Mal biss Mr. So-und-so – eine Obertunte von der Upper East Side namens Lucius Reeve – nicht an. Beunruhigend war, dass er offenbar glaubte, er sei erstens vorsätzlich hinters Licht geführt worden, was stimmte, und Hobie wäre zweitens nicht nur eingeweiht, sondern mehr noch der eigentliche Kopf hinter dem Betrug gewesen, womit er kaum weiter von der Wahrheit entfernt hätte liegen können. Als ich versuchte, die Situation zu klären, und darauf bestand, dass der Fehler ganz und gar bei mir gelegen habe – hüstel, hüstel, ehrlich, Sir, ein Missverständnis mit Hobie, ich bin noch relativ neu und hoffe, Sie nehmen es mir nicht übel, seine Arbeiten sind von so hoher Qualität, dass Sie verstehen, wie es bisweilen zu solchen Verwechslungen kommen kann, nicht wahr? –, hatte sich Mr. Reeve (»Nennen Sie mich Lucius«), eine gut gekleidete Gestalt von ungewissem Alter und Beruf, unnachgiebig gezeigt. »Sie leugnen also nicht, dass das Stück eine Arbeit von James Hobart ist?«, hatte er bei unserem Nerven zermürbenden Lunch im Harvard Club gefragt, sich vielsagend auf seinem Stuhl zurückgelehnt und mit dem Finger über den Rand seines Mineralwasserglases gestrichen.

»Hören Sie …« Ich begriff, dass es ein taktischer Fehler gewesen war, ihn auf seinem Territorium zu treffen, wo er die Kellner kannte, mit Block und Bleistift die Bestellung übernahm und ich nicht großzügig vorschlagen konnte, dass er dieses oder jenes probieren solle.

»Oder dass er vorsätzlich ein geschnitztes Phoenix-Ornament von einem Thomas-Affleck-Stück – ja, ja, ich glaube, es *ist* Affleck, auf jeden Fall Philadelphia – auf diesen echt antiken, aber ansonsten unbedeutenden Schubladenschrank aus derselben Periode montiert hat? Sprechen wir nicht von demselben Möbel?«

»Bitte, wenn Sie mich bloß ...« Wir waren an einem Tisch am Fenster platziert worden, die Sonne blendete, ich schwitzte und fühlte mich unbehaglich.

»Wie können Sie dann behaupten, dass es sich nicht um eine vorsätzliche Täuschung handelt? Seinerseits oder Ihrerseits?«

»Hören Sie«, der Kellner lungerte in der Nähe herum, ich wollte, dass er ging, »der Fehler lag bei mir. Wie ich bereits sagte. Und ich habe Ihnen angeboten, das Objekt mit einem Aufpreis zurückzukaufen, deshalb weiß ich nicht genau, was Sie sonst noch von mir wollen.«

Trotz meines kühlen Tons drehte ich vor Angst fast durch, einer Angst, die nicht weniger geworden war angesichts der Tatsache, dass Lucius Reeve meinen Rückkauf-Scheck zwölf Tage später immer noch nicht eingelöst hatte. Kurz bevor mir Platt über den Weg gelaufen war, hatte ich das in der Bank überprüft.

Was Lucius Reeve wollte, wusste ich nicht. Hobie hatte diese kannibalisierten und stark veränderten Stücke (»Wechselbälger«, wie er sie nannte) praktisch sein gesamtes Arbeitsleben lang gebaut; das Lager am Brooklyn Naval Yard war randvoll gewesen mit Objekten, deren Etikette dreißig Jahre oder länger zurückreichten. Als ich zum ersten Mal allein dorthin gefahren war und ernsthaft herumgestöbert hatte, war ich wie vom Donner gerührt gewesen, Objekte zu entdecken, die aussahen wie echte Hepplewhites, echte Sheratons, eine Ali-Baba-Höhle, die vor Schätzen überquoll.

»O Gott, nein«, sagte Hobie, dessen Stimme am Handy seltsam knisternd klang – das Lager war wie ein Bunker, kein Netz, sodass ich direkt nach draußen gegangen war und, einen Finger im Ohr, auf der zugigen Laderampe stand –, »glaub mir, wenn die echt wären, hätte ich schon längst die Abteilung für amerikanische Möbel bei Christie's angerufen!«

Seit Jahren hatte ich Hobies Wechselbälger bewundert und sogar mitgeholfen, einige von ihnen zu bauen, doch der Schock, von diesen zuvor ungesehenen Stücken getäuscht worden zu sein, erfüllte mich mit (um einen Lieblingsausdruck von Hobie zu bemühen) einer wilden Ahnung. Hin und wieder ging ein Stück von musealer Qualität durch die Werkstatt, das zu stark beschädigt war, um es zu restaurieren. Für Hobie, der diese eleganten alten Ruinen betrauerte, als wären sie unterernährte Kinder oder misshandelte Katzen, war es eine Frage der Pflicht zu retten, was zu retten war (ein Paar Blätterknäufe hier, ein Satz fein gedrechselter Beine dort), um es mit seinem Talent als Tischler und Schreiner zu wunderschönen jungen Frankensteins zusammenzubauen, die in manchen Fällen offenkundig verspielt und sonderlich, in anderen jedoch so getreue Modelle ihrer Zeit waren, dass man sie praktisch nicht von Originalen unterscheiden konnte.

Säuren, Farbe, Goldgrund und Lampenruß, Wachs, Schmutz und Staub. Alte Nägel rosteten in Salzwasser. Salpetersäure für neues Walnussholz. Die Führungsnut mit Schmirgelpapier bearbeiten, ein paar Wochen unter der Höhensonne, um neues Holz hundert Jahre altern zu lassen. Aus fünf zerstörten Hepplewhite-Esszimmerstühlen konnte er einen soliden, absolut authentisch aussehenden Satz von acht machen, indem er die Originale auseinandernahm, die Einzelteile (aus Holz von anderen zerstörten Möbelstücken aus derselben Epoche) kopierte und die Stühle dann halb aus originalen, halb aus neuen Teilen zusammenbaute. (»Ein Stuhlbein«, er strich mit dem Finger darüber, »ist typischerweise unten angestoßen und abgenutzt – selbst wenn man altes Holz verwendet, muss man mit einer Kette an die neu geschnittenen Beine gehen, wenn man will, dass sie zu den Originalen passen … ganz, ganz leicht, ich sage nicht, man soll wild darauf eindreschen … es gibt auch ein sehr charakteristisches Muster, die Vorderbeine sind in der Regel ein bisschen mehr angestoßen als die hinteren, siehst du?«) Ich hatte beobachtet, wie er aus dem Originalholz eines so gut wie zersplitterten Buffets aus dem 18. Jahrhundert einen Tisch baute, der aus der Hand von Duncan Phyfe persönlich hätte stammen können. (»Reicht das?«, fragte Hobie und trat nervös einen Schritt zurück, offenbar ohne zu begreifen, was für ein Wunder er geformt hatte.) Oder – wie bei Lucius Reeves »Chippendale«-Schubladenschrank – ein schlichtes Möbel konnte durch das von einer großartigen alten Ruine aus derselben Epoche gerettete Ornament zu einem Stück werden, das von einem Meisterwerk beinahe nicht zu unterscheiden war.

Ein praktischer veranlagter oder skrupelloserer Mann hätte diese Fähigkeit berechnender eingesetzt und ein Vermögen damit gemacht (oder um es mit Grischas treffendem Ausdruck zu sagen, »härter gefickt als eine Fünftausend-Dollar-Nutte«). Aber soweit ich wusste, war Hobie der Gedanke, eins seiner Wechselbälger als Original oder überhaupt zu verkaufen, nie in den Sinn gekommen, und sein komplettes Desinteresse daran, was im Laden vor sich ging, gab mir beträchtliche Freiheiten bei der Beschaffung von Geld und dem Bezahlen von Rechnungen. Mit einem einzigen »Sheraton«-Sofa und einem Satz Salonstühle mit Zierband-Lehne, die ich zu Israel-Sack-Preisen an die vertrauensvolle kalifornische Ehefrau eines Investmentbankers verkaufte, hatte ich Hunderttausende von Dollar an längst fälliger Grundsteuer für das Stadthaus bezahlen können. Mit einem zweiten Satz Esszimmerstühle und einem weiteren »Sheraton«-Sofa – verkauft an einen nicht ortsansässigen Kunden, der es besser hätte wissen müssen, sich jedoch von dem makellosen Ruf von Hobie und Welty als Händler blenden ließ – hatte ich den Laden schuldenfrei gemacht.

»Sehr praktisch«, sagte Lucius Reeve höflich, »dass er Ihnen die geschäftlichen Belange des Ladens überlässt? Er hat die Werkstatt, in der diese Fälschungen produziert werden, wäscht aber seine Hände in Unschuld, wenn es darum geht, wie Sie sie loswerden?«

»Sie haben mein Angebot. Ich werde mir das nicht länger anhören.«

»Warum sitzen Sie dann noch hier?«

Ich zweifelte keinen Moment daran, dass Hobie bass erstaunt sein würde, wenn er erfahren sollte, dass ich seine Wechselbälger als echt verkauft hatte. Zum einen waren viele seiner kreativeren Arbeiten voller kleiner Ungenauigkeiten, Insider-Witze beinahe, und er war mit seinen Materialien nicht immer so wählerisch, wie es jemand gewesen wäre, der vorsätzlich Fälschungen produzierte. Aber ich hatte die Erfahrung gemacht, dass es leicht war, selbst relativ erfahrene Käufer zu täuschen, wenn ich ein Stück zwanzig Prozent billiger verkaufte als das Original. Die Leute liebten es zu glauben, sie würden ein Schnäppchen machen. In vier von fünf Fällen übersahen sie, was sie nicht sehen wollten. Ich wusste, wie man ihre Aufmerksamkeit auf die außergewöhnlichen Aspekte eines Objektes lenkte, die handgemachte Furnierung, die edle Patinierung, die ehrwürdigen Macken. Mit einem Finger strich ich über eine erlesene Glockenleiste (die Hogarth persönlich die »Linie der Schönheit« genannt hatte), um ihren Blick von überarbeiteten Teilen auf der Rückseite abzulenken, wo man in hellem Licht vielleicht entdecken könnte, dass die Maserung nicht exakt übereinstimmte. Ich verzichtete darauf vorzuschlagen, dass Kunden die Unterseite eines Möbelstücks inspizieren sollten, wie es Hobie selbst – immer erpicht darauf, die Menschen zu bilden, auch um den Preis, die eigenen Interessen fatal zu unterminieren – allzu bereitwillig tat. Und für den Fall, dass jemand gucken wollte, achtete ich darauf, dass der Boden um das Stück sehr, sehr schmutzig und die Taschenlampe, die ich zufällig bei mir hatte, sehr, sehr schwach war. In New York gab es eine Menge Leute mit einer Menge Geld und reichlich Innenarchitekten unter Zeitdruck, die, wenn man ihnen ein Foto eines ähnlichen aussehenden Stückes aus einem Auktionskatalog zeigte, glücklich waren, sich für ein vermeintliches Schnäppchen zu entscheiden, vor allem wenn sie nicht ihr eigenes Geld ausgaben. Für einen anderen Trick – der darauf abzielte, den erfahreneren und kultivierteren Typ Kunden zu locken – stellte ich ein Objekt in die hinterste Ecke des Laden, leerte den Staubsaugerbeutel darüber aus (Instant-Alterung) und ließ es

601

den neugierigen Kunden selber aufspüren – sieh da, unter all dem staubigen Plunder ein Sheraton-Sofa! Bei dieser Masche – an der ich großes Vergnügen hatte – bestand der Trick darin, mich dumm zu stellen, gelangweilt zu wirken, mich weiter in mein Buch zu vertiefen und so zu tun, als wüsste ich nicht, was ich da hatte, damit der Kunde glaubte, er würde *mich* über den Tisch ziehen: Selbst mit vor Erregung zitternden Händen versuchten sie noch, uneilig zu wirken, wenn sie zur Bank rannten, um eine große Summe Bargeld abzuheben. Wenn es sich bei dem Kunden um jemand Wichtigen oder jemanden handelte, der zu eng mit Hobie verbunden war, konnte ich jederzeit behaupten, das Stück sei unverkäuflich. Auch gegenüber Fremden war ein knappes »nicht zu verkaufen« häufig ein guter Ausgangspunkt, weil es den Käufer, auf den ich es abgesehen hatte, nicht nur weiter anspornte, einen schnellen Handel in bar abzuschließen, sondern auch die Bühne dafür bereitete, ein Geschäft mittendrin abzubrechen, falls irgendetwas schieflief. Was hauptsächlich schieflaufen könnte, war, dass Hobie in einem schlechten Moment nach oben käme. Dass Mrs. DeFrees im falschen Moment den Laden betrat, war noch etwas, was schiefgehen konnte und schon schiefgegangen war – ich musste kurz vor Abschluss eines Geschäfts abbrechen, sehr zum Ärger der Filmregisseursgattin, die es irgendwann leid war zu warten, den Laden verließ und nie zurückkehrte. Ohne Schwarzlicht und Laboranalysen, nur mit den bloßen Augen waren viele von Hobies Fälschungen nicht als solche zu erkennen, und auch wenn in seinen Laden etliche ernsthafte Sammler kamen, gab es immer noch jede Menge Leute, die nie wissen würden, dass so etwas wie ein Queen-Anne-Kippspiegel nie hergestellt worden war. Aber selbst wenn jemand schlau genug war, eine Ungenauigkeit zu entdecken – etwa ein Ornament oder eine Holzsorte, die für den Tischler oder die Epoche untypisch waren –, war ich ein oder zwei Mal so dreist gewesen, auch darüber hinwegzureden: indem ich behauptete, das Objekt sei für einen speziellen Kunden angefertigt worden und deshalb streng genommen noch wertvoller als die bekannten Stücke.

In meinem aufgewühlten und angeschlagenen Zustand war ich

beinahe unwillkürlich in den Park und den Weg zum Pond hinunter gegangen, wo Andy und ich als Grundschüler an vielen Wintertagen in unseren Parkas gesessen und darauf gewartet hatten, dass meine Mutter uns vom Zoo abholte oder mit uns in Kino ging – *Rendezvous Point, 17.00 Uhr!* Aber dieser Tage ertappte ich mich häufiger dabei, hier auf Jerome zu warten, den Fahrradkurier, von dem ich meine Drogen kaufte. Die Pillen, die ich Xandra vor vielen Jahren gestohlen hatte, hatten mich auf einen üblen Weg gebracht: Oxycontin, Roxicets, Morphin und Dilaudid, wenn ich es kriegen konnte, seit Jahren kaufte ich das Zeug auf der Straße. In den vergangenen Monaten hatte ich mich (weitgehend) an die Regel gehalten, jeden zweiten Tag clean zu bleiben (wobei »clean« bedeutete, die Tagesdosis reichte gerade aus, dass mir nicht übel wurde), doch meine Stimmung verdüsterte sich immer mehr, die Wirkung der Wodkas, die ich mit Platt getrunken hatte, ließ langsam nach, und obwohl es offiziell ein »Clean«-Tag war und ich wusste, dass ich nichts bei mir hatte, begann ich, meine Kleidung abzuklopfen und die Hände immer wieder in meine Mantel- und Jackentaschen zu schieben.

Auf dem College hatte ich nichts Löbliches oder Bemerkenswertes geleistet, nach den Jahren in Vegas war ich zu jeder Art konzentrierter Arbeit außerstande. Als ich schließlich meinen Abschluss machte (nach sechs statt der üblichen vier Jahre), tat ich es ohne jede Auszeichnung irgendeiner Art. »Ich sehe bei deiner Leistung offen gestanden keinen Grund, warum dich jemand in ein Master-Programm aufnehmen sollte«, hatte mein Studienberater gesagt. »Zumal du massiv auf finanzielle Hilfe angewiesen wärst.«

Aber das war in Ordnung, denn ich wusste, was ich wollte. Meine Karriere als Händler hatte mit etwa siebzehn Jahren begonnen, als ich an einem der seltenen Nachmittage, an denen Hobie beschlossen hatte, den Laden zu öffnen, zufällig nach oben kam. Zu diesem Zeitpunkt war das Ausmaß von Hobies finanziellen Problemen bereits zu mir durchgedrungen: Grischa hatte nur zu wahr gesprochen, als er die fatalen Folgen beschwor, die es nach sich ziehen würde, wenn Hobie weiter Warenbestand anhäufte, ohne etwas zu verkaufen.

(»Wird noch hocken in Keller, lackieren und schnitzen, wenn Räumungsbescheid an Haustür kleben.«) Aber ungeachtet der Umschläge des Finanzamtes, die sich zwischen Christie-Katalogen und alten Konzertprogrammheften auf dem Tisch im Flur stapelten (Steuerbescheid, Erste Mahnung, Zweite Mahnung), konnte Hobie sich nicht dazu durchringen, den Laden länger als eine halbe Stunde am Stück zu öffnen, es sei denn, ein Bekannter kam zu Besuch. Und wenn es für seine Freunde Zeit wurde zu gehen, scheuchte er oft auch die eigentlichen Kunden hinaus und schloss den Laden wieder ab. Wenn ich vom College nach Hause kam, hing fast immer das »Geschlossen«-Schild in der Tür, während Leute durchs Schaufenster spähten. Und wenn er es doch schaffte, den Laden einmal für ein paar Stunden geöffnet zu halten, hatte er die schlimme Angewohnheit, vertrauensvoll nach hinten zu gehen, um sich eine Tasse Tee zu kochen, derweil er die Tür offen und die Kasse unbewacht ließ. Obwohl sein Transporthelfer Mike so vorausschauend gewesen war, die Silber- und Schmuckschränke abzuschließen, waren schon eine Reihe von Majolika- und Kristall-Objekten aus dem Laden gewandert, und als ich an dem fraglichen Tag unerwartet nach oben kam, ertappte ich eine Fitness-Studio-trainierte Mom im lässigen Freizeit-Look, die aussah, als käme sie gerade aus einem Pilates-Kurs, dabei, wie sie einen Briefbeschwerer in ihrer Tasche verschwinden ließ.

»Das macht achthundertfünfzig Dollar«, sagte ich. Sie erstarrte und blickte entsetzt auf. In Wahrheit kostete das Stück zwei Dollar fünfzig, doch sie reichte mir wortlos ihre Kreditkarte und ließ mich den Preis buchen – wahrscheinlich die erste profitable Transaktion, die seit Weltys Tod in dem Laden stattgefunden hatte, denn Hobies Freunde (seine wichtigsten Kunden) wussten nur zu gut, dass sie ihn immer zu kriminellen Rabatten auf seine ohnehin zu niedrigen Preise überreden konnten. Mike, der hin und wieder ebenfalls im Laden aushalf, hob alle Preise unterschiedslos drastisch an, was zur Folge hatte, dass er nur sehr wenig verkaufte.

»Gut gemacht!«, hatte Hobie gesagt und im grellen Licht seiner Arbeitslampe freudig geblinzelt, als ich nach unten gegangen und ihn von meinem großen Verkauf erzählt hatte (laut meiner Version eine silberne Teekanne. Es sollte sich nicht so anhören, als hätte ich die Frau unverhohlen beraubt, außerdem wusste ich, dass er sich nicht für den, wie er es nannte, Kleinkram interessierte, der, wie ich durch die Lektüre von Antiquitäten-Büchern gelernt hatte, einen wesentlichen Teil des Inventars des Ladens ausmachte). »Scharfsichtiger kleiner Kerl. Welty hätte dich angenommen wie einen auf seiner Türschwelle ausgesetzten Säugling, ha! Interessiert sich für sein Silber!«

Von da an machte ich es mir zur Gewohnheit, nachmittags mit meinen Lehrbüchern oben im Laden zu sitzen, während Hobie unten in seiner Werkstatt arbeitete. Anfangs nur zum Spaß – Spaß, der meinem öden Studentenleben mit Kaffees in der Cafeteria und Vorlesungen über Walter Benjamin schmerzlich abging. In den Jahren seit Weltys Tod hatte Hobart und Blackwell offensichtlich den Ruf eines leicht zu bestehlenden Ladens bekommen, und der Kitzel, die gut gekleideten Diebe und Langfinger auf frischer Tat zu ertappen und ihnen riesige Summen abzupressen, war beinahe wie Ladendiebstahl, nur umgekehrt.

Aber ich lernte auch eine Lektion: eine Lektion, die erst nach und nach sackte, die jedoch tatsächlich die wichtigste Wahrheit im Herzen der Branche war. Es war ein Geheimnis, das einem niemand verriet, man musste selbst darauf kommen: nämlich, dass es so etwas wie einen »korrekten« Preis im Grunde nicht gab. Objektiver Wert – Listenpreis – war bedeutungslos. Wenn ein Kunde ahnungslos und mit Geld in der Hand hereinkam (und das taten die meisten), spielte es keine Rolle, was in den Büchern stand oder was die Experten sagten oder zu welchem Preis ähnliche Objekte kürzlich bei Christie's verkauft worden waren. Ein Objekt – *jedes* Objekt – war so viel wert, wie jemand bereit war – oder überredet werden konnte –, dafür zu zahlen.

Deshalb begann ich, durch den Laden zu gehen und einige Schilder zu entfernen (damit der Kunde mich nach dem Preis fragen musste), während ich andere Objekte neu auszeichnete – nicht alle, aber einige. Durch systematisches Ausprobieren fand ich heraus, dass der Trick darin bestand, etwa ein Viertel der Preise niedrig zu lassen und den Rest drastisch hinaufzusetzen, manchmal um vier- oder fünfhundert Prozent. Jahre abnormal niedriger Preise hatten einen festen Kundenstamm geschaffen. Das Viertel der Sachen mit niedrigen Preisen sorgte dafür, dass die Schnäppchenjäger, wenn sie geduldig suchten, immer noch etwas finden konnten. Dieses Viertel bewirkte aber auch, dass die hochgesetzten Preise durch irgendeine perverse Alchemie im Vergleich gerechtfertigt erschienen: Manche Menschen waren, aus welchem Grund auch immer, eher geneigt, fünfzehnhundert Dollar für eine Teekanne aus Meißener Porzellan auszugeben, wenn sie neben einem schlichteren, aber vergleichbaren Objekt stand, das (korrekt, aber billig) für einige Hundert angeboten wurde.

So hatte es angefangen: So hatte Hobart und Blackwell unter meiner wachsamen Schirmherrschaft nach jahrelangem Siechtum begonnen, Gewinn abzuwerfen. Aber es ging nicht nur ums Geld. Ich mochte das Spiel. Anders als Hobie – der fälschlicherweise davon ausging, dass jeder, der seinen Laden betrat, ebenso fasziniert von Möbeln war wie er selber, und ihn deshalb äußerst nüchtern auf die Makel und Vorzüge eines Objekts hinwies – hatte ich entdeckt, dass ich über das genau entgegengesetzte Talent verfügte: die Gabe der mysteriösen Verschleierung. Ich konnte auf eine Art über minderwertige Stücke sprechen, dass die Leute sie haben wollten. Wenn ich ein Objekt verkaufte und leidenschaftlich schönredete (anstatt mich stumm zurückzulehnen und die Unvorsichtigen allein in meine Falle tappen zu lassen), empfand ich das als ein Spiel, den Kunden einzuschätzen und zu erkennen, welches Bild er von sich projizieren wollte. Es ging nicht so sehr darum, wer er wirklich war (ein alles wissender Innenarchitekt? eine Hausfrau aus New Jersey? ein gehemmter Schwuler?), sondern wer er oder sie sein wollte. Selbst auf höchstem Niveau war alles eine reine Verschleierungstaktik: Jeder möblierte eine Kulisse. Der Trick war, sich an die Projektion zu wenden – den Kenner, den kritischen Bonvivant –, und nicht an den unsicheren

Menschen, der tatsächlich vor einem stand. Nie zu direkt, sondern immer ein wenig zurückhaltend. Rasch lernte ich, mich richtig zu kleiden (auf der Grenze zwischen konservativ und schrill), und wie ich mit kultivierten und weniger kultivierten Kunden umgehen und sie in unterschiedlichem Maße höflich und unverschämt behandeln musste: bei beiden Kenntnisse voraussetzen, schnell mit einem Kompliment zur Hand sein, schnell das Interesse verlieren oder im genau richtigen Moment beiseitetreten.

Und trotzdem hatte ich es bei Lucius Reeve übel vermasselt. Was er wollte, wusste ich nicht. Während er meinen Entschuldigungen anhaltend ausgewichen war, hatte sich sein Zorn mit aller Macht auf Hobie gerichtet, sodass ich anfing zu glauben, ich wäre unwissentlich in eine alte Fehde oder Feindschaft geraten. Ich wollte mich nicht verraten, indem ich Reeves Namen Hobie gegenüber erwähnte, und wer sollte einen so heftigen Groll gegen Hobie hegen, den gutmütigsten und uneigennützigsten aller Menschen? Meine Internet-Recherche zu Lucius Reeve hatte bis auf ein paar belanglose Erwähnungen in den Society-Nachrichten nichts ergeben, nicht einmal eine Verbindung zu Harvard oder dem Harvard-Club, nur eine seriöse Fifth-Avenue-Adresse. Es war dumm gewesen, ihm einen Scheck auszustellen – Gier meinerseits. Ich hatte daran gedacht, dem Möbel eine Provenienz zu verschaffen, obwohl ein diskret unter einer Serviette verborgener, über den Tisch geschobener Umschlag mit Bargeld zu diesem Zeitpunkt auch keine Versicherung gewesen wäre, dass er die Sache auf sich beruhen lassen würde.

Ich stand, die Fäuste in den Taschen meines Mantels, die Brille vom Frühlingsdunst beschlagen, und starrte unglücklich auf das schlammige Gewässer des Pond: ein paar traurige braune Enten, Plastiktüten, die zwischen dem Schilf trieben. Die meisten Bänke trugen den Namen ihrer Stifter – in Erinnerung an Mrs. Ruth Klein oder wen auch immer –, aber die Bank meiner Mutter, unser von ihr so getaufter Rendezvous Point, war von seinem anonymen Stifter als einzige von allen Bänken in diesem Teil des Parks mit einer ungleich rätselhafteren und freundlicheren Botschaft versehen worden:

607

ALLES, WAS MÖGLICH IST. Schon vor meiner Geburt war es ihre Bank gewesen; in ihrer ersten Zeit in der City hatte sie hier an ihren freien Nachmittagen mit einem Buch aus der Bücherei gesessen, auf das Mittagessen verzichtet, wenn sie das Geld für eine Eintrittskarte ins MoMA oder einen Kinobesuch im Paris Theatre brauchte. Ein Stück weiter, jenseits des Pond, lag das ungepflegte und unwegsame Gelände, wo wir ihre Asche verstreut hatten. Es war Andy gewesen, der mich dazu überredet hatte, uns ungeachtet der städtischen Verordnungen dorthin zu schleichen und die Asche überdies an dieser speziellen Stelle zu verstreuen:

Na ja, ich meine, hier hat sie uns immer getroffen.

Ja, aber Rattengift, guck mal die Schilder.

Los. Jetzt kannst du es machen. Es kommt niemand.

Die Seelöwen hat sie auch geliebt. Wir mussten immer daran vorbeigehen, um sie anzuschauen.

Ja, aber dort willst du sie bestimmt nicht verstreuen, da stinkt es nach Fisch. Außerdem ist es mir voll unheimlich, diese Urne oder was in meinem Zimmer zu haben.

VI

»Mein Gott«, sagte Hobie, als er mich im Licht sah. »Du bist kalkweiß. Du hast dir doch nicht irgendwas eingefangen?«

»Ähm …« Er war gerade auf dem Weg aus der Tür; hinter ihm standen Mr. und Mrs. Vogel, zugeknöpft und giftig lächelnd. Meine Beziehung zu den Vogels (oder »den Geiern«, wie Grischa sie nannte) war deutlich abgekühlt, seit ich den Laden übernommen hatte. Eingedenk der vielen, vielen Objekte, die sie Hobie meiner Ansicht nach gestohlen hatten, versah ich alles, woran ich ein auch nur vages Interesse ihrerseits vermutete, mit einem Aufpreis; und obwohl Mrs Vogel – nicht dumm – dazu übergegangen war, direkt mit Hobie zu telefonieren, schaffte ich es meistens, ihre Absichten zu durchkreuzen, indem ich Hobie gegenüber (unter anderem) behauptete, da

608

fragliche Stück wäre bereits verkauft und ich hätte nur vergessen, es entsprechend auszuzeichnen.

»Hast du etwas gegessen?« In seiner sanftmütigen Zerstreutheit und Torheit hatte Hobie nichts davon mitbekommen, dass die Vogels und ich uns nur noch mit vorzüglicher Hochachtung begegneten. »Wir gehen um die Ecke etwas zu Abend essen. Warum kommst du nicht mit?«

»Nein danke«, sagte ich, als ich Mrs. Vogels bohrenden Blick spürte, ein kaltes falsches Lächeln, Augen wie Achatsplitter in ihrem weichen Gesicht einer gealterten Küchenmagd. In der Regel genoss ich es, ihr ebenso kalt lächelnd entgegenzutreten – aber in dem harten Licht der Flurlampe kam ich mir verschwitzt und abgekämpft vor, irgendwie degradiert. »Ich denke, ähm, ich esse heute Abend zu Hause, danke.«

»Fühlst du dich nicht wohl?«, fragte Mr. Vogel verbindlich – ein Mann aus dem Mittleren Westen mit schütterem Haar und randloser Brille, pedantisch ordentlich in seiner Seemannsjacke, dein Pech, wenn er dein Banker und du mit der Hypothek im Rückstand warst. »Wie bedauerlich.«

»Es war reizend, dich zu sehen«, sagte Mrs. Vogel, machte einen Schritt nach vorn und legte ihre pummelige Hand auf meinen Ärmel. »Hast du Pippas Besuch genossen? Ich wünschte, ich hätte eine Gelegenheit gehabt, sie zu sehen, aber sie war ja so beschäftigt mit ihrem Freund. Wie fandest du ihn – wie hieß er noch?«, wieder an Hobie gewandt, »Elliot?«

»Everett«, sagte Hobie unparteiisch. »Netter Junge.«

»Ja«, sagte ich und wandte mich ab, um meinen Mantel auszuziehen. Das Auftauchen von Pippa, frisch aus dem Flieger von London, mit diesem »Everett« war einer der hässlicheren Schocks meines Lebens gewesen. Ich hatte die Tage und Stunden gezählt, zittrig vor Schlaflosigkeit, unfähig, nicht alle fünf Minuten auf die Uhr zu gucken, war buchstäblich die Treppe hinuntergerannt, um die Tür aufzureißen – und da stand sie, Hand in Hand mit diesem schäbigen Engländer?

»Und was macht er? Ist er auch Musiker?«

»Musikbibliothekar, genau genommen«, sagte Hobie. »Ich weiß nicht, was das heutzutage umfasst, mit Computern und allem.«

»Oh, ich bin sicher, Theo kennt sich bestens damit aus«, sagte Mrs. Vogel.

»Nein, eigentlich nicht.«

»*Cybrarian?*«, sagte Mrs. Vogel mit einem untypisch fröhlichen Glucksen und an mich gewandt: »Stimmt es, was man sagt, dass junge Leute heutzutage einen Abschluss machen können, ohne je einen Fuß in die Bibliothek gesetzt zu haben?«

»Da bin ich überfragt.« Ein Musikbibliothekar! Es hatte jeden Funken meiner Selbstbeherrschung erfordert, eine ausdruckslose Miene zu wahren (meine Eingeweide zerbröselten, alles zu Ende), als ich seine feuchte englische Hand schüttelte, *Hallo, Everett, du musst Theo sein, hab schon so viel von dir gehört*, bla, bla, bla, während ich erstarrt in der Tür stand wie ein aufgespießter Yankee, der den Fremden anstarrte, der ihn mit seinem Bajonett durchbohrt hatte. Er war ein schmächtiger, großäugiger Schlaks, unschuldig, langweilig, aufreizend fröhlich, in Jeans und Hoodie wie ein Teenager, und sein bereitwilliges, entschuldigendes Lächeln, wenn wir allein im Wohnzimmer waren, hatte mich zur Weißglut getrieben.

Jeder Moment ihres Besuches war eine Tortur gewesen. Irgendwie hatte ich mich durchlaviert. Zwar hatte ich versucht, ihnen nach Möglichkeit aus dem Weg zu gehen (so geübt ich als Heuchler war, schaffte ich es trotzdem kaum, ihm höflich zu begegnen. Alles an ihm, seine rosafarbene Haut, sein nervöses Lachen, die Haare, die aus seinen Hemdsärmeln sprossen, weckte in mir den Wunsch, ihm ins Gesicht zu springen und ihm sein englisches Pferdegebiss rauszuschlagen. Was wäre das wohl für eine Überraschung, dachte ich grimmig und starrte ihn wütend über den Tisch hinweg an, wenn der gute alte, mit Antiquitäten handelnde »Brille« ausholen und ihm die Eier zerquetschen würde?), doch ich hatte es trotz aller Anstrengung nicht geschafft, mich von Pippa fernzuhalten, sondern sie aufdringlich umschwirrt und mich selber dafür gehasst, so schmerzhaft erregt war ich von ihrer Nähe: ihre nackten Füße beim Frühstück, ihre nackten Beine, ihre Stimme. Ein unerwarteter kurzer Blick auf ihre weißen Achselhöhlen, wenn sie ihren Pullover über den Kopf auszog. Die Qual ihrer Hand auf meinem Ärmel: »Hi, Süßer. Hi, mein Lieber.« Sie schlich sich von hinten an und hielt mir die Augen zu: Überraschung! Sie wollte alles über mich wissen, alles, was ich machte. Sie quetschte sich neben mich auf das zweisitzige Queen-Anne-Sofa, sodass unsere Beine sich berührten: o Gott. Was las ich? Durfte sie meinen iPod angucken? Wo hatte ich diese fantastische Armbanduhr her? Jedes Mal wenn sie mich anlächelte, wehte der Himmel herein. Aber trotzdem, immer wenn ich einen Vorwand erdacht hatte, sie allein zu erwischen, kam er neben ihr angetrampelt, dämliches Grinsen, einen Arm um ihre Schulter, und machte alles kaputt. Eine Unterhaltung im Nebenzimmer, lautes Lachen: Sprachen die beiden über mich? Er legte seine Hände auf ihre Hüften! Nannte sie »Pips«! Der einzige auch nur vage erträgliche oder amüsante Moment seines Besuchs war, als Poptschik – auf seine alten Tage revierempfindlich – ihn ohne jeden Grund angesprungen und in den Daumen gebissen hatte – »o Gott!«. Hobie rannte los, um Alkohol zu holen, Pippa war besorgt, Everett versuchte, sich cool zu geben, war jedoch sichtlich verärgert: Klar, Hunde sind toll! Ich liebe sie! Wir hatten zu Hause nur nie welche, weil meine Mom allergisch ist. Er war die »ärmliche Verwandtschaft« (sein Ausdruck) eines früheren Mitschülers von ihr: amerikanische Mutter, zahlreiche Geschwister, Vater lehrte irgendwas unverständlich Mathematisch-Philosophisches oder so ähnlich in Cambridge. Wie sie war er Vegetarier »auf der Grenze zum Veganer«, und zu meinem Entsetzen stellte sich heraus, dass die beiden eine Wohnung teilten (!) – er hatte während des Besuches natürlich in ihrem Zimmer geschlafen. Fünf Nächte lang, die gesamte Zeit, die er da war, hatte ich gallig vor Wut und Kummer wach gelegen, die Ohren gespitzt auf jedes Rascheln ihrer Bettdecke, jedes Seufzen und Flüstern von nebenan.

Aber – kurzes Abschiedswinken in Richtung Hobie und den Vogels, schönen Abend zusammen – was hatte ich erwartet? Es hatte mich wütend gemacht, mich bis ins Mark getroffen, der behutsame gütige Ton, den sie im Beisein dieses »Everetts« mir gegenüber angeschlagen hatte – »Nein«, sagte ich höflich, als sie mich fragte, ob ich eine Freundin hätte, »eigentlich nicht«, obwohl ich (worauf ich auf eine durchsichtige, düstere Art stolz war) sogar mit zwei verschiedenen Mädchen schlief, von denen keine von der anderen wusste. Beide waren hübsch, und das Mädchen mit dem gehörnten Verlobten war sogar richtig schön – eine kleine Carole Lombard –, aber keine von beiden war für mich real; sie waren nur ein Ersatz für sie.

Meine eigenen Gefühle ärgerten mich. Mit »gebrochenem Herzen« (leider das erste Wort, das mir einfiel) herumzusitzen war weinerlich sentimental, verachtenswert und schwach – buhuhu, sie lebt in London, sie ist mit einem anderen zusammen, los, kauf eine Flasche Wein, vögel mit Carole Lombard und komm drüber hinweg. Doch der Gedanke an sie bereitete mir so andauernde Pein, dass ich sie so wenig vergessen konnte wie einen schmerzenden Zahn. Ich war zwanghaft, hoffnungslos, besessen. Jahrelang war sie das Erste gewesen, woran ich mich erinnerte, wenn ich aufwachte, das Letzte, was mir durch den Kopf ging, bevor ich einschlief, und im Laufe des Tages drängte sie sich dauernd und jedes Mal mit einem schmerzhaften Schock in meine Gedanken: Wie viel Uhr war es in London? Ständig addierte und subtrahierte ich, rechnete den Zeitunterschied aus, checkte auf dem Handy, wie das Wetter in London war, 22.12 Uhr, elf Grad Celsius und leichter Niederschlag, stand an der Ecke Greenwich und Seventh Avenue vor dem mit Brettern vernagelten St. Vincent's auf dem Weg nach Downtown, um meinen Dealer zu treffen, und was war mit Pippa, wo war sie? auf der Rückbank eines Taxis, bei einem Essen, Trinken mit Leuten, die ich nicht kannte, in einem Bett, das ich nie gesehen hatte? Ich wollte unbedingt Fotos von ihrer Wohnung sehen, um meine Fantasien mit dringend benötigten Details auszustatten, war jedoch zu verlegen, sie danach zu fragen. Mit einem Stich dachte ich an ihr Bettzeug, wie sah es wohl aus, eine dunkle Schlafsaalfarbe, stellte ich mir vor, zerwühlt, ungewaschen, eine düstere Studentenhöhle, ihre sommersprossige Wange blass auf einem dunkelbraunen oder violetten Kissen, englischer Regen, der an die Fenster klopfte. Die Fotos von ihr, die im Flur vor meinem Zimmer in einer Reihe an der Wand hingen – viele verschiedene Pippas in jedem Alter –, waren eine tägliche Folter, immer unerwartet, immer neu. Und obwohl ich versuchte, nicht hinzuschauen, zuckte mein Blick doch jedes Mal scheinbar versehentlich zur Seite, und da war sie, lachte über den Witz eines anderen oder lächelte jemanden an, der nicht ich war, stets ein frischer Schmerz, ein Stich direkt ins Herz.

Und das Seltsame war: Ich wusste, dass die meisten Menschen sie nicht mit meinen Augen betrachteten – wenn überhaupt fanden sie, dass sie ein wenig seltsam aussah mit ihrem unrunden Gang und ihrer gespenstischen Blässe eines Rotschopfs. Aus irgendeinem bescheuerten Grund hatte ich mir immer selbst damit geschmeichelt, ich sei der einzige Mensch auf der Welt, der sie wirklich zu schätzen wusste – lange Nase, schmale Wangen, ihre Augen (trotz der atemberaubenden Farbe) mit ihren blassen Wimpern irgendwie nackt – Huck-Finn-mäßig einfach. Aber all diese Facetten waren – für mich – so zart und besonders, dass sie mich zur Verzweiflung trieben. Bei einem schönen Mädchen hätte ich mich damit trösten können, dass sie außerhalb meiner Liga war; doch dass mich sogar ihre Schlichtheit dermaßen verfolgte und berührte, deutete – beunruhigend – auf eine Liebe hin, die maßgeblicher war als nur körperliche Anziehung, irgendeine Teergrube der Seele, in der ich mich jahrelang wälzen und eine Krankheit vortäuschen konnte.

Denn im nicht zu erschütternden Kern meines Wesens war alle Vernunft nutzlos. Pippa war das vermisste Königreich, der unverletzte Teil meiner selbst, den ich mit meiner Mutter verloren hatte. Alles an ihr war ein Schneesturm der Faszination, von den antiquarischen Valentinskarten und bestickten chinesischen Jacken, die sie sammelte, bis zu ihren winzigen wohlriechenden Fläschchen von Neal's Yard Remedies; ihr unbekanntes fernes Leben hatte für mich immer etwas Strahlendes und Magisches gehabt: Canton de Vaud, Suisse, 23 rue de Tombouctou, Blenheim Crescent W11 2EE, möblierte Zimmer in Ländern, die ich nie gesehen hatte. Offensichtlich lebte dieser Everett (»arm wie eine Kirchenmaus« – sein Ausdruck) von ihrem Geld oder genauer gesagt von Onkel Weltys Geld, das alte Europa, das sich vom jungen Amerika nährt, um eine Phrase zu benutzen, die ich in meinem Henry-James-Referat im letzten Semester am College verwendet hatte.

Konnte ich ihm einen Scheck ausstellen, um ihn zu bewegen, sie in Ruhe zu lassen? An trägen kühlen Nachmittagen allein im Laden war mir der Gedanke durch den Kopf gegangen: *Fünfzigtausend, wenn du sie heute Abend verlässt, hunderttausend, wenn du sie nie wiedersiehst.* Geld war offenkundig ein Thema für ihn, während seines Besuches hatte er ständig nervös in seinen Taschen gekramt, an Geldautomaten angehalten, um jedes Mal zwanzig Dollar abzuheben, gütiger Gott.

Es war hoffnungslos. Es war schlicht und absolut ausgeschlossen, dass sie Mr. Musikbibliothek auch nur halb so viel bedeuten konnte wie mir. Wir gehörten zusammen, dieser Gedanke hatte eine traumartige Richtigkeit und Magie, unbestreitbar, er durchflutete jeden Winkel meines Bewusstseins mit Licht und beleuchtete wunderbare Höhlen, von deren Existenz ich gar nichts gewusst hatte, Ausblicke die es anscheinend gar nicht gab, außer in Beziehung zu ihr. Wieder und wieder hörte ich ihren geliebten Arvo Pärt, um ihr auf diese Weise nahezukommen, und sie brauchte nur einen kürzlich gelesenen Roman zu erwähnen, und ich besorgte ihn mir ungeduldig, um durch eine Art Telepathie in ihren Gedanken zu sein. Gewisse Objekte, die durch den Laden wanderten – ein Pleyel-Klavier oder eine eigenartige, kleine, zerkratzte, russische Kamee –, schienen greifbare Artefakte des gemeinsamen Lebens, das sie und ich, rechtmäßig führen sollten. Ich schrieb ihr dreißigseitige E-Mails, die ich löschte ohne sie abzuschicken, und hielt mich stattdessen an eine mathematische Formel, die ich entwickelt hatte, um mich nicht zu sehr zum Narren zu machen: immer drei Zeilen kürzer als die letzte E-Mail die sie geschickt hatte, immer einen Tag länger warten, als ich auf ihre Antwort gewartet hatte. Manchmal führte ich im Bett – in meinen seufzenden, betäubten, erotischen Tagträumen – lange offene Gespräche mit ihr: *wir sind unzertrennlich,* beteuerten wir uns (kitschig) in meiner Fantasie, *uns kann niemand trennen.* Wie ein Stalker hütete ich eine Locke herbstlaubfarbenes Haar, die ich aus dem Müll geborgen hatte, nachdem sie sich im Bad ihren Pony geschnitten hatte – und, noch unheimlicher, ein ungewaschenes Hemd, das mich mit seinem nach Heu duftenden Vegetarier-Duft immer noch berauschte.

Es war hoffnungslos. Mehr als hoffnungslos: erniedrigend. Wenn sie zu Besuch war, die Tür meines Zimmers halb offen stehen zu lassen, eine nicht besonders subtile Einladung. Selbst die anbetungswürdige Art, wie sie beim Gehen ein Bein nachzog (wie die kleine Meerjungfrau, zu zerbrechlich, um an Land zu laufen), trieb mich zum Wahnsinn. Sie war der goldene Faden in allem, eine Linse, die die Schönheit vergrößerte, sodass die ganze Welt in Beziehung zu ihr und nur ihr allein wie gebannt war. Zweimal hatte ich versucht, sie zu küssen: einmal betrunken in einem Taxi; einmal am Flughafen, verzweifelt bei dem Gedanken, sie monatelang (oder womöglich jahrelang?) nicht wiederzusehen – »Tut mir leid«, sagte ich einen Moment zu spät.

»Ist schon okay.«

»Nein, wirklich, ich …«

»Hör zu«, niedliches unkonzentriertes Lächeln, »es ist okay. Aber mein Flug wird gleich aufgerufen« (was nicht stimmte). »Ich muss los. Pass auf dich auf, ja?«

Pass auf dich auf. Was um alles auf der Welt sah sie in diesem »Everett«? Ich konnte nur denken, wie langweilig sie mich finden musste, wenn sie ein derart lauwarmes Weichei mir vorzog. *Wenn wir irgendwann Kinder haben …* obwohl er es nur im Scherz gesagt hatte, war mir das Blut in den Adern gefroren. Er war genau die Sorte Loser, die man sich mit Windeltaschen und gefütterten Babysachen vorstellen konnte … Ich haderte mit mir, nicht energischer gewesen zu sein, obwohl ich sie ohne zumindest ein winziges bisschen Ermutigung ihrerseits in Wahrheit nicht noch massiver hätte bedrängen können. Es war auch so schon peinlich genug: Hobies Taktgefühl, wenn ihr Name erwähnt wurde, die bemühte Ausdruckslosigkeit in seiner Stimme. Doch meine Sehnsucht nach ihr war wie eine schlimme Erkältung, die sich jahrelang hartnäckig hielt, obwohl ich die ganze Zeit überzeugt war, sie gleich überwunden zu haben. Selbst eine dumme Kuh wie Mrs. Vogel konnte es erkennen. Pippa hatte mir ja auch nie etwas vorgemacht – ganz im Gegenteil: Würde ich ihr etwas bedeuten, wäre sie nach New York zurückgekommen, anstatt nach dem Internat in Europa zu bleiben. Doch ich konnte nicht loslassen, aus welchem dummen Grund auch immer, ich konnte den Blick nicht vergessen, mit dem sie mich angesehen hatte, als ich Hobie zum ersten Mal besucht und an ihrem Bett gesessen hatte. Aus der Erinnerung an diesen Kindheitsnachmittag hatte ich jahrelang Kraft gezogen, als hätte ich damals – krank vor Einsamkeit und Sehnsucht nach meiner Mutter – eine Prägung erfahren wie ein verwaistes Tier, während sie in Wahrheit, ein Witz auf meine Kosten, benebelt von Beruhigungsmitteln und benommen von einer Kopfverletzung, ihre Arme um den erstbesten Fremden geschlungen hätte, der gerade hereinkam.

Ich bewahrte meine »Opios«, wie Jerome sie nannte, in einer leeren Tabaksdose auf. Ich zerdrückte eine der aufgesparten, guten alten Oxycontin-Tabletten auf der Marmorplatte der Kommode, legte mit meiner Christie's-Karte ein paar Linien aus und beugte mich – den neuesten Schein aus meiner Brieftasche aufgerollt – mit vor Erwartung feuchten Augen darüber: Ground Zero, ein bitterer Geschmack hinten im Hals und dann der Schwall der Erleichterung, rückwärts aufs Bett fallen, als mich der süße alte Kick direkt ins Herz traf: reine Lust, schmerzend und hell, weit entfernt vom Blechdosengeklapper des Elends.

VII

Am Abend meines Essens bei den Barbours ging ein peitschender Regen nieder, und es stürmte in so heftigen Böen, dass ich es kaum schaffte, meinen Schirm aufzuspannen. Auf der Sixth Avenue war kein freies Taxi in Sicht, Fußgänger stemmten sich mit gesenktem Kopf, die Schultern voran, gegen den fast waagerecht fallenden Niederschlag, und in der bunkerartigen Schwüle des U-Bahn-Bahnsteigs tropfte mit monotonem Geräusch Feuchtigkeit von der Betondecke.

Als ich in der menschenleeren Lexington Avenue wieder aus der U-Bahn kam, tanzten prickelnde Tropfen auf dem Bürgersteig, ein prasselnder Regen schien alle Straßengeräusche zu verstärken. Taxis rauschten laut spritzend vorüber. Ein paar Häuser von der U-Bahn-Station entfernt schlüpfte ich in einen Laden, um Blumen zu kaufen – Lilien, drei Sträuße, weil einer zu kümmerlich gewirkt hätte, doch in dem winzigen überheizten Laden erwischte mich ihr Duft auf dem falschen Fuß, und erst an der Kasse wurde mir klar, warum: Es war derselbe eklig verdorbene, süßliche Geruch wie bei der Trauerfeier meiner Mutter. Als ich wieder auf die Straße trat und über den überfluteten Bürgersteig zur Park Avenue rannte – auf patschnassen Socken, stechende kalte Tropfen im Gesicht –, bereute ich, sie überhaupt gekauft zu haben, und hätte sie beinahe in einen Mülleimer geworfen, wenn Regen und Böen nicht so heftig gewesen wären, dass ich nicht einmal für einen Moment anhalten wollte und einfach weiterlief.

Als ich im Hausflur stand – mein Haar klebte am Kopf, mein angeblich wasserdichter Regenmantel war so gründlich nass, als hätte ich ihn in der Wanne eingeweicht –, wurde die Tür ziemlich unvermittelt von einem großen College-Kid mit offenem Gesicht geöffnet, das ich erst nach ein- oder zweimal Blinzeln als Toddy erkannte. Bevor ich mich für die Fluten entschuldigen konnte, die an mir hinabströmten, umarmte er mich fest und klopfte mir auf die Schulter.

»O mein Gott«, sagte er und führte mich ins Wohnzimmer. »Lass mich deinen Mantel nehmen – und die Blumen, Mum wird sich riesig freuen. Toll, dich zu sehen. Wie lange ist das her?« Er war größer und kräftiger als Platt, mit Barbour-untypischem Haar von einem dunkleren pappkartonfarbenen Blond und einem sehr Barbour-untypischen Lächeln – eifrig, bereitwillig und ohne jede Ironie.

»Nun …« Seine Herzlichkeit, die irgendeine glückliche alte Vertrautheit voraussetzte, die wir nie geteilt hatten, machte mich verlegen. »Es ist lange her. Du musst jetzt im College sein, richtig?«

»Ja – Georgetown – ich bin übers Wochenende hier. Ich studiere Politikwissenschaft, aber ich hoffe, vielleicht ins Non-Profit-Management zu gehen, irgendwas mit jungen Leuten?« Mit seinem bereitwilligen Studentenparlamentslächeln war er offensichtlich zu dem Überflieger herangewachsen, der zu werden Platt einst versprochen hatte. »Und, ehrlich, ich hoffe, das klingt jetzt nicht merkwürdig, aber dafür habe ich zum Teil dir zu danken.«

»Wie bitte?«

»Nun, ich meine, mein Wunsch, mit benachteiligten jungen Menschen zu arbeiten. Du hast mich damals ziemlich beeindruckt, weißt du, als du vor vielen Jahren bei uns gewohnt hast. Deine Situation hat mir echt die Augen geöffnet. Schon damals, ich war in der dritten Klasse oder so, hast du mich auf den Gedanken gebracht – dass ich das eines Tages machen wollte, weißt du, irgendwas, um Kindern zu helfen.«

»Wow«, sagte ich, während ich immer noch an dem Wort *benachteiligt* klebte. »Hm. Das ist super.«

»Und also echt, es ist wirklich aufregend, weil es so viele Möglichkeiten gibt, der hilfsbedürftigen Jugend etwas zurückzugeben. Ich meine, ich weiß nicht, wie gut du dich in D. C. auskennst, aber dort gibt es jede Menge unterversorgter Viertel, ich engagiere mich bei einem Hilfsprojekt und gebe gefährdeten Jugendlichen Nachhilfe in Lesen und Mathe, und im Sommer gehe ich mit Habitat for Humanity nach Haiti …«

»Ist er das?« Schickliches Klackern von Absätzen auf dem Parkett, leichte Fingerspitzen auf meinem Ärmel, und ehe ich michs versah, hatte Kitsey die Arme um mich geschlungen, und ich lächelte auf ihr weißblondes Haar hinab.

»Oh, du bist ja komplett durchnässt«, sagte sie und hielt mich eine Armlänge auf Abstand. »Schau dich an. Wie um alles in der Welt bist du hergekommen? Geschwommen?« Sie hatte Mr. Barbours lange feine Nase und seine helle, beinahe einfältige Klarheit im Blick – ziemlich genau so wie als Neunjährige in ihrer Schuluniform, wild wucherndes Haar, das Gesicht leicht gerötet und mit ihrem Rucksack kämpfend –, aber als sie mich jetzt direkt ansah, vergaß ich all das, weil ich erkannte, was für eine unpersönlich kühle Schönheit sie geworden war.

»Ich …« Um meine Verwirrung zu kaschieren, blickte ich wieder zu Toddy, der mit meinem Mantel und den Blumen beschäftigt war. »Sorry, aber das ist einfach so seltsam. Ich meine – vor allem du« (zu Toddy). »Wie alt warst du, als ich dich das letzte Mal gesehen habe? Sieben? Acht?«

»Ich weiß«, sagte Kitsey, »die kleine Ratte, er ist jetzt schon *genau* wie ein richtiger Erwachsener. Platt«, Platt war ins Zimmer geschlendert, schlecht rasiert, in Tweedhose und einem groben irischen Wollpullover wie ein trübsinniger Fischer aus einem Drama von Synge, »wo will sie uns haben?«

»Hm«, er wirkte verlegen, rieb sich die stoppeligen Wangen, »in ihrem Zimmer, ehrlich gesagt. Du hast doch nichts dagegen, oder?«, fragte er mich. »Etta hat dort gedeckt.«

Kitsey runzelte die Stirn. »Oh, Mist. Na ja, es ist vermutlich okay. Warum bringst du ihre Hunde nicht in die Küche? Komm«, sie fasste mich bei der Hand und zog mich leicht vorgebeugt mit einer Art flatterhafter Verwegenheit den Flur hinunter, »wir müssen dir einen Drink besorgen, den wirst du brauchen.« In der Starrheit ihres Blicks und auch ihrer Atemlosigkeit lag etwas von Andy – sein asthmatisches Gaffen hinreißend neu konfiguriert in ihrem leicht geöffneten Mund und ihrer flüsternden Starlet-Art. »Ich hatte gehofft, sie würde uns im Esszimmer empfangen oder wenigstens in der Küche, hinten in ihrer Höhle ist es so schrecklich – was trinkst du?« Sie wandte sich der Bar neben der Speisekammer zu, wo Gläser und ein Eiskübel bereitstanden.

»Ein bisschen von dem Stolichnaya wäre super. Mit Eis, bitte.«

»Wirklich? Bist du sicher, dass das okay ist? Von uns trinkt ihn keiner – Daddy hat immer *diese* Marke bestellt«, sie hob die Stoli-Flasche hoch, »weil er das Etikett mochte … sehr Fifties und Sixties, Kalter Krieg und so … wie spricht man es noch mal aus …«

»Stolichnaya.«

»Klingt sehr authentisch. Ich werde es gar nicht erst versuchen. Weißt du«, sie sah mich aus ihren stachelbeergrauen Augen an, »ich hatte Angst, du würdest nicht kommen.«

»So schlimm ist es draußen auch nicht.«

»Ja, aber«, zwinker, zwinker, »ich dachte, du hasst uns.«

»Euch hassen? Nein.«

»Nicht?« Wenn sie lachte, war es faszinierend, Andys leukämische Blässe – in ihr – verschönert neu erschaffen zu sehen, das Zuckerwatteglitzern einer Disney-Prinzessin. »Aber ich war so gemein.«

»Das hat mir nichts ausgemacht.«

»Gut.« Nach einer zu langen Pause wandte sie sich wieder den Drinks zu. »Wir waren schrecklich zu dir, Todd und ich.«

»Nun. Komm schon, ihr wart einfach noch klein.«

»Ja, aber«, sie biss sich auf die Unterlippe, »wir wussten es besser. Vor allem nach dem, was dir passiert war. Und jetzt … ich meine mit Daddy und Andy …«

Ich wartete, weil es schien, als versuchte sie, einen Gedanken zu formulieren, doch stattdessen trank sie nur einen Schluck von ihrem Wein (weiß – Pippa trank roten) und berührte mein Handgelenk. »Mum wartet schon, dich zu sehen«, sagte sie. »Sie war den ganzen Tag fürchterlich aufgeregt. Wollen wir?«

»Gewiss.« Leicht, ganz leicht, legte ich meine Hand an ihren Ellenbogen, wie ich es Mr. Barbour mit Gästen »des schönen Geschlechts« hatte machen sehen, und steuerte sie in den Flur.

VIII

Der Abend war traumartiges Durcheinander von Vergangenheit und Gegenwart: eine Kindheitswelt, die in mancher Hinsicht noch wundersam intakt war, in anderer schmerzlich verändert, als würden der Geist der vergangenen Weihnacht und der Geist noch zu kommender Weihnacht für einen Abend lang gemeinsam als Gastgeber fungieren. Aber trotz des bleibenden, hässlichen Kratzers von Andys Abwesenheit (*Andy und ich ...? Weißt du noch, als Andy ...?*) und der Tatsache, dass alles so sonderbar und geschrumpft wirkte (Fleischpastete an Klapptischen in Mrs. Barbours Zimmer?), war das Seltsamste an dem Abend mein tief empfundenes, irrationales Gefühl, nach Hause gekommen zu sein. Sogar Etta hatte, als ich in die Küche gegangen war, um Hallo zu sagen, ihre Schürze abgebunden und war auf mich zugestürzt, um mich zu umarmen: *Ich hatte heute Abend frei, aber ich wollte bleiben, ich wollte dich sehen.*

Toddy (»Inzwischen Todd, bitte«) war auf die Position seines Vaters als Kapitän der Tafelrunde aufgestiegen, er lenkte die Unterhaltung mit einem leicht automatisch wirkenden, jedoch offensichtlich ehrlichen Charme, obwohl Mrs. Barbour eigentlich kein Interesse hatte, mit irgendjemandem außer mir zu reden – ein wenig über Andy, aber hauptsächlich über die Möbel ihrer Familie, die zu einem kleinen Teil in den 1940ern bei Israel Sack gekauft, jedoch in der Mehrzahl seit der Kolonialzeit von Generation zu Generation ihrer Familie weitervererbt worden waren. – Einmal stand sie mitten während des Essens vom Tisch auf und nahm mich bei der Hand, um mir einen Satz Stühle und eine niedrige Mahagonikommode zu zeigen – Queen Anne, Salem, Massachusetts –, die seit den 1760ern im Besitz der Familie ihrer Mutter war. (Salem, dachte ich. Hatten diese Phipps-Vorfahren von ihr Hexen verbrannt? Oder waren sie selber welche gewesen? Bis auf Andy – kryptisch, isoliert, autark, zu Unehrlichkeit schlicht unfähig und mit einem kompletten Mangel an sowohl jeder Bösartigkeit als auch an jeglichem Charisma – hatten alle anderen Barbours, sogar Todd, alle etwas vage Unheimliches, eine wachsame, durchtriebene Mischung aus Anstand und Mutwillen, bei der man es sich allzu gut vorstellen konnte, dass sich ihre Vorfahren nachts im Wald getroffen, ihre puritanische Tracht abgeworfen und um ein heidnisches Feuer getanzt hatten.) Kitsey und ich hatten nicht viel miteinander gesprochen – wir waren nicht dazu gekommen, dank Mrs. Barbour, aber praktisch jedes Mal wenn ich in ihre Richtung sah, hatte ich ihren Blick auf mir gespürt. Platt – die Zunge schwer nach fünf (sechs?) großen Gimlets – zog mich nach dem Essen an der Bar beiseite und sagte: »Sie nimmt Antidepressiva.«

»Oh?«, sagte ich überrascht.

»Kitsey, meine ich. Mommy rührt die Dinger nicht an.«

»Nun …« Die Art, wie er die Stimme senkte, war mir unbehaglich, als ob er mich nach meiner Meinung fragte oder wollte, dass ich irgendwie eingriff. »Ich hoffe, bei ihr wirken sie besser, als sie es bei mir getan haben.«

Platt machte den Mund auf, schien dann aber zu zögern. »Oh«, er ruderte vorsichtig zurück, »ich schätze, sie steht es ganz tapfer durch. Aber es war hart für sie. Kits stand beiden sehr nahe – Andy sogar näher als irgendeiner von uns anderen.«

»Ach wirklich?« »Nahe« wäre nicht das Wort gewesen, mit dem ich ihre Kindheitsbeziehung beschrieben hätte, aber sie war mehr noch als Andys Brüder immer im Hintergrund präsent gewesen, und sei es nur, um zu jammern oder zu hänseln.

Platt seufzte – eine Gin-Fahne, die mich beinahe umgehauen hätte. »Ja. Sie hat sich in Wellesley ein Freisemester genommen – bin mir nicht sicher, ob sie zurückgeht, vielleicht belegt sie auch ein paar Kurse an der New School oder sucht sich einen Job – für sie ist es zu hart, in Massachusetts zu sein nach, du weißt schon. Sie haben sich in Cambridge oft gesehen – und natürlich fühlt sie sich mies, weil *sie* nicht hochgefahren ist, um auf Daddy aufzupassen. Sie konnte besser mit ihm umgehen als irgendjemand sonst, aber sie wollte auf eine Party und hat Andy angerufen und ihn angebettelt, dass er statt ihrer hinfahren soll … na ja.«

»Scheiße.« Die Eiszange in der Hand stand ich entsetzt vor der Bar, und mir war übel bei dem Gedanken, dass dasselbe Gift von *warum habe ich nicht* und *wenn ich nur,* das mein eigenes Leben ruiniert hatte, einen weiteren Menschen zerstören sollte.

»Yep.« Platt goss sich noch einen kräftigen Schluck Gin ein. »Üble Sache.«

»Nun, sie sollte sich nicht die Schuld geben. Sie darf nicht. Das ist verrückt. Ich meine«, sagte ich, irritiert von dem wässrigen toten Blick, mit dem Platt mich über den Rand seines Glases hinweg ansah, »wenn sie auf dem Boot gewesen wäre, dann wäre sie jetzt tot und nicht er.«

»Nein, wäre sie nicht«, sagte Platt tonlos. »Kits ist eine bombige Seglerin. Gute Reflexe, einen klaren Kopf, schon seit sie klein war. Andy – Andy dachte an seine Orbit-Resonanzen oder was immer für einen Computer-Scheiß er zu Hause auf seinem Laptop gemacht hat, in Stresssituationen war er der reinste Spasti. Absolut verdammt typisch. Jedenfalls«, fuhr er ruhig fort – scheinbar ohne mein Erstaunen über seine Bemerkung zu bemerken, »hängt sie im Moment ein bisschen in der Luft. Du solltest sie mal zum Essen einladen oder irgendwas, Mommy wäre schier entzückt.«

IX

Als ich gegen elf aufbrach, hatte es aufgehört zu regnen, die Straßen waren glasig von Feuchtigkeit, und Kenneth, der Nachtportier (dieselben Augen und die Malt-Whisky-Fahne, einen dickeren Bauch, aber ansonsten unverändert) stand an der Tür. »Lass von dir hören, ja?«, sagte er, wie er es schon getan hatte, als ich noch ein kleiner Junge war und meine Mutter mich nach einer Übernachtung abgeholt hatte – dieselbe träge Stimme, einen Tick zu schwerfällig. Man konnte sich vorstellen, wie er in den qualmenden Trümmern eines Manhattan nach der Katastrophe in den Fetzen seiner alten Uniform leutselig schwankend an der Tür stand, während die

623

Barbours oben in ihrer Wohnung zum Heizen alte Ausgaben von *National Geographic* verbrannten und von Gin und Krebsfleisch aus der Dose lebten.

Obwohl er jeden Aspekt des Abends durchdrungen hatte wie ein köchelndes Gift, war Andys Tod nach wie vor zu groß, um ihn zu begreifen – seltsam war allerdings auch, wie unvermeidlich es einem rückblickend vorkam, wie eigenartig vorhersagbar, beinahe so als hätte er an einer angeborenen tödlichen Schwäche gelitten. Schon als er sechs Jahre alt war – verträumt, linkisch, asthmatisch, hoffnungslos –, zeichnete sich der Makel des Unglücks und eines frühen Todes deutlich sichtbar um seine schwache kleine Gestalt ab und stempelte ihn ab wie ein kosmisches *Schlag mich*-Schild auf dem Rücken.

Und dennoch war es auch beachtlich, wie seine Welt ohne ihn weiterhinkte. Merkwürdig, dachte ich, während ich über eine Pfütze auf dem Bürgersteig sprang, wie wenige Stunden alles verändern konnten – oder genauer gesagt, merkwürdig festzustellen, dass die Gegenwart eine so strahlende Scherbe der Vergangenheit in sich trug, beschädigt und angestoßen, aber nicht zerstört. Andy war gut zu mir gewesen, als ich sonst niemanden hatte. Das Mindeste, was ich tun konnte, war freundlich zu seiner Mutter und seiner Schwester zu sein. Damals fiel mir – im Gegensatz zu heute – nicht auf, dass es Jahre her war, seit ich mich aus der Betäubung meines Elends und meiner Selbstbezogenheit erhoben hatte. Zwischen Anomie und Trance, Trägheit und Lähmung, am eigenen Herzen nagend, gab es viele kleine, einfache, alltägliche Freundlichkeiten, die ich verpasst hatte, und selbst das Wort *Freundlichkeit* fühlte sich an, wie in einem Krankenhaus aufzuwachen, Stimmen zu hören, Menschen um sich zu spüren, mehr zu sein als digitalisierte Lebenszeichen auf einem Bildschirm.

X

Jeden-zweiten-Tag-Konsum war trotzdem eine Sucht, woran Jerome mich häufig erinnerte, zumal ich mich nicht besonders streng an die Jeden-zweiten-Tag-Regel hielt. New York war jeden Tag voller Menschenmassen-und-U-Bahn-Horror aller Art; die Plötzlichkeit der Explosion hatte mich nie mehr verlassen, ständig hielt ich Ausschau nach einem Unglück, erwartete es jeden Moment aus dem Augenwinkel. Bestimmte Formationen von Menschen an öffentlichen Orten, ein kriegsähnliches Drängen, jemand, der meinen Weg falsch kreuzte oder zu schnell in einer bestimmten Richtung lief, reichten aus, um bei mir Herzjagen und maschinenhammerartige Panik auszulösen, die mich zur nächsten Parkbank stolpern ließen. Da boten die Schmerzmittel meines Dads, die anfangs nur meine fast unkontrollierbaren Angstattacken gelindert hatten, eine so hinreißende Flucht, dass ich schon bald begann, sie als kleine Wohltat zu genießen: Erst war es eine Nur-am-Wochenende-Wohltat, dann eine Nach-der-Uni-Wohltat, dann die schnurrende ätherische Wonne, die mich willkommen hieß, wann immer ich unglücklich oder gelangweilt war (was leider ziemlich häufig der Fall war). Bis dahin hatte ich auch die welterschütternde Entdeckung gemacht, dass die winzigen von Xandras Pillen, die ich nicht beachtet hatte, weil sie so mickrig aussahen, buchstäblich zehn Mal so stark waren wie die Vicodin und Percocet, die ich eimerweise schluckte – Oxycontin 80, stark genug, um einen Menschen ohne Toleranz zu töten, wozu man mich zu diesem Zeitpunkt definitiv nicht mehr zählen konnte. Seit mein scheinbar unerschöpflicher Schatz an Narkotika in Tablettenform aufgebraucht war, kurz vor meinem achtzehnten Geburtstag, war ich gezwungen, mich auf der Straße zu versorgen. Sogar die Dealer tadelten die Summen, die ich ausgab, Tausende von Dollar alle paar Wochen. Jack (Jeromes Vorgänger) hatte wiederholt mit mir geschimpft, während er sich auf dem schmutzigen Sitzsack lümmelte, von dem aus er sein Geschäft führte, und meine bankfrischen Hunderter zählte. »Du könntest sie genauso gut verbrennen, Bruder.«

Heroin war billiger – fünfzehn Dollar das Tütchen. Selbst wenn ich es mir nicht spritzte – Jack hatte es auf der Innenseite einer Hamburger-Verpackung mühsam ausgerechnet –, würde mein Kostenaufwand deutlich vernünftiger ausfallen, irgendwas in der Gegend von vierhundertfünfzig Dollar im Monat.

Aber Heroin nahm ich nur, wenn ich eingeladen wurde – ein paar Krümel hier, ein paar Krümel da. Sosehr ich es liebte und mich danach verzehrte, kaufte ich nie selbst welches. Es würde keinen Grund geben, wieder aufzuhören. Bei Pharmazeutika hingegen waren die Kosten ein nützlicher Faktor, die meine Sucht nicht nur unter Kontrolle hielten, sondern auch einen ausgezeichneten Grund lieferten, jeden Tag nach unten zu gehen und Möbel zu verkaufen. Es war ein Mythos, dass man auf Opiaten nicht funktionieren konnte. Drücken war eine Sache, aber für jemanden wie mich – der einen Satz machte, wenn neben ihm Tauben vom Bürgersteig aufflatterten, geschlagen mit einer posttraumatischen Belastungsstörung, die praktisch an Spastik und zerebrale Lähmung grenzte – waren Pillen der Schlüssel, nicht nur kompetent, sondern auch höchst effektiv zu agieren. Alkohol machte die Menschen nachlässig und unkonzentriert, man musste sich nur Platt Barbour angucken, der um drei Uhr nachmittags bei J. G. Melon herumhing und sich in Selbstmitleid suhlte. Und was meinen Dad betraf: Selbst nachdem er trocken war, hatte er die kraftlose Tapsigkeit eines trunkenen Boxers behalten, tollpatschig mit dem Telefon oder der Küchenzeitschaltuhr, Gehirnerweichung oder wie man das nannte, die mentalen Folgen schweren Alkoholmissbrauchs, neurologische Schäden, die nie mehr weggingen. Seine Logik war ernsthaft verwirrt gewesen, und er konnte nie über längere Zeit einen Job halten. Ich – na ja, vielleicht hatte ich keine Freundin oder überhaupt irgendwelche erwähnenswerten Nicht-Drogen-Bekanntschaften, doch ich arbeitete zwölf Stunden am Tag, nichts brachte mich aus der Fassung, ich trug Thom-Browne-Anzüge, traf mich lächelnd mit Menschen, die ich nicht ausstehen konnte, ging zweimal die Woche schwimmen, spielte hin und wieder Tennis und mied Zucker und Fertigmahlzeiten. Ich war locker und sympathisch, ich war gertenschlank, ich suhlte mich nicht in Selbstmitleid oder negativen Gedanken irgendeiner Art, ich war ein exzellenter Verkäufer – das sagten alle –, und die Geschäfte liefen so gut, dass ich das, was ich für Drogen ausgab, kaum vermisste.

Nicht, dass es nicht ein paar Entgleisungen gegeben hatte – unberechenbare Gleitflüge, in denen die Dinge ein paar unheimliche Wimpernschläge lang rasend schnell außer Kontrolle gerieten, so wie man auf einer eisglatten Brücke ins Schleudern kam, und ich erkannte, wie übel es laufen könnte und wie schnell. Es war keine Frage des Geldes – mehr eine Frage eskalierender Dosen, Vergesslichkeit, was verkaufte Stücke oder zu verschickende Rechnungen betraf, Hobie, der mich seltsam ansah, wenn ich es übertrieben hatte und mit ein wenig zu glasigen Augen und zu benebelt nach unten kam. Dinnerpartys, Kunden … Verzeihung, haben Sie mit mir gesprochen, haben Sie etwas gesagt? Nein, nur ein bisschen müde, brüte irgendwas aus, vielleicht gehe ich heute ein bisschen früher schlafen, Leute. Ich hatte die hellen Augen meiner Mutter geerbt, die es, wenn ich nicht mit Sonnenbrille zu Vernissagen erscheinen wollte, praktisch unmöglich machten, Stecknadel-Pupillen zu verbergen – nicht dass es irgendjemandem in Hobies Kreisen auffiel, außer (manchmal) einigen jüngeren, hipperen Schwulen – »Du bist ein böser Junge«, hatte der Bodybuilder-Freund eines Kunden mir bei einem förmlichen Abendessen ins Ohr geflüstert und mich zu Tode erschreckt. Und ich fürchtete, die Buchhaltung eines der Auktionshäuser zu betreten, weil einer der Typen dort – älter, Brite, selbst süchtig – mich jedes Mal anmachte. Natürlich passierte es auch mit Frauen: eins der Mädchen, mit denen ich schlief – die Modepraktikantin – hatte ich mit Poptschik auf der kleinen Hundewiese im Washington Square Park kennengelernt, und nach dreißig Sekunden nebeneinander auf einer Parkbank war uns beiden klar gewesen, dass wir dieselbe Sucht teilten. Wenn die Dinge außer Kontrolle zu geraten drohten, hatte ich meinen Konsum immer heruntergefahren und auch einige Male ganz aufgehört – am längsten für eine Spanne von sechs Wochen. Nicht jeder war dazu in der Lage, sagte ich mir. Es war schlicht eine Frage der Disziplin. Aber zu jenem Zeitpunkt, im Frühling meines sechsundzwanzigsten Lebensjahres, war ich seit drei Jahren nicht mehr länger als drei Tage clean gewesen.

Ich hatte mir überlegt, wie ich ganz aufhören könnte, wenn ich wollte: drastischer Entzug nach einem Sieben-Tage-Plan, jede Menge Loperamid, dazu Magnesiumzusätze und freie Aminosäuren, um meine ausgebrannten Neurotransmitter aufzufüllen. Proteinpulver, Elektrolytpulver, Melatonin (und Gras) zum Schlafen sowie diverse Kräutertinkturen und -tränke, auf die meine Modepraktikantin schwor, Lakritz- und Milchwurzel, Nesseln, Hopfen und Öl aus Schwarzkümmelsamen, Baldrianwurzel und Helmkrautextrakt. Ich hatte eine Einkaufstüte vom Reformhaus mit allen benötigten Utensilien, die seit eineinhalb Jahren hinten in meinem Kleiderschrank stand, alles praktisch unberührt bis auf das Gras, das schon längst weg war. Das Problem bestand darin (wie ich wiederholt erlebt hatte), dass man nach sechsunddreißig Stunden, wenn der Körper heftig revoltierte und sich ein Leben ohne Opiate trostlos vor einem erstreckte wie ein Gefängnisflur, ein paar ziemlich zwingende Gründe brauchte, um weiter in die Dunkelheit zu gehen, anstatt sich direkt wieder auf das wunderbare Federbett zurückzusenken, das man törichterweise verlassen hatte.

Als ich an jenem Abend von den Barbours zurückkam, schluckte ich eine Morphintablette mit Langzeitwirkung, wie es meine Gewohnheit war, wenn ich in reuevoller Stimmung nach Hause kam und das Gefühl hatte, mich aufbauen zu müssen: eine kleine Dosis, weniger als die Hälfte dessen, was ich brauchte, um irgendetwas zu spüren, mit dem Alkohol nur genug, dass ich nicht vor innerer Unruhe schlaflos wach lag. Am nächsten Morgen verlor ich den Mut (denn wenn ich in dieser Phase meines Ausstiegsplans mit Übelkeit aufwachte, war es um meine Entschlossenheit für gewöhnlich sehr schnell geschehen), zerdrückte erst dreißig und dann sechzig Milligramm auf der Marmorplatte des Nachttischs, zog sie durch einen Strohhalm, stand dann auf, nicht bereit, den Rest der Tabletten (im

Wert von gut zweitausend Dollar) in der Toilette herunterzuspülen, kleidete mich an, sprühte mir Salzwasserspray in die Nase, schob – nachdem ich für den Fall, dass die Entzugserscheinungen, vor denen Jerome mich gewarnt hatte, zu unangenehm wurden, noch einige Morphintabletten mit Langzeitwirkung gehortet hatte – die Redbreast-Flake-Tabakdose in die Tasche und nahm um sechs Uhr, bevor Hobie aufwachte, ein Taxi zu dem Lagerhaus.

Das Depot – geöffnet vierundzwanzig Stunden am Tag – war wie ein Bestattungskomplex der Maya, bis auf einen Angestellten, der am Empfang saß und Fernsehen guckte. Nervös ging ich zu den Fahrstühlen. In sieben Jahren hatte ich nur drei Mal einen Fuß auf das Gelände gesetzt – immer voller Angst – und mich auch nie zu dem eigentlichen Lagerraum oben vorgewagt, sondern war nur kurz in die Lobby geschlichen, um die Miete zu bezahlen, in bar: jeweils zwei Jahre im Voraus, die gesetzlich erlaubte Höchstdauer.

Für den Lastenaufzug brauchte man eine Schlüsselkarte, an die ich zum Glück gedacht hatte. Leider funktionierte sie nicht richtig, sodass ich etliche Minuten in dem offenen Fahrstuhl stand – in der Hoffnung, dass der Mann am Empfang zu weggetreten war, um es mitzubekommen – und versuchte, den Kartenschlitz auszutricksen, bis die Stahltüren schließlich zischend zuglitten. Hypernervös und mit dem Gefühl beobachtet zu werden, das Gesicht möglichst von meinem verschwommenen Schatten auf dem Monitor abgewandt, fuhr ich in den achten Stock, 8D 8E 8F 8G, nackte Betonwände und Reihen gesichtsloser Türen und Tore wie eine vorfabrizierte Ewigkeit, in der es außer Beige keine Farben gab und sich bis in alle Zeiten kein Staub ablagerte.

8R, zwei Schlüssel und ein Zahlenschloss, 7522, die letzten vier Ziffern von Boris' Festnetznummer in Vegas. Das Schloss quietschte. Da stand die Einkaufstüte von Paragon Sporting Goods – das heraushängende Etikett des Zeltes, King Canopy, $ 43,99, genauso unberührt und neu aussehend wie vor acht Jahren, als ich es gekauft hatte. Und obwohl auch der Stoff des aus der Tasche hervorlugenden Kissenbezugs bei mir einen heftigen Kurzschluss auslöste, wie ein leichter Stromstoß an der Schläfe, war es vor allem der Geruch, der mich traf – denn der Pool-Folien-Gestank des Klebebands war durch den Einschluss in dem kleinen Raum erdrückend geworden, ein lange vergessener, Gefühle auslösender Polyvinylacetatgestank, der mich direkt zurück in meine Kindheit und mein Zimmer in Vegas katapultierte: Chemikalien und neuer Teppichboden, einschlafen und morgens aufwachen mit dem Gemälde, das am Kopfteil meines Bettes befestigt war, denselben Klebergeruch in der Nase. Ich hatte es seit Jahren nicht mehr geöffnet, und allein das Auspacken würde mit einem X-Acto-Messer zehn bis fünfzehn Minuten dauern, doch als ich überwältigt dastand (verloren und verwirrt, beinahe wie das eine Mal, als ich schlafwandelnd Pippas Zimmer betreten hatte, ohne zu wissen, was ich gedacht hatte oder machen sollte), war ich wie gelähmt von einem Drang, der an Delirium grenzte. Denn als das Bild nach so langer Zeit nur eine Handbreit entfernt wieder greifbar vor mir lag, fand ich mich unvermittelt auf einer gefährlichen Klippe der Sehnsucht wieder, von deren Existenz ich gar nichts gewusst hatte. Im Halbdunkel hatte das mumifizierte Bündel – das bisschen, was davon zu sehen war – eine zerklüftete, prägnante, seltsam persönliche Anmutung, nicht so sehr wie ein unbelebtes Objekt als vielmehr wie ein armes gefesseltes, hilfloses Geschöpf in der Dunkelheit, unfähig, um Hilfe zu rufen oder von seiner Rettung zu träumen. Seit ich fünfzehn war, war ich dem Gemälde nicht mehr so nahe gewesen, und einen Moment lang konnte ich mich nur mit größter Mühe zurückhalten, es zu nehmen, unter den Arm zu klemmen und damit hinauszugehen. Aber ich spürte die in meinem Rücken surrende Sicherheitskamera, ließ – mit einer raschen Bewegung – meine Redbreast-Flake-Dose in die Bloomingdale's-Tüte fallen, zog die Tür zu und schloss ab. »Spül sie einfach im Klo runter, wenn du wirklich aufhören willst«, hatte Jeromes extrem scharfe Freundin Mya mir geraten, »sonst schleppst du deinen Arsch irgendwann um zwei Uhr nachts zu dem Lager«, aber als ich durch die Tür trat, leicht benommen und angekickt, waren Drogen das Letzte, was mich beschäftigte. Allein der Anblick des eingepackten Gemäldes, einsam und bemitleidenswert, hatte mein ganzes Ich auf den Kopf gestellt, als wäre ein Satellitensignal aus der Vergangenheit durchgekommen und hätte alle anderen Übertragungen blockiert.

XI

Obwohl meine (gelegentlichen) drogenfreien Tage verhindert hatten, dass meine Dosis zu stark eskaliert war, wurden die Entzugserscheinungen schneller als erwartet unangenehm, und selbst mit den Tabletten, die ich für den schrittweisen Ausstieg zurückgehalten hatte, verbrachte ich die nächsten paar Tage in ziemlich gedrückter Stimmung: Mir war zu übel, um etwas zu essen, und ich konnte nicht aufhören zu niesen. »Bloß eine Erkältung«, erklärte ich Hobie. »Mir geht es prima.«

»Nein, wenn du einen verdorbenen Magen hast, ist es die Grippe«, sagte Hobie grimmig, der gerade bei Bigelow Benadryl und Imodium besorgt hatte, dazu Cracker und Ginger Ale vom Jefferson Market. »Es gibt absolut keinen Grund – Gesundheit! Ich an deiner Stelle würde zum Arzt gehen, das steht fest.«

»Hör zu, es ist nur ein Virus.« Hobie hatte eine eiserne Konstitution; wenn er selbst irgendwas in den Knochen hatte, trank er einen Fernet-Branca und machte weiter.

»Mag sein, aber du hast den ganzen Tag kaum einen Bissen gegessen. Es hat keinen Sinn, hier unten rumzukrebsen und noch elender zu werden.«

Aber die Arbeit lenkte mich von meinem Unwohlsein ab. Ich wurde abwechselnd von Schüttelfrost und Hitzewallungen gepackt. Meine Nase lief, meine Augen tränten, ich hatte Zuckungen. Das Wetter war umgeschlagen, der Laden war voller Leute, Raunen und Schlendern, und die in den Straßen blühenden Bäume wirkten wie ein psychodelisches weißes Feuerwerk. Meine Hände an der Kasse waren meistens ruhig und fest, auch wenn ich mich innerlich krümmte. »Dein erstes Rodeo ist nicht das schlimmste«, hatte Mya mir erklärt. »Ungefähr beim dritten oder vierten Mal fängst du an dir zu wünschen, du wärst tot.« Mein Magen brodelte und zappelte wie ein Fisch an der Angel. Gliederschmerzen, Muskelzucken, ich konnte nicht still sitzen oder eine bequeme Position im Bett finden, und nachdem ich den Laden abends abgeschlossen hatte, saß ich mit rotem Gesicht niesend in der Wanne und nahm ein beinahe unerträglich heißes Bad, mit einem Glas Ginger Ale und einem fast geschmolzenen Eiswürfel an der Schläfe, während Poptschik – zu steif und ungelenk, um noch mit den Vorderpfoten auf dem Wannenrand zu stehen, wie er es früher gern getan hatte – auf der Bademätte saß und mich ängstlich beobachtete.

Nichts von alldem war so schlimm wie befürchtet. Aber womit ich nicht gerechnet hatte, war, dass das, was Mya den »Psycho-Kram« nannte, auch nur ansatzweise so heftig, so schier unerträglich zuschlagen würde: ein durchtränkter schwarzer Vorhang des Grauens. Mya, Jerome, meine Modepraktikantin – die meisten meiner Drogenfreunde waren schon länger dabei als ich –, und wenn sie high herumgesessen und übers Aufhören gesprochen hatten (was offenbar der einzige Zeitpunkt war, an dem sie es aushielten, darüber zu reden), hatten mich alle gewarnt, dass das Schlimme nicht die körperlichen Symptome seien, sondern die Depressionen, die selbst bei einer Baby-Sucht wie meiner anders seien als »alles, was ich mir je erträumt hätte«, und ich hatte höflich gelächelt, mich über den Spiegel gelehnt und gedacht: *Wollen wir wetten?*

Aber *Depression* traf es gar nicht. Es war ein freier Fall der Trauer und Abscheu weit jenseits alles Persönlichen: ein widerwärtiger, triefender Ekel über die ganze Menschheit und alles menschliche Streben von Anbeginn der Zeit. Die sich krümmende Widerlichkeit der biologischen Ordnung. Alter, Krankheit, Tod. Kein Entkommen für niemanden. Selbst die Schönen waren wie weiche Früchte kurz vor dem Verderben. Und trotzdem vögelten die Leute irgendwie immer weiter, setzten Kinder in die Welt, produzierten frisches Futter fürs Grab, brachten immer neue Wesen hervor, die leiden mussten, als ob es in irgendeiner Weise erlösend, gut oder sogar moralisch bewundernswert wäre, dass man weitere unschuldige Geschöpfe in dieses Spiel zerrte, in dem man nur verlieren konnte. Zappelnde Babys und schwerfällige, selbstzufriedene, Hormon-benebelte Mütter. *Oh, ist er nicht süß? Aaahh.* Kinder, die schreiend auf Spielplätzen herumrannten ohne eine Ahnung, welche zukünftigen Höllen sie erwarteten: langweilige Jobs, ruinöse Hypotheken, unglückliche Ehen, Haarausfall, künstliche Hüftgelenke, einsame Tassen Kaffee in einem leeren Haus und Kolostomiebeutel im Krankenhaus. Die meisten Menschen wirkten zufrieden mit der dünnen dekorativen Glasur und dem kunstvollen Bühnenlicht, die die grundlegende Scheußlichkeit des menschlichen Seins manchmal ein bisschen mysteriöser oder weniger abstoßend erscheinen ließen. Die Leute spielten Roulette oder Golf, pflanzten Gärten, handelten mit Aktien, hatten Sex, kauften neue Autos, machten Yoga, arbeiteten, beteten, renovierten ihre Häuser, regten sich über die Nachrichten auf, verhätschelten ihre Kinder, tratschten über die Nachbarn, studierten Restaurant-Kritiken, gründeten wohltätige Organisationen, unterstützten politische Kandidaten, nahmen an den U. S. Open teil, speisten und reisten, lenkten sich mit allen möglichen Spielzeugen und Geräten ab und überfluteten sich unaufhörlich mit Informationen und Texten und Kommunikation und Unterhaltung aus allen Richtungen, um vergessen zu machen: wo wir waren, was wir waren. Aber bei hellem Licht betrachtet ließ es sich auf keine Weise schönreden. Es war von oben bis unten beschissen. Zeit im Büro absitzen, gehorsam zwei Komma fünf Kinder Nachwuchs gebären, bei seiner Pensionierungsfeier höflich lächeln und dann an seinem Bettlaken kauen und im Pflegeheim an Pfirsichen aus der Dose ersticken. Es war besser, nie geboren worden zu sein – nie etwas gewollt, nie gehofft zu haben. Und in all meinem psychischen Strampeln und Wälzen hatte ich wiederkehrende Tagträume von Poptschik, der schwach und ausgezehrt mit bebendem Brustkorb auf der Seite lag – ich hatte ihn irgendwo allein zurückgelassen und vergessen, ihn zu füttern, er starb –, und selbst wenn er mit mir im Zimmer war, schreckte ich schuldbewusst hoch und warf den Kopf zur Seite, um nach ihm zu sehen. Dazwischen blitzten ebenso erschreckend Bilder von dem Bündel in dem Kissenbezug auf, eingeschlossen in seinem stählernen Sarg. Welche Gründe ich auch immer gehabt haben mochte, das Gemälde vor all den Jahren einzulagern – es überhaupt zu behalten – sogar es aus dem Museum mitzunehmen –, ich konnte mich nicht daran erinnern. Die Zeit hatte sie verwischt. Es war Teil einer Welt, die nicht existierte – oder genauer gesagt, als würde ich in zwei verschiedenen Welten leben, und der Lagerraum gehörte zur imaginären und nicht zur realen Welt. Man konnte das Depot leicht vergessen, vorgeben, es wäre gar nicht da. Halb hatte ich erwartet, beim Öffnen festzustellen, dass das Gemälde verschwunden war, obwohl ich wusste, dass dem nicht so sein würde, denn solange ich es dort ließ, würde es immer im Dunkeln eingeschlossen auf mich warten, wie die Leiche eines Menschen, den ich ermordet und in einem Keller versteckt hatte.

Am achten Morgen wachte ich nach vier Stunden unruhigen Schlafs schweißgebadet auf, bis ins Mark ausgehöhlt und verzweifelter denn je in meinem Leben, doch sicher genug auf den Beinen, um mit Poptschik um den Block zu laufen, in die Küche zu kommen und das Frühstück eines Rekonvaleszenten zu mir zu nehmen – pochierte Eier und einen englischen Muffin –, das Hobie mir aufdrängte.

»Wurde auch Zeit.« Er hatte sein eigenes Frühstück beendet und räumte ohne Eile das Geschirr ab. »Weiß wie eine Lilie – wäre ich auch, wenn ich mich eine Woche nur von Crackern ernährt hätte. Was du brauchst, ist ein bisschen Sonne, ein bisschen frische Luft. Du und der Hund, ihr solltet einen schönen langen Spaziergang machen.«

»Genau.« Aber ich hatte nicht die Absicht, irgendwohin zu gehen, außer direkt nach unten in den Laden, wo es ruhig und dunkel war.

»Ich wollte dich nicht stören, du warst so darnieder«, seine Zurück-zum-Geschäftlichen-Stimme und sein freundlich zur Seite gelegter Kopf ließen mich verlegen weggucken und auf meinen Teller starren, »aber als du außer Gefecht warst, hattest du auf dem Privatanschluss einige Anrufe.«

»Ach ja?« Ich hatte mein Handy ausgeschaltet, in eine Schublade gelegt und nicht einmal einen Blick darauf geworfen aus Angst, ich könnte Nachrichten von Jerome vorfinden.

»Ein furchtbar nettes Mädchen«, er konsultierte den Notizblock und blickte über den Rand seiner Brille, »Daisy Horsley?« (Daisy Horsley war Carole Lombards richtiger Name.) »Sie hat gesagt, sie wäre sehr beschäftigt bei der Arbeit«, (Code für *Verlobter zu Besuch, halt dich fern*), »und du sollst ihr eine SMS schicken, wenn du dich melden willst.«

»Okay, super, danke.« Daisys große bedeutende National-Cathedral-Hochzeit, so sie tatsächlich stattfinden sollte, würde im Juni steigen, danach wollte sie mit ihrem Zukünftigen nach D. C. ziehen.

»Mrs. Holdersley hat auch angerufen, wegen des hohen Schubladenschranks – nicht der Haubenschrank, sondern der andere. Hat ein gutes Gegenangebot gemacht – achttausend – ich habe angenommen, hoffe, du hast nichts dagegen, die Kommode ist keine dreitausend wert, wenn du mich fragst. Außerdem – hat dieser Bursche zwei Mal angerufen – ein Lucius Reeve?«

Ich hätte mich beinahe an meinem Kaffee verschluckt – dem ersten, den ich seit Tagen herunterkriegte –, doch Hobie schien es nicht zu bemerken.

»Er hat eine Nummer hinterlassen. Meinte, du wüsstest schon, worum es geht. Oh«, er setzte sich und schlug unvermittelt mit der Handfläche auf den Tisch, »und eins der Barbour-Kinder hat angerufen.«

»Kitsey?«

»Nein«, er trank einen Schluck Tee, »Platt? Hört sich das richtig an?«

XII

Der Gedanke, mich ohne Medikamente mit Lucius Reeve auseinanderzusetzen zu müssen, hätte beinahe gereicht, um mich zurück zum Lagerraum eilen zu lassen. Und was die Barbours betraf, war ich auch nicht besonders erpicht darauf, mit Platt zu sprechen, doch zu meiner Erleichterung war Kitsey am Telefon.

»Wir richten ein Abendessen für dich aus«, sagte sie sofort.

»Wie bitte?«

»Haben wir das nicht erzählt? Oh – vielleicht hätte ich anrufen sollen! Mum war so entzückt, dich zu sehen. Sie will wissen, wann du wiederkommst.«

»Also …«

»Brauchst du eine Einladung?«

»Na ja, irgendwie schon.«

»Du klingst seltsam.«

»Tut mir leid, ich hatte eine, ähm, Grippe.«

»Wirklich? Du liebe Güte. Wir sind alle kerngesund, ich glaube nicht, dass du dich bei uns angesteckt haben kannst – sorry?«, sagte sie zu einer undeutlichen Stimme im Hintergrund. »Hier … Platt will mir das Telefon abnehmen. Wir sprechen uns bald.«

»Hi, Bruder«, sagte Platt, als er an den Apparat kam.

»Hi.« Ich rieb mir die Schläfe und versuchte, nicht darüber nachzudenken, wie seltsam es war, dass Platt mich *Bruder* nannte.

»Ich …« Schritte, eine Tür wurde geschlossen. »Ich will gleich zur Sache kommen.«

»Ja?«

»Es geht um Möbel«, sagte er freundlich. »Kannst du vielleicht welche für uns verkaufen?«

»Klar.« Ich setzte mich. »Welche Stücke möchte sie denn verkaufen?«

»Na ja«, sagte Platt, »die Sache ist die, ich würde Mommy wirklich ungern damit behelligen, falls das möglich ist. Ich bin nicht sicher, ob sie dem gewachsen ist, wenn du weißt, was ich meine.«

»Oh?«

»Nun ja. Ich meine, sie hat so viel Kram … die Sachen oben in Maine und im Lager, die sie sich nie wieder ansehen wird, weißt du? Nicht nur Möbel. Silber, eine Münzensammlung … ein paar Keramik-Sachen, die, glaube ich, irgendwie bedeutend sein sollen, aber ehrlich gesagt scheiße aussehen. Ich meine, nicht bildlich, sondern buchstäblich wie Kuhfladen.«

»Meine Frage wäre vermutlich, warum willst du verkaufen.«

»Nun, es besteht keine Notwendigkeit«, sagte er hastig. »Aber die Sache ist die, sie klebt mittlerweile regelrecht an einigem von dem alten Quatsch.«

Ich rieb mir ein Auge. »Platt …«

»Ich meine, das Zeug steht bloß rum. Der ganze Plunder. Etliches davon gehört mir, die Münzen, ein paar alte Waffen und so weiter, die Gaga mir vererbt hat. Ich meine«, forsch, »ich will ganz offen sein. Ich habe noch einen anderen Typen, mit dem ich schon Geschäfte gemacht habe, aber ich würde ehrlich lieber mit dir arbeiten. Weißt du, du kennst Mommy, und ich weiß, dass du mir einen fairen Preis machen wirst.«

»Klar«, sagte ich unsicher. Es folgte eine erwartungsvolle, scheinbar endlose Pause – als ob wir aus einem Drehbuch vorlesen würden und er voller Gewissheit darauf wartete, dass ich den Rest meines Dialogs vortrug –, und ich überlegte, wie ich ihn abwimmeln konnte, als mein Blick auf den Namen und die Telefonnummer von Lucius Reeve fiel, die Hobie in seiner klaren, ausdrucksvollen Handschrift notiert hatte.

»Also, ähm, es ist sehr kompliziert«, sagte ich. »Ich meine, ich müsste mir die Sachen persönlich ansehen, bevor ich irgendwas Konkretes sagen könnte. Sicher, sicher«, er versuchte, irgendwas von Fotos anzubringen, »aber Fotos reichen nicht. Außerdem handele ich nicht mit Münzen oder der Sorte Keramik, von der du gesprochen hast. Vor allem mit den Münzen solltest du wirklich zu einem Händler gehen, der darauf spezialisiert ist. Aber in der Zwischenzeit«, sagte ich – er versuchte immer noch, mich zu unterbrechen –, »wenn es darum geht, ein paar tausend Dollar aufzubringen? Ich glaube, da kann ich dir helfen.«

Das brachte ihn endlich zum Schweigen. »Ja?«

Ich schob die Finger unter meine Brille und kniff mir in die Nase. »Die Sache ist die. Ich versuche gerade, einen Herkunftsnachweis für ein Möbelstück zu bekommen – es ist ein echter Albtraum, der Typ lässt mich nicht in Ruhe, ich habe versucht, das Stück von ihm zurückzukaufen, doch er ist offenbar darauf aus, Ärger zu machen. Warum, weiß ich auch nicht. Jedenfalls würde es mir, glaube ich, helfen, wenn ich einen Vertrag präsentieren könnte, der beweist, dass ich das Objekt von einem anderen Sammler gekauft habe.«

»Na ja, Mommy vergöttert dich«, sagte er säuerlich. »Ich bin sicher, sie wird tun, was immer du willst.«

»Also, die Sache ist die«, Hobie war unten in der Werkstatt, der Nuthobel lief, doch ich senkte trotzdem die Stimme, »wir sprechen absolut vertraulich, versteht sich?«

»Natürlich.«

»Ich sehe eigentlich keinen Grund, warum wir deine Mutter überhaupt einbeziehen müssen. Ich kann eine Rechnung ausstellen und zurückdatieren. Aber wenn der Typ irgendwelche Fragen hat, und das könnte passieren, dann würde ich ihn gerne an dich verweisen – ihm deine Nummer geben, ältester Sohn der Familie, Mutter kürzlich verwitwet, bla, bla, bla.«

»Wer ist dieser Typ?«

»Er heißt Lucius Reeve. Schon mal von ihm gehört?«

»Nö.«

»Na ja, nur damit du Bescheid weißt, es ist nicht völlig ausgeschlossen, dass er deine Mutter kennt oder sie irgendwann einmal getroffen hat.«

»Das sollte kein Problem sein. Mommy empfängt dieser Tage kaum noch jemanden.« Eine Pause, ich hörte, wie er sich eine Zigarette anzündete. »Und – wenn also dieser Typ anruft?«

Ich beschrieb ihm den Schubladenschrank. »Ich maile dir auch gerne ein Foto. Das charakteristische Detail ist ein geschnitztes Phoenix-Ornament an der Oberseite. *Du* musst ihm nur erzählen, dass das Stück in eurem Haus in Maine gestanden hat, bis deine Mutter es mir vor ein paar Jahren verkauft hat. Sie wird es von einem alten Händler gekauft haben, der nicht mehr im Geschäft ist, jemand, der vor ein paar Jahren gestorben ist, an den Namen kann ich mich nicht erinnern, verdammt, da müsste ich nachsehen. Aber wenn er dich weiter bedrängt«, es war erstaunlich, hatte ich gelernt, wie ein paar Teeflecken und ein paar Minuten bei niedriger Temperatur im Backofen die leeren Quittungen aus dem Quittungsblock aus den 1960ern, den ich auf einem Flohmarkt gekauft hatte, weiter altern ließen, »kann ich dir ohne große Probleme auch diese Quittung liefern.«

»Kapiert.«

»Gut. Jedenfalls«, ich tastete nach einer Zigarette, obwohl ich wusste, dass ich keine hatte, »wenn du dich um deinen Part kümmerst – also wenn du dich verpflichtest, mich zu unterstützen, falls der Typ wirklich anruft –, gebe ich dir zehn Prozent vom Verkaufspreis.«

»Und das ist wie viel?«

»Siebentausend Dollar.«

Platt lachte – ein eigenartig fröhliches und sorgenfreies Lachen. »Daddy hat immer gesagt, dass ihr Antiquitätenhändler alle Gauner seid.«

XIII

Als ich auflegte, grinste ich dümmlich vor Erleichterung. Mrs. Barbour hatte etliche zweit- und drittklassige Antiquitäten, doch sie besaß auch so viele wichtige Stücke, dass es mich beunruhigte, dass Platt sie ohne ihr Wissen unter ihrem Hintern weg verkaufen wollte. Und was das »jemandem ausgeliefert sein« betraf – wenn irgendjemand die Aura verbreitete, in einen andauernden, unklaren Ärger verwickelt zu sein, war es Platt. Auch wenn ich jahrelang nicht an seinen Verweis von der Uni gedacht hatte, waren die Umstände doch so sorgfältig vertuscht worden, dass man den Eindruck hatte, er müsse etwas ziemlich Ernstes angestellt haben, etwas, das unter weniger kontrollierten Umständen die Polizei auf den Plan gerufen hätte. Wodurch ich mich wiederum auf eine verdrehte Weise sicher fühlte, mich darauf verlassen zu können, dass er sein Geld kassierte und die Klappe hielt. Außerdem – der Gedanke entzückte mein Herz – wenn irgendjemand Lucius Reeve von oben herab einschüchtern konnte, dann Platt. Ein Weltklasse-Snob und ausgewiesener Rabauke.

»Mr. Reeve?«, fragte ich höflich, als er den Hörer abnahm.

»Lucius, bitte.«

»Nun, dann Lucius.« Als ich seine Stimme hörte, wurde ich innerlich kalt vor Wut, aber das Wissen, Platt in meiner Ecke des Rings zu haben, machte mich großspuriger, als ich Grund gehabt hätte zu sein. »Ich rufe zurück. Was beschäftigt Sie?«

»Wahrscheinlich nicht das, was Sie denken«, kam die schnelle Antwort.

»Nicht?«, fragte ich immer noch locker, obwohl mich sein Ton überraschte. »Nun, dann klären Sie mich auf.«

»Ich denke, es wird Ihnen wahrscheinlich lieber sein, wenn ich das nicht am Telefon mache.«

»Gut. Wie wär's mit Downtown«, sagte ich rasch, »da Sie beim letzten Mal so freundlich waren, mich in Ihren Club einzuladen.«

XIV

Das Restaurant, das ich ausgewählt hatte, war in Tribeca – so weit Downtown, dass ich nicht ernsthaft befürchten musste, Hobie oder einem seiner Freunde zu begegnen, und mit einer Kundschaft, die jung genug war (hoffte ich), um Reeve zu verunsichern. Lärm, Lichter, Gespräche, gnadenloses Gedränge. Mit meinen frischen, unbetäubten Sinnen waren die Gerüche überwältigend: Wein, Knoblauch, Parfüm und Schweiß, bruzzelnde Platten mit Zitronengras-Hühnchen, die eilig aus der Küche getragen wurden. Die türkisfarbenen Sitzbänke und das knallorangefarbene Kleid des Mädchens neben mir wirkten wie industriell hergestellte Chemikalien, direkt in meine Augen gesprüht. Mein Magen brodelte nervös, und ich kaute auf einer Antacid aus dem Röhrchen in meiner Tasche, als ich aufblickte und sah, wie die wunderschöne tätowierte Giraffe von einer Empfangskellnerin – ausdruckslos und träge – Lucius Reeve gleichgültig zu meinem Tisch wies.

»Hallo, hallo«, sagte ich, ohne aufzustehen, um ihn zu begrüßen. »Wie schön, Sie zu sehen.«

Er sah sich angewidert um. »Müssen wir wirklich hier sitzen?«

»Warum nicht?«, fragte ich verbindlich. Ich hatte bewusst einen Tisch im größten Gedränge gewählt – nicht so laut, dass wir schreien mussten, aber laut genug, um abschreckend zu wirken; außerdem hatte ich ihm den Platz frei gelassen, von dem *er* in die Sonne gucken musste.

»Das ist vollkommen lächerlich.«

»Oh, tut mir leid. Wenn Sie sich hier nicht wohlfühlen …« Ich wies mit dem Kopf auf die Kellnerin, die mit sich selbst beschäftigt abwesend am Empfang hin und her wankte.

Er musste mir recht geben – das Restaurant war voll besetzt –, also setzte er sich. Obwohl seine Mimik und seine Art zu reden knapp und elegant waren und er für einen Mann seines Alters einen modisch geschnittenen Anzug trug, erinnerte mich sein Gebaren an einen Kugelfisch, einen aufblasbaren Comic-Muskelmann oder Mountie: gespaltenes Kinn, Nase wie ein Teigklumpen, schmale, angespannte Lippen, alles eng in der Mitte eines Gesichtes zusammengeballt, das füllig, entzündet, Bluthochdruck-rosafarben leuchtete.

Nachdem das Essen serviert worden war – asiatische Fusion-Küche mit kunstvoll arrangierten, knusprigen Wan Tans und Garnelen, garniert mit Frühlingszwiebeln: seiner Miene nach zu urteilen, nicht nach seinem Geschmack –, wartete ich, bis er sich dazu durchrang zu sagen, was er sagen wollte. Ich hatte einen Durchschlag der gefälschten Quittung in der Tasche, die ich auf einer leeren Seite in Weltys altem Quittungsblock geschrieben und fünf Jahre zurückdatiert hatte. Präsentieren wollte ich ihn jedoch erst, wenn es wirklich nötig werden sollte.

Er hatte um eine Gabel gebeten; damit zupfte er diverse fiberglasartige Gemüsefäden aus seinem leicht beunruhigenden Teller mit

»Scorpion Prawns« und legte sie an den Rand. Seine kleinen Augen leuchteten hellblau in seinem schweinerosa Gesicht. »Ich weiß von dem Museum«, sagte er.

»Was wissen Sie?«, fragte ich nach einem überraschten Schauder.

»Ich bitte Sie. Sie wissen sehr gut, worüber ich spreche.«

Angst versetzte mir einen Stich in die Lendenwirbelsäule, aber ich achtete darauf, meinen Blick nicht von meinem Teller zu heben: weißer Reis mit gebratenem Gemüse, das fadeste Gericht auf der Karte. »Nun, wenn Sie nichts dagegen haben, würde ich lieber nicht darüber sprechen. Es ist ein schmerzliches Thema.«

»Ja, das kann ich mir vorstellen.«

Er sagte es derart höhnisch und provozierend, dass ich scharf aufblickte. »Meine Mutter ist gestorben, falls Sie das meinen.«

»Ja, das ist sie.« Lange Pause. »Genau wie Welton Blackwell.«

»Das ist richtig.«

»Nun, ich meine. Es stand überall in den Zeitung, Herrgott noch mal. Öffentlich dokumentiert. Aber«, er fuhr mit der Zungenspitze blitzschnell über seine Oberlippe, »ich frage mich: Warum musste James Hobart die Geschichte auch jedem in der Stadt erzählen? Wie Sie mit dem Ring seines Partners in der Tasche auf seiner Türschwelle standen? Denn wenn er einfach den Mund gehalten hätte, hätte nie jemand die Verbindung hergestellt.«

»Ich verstehe nicht, was Sie meinen.«

»Sie wissen ganz genau, was ich meine. Sie haben etwas, das ich will. Etwas, das viele Leute wollen.«

Ich hörte auf zu essen, die Stäbchen blieben auf halbem Weg zu meinem Mund in der Luft stehen. Mein spontaner unüberlegter Impuls war es, aufzustehen und das Restaurant zu verlassen, doch mir wurde beinahe ebenso schnell klar, wie dumm das gewesen wäre.

Reeve lehnte sich auf seinem Stuhl zurück. »Sie sagen gar nichts.«

»Das liegt daran, dass Sie wirres, sinnloses Zeug reden«, erwiderte ich scharf, legte die Stäbchen ab und dachte für den Bruchteil einer Sekunde – wegen der Schnelligkeit der Geste – an meinen Vater. Wie würde er mit der Situation umgehen?

»Sie wirken beunruhigt. Ich frage mich, warum.«

»Ich glaube, ich verstehe nicht, was das mit dem Schubladenschrank zu tun hat. Denn ich war davon ausgegangen, dass wir deswegen hier sind.«

»Sie wissen sehr gut, wovon ich spreche.«

»Nein«, ungläubiges, authentisch klingendes Lachen, »ich fürchte nicht.«

»Soll ich es Ihnen vorbuchstabieren? Gleich hier? Also gut, das werde ich tun. Sie, Welton Blackwell und seine Nichte waren alle drei in der Galerie 32, und Sie«, ein träges, provozierendes Lächeln, »waren der Einzige, der den Saal aus eigener Kraft verlassen hat. Und wir wissen beide, was die Galerie 32 noch verlassen hat, oder nicht?«

Es war, als ob sämtliches Blut in meine Füße gesackt wäre. Besteckgeklapper, Lachen und der Widerhall von Stimmen prallten von den gekachelten Wänden ab.

»Sehen Sie?«, sagte Reeve selbstgefällig. Er hatte wieder zu essen begonnen. »Ganz einfach. Ich meine, gewiss«, sagte er tadelnd und legte seine Gabel ab, »gewiss haben Sie doch nicht wirklich geglaubt, dass niemand die Puzzleteile zusammensetzen würde? Sie haben das Gemälde genommen, und als Sie Blackwells Partner den Ring gebracht haben, haben Sie ihm auch das Bild gegeben, warum, weiß ich nicht – doch, doch«, sagte er, als ich widersprechen wollte, verschob seinen Stuhl ein Stück und schirmte die Augen gegen die Sonne ab. »Sie werden James Hobarts *Mündel*, Herrgott noch mal, Sie werden sein Mündel, und er hat Ihr kleines Souvenir hierhin und dorthin verliehen und einen Haufen Geld damit gemacht.«

Geld gemacht? Hobie? »Es *verliehen*?«, fragte ich und dann, als mir meine Rolle wieder einfiel: »Was verliehen?«

»Hören Sie, Ihre ›Was ist eigentlich los?‹-Nummer wird allmählich ein wenig ermüdend.«

»Nein, das ist mein Ernst. Wovon zum Teufel reden Sie?«

Reeve schürzte die Lippen und schien äußerst zufrieden mit sich.

»Es ist ein erlesenes Gemälde«, sagte er. »Eine wunderschöne kleine Anomalie – absolut einzigartig. Ich werde nie vergessen, wie ich

es zum ersten Mal im Mauritshuis gesehen habe ... wirklich voll
kommen anders als sonst irgendein Werk dort oder überhaupt aus
der Periode, wenn Sie mich fragen. Schwer zu glauben, dass es im
17. Jahrhundert gemalt wurde. Eines der größten kleinen Bilder al
ler Zeiten, finden Sie nicht auch? Was hat«, er machte eine spötti
sche Pause, »was hat jener Sammler noch gesagt – Sie wissen schon
der Kunstkritiker, der Franzose, der es wiederentdeckt hat? In der
1890ern, vergraben im Lagerraum eines Adeligen, und der von da
an ›verzweifelte Anstrengungen‹«, er deutete die Anführungszeichen
mit den Fingern an, »unternommen hat, um es zu erwerben. ›Verges
sen Sie nicht, ich muss diesen kleinen Distelfinken um jeden Prei
haben.‹ Aber das ist natürlich nicht das Zitat, das ich meine. Ich mei
ne das berühmte. Sie kennen es bestimmt auch. Nach all den Jah
ren müssen Sie ziemlich vertraut sein mit dem Gemälde und seiner
Geschichte.«

Ich legte meine Serviette auf den Tisch. »Ich weiß nicht, wovor
Sie reden.« Ich konnte nichts anderes tun, als es stur zu wiederholen
Leugnen, leugnen, leugnen, genau wie mein Dad in seinem einzigen
großen Filmauftritt als Anwalt der Mafia – als er seinen Mandanten
berät, in der Szene kurz bevor er erschossen wird.

Aber man hat mich gesehen.
Muss jemand anderes gewesen sein.
Es gibt drei Augenzeugen.
Egal. Die irren sich. »Das war ich nicht.«
Sie werden den ganzen Tag Leute aufrufen, die gegen mich aussagen
Na gut. Sollen sie.

Jemand hatte eine Jalousie heruntergezogen, die einen tigergestreif
ten Schatten auf unseren Tisch warf. Reeve musterte mich selbstzu
frieden, spießte eine hellorangefarbene Garnele auf und aß sie.

»Ich meine, ich habe nachgedacht«, sagte er. »Vielleicht können
Sie mir helfen. Welches andere Gemälde seiner Größe wäre auch
nur annähernd in seiner Klasse? Vielleicht der hinreißende kleine

Velázquez, der Garten der Villa Medici, wissen Sie. Von der Seltenheit natürlich einmal ganz abgesehen.«

»Können Sie mir noch einmal sagen, wovon wir sprechen? Weil ich wirklich nicht sicher bin, worauf Sie hinauswollen.«

»Nun, spielen Sie ruhig weiter, wenn Sie mögen«, sagte er freundlich und wischte sich mit der Serviette den Mund ab. »Sie können niemandem etwas vormachen. Obwohl ich sagen muss, dass es verdammt unverantwortlich ist, Verleih und Transport diesen Schlägern anzuvertrauen.«

Bei meinem Erstaunen, was vollkommen echt war, sah ich für einen Augenblick vielleicht so etwas wie Überraschung über sein Gesicht huschen. Doch es war ebenso schnell wieder verschwunden.

»Solchen Leuten darf man etwas derart Wertvolles nicht anvertrauen«, sagte er, emsig kauend. »Kleinganoven – Ignoranten.«

»Was Sie sagen, ergibt absolut keinen Sinn«, fauchte ich.

»Nicht?« Er legte seine Gabel ab. »Nun. Ich biete an – falls Sie sich jemals dazu durchringen sollten zu verstehen, wovon ich spreche –, Ihnen das Ding abzukaufen.«

Mein Tinnitus – ein altes Echo der Explosion – hatte eingesetzt wie so häufig in Stresssituationen, ein schrilles Dröhnen wie von einem landenden Flugzeug.

»Soll ich eine Zahl nennen? Nun. Ich denke, eine halbe Million sollte ausreichend sein, wenn man bedenkt, dass ich in einer Position bin, in diesem Moment einen Anruf zu tätigen«, er zog sein Handy aus der Tasche und legte es neben sein Wasserglas, »und Ihre Unternehmung zu beenden.«

Ich schloss die Augen und öffnete sie wieder. »Hören Sie, wie oft soll ich es Ihnen noch sagen? Ich weiß wirklich nicht, was Sie denken, aber …«

»Ich sage Ihnen ganz genau, was ich denke, Theodore. Ich denke an Erhalt, Konservierung. Sorgen, die für die Leute, mit denen Sie zusammenarbeiten, offensichtlich nicht oberste Priorität haben. Sie werden bestimmt einsehen, dass es das Klügste ist – für Sie und auch für das Gemälde. Sie haben offensichtlich ein Vermögen damit gemacht, aber es ist unverantwortlich, finden Sie nicht auch, es unter derart riskanten Bedingungen herumgondeln zu lassen?«

Aber meine nicht einmal vorgetäuschte Verwirrung schien mir zu nutzen. Nach einem seltsamen unbetonten Zögern griff er in die Brusttasche seiner Anzugjacke ...

»Ist alles in Ordnung?«, fragte unser Kellner, Typ männliches Model, der plötzlich aufgetaucht war.

»Ja, ja, danke.«

Der Kellner entfernte sich und ging quer durch den Raum zu der schönen Empfangskellnerin. Reeve zog mehrere gefaltete Zettel aus der Tasche und schob sie über die Tischdecke.

Es war eine ausgedruckte Website. Rasch überflog ich sie: FBI ... internationale Behörden ... vermasselte Razzia ... Untersuchung ...

»Was ist das, verdammt noch mal?«, fragte ich so laut, dass die Frau am Nebentisch zusammenzuckte. Reeve – beschäftigt mit seinem Essen – sagte nichts.

»Nein, im Ernst. Was hat das mit mir zu tun?« Verärgert überflog ich die Seiten – Verfahren wegen widerrechtlicher Tötung ... Carmen Huidobro, Haushälterin einer Zeitarbeitsagentur in Miami, erschossen von Drogenfahndern, die ihr Haus gestürmt hatten – und wollte gerade erneut fragen, was irgendetwas in dem Artikel mit mir zu tun hatte, als ich erstarrte.

Ein für zerstört gehaltenes altes Meisterwerk (Der Distelfink, Carel Fabritius, 1654), das angeblich als Nebenbürgschaft in dem Deal mit Contreras eingesetzt worden war, wurde bei der Razzia auf dem Grundstück in Südflorida jedoch leider nicht gefunden. Obwohl gestohlene Kunstwerke häufig als Verhandlungsmasse zur Bereitstellung von Risikokapital bei Drogen- und Waffenschmuggel eingesetzt werden, hat die DEA sich gegen Kritik aus der Kunstraubabteilung des FBI verwandt, die die Aktion als »missglückt« und »amateurhaft« bezeichnet hatte. In einer öffentlichen Stellungnahme entschuldigte man sich für den versehentlichen Tod von Mrs. Huidobro und wies

gleichzeitig darauf hin, dass die Beamten der Drogenfahndung nicht für die Identifizierung und Bergung gestohlener Kunstwerke ausgebildet seien. »In Stresssituationen wie dieser«, sagte Turner Stark, Sprecher der DEA, »gilt unsere Sorge bei der Verfolgung schwerer Verstöße gegen das amerikanische Betäubungsmittelgesetz zunächst der Sicherheit der Beamten und Zivilpersonen.« Das öffentliche Aufsehen vor allem in Folge der Klage wegen der widerrechtlichen Tötung von Mrs. Huidobro hat den Ruf nach einer engeren Zusammenarbeit zwischen den Bundesbehörden laut werden lassen. »Es hätte nur eines einzigen Anrufs bedurft«, sagte Hofstede Von Moltke, Sprecher der Kunstraub-Abteilung bei Interpol, gestern auf einer Pressekonferenz in Zürich. »Aber diese Leute haben nur an ihre Verhaftungen und Verurteilungen gedacht, und das ist bedauerlich, weil das Gemälde jetzt im Untergrund ist und womöglich jahrelang nicht wieder auftauchen wird.«
Der Schmuggel mit gestohlenen Gemälden und Skulpturen ist eine weltweite Industrie mit einem geschätzten Umsatz von sechs Milliarden Dollar. Obwohl die Sichtung des Gemäldes unbestätigt blieb, gehen Ermittler davon aus, dass das seltene niederländische Meisterwerk bereits außer Landes geschafft wurde, möglicherweise nach Hamburg, wo es wahrscheinlich für einen Bruchteil des Millionenbetrages den Besitzer gewechselt hat, den es bei einer Auktion erzielen würde ...

Ich legte die Zettel weg. Reeve, der aufgehört hatte zu essen, beobachtete mich mit einem knappen, tückischen Lächeln. Vielleicht lag es an der Steifheit dieses schmalen Lächelns in seinem birnenförmigen Gesicht, dass ich unerwartet in schallendes Gelächter ausbrach: das gleiche angestaute Lachen aus Schrecken und Erleichterung, das Boris und ich gelacht hatten, wenn der fette Wachmann vom Sicherheitsdienst des Einkaufszentrums, der uns verfolgt (und beinahe erwischt) hatte, auf einer nassen Fliese im Restaurantbereich ausgerutscht und auf dem Arsch gelandet war.

»Ja?«, sagte Reeve. Er hatte von den Garnelen einen orangefarbenen Flecken am Mund, der alte Zipferlak. »Haben Sie etwas entdeckt, was Sie amüsiert?«

Aber ich konnte nur den Kopf schütteln und meinen Blick auf die andere Seite des Restaurants richten. »Mann«, sagte ich und wischte mir die Augen, »ich weiß nicht, was ich sagen soll. Sie leiden offensichtlich unter Wahnvorstellungen oder – ich weiß nicht.«

Reeve wahrte, das muss man ihm lassen, die Fassung, obwohl er offensichtlich nicht glücklich war.

»Nein, wirklich«, sagte ich kopfschüttelnd. »Tut mir leid. Ich sollte nicht lachen. Aber das ist die verdammt absurdeste Geschichte, die ich je gehört habe.«

Reeve faltete seine Serviette und legte sie auf den Tisch. »Sie sind ein Lügner«, sagte er freundlich. »Sie glauben vielleicht, Sie können sich da rausbluffen, aber das wird nicht funktionieren.«

»Verfahren wegen widerrechtlicher Tötung? Ein Grundstück in Florida? Was? Sie denken tatsächlich, das hätte irgendetwas mit mir zu tun?«

Reeve betrachtete mich grimmig aus seinen kleinen, hellblauen Augen. »Seien Sie vernünftig. Ich biete Ihnen einen Ausweg.«

»Einen *Aus*weg?« Miami, Hamburg, sogar die Orte ließen mich ungläubig prusten. »Einen Ausweg aus was?«

Reeve tupfte sich mit der Serviette die Lippen ab. »Es freut mich, dass Sie das so amüsant finden«, sagte er aalglatt. »Denn ich bin absolut bereit, diesen Herrn bei der Kunstraubabteilung des FBI anzurufen und ihm haarklein zu berichten, was ich über Sie, James Hobart und Ihr gemeinsames kriminelles Unternehmen weiß. Was würden Sie dazu sagen?«

Ich warf die Ausdrucke auf den Tisch und schob meinen Stuhl zurück. »Ich würde sagen, nur zu, rufen Sie ihn an. Meinetwegen gerne. Und wenn Sie irgendwann über die andere Angelegenheit sprechen wollen, melden Sie sich.«

XV

Mein impulsiver Elan trug mich so schnell aus dem Restaurant und die Straße hinunter, dass ich kaum bemerkte, wohin ich lief. Aber drei Blocks entfernt begann ich so heftig zu zittern, dass ich mich in einem schmutzigen kleinen Park direkt südlich der Canal Street auf eine Bank setzen musste, hyperventilierend und den Kopf zwischen den Beinen, die Achselhöhlen meines Turnbull-&-Asser-Anzugs durchgeschwitzt, sodass ich (für die mürrischen jamaikanischen Kindermädchen und die alten Italiener, die sich mit ihren Zeitungen Luft zufächerten und mich misstrauisch beäugten) aussehen musste wie ein zugekokster Junior-Trader, der auf den falschen Knopf gedrückt und zehn Millionen verloren hatte.

Auf der anderen Straßenseite war ein Mom-&-Pop-Drugstore. Nachdem mein Atem sich beruhigt hatte, ging ich rüber – ich fühlte mich in der milden Frühlingsbrise klamm und isoliert –, kaufte eine Pepsi aus dem Kühlschrank und kehrte, ohne mein Wechselgeld mitzunehmen, wieder zurück zu der verrußten Bank in dem grünen schattigen Park. Tauben flatterten in der Luft. Der Verkehr rauschte in Richtung Tunnel vorbei, andere Boroughs, andere Städte, Einkaufszentren und Alleen, gewaltige unpersönliche Handelsströme. In diesem Summen lag eine großartige, verführerische Einsamkeit, beinahe ein Ruf wie der des Meeres, und zum ersten Mal verstand ich den Impuls, der meinen Vater getrieben hat, sein Konto abzuräumen, seine Hemden aus der Reinigung abzuholen, den Wagen vollzutanken und die Stadt ohne ein Wort zu verlassen. Highways in der heißen Sonne, Drehen am Senderknopf des Radios, Getreidesilos und Auspuffgase, unermessliche Weite, Land, das sich endlos erstreckte wie ein geheimes Laster.

Zwangsläufig wanderten meine Gedanken zu Jerome. Er wohnte am Adam Clayton Powell Junior Boulevard, ein paar Blocks von der Endhaltestelle der U-Bahn-Linie 3, doch es gab eine Bar namens Brother J's in der 110th Street, in der wir uns manchmal trafen: eine Arbeiterkneipe mit Bill Withers in der Jukebox, klebrigem Fußboden und Langzeitsäufern, die um zwei Uhr morgens über ihrem dritten Bourbon hingen. Aber Jerome verkaufte Tabletten nur in Kontingenten ab tausend Dollar, und auch wenn ich wusste, dass er mir bestimmt gerne ein paar Tütchen Heroin überlassen würde, schien es weniger aufwändig, einfach ein Taxi direkt rüber zur Brooklyn Bridge zu nehmen.

Eine alte Dame mit einem Chihuahua, kleine Kinder, die sich um ein Eis am Stiel stritten. Jenseits der Canal Street ein entferntes Delirium von Sirenen, ein unpersönliches Klagen aus der Kulisse, das mit dem Klingeln in meinen Ohren kollidierte: Es hatte etwas von konventionellem Krieg, vom leisen Brummen nahender Geschosse.

Ich hielt mir die Ohren zu (was überhaupt nicht gegen den Tinnitus half, sondern ihn wenn überhaupt noch verstärkte), saß ganz still und versuchte nachzudenken. Meine kindischen Manipulationen zu dem Schubladenschrank kamen mir lächerlich vor – ich musste einfach zu Hobie gehen und gestehen, was ich getan hatte: nicht sehr angenehm, ziemlich beschissen sogar, trotzdem war es besser, wenn er es von mir erfuhr. Wie er reagieren würde, konnte ich mir nicht vorstellen; Antiquitäten waren das Einzige, womit ich mich auskannte. Einen anderen Job im Verkauf würde ich schwerlich bekommen, doch ich war geschickt genug, um einen Platz in einer Werkstatt zu kriegen, wenn es sein musste, Rahmen vergolden oder Holzklöppel schnitzen. Restaurierung war schlecht bezahlt, aber weil es nur wenig Leute gab, die wussten, wie man Antiquitäten einigermaßen anständig reparierte, würde mich bestimmt irgendjemand nehmen. Was den Artikel betraf, war ich verwirrt über das, was ich gelesen hatte, beinahe so, als wäre ich in der Mitte in einen falschen Film geraten. Auf einer Ebene war es völlig klar: Ein kühner Gauner hatte meinen Distelfink gefälscht (was Größe und Technik anging, kein allzu schwieriges Unterfangen), und diese Fälschung gondelte jetzt irgendwo herum, tauchte als Nebenbürgschaft in Drogen-Deals auf und wurde von diversen ahnungslosen Drogenbossen und -fahndern fehlidentifiziert. Aber egal wie bizarr und abseitig die Geschichte sein mochte, wie bedeutungslos für das Gemälde oder mich, war der Zusammenhang, den Reeve hergestellt hatte, real. Wie vielen Leuten mochte Hobie davon erzählt haben, wie ich vor seiner Tür aufgetaucht war? Und wie vielen Leuten hatten die es weitererzählt? Aber bisher hatte nicht einmal Hobie die Verbindung hergestellt, dass Weltys Ring der Beweis für meinen Aufenthalt in dem Saal mit dem Gemälde war. Der Knackpunkt des Crackers, hätte mein Vater gesagt. Die Geschichte, die mich ins Gefängnis bringen würde. Der französische Kunstdieb, der in Panik geraten und zahlreiche der von ihm gestohlenen Gemälde *verbrannt* hatte (Cranach, Watteau, Corot), war mit nur sechsundzwanzig Monaten Haft davongekommen, allerdings in Frankreich und kurz nach dem 11. September. Hierzulande war für Museumsdiebe im Rahmen der bundesstaatlichen Anti-Terror-Gesetze der schwerer wiegende Straftatbestand des »Raubs kultureller Artefakte« hinzugekommen. Die Strafen waren härter geworden, speziell in Amerika. Selbst mit Glück konnte ich mich auf fünf bis zehn Jahre einstellen.

Was ich – ehrlich gesagt – verdient hätte. Wie hatte ich je geglaubt, es im Verborgenen halten zu können? Schon seit Jahren wollte ich mich um das Gemälde kümmern, es dorthin zurückbringen, wo es hingehörte, aber irgendwie hatte ich immer neue Gründe gefunden, genau das nicht zu tun. Wenn ich daran dachte, dass es eingepackt und versiegelt in Uptown lagerte, fühlte ich mich selbst irgendwie ausgelöscht und ausradiert, als ob es in seinem Verlies nur noch mächtiger geworden wäre und eine kraftvollere, schrecklichere Gestalt angenommen hätte. Selbst verhüllt und begraben hatte es sich befreit, um in einer öffentlichen Erzählung von Betrug aufzutauchen, ein Strahlen, das in das Bewusstsein der Welt leuchtete.

XVI

»Hobie«, sagte ich, »ich stecke in einer Klemme.«

Er blickte von der japanischen Truhe auf, die er überarbeitete: Hähne und Kraniche, goldene Pagoden auf schwarzem Grund. »Kann ich helfen?« Er zeichnete die Umrisse eines Kranichflügels mit einer Acrylfarbe auf Wasserbasis nach – ganz anders als das Schellack-Original, doch wie er mir beigebracht hatte, lautete die erste Regel der Restaurierung, nie etwas zu tun, was man nicht rückgängig machen konnte.

»Also, ehrlich gesagt, die Sache ist die. Ich habe dich in eine Art Klemme gebracht. Unabsichtlich.«

»Nun«, die Linie des Pinsels blieb absolut ruhig, »wenn du Barbara Guiborry gesagt hast, wir würden ihr bei der Renovierung dieses Hauses in Rhinebeck helfen, bist du auf dich allein gestellt. ›Farben der Chakren‹. Nie gehört.«

»Nein …« Ich versuchte, etwas Witziges oder Lockeres zu erwidern – Mrs. Guiborry, die den passenden Spitznamen »Trippy« trug, war für gewöhnlich immer ein Quell der Komik –, doch mein Kopf war vollkommen leer. »Ich fürchte nicht.«

Hobie richtete sich auf, steckte den Pinsel hinters Ohr und tupfte sich mit einem wild gemusterten Taschentuch die Stirn ab, psychodelisches Lila, als ob sich ein afrikanisches Veilchen darauf übergeben hätte, etwas, das er wahrscheinlich im Nachlass einer verrückten alten Dame bei seinen Käufen Upstate New York entdeckt hatte. »Was ist es denn dann?«, fragte er vernünftig und griff nach einer der Untertassen, auf denen er seine Farbe anmischte. Ich war mittlerweile Mitte zwanzig, und die frühere Förmlichkeit wegen unseres Altersunterschieds war verschwunden, wir waren kollegial auf eine Weise, die ich mir mit meinem Dad, wenn er noch leben würde, nur schwer vorstellen konnte – ich wäre immer nervös und damit beschäftigt, mich zu fragen, wie fertig er war und wie hoch die Wahrscheinlichkeit, dass ich irgendeine Art von ehrlicher Antwort bekommen würde.

»Ich …« Ich streckte die Hand aus, um mich zu vergewissern, dass der Stuhl hinter mir nicht klebte, bevor ich mich setzte. »Hobie, ich habe einen dummen Fehler gemacht. Nein, einen wirklich dummen Fehler«, sagte ich auf seine gutmütig wegwerfende Geste hin.

»Also«, er träufelte mit einer Augentropfenpipette rohes Umbra auf die Untertasse, »ich weiß nicht, wie dumm du dich angestellt hast, aber ich kann dir verraten, dass es mir letzte Woche komplett den Tag ruiniert hat, als ich gesehen habe, wie die Bohrerspitze durch Mrs. Wassermans Tischplatte gestoßen ist. Das war ein guter William-and-Mary-Style-Tisch. Ich weiß, dass sie die Stelle, wo ich das Loch geflickt habe, nicht erkennen wird, aber glaub mir, es war ein schlechter Moment.«

Dass er nur halb bei der Sache war, machte es noch schlimmer. Rasch und in einer Art Schwindel erregendem, traumartigen freien Fall stürzte ich mich in die Sache mit Lucius Reeve und dem Schubladenschrank, wobei ich Platt und die zurückdatierte Quittung in meiner Brusttasche ausließ. Nachdem ich erst einmal angefangen hatte, war es, als könnte ich nicht wieder aufhören, sondern immer nur weiter reden und reden wie ein Highway-Killer unter der Glühbirne eines ländlichen Polizeireviers. Irgendwann hörte Hobie auf zu arbeiten, steckte den Pinsel hinters Ohr und lauschte konzentriert, mit gerunzelter Stirn und einer Art arktischem Blick wie ein sich einmummelndes Schneehuhn, den ich nur allzu gut kannte. Dann zog er den Zobelpinsel hinter seinem Ohr hervor, tunkte ihn in Wasser und wischte ihn mit einem Fetzen Flanell ab.

»Theo.« Er hob eine Hand und schloss die Augen – ich hatte das Ende hinausgezögert und immer weiter über den nicht eingelösten Scheck, die Sackgasse und üble Klemme geredet. »Hör auf, ich habe verstanden.«

»Es tut mir so leid«, plapperte ich weiter. »Ich hätte das nie machen dürfen. Niemals. Aber es ist ein echter Albtraum. Er ist sauer und rachsüchtig, und aus irgendeinem Grund scheint er es auf uns beide abgesehen zu haben – weißt du, aus irgendeinem Grund, der nichts hiermit zu tun hat.«

»Nun.« Hobie nahm seine Brille ab. Ich erkannte, wie verwirrt er war, so behutsam legte er sich in der nachfolgenden Pause seine Antwort zurecht. »Was geschehen ist, ist geschehen. Es hat keinen Sinn, es noch schlimmer zu machen. Aber«, er hielt inne und überlegte, »ich weiß nicht, wer der Kerl ist, doch wenn er gedacht hat, dass dieser Schubladenschrank von Affleck ist, hat er mehr Geld als Verstand. Fünfundsiebzigtausend – so viel hat er dir für das Ding gegeben?«

»Ja.«

»Nun, er sollte seinen Kopf untersuchen lassen, kann ich nur sagen. Stücke von dieser Qualität kommen *vielleicht* ein oder zwei Mal in zehn Jahren auf den Markt. Und dann tauchen sie auch nicht einfach aus dem Nichts auf.«

»Ja, aber …«

»Außerdem weiß *jeder* Narr, dass ein echter Affleck viel mehr wert wäre. Wer kauft ein Objekt wie dieses, ohne seine Hausaufgaben zu machen? Ein Idiot, jawohl«, redete er über meinen Einwand hinweg, »du hast korrekt gehandelt, nachdem er die Fälschung erkannt hatte. Du hast versucht, ihm sein Geld zurückzuerstatten, und er hat nicht angenommen, hast du das nicht gesagt?«

»Ich habe nicht angeboten, ihm das Geld zurückzugeben. Ich habe versucht, das Stück zurückzukaufen.«

»Zu einem höheren Preis, als er gezahlt hat! Und was für einen Eindruck macht das, wenn er damit zur Polizei geht? Was er nicht tun wird, das verspreche ich dir.«

In dem nachfolgenden Schweigen und klinisch grellen Licht der Arbeitslampe spürte ich, dass wir beide unsicher waren, wie es weitergehen sollte. Poptschik – der auf einem gefalteten Handtuch lag, das Hobie ihm zwischen den Krallenfüßen eines Spiegeltischs ausgebreitet hatte – zuckte und knurrte im Schlaf.

»Ich meine«, sagte Hobie – er wischte sich das Schwarz von den Händen und griff mit einer Art geisterhaften Zielstrebigkeit nach dem Pinsel wie ein Gespenst, das auf seine Aufgabe konzentriert war –, »der Verkauf war nie mein Spezialgebiet, das weißt du, aber ich bin schon sehr lange in diesem Geschäft. Und manchmal«, ein flinker Pinselstrich, »ist die Grenze zwischen Marktschreierei und Betrug überaus verschwommen.«

Ich wartete unsicher, den Blick auf die japanische Truhe gerichtet. Es war eine Schönheit, ein Schmuckstück für das Haus eines pensionierten Kapitäns zur See in der Provinz in Boston: feine Schnitzereien und Kaurimuscheln, Sticktücher mit alttestamentarischen Szenen, Kreuzstich von unverheirateten Schwestern, der Geruch von Walöl, das an den Abenden verbrannt wurde, die Stille des Alterns.

Hobie legte den Pinsel wieder beiseite. »Ach, Theo«, sagte er ein bisschen verärgert und verschmierte mit dem Handrücken ein wenig Farbe auf seiner Stirn, als er sie abwischte. »Erwartest du, dass ich dir eine Standpauke halte? Du hast den Burschen angelogen. Du hast versucht, es richtigzustellen. Aber der Bursche will nicht verkaufen. Was kannst du sonst noch tun?«

»Es ist nicht das einzige Stück.«

»Was?«

»Ich hätte es nie tun dürfen.« Ich konnte ihm nicht in die Augen sehen. »Zuerst hab ich es gemacht, um die Rechnungen zu bezahlen, um uns aus dem Gröbsten rauszubringen, und danach … ich meine, einige dieser Stücke sind *fantastisch,* sie haben mich getäuscht, sie standen in dem Lager bloß rum …«

Vermutlich hatte ich Ungläubigkeit, eine erhobene Stimme, irgendeine Art von Empörung erwartet. Doch es war schlimmer. Mit einem Ausbruch hätte ich umgehen können. Stattdessen sagte er kein Wort, sah mich nur mit einer steifen Bekümmernis an, um den Kopf der Schein seiner Arbeitslampe, an den Wänden hinter ihm seine Werkzeuge wie Freimaurer-Ikonen. Er ließ mich erzählen, was erzählt werden musste, und lauschte stumm, während ich es tat, und als er schließlich das Wort ergriff, war seine Stimme leise und ohne jeden drohenden Unterton.

»Also gut.« Er sah aus wie eine Figur aus einer Allegorie: der Tischler-Zauberer in schwarzer Schürze, halb im Schatten. »Okay. Und was schlägst du vor, wie wir damit umgehen?«

»Ich …« Das war nicht die Reaktion, die ich erwartet hatte. Seine Wut fürchtend (denn so gutmütig und schwer zu erzürnen er war, neigte Hobie unbedingt zum Jähzorn), hatte ich mir allerlei Rechtfertigen und Ausreden zurechtgelegt, doch angesichts dieser unheimlichen Gefasstheit konnte ich mich nicht verteidigen. »Ich werde tun, was immer du sagst.« Seit meiner Kindheit hatte ich mich nicht mehr so geschämt. »Es ist meine Schuld – ich übernehme die volle Verantwortung.«

»Nun. Die Stücke sind in der Welt.« Er schien sich die Folgen laut auszumalen, beinahe als würde er mit sich selbst reden. »Sonst hat sich noch niemand gemeldet?«

»Nein.«

»Wie lange geht das schon so?«

»Oh«, mindestens fünf Jahre, »ein, zwei Jahre?«

Er verzog das Gesicht. »Jesses. Nein, nein«, sagte er hastig, »ich bin bloß froh, dass du ehrlich zu mir warst. Aber du musst dich an die Arbeit machen, mit den Kunden Kontakt aufnehmen, erklären, du hättest Zweifel – du brauchst ja nicht ins Detail zu gehen, sag einfach, es wären Fragen aufgetaucht, die Provenienz wäre zweifelhaft –, und biete ihnen an, die Stücke zum ursprünglichen Kaufpreis zurückzunehmen. Wenn Sie nicht darauf eingehen – gut. Du hast es ihnen angeboten. Aber wenn – musst du in den sauren Apfel beißen, verstanden?«

»Klar.« Was ich nicht sagte – nicht sagen konnte –, war, dass nicht genug Geld da war, um auch nur einem Viertel der Kunden ihr Geld zurückzuerstatten. Wir wären binnen eines Tages bankrott.

»Du hast gesagt Stücke. Welche Stücke? Wie viele?«

»Ich weiß nicht.«

»Du weißt nicht?«

»Na ja, schon, ich habe nur …«

»Theo, bitte.« Jetzt war er richtig wütend, was bei mir irgendwie ein Gefühl von Erleichterung auslöste. »Schluss damit. Sei ehrlich zu mir.«

»Na ja – ich habe die Verkäufe nicht durch die Bücher laufen lassen. Bar auf die Hand. Und ich meine, du konntest unmöglich etwas davon gewusst haben, selbst, wenn du einen Blick in die Bücher geworfen hättest ...«

»Theo, zwing mich nicht, immer weiter zu fragen. Wie viele Stücke?«

»Oh«, ich seufzte, »ein Dutzend? Vielleicht?«, fügte ich hinzu, als ich Hobies fassungslosen Gesichtsausdruck sah. In Wahrheit waren es drei Mal so viel, doch ich war mir ziemlich sicher, dass die meisten Leute, die ich betrogen hatte, zu ahnungslos waren, um es zu merken, oder zu reich, um sich darum zu scheren.

»Gütiger Gott, Theo«, sagte Hobie nach einem verdatterten Schweigen. »Ein *Dutzend Stücke*? Aber nicht zu solchen Preisen? Nicht wie der Affleck?«

»Nein, nein«, sagte ich hastig (obwohl ich tatsächlich einige der Objekte für doppelt so viel verkauft hatte). »Und nicht an Stammkunden.« Wenigstens das stimmte.

»An wen denn?«

»Westküste. Filmleute – Techniker. Auch Wall Street, aber – junge Typen, Hedgies. Dummes Geld.«

»Du hast eine Liste der Kunden?«

»Nicht direkt eine Liste, aber ...«

»Kannst du Kontakt mit ihnen aufnehmen?«

»Na ja, weißt du, es ist kompliziert, weil ...« Ich machte mir keine Gedanken wegen der Leute, die dachten, sie hätten einen echten Sheraton zum Schnäppchenpreis aufgestöbert, und mit ihren Fälschungen in dem Glauben abgehauen waren, mich betrogen zu haben. In diesen Fällen galt unbedingt die alte Regel »Caveat emptor«. Ich hatte nie behauptet, dass die Stücke echt waren. Sorgen bereiteten mir die Leute, die ich aktiv überredet – die ich vorsätzlich betrogen hatte.

»Du hast keine Listen geführt.«

»Nein.«

»Aber du hast eine Ahnung. Du kannst sie aufspüren.«

»Mehr oder weniger.«

»»Mehr oder weniger.‹ Ich weiß nicht, was das bedeuten soll.«

»Es gibt Dokumente – Frachtunterlagen. Ich kann es rekonstruieren.«

»Können wir es uns leisten, alle Stücke zurückzukaufen?«

»Also …«

»Können wir? Ja oder Nein?«

»Ähm«, ich konnte ihm unmöglich die Wahrheit sagen, nämlich Nein, »mit Schwierigkeiten.«

Hobie rieb sich die Augen. »Nun, Schwierigkeiten hin oder her, wir müssen es tun. Keine Wahl. Den Gürtel enger schnallen. Auch wenn es eine Zeitlang schwierig wird – selbst wenn wir die Steuern vergessen. Denn«, sagte er, als ich ihn weiter ansah, »wir dürfen nicht zulassen, dass eins dieser Dinger da draußen vorgibt, echt zu sein. Gütiger Gott«, er schüttelte ungläubig den Kopf, »wie zum Teufel hast du es gemacht? Es sind nicht mal gute Fälschungen! Einige der Materialien – ich habe benutzt, was gerade zur Hand war – beliebig zusammengeschustert …«

»Eigentlich …« Tatsächlich waren Hobies Arbeiten gut genug gewesen, um einige durchaus ernsthafte Sammler zu täuschen, obwohl es wahrscheinlich keine besonders gute Idee war, das zu erwähnen.

»… und, verstehst du, wenn eins der Stücke, die du als echt verkauft hast, eine Fälschung ist – sind sie *alle* falsch. *Alles* wird in Zweifel gezogen – jedes Möbelstück, das diesen Laden jemals verlassen hat. Ich weiß nicht, ob du daran gedacht hast.«

»Ähm …« Ich hatte darüber nachgedacht, und nicht zu knapp. Seit dem Mittagessen mit Lucius Reeve hatte ich praktisch ununterbrochen daran gedacht.

Er war so lange so still, dass ich anfing, nervös zu werden. Doch er seufzte nur, rieb sich die Augen und wandte sich dann halb ab und wieder seiner Arbeit zu.

Ich schwieg und beobachtete, wie er mit dem glänzenden schwarzen Strich seines Pinsels den Ast eines Kirschbaums nachzeichnete. Alles war jetzt neu. Hobie und ich hatten eine gemeinsame Firma und Steuererklärung. Ich war sein Nachlassverwalter. Anstatt auszuziehen und mir eine eigene Wohnung zu suchen, hatte ich entschieden, oben wohnen zu bleiben, wofür ich ihm eine nicht mal symbolische Miete zahlte. Sofern ich ein Zuhause oder eine Familie hatte, verkörperte er beides. Wenn ich nach unten kam, um ihm beim Leimen zu helfen, tat ich das nicht so sehr, weil er meine Hilfe wirklich brauchte, sondern wegen des Vergnügens, nach Schraubzwingen zu kramen und sich bei laut aufgedrehtem Mahler schreiend zu verständigen; und manchmal wenn wir am Abend für einen Drink und ein Club Sandwich an der Bar rüber ins White Horse gingen, war das für mich die beste Zeit des Tages.

»Ja?«, fragte Hobie, ohne sich von seiner Arbeit abzuwenden, als er spürte, dass ich immer noch hinter ihm stand.

»Es tut mir leid. Ich hatte nicht vor, so weit zu gehen.«

»Theo.« Der Pinsel verharrte. »Du weißt sehr gut, dass dir jetzt eine Menge Leute auf die Schulter klopfen würden. Und ich will ganz ehrlich mir dir sein, ich empfinde zum Teil genauso, weil ich beim besten Willen nicht weiß, wie du das hingekriegt hast. Sogar Welty – Welty war wie du, die Kunden liebten ihn, er konnte alles verkaufen, aber selbst er tat sich verteufelt schwer, wenn es um Spitzenpreise ging. Original Hepplewhite, original Chippendale! Er wurde das Zeug einfach nicht los! Und du gehst hin und machst ein Vermögen mit diesem Sperrmüll!«

»Es ist kein Sperrmüll«, widersprach ich, froh, endlich einmal die Wahrheit zu sagen. »Viele der Arbeiten sind wirklich gut. Sie haben mich getäuscht. Ich glaube, du siehst es nicht, weil du sie selbst gebaut hast. Wie überzeugend sie sind.«

»Ja, aber«, er zögerte, anscheinend um Worte verlegen, »Menschen, die sich mit Möbeln nicht auskennen, zu überzeugen, Geld dafür auszugeben, ist sehr schwer.«

»Ich weiß.« Wir hatten eine bedeutende Queen-Anne-Kommode mit Krallenfüßen; in den mageren Zeiten hatte ich verzweifelt versucht, sie zu ihrem korrekten Preis – konservativ geschätzt irgendwo zwischen zwei- und dreihunderttausend Dollar – zu verkaufen. Sie stand schon jahrelang im Laden. Und in jüngster Zeit waren durchaus ein paar faire Angebote eingegangen, doch ich hatte alle abgelehnt – einfach weil ein derart unangreifbares Objekt, präsentiert im gut beleuchteten Eingangsbereich des Ladens, einen so schmeichelhaften Glanz auf die Fälschungen weiter hinten warf.

»Theo, du bist ein Phänomen. Du bist ein Genie in dem, was du tust, keine Frage. Aber«, sein Tonfall wurde wieder unsicher; ich sah, wie er sich vortastete, »nun ja, ich meine, Händler leben von ihrem Ruf. Das System beruht auf Ehre. Nichts, was du nicht wüsstest. Es wird geredet, Gerüchte machen die Runde. Also, ich meine«, er tauchte den Pinsel ein und starrte kurzsichtig auf die Truhe »ein Betrug ist schwer zu beweisen, aber wenn du dich nicht darum kümmerst, schlägt es ziemlich sicher irgendwann später auf uns zurück.« Seine Hand war fest, der Pinselstrich sicher. »Bei einem stark restaurierten Stück … vergiss Schwarzlicht und so was, du wärst überrascht, jemand stellt sie in einen anderen, hell erleuchteten Raum … sogar die Kamera erkennt Unterschiede in der Maserung, die man mit bloßem Auge nicht sieht. Sobald jemand eins dieser Stücke fotografieren lässt oder, Gott bewahre, beschließt, sie bei Christie's oder Sotheby's auf einer bedeutenden Auktion amerikanischer Möbel anzubieten …«

Es entstand ein Schweigen, das – je mehr es zwischen uns anschwoll – immer ernster wurde und nicht mehr auszufüllen war.

»Theo.« Der Pinsel blieb stehen und strich dann weiter. »Ich will keine Entschuldigung für dich suchen, aber – denke nicht, ich wüsste nicht, dass ich derjenige bin, der dich erst in diese Lage gebracht hat. Dich, ganz auf dich allein gestellt, einfach loszulassen. Zu erwarten, dass du das Wunder der Speisung der Fünftausend vollbringst. Du bist sehr jung, ja«, sagte er knapp und wandte sich halb ab, als ich ihn unterbrechen wollte, »das bist du, und du bist sehr talentiert in allen Aspekten des Geschäfts, um die ich mich nicht kümmern mag, und du warst so brillant dabei, uns wieder in die schwarzen Zahlen zu bringen, dass es mir sehr, sehr gut gepasst hat, den Kopf in den Sand zu stecken. Im Bezug auf alles, was oben im Laden passiert. Deshalb bin ich genauso verantwortlich wie du.«

»Hobie, ich schwöre. Ich wollte nie ...«

»Denn«, er griff das geöffnete Farbdöschen, betrachtete das Etikett, als könnte er sich nicht erinnern, was man damit machte, und stellte es wieder ab, »nun, es war zu schön, um wahr zu sein, oder? All das Geld, das hereinströmte, wunderbar? Und habe ich genauer nachgefragt? Nein. Glaube nicht. Nicht, dass ich wüsste – und wenn du hier oben nicht mit deinem Mumpitz angefangen hättest, müssten wir den Laden wahrscheinlich inzwischen vermieten und hätten uns eine neue Wohnung suchen müssen. Also pass auf – wir fangen ganz von vorne an – Tabula rasa – und nehmen es, wie es kommt. Ein Stück nach dem anderen. Etwas anderes können wir nicht tun.«

»Hör zu, ich wollte nur klarstellen«, seine Ruhe quälte mich, »die Verantwortung liegt bei mir. Wenn es eng wird. Ich will bloß, dass du das weißt.«

»Sicher.« Als er den Pinsel bewegte, waren seine Bewegungen flink, routiniert, reflexartig, eigenartig beunruhigend. »Trotzdem, wollen wir es für heute dabei belassen, ja? Nein«, sagte er, als ich noch etwas sagen wollte, »bitte. Ich möchte, dass du dich darum kümmerst, und ich werde dir helfen, wo ich kann, wenn es ein konkretes Problem gibt, aber ansonsten möchte ich nicht mehr darüber sprechen. In Ordnung?«

Draußen: Regen. Im Keller war es feucht, eine hässliche unterirdische Kühle. Ich stand da, sah ihm zu und wusste nicht, was ich sagen sollte.

»Bitte. Ich bin nicht wütend, ich will bloß hiermit weiterkommen. Es wird schon alles gut werden. Und jetzt geh bitte nach oben, ja?«, sagte er, als ich weiter dastand. »Das ist ein kniffliges Stück Arbeit, ich muss mich wirklich konzentrieren, wenn ich es nicht vermasseln will.«

XVII

Stumm ging ich über ächzende Stufen nach oben und vorbei an den provozierenden Bildern von Pippa, die anzusehen ich nicht ertragen konnte. Als ich heruntergekommen war, hatte ich gedacht, mit den leichten Neuigkeiten anzufangen, um dann zu dem eigentlichen Knaller zu kommen. Aber so schmutzig und illoyal, wie ich mich fühlte, brachte ich es nicht übers Herz. Je weniger Hobie über das Gemälde wusste, desto sicherer würde er sein. Es war in jeder Beziehung falsch, ihn in die Sache hineinzuziehen.

Trotzdem wünschte ich, ich könnte mit jemandem reden, jemandem, dem ich vertraute. Alle paar Jahre erschien ein neuer Zeitungsartikel über die vermissten Meisterwerke, die neben meinem Distelfinken und zwei ausgeliehenen van der Asts auch mehrere wertvolle mittelalterliche Werke und eine Reihe altägyptischer Antiquitäten umfassten. Gelehrte hatten Aufsätze geschrieben, es gab sogar Bücher, und auf der FBI-Website wurde der Fall unter den zehn größten Kunstverbrechen geführt. Bisher hatte es mich ungemein beruhigt, dass die meisten Menschen vermuteten, dass der Dieb, der sich mit den van der Asts aus den Galerien 29 und 30 davongemacht hatte, auch mein Gemälde gestohlen hatte. In der Galerie 32 hatte man die meisten Leichen in der Nähe des zerstörten Eingangs gefunden; laut Ermittlungen hatte es zwischen Explosion und dem Einbrechen des Türsturzes eine Verzögerung von zehn, vielleicht sogar dreißig Sekunden gegeben, gerade genug Zeit, dass noch einige Leute entkommen konnten. Man hatte die Trümmer der Galerie 32 mit Schutzhandschuhen, Staubbürste und penibler Sorgfalt durchsucht und den Rahmen von *Der Distelfink* auch unbeschädigt gefunden (und leer an seine Wand im Mauritshuis in Den Haag gehängt, »als Erinnerung an den unersetzlichen Verlust unseres kulturellen Erbes«), jedoch keine bestätigten Fragmente des Gemäldes an sich, keine Splitter, Bruchteile alter Nägel oder Reste des typischen Bleizinngelb-Pigments. Aber es war ein Gemälde auf Holz, und es ließe sich argumentieren (wie es ein eitler prominenter Historiker, dem ich überaus dankbar war, auch vehement getan hatte), dass der *Distelfink* aus dem Rahmen in das große Feuer im Bereich des Museumsshops geschleudert worden war, dem Epizentrum der Explosion. Ich hatte ihn in einer Dokumentation auf PBS gesehen, in der er bedeutungsvoll vor dem leeren Rahmen im Mauritshuis auf und ab stolzierte und energisch und medienerfahren in die Kamera blickte. »Dass dieses winzige Meisterwerk die Explosion der Pulvermühle in Delft überlebt hat, nur um Jahrhunderte später in einer anderen von Menschen ausgelösten Explosion sein Schicksal zu finden, ist eine jener romanhaften Wendungen des Lebens wie bei O. Henry oder Guy de Maupassant.«

Was meine Person betraf, lautete die offizielle Geschichte – abgedruckt in einer Reihe von Quellen und als Wahrheit akzeptiert –, dass ich mehrere Räume von *Der Distelfink* entfernt war, als die Bombe hochging. Im Laufe der Jahre hatte es etliche Interviewanfragen gegeben, die ich alle abwies, doch zahlreiche Menschen, Augenzeugen, hatten meine Mutter in ihren letzten Augenblicken in der Galerie 24 gesehen, die schöne dunkelhaarige Frau in dem Seidentrench, und viele der Augenzeugen hatten mich neben ihr verortet. Vier Erwachsene und drei Kinder waren in Galerie 24 ums Leben gekommen – und in der öffentlichen Version der Geschichte, der anerkannten Version, war ich einer der Leiber auf dem Boden gewesen, bewusstlos und in dem allgemeinen Tumult übersehen.

Aber Weltys Ring war ein konkreter Beweis für meinen Aufenthaltsort. Zu meinem Glück sprach Hobie nicht gerne über Weltys Tod, doch hin und wieder – nicht oft, meistens spätabends, wenn er etwas getrunken hatte – erging er sich in Erinnerungen. »Kannst du dir vorstellen, wie ich mich gefühlt habe? – Ist es nicht ein Wunder, dass …?« Irgendwann, irgendwann musste ja jemand den Zusammenhang herstellen. Ich hatte es immer gewusst, doch in meinem Drogennebel die Gefahr jahrelang ignoriert. Und vielleicht achtete auch niemand darauf. Vielleicht würde es nie jemand erfahren.

Ich saß auf meiner Bettkante und starrte aus dem Fenster auf die 10th Street – Menschen, die von der Arbeit kamen, essen gingen, schrilles Gelächter. Ein feiner Nieselregen fiel schräg in den Lichtkegel der Laterne direkt vor meinem Fenster. Alles fühlte sich rissig und rau an. Ich sehnte mich dringend nach einer Tablette und wollte gerade aufstehen, um mir einen Drink zu machen, als ich – knapp außerhalb des Lichts und ungewöhnlich bei dem Kommen und Gehen auf der Straße – eine Gestalt bemerkte, die einsam und regungslos im Regen stand.

Als sie nach einer halben Minute immer noch dastand, schaltete ich die Lampe aus und trat ans Fenster. Wie zur Antwort trat die Gestalt offen ins Licht der Laterne, und obwohl ihre Gesichtszüge im Dunkeln nicht deutlich zu erkennen waren, bekam ich doch eine Vorstellung von ihr: hochgezogene Schultern, eher kurze Beine, ein dicker irischer Leib. Jeans und Kapuzenpullover, schwere Schuhe. Eine Weile stand er da, die Silhouette eines Arbeiters, um diese Zeit seltsam fehl am Platz auf der Straße zwischen Fotoassistentinnen, gut gekleideten Paaren und ausgelassenen College-Kids auf dem Weg zu ihren abendlichen Verabredungen. Dann drehte er sich um und ging mit raschen ungeduldigen Schritten davon. Als er ins Licht der nächsten Laterne trat, sah ich ihn in seine Tasche greifen, eine Nummer auf seinem Handy wählen, den Kopf gesenkt, abgelenkt.

Ich ließ die Gardinen sinken. Ich war mir ziemlich sicher, dass ich Gespenster sah, tatsächlich sah ich ständig Gespenster, es gehörte zu meinem Alltag in einer modernen Stadt, die halb unsichtbare Maserung des Terrors, der Katastrophe, zusammenzucken, wenn die Alarmanlage eines Autos losging, immer auf der Hut vor dem, was passieren könnte, Qualmgeruch oder das Klirren von Scherben. Und trotzdem wünschte ich, ich wäre mir hundertprozentig sicher, dass es wirklich bloß meine Einbildung gewesen war.

Alles war totenstill. Das Licht der Laterne fiel durch die Spitzengardinen und warf verzerrte, spinnenartige Schatten an die Wände. Ich hatte die ganze Zeit gewusst, dass es ein Fehler war, das Bild zu behalten, und ich hatte es trotzdem getan. Aus seinem Besitz konnte nichts Gutes erwachsen. Es war nicht einmal so, als hätte es mir in irgendeiner Weise genutzt oder Vergnügen bereitet. In Las Vegas hatte ich es anschauen können, wann immer ich wollte, wenn ich krank, schläfrig oder traurig war, früh am Morgen und mitten in der Nacht, im Herbst oder Sommer, bei jedem Wetter und Sonnenstand anders. Das Gemälde in einem Museum zu sehen, war schon gut, doch es in dem verschiedenartigen Licht, in allen Stimmungen und Jahreszeiten zu betrachten, war, als würde man es auf tausendfach unterschiedliche Weise sehen. Und dieses Objekt aus Licht, das nur im Licht lebte, im Dunkeln einzusperren – das war aus mehr Gründen verkehrt, als ich zu erklären gewusst hätte. Es war mehr als verkehrt: Es war verrückt.

Ich holte ein Glas Eis aus der Küche, goss mir an der Anrichte einen Wodka ein, ging zurück in mein Zimmer, zog mein iPhone aus der Jackentasche und wählte – nachdem ich zögernd die ersten drei Ziffern von Jeromes Pieper gedrückt und wieder gelöscht hatte – stattdessen die Nummer der Barbours.

Etta nahm ab. »Theo!«, sagte sie hörbar erfreut, während im Hintergrund der Fernseher in der Küche lief. »Möchtest du Katherine sprechen?« Nur Kitseys Familie und sehr enge Freunde nannten sie Kitsey, für alle anderen war sie Katherine.

»Ist sie da?«

»Sie kommt nach dem Abendessen. Ich weiß, dass sie auf deinen Anruf gewartet hat.«

»Hmm …« Ich war unwillkürlich froh. »Sagst du ihr, dass ich angerufen habe?«

»Wann kommst du uns wieder besuchen?«

»Bald, hoffe ich. Ist Platt da?«

»Nein – er ist ebenfalls aus. Aber ich richte ihm auf jeden Fall aus, dass du angerufen hast. Und komm uns bald wieder besuchen, ja?«

Ich legte auf, setzte mich aufs Bett und trank Wodka. Es war beruhigend zu wissen, dass ich Platt anrufen konnte, wenn es nötig wurde – nicht wegen des Gemäldes. In dem Punkt traute ich ihm keinen Zentimeter über den Weg, aber soweit es Reeve und den Schubladenschrank betraf, schon. Denn dass Reeve das Möbel mit keinem Wort erwähnt hatte, war ominös.

Was konnte er denn tatsächlich unternehmen? Je länger ich darüber nachdachte, desto mehr hatte ich den Eindruck, dass Reeve sein Blatt überreizt hatte, indem er mich so direkt konfrontierte. Was sollte es ihm nutzen, mir wegen des Möbels zuzusetzen? Was würde er gewinnen, wenn ich verhaftet, das Bild gefunden und für immer außerhalb seiner Reichweite geschafft wurde? Wenn er es haben wollte, konnte er nichts anderes tun, als zu warten, bis ich ihn dorthin führte. Das Einzige, was zu meinen Gunsten sprach – das *Einzige* –, war, dass Reeve nicht wusste, wo es war. Er konnte mich beschatten lassen, von wem er wollte, solange ich mich von dem Lagerraum fernhielt, konnte er es unmöglich aufspüren.

KAPITEL 10

Der Idiot

I

»Oh, Theo«, sagte Kitsey an einem Freitagnachmittag kurz vor Weihnachten, nahm einen der Smaragdohrringe meiner Mutter und hielt ihn ins Licht. Wir saßen bei Fred's zum Mittagessen, nachdem wir den ganzen Vormittag bei Tiffany Besteck und Mustergeschirr angesehen hatten. »Sie sind wunderschön. Es ist bloß ...« Ihre Stirn kräuselte sich.

»Ja ...?« Um drei Uhr nachmittags war das Restaurant immer noch gut besetzt und von leisem Geplauder erfüllt. Als sie zum Telefonieren hinausgegangen war, hatte ich die Ohrringe aus der Tasche gezogen und auf dem Tischtuch arrangiert.

»Na ja, es ist bloß – ich frage mich.« Sie zog die Brauen zusammen, als würde sie ein Paar Schuhe betrachten, unschlüssig, ob sie sie kaufen sollte. »Ich meine – sie sind wunderbar! Danke! Aber ... sind sie auch genau richtig? Für den eigentlichen Tag?«

»Nun, das ist deine Entscheidung«, sagte ich, griff nach meiner Bloody Mary und trank einen großen Schluck, um zu kaschieren, wie überrascht und verärgert ich war.

»Also Smaragde.« Sie hielt sich einen Ohrring ans Ohr und blickte nachdenklich zur Seite. »Ich finde sie entzückend! Aber«, sie hielt den Ohrring wieder hoch, damit er im diffusen Deckenlicht glitzerte, »Smaragd ist eigentlich nicht mein Stein. Ich denke, sie könnten vielleicht ein bisschen hart wirken, weißt du? Mit Weiß? Und meiner Haut? Eau de Nil! Mum kann auch kein Grün tragen.«

»Wie du meinst.«

»Oh, jetzt bist du sauer.«

»Nein, bin ich nicht.«

»Bist du doch! Ich habe deine Gefühle verletzt!«

»Nein, ich bin bloß müde.«

»Du scheinst ja wirklich grässliche Laune zu haben.«

»Bitte, Kitsey, ich bin müde.« Die Suche nach einer Wohnung war ein heldenhafter Kraftakt gewesen, ein frustrierender Prozess, den wir überwiegend gut gelaunt bewältigt hatten, obwohl die kahlen Räume und leeren Zimmer, in denen noch das zurückgelassene Leben anderer Menschen spukte, (bei mir) eine Menge hässlicher Echos aus meiner Kindheit wachriefen, Umzugskartons, Küchengerüche, dunkle Schlafzimmer, aus denen alles Leben verschwunden war und die, mehr noch, von einem ominösen (offenbar) nur für mich hörbaren Summen erfüllt waren, schwer atmende Vorahnungen, die auch die fröhliche Stimme der Makler kaum zerstreuen konnten, die zwischen glänzenden Oberflächen widerhallte, wenn sie herumliefen, Lichter einschalteten und auf die Edelstahlküche hinwiesen.

Und warum war das so? Nicht jede Wohnung, die wir besichtigt hatten, war aus tragischen Gründen frei geworden, wie ich anscheinend glaubte. Dass ich praktisch in allen Räumen Scheidung, Bankrott, Krankheit und Tod witterte, war offensichtlich wahnhaft – und wie sollten überdies die Probleme der Vormieter, real oder eingebildet, Kitsey und mir etwas anhaben?

»Verlier nicht den Mut«, sagte Hobie (der wie ich empfindlich auf Seelen von Räumen und Objekten reagierte, auf Emanationen, die die Zeit hinterlassen hatte), »betrachte es als Job. Als ob du eine Kiste mit kniffligen Stücken durchsehen würdest. Wenn du die Zähne zusammenbeißt und weitersuchst, wirst du die eine Perle finden.«

Und er hatte recht. Ich hatte es die ganze Zeit sportlich genommen, genau wie sie, wir waren dynamisch durch eine freie Wohnung nach der anderen gestapft, düstere Vorkriegsungetüme, in denen die Gespenster einsamer alter jüdischer Damen spukten, und eisige Glasmonstrositäten, in denen ich garantiert nie wohnen könnte, ohne das Gefühl zu haben, dass von der anderen Straßenseite das Gewehr eines Scharfschützen auf mich gerichtet war. Niemand erwartete, dass Wohnungssuche Spaß machte.

Im Gegensatz dazu war mir die Aussicht, mit Kitsey bei Tiffany unseren Hochzeitstisch einzurichten, wie eine angenehme Ablenkung erschienen. Ein Treffen mit der Hochzeitslistenberaterin, zeigen, was uns gefiel, und dann Hand in Hand zu einem vorweihnachtlichen Lunch hinausschweben? Stattdessen hatte mich – ziemlich unerwartet – der Stress überwältigt, mich an einem Freitag kurz vor Weihnachten in einem der vollsten Geschäfte in Manhattan zurechtzufinden: Rolltreppen voller Menschen, Schwärme von Touristen und Weihnachtseinkäufern, die sich in fünf oder sechs Reihen vor Vitrinen drängten, um Armbanduhren, Schals, Handtaschen, Reisewecker, Benimmbücher und allerlei überflüssigen Zierrat in Tiffany-Blau zu kaufen. Wir hatten uns stundenlang durch die fünf Etagen geschleppt, gefolgt von einer Hochzeitsberaterin, die sich alle Mühe gab, vollendeten Service zu bieten, und uns so selbstbewusst bei unseren Entscheidungen beriet, dass ich mich unwillkürlich ein wenig verfolgt fühlte (»Ein Porzellanmuster sollte Ihnen beiden sagen, ›so sind wir, als Paar‹ … es ist ein wichtiger Ausdruck Ihres Stils«). Kitsey huschte derweil von Verkaufsstand zu Verkaufsstand: Der Goldrand!, nein, der blaue! Warte … welchen hatten wir zuerst? Ist achteckig übertrieben?, und die Beraterin steuerte ihre hilfreichen Deutungen bei: urbane geometrische Strukturen … romantische Blumenmuster … zeitlose Eleganz … leuchtende Extravaganz … Und obwohl ich die ganze Zeit sagte, sicher, das ist schön, das auch, mir würden beide gefallen, deine Entscheidung, Kits, zeigte die Beraterin uns immer neue Geschirr-Sets, weil sie offenbar hoffte, mir die Bekundung einer Vorliebe zu entlocken, erläuterte mir freundlich die jeweiligen Feinheiten, das vergoldete Silber hier, der handbemalte Rand dort, bis ich mir auf die Zunge beißen musste, um nicht zu sagen, was ich wirklich dachte: dass es trotz allen Kunsthandwerks null Unterschied machte, ob Kitsey Muster X oder Muster Y auswählte, da sie für mich im Grunde alle gleich waren: neu, reizlos und unbelebt, von dem Preis ganz zu schweigen – achthundert Dollar für einen gestern hergestellten Teller? Einen Teller? Es gab wunderschöne komplette Services aus dem 18. Jahrhundert, die man für den Bruchteil des Preises kaufen konnte, den dieses kalte, glänzende, frisch geprägte Zeug kostete.

»Aber sie können dir doch nicht alle genau gleich gut gefallen! Und ja, absolut, ich komme immer wieder zu dem Déco zurück«, sagte Kitsey zu unserer geduldigen im Hintergrund schwebenden Verkäuferin, »aber sosehr es mir gefällt, vielleicht ist es nicht ganz passend für uns«, und dann zu mir: »Was denkst du?«

»Was immer du willst. Irgendeins. Ehrlich«, sagte ich, schob die Hände in die Taschen und wandte den Blick ab, als sie weiterhin dastand und mich respektvoll anblinzelte.

»Du wirkst sehr nervös. Ich wünschte, du würdest mir sagen, was dir gefällt.«

»Ja, aber …« Ich hatte so viel Porzellan aus Nachlassverkäufen und Haushaltsauflösungen ausgepackt, dass die unberührten, glänzenden Ausstellungsstücke mit ihrem stillschweigenden Versprechen von einer ebenso glänzenden untragischen Zukunft etwas beinahe unaussprechlich Trauriges hatten.

»Chinois? Oder Birds of the Nile? Sag Theo, ich weiß, dass dir eins von beiden besser gefallen muss.«

»Mit beiden kann man nichts falsch machen. Beide sind peppig und schick. Und dieses ist schlicht, für jeden Tag«, sagte die Beraterin hilfsbereit, weil *schlicht* für sie offenbar ein Schlüsselwort im Umgang mit überforderten und übellaunigen Ehegatten war. »Wirklich schlicht und neutral.« Anscheinend gehörte es zum Protokoll von Hochzeitslisten, dass dem Bräutigam die Auswahl des Alltagsgeschirrs überlassen wurde (vermutlich für all die Super-Bowl-Partys, die ich für die Jungs schmeißen würde, ha, ha), während das »offizielle Geschirr« den Experten überlassen blieb: den Damen.

»Sehr schön«, sagte ich, knapper als vorgesehen, wie mir klar wurde, als sie darauf warteten, dass ich noch etwas hinzufügte. Schlichtes, weißes, modernes Geschirr war nichts, wofür ich große Begeisterung aufbringen konnte. Es erinnerte mich an die netten alten Marimekko-Damen, die ich manchmal im Ritz Tower traf: Witwen mit Turban, Panther-Kette und kratziger Stimme, die nach Miami umziehen wollten, ihre Wohnungen voll mit Möbeln aus Rauchglas und Chrom, die sie in den Siebzigern über ihre Innenarchitekten für den Preis eines guten Queen-Anne-Stücks gekauft hatten – die jedoch (wie ich ihnen widerwillig erklären musste) ihren Wert nicht konserviert hatten und nicht einmal für die Hälfte dessen, was sie gekostet hatten, wiederverkauft werden konnten.

»Tischgeschirr ...« Die Hochzeitsberaterin fuhr mit einem neutral manikürten Finger über den Tellerrand. »Also meine Vorstellung, wie meine Paare edles Porzellan, Kristall und Silber sehen sollten? Es ist ein Ritual am Ende des Tages. Ein Glas Wein, Spaß, Familie, Gemeinsamkeit. Ein Geschirrset ist eine großartige Möglichkeit, Ihrer Ehe ein wenig dauerhaften Stil und Romantik zu geben.«

»Genau«, sagte ich wieder. Aber der Gedanke hatte mich abgestoßen, und die beiden Bloody Marys, die ich bei Fred's getrunken hatte, hatten diesen unangenehmen Geschmack noch nicht ganz weggespült.

Kitsey betrachtete die Ohrringe, skeptisch, so kam es mir vor. »Also, pass auf. Ich *werde* sie zu der Hochzeit tragen, sie sind wunderschön. Und ich weiß, dass sie deiner Mutter gehört haben.«

»Ich möchte, dass du trägst, was du willst.«

»Ich sag dir, was *ich* denke.« Sie streckte spielerisch den Arm über den Tisch und fasste meine Hand. »Ich glaube, du brauchst einen Mittagsschlaf.«

»Unbedingt«, sagte ich, drückte ihre Hand an meine Wange und erinnerte mich daran, was für ein Glück ich hatte.

II

Es war alles wirklich schnell passiert. Nicht einmal zwei Monate nach dem Abendessen bei den Barbours sahen Kitsey und ich uns praktisch täglich – machten lange Spaziergänge, aßen gemeinsam zu Abend (manchmal im Match 65 oder im Le Bilboquet, manchmal Sandwiches in der Küche) und redeten über alte Zeiten: über

Andy und verregnete Sonntage mit dem Monopoly-Brett (»Ihr beide wart so gemein ... Shirley Temple allein gegen Henry Ford *und* J. P. Morgan«), über den Abend, an dem sie weinen musste, weil wir sie gezwungen hatten, anstatt *Pocahontas Hellboy* zu gucken, die quälenden Anzug-und-Krawatte-Anlässe – jedenfalls quälend für uns kleine Jungen, bei denen wir steif vor einer Cola mit Zitrone im Yacht-Club herumsaßen, während Mr. Barbour unruhig Ausschau nach Amadeo hielt, seinem Lieblingskellner, mit dem er sich unbedingt in seinem lächerlichen Xavier-Cugat-Spanisch unterhalten musste –, Schulfreunde, Partys, ein unerschöpflicher Gesprächsstoff, weißt du noch dies, weißt du noch das, weißt du noch, wie wir ... ganz anders als mit Carole Lombard, wo es immer nur um Alkohol und Sex gegangen war, ohne dass wir uns allzu viel zu sagen gehabt hätten.

Nicht, dass nicht auch Kitsey und ich sehr verschiedene Menschen gewesen wären, aber das war in Ordnung: Sollte die Ehe, wie Hobie durchaus vernünftig angemerkt hatte, nicht eine Verbindung von Gegensätzen sein? Sollte Kitsey nicht neue Anstöße in mein Leben bringen und ich in ihres? Und wurde es nicht (sagte ich mir) Zeit, nach vorne zu schauen, loszulassen und mich dem Garten zuzuwenden, der mir verschlossen war? In der Gegenwart zu leben, sich auf das Hier und Jetzt zu konzentrieren, anstatt zu betrauern, was ich nie haben konnte? Jahrelang hatte ich mich in einem Treibhaus vergeblichen Kummers gesuhlt: Pippa, Pippa, Pippa, Heiterkeit und Verzweiflung, eine endlose Schleife, praktisch bedeutungslose Ereignisse trugen mich bis zu den Sternen oder stürzten mich in wortlose Depression, der Anblick ihres Namens auf meinem Handy-Display oder eine mit »alles Liebe« unterschriebene E-Mail (so unterschrieb Pippa alle ihre E-Mails an jeden) ließ mich tagelang schweben, während ich – wenn sie Hobie anrief und nicht auch mich sprechen wollte (und warum sollte sie?) – völlig unverhältnismäßig am Boden zerstört war. Ich litt unter einem Wahn, und ich wusste es. Schlimmer noch: Meine Liebe für Pippa war unter der Wasseroberfläche mit meiner Mutter vermischt, mit dem Tod meiner Mutter, dem Verlust meiner Mutter, der Unmöglichkeit, sie zurückzubekommen. All mein blinder, infantiler Hunger, zu retten und gerettet zu werden, die Vergangenheit anders zu wiederholen, hatte sich irgendwie, gierig, auf Pippa fixiert. Es war eine ewige Labilität, eine Krankheit. Ich sah Dinge, die nicht da waren. Ich war nur einen Schritt entfernt von einem Trailer-Park-Sonderling, der ein Mädchen stalkte, das er in einem Einkaufszentrum beobachtet hatte. Denn in Wahrheit sahen Pippa und ich uns vielleicht zwei Mal im Jahr, wir schickten uns E-Mails und SMS, allerdings nicht besonders regelmäßig, und wenn sie in der Stadt war, liehen wir uns Bücher und gingen ins Kino. Wir waren Freunde, mehr nicht. Meine Hoffnung auf eine Beziehung mit ihr war vollkommen irreal, während mein andauerndes Elend und meine Frustration auf allzu schreckliche Weise real waren. Konnte man tatsächlich den Rest seines Lebens wegen einer unbegründeten, hoffnungslosen, unerwiderten Obsession vergeuden?

Es war eine bewusste Entscheidung gewesen sich loszureißen. Es hatte meine letzten Reserven erfordert, wie ein Tier, das sich seine Gliedmaße abbeißt, um sich zu befreien. Irgendwie hatte ich es geschafft; und auf der anderen Seite war Kitsey und sah mich aus ihren amüsierten, stachelbeergrauen Augen an.

Wir hatten Spaß zusammen. Wir verstanden uns. Es war ihr erster Sommer in der City, »in meinem ganzen Leben, überhaupt« – das Haus in Maine war fest verschlossen, Onkel Harry und die Cousinen waren auf die Îles de la Madeleine in Kanada gefahren – »und ich weiß nicht so recht, was ich hier allein mit Mum anfangen soll – oh bitte, unternimm etwas mit mir. Fährst du am Wochenende mit mir an den Strand, bitte?« Also fuhren wir an den Wochenenden nach East Hampton, wo wir im Haus von Freunden von ihr übernachteten, die den Sommer in Frankreich verbrachten, und in der Woche trafen wir uns nach meiner Arbeit Downtown, tranken lauwarmen Wein in Straßencafés, Abende im menschenleeren Tribeca mit flirrenden Bürgersteigen und heißen Dämpfen aus den U-Bahn-Schächten, die Funken von meiner Zigarettenspitze bliesen. Kinos waren immer kühl, genau wie die King-Cole-Bar und die Oyster Bar in der Grand Central Station. An zwei Nachmittagen in der Woche fuhr sie – mit Hut und Handschuhen, in Jack Purcells und hübschen Röcken, von Kopf bis Fuß mit verschreibungspflichtigem Sunblocker eingesprüht (weil sie wie Andy an einer Sonnenallergie litt) – in ihrem schwarzen Mini Cooper mit extra angefertigter Golfschlägerhalterung auf der Rückbank nach Shinnecock oder Maidstone. Anders als Andy war sie schwatzhaft und flatterig, lachte nervös und über ihre eigenen Witze, mit einem Anflug der zerstreuten Energie ihres Vaters, jedoch ohne die Distanziertheit, die Ironie. Man hätte sie pudern und ihr einen Schönheitsfleck ins Gesicht malen können, und sie wäre mit ihrer weißen Haut, ihren rosigen Wangen und ihrer stammelnden Fröhlichkeit als Hofdame in Versailles durchgegangen. Sie trug knappe Etuikleider aus Leinen, auf dem Land wie in der Stadt, dazu als Accessoire Vintage-Krokohandtaschen ihrer Großmutter, und in die peinigend hohen Christian Louboutins, in denen sie herumstolperte (»Aua-Aua-Schuhe!«), hatte sie ihren Namen und ihre Adresse geklebt für den Fall, dass sie sie zum Tanzen oder Schwimmen abstreifte und vergaß, wo sie sie gelassen hatte: silberne Schuhe, bestickte Schuhe, spitze Schuhe mit Bändern, tausend Dollar das Paar. »Erbsenzähler«, rief sie mir im Treppenhaus hinterher, wenn ich – um drei Uhr morgens, schwer beschwipst von Rum mit Cola – schließlich auf die Straße stolperte, um ein Taxi zu nehmen, weil ich am nächsten Tag arbeiten musste.

Sie war diejenige, die mir den Heiratsantrag gemacht hatte. Auf dem Weg zu einer Party. Chanel No. 19, babyblaues Kleid. Wir kamen aus dem Haus in der Park Avenue – beide ein wenig angesäuselt von den Cocktails oben –, und in dem Moment, als wir aus der Tür auf die Straße traten, gingen die Laternen an, wir blieben wie angewurzelt stehen und sahen uns an: Waren *wir* das? Der Augenblick war so komisch, dass wir beide anfingen, hysterisch zu lachen – es war, als verströmten wir Licht, als könnten wir die Park Avenue beleuchten. Und als Kitsey meine Hand fasste und sagte: »Weißt du, was ich denke, was wir machen sollten, Theo?«, wusste ich genau, was sie sagen wollte.

»Sollten wir?«

»Ja, bitte! Meinst du nicht? Es würde Mummy so glücklich machen.«

Wir hatten nicht einmal ein Datum festgelegt. Der Termin wurde ständig verschoben, wegen der Belegung der Kirchen, der Unpässlichkeit gewisser unverzichtbarer Partygäste, irgendjemandes Regatta, Abgabetermin oder was auch immer. Wie diese Hochzeit sich zu einem so bedeutenden Anlass entwickeln konnte – eine mehrere hundert Personen umfassende Gästeliste, Kosten von etlichen Tausenden, ausgestattet und durchchoreographiert wie eine Broadway-Show –, wie sie sich zu einer solchen Inszenierung hochschrauben konnte, war mir deswegen nicht ganz klar. Ich wusste, dass eine außer Kontrolle geratene Hochzeit bisweilen der Brautmutter zugeschrieben wurde, aber in diesem Fall ließ sich die Schuld keinesfalls bei Mrs. Barbour festmachen, die man kaum aus ihrem Zimmer und von ihrem Stickkorb weglocken konnte, die keine Anrufe entgegen- und keine Einladungen annahm, nicht einmal mehr zum Frisör ging, sie, die sich früher bestimmt jeden zweiten Tag die Haare hatte machen lassen, ein fester Termin um elf, bevor sie zum Lunch ausging.

»Mum *wird* sich freuen, was?«, hatte Kitsey geflüstert und mir mit ihrem spitzen kleinen Ellenbogen in die Rippen geboxt, als wir zurück zu Mrs. Barbours Zimmer eilten. Und die Erinnerung an Mrs. Barbours Freude, als sie die Neuigkeit erfuhr (*Sag du es ihr,* hatte Kitsey geflüstert, *sie wird besonders glücklich sein, wenn sie es von dir hört*), war ein Moment, den ich im Kopf immer wieder abspulen konnte, ohne seiner überdrüssig zu werden: ihr erstaunter Blick, das Entzücken, das sich ungeschützt in ihrem kühlen, müden Gesicht ausgebreitet hatte. Mit einer Hand fasste sie mich, mit der anderen Kitsey, aber dieses wunderschöne Lächeln – ich würde es nie vergessen – war für mich alles gewesen.

Wer hätte geahnt, dass es in meiner Macht lag, irgendjemanden glücklich zu machen? Oder dass ich selbst so glücklich sein könnte?

677

Meine Stimmungen waren die reinste Achterbahnfahrt; nachdem ich mich jahrelang abgekapselt und betäubt hatte, surrte und schwirrte mein Herz, eckte schleudernd an wie eine Biene unter einem Glas, alles war hell, stechend, verwirrend, verkehrt – aber es war clean im Gegensatz zu der abgestumpften Qual, die mich unter Drogen für Jahre gequält hatte wie ein fauler Zahn, der widerliche schmutzige Schmerz von etwas Verdorbenem. Die Klarheit war erfrischend, als hätte ich eine verschmierte Brille abgenommen, die alles verwischte, was ich sah. Der ganze Sommer war wie ein einziger Taumel: prickelnd, übergeschnappt, voller Energie, mit Gin und Krabben-Cocktails und dem belebenden Ploppen von Tennisbällen. Und alles, was ich denken konnte, war Kitsey, Kitsey, Kitsey!

Und vier Monate waren vergangen, schon war Dezember, frische Morgen und Weihnachtsgeläut in der Luft; und Kitsey und ich waren verlobt und wollten heiraten, und wie viel Glück hatte ich, nicht wahr?, doch obwohl alles zu perfekt war, Herzen und Blumen, der Schlussakt eines lustigen Musicals, war mir elend zumute. Der frische Wind der Energie, von dem ich den ganzen Sommer über getragen wurde, hatte mich Mitte Oktober unsanft in einen Nieselregen aus Traurigkeit fallen lassen, der sich endlos in alle Richtungen erstreckte: Mit einigen wenigen Ausnahmen (Kitsey, Hobie, Mrs. Barbour) konnte ich keine Menschen um mich ertragen, konnte mich nicht darauf konzentrieren, was irgendjemand sagte, konnte nicht mit Kunden sprechen, konnte meine Möbel nicht auszeichnen, konnte nicht U-Bahn fahren, jede menschliche Aktivität schien mir sinnlos, unbegreiflich, ein schwarz wimmelnder Ameisenhügel in der Wildnis, kein Quäntchen Licht, wohin ich auch blickte. Die Antidepressiva, die ich seit acht Wochen pflichtschuldig schluckte, hatten kein bisschen geholfen, genauso wenig wie die davor (aber ich hatte alle probiert; offenbar gehörte ich zu den zwanzig Prozent Unglücklichen, die nicht die Gänseblümchenwiesen und Schmetterlinge kriegten, sondern massive Kopfschmerzen und Selbstmordgedanken); und obwohl sich das Dunkel manchmal gerade genug lichtete, um meine Umgebung zu erkennen, vertraute Umrisse, die sich verfestigten wie Schlafzimmermöbel im Morgengrauen, war die Linderung immer nur vorübergehend, weil es nie wirklich hell wurde und alles wieder in Dunkelheit versank, bevor ich mich orientieren konnte, und, schwarze Tinte in den Augen, in der Finsternis herumkroch.

Warum genau ich mich so verloren fühlte, war mir nicht klar. Ich war nicht über Pippa hinweg, und das wusste ich, würde vielleicht nie über sie hinweg sein, und das war einfach etwas, womit ich leben musste, die Traurigkeit, jemanden zu lieben, den ich nicht haben konnte, aber ich wusste auch, dass mein unmittelbares Problem darin bestand, mich einer (wie ich fand) unangenehm eskalierenden, gesellschaftlichen Gangart anzupassen. Kitsey und ich genossen nicht mehr so viele erholsame Abende à deux, Händchen haltend auf derselben Seite des Tisches in der dunklen Nische eines Restaurants. Stattdessen gab es jetzt beinahe jeden Abend Dinnerpartys und lange Restauranttafeln mit ihren Freunden, anstrengende Anlässe, bei denen es mir (nervös, unberauscht, bis auf die letzte Synapse ausgebrannt) schwerfiel, die gesellschaftlich angemessene Begeisterung zu zeigen, vor allem wenn ich von der Arbeit müde war – und dann noch die Hochzeitsvorbereitungen, eine Lawine von Trivialitäten, für die ich mich ebenso enthusiastisch interessieren sollte wie sie, ein Hagel von bunten Prospekten und Waren. Für sie war es ein Vollzeitjob: Besuche bei Papierhandlungen und Floristen, Recherche zu Catering-Firmen und Händlern, haufenweise Stoffmuster, Schachteln mit Petit Fours und Tortenproben. Sie grübelte und bat mich mehrfach, ihr bei der Auswahl von zwei praktisch identischen Schattierungen von Elfenbein und Lavendel auf einer Farbkarte zu helfen; sie plante für ihre Brautjungfern eine Reihe von »Mädchenabenden« mit Übernachtung und ein »Jungs-Wochenende« für mich (organisiert von Platt? Immerhin konnte ich mich so darauf verlassen, permanent betrunken zu sein) – und dann die Pläne für die Flitterwochen, Stapel von Hochglanzkatalogen (Fidschi oder Nantucket? Mykonos oder Capri?). »Fantastisch«, sagte ich jedes Mal in meinem freundlichen neuen Kitsey-Gesprächston, »sieht alles super aus«, obwohl es mir angesichts der Geschichte ihrer Familie mit Wasser seltsam vorkam, dass sie sich nicht für Wien, Paris, Prag oder irgendein Ziel interessierte, das nicht buchstäblich eine Insel mitten im verdammten Ozean war.

Trotz allem war ich mir meiner Zukunft nie so sicher gewesen, und wenn ich mich an die Richtigkeit meines Kurses erinnerte, wozu ich häufig Anlass hatte, wanderten meine Gedanken nicht nur zu Kitsey, sondern auch zu Mrs. Barbour, deren Glück mir in Kammern meines Herzens ein Gefühl von Sicherheit und Geborgenheit gegeben hatte, die seit Jahren ausgetrocknet gewesen waren. Unsere Neuigkeit hatte ihre Stimmung sichtlich aufgehellt; sie fing an, in der Wohnung herumzukramen, trug einen winzigen Hauch Lippenstift, und selbst der alltäglichste Austausch mit mir war von einem festen, steten, friedlichen Licht eingefärbt, das die Räume um uns größer machte und ruhig in all meine dunkelsten Ecken leuchtete.

»Ich hätte nie gedacht, dass ich noch einmal so glücklich sein würde«, hatte sie mir eines Abends leise anvertraut, als Kitsey sehr plötzlich aufgesprungen war, um ans Telefon zu gehen, wie es ihre Art war, und uns zu zweit an dem Klapptisch in Mrs. Barbours Zimmer zurückgelassen hatte, wo wir verlegen in unseren Lachsfilets mit Spargelspitzen herumstocherten. »Denn – du warst immer so gut zu Andy – hast ihn aufgebaut, sein Selbstvertrauen bestärkt. Mit dir hat er sich immer von seiner besten Seite gezeigt, immer. Und – ich bin so froh, dass du jetzt auch offiziell Mitglied der Familie wirst, denn – o nein, ich sollte das wohl nicht sagen, aber ich habe dich immer wie eins meiner eigenen Kinder betrachtet, wusstest du das? Auch als du noch ein kleiner Junge warst.«

Die Bemerkung erschütterte und rührte mich dermaßen, dass ich unbeholfen reagierte – fassungslos zu stammeln begann –, bis sie Mitleid mit mir hatte und das Gespräch auf andere Themen lenkte. Aber jedes Mal wenn ich mich daran erinnerte, wurde ich von einem warmen Glanz durchflutet. Eine ebenso befriedigende (wenn auch niederträchtige) Erinnerung war die an Pippas kurze schockierte Pause, als ich ihr die Nachricht am Telefon erzählt hatte. Immer wieder hatte ich diese Pause in meinem Kopf abgespielt, sie genossen, ihr verblüfftes Schweigen: »Oh?« Und dann wieder gefasster: »O Theo, wie wunderbar! Ich kann es nicht erwarten, sie kennenzulernen!«

»Oh, sie ist *fantastisch*«, hatte ich gehässig gesagt. »Ich bin schon seit meiner Kindheit in sie verliebt.«

Was – in vielerlei Hinsicht, die ich immer noch begreifen musste – unbedingt wahr war. Das Zusammenspiel von Vergangenheit und Gegenwart war wild erotisch: Ich zog endloses Entzücken aus der Erinnerung an die Verachtung der neunjährigen Kitsey für mich als dreizehnjährigen Nerd (sie hatte schmollend die Augen verdreht, wenn sie beim Abendessen neben mir sitzen musste). Und noch mehr genoss ich die unverhohlene Verblüffung von Menschen, die uns als Kinder gekannt hatten: Du? Und Kitsey Barbour? Wirklich? *Sie?* Ich liebte den Spaß und die Verruchtheit, die schiere Unwahrscheinlichkeit: in ihr Zimmer zu schleichen, wenn ihre Mutter eingeschlafen war – dasselbe Zimmer, das sie als Kind vor mir verschlossen hatte, dieselbe pinkfarbene Seidentapete, unverändert seit den Tagen von Andy, handgeschriebene Schilder BETRETEN VERBOTEN, NICHT STÖREN –, wenn ich sie ins Zimmer schob, Kitsey die Tür abschloss, einen Finger auf meinen Mund legte und die Kontur meiner Lippen nachfuhr, jenes erste herrliche Stolpern in Richtung ihres Bettes, pst, Mommy schläft!

Jeden Tag hatte ich reichlich Anlass, mich daran zu erinnern, wie glücklich ich war. Kitsey war nie müde, Kitsey war nie unglücklich. Sie war gefällig, begeistert, liebevoll. Sie war wunderschön mit einer Art leuchtenden zuckerweißen Aura, die die Leute auf der Straße die Köpfe wenden ließ. Ich bewunderte, wie kontaktfreudig sie war, wie der Welt zugewandt, amüsant und spontan – »ein kleines Wirrköpfchen!«, wie Hobie sie sehr zärtlich nannte –, was für ein frischer Wind! Jeder liebte sie. Und mir war durchaus bewusst, dass es bei all ihrer ansteckenden Leichtigkeit des Herzens eine äußerst nebensächliche Kritik war, dass Kitsey von nichts besonders bewegt schien. Selbst die gute alte Carole Lombard konnte rührselige Tränen über Exfreunde, misshandelte Haustiere in den Nachrichten oder die Schließung alter Studentenkneipen in Chicago vergießen, wo sie aufgewachsen war. Aber anscheinend fand Kitsey nie irgendetwas besonders drängend, emotional oder auch nur überraschend. Darin ähnelte sie ihrer Mutter und ihrem Bruder – wobei Mrs. Barbours und Andys Zurückhaltung irgendwie vollkommen anders war als Kitseys Art, eine flapsige oder banale Bemerkung zu machen, wenn jemand ein ernstes Thema ansprach. (»Kein Spaß«, hatte ich sie halb scherzhaft mit gekräuselter Nase seufzen hören, wenn Leute sich nach ihrer Mutter erkundigten.) Und ich – selbst morbide und krank, wenn ich nur daran dachte – achtete auch auf irgendein Anzeichen von Trauer um Andy oder ihren Dad, und es begann, mich zu stören, dass ich keins entdeckte. Hatte ihr Tod sie überhaupt nicht getroffen? Sollten wir nicht irgendwann zumindest darüber reden? Auf einer Ebene bewunderte ich ihre Tapferkeit: Kinn hoch und angesichts der Tragödie weitermachen oder was auch immer. Vielleicht verbarg sie ihre Gefühle bloß wirklich sehr gut, hatte sie tief in sich verschlossen und eine meisterliche Fassade geschaffen. Aber hinter jener glitzernden blauen Seichtheit – auf den ersten Blick so verführerisch – hatte sich nach wie vor keine Tiefe aufgetan, sodass ich manchmal das beunruhigende Gefühl hatte, in kniehohem Wasser herumzuwaten auf der Suche nach einer abschüssigen Stelle, die tief genug war, um darin zu schwimmen.

Kitsey klopfte auf mein Handgelenk. »Was?«

»*Barneys.* Ich meine, wo wir schon hier sind? Vielleicht sollten wir einen Blick in die Haushaltswarenabteilung werfen? Ich weiß, Mutter wäre nicht begeistert, wenn wir unsere Hochzeitsliste dort einrichten, aber es könnte doch ganz witzig sein, für den Alltag etwas weniger Traditionelles zu nehmen.«

»Nein«, ich griff nach meinem Glas und trank es mit einem Schluck leer, »ich muss wirklich nach Downtown, wenn das okay ist. Ich soll einen Kunden treffen.«

»Kommst du heute Abend noch vorbei?« Kitsey teilte sich mit zwei Mitbewohnerinnen eine Wohnung in der Upper Eastside, in der Nähe des Büros der Kunstorganisation, für die sie arbeitete.

682

»Ich weiß noch nicht. Vielleicht muss ich noch mit dem Kunden zu Abend essen. Aber wenn es geht, winde ich mich da raus.«

»Cocktails? Bitte? Oder wenigstens einen Drink nach dem Abendessen? Alle werden so enttäuscht sein, wenn du dich nicht wenigstens ganz kurz blicken lässt. Charles und Bette …«

»Ich versuche es. Versprochen. Vergiss die nicht.« Ich wies mit dem Kopf auf die Ohrringe, die immer noch auf dem Tischtuch lagen.

»Oh! Nein! Natürlich nicht!«, sagte sie schuldbewusst, nahm sie und warf sie in ihre Handtasche wie eine Handvoll loses Kleingeld.

III

Als wir gemeinsam hinaus in das Weihnachtsgedränge traten, war ich unsicher auf den Beinen und voller Kummer, und die geschmückten Gebäude, das Glitzern in den Fenstern, machten die bedrückende Traurigkeit nur noch schlimmer: dunkler Winterhimmel, eine graue Schlucht aus Juwelen und Pelzen und all der Macht und Melancholie des Reichtums.

Was war mit mir los, fragte ich mich, während Kitsey und ich die Madison Avenue überquerten und ihr pinkfarbener Prada-Mantel ausgelassen im Getümmel wippte. Warum hielt ich es Kitsey vor, dass sie nicht von Gedanken an Andy und ihren Dad verfolgt wurde, sondern ihr Leben weiterlebte?

Aber momentan – ich fasste Kitseys Ellenbogen und wurde mit einem strahlenden Lächeln belohnt – war ich auch erleichtert und von meinen eigenen Sorgen abgelenkt. Es war acht Monate her, seit ich Reeve in dem Restaurant in Tribeca hatte sitzen lassen, und wegen der unechten Stücke aus meinen Verkäufen hatte sich bisher noch niemand gemeldet, obwohl ich voll und ganz darauf eingestellt war, den Fehler zuzugeben, sollte es jemand tun: unerfahren, neu im Geschäft, hier haben Sie Ihr Geld zurück, Sir, akzeptieren Sie meine Entschuldigung. Wenn ich nachts wach lag, beruhigte ich mich damit, dass ich, falls es wirklich hässlich werden sollte, kaum Spuren hinterlassen hatte: Ich hatte die Verkäufe nicht mehr als nötig dokumentiert und bei kleineren Objekten gegen Barzahlung Rabatt gegeben.

Aber trotzdem. Aber trotzdem. Sobald ein Kunde die Sache publik machte, würde eine Lawine losgetreten. Und es wäre schon schlimm genug, wenn Hobies Ruf ruiniert würde, aber in dem Augenblick, in dem so viele Kunden Ansprüche geltend machten, dass ich ihnen das Geld nicht mehr erstatten konnte, würde es Klagen geben: Klagen, in denen Hobie als Miteigentümer des Geschäftes als Beklagter auftauchen würde. Es wäre schwer, ein Gericht davon zu überzeugen, dass er nicht gewusst hatte, was ich tat, vor allem bei einigen Verkäufen auf dem Niveau bedeutender Americana – und ich war mir nicht einmal sicher, dass Hobie sich, sollte es so weit kommen, angemessen verteidigen würde, wenn es bedeutete, mich alleine hängen zu lassen. Zugegeben: eine Menge der Leute, an die ich verkauft hatte, besaßen so viel Geld, dass es ihnen scheißegal war. Aber trotzdem. Aber trotzdem. Wann würde jemand beschließen, etwa die Unterseite der Hepplewhite-Esszimmerstühle zu betrachten, und feststellen, dass sie nicht alle gleich waren? Dass die Maserung nicht übereinstimmte, dass die Beine nicht zueinander passten? Oder einen Tisch von einem unabhängigen Gutachter schätzen lassen und erfahren, dass das verwendete Furnier in den 1770ern nicht nur nicht benutzt worden, sondern noch gar nicht erfunden war? Jeden Tag fragte ich mich, wann und wie der erste Betrug ans Licht kommen würde: ein Brief von einem Anwalt, ein Anruf der Abteilung für Amerikanische Möbel bei Sotheby's, ein Innenarchitekt oder Sammler, der in den Laden stürmte, um mich zur Rede zu stellen, Hobie, der nach unten kam, hör zu, wir haben da ein Problem, hast du mal einen Moment?

Ich wusste nicht, was passieren würde, falls die Ehe-zerstörerische Kunde meiner Verbindlichkeiten vor der Hochzeit bekannt werden sollte. Doch allein der Gedanke war mehr, als ich ertragen konnte. Vielleicht würde die Hochzeit gar nicht stattfinden. Aber –

um Kitseys und ihrer Mutter willen – schien es sogar noch grausamer, wenn die Sache erst nachher ans Licht kam, zumal die Barbours nicht mehr annähernd so wohlhabend waren wie noch vor Mr. Barbours Tod. Es gab Liquiditätsprobleme. Das Geld war in einer Stiftung festgelegt. Mommy musste einige Angestellte auf Teilzeit reduzieren und die anderen entlassen. Und Daddy war – wie Platt mir anvertraut hatte, als er versuchte, mich für weitere Antiquitäten aus der Wohnung zu interessieren – am Ende ein bisschen durchgedreht und hatte mehr als fünfzig Prozent des Portfolios in die VistaBank investiert, ein Konglomerat von Handelsbanken, aus »sentimentalen Gründen« (Mr. Barbours Ur-Urgroßvater war Präsident einer der historischen Gründungsbanken in Massachusetts gewesen, die ihren Namen seit dem Zusammenschluss mit Vista jedoch längst verloren hatte). Leider hatte die VistaBank erst aufgehört, Dividende zu zahlen, und dann kurz vor Mr. Barbours Tod Konkurs angemeldet. Daher auch Mrs. Barbours drastisch gekürzte Spenden für wohltätige Einrichtungen, die sie einst so großzügig unterstützt hatte; daher Kitseys Job. Und Platts Lektorenposten in dem geschmackvollen kleinen Verlag brachte, wie er mich häufig erinnerte, wenn er betrunken war, weniger ein als das, was Mommy in den alten Tagen ihrer Haushälterin gezahlt hatte. Wenn es ganz dicke kam, würde Mrs. Barbour ziemlich sicher alles in ihrer Macht Stehende tun, um zu helfen, und Kitsey wäre als meine Gattin ohnehin dazu verpflichtet, egal ob sie wollte oder nicht. Aber es wäre ein böser Streich, den ich ihnen spielen würde, zumal Hobies überschwängliches Lob alle (vor allem Platt, der sich Sorgen um die schwindenden Rücklagen der Familie machte) davon überzeugt hatte, dass ich eine Art finanzieller Magier war, der zur Rettung seiner Schwester geeilt kam. »Du weißt, wie man Geld *verdient*«, sagte er freiheraus, als er mir erzählte, wie begeistert alle waren, dass Kitsey mich und nicht eine der Nullnummern heiratete, mit denen man sie auch schon hatte herumziehen sehen. »Sie nicht.«

Am meisten Sorgen bereitete mir nach wie vor Lucius Reeve. Obwohl ich über den Schubladenschrank keinen Mucks mehr von ihm gehört hatte, waren seit dem Sommer eine Reihe beunruhigender Briefe eingetroffen: handgeschrieben, ohne Unterschrift, auf blau umrandeten Briefkarten, im Kopf nur sein Name in Copperplate:

LUCIUS REEVE

Es ist drei Monate her, seit ich Ihnen einen nach allem Ermessen fairen und vernünftigen Vorschlag gemacht habe. Wie können Sie zu dem Schluss kommen, dass mein Angebot etwas anderes als angemessen ist?

Und später:

Weitere acht Wochen sind vergangen. Sie verstehen mein Dilemma. Das Frustrationsniveau steigt.

Und dann, drei Wochen danach, nur eine Zeile:

Ihr Schweigen ist inakzeptabel.

Diese Briefe quälten mich, auch wenn ich versuchte, sie aus meinen Gedanken zu verdrängen. Wann immer ich an sie dachte – was häufig und unvorhersehbar geschah, während eines Essens, die Gabel auf halbem Weg zum Mund –, war es, als würde ich mit einer Ohrfeige aus einem Traum gerissen. Vergeblich versuchte ich, mich daran zu erinnern, dass Reeves Anschuldigungen in dem Restaurant mehr als weit hergeholt waren. Ihm in irgendeiner Form zu antworten, wäre dumm. Man konnte ihn nur ignorieren wie einen Bettler auf der Straße.

Doch dann geschahen zwei beunruhigende Dinge in rascher Folge. Ich war nach oben gekommen, um Hobie zu fragen, ob er mit mir zu Mittag essen gehen wollte. »Sicher, einen Moment«, sagte er und ging, die Brille auf der Nasenspitze, weiter seine Post durch. »Hm«, meinte er, wendete einen Umschlag und betrachtete die Vorderseite. Er öffnete ihn und hielt die Karte eine Armlänge entfernt, um sie

686

über den Rand seiner Brille hinweg anzuschauen, bevor er sie nah vor die Augen hielt.

»Guck dir das mal an.« Er gab mir die Karte. »Was soll das?«

Auf der Karte standen, in Reeves mittlerweile allzu vertrauter Handschrift, nur zwei Sätze, keine Anrede, keine Unterschrift.

Ab wann wird ein Aufschub unvernünftig? Können wir nicht auf der Grundlage dessen, was ich Ihrem jungen Partner vorgeschlagen habe, zueinanderkommen, da für keinen von Ihnen ein Nutzen darin liegt, dieses Patt fortzusetzen.

»O Gott.« Ich legte die Karte auf den Tisch und wandte den Blick ab. »Verdammt noch mal.«

»Was?«

»Das ist der mit dem Schubladenschrank.«

»Oh, er«, sagte Hobie. Er rückte seine Brille zurecht und sah mich ruhig an. »Hat er den Scheck je eingelöst?«

Ich fuhr mir mit der Hand durchs Haar. »Nein.«

»Was für ein Vorschlag? Wovon redet er?«

»Hör mal«, ich ging zum Waschbecken, um ein Glas Wasser zu holen, ein alter Trick meines Vaters, wenn er einen Moment brauchte, um sich zu sammeln, »ich wollte dich nicht damit behelligen, aber der Kerl ist eine Plage. Ich werfe seine Briefe mittlerweile ungeöffnet weg. Ich schlage vor, wenn du noch einen kriegst, schmeiß ihn in den Müll.«

»Was will er?«

»Na ja«, der Wasserhahn war laut; ich ließ mein Glas volllaufen, »also.« Ich drehte mich um und wischte mir mit der Hand über die Stirn. »Es ist wirklich verrückt. Ich habe ihm wie gesagt einen Scheck für das Stück ausgeschrieben. Über einen höheren Betrag, als er bezahlt hat.«

»Und wo liegt das Problem?«

»Na ja«, ich trank einen Schluck Wasser, »ihm schwebt leider etwas anderes vor. Er denkt, ähm, er denkt, wir würden hier unten eine Fließbandproduktion betreiben, und er will sich einen Anteil sichern. Anstatt meinen Scheck einzulösen, hat er eine ältliche Dame aufgetrieben, die rund um die Uhr gepflegt wird, und er möchte, dass wir ihre Wohnung benutzen, um, ähm …«

Hobie zog die Augenbrauen hoch. »Objekte zu lancieren?«

»Genau«, sagte ich, froh, dass er es ausgesprochen hatte. Beim »Lancieren« wurden Fälschungen oder minderwertige Antiquitäten in Privatwohnungen und -häusern präsentiert, die häufig älteren Menschen gehörten, um sie an Aasgeier zu verkaufen, die sich um das Totenbett drängten: Widerlinge, die so erpicht waren, die alte Dame unter ihrem Sauerstoffzelt zu betrügen, dass sie gar nicht merkten, wie sie selbst zu Betrogenen wurden. »Als ich versucht habe, ihm sein Geld zurückzugeben, war das sein Vorschlag. Wir liefern die Stücke. Machen halbe-halbe. Er hat nicht aufgehört, mich zu bedrängen.«

Hobie starrte leeren Blickes vor sich hin. »Das ist absurd.«

»Ja«, ich schloss die Augen und kniff mir in die Nase, »aber er ist sehr hartnäckig. Deswegen rate ich dir …«

»Wer ist die Frau?«

»Eine Frau, eine ältliche Verwandte, was auch immer.«

»Wie heißt sie?«

Ich hielt das Glas an die Schläfe. »Weiß nicht.«

»Hier? In der City?«

»Das nehme ich an.« Die Richtung, die seine Nachfragen nahmen, gefiel mir nicht. »Jedenfalls … schmeiß das Ding einfach in den Müll. Es tut mir leid, dass ich es dir nicht früher erzählt habe, aber ich wollte dich nicht beunruhigen. Wenn wir ihn ignorieren, wird er es bestimmt irgendwann leid.«

Hobie sah erst die Karte und dann mich an. »Die behalte ich. Nein«, sagte er scharf, als ich ihn unterbrechen wollte, »das reicht allemal, um damit zur Polizei zu gehen, wenn es sein muss. Der Schubladenschrank ist mir egal – nein, nein«, fuhr er fort und hob die Hand, um mich zum Schweigen zu bringen, »das genügt nicht, du hast versucht, die Sache wiedergutzumachen, und er will dich zu etwas Kriminellem zwingen. Wie lange geht das schon so?«

»Weiß nicht. Ein paar Monate?«, sagte ich, als er mich unverwandt ansah.

»Reeve.« Mit gerunzelter Stirn studierte er die Karte. »Ich werde Moira fragen.« Moira war Mrs. DeFrees' Vorname. »Du sagst es mir, wenn er wieder schreibt.«

»Natürlich.«

Ich wollte mir nicht einmal ausmalen, was geschehen könnte, wenn Mrs. DeFrees Lucius Reeve zufällig kannte oder etwas über ihn wusste, doch zum Glück hörte ich nichts weiter in der Sache. Es schien schieres Glück, dass der Brief an Hobie so mehrdeutig formuliert war. Aber die Drohung, die dahinterstand, war klar. Trotzdem wäre es dumm, sich Sorgen zu machen, dass Reeve sie wahr machen und die Behörden alarmieren könnte, da er – daran erinnerte ich mich immer wieder – nur eine Chance hatte, das Gemälde für sich zu erlangen, wenn er mir die Freiheit ließ, es zurückzuholen.

Perverserweise verstärkte das meine Sehnsucht, das Bild in meiner Nähe zu haben und es, wann immer ich wollte, betrachten zu können. Obwohl ich wusste, dass es unmöglich war, dachte ich ständig daran. Wohin ich auch blickte, in jeder Wohnung, die Kitsey und ich besichtigten, sah ich potenzielle Verstecke: hohe Schränke, falsche Kamine, breite Dachbalken, die nur mit einer sehr hohen Leiter erreichbar waren, Bodendielen, die man leicht aufstemmen konnte. Nachts lag ich im Bett wach, starrte in die Dunkelheit und fantasierte über extra angefertigte, feuersichere Schränke, in denen ich es sicher einschließen konnte, oder – noch absurder – ein geheimes, klimatisiertes Blaubartzimmer mit Kombinationsschloss.

Mein, meins. Furcht, Götzenanbetung, Hamstern. Das Entzücken und Entsetzen des Fetischisten. Obwohl ich wusste, wie verrückt es war, lud ich mir Kopien des Gemäldes auf meinen Computer und mein Handy herunter, um mich privat daran zu weiden, Pinselstriche in digitaler Wiedergabe, ein Fetzen Sonnenlicht aus dem 17. Jahrhundert, komprimiert in Punkten und Pixeln, aber je reiner der Farbton, je reicher die Farbwiedergabe, desto mehr hungerte ich nach dem unersetzlichen, strahlenden, lichtdurchfluteten Original.

Staubfreie Umgebung. Sicherheitsüberwachung rund um die Uhr. Obwohl ich versuchte, nicht an den Österreicher zu denken, der eine Frau zwanzig Jahre lang in einem Keller gefangen gehalten hatte, war es leider eine Metapher, die einem in dem Sinn kam. Was, wenn ich starb? Von einem Bus überfahren wurde? Könnte jemand das unansehnliche Paket versehentlich für Müll halten und in den Verbrennungsofen werfen? Drei oder vier Mal hatte ich das Depot anonym angerufen, um mich dessen zu vergewissern, was ich bereits vom manischen Besuch seiner Website wusste: Temperatur und Luftfeuchtigkeit lagen garantiert in einem für die Konservierung von Kunstwerken akzeptablen Bereich. Wenn ich aufwachte, kam mir das Ganze manchmal vor wie ein Traum, doch schon bald fiel mir wieder ein, dass dem nicht so war.

Aber allein der Gedanke, dorthin zu fahren, war ausgeschlossen, solange Reeve wie eine Katze nur darauf wartete, dass ich über den Boden huschte. Ich musste stillhalten. Leider war die Miete für den Lagerraum in drei Monaten fällig; ich sah jedoch alles in allem nicht den geringsten Grund, sie persönlich zu bezahlen. Ich musste bloß Grischa oder einen der anderen Jungs damit beauftragen, sie würden es bestimmt machen, ohne Fragen zu stellen. Aber dann war die zweite unglückliche Sache passiert: Grischa hatte mich erst ein paar Tage zuvor gründlich geschockt, als er sich – ich war allein im Laden und addierte die Quittungen am Ende der Woche – angeschlichen und mit zur Seite gelegtem Kopf gesagt hatte: »*Maschór,* ich brauch Verschnaufpause.«

»Ach ja?«

»Alles auf Check?«

»Was?« In seiner Mischung aus Jiddisch, Gossenrussisch, durcheinandergerührt mit einem Brooklyn-Akzent und ein paar Brocken Slang aus Rap-Songs blieben Grischas Redewendungen für mich bisweilen rätselhaft.

Er schnaubte vernehmlich. »Ich glaube nicht, du mich richtig verstehst. Ich frage, ob ist alles in Ordnung mit dir. Mit Polizei.«

»Wieso? Was ist passiert?«

»Leuten hängen um Laden rum, halten im Auge. Weißt du irgendwas darüber?«

»Wer?« Ich blickte aus dem Fenster. »Was? Wann war das?«

»Ich wollte dich fragen. Ich hab Angst, nach Borough Park zu fahren, um meinen Cousin Genka zu treffen wegen Geschäft, das er hat am Laufen – hab Angst, die Typen hängen sich an mich.«

»An dich?«

Grischa zuckte die Achseln. »Vier, fünf Mal jetzt. Gestern als ich aus meinem Laster gestiegen bin, hab ich wieder einen vor dem Laden rumlungern sehen, aber er ist gegangen auf andere Seite. Jeans – älter – sehr lässig gekleidet. Genka, er nichts weiß, aber er hat Schiss, weil, wie gesagt, wir haben kleine Sache nebenbei, er hat gesagt, ich soll dich fragen, was du weißt. Sagt nie etwas, steht nur da und wartet. Ich frage mich, ob es ist wegen deine Geschäfte mit dem Schwatzah«, sagte er diskret.

»Nee.« Der Schwatzah war Jerome; ich hatte ihn seit Monaten nicht gesehen.

»Nun, denn. Ich sag nicht gern, aber ich glaube, könnten sein Bullen, die rumschnüffeln. Mike hat auch gemerkt. Er dachte, es wäre wegen sein Kinderunterhalt. Aber der Typ steht bloß rum und macht nichts.«

»Wie lange geht das schon so?«

»Wer weiß? Aber ein Monat mindestens. Mike sagt, länger.«

»Wenn du ihn das nächste Mal siehst, zeigst du ihn mir?«

»Könnte Privatdetektiv sein.«

»Warum sagst du das?«

»Weil er in vieler Weise mehr aussieht wie Ex-Bulle. Mike denkt das – Ire, sie kennen mit Bullen, und Mike sagt, er hat älter ausgesehen, wie vielleicht Polizei in Pension?«

»Okay«, sagte ich und dachte an den stämmigen Typen, den ich durch mein Fenster beobachtet hatte. Danach hatte ich ihn noch vier oder fünf Mal entdeckt, als er während der Geschäftszeiten vor dem Laden herumlungerte – immer wenn ich mit Hobie oder einem Kunden zusammen war und ihn deshalb schlecht direkt zur Rede stellen

691

konnte –, obwohl er so unauffällig aussah, Hoodie und Bauarbeiter-Schuhe, dass ich mir kaum sicher sein konnte. Einmal – ein übler Schreck – hatte ich einen Typ, der genauso aussah, vor dem Haus der Barbours stehen sehen, doch bei genauerem Hinsehen war ich mir sicher gewesen, mich geirrt zu haben.

»Er ist schon seit einer Weile in der Gegend. Aber das«, Grischa zögerte, »normalerweise würde ich nichts sagen, vielleicht ist nichts, aber gestern …«

»Was denn? Sag schon«, forderte ich ihn auf, als er sich den Nacken massierte und schuldbewusst zur Seite blickte.

»Anderer Typ. Verschieden. Ich hab ihn schon mal vor dem Laden rumhängen sehen. Draußen. Aber gestern er ist reingekommen und hat nach dir gefragt mit Namen. Und sein Aussehen hat mir gar nicht gefallen.«

Ich richtete mich ruckartig auf meinem Stuhl auf. Ich hatte mich gefragt, wann Reeve persönlich hier auftauchen würde.

»Ich habe nicht mit ihm gesprochen. Ich war unterwegs«, nickend, »so. Habe Laster beladen. Aber ich habe ihn reingehen sehen. Sorte Typ, die einem auffällt. Schicke Kleidung, aber nicht wie Kunde. Du warst Mittag essen, und Mike war alleine im Laden – Typ kommt rein, fragt, Theodore Decker? Nun, du bist nicht da, Mike sagt. ›Wo ist er?‹ Vielen, vielen Fragen über dich, wie: arbeitest du hier, wohnst du hier, wie lange, wo bist du, alles Mögliche.«

»Wo war Hobie?«

»Er wollte nicht Hobie. Er wollte dich. Dann«, er zog mit dem Finger eine Linie auf dem Ladentresen, »kommt er raus. Geht um den Laden. Guckt hier, guckt da. Guckt überall. Das – ich sehe von anderer Straßenseite. Ist merkwürdig. Und – Mike hat dir nichts von diesem Besuch erzählt, weil er gesagt hat, vielleicht ist gar nichts, vielleicht ist privat, ›da hält man sich besser raus‹, aber ich habe ihn auch gesehen und gedacht, du solltest wissen. Denn, hey, Gauner erkennt Gauner, du verstehst?«

»Wie sah er aus«, fragte ich und dann, als Grischa nicht antwortete, »ein älterer Typ? Dick? Weiße Haare?«

Grischa stieß einen verzweifelten Laut aus. »Nein nein nein.« Er schüttelte entschieden den Kopf. »War nicht Großpapa von irgendwem.«

»Wie sah er denn dann aus?«

»Er sah aus wie Typ, mit dem man nicht in Streit kommen will, so sah er aus.«

Wir schwiegen, Grischa zündete sich eine Kool an und bot mir eine an. »So, was soll ich machen, *Maschór*?«

»Wie bitte?«

»Müssen ich und Genka uns Sorgen machen?«

»Ich glaube nicht. Okay«, sagte ich und schlug ein wenig linkisch gegen die triumphal erhobene Hand, die er mir zum Abklatschen hinhielt, »okay, aber tust du mir einen Gefallen? Holst du mich, wenn du einen von beiden noch mal siehst?«

»Klare Sache.« Er hielt inne und sah mich kritisch an. »Du sicher, dass ich und Genka uns machen müssen keine Sorgen?«

»Na ja, ich weiß ja nicht, was ihr treibt, oder?«

Grischa zog ein schmutziges Taschentuch aus seiner Tasche und rieb sich damit die Nase. »Mir gefällt nicht diese Antwort von dir.«

»Na ja, seid vorsichtig, was auch immer. Für alle Fälle.«

»*Maschór*, ich sollte sagen dasselbe für dich.«

IV

Ich hatte Kitsey angelogen; ich hatte überhaupt nichts zu tun. An der Ecke Fifth Avenue gaben wir uns vor Barneys einen Abschiedskuss, bevor sie zurück zu Tiffany ging, um sich die Glaswaren anzusehen – bis zu den Gläsern hatten wir es gar nicht mehr geschafft –, und ich mich auf den Weg zur Linie 6 machte. Aber anstatt mich dem Strom der Einkäufer anzuschließen, die die Treppen zu den U-Bahnsteigen hinunterströmten, fühlte ich mich so leer und abgelenkt, so erschöpft und verloren, dass ich stattdessen stehen blieb und in das verdreckte Fenster des Subway Inn direkt gegenüber der Laderampe von Bloomingdale's guckte, eine Zeitreise direkt in *Das verlorene Wochenende* und seit den Trinker-Tagen meines Vaters unverändert. Draußen: Film Noir-Neon. Drinnen: dieselben schmutzigen roten Wände, klebrige Tische, gesplitterte Bodenfliesen, ein starker Clorox-Geruch, ein hohlgesichtiger Barkeeper mit einem Lappen über der Schulter, der einem einsamen Mann mit blutunterlaufenen Augen an der Bar einen Drink eingoss. Ich erinnerte mich, wie meine Mom und ich meinen Dad einmal bei Bloomingdale's verloren hatten und sie – für mich damals ein Rätsel – gewusst hatte, dass sie das Kaufhaus verlassen und die Straße überqueren musste, um ihn hier zu finden, wo er mit einem keuchenden alten Trucker und einem betagten Mann mit Bandana, der obdachlos aussah, Kurze für vier Dollar kippte. Ich hatte in der Tür gewartet, überwältigt vom Gestank von abgestandenem Bier und fasziniert von der warmen geheimnisvollen Dunkelheit des Lokals, dem *Twilight Zone*-artigen Schimmern der Jukebox und dem Buck-Hunter-Videospiel, das in den Tiefen des Raumes blinkte – »Ah, der Geruch von alten Männern und Verzweiflung«, hatte meine Mutter trocken bemerkt und die Nase gekräuselt, während sie mit ihren Einkaufstüten aus der Bar trat und mich bei der Hand fasste.

Einen Johnnie Walker Black, auf meinen Dad. Vielleicht zwei. Warum nicht? Die dunkle Höhle der Bar wirkte warm und kameradschaftlich, diese sentimentale alkoholische Aura, die einen für einen Moment vergessen ließ, wer man war und wie man hier gelandet war. Aber im letzten Augenblick stutzte ich in der Tür, der Barkeeper blickte auf, und ich wandte mich ab und ging weiter.

Lexington Avenue. Feuchter Wind. Der Nachmittag war gespenstisch und nasskalt. Ich ging an den U-Bahn-Stationen in der 51st und der 42nd Street vorbei und lief immer weiter, um den Kopf freizubekommen. Aschweiße Apartmentblocks. Horden von Menschen auf den Straßen, beleuchtete Weihnachtsbäume, die hoch oben auf Penthouse-Balkonen funkelten, süßliche Musik, die aus den Läden plätscherte, und während ich mir einen Weg durch die Massen bahnte, hatte ich das eigenartige Gefühl, ich wäre bereits tot und würde

694

in einem Bürgersteiggrau wandeln, so endlos, dass die Straße oder selbst die ganze Stadt es nicht umfassen konnten, und meine Seele löste sich von meinem Körper und trieb unter anderen Seelen in einem Nebel irgendwo zwischen Gegenwart und Vergangenheit, Walk, Don't Walk, einzelne Fußgänger, seltsam isoliert, einsam, leere Gesichter, die stur geradeaus starrten, Stöpsel in den Ohren, lautlos die Lippen bewegten, schalldicht abgedämmt gegen den Lärm der Stadt unter einem erdrückenden granitfarbenen Himmel, der die Straßengeräusche dämpfte, Müll und Zeitungen, Beton und Nieselregen, ein schmutziges Wintergrau, schwer wie Stein.

Nachdem ich der Bar erfolgreich entkommen war, überlegte ich, dass ich mir einen Film ansehen könnte – vielleicht würde die Einsamkeit eines Kinos mich wieder auf Vordermann bringen, irgendeine leere Nachmittagsvorstellung in der Nähe, in der ein Film gezeigt wurde, der demnächst aus den Kinos verschwinden würde. Aber als ich benommen und vor Kälte schniefend zu dem Kino an der Second Avenue, Ecke 32nd kam, hatte der französische Cop-Film, den ich sehen wollte, schon angefangen, genau wie der Identitätsverwechslungs-Thriller. Zur Auswahl standen nur noch eine Reihe von Weihnachtsfilmen und unerträgliche romantische Komödien: Plakate mit durchnässten Bräuten, sich prügelnden Brautjungfern, einem verzweifelten Dad mit Weihnachtsmannmütze und zwei plärrenden Zwillingsbabys im Arm.

Die Taxis beendeten allmählich ihre Schicht. Hoch über der Straße brannten einsame Lichter in Büros und Wohntürmen. Ich wandte mich ab und ließ mich weiter Richtung Downtown treiben, ohne eine klare Vorstellung, wohin ich ging und was ich dort wollte, und hatte beim Gehen das merkwürdig reizvolle Gefühl, mich aufzulösen, mich Faden für Faden aufzuribbeln, Lumpen fielen von mir ab, während ich die 32nd Street überquerte, mit dem Strom der Rushhour-Passanten schwamm und mich von einem Moment zum nächsten wehen ließ.

Im nächsten Kino zehn oder zwölf Blocks weiter südlich war es die gleiche Geschichte: Der CIA-Film hatte schon angefangen, genau wie die gut besprochene Biographie einer Starschauspielerin aus den 1940ern; der französische Cop-Film fing erst in eineinhalb Stunden an, und wenn ich nicht einen Psychopathen-Thriller oder ein erschütterndes Familiendrama sehen wollte, und das wollte ich nicht, gab es nur noch mehr Bräute und Junggesellenabschiede und Weihnachtsmannmützen und Pixar.

Bei dem Kino in der 17th Street blieb ich schon gar nicht mehr stehen, sondern lief einfach weiter. Irgendwie war ich, als ich von einer dunklen Strömung, die mich aus dem Nichts getroffen hatte, über den Union Square geweht wurde, orakelhaft zu dem Schluss gekommen, Jerome anzurufen. In der Idee lag eine mystische Freude, eine heilige Kasteiung. Ich hatte seit Monaten keine Drogen genommen, aber aus irgendeinem Grund erschien mir ein Abend, an dem ich bewusstlos in meinem Zimmer bei Hobie vor mich hin dämmerte, zunehmend wie eine absolut vernünftige Reaktion auf die Weihnachtsbeleuchtung, die vorweihnachtlichen Massen, das unaufhörliche Gebimmel mit seinem morbiden Beerdigungsklang und Kitseys bonbonrosafarbenes Notizbuch mit Registereinteilung aus Kate's Paperie: MEINE BRAUTJUNGFERN MEINE GÄSTE MEINE SITZORDNUNG MEINE BLUMEN MEINE HÄNDLER MEINE CHECKLISTE MEIN CATERING

Ich machte hastig einen Schritt zurück – die Ampel war umgesprungen, und ich wäre fast vor ein Auto gelaufen –, stolperte und rutschte beinahe aus. Alles Grübeln über meinen irrationalen Horror vor einer großen öffentlichen Hochzeit war sinnlos – beengte Räume, Platzangst, plötzliche Bewegungen, überall Trigger, die eine Phobie auslösen konnten. Nur U-Bahn-Fahren machte mir aus irgendeinem Grund nicht so viel aus, es hatte mehr etwas mit vollen Gebäuden zu tun, mit der permanenten Erwartung eines Unglücks, einem Rauchwölkchen, dem schnell rennenden Mann am Rande der Menge; ich ertrug es nicht einmal, in einem Kino zu sitzen, in dem mehr als zehn oder fünfzehn Leute waren, sondern machte mit meinem schon bezahlten Ticket kehrt und ging schnurstracks wieder hinaus.

Und ich hoffte auch, dass die eskalierenden gesellschaftlichen Wogen, auf denen ich schaukelte wie ein Boot in einem Hurrikan, nach der Hochzeit wieder abschwellen würden, denn ich wollte eigentlich nur zu jenen glücklichen Sommertagen zurückkehren, in denen ich Kitsey für mich alleine hatte: Essen zu zweit und Filme im Bett. Die permanenten Einladungen und Treffen erschöpften mich, diese hell changierenden Wirbelwinde ihrer Freundinnen, wimmelnden Abende und hektischen Wochenenden, die ich, mit zugekniffenen Augen und mich an mein Leben klammernd, mühsam überstanden hatte: Lindsey?, nein, Lolly? Tut mir leid ... und das ist ...? Frieda? Hi, Frieda, und ... Trev? Trav? Schön, dich zu sehen! Höflich stand ich um antike rustikale Bauerntische und trank mich bewusstlos, während sie über ihre Landhäuser, ihre Lebensmittel-Kooperativen, Schulbezirke und Fitness-Programme schwatzten – genau, nahtlos abgestillt, obwohl wir in letzter Zeit große Veränderungen in unserem Schlafrhythmus haben, unsere Älteste fängt jetzt in der Vorschule an, und die Herbstfarben in Connecticut sind fantastisch, o ja, wir machen auch einen jährlichen Ausflug mit den Mädels, aber diese Jungswochenenden steigen zwei Mal im Jahr, Vail oder die Karibik, letztes Jahr waren wir Fliegenfischen in Schottland und haben auf einigen wirklichen herausragenden Golfplätzen gespielt – aber, oh, stimmt ja, Theo, du spielst kein Golf, läufst nicht Ski und segelst auch nicht, oder?

»Tut mir leid, ich fürchte nicht.« Das Gruppenbewusstsein war so ausgeprägt (Insider-Witze und Späße, Drängeln um Urlaubsvideos auf iPhones), dass es nur schwer vorstellbar war, dass einer von ihnen alleine ins Kino oder Restaurant ging, und bei dem leutseligen Komiteegefühl vor allem unter den Männern hatte ich immer das vage Gefühl, ein Bewerbungsgespräch zu führen. Dazu – all die schwangeren Frauen? »O Theo! Ist es nicht süß!«, flötete Kitsey und hielt mir unerwartet den Säugling einer Freundin unter die Nase – vor dem ich in absolut aufrichtigem Entsetzen zurückwich wie vor einem brennenden Streichholz.

»Oh, manchmal brauchen wir Männer eine Weile«, sagte Race

Goldfarb selbstzufrieden, als er mein Unbehagen bemerkte, hob die Stimme über das Geschrei und stolperte in einen von Kindermädchen kontrollierten Bereich des Wohnzimmers. »Aber ich kann dir sagen, Theo, wenn du deinen eigenen Kleinen zum ersten Mal im Arm hältst«, er tätschelte den schwangeren Bauch seiner Frau, »bricht es dir einfach ein wenig das Herz. Denn als ich Blaine«, (der mit verschmiertem Gesicht reizlos um seine Füße tapste), »zum ersten Mal gesehen und in diese großen blauen Augen geblickt habe? Dieses wundervolle Babyblau? Ich war wie *verwandelt*. Ich war *verliebt*. Es war wie: Hey, kleiner Kumpel, du bist hier, um mir alles beizubringen! Und ich sage dir, bei diesem ersten Lächeln bin ich vor Glück zerflossen, wie wir alle, nicht wahr, Lauren?«

»Genau«, sagte ich höflich und ging in die Küche, um mir einen großen Wodka einzugießen. Mein Dad war ebenfalls extrem empfindlich gewesen, wenn es um schwangere Frauen ging (er war sogar einmal gefeuert worden, weil er eine unbesonnene Bemerkung zu viel gemacht hatte; all die Brüter-Witze waren im Büro nicht so gut angekommen). Weit entfernt von »Vor-Glück-zerflossen«-Weisheiten hatte er kleine Kinder und Babys nie leiden können und die ganze schwärmerische Eltern-Szene noch viel weniger, dämlich lächelnde Frauen, die ihren eigenen Bauch abtasteten, und Männer mit vor die Brust geschnallten Säuglingen, sondern ging, wenn er gezwungen wurde, an irgendeiner Schulveranstaltung oder Kinderparty teilzunehmen, immer zum Rauchen nach draußen oder lungerte düster am Rand herum wie ein Dealer. Ich hatte es offenbar von ihm geerbt, und wer weiß, er vielleicht von Grandpa Decker, diesen heftigen Fortpflanzungsekel, der vernehmlich in meinem Blut summte. Es fühlte sich an wie angeboren, einprogrammiert, genetisch.

Den Abend verdämmern. Die dunkel kehlige Seligkeit. Nein danke, Hobie, ich hab schon gegessen, ich glaube, ich gehe einfach mit einem Buch ins Bett. Und worüber diese Menschen redeten, sogar die Männer? Allein der Gedanke an den Abend bei den Goldfarbs weckte in mir den Wunsch, mich so abzuschießen, dass ich nicht mehr geradeaus laufen konnte.

Als ich auf den Astor Place zulief – afrikanische Trommelspieler, betrunkene Streitereien, Weihrauchwolken von einem Straßenhändler –, spürte ich, wie meine Laune sich besserte. Meine Toleranz war inzwischen garantiert sehr niedrig, ein aufmunternder Gedanke. Nur ein oder zwei Tabletten die Woche, damit ich die schlimmsten gesellschaftlichen Anlässe überstand, und auch nur dann, wenn ich sie sonst *gar nicht* aushielt. Anstelle der Pharmazeutika hatte ich in letzter Zeit zu viel getrunken, und das funktionierte für mich nicht wirklich, aber mit den Opiaten war ich entspannt, ich war tolerant, zu allem imstande, ich konnte in unerträglichen Situationen stundenlang herumstehen und mir freundlich jeden ermüdenden oder albernen Mist anhören, ohne dass ich rauslaufen und mir eine Kugel in den Kopf schießen wollte.

Aber ich hatte Jerome schon lange nicht mehr angerufen, und als ich mich im Eingang eines Skater-Shops unterstellte und seine Nummer wählte, wurde ich direkt an die Mailbox weitergeleitet – eine mechanische Ansage, die nicht nach ihm klang. Hatte er eine neue Nummer, fragte ich mich und begann nach dem zweiten Versuch, mir Sorgen zu machen. Leute wie Jerome – das Gleiche war vor ihm mit Jack passiert – konnten selbst bei regelmäßigem Kontakt ziemlich plötzlich von der Bildfläche verschwinden.

Weil ich nicht wusste, was ich machen sollte, lief ich den St. Mark's Place Richtung Tompkins Square hinunter, 24 Stunden geöffnet. Einlass ab 21 Jahren. Downtown, wo es keine Wolkenkratzerschluchten gab, wehte der Wind zwar beißender, doch der Himmel war offener, und man konnte freier atmen. Muskeltypen führten Pitbull-Pärchen spazieren, angemalte Bettie-Page-Girls in knallengen Kleidern, stolpernde Penner, die Hose auf Halbmast, mit Kürbislaternengebiss und geklebten Schuhen. Vor den Läden Ständer mit Sonnenbrillen, Schädelanhängern und bunten Transvestiten-Perücken. Irgendwo in der Nähe gab es eine Fixerstube, vielleicht sogar mehr als eine, aber ich wusste nicht genau, wo; Wall-Street-Typen kauften dauernd Stoff auf der Straße, wenn man glauben konnte, was die Leute erzählten, aber ich war nicht erfahren genug, um zu wissen, wohin ich gehen oder wen ich ansprechen musste. Und außerdem – wer würde mir etwas verkaufen, einem Fremden mit Hornbrille und Uptown-Frisur, angezogen, um mit Kitsey Hochzeitsgeschirr auszusuchen?

Unruhiges Herz. Der Fetisch der Heimlichkeit. Diese Leute verstanden – wie ich – die Gassen und Hinterhöfe der Seele, Flüstern und Schatten, Geld, das verstohlen von Hand zu Hand wechselte, das Passwort, der Code, das zweite Ich, all die verborgenen Tröstungen, die das Leben über das Gewöhnliche hinaushoben und lebenswert machten.

Jerome – vor einer billigen Sushi-Bar blieb ich auf dem Bürgersteig stehen, um mich zu orientieren –, Jerome hatte mir von einer Bar mit roter Markise irgendwo um den St. Mark's Place erzählt, vielleicht in der Avenue A? Er war jedes Mal von dort gekommen oder auf dem Weg dorthin. Die Barkeeperin dealte über den Tresen an Kunden, die nichts dagegen hatten, den doppelten Preis zu bezahlen, wenn sie dafür nicht auf der Straße kaufen mussten. Jerome war immer auf dem Weg, sie zu beliefern. Sie hieß – ich erinnerte mich sogar an ihren Namen – Katrina! Aber offenbar war jeder zweite Laden in der Straße eine Bar.

Ich ging die Avenue A hinauf und die 1st Street hinunter, betrat die erste Bar mit einer auch nur entfernt roten Markise – ein eher leberfarbener Ton, aber vielleicht war sie einmal rot gewesen – und fragte: »Arbeitet Katrina hier?«

»Nee«, sagte die attraktive Rothaarige hinter der Bar, ohne mich anzusehen, während sie weiter ein Bier zapfte.

Schlafende Stadtstreicherinnen, den Kopf auf ihr Bündel gebettet. Im Fenster glitzernde Madonnas und mexikanische Totentags-Figuren. Graue Taubenschwärme, die lautlos flatterten.

»Du weißt, du denkst drüber nach, du weißt, du denkst drüber nach«, sagte eine Stimme leise in mein Ohr …

Ich drehte mich um und sah einen sturzbesoffenen, schwergewichtigen, breit lächelnden Schwarzen mit einem goldenen Vorderzahn, der mir eine Visitenkarte in die Hand drückte: TATTOOS BODY ART PIERCING.

Ich lachte – er auch, ein sattes volles Lachen, wir freuten uns beide über den Witz –, schob die Karte in die Tasche und ging weiter. Aber im nächsten Moment bereute ich, ihn nicht gefragt zu haben, wo ich finden konnte, was ich suchte. Selbst wenn er es mir nicht gesagt hätte, sah er aus, als ob er es wüsste.

Body Piercing. Akupressur Fußmassage. Ankauf von Gold und Silber. Viele blasse Kids und ein Stück weiter – ganz allein – ein bleiches Mädchen mit Dreadlocks, einem schmutzigen kleinen Hund und einem derart verwitterten Schild, dass ich es nicht lesen konnte. Mit schlechtem Gewissen griff ich in meine Tasche – der Geldschein-Clip, den Kitsey mir geschenkt hatte, war zu fest, sodass sich die Scheine nur mühsam herausziehen ließen, und während ich herumfummelte, spürte ich, dass mich alle ansahen, und dann – »hey!«, rief ich und machte einen Schritt zurück, als der Hund knurrte, schnappte und mit seinen nadelartigen Zähnen den Saum meines Hosenbeins zu fassen bekam.

Alle lachten – die Jugendlichen, ein Straßenhändler, ein Koch mit Haarnetz, der vor einem Haus saß und telefonierte. Ich riss mein Hosenbein los – weiteres Gelächter –, wandte mich ab, um mich von dem Schrecken zu erholen, schlüpfte in die nächste Bar, die ich sah – eine schwarze Markise mit ein wenig Rot –, und fragte den Barkeeper: »Arbeitet Katrina hier?«

Er hörte auf, Gläser abzutrocknen. »Katrina?«

»Ich bin ein Freund von Jerome.«

»Katrina? Nicht Katja, meinst du?« Die Typen an der Bar – Osteuropäer – waren verstummt.

»Vielleicht, ähm …?«

»Wie heißt sie mit Nachnamen?«

»Ähm …« Ein Kerl mit Lederjacke senkte das Kinn, drehte sich um und fixierte mich mit Bella-Lugosi-Blick.

Auch der Barkeeper starrte mich unverwandt an. »Dieses Mädchen, nach dem du fragst? Was willst du von ihr?«

»Na ja, eigentlich …«

»Welche Haarfarbe?«

»Ähm – blond? Oder – genau genommen …« Seiner Miene nach zu urteilen, würde ich demnächst ziemlich sicher rausfliegen oder Schlimmeres, und mein Blick landete zufällig auf dem abgesägten Baseball-Schläger hinter der Bar. »Mein Fehler, vergessen Sie's …«

Ich war schon aus der Bar und ein gutes Stück die Straße hinunter, als ich hinter mir einen Ruf hörte: »*Potter!*«

Ich erstarrte, als ich ihn noch einmal rufen hörte. Dann drehte ich mich langsam ungläubig um. Und während ich immer noch fassungslos dastand, die Leute auf beiden Seiten an uns vorbeiströmten, lachte er, stürzte auf mich zu und schlang seine Arme um mich.

»Boris.« Spitze schwarze Brauen, fröhliche schwarze Augen. Er war größer, sein Gesicht hohler, langer schwarzer Mantel, dieselbe alte Narbe über seinem Auge plus ein paar neue. »Wow.«

»Selber wow!« Er hielt mich eine Armlänge auf Abstand. »Ha! Schau dich an! Lange her, was!«

»Ich …« Ich war zu perplex, um etwas zu sagen. »Was machst du hier?«

»Und ich sollte fragen«, er trat einen Schritt zurück, um mich zu mustern, und machte dann eine Geste, als ob ihm die Straße gehören würde, »was machst *du* hier? Was verdanke ich diese Überraschung?«

»Was?«

»Ich war neulich bei dir im Laden!« Er warf sich eine Strähne aus dem Gesicht. »Um dich zu sehen!«

»Das warst du?«

»Wer sonst? Woher wusstest du, wie du mich finden kannst?«

»Ich …« Ich schüttelte ungläubig den Kopf.

»Du hast mich gar nicht gesucht?« Er lehnte sich überrascht zurück. »Nicht? Das ist Zufall? Schiffe, die aneinander vorbeisegeln? Erstaunlich? Und warum dieses weiße Gesicht?«

»Was?«

»Du siehst furchtbar aus!«

»Leck mich.«

»Ah!« Er schlang einen Arm um meinen Hals. »Potter, Potter!

So dunkle Ringe!« Er fuhr mit einer Fingerspitze unter meinen Augen entlang. »Aber schicker Anzug. Und hey«, er ließ mich los und schnippte mit Daumen und Zeigefinger gegen meine Schläfe, »dieselbe Brille? Du hast nie gewechselt?«

»Ich …« Ich konnte nur den Kopf schütteln.

»Was?« Er breitete die Hände aus. »Du wirfst mir doch nicht vor, dass ich mich freue, dich zu sehen?«

Ich lachte. Ich wusste nicht, wo ich anfangen sollte. »Warum hast du keine Nummer hinterlassen?«, fragte ich.

»Du bist also nicht wütend auf mich? Hasst mich für immer?« Er lächelte nicht, doch er biss sich amüsiert auf die Unterlippe. »Du willst dich nicht«, er wies mit Kopf auf die Straße, »mit mir prügeln oder irgendwas?«

»Hi«, sagte eine schlanke Frau mit stählernem Blick und schlanken Hüften in Jeans, die ziemlich plötzlich auf eine Art an Boris' Seite aufgetaucht war, die mich glauben ließ, sie wäre seine Freundin oder Frau.

»Der berühmte Potter.« Sie streckte mir eine lange weiße, bis zu den Knöcheln silberberingte Hand entgegen. »Ist mir ein Vergnügen. Ich habe alles über dich gehört.« Sie war ein Stückchen größer als er, mit langem weichem Haar und einem geschmeidigen, schwarz gekleideten Körper wie eine Python. »Ich bin Myriam.«

»Myriam? Hi! Eigentlich heiße ich Theo.«

»Ich weiß.« Ihre Hand in meiner war kalt. Ich bemerkte ein blaues Pentagramm, das auf die Innenseite ihres Handgelenks tätowiert war. »Aber er spricht von dir als Potter.«

»Er spricht von mir? Ach ja? Was hat er denn gesagt?« Seit Jahren hatte mich niemand mehr Potter genannt, doch ihre weiche Stimme erinnerte mich an ein vergessenes Wort aus den alten Büchern, die Sprache der Schlangen und dunklen Zauberer, Parsel.

Boris, der vor ihrem Auftauchen gerade seinen Arm um meine Schulter gelegt hatte, ließ mich sofort los, als ob sie ein Codewort gesagt hätte. Die beiden wechselten einen Blick – dessen Essenz ich aus unseren Ladendiebstahlstagen sofort wiedererkannte, als wir uns wortlos mitteilen konnten *Los, weg hier* oder *Er kommt –*, und Boris, der nervös wirkte, fuhr sich mit der Hand durchs Haar und blickte mich eindringlich an.

»Bleibst du noch hier?«, fragte er und fing an rückwärtszugehen.

»Wo hier?«

»In der Gegend.«

»Kann ich machen.«

»Ich möchte«, er blieb stehen, runzelte die Stirn und blickte über meinen Kopf hinweg die Straße hinunter, »ich möchte mit dir reden. Aber jetzt«, er schien besorgt, »kein guter Zeitpunkt. In einer Stunde vielleicht?«

Myriam sah mich an und sagte etwas auf Ukrainisch. Es gab einen kurzen Wortwechsel. Dann hakte Myriam sich eigenartig vertraut bei mir unter und begann, mich die Straße entlangzuführen.

»Dort.« Sie wies in die Richtung. »Vier oder fünf Blocks weiter direkt an der 2nd Street ist eine Bar. Alter polnischer Laden. Dort wird er dich treffen.«

V

Fast drei Stunden später saß ich immer noch auf einer roten Kunstlederbank in der Polen-Bar, blinkende Weihnachtsbeleuchtung, eine nervtötende Mischung aus Punk und Weihnachtspolka aus der Jukebox. Ich hatte die Nase voll vom Warten und fragte mich, ob er noch aufkreuzen würde oder ob ich vielleicht einfach nach Hause gehen sollte. Ich hatte nicht mal seine Nummer – es war alles so schnell gegangen. Früher hatte ich Boris manchmal zum Spaß gegoogelt – und nie auch nur ein leises Raunen von ihm gefunden –, doch ich glaubte sowieso nicht daran, Boris könnte ein Leben führen, dem man online auf die Spur käme. Er hätte überall sein und alles Mögliche tun können: Krankenhausfußböden wischen, mit einem Gewehr durch einen exotischen Dschungel streifen, Zigarettenstummel von der Straße auflesen.

Die Happy Hour ging gerade zu Ende, ein paar Studenten und Künstlertypen gesellten sich zu den schmerbäuchigen Polen und ergrauten Punks in dem Schuppen. Ich hatte gerade meinen dritten Wodka geleert, der in großzügigen Portionen ausgeschenkt wurde, einen weiteren zu bestellen, wäre unvernünftig. Ich wusste, dass ich etwas essen sollte, doch ich hatte keinen Hunger, und meine Stimmung wurde mit jeder Minute trostloser und düsterer. Der Gedanke, dass er mich nach so vielen Jahren einfach versetzte, war unglaublich deprimierend. Philosophisch betrachtet, war ich wenigstens von meiner Heroin-Mission abgebracht worden: Ich hatte keine Überdosis genommen und nicht in eine Mülltonne gekotzt, war nicht abgezockt oder bei dem Versuch verhaftet worden, Stoff bei einem Undercover-Bullen zu kaufen …

»Potter.« Da war er, rutschte auf die Bank mir gegenüber und schleuderte sich das Haar aus dem Gesicht, eine Bewegung, die alle Glocken der Vergangenheit zum Klingen brachte.

»Ich wollte gerade gehen.«

»Tut mir leid.« Dasselbe dreckige, charmante Lächeln. »Hatte noch was zu tun. Hat Myriam nichts gesagt?«

»Nein, hat sie nicht.«

»Na ja. Ist nicht so, dass ich arbeite in Buchhaltung. Hey«, sagte er, und er beugte sich vor und legte die Hände flach auf den Tisch, »sei nicht sauer! Hab nicht damit gerechnet, dir über den Weg zu laufen! Ich bin gekommen, so schnell ich konnte! Bin praktisch gerannt!« Er streckte die Hand aus und gab mir einen leichten Klaps auf die Wange. »Mein Gott! So lange Zeit! Froh, dich zu sehen! Du bist nicht froh, mich zu sehen auch?«

Als Erwachsener sah er gut aus. Selbst in seiner schlaksigsten und ausgezehrtesten Phase hatte er immer etwas liebenswert Gerissenes an sich gehabt, lebendige Augen und eine wache Intelligenz, aber diesen halb verhungerten Rohzustand hatte er hinter sich gelassen, und alles andere hatte sich auf die richtige Weise gefügt. Seine Haut war wettergegerbt, doch seine Kleidung saß gut: ein Konzertpianist als Kavallerieheld. Seine winzigen grauen unregelmäßigen Zähne waren – unübersehbar – durch einer Reihe weißer amerikanischer Standardkronen ersetzt worden.

Er sah, dass ich hinschaute, und schnippte mit dem Daumennagel an einen prachtvollen Schneidezahn. »Neue Beißer.«

»Hab's gesehen.«

»Von Zahnarzt in Schweden.« Boris winkte einem Kellner. »Hat mich verdammtes Vermögen gekostet. Meine Frau hat keine Ruhe gegeben – Borja, deine Zähne, abscheulich! Ich hab immer gesagt, das mach ich nicht, nie im Leben, aber besser hab ich mein Geld nie angelegt.«

»Wann hast du denn geheiratet?«

»Hä?«

»Du hättest sie ruhig mitbringen können.«

Er sah mich überrascht an. »Was, Myriam meinst du? Nein, nein.« Er zog sein Handy aus der Tasche seiner Anzugjacke und drückte auf den Tasten herum. »Myriam ist nicht meine Frau! Das hier«, er reichte mir das Telefon, »das ist meine Frau. Was trinkst du?«, fragte er, bevor er sich auf Polnisch an den Kellner wandte.

Das Foto auf dem iPhone zeigte ein schneebedecktes Ferienhaus, vor dem eine schöne Blonde auf Skiern stand. Neben ihr, ebenfalls auf Skiern, standen zwei kleine blonde, dick eingemummelte Kinder unbestimmbaren Geschlechts. Es sah nicht wie ein Schnappschuss aus, sondern eher wie Werbung für irgendein gesundes Schweizer Produkt, Joghurt oder Bircher-Müsli.

Ich sah ihn verblüfft an. Er wandte mit einer seiner alten russischen Gesten den Blick ab: Tja, nun, es ist, wie es ist.

»Deine *Frau*? Im Ernst?«

»Ja«, sagte er und zog die Brauen hoch. »Und meine Kinder. Zwillinge.«

»Verdammt.«

»Ja«, sagte er mit Bedauern. »Geboren, als ich noch sehr jung war – zu jung. War keine gute Zeit – sie wollte sie behalten – ›Borja, wie kannst du nur?‹ – was sollte ich sagen? Um ehrlich zu sein, ich kenne sie nicht so gut. Den Kleinen – er ist nicht auf dem Bild – aber den Kleinen habe ich überhaupt noch nicht gesehen. Ich glaube er, ist erst – was? sechs Wochen alt?«

»Was?« Ich schaute das Bild noch einmal an und bemühte mich, diese gesunde nordische Familie in Einklang mit Boris zu bringen. »Bist du geschieden?«

»Nein nein nein.« Der Wodka war gekommen, eine eisgekühlte Karaffe und zwei winzige Gläser. Er goss uns beiden ein. »Astrid und die Kinder sind meistens in Stockholm. Manchmal kommt sie im Winter nach Aspen, zum Skilaufen. Sie war Skilauf-Champion, hat sich mit neunzehn qualifiziert für die Olympiade …«

»Ach ja?« Ich tat mein Bestes, um nicht so zu klingen, als glaubte ich ihm nicht. Bei genauerem Hinsehen war ziemlich klar, dass die Kinder viel zu blond und hübsch waren, um auch nur entfernt mit Boris verwandt zu sein.

»Ja, ja«, sagte Boris mit energischem Kopfnicken. »Sie muss immer da sein, wo man Ski läuft – und du kennst mich ja, ich hasse den beschissenen Schnee, ha! Ihr Vater ist sehr, sehr rechts – praktisch ein Nazi. Ich denke, kein Wunder, dass Astrid Probleme mit Depressionen hat mit Vater wie ihm! So ein hasserfüllter alter Drecksack! Aber sie sind alle sehr unglückliche und traurige Leute, diese Schweden. In einer Minute lachen und trinken und in der nächsten – Dunkelheit, kein Wort. Dziękuję«, sagte er zu dem Kellner, der mit einem Tablett mit kleinen Tellern zurückgekehrt war: Schwarzbrot, Kartoffelsalat, zwei Sorten Hering, Gurke in Sauerrahm, Kohlrouladen und ein paar Soleier.

»Ich wusste nicht, dass man hier essen kann«, sagte ich.

»Kann man auch nicht«, sagte Boris, strich Butter auf eine Scheibe Schwarzbrot und bestreute sie mit Salz. »Aber ich bin am Verhungern. Hab sie gebeten, was von nebenan zu bringen.« Er stieß mit seinem Schnapsglas klirrend an meins. »*Sto let!*«, sagte er – sein alter Trinkspruch.

»*Sto let.*« Der Wodka schmeckte aromatisch nach einem bitteren Kraut, das ich nicht identifizieren konnte.

»Also«, sagte ich und nahm mir etwas von dem Essen. »Myriam?«

»Hä?«

Ich streckte ihm die offenen Handflächen entgegen, eine Geste aus unserer Kindheit: *Bitte erklär's mir.*

»Ah, Myriam! Sie arbeitet für mich! Mein zweiter Mann als rechte Hand, so heißt das doch. Obwohl, ich sage dir, sie ist besser als jeder Mann, den du finden kannst. Was für eine Frau, mein Gott. Gibt nicht viele wie sie, das sag ich dir. Ist ihr Gewicht in Gold wert. Hier, hier.« Er füllte mein Glas und schob es mir herüber. »*Sa wstrétschu!*« Er hob das seine. »Auf unser Wiedersehen!«

»Bin ich nicht mit einem Trinkspruch dran?«

»Doch, bist du«, er stieß mit mir an, »aber ich habe Hunger, und du brauchst zu lange.«

»Auf unser Wiedersehen also.«

»Auf unser Wiedersehen! Und auf das Schicksal! Weil es uns wieder zusammengebracht hat!«

Sobald wir getrunken hatten, machte Boris sich sofort über das Essen her. »Und was genau machst du so?«, fragte ich.

»Dies, das.« Er aß immer noch mit dem unschuldigen, schlingenden Hunger eines Kindes. »Vieles. Schlage mich so durch, weißt du?«

»Und wo wohnst du? In Stockholm?«

Er wedelte ausladend mit der Hand. »Überall.«

»Zum Beispiel?«

»Ach, du weißt schon. Europa, Asien, Nord- und Südamerika …«

»Das ist ein ziemlich großes Gebiet.«

»Na ja«, sagte er mit einem Mund voll Hering und wischte sich einen Klecks saure Sahne vom Kinn, »bin auch Kleinunternehmer, wenn du verstehst.«

»Wie?«

Er spülte den Hering mit einem großen Schluck Bier herunter. »Du weißt ja, wie es ist. Mein offizielles Business sozusagen ist eine Hausputzagentur. Arbeiter aus Polen, hauptsächlich. Nettes Wortspiel im Namen der Firma. ›Polen Putzen und Polieren‹. Verstehst du?« Er biss in ein Solei. »Und was ist unser Motto? Kannst du erraten? ›Wir putzen alles weg‹, ha!«

Darauf ging ich lieber nicht weiter ein. »Du warst also die ganze Zeit in den Staaten?«

»O nein!« Er hatte uns beiden noch einen Wodka eingeschenkt und hielt mir sein Glas entgegen. »Reise viel. Ich bin vielleicht sechs, acht Wochen im Jahr hier. Die restliche Zeit –«

»Russland?«, fragte ich, kippte meinen Schnaps und wischte mir mit dem Handrücken den Mund ab.

»Nicht so viel. Nordeuropa. Schweden, Belgien. Deutschland manchmal.«

»Ich dachte, du wärest zurückgegangen.«

»Hä?«

»Weil – na ja, ich hab nie was von dir gehört.«

»Ah.« Boris rieb sich verlegen die Nase. »Es war eine verkorkste Zeit. Erinnerst du dich – bei dir zu Hause, den letzten Abend?«

»Natürlich.«

»Na ja. Ungefähr eine halbe Unze Koka und ich hab kein bisschen davon verkauft, nicht einmal ein viertel Gramm. Hab viel verschenkt, sicher – war sehr beliebt in Schule. Ha! Alle mochten mich! Aber das meiste – direkt in meine Nase. Dann – die Tüten, die wir gefunden haben – alle möglichen Tabletten – weißt du noch? Diese kleinen grünen? Sehr heftige Krebs-Patienten-Lebensende-Tabletten – dein Dad muss schwer abhängig gewesen sein, wenn er dieses Zeug genommen hat.«

»Ja, ein paar davon sind auch bei mir gelandet.«

»Na, dann weißt du ja Bescheid! Diese guten grünen Oxys stellen sie gar nicht mehr her. Heutzutage sind die Junkie-sicher, sodass man sie nicht mehr spritzen oder schnupfen kann! Aber dein Dad? Vom Alkohol auf *diesen* Stoff umsteigen? Lieber betrunken auf der Straße, aber jederzeit! Bei meinem ersten Versuch – ich war hinüber, bevor ich die zweite Line reinziehen konnte, und wenn Kotku nicht da gewesen wäre«, er zog sich den Finger quer über die Kehle, »*pfffft.*«

»Yep.« Ich erinnerte mich an meine eigene dämliche Glückseligkeit, als ich ohnmächtig mit dem Gesicht auf die Schreibtischplatte in meinem Zimmer oben bei Hobie geschlagen war.

»Jedenfalls«, Boris kippte seinen Wodka in einem Zug hinunter und schenkte uns nach, »Xandra hat das Zeug verkauft. Nicht *das*. Das gehörte deinem Dad. Für seinen persönlichen Gebrauch. Aber das andere, damit hat sie auf der Arbeit gedealt. Dieses Pärchen, Stewart und Lisa? Diese Leute, die aussahen wie Makler, super korrekt wie nur was? Die haben das Geld vorgeschossen.«

Ich legte meine Gabel hin. »Woher weißt du das?«

»Sie hat es mir erzählt! Und ich vermute, sie wurden fies, als sie dann nicht liefern konnte. Mr. Anwaltsgesicht und Miss Daisy-Tasche, total nett bei euch zu Hause ... tätscheln ihr den Kopf ... ›was können wir tun?‹ ... ›arme Xandra‹ ... ›tut uns so leid für dich‹ ... und dann sind die Drogen alle und – *puff*. Ganz andere Geschichte! Ich hatte ein echt schlechtes Gewissen wegen was wir getan haben, als sie es mir erzählt hat. Riesenärger für sie! Aber in dem Moment«, er schnippte sich gegen die Nase, »war ja alles schon hier durch. *Kaput*.«

»Moment mal – das hat Xandra dir erzählt?«

»Ja. Als du weg warst. Als ich mit ihr gewohnt habe.«

»Du musst vielleicht ein Stück weiter zurückgehen.«

Boris seufzte. »Na ja, ist eine lange Geschichte. Aber wir haben uns auch lange nicht gesehen, oder?«

»Du hast mit Xandra zusammengewohnt?«

»Mal ja, mal nein. Vier, fünf Monate vielleicht. Bevor sie nach Reno zurückgegangen ist. Danach habe ich den Kontakt zu ihr verloren. Mein Dad war zurück nach Australien gegangen, weißt du, und außerdem waren Kotku und ich am Arsch ...«

»Das muss wirklich schräg gewesen sein.«

»Ja – sozusagen«, antwortete er fahrig. »Weißt du«, er lehnte sich zurück und winkte dem Kellner noch einmal, »ich war ziemlich schlecht in Form. Ich war seit Tagen auf den Beinen. Du weißt, wie es ist, wenn man nach Koksen hart wieder landet – schrecklich. Ich war allein und hatte echt Angst. Du kennst diese Krankheit in der Seele, schnelles Atmen und jede Menge Angst, als ob der Teufel gleich die Hand ausstreckt und dich holt? Dünn – dreckig – zitternd vor Angst. Wie eine kleine, halb tote Katze! Und noch dazu Weihnachten – alle weg! Hab ein paar Leute angerufen, niemand nimmt ab. Bin bei diesem Typen Lee vorbeigegangen, wo ich manchmal im Poolhaus übernachtet habe, aber er war weg, die Tür war abgeschlossen. Bin gegangen und gegangen – getorkelt beinahe. Kalt und verängstigt! Niemand zu Hause! Also zu Xandra. Kotku sprach da nicht mehr mit mir.«

»Mann, du hast vielleicht Eier. Da wäre ich nicht für eine Million Dollar wieder hingegangen.«

»Ich weiß, ich brauchte schon Mumm, aber ich war *so* einsam und krank. Meine Lippen gezittert. Wie wenn du still liegen und auf eine Uhr schauen und deine Herzschläge zählen möchtest? Aber du kannst nirgendwo still liegen? Und du hast keine Uhr? Hätte fast geheult! Wusste nicht, was ich machen soll! Wusste nicht mal, ob sie noch da war. Aber da brannte Licht – das einzige Licht in der Straße –, und ich bin zur Glastür rumgegangen, und da war sie in ihrem alten ›Dolphins‹-Shirt in der Küche und mixte Margaritas.«

»Und dann?«

»Ha! Wollte mich nicht reinlassen zuerst! Stand in der Tür und schrie mich 'ne ganze Weile an – verfluchte mich, beschimpfte mich mit allen möglichen Wörtern! Aber dann fing ich an zu weinen. Und als ich sie fragte, ob ich bei ihr bleiben könnte?« Er zuckte die Achseln. »Da hat sie ja gesagt.«

»Was?« Ich griff nach meinem Schnapsglas, das er mir nachgefüllt hatte. »Du meinst, bleiben, wie in ›bleiben‹ …?«

»Ich hatte Angst! Sie ließ mich in ihrem Zimmer schlafen! Mit Weihnachtsfilmen im Fernsehen!«

»Aha.« Er wollte, dass ich ihn drängte, ins Detail zu gehen, das sah ich ihm an, aber in Anbetracht des Schmunzelns in seinem Gesicht war ich mir auch diesmal nicht so sicher, ob ich ihm die Geschichte, dass er in ihrem Zimmer geschlafen hatte, glauben sollte. »Wie schön, dass es für dich noch gut ausgegangen ist, würde ich sagen. Hat sie was über mich gesagt?«

»Na ja, ein bisschen.« Er lachte leise. »Sogar eine Menge, ehrlich gesagt. Weil ich nämlich – ich meine, sei nicht sauer, aber ich hab dir die Schuld an ein paar Sachen gegeben.«

»Freut mich, dass ich dir helfen konnte.«

»Ja, natürlich!« Triumphierend stieß er mit mir an. »Danke! Wenn du das Gleiche tun würdest, hätte ich auch nichts dagegen. Aber ehrlich – die arme Xandra, ich glaube, sie war froh, mich zu sehen. *Überhaupt jemanden* zu sehen. Ich meine«, er kippte seinen Wodka herunter, »es war verrückt … diese schlechten Freunde … sie war ganz allein da draußen. Hat viel getrunken, Angst, zur Arbeit zu gehen. Hätte ihr leicht was passieren können – keine Nachbarn, echt unheimlich. Denn Bobo Silver – ja, Bobo war eigentlich kein ganz schlechter Kerl. ›The Mensch‹? Sie nennen ihn nicht umsonst so! Xandra hatte eine Todesangst vor ihm, aber er ist ihr wegen der Schulden, die dein Dad hinterlassen hatte, nicht auf die Pelle gerückt, nicht ernsthaft jedenfalls. Überhaupt nicht. Dabei stand dein Dad fett in der Kreide. Wahrscheinlich war ihm klar, dass sie pleite war – dein Dad hat auch *sie* ordentlich verarscht. Da konnte er sie auch anständig behandeln. Aus einer Rübe presst du kein Blut. Aber diese anderen Leute, ihre sogenannten Freunde, die waren mies wie Banker. Verstehst du? ›Du schuldest uns Geld.‹ *Richtig* hart, mit gottverdammten Beziehungen überall, furchterregend. Schlimmer als er! Es ging nicht mal um eine so große Summe, aber sie konnte trotzdem nicht annähernd bezahlen, und sie wurden unangenehm. Es hieß nur noch«, und er legte höhnisch den Kopf schräg und streckte mir aggressiv den Zeigefinger entgegen, »›verarsch uns nicht, wir warten nicht, lass dir was einfallen‹. So in dem Stil. Jedenfalls – gut, dass ich in dem Moment zurückkam, denn so konnte ich ihr helfen.«

»Wie denn helfen?«

»Indem ich ihr die Kohlen zurückgab, die ich genommen hatte.«

»Du hattest das Geld behalten?«

»Nein, das nicht«, sagte er nüchtern. »Hatte ich ausgegeben. Aber hatte was anderes laufen, verstehst du? Denn als das Koks alle war, bin ich mit dem Geld zu Jimmy in den Waffenladen gegangen und hatte neues gekauft. Für mich und Amber – nur für uns zwei. Sehr, sehr schönes Mädchen, sehr unschuldig, was Besonderes. Und sehr jung, nur ungefähr vierzehn! Aber in der einen Nacht da, im MGM Grand, da waren wir uns so nah gekommen. Haben die ganze Nacht in der Suite von KTs Dad im Badezimmer auf dem Boden gesessen und nur geredet. Nicht mal geküsst! Nur geredet geredet geredet! Bis ich beinahe geweint habe. Haben wirklich unsere Herzen aufgemacht füreinander. Und«, er legte die Hand an sein Brustbein, »ich war so traurig, als es Tag wurde. Warum musste es vorbei sein? Denn wir hätten ewig da sitzen und miteinander reden können! Wäre so perfekt und glücklich gewesen! So nah sind wir einander gekommen, verstehst du, in der einen Nacht. Jedenfalls – deshalb bin ich zu Jimmy gegangen. Er hatte echt beschissenes Koks, nicht halb so gut wie das von Stewart und Lisa. Aber alle wussten ja Bescheid, weißt du, alle hatten von diesem Wochenende im MGM Grand gehört, von mir und dem ganzen Stoff. Also kamen die Leute zu mir. Ungefähr ein Dutzend an meinem ersten Tag, als ich wieder in der Schule war. Schmissen mich zu mit ihren Geldern. ›Besorg mir was …Besorg mir was … Besorg mir was für meinen Bruder … Ich hab ADS, ich brauch was für meine Hausaufgaben …‹ Hat nicht lange gedauert, und ich hab an die Footballer aus dem letzten Schuljahr verkauft und an die halbe Basketball-Mannschaft außerdem. Und an jede Menge Mädchen … Freundinnen von Amber und KT … und Jordans Freundinnen … College-Studenten von der Uni in Las Vegas! Bei den ersten paar Lieferungen, die ich verkauft hab, hab ich draufgezahlt – hatte keine Ahnung, was ich verlangen sollte, und 'ne ganze Menge zu Tiefpreisen weggegeben, wollte ja, das alle mich mögen, bla bla bla. Aber als ich es einmal raushatte – da war ich reich! Jimmy hat mir einen Riesenrabatt gegeben, er machte ja auch eine Menge Holz damit. Ich hab ihm einen großen Gefallen getan, weißt du, hab seine Drogen an Kids verkauft, die sich nicht trauten, welche zu kaufen – hatten Angst vor Leuten wie Jimmy, die sie verkauften. KT … Jordan … diese Mädchen hatten viel Geld! Haben *jederzeit* gern Vorkasse gemacht. Koks ist ja nicht wie E – das hab ich auch verkauft, aber damit ging es rauf und runter, 'ne ganze Lieferung, und dann wieder tagelang gar nichts, aber für Koks gab's eine Menge Stammkunden, und die riefen zwei-, dreimal die Woche an. Ich meine, allein KT ...«

»Wow!« Selbst nach so vielen Jahren weckte ihr Name Erinnerungen.

»Ja! Auf KT!« Wir hoben unsere Gläser und tranken.

»So schöne Frau!« Boris knallte sein Glas auf den Tisch. »Mir wurde immer schwindlig in ihrer Nähe. Schon wenn ich dieselbe Luft geatmet habe.«

»Hast du mit ihr geschlafen?«

»Nein ... Gott, ich hab's versucht ... aber sie hat mir einmal nachts mit der Hand einen runtergeholt, im Zimmer ihres kleinen Bruders, als sie zugedröhnt war und sehr gute Laune hatte.«

»Mann, ich bin wirklich im falschen Augenblick abgehauen.«

»Das kann man wohl sagen. Ich hab in meine Unterhose gespritzt, bevor sie auch nur den Reißverschluss aufmachen konnte. Und KTs Taschengeld ...« Er nahm mein leeres Schnapsglas. »Zweitausend im Monat! Nur für Kleidung! Bloß hat KT schon so viele Klamotten, dass man sich fragt, wieso muss sie noch mehr kaufen? Jedenfalls, um Weihnachten war es für mich wie in den Filmen, wo man die Kasse klingeln hört und die Dollarzeichen in den Augen sieht. Das Telefon war überhaupt nicht mehr still. Die besten Freunde von allen möglichen Leuten! Mädchen, die ich noch nie gesehen hatte, haben mich geküsst und mir das Gold gegeben, das sie um den Hals trugen! Ich hab mir alle Drogen reingezogen, die ich greifbar hatte, Drogen jeden Tag, jede Nacht, Lines, so lang wie meine Hand – und trotzdem war überall Geld. Ich war der Scarface unserer Schule. Ein Typ hat mir ein Motorrad gegeben und ein anderer ein gebrauchtes Auto. Wenn ich meine Sachen vom Boden aufhob, fielen Hunderte Dollar aus den Taschen – und keine Ahnung, wo sie herkamen.«

»Das sind 'ne Menge Informationen auf einmal, ziemlich schnell hintereinander.«

»Ja, wem sagst du das? Das ist mein üblicher Lernprozess. Man sagt, die Erfahrung ist eine gute Lehrerin, und normalerweise stimmt das auch, aber ich kann von Glück sagen, dass diese Erfahrung mich nicht umgebracht hat. Ab und zu … wenn ich paar Bier hab getrunken … vielleicht die eine oder andere Line zieh ich mir rein. Aber meistens gefällt es mir nicht mehr. Hab mich gründlich ausgebrannt. Hätten wir uns getroffen vor fünf Jahren? Da war ich«, er sog die Wangen zwischen die Zähne, »so. Aber«, der Kellner kam und brachte noch mehr Heringe und Bier, »genug von alldem. Du«, er musterte mich von oben bis unten, »was? Kommst ganz gut zurecht, würde ich sagen, eh?«

»Geht so, schätze ich.«

»Ha!« Er lehnte sich zurück und legte den Arm auf die Lehne seiner Bank. »Komische alte Welt, was? Antiquitätenhandel? Die alte Schwuchtel? Hat er dich angelernt?«

»So ist es.«

»Riesengeschäft, hör ich.«

»So ist es.«

Er musterte mich. »Bist du glücklich?«

»Nicht besonders.«

»Dann hör zu. Hab ich großartige Idee! Komm und arbeite bei mir!«

Ich lachte los.

»Nein, kein Witz! Nein, nein.« Er versuchte mich herrisch zum Schweigen zu bringen, während ich versuchte, über ihn hinwegzureden, goss mein Glas wieder voll und schob es über den Tisch. »Was zahlt er dir? Im Ernst. Ich zahle doppelt.«

»Nein, mir gefällt mein *Job*«, ich betonte meine Worte übertrieben, war ich wirklich so besoffen, wie ich mich anhörte?, »mir gefällt, was ich *mache*.«

»Ja?« Er hob mir sein Glas entgegen. »Dann warum bist du nicht glücklich?«

»Ich will nicht darüber reden.«

»Und warum nicht?«

Ich winkte ab. »Weil …« Ich wusste nicht mehr, wie viele Gläschen ich getrunken hatte. »Darum nicht.«

»Wenn nicht Job, dann – was ist es?« Er hatte sein eigenes Glas geleert, warf großartig den Kopf zurück und machte sich dann über den neuen Teller Hering her. »Geldprobleme? Mädchen?«

»Beides nicht.«

»Also Mädchen«, erklärte er triumphierend. »Ich hab's gewusst.«

»Hör zu …« Ich trank meinen Wodka aus und schlug mit der flachen Hand auf den Tisch – was war ich doch für ein Genie, ich konnte überhaupt nicht mehr aufhören zu grinsen, ich hatte die beste Idee seit Jahren! »Das reicht jetzt hier. Komm, wir gehen! Ich hab eine große Überraschung für dich.«

»*Gehen?*« Fast sah ich, wie seine Nackenhaare sich sträubten. »Wohin gehen?«

»Komm mit. Du wirst schon sehen.«

»Ich will hierbleiben.«

»Boris …«

Er wich zurück. »Lass es gut sein, Potter. Entspann dich.«

»Boris!« Ich schaute zu den Gästen an der Bar hinüber, als erwartete ich eine Massenempörung, und sah ihn dann wieder an. »Ich hab's satt, hier zu sitzen! Ich bin seit *Stunden* hier!«

»Aber …« Jetzt war er wütend. »Ich hab den ganzen Abend für dich freigemacht! Ich hatte Sachen zu tun! Du willst gehen?«

»Ja! Und du sollst mitkommen. Denn«, ich breitete die Arme aus, »du musst meine Überraschung sehen!«

»Überraschung?« Er warf seine zusammengeknüllte Serviette hin. »Was für eine Überraschung?«

»Wirst du schon sehen.« Was war denn los mit ihm? Hatte er vergessen, wie man Spaß hatte? »Jetzt komm, lass uns hier verschwinden.«

»Warum? Jetzt sofort?«

»Darum!« Das Lokal war von einem dunklen Tosen erfüllt. Noch nie im Leben war ich meiner selbst so sicher gewesen, so zufrieden mit meiner eigenen Cleverness. »Komm. Trink aus!«

»Muss das wirklich sein?«

»Du wirst froh sein. Versprochen. Komm!« Ich rüttelte freundschaftlich, wie ich fand, an seiner Schulter. »Ich meine, ohne Scheiß, du ahnst nicht, wie gut diese Überraschung ist.«

Er lehnte sich mit verschränkten Armen zurück und beäugte mich misstrauisch. »Ich glaube, du bist wütend auf mich.«

»Verdammte Scheiße, Boris, was soll denn das?« Ich war so betrunken, dass ich beim Aufstehen taumelte und mich am Tisch festhalten musste. »Diskutier nicht. Lass uns gehen.«

»Ich glaube, es ist ein Fehler, mit dir irgendwo hinzugehen.«

»Ach ja?« Ich sah ihn an, ein Auge halb geschlossen. »Kommst du jetzt mit oder nicht?«

Boris betrachtete mich kühl. Dann kniff er mit Daumen und Zeigefinger seinen Nasenrücken. »Du sagst mir nicht, wohin.«

»Nein.«

»Du hast aber nichts dagegen, wenn mein Fahrer uns hinbringt?«

»Dein Fahrer?«

»Na klar. Er wartet so zwei, drei Blocks weiter.«

»Verdammte Scheiße.« Ich schaute weg und lachte. »Du hast einen *Fahrer*?«

»Du hast also nichts dagegen, wenn wir mit ihm fahren, ja?«

»Wieso sollte ich?«, fragte ich nach einer kurzen Pause. So betrunken ich auch war, sein Benehmen ließ mich stutzen: diese sonderbare, unverhohlene Berechnung im Blick, die ich noch nie an ihm gesehen hatte.

Boris trank seinen Wodka aus und stand auf. »Na schön«, sagte er und drehte eine unangezündete Zigarette lässig zwischen den Fingerspitzen. »Bringen wir diesen Unsinn hinter uns.«

717

VI

Als ich bei Hobie die Haustür aufschloss, hielt Boris sich sehr weit im Hintergrund, als fürchtete er, mein Schlüssel in diesem Schloss könnte eine mächtige Explosion auslösen. Sein Fahrer parkte in der zweiten Reihe in einer demonstrativen Wolke aus Auspuffqualm. Im Wagen hatten er und der Fahrer die ganze Zeit nur Ukrainisch gesprochen; selbst mit meinen zwei Semestern Russische Konversation auf dem College verstand ich kein Wort.

»Komm rein«, sagte ich und konnte ein Lächeln kaum unterdrücken. Was dachte er sich, der Idiot? Dass ich ihn anspringen würde? Ihn kidnappen oder so was? Aber er stand noch auf der Straße, die Fäuste in den Manteltaschen, und sah sich über die Schulter nach dem Fahrer um, dessen Name Genka oder Juri oder Georgi war – oder sonst wie, *scheiße,* ich wusste es nicht mehr.

»Was ist los?«, fragte ich. Mit weniger Alkohol in der Birne wäre ich wegen seiner Paranoia vielleicht wütend geworden, aber so fand ich sie nur irre komisch.

»Sag mir noch mal, warum wir müssen herkommen?« Er hielt sich immer noch im Hintergrund.

»Das wirst du sehen.«

»Und du wohnst hier oben?«, fragte er argwöhnisch und spähte in den Salon. »Ist dein Haus?«

Ich hatte mit der Tür mehr Lärm gemacht, als ich wollte. »Theo?«, rief Hobie von hinten. »Bist du das?«

»Ja.« Er trug Anzug und Krawatte – *scheiße,* dachte ich, hat er Gäste? Jäh wurde mir bewusst, dass es gerade Zeit zum Abendessen war. Mir kam es vor wie drei Uhr früh.

Boris hatte sich vorsichtig hinter mir ins Haus geschoben, die Hände immer noch in den Taschen, die Haustür hinter sich weit offen. Sein Blick richtete sich auf die großen Basalturnen und den Kronleuchter.

»Hobie«, sagte ich – er hatte sich mit hochgezogenen Brauen in den Hausflur herausgewagt, und Mrs. DeFrees kam bang hinter ihm her getrippelt. »Hi, Hobie, du erinnerst dich, ich habe dir von …«

»*Poptschik!*«

Das kleine weiße Bündel, das da pflichtschuldig durch den Flur zur Haustür getrippelt kam, erstarrte. Dann stieß er einen schrillen Schrei aus und rannte los, so schnell er konnte (was wirklich nicht mehr besonders schnell war), und Boris fiel jauchzend und lachend auf die Knie.

»Oh!« Er raffte ihn an sich, und Poptschik zappelte und strampelte. »Du bist fett geworden! Er ist fett!« Poptschik sprang hoch und küsste ihn ins Gesicht. »Du hast ihn fett werden lassen!«, sagte er empört. »Ja, hallo, *pustýschka*, du kleiner Flauschkugel, du, hallo! Du kennst mich noch, ja?« Er kippte auf den Rücken, lag ausgestreckt da und lachte, und Poptschik sprang, immer noch schrill kläffend vor Glück, auf ihm hin und her. »Er kennt mich noch!«

Hobie rückte seine Brille zurecht und stand amüsiert abseits. Mrs. DeFrees – etwas weniger amüsiert – blieb hinter Hobie stehen und verfolgte mit leichtem Stirnrunzeln das Spektakel meines nach Wodka riechenden Gastes, der da mit dem Hund auf dem Teppich herumrollte und -tollte.

»Jetzt sag bloß …!« Hobie schob die Hände in die Taschen seines Jacketts. »Ist das …?«

»Genau!«

VII

Wir blieben nicht lange – Hobie hatte im Laufe der Jahre viel von Boris gehört, lasst uns was trinken gehen!, und Boris war genauso interessiert und neugierig, wie ich es beim Auftauchen von Judy aus Karmeywallag oder irgendeiner anderen sagenumwobenen Gestalt aus seiner Vergangenheit gewesen wäre. Doch wir beide waren betrunken und zu ausgelassen, und ich fürchtete, wir könnten Mrs. DeFrees beunruhigen, die zwar höflich lächelnd, aber doch ziemlich still auf einem Stuhl im Flur saß, die winzigen beringten Hände auf dem Schoß hielt und nicht viel sagte.

Also zogen wir mit Poptschik im Schlepptau los, der aufgeregt hinter uns her tippelte, während Boris begeistert herumschrie und dem Fahrer signalisierte, einmal um den Block zu fahren, damit wir einsteigen könnten. »Ja, *pustýschka,* ja!« – und zu Popper: »Das sind wir! Wir haben ein Auto!«

Dann hatte ich urplötzlich den Eindruck, dass Boris' Fahrer genauso gut Englisch sprach wie Boris und wir alle drei dicke Freunde waren – alle vier, wenn man Popper mitzählte, der auf den Hinterbeinen stand, die Vorderpfoten ans Fenster gelegt hatte und mit großem Ernst zu den Lichtern des West Side Highways hinausschaute, während Boris auf ihn ein plapperte und ihn knuddelte und auf den Nacken küsste und – gleichzeitig – Juri (dem Fahrer) auf Englisch und auf Russisch erklärte, wie wunderbar ich sei, der Freund seiner Jugend und das Blut seines Herzens! (Woraufhin Juri mit der Linken um seinen Körper herum und über den Sitz nach hinten zum Rücksitz langte, um mir feierlich die Hand zu schütteln.) Wie kostbar war das Leben, dass zwei solche Freunde auf dieser großen Welt einander nach so langer Trennung wiederfanden?

»Ja«, sagte Juri düster, als er so unvermittelt und scharf in die Houston Street einbog, dass ich gegen die Tür rutschte, »war das Gleiche mit mir und Wadim. Täglich trauere ich um ihn. Trauere ich so sehr, dass ich wache auf in der Nacht, um zu trauern. Wadim war mein Bruder«, er warf einen Blick zu mir zurück, und draußen stoben ein paar Leute auseinander, als er über den Fußgängerüberweg hinwegpflügte, erschrockene Gesichter vor den getönten Scheiben, »mein Mehr-als-Bruder. Wie Borja und ich. Aber Wadim …«

»Wirklich eine schreckliche Sache«, sagte Boris leise zu mir – und zu Juri: »Ja, ja, schrecklich …«

»… wir haben Wadim zu früh in Grube fahren sehen. Ist wahr, das Radiolied. Kennst du? ›Piano Man‹-Sänger? ›Only the Good Die Young‹.«

»Er wird dort warten auf uns«, sagte Boris tröstend und streckte die Hand aus, um Juri auf die Schulter zu klopfen.

»Ja, genau das hab ich ihm auch aufgetragen«, brummte Juri und zog so plötzlich an einem anderen Auto vorbei, dass ich in den Gurt geschleudert wurde und Poptschik durch den Wagen flog. »So was geht tief – kann man es nicht ehrenvoll in Worte fassen. Menschliche Zunge kann nicht ausdrücken. Aber am Ende – als ich ihn mit der Schaufel zu Bett brachte – ich habe mit meiner Seele zu ihm gesprochen. ›Bis dann, Wadim. Halte mir das Tor auf, Bruder. Halte mir einen Platz frei da oben, wo du bist.‹ Nur, Gott …«

Bitte, dachte ich und bemühte mich, gefasst auszusehen, während ich Poptschik auf den Schoß nahm und festhielt, *verdammte Scheiße, bitte schau auf die Straße.*

»… Fjodor, bitte hilf mir, ich habe zwei große Fragen wegen Gott. Du bist College-Professor« – (was?) – »und kannst mir vielleicht beantworten. Erste Frage«, er sah mich im Rückspiegel an und hielt den ausgestreckten Finger hoch, »hat Gott Humor? Zweite Frage: Hat Gott *grausamen* Humor? Zum Beispiel: Spielt Gott mit uns, quält uns für Seine eigene Unterhaltung, wie bösartiges Kind mit Garteninsekt?«

»Ähm«, sagte ich beunruhigt über den intensiven Blick, mit dem er mich ansah und nicht die Kurve vor uns. »Na ja, vielleicht, ich weiß es nicht, ich hoffe jedenfalls nicht.«

»Das ist nicht der richtige Mann für diese Fragen.« Boris bot mir eine Zigarette an und reichte dann Juri eine. »Gott hat Theo reichlich gequält. Wenn Leiden adelt, dann ist er ein Fürst. Aber Juri«, er lehnte sich in einer Rauchwolke zurück, »eine Gefälligkeit.«

»Was du willst.«

»Passt du auf den Hund auf, wenn du uns abgesetzt hast? Fährst ihn auf dem Rücksitz durch die Gegend, wohin er will?«

Der Club befand sich draußen in Queens, ich hätte nicht sagen können, wo. In dem mit roten Teppichen ausgelegten Vorderzimmer, das mir vorkam wie ein Raum, in den man geht, um seinen Großvater auf die Wange zu küssen, wenn man frisch aus dem Gefängnis entlassen worden ist, saßen familienähnliche Versammlungen von Trinkenden auf Louis-XVI-Stühlen um Tische, die mit metallisch glänzendem Goldstoff drapiert waren, und aßen und rauchten und schrien und klopften einander auf den Rücken. Dahinter, an den tiefrot lackierten Wänden, hingen Weihnachtsgirlanden und Festtagsdekorationen aus der Sowjet-Ära aus Drähten mit Glühlampen und buntem Aluminium – Hähne, nistende Vögel, rote Sterne, Raumschiffe und Hammer-und-Sichel-Plaketten mit kitschigen Slogans in kyrillischer Schrift (*Glückliches Neues Jahr, geliebter Stalin*) – überbordend und scheinbar provisorisch aufgehängt. Boris (selbst ziemlich hinüber: Er hatte auf dem Rücksitz aus einer Flasche getrunken) ließ einen Arm auf meiner Schulter liegen und stellte mich Jung und Alt auf Russisch als seinen Bruder vor, was die Leute anscheinend wörtlich nahmen, wenn ich es danach beurteilte, wie viele Männer und Frauen mich umarmten und küssten und versuchten, mir Wodka aus Magnumflaschen in kristallenen Eiskübeln einzuschenken.

Irgendwie schafften wir es schließlich, nach hinten zu kommen: schwarzsamtene Vorhänge, bewacht von einem kahlrasierten vipernäugigen Schläger mit kyrillischen Buchstaben auf den Unterkiefer tätowiert. Im Hinterzimmer dröhnte stampfende Musik, die Luft war dick von Schweiß, Aftershave, Gras und Cohiba-Rauch. Armani, Jogginganzüge, Diamanten und Platin-Rolexe. Ich hatte noch nie so viele Männer mit so viel Gold gesehen: goldene Ringe, goldene Ketten, goldene Schneidezähne. Das alles war wie ein fremdländischer, verwirrender, hell glitzernder Traum, und ich war in dem unbehaglichen Stadium der Betrunkenheit, in dem ich die Augen nicht mehr scharfstellen, sondern nur noch nicken und schwanken und mich von Boris durch das Gedränge schleifen lassen konnte. Irgendwann, tief in der Nacht, tauchte Myriam wieder auf wie ein Schatten. Sie begrüßte mich mit einem Kuss auf die Wange, der sich ernst und spukhaft anfühlte, in der Zeit erstarrt wie eine zeremonielle Geste, und dann verschwanden sie und Boris und ließen mich an einem Tisch voller sturzbetrunkener, kettenrauchender Russen zurück, die allesamt zu wissen schienen, wer ich war (»Fjodor!«): Sie klopften mir auf die Schulter, schenkten mir Wodka ein, boten mir etwas zu essen und Marlboros an und brüllten liebenswürdig auf Russisch auf mich ein, anscheinend ohne eine Antwort zu erwarten …

Hand auf meiner Schulter. Jemand nahm mir die Brille ab. »Hallo?«, sagte ich zu der fremden Frau, die ganz plötzlich auf meinem Schoß saß.

Schanna. Hi, Schanna! Was machst du inzwischen? Nicht so viel. Und du? Porno-Star, Studiobräune, chirurgisch vergrößerte Titten, die oben aus dem Kleid quollen. Wahrsagerei liegt bei mir in der Familie: Darf ich in deinen Händen lesen? Hey, na klar: Ihr Englisch war ziemlich gut, aber sie war schwer zu verstehen, weil es in dem Club so laut war.

»Ich sehe, du bist von Natur aus Philosoph.« Sie strich mit der barbie-pinkfarbenen Spitze eines Fingernagels über meine Handfläche. »Sehr, sehr intelligent. Viele Höhen und Tiefen – hast im Leben schon ein bisschen von allem gemacht. Aber du bist einsam. Du träumst davon, ein Mädchen zu finden und den Rest deines Lebens mit ihr zusammen zu sein. Hab ich recht?«

Dann kam Boris zurück, allein. Er zog sich einen Stuhl heran und setzte sich. Es folgte eine kurze, amüsierte Unterhaltung auf Ukrainisch zwischen ihm und meiner neuen Freundin, die damit endete, dass sie mir meine Brille wieder aufsetzte und ging, nicht ohne vorher noch eine Zigarette von Boris zu schnorren und ihm einen Kuss auf die Wange zu geben.

»Kennst du sie?«, fragte ich Boris.

»Noch nie im Leben gesehen«, sagte Boris und zündete sich selbst eine Zigarette an. »Wir können jetzt gerne gehen. Juri wartet draußen.«

VIII

Inzwischen war es spät geworden. Der Rücksitz des Autos war eine Wohltat nach dem Durcheinander im Club (intimes Licht von der Armaturenbeleuchtung, leise Radiomusik), und wir fuhren stundenlang durch die Gegend, während Poptschik bei Boris auf dem Schoß lag und fest schlief. Wir lachten und redeten, und Juri streute mit lauter, heiserer Stimme Geschichten über seine Jugend in Brooklyn ein, in den Sozialwohnungsblocks, die er »The Bricks« nannte. Boris und ich tranken warmen Wodka aus der Flasche und schnupften Koks aus dem Beutel, den er aus seiner Manteltasche holte – ab und zu reichte Boris ihn nach vorn zu Juri. Trotz der Klimaanlage war es glühend heiß im Wagen. Boris' Gesicht war verschwitzt, und seine Ohren waren flammend rot. »Weißt du«, er hatte sich bereits aus dem Jackett gewunden, und jetzt nahm er die Manschettenknöpfe ab, steckte sie in die Tasche und krempelte sich die Ärmel hoch, »dein Dad hat mir gezeigt, wie man sich ordentlich anzieht. Dafür bin ich ihm dankbar.«

»Ja, mein Dad hat uns beiden eine Menge beigebracht.«

»Ja«, sagte er aufrichtig. Er nickte energisch und ohne Ironie mit dem Kopf und wischte sich mit der Handkante unter der Nase entlang. »Er sah immer aus wie ein Gentleman. Zum Beispiel – so viele von den Typen im Club: Lederjacken, Velours-Jogginganzüge, als kämen sie geradewegs von der Einwanderung. Viel besser, man kleidet sich schlicht wie dein Dad: schöne Jacke, schöne Uhr, aber *klássny* – weißt du, einfach. Unauffällig.«

»Genau.« Weil es mein Beruf war, so etwas zu bemerken, hatte ich Boris' Armbanduhr bereits gesehen: Schweizer Fabrikat, Einzelhandelspreis ungefähr fünfzigtausend, eine Uhr für einen europäischen Playboy, zu grell für meinen Geschmack, aber extrem zurückhaltend im Vergleich zu den juwelenbesetzten Gold- und Platin-Klumpen, die ich in seinem Club gesehen hatte. Jetzt sah ich, dass er einen blauen Davidstern auf den Unterarm tätowiert hatte.

»Was ist das?«

Er hielt mir das Handgelenk entgegen, damit ich besser sehen konnte. »IWC. Eine gute Uhr ist wie Geld auf der Bank. Kann man notfalls immer versetzen oder verkaufen. Die hier ist Weißgold, sieht aber aus wie Edelstahl. Besser, die Uhr sieht nicht so teuer aus, wie sie ist.«

»Nein, das Tattoo.«

»Ah.« Er schob den Ärmel weiter hoch und betrachtete mit Bedauern seinen Arm – aber ich schaute schon nicht mehr das Tattoo an. Es war nicht sehr hell im Auto, aber ich erkannte Einstichspuren, wenn ich welche sah. »Den Stern meinst du? Ist lange Geschichte.«

»Aber …« Ich wusste, dass ich mich besser nicht nach den Stichen erkundigte. »Du bist doch kein Jude.«

»Nein!«, sagte Boris entrüstet und schob den Ärmel wieder herunter. »Natürlich nicht!«

»Na, dann wäre die Frage ja vielleicht, wieso …«

»Weil ich Bobo Silver erzählt habe, ich wäre Jude.«

»Was?«

»Weil ich wollte, dass er mich einstellt! Da hab ich gelogen.«

»Im Ernst?«

»Ja! Hab ich! Er kam oft bei Xandra vorbei – schnüffelte in der Straße rum, als ob was faul wäre, zum Beispiel, als ob dein Vater vielleicht nicht tot wäre –, und eines Tages hab ich mich getraut, ihn anzusprechen. Hab angeboten, für ihn zu arbeiten. Alles geriet außer Kontrolle – gab Ärger in der Schule, ein paar Leute mussten in den Entzug, andere flogen raus –, und ich musste die Verbindung zu Jimmy abbrechen, verstehst du, und eine Zeitlang was anderes machen. Und ja, mein Familienname ist ganz falsch, aber Boris, in Russland, ist ein Vorname für viele Juden, und deshalb dachte ich, wieso nicht? Woher soll er es wissen? Ich dachte, das Tattoo wäre gut – um ihn zu überzeugen, weißt du, dass ich gut wäre. Hab's mir von einem Typen stechen lassen, der mir hundert Dollar schuldete. Hab mir eine große, traurige Geschichte ausgedacht, meine Mutter polnische Jüdin, Familie im Konzentrationslager, buuhuuhuu. Ich Blödmann, hatte nicht gewusst, dass Tattoos sind gegen das jüdische Gesetz. Wieso lachst du?«, fragte er defensiv. »Jemand wie ich – ist nützlich für ihn, weißt du? Jedenfalls, er wusste verdammt genau, dass ich kein Jude war. Er lachte mir ins Gesicht, aber genommen hat er mich doch, und das war sehr freundlich von ihm.«

»Wie konntest du für einen Kerl arbeiten, der meinen Dad umbringen wollte?«

»Er wollte deinen Dad nicht umbringen! Das ist nicht wahr und nicht fair. Wollte ihm nur Angst machen. Aber – ja, ich habe für ihn gearbeitet, fast ein Jahr.«

»Was hast du für ihn getan?«

»Nichts Schmutziges, ob du es glaubst oder nicht. War nur Assistent – Botenjunge, hab Gänge für ihn erledigt, hierhin, dahin. Führ seine Hündchen aus! Hol die Sachen aus der Reinigung! Bobo war guter, großzügiger Freund in schlechten Zeiten – ein Vater fast, das kann ich dir sagen mit der Hand auf dem Herzen. Mehr Vater jedenfalls als mein eigener Vater. Bobo war immer fair zu mir. Mehr als fair. Gut. Habe ich viel von ihm gelernt, indem ich zugesehen habe. Deshalb macht es mir nicht so viel aus, diesen Stern für ihn zu tragen. Und das«, er streifte den Ärmel bis zum Bizeps hoch: eine Dornenrose und eine kyrillische Inschrift, »das ist für Katja, die Liebe meines Lebens. Hab ich sie mehr geliebt als jede andere Frau.«

»Das sagst du über alle.«

»Ja, aber bei Katja stimmt es! Durch die Hölle gehen, durch Feuer! Mein Leben geben, mit Freuden! Ich werde niemanden auf der Welt noch einmal lieben wie Katja – nicht mal annähernd. Sie war die Einzige. Ich würde glücklich sterben, wenn ich noch einen Tag mit ihr verbringen könnte. Aber«, er schob den Ärmel wieder herunter, »du darfst dir niemals den Namen eines Menschen tätowieren lassen, denn dann wirst du diesen Menschen verlieren. Ich war zu jung, um das zu wissen, als ich das Tattoo bekam.«

IX

Ich hatte seit Carole Lombards Wegzug aus der Stadt nicht mehr gekokst, und an Schlaf war nicht zu denken. Am Morgen um halb sieben gondelte Juri mit Poptschik auf dem Rücksitz in der Lower East Side herum (»Ich fahre mit ihm zum Deli! Kriegt er Eier, Speck und Käse!«), und wir saßen aufgedreht schwatzend in einer ungemütlichen Bar in der Avenue C, die rund um die Uhr geöffnet hatte. Die Wände waren mit Graffiti beschmiert, und vor den Fenstern hingen Jutesäcke, um den Sonnenaufgang abzuhalten – Ali Baba Club, ein Kurzer drei Dollar, Happy Hour von zehn Uhr bis mittags –, und wir versuchten, genug Bier in uns hineinzuschütten, um ein bisschen müde zu werden.

»Weißt du, was ich auf dem College gemacht habe?«, erzählte ich. »Russische Konversation, für ein Jahr. Alles nur wegen dir. Ich war übrigens echt beschissen darin. Nie gut genug, um es zu lesen, weißt du, mich hinzusetzen mit *Eugen Onegin* – den muss man ja auf Russisch lesen, heißt es, weil er in der Übersetzung nicht rüberkommt. Aber – ich hab so viel an dich gedacht! Hab mich immer an Kleinigkeiten erinnert, die du so gesagt hast – alles Mögliche fiel mir dann wieder ein – oh, wow, sie spielen ›Comfy in Nautica‹, hörst du? Panda Bear! Das Album hab ich komplett vergessen. Egal. Ich hab eine Semesterarbeit über *Der Idiot* geschrieben, in meinem Russisch-Kurs – ›Russische Literatur in der Übersetzung‹ –, und die ganze Zeit, während ich es las, hab ich an dich gedacht, wenn ich oben in meinem Zimmer saß und die Zigaretten von meinem Dad rauchte. Es war viel leichter, die Namen zu behalten, wenn ich mir im Kopf vorstellte, wie du sie sagtest … eigentlich hab ich das ganze Buch mit deiner Stimme gehört. Drüben in Vegas hast du ungefähr sechs Monate lang *Der Idiot* gelesen, weißt du noch? Auf Russisch. Eine ganze Weile war das so ziemlich das Einzige, was du getan hast. Du konntest ja ewig nicht runtergehen, wegen Xandra, erinnerst du dich? Ich musste dir Essen bringen, wie bei Anne Frank. Jedenfalls, ich hab's dann auf Englisch gelesen, *Der Idiot,* aber ich wollte auch so weit kommen, weißt du, bis zu dem Punkt, wo mein Russisch gut genug war. Bin ich aber nie.«

»Die ganze beschissene Schule.« Boris war offensichtlich nicht beeindruckt. »Wenn du Russisch lernen willst, komm mit mir nach Moskau. Da sprichst du es in zwei Monaten.«

»Und, erzählst du mir, was du tust?«

»Hab ich doch schon gesagt. Dies, das. Schlag mich so durch.« Dann gab er mir unter dem Tisch einen Tritt. »Dir geht's jetzt anscheinend besser, hm?«

»Hä?« Außer uns waren nur zwei andere Leute im Lokal – schöne Menschen, unirdisch bleich, ein Mann und eine Frau, beide mit kurzem, dunklem Haar. Sie schauten einander in die Augen, und der Mann hielt die Hand der Frau, die sie quer über den Tisch streckte, und nagte und knabberte an der Innenseite ihres Handgelenks. *Pippa,* dachte ich, und ein Schmerz durchzuckte mich. In London war es jetzt bald Mittagszeit. Was tat sie gerade?

»Als ich dir über den Weg gelaufen bin, sahst du aus, als wolltest du ins Wasser springen.«

»Tut mir leid, war ein harter Tag.«

»Aber nett habt ihr euch da eingerichtet«, sagte Boris. Von seinem Platz aus konnte er das Paar nicht sehen. »Ihr Jungs seid also Partner?«

»Nein! Nicht so!«

»Hab ich doch gar nicht gesagt.« Boris musterte mich kritisch. »Herrgott, Potter, sei nicht so empfindlich! Das war doch auch seine Frau, die Lady da, oder?«

»Ja«, sagte ich unruhig und lehnte mich zurück. »Na ja, sozusagen.« Die Beziehung zwischen Hobie und Mrs. DeFrees war immer noch zutiefst rätselhaft, ebenso wie ihre nach wie vor existierende Ehe mit Mr. DeFrees. »Ich habe geglaubt, sie wäre Witwe, aber das ist sie nicht. Sie«, ich beugte mich vor und rieb mir die Nase, »sie wohnt uptown, und er wohnt downtown, weißt du, aber sie sind dauernd zusammen … Sie hat ein Haus in Connecticut und manchmal fahren sie übers Wochenende hin. Sie ist verheiratet, aber … ihren Mann sehe ich nie. Ich bin noch nicht dahintergekommen. Ehrlich gesagt, ich glaube, sie sind einfach nur gute Freunde. Entschuldige, ich fasele. Ich weiß wirklich nicht, warum ich dir das alles erzähle.«

»Und er hat dir dein Handwerk beigebracht! Er scheint nett zu sein. Ein echter Gentleman.«

»Hm?«

»Dein Boss.«

»Er ist nicht mein Boss! Ich bin sein Geschäftspartner.« Das Schillern der Drogen ließ nach; Blut rauschte in meinen Ohren, ein schneidender, schriller Ton wie Zikadengesang. »Genau gesagt, ich bin weitgehend zuständig für die Verkaufsseite des Geschäfts.«

»Entschuldige!« Boris hob die Hände. »Kein Grund, mich anzufauchen. Nur, ich hab's ernst gemeint, als ich gefragt habe, ob du bei mir arbeiten möchtest.«

»Und was soll ich darauf antworten?«

»Hör zu, ich möchte dir etwas zurückgeben. Dich teilnehmen lassen an all den guten Sachen, die mir passiert sind. Denn«, er schnitt mir mit einer großspurigen Geste das Wort ab, »ich verdanke dir alles. Alles Gute, das mir in meinem Leben passiert ist, Potter, ist deinetwegen passiert.«

»Was denn? Ich hab dich zum Rauschgifthändler gemacht? Wow. Okay.« Ich zündete mir eine von seinen Zigaretten an und schob die Packung zu ihm zurück. »Das ist gut zu wissen. Da bin ich sehr stolz auf mich, vielen Dank.«

»Rauschgifthändler? Wer sagt was von Rauschgifthändler? Ich will etwas bei dir wiedergutmachen. Was ich getan habe. Ich sage dir, es ist ein tolles Leben. Wir hätten eine Menge Spaß miteinander.«

»Hast du einen Escort-Service? Ist es das?«

»Pass auf, soll ich dir was sagen?«

»Bitte.«

»Es tut mir wirklich leid, was ich dir angetan habe.«

»Vergiss es. Ist mir egal.«

»Warum sollst du nicht ein bisschen von dem Gewinn abkriegen, den ich durch dich gemacht habe? Ein bisschen von dem Rahm für dich abschöpfen?«

»Hör zu, darf ich auch mal was sagen, Boris? Ich will nicht in irgendwelche krummen Sachen reingezogen werden. Nimm es mir nicht übel«, fuhr ich fort, »aber ich versuche gerade angestrengt, etwas hinter mir zu lassen, und wie gesagt, ich bin jetzt verlobt, die Dinge haben sich verändert, und ich glaube wirklich nicht, dass ich …«

»Warum kann ich dir dann nicht helfen?«

»Das meine ich ja nicht. Ich meine – na ja, ich würde lieber nicht weiter darauf eingehen, aber ich hab ein paar Dinge getan, die ich nicht hätte tun sollen, und ich möchte sie in Ordnung bringen. Das heißt, ich versuche gerade herauszufinden, wie ich sie in Ordnung bringen kann.«

»Ist schwer, Dinge in Ordnung zu bringen. Man kriegt nicht oft die Chance. Manchmal kannst du nur zusehen, dass du nicht erwischt wirst.«

Das schöne Paar war aufgestanden, um zu gehen. Hand in Hand streiften sie den Perlenvorhang zur Seite und wehten hinaus in die blasse, kalte Morgendämmerung. Ich sah zu, wie die Perlenschnüre in ihrem Kielwasser klickten und wallten und kräuselnd hin und her schwangen wie die Hüften der Frau.

Boris lehnte sich zurück und schaute mir fest in die Augen. »Ich habe versucht, es für dich zurückzuholen«, sagte er. »Ich wünschte, ich könnte es.«

»Was?«

Er runzelte die Stirn. »Na ja – deshalb bin ich am Laden vorbeigekommen. Du weißt schon. Hast bestimmt davon gehört, die Sache in Miami. War beunruhigt und wusste nicht, was du denken würdest, als es in den Nachrichten kam – und ehrlich gesagt, hatte ich ein bisschen Angst, sie würden es zu dir zurückverfolgen, über mich, weißt du? Jetzt nicht mehr, nicht so sehr, aber – trotzdem. Ich steckte natürlich bis zum Hals drin – aber ich *wusste,* die Nummer taugte nichts. Hätte auf meinen Instinkt vertrauen sollen. Ich …« Er tauchte seinen Schlüssel in das Koks-Beutelchen und nahm eine kurze Prise. Wir waren jetzt allein; die kleine tätowierte Kellnerin oder Geschäftsführerin, oder was sie sonst sein mochte, war in dem schemenhaft erkennbaren Hinterzimmer verschwunden, wo – ich hatte nur einen sehr kurzen Blick hineinwerfen können – Leute auf Sofas vom Flohmarkt anscheinend zu einer Siebziger-Jahre-Porno-Vorführung versammelt waren. »Jedenfalls, es war schrecklich. Ich hätte es wissen sollen. Leute sind verletzt worden, und ich bin mit Verlust rausgekommen, aber ich habe eine wertvolle Lektion dabei gelernt. Ist immer ein Fehler – Moment, noch die andere Seite – ich sage, ist *immer* ein Fehler, sich mit Leuten einzulassen, die du nicht kennst.« Er kniff sich die Nase zu und reichte mir den Beutel unter dem Tisch herüber. »Du weißt es und vergisst es dauernd. Niemals mit Fremden im Großen Geschäfte machen! Niemals! Die Leute mögen sagen: ›Oh, diese Person ist in Ordnung‹ – und ich, ich glaube immer gern, das liegt in meiner Natur. Aber so passieren üble Sachen. Verstehst du – ich kenne meine Freunde. Aber die Freunde meiner Freunde? Nicht so gut! Auf diese Tour holt man sich Aids, oder?«

Es war ein Fehler – ich wusste es in dem Moment –, noch eine Nase zu nehmen. Ich hatte schon viel zu viel; meine Kiefermuskeln verspannten sich, und das Blut pochte in meinen Schläfen, als sich das Unbehagen des Runterkommens schleichend über mich legte, spröde wie eine vibrierende Glasscheibe.

»Jedenfalls«, sagte Boris. Er sprach sehr schnell, und sein Fuß wippte unter dem Tisch und klopfte auf den Boden. »Hab drüber nachgedacht, wie ich es zurückkriege. Gedacht gedacht gedacht! Natürlich kann ich es selbst nicht mehr nehmen. Hab mich ordentlich damit verbrannt. Aber deshalb«, er rutschte unruhig hin und her, »bin ich natürlich nicht gekommen. Teils wollte ich mich entschuldigen. ›Sorry‹ sagen, mit eigener Stimme. Denn ehrlich, es tut mir leid. Aber teils auch, bei all dem, was da in den Nachrichten kam – ich wollte dir sagen, du sollst dir keine Sorgen machen, denn vielleicht denkst du – ja, ich weiß nicht, was du denkst. Nur – ich hab mir nicht gern vorgestellt, du hörst von all dem und hast Angst und kapierst nicht. Denkst, man könnte es zu dir zurückverfolgen. Mir war überhaupt nicht wohl dabei. Darum wollte ich mit dir reden – dir sagen, dass ich dich rausgehalten hab. Niemand weiß von deiner Beziehung zu mir. Und außerdem wollte ich dir sagen, dass ich wirklich, wirklich, wirklich versuche, es zurückzukriegen. Ich bemühe mich sehr. Denn«, drei Fingerspitzen an der Stirn, »ich hab ein Vermögen damit gemacht, und ich möchte wirklich, dass du es wieder ganz für dich allein hast – weißt du, das Ding an sich, um der alten Zeiten willen. Du sollst es haben, es soll wirklich deins sein, du sollst es im Wandschrank aufbewahren oder sonst wo und es rausholen und anschauen, wie in alten Zeiten, weißt du? Denn ich weiß doch, wie sehr du es geliebt hast. Es kam ja so weit, dass ich es selbst geliebt habe.«

Ich starrte ihn an. Im frischen Funkeln der Droge dämmerte mir ganz allmählich, was er da sagte. »Boris, wovon redest du?«

»Das weißt du.«

»Nein, weiß ich nicht.«

»Zwing mich nicht, es laut auszusprechen.«

»Boris …«

»Ich hab versucht, es dir zu sagen. Ich hab dich angefleht, nicht zu gehen. Ich hätte es dir zurückgegeben, wenn du auch nur einen Tag gewartet hättest.«

Der Perlenvorhang wehte immer noch in klickenden Wellen im Luftzug. Sinusförmiges, gläsernes Kräuseln. Ich starrte ihn an, gebannt von dem obskuren, schwerelosen Gefühl, mit dem ein Traum mit einem anderen kollidiert. Das Klappern des Bestecks im grellen Mittagslicht in dem Restaurant in Tribeca, Lucius Reeve, wie er mich über den Tisch hinweg spöttisch anlächelte.

»Nein«, sagte ich und wich auf meinem Stuhl zurück. Kalter Schweiß prickelte auf meiner Haut, und ich legte die Hände vors Gesicht. »Nein.«

»Was denn, dachtest du, dein Dad hat es genommen? Irgendwie hatte ich gehofft, dass du so denkst. Weil er so im Eimer war. Und dich sowieso schon beklaut hat.«

732

Ich fuhr mir mit den Händen übers Gesicht und starrte ihn an. Ich war sprachlos.

»Ich hab's ausgetauscht. Ja, ich war's. Ich dachte, das weißt du. Hör zu, es tut mir leid!«, sagte er, als ich ihn immer weiter anglotzte. »Ich hatte es in meinem Spind in der Schule. Ein Scherz, weißt du. Na ja«, ein mattes Lächeln, »vielleicht nicht. Eine Art Scherz vielleicht. Aber – hey, hör zu«, er klopfte auf den Tisch, um meine Aufmerksamkeit zu bekommen, »ich schwöre, ich wollte es nicht behalten. Das war nicht mein Plan. Woher sollte ich von deinem Dad wissen? Wenn du nur noch über Nacht geblieben wärst«, er warf die Arme in die Höhe, »ich hätte es dir gegeben, ich schwör's. Aber ich konnte dich nicht dazu bringen, dass du bleibst. Muss gehen! In diesem Augenblick! Muss gehen! Jetzt, Boris, jetzt sofort! Wolltest nicht mal bis zum Morgen warten! Muss gehen, muss gehen, in dieser Sekunde! Und ich hatte Angst, dir zu sagen, was ich getan hatte.«

Ich starrte ihn an. Meine Kehle war so trocken, mein Herz klopfte so schnell, dass ich nur daran denken konnte, ganz still zu sitzen und zu hoffen, dass es wieder langsamer schlagen würde.

»Jetzt bist du wütend«, sagte Boris resigniert. »Du willst mich umbringen.«

»Was versuchst du mir hier zu erzählen?«

»Ich …«

»Was heißt *ausgetauscht*?«

»Hör zu«, er sah sich nervös um, »es tut mir leid. Ich wusste, es war keine gute Idee, uns beide zusammenzukoppeln. Ich wusste, es würde vielleicht ein böses Ende nehmen! Aber«, er beugte sich vor und legte die flachen Hände auf den Tisch, »ich hatte wirklich ein schlechtes Gewissen deswegen. Ehrlich. Wäre ich sonst gekommen? Hätte ich deinen Namen über die Straße geschrien? Und wenn ich sage, ich will es dir zurückzahlen? Das meine ich ernst. Ich werde es wiedergutmachen. Denn, weißt du, dieses Bild hat mir ein Vermögen gebracht, es hat mein …«

»Was ist in dem Paket, das ich Uptown habe?«

»Was?« Seine Augenbrauen senkten sich, er schob seinen Stuhl zurück und drückte das Kinn an die Brust, als er mich ansah. »Du machst Witze. Die ganze Zeit, und du hast niemals …?«

Ich konnte nicht antworten. Meine Lippen bewegten sich, aber kein Laut kam aus meinem Mund.

Boris klatschte mit der Hand auf den Tisch. »Du Idiot. Soll das heißen, du hast es nie aufgemacht? Wie konntest du denn …«

Als ich immer noch nicht antwortete, sondern das Gesicht mit den Händen bedeckte, langte er über den Tisch und rüttelte mich an der Schulter.

»Wirklich?«, fragte er eindringlich und versuchte mir in die Augen zu schauen. »Du hast nicht …? Hast es nie aufgemacht und nachgesehen?«

Aus dem Hinterzimmer ein matter weiblicher Aufschrei, blöde und leer, gefolgt von gleichermaßen blödem, johlendem Männergelächter. Dann ging an der Bar ein Mixer los, laut wie eine Kreissäge und scheinbar ewig lange.

»Du hast es nicht gewusst?«, sagte Boris, als der Krach endlich aufhörte. Im Hinterzimmer wurde gelacht und geklatscht. »Wie kann das …«

Aber ich brachte kein Wort heraus. Schichten von Graffiti an der Wand, Sticker und kleine Kritzeleien, Betrunkene mit Kreuzen statt Augen. Von hinten ein rauer Singsang, ein anfeuerndes *Go go go!* So vieles, das auf einmal losblitzte, dass ich kaum noch Luft bekam.

»All die Jahre?«, sagte Boris mit halbem Stirnrunzeln. »Und du hast nicht ein einziges Mal …?«

»O Gott.«

»Alles okay?«

»Ich …« Ich schüttelte den Kopf. »Woher wusstest du überhaupt, dass ich es habe? Woher wusstest du das?«, wiederholte ich, als er nicht antwortete. »Hast du mein Zimmer durchsucht? Meine Sachen?«

Boris sah mich an. Dann fuhr er sich mit beiden Händen durch die Haare. »Du bist Blackout-Trinker, Potter, weißt du das?«

»Ich bitte dich«, sagte ich ungläubig nach einer kurzen Pause.

»Nein, im Ernst«, sagte er milde. »Ich bin Alkoholiker. Ich weiß Bescheid! War ich Alkoholiker, seit ich mit zehn meinen ersten Schluck getrunken habe. Aber du, Potter – du bist wie mein Dad. *Der* trinkt – er ist längst bewusstlos und läuft noch rum, tut Dinge, an die er sich nicht erinnert. Fährt das Auto zu Schrott, verprügelt mich, gerät in Schlägereien, wacht auf mit einer gebrochenen Nase oder vielleicht in einer anderen Stadt, liegt auf einer Bank auf einem Bahnhof –«

»So was mache ich nicht.«

Boris seufzte. »Schön, schön, aber deine Erinnerung macht schlapp. Einfach so. Ich sage ja nicht, du hättest was Schlimmes getan, was Gewalttätiges – du bist nicht gewalttätig wie er. Aber weißt du, zum Beispiel – oh, das eine Mal, als wir in der Spielecke bei McDonald's waren, in der Kinderecke, und du warst so betrunken auf dem Hopsding, dass die Lady die Bullen gerufen hat, und ich hab dich schnell da rausgebracht, und dann haben wir 'ne halbe Stunde im Wal Mart gestanden und so getan, als ob wir uns Bleistifte für die Schule angucken, und dann zur Bushaltestelle und zurück mit dem Bus – und am Abend kannst du dich an nichts erinnern? An gar nichts? McDonald's, Boris? Was für ein McDonald's?‹ Oder«, er zog ausgiebig die Nase hoch und redete über mich hinweg, »an dem Tag, als du volltrunken warst, absolut *platt,* und ich mit dir ›einen Spaziergang durch die Wüste‹ machen musste? Okay, machen wir einen Spaziergang. Schön. Nur bist du so besoffen, dass du kaum gehen kannst, und wir haben vierzig Grad. Und du hast keine Lust mehr zum Spazierengehen und legst dich einfach in den Sand. Und sagst, ich soll dich sterben lassen. ›Lass mich, Boris, lass mich.‹ Weißt du das noch?«

»Komm zur Sache.«

»Was kann ich sagen? Du warst unglücklich. Hast dich dauernd besinnungslos betrunken.«

»Du dich auch.«

»Ja, das weiß ich. Besinnungslos auf der Treppe, Gesicht nach unten, erinnerst du dich? Auf dem Boden aufgewacht, meilenweit von zu Hause entfernt, die Füße gucken aus einem Busch, und ich habe

735

keine Ahnung, wie ich da hingekommen bin? Scheiße, einmal hab ich mitten in der Nacht eine E-Mail an Spirsézkaja geschickt, eine verrückte, besoffene E-Mail: Sie so schöne Frau, und ich Sie so lieben – was damals auch stimmte. Am nächsten Tag, ich in der Schule, völlig verkatert: ›Boris, Boris, ich muss mit dir sprechen.‹ Ja? Worüber? Und sie ist total sanft und freundlich und versucht, mich behutsam auf den Boden zu bringen. E-Mail? Was für 'ne E-Mail? Keine Erinnerung. Knallrot im Gesicht steh ich da, und sie gibt mir Fotokopie aus Gedichtband und sagt, ich muss Mädchen in meinem Alter lieben! Ja, klar – hab ich jede Menge Dummheiten gemacht. Dümmer als du! Aber ich«, sagte er und spielte mit einer Zigarette, »ich wollte meinen Spaß haben und glücklich sein. Du wolltest tot sein. Ist was anderes.«

»Wieso habe ich das Gefühl, du willst das Thema wechseln?«

»Ich will nichts verurteilen! Es ist bloß – wir haben damals verrückte Sachen gemacht. Ich glaube, Sachen, an die du dich vielleicht nicht erinnerst. Nein, nein!«, sagte er rasch und schüttelte den Kopf, als er mein Gesicht sah. »Nicht *das*. Obwohl, ich muss sagen, du bist der einzige Junge, mit dem ich je im Bett war!«

Mein Lachen blubberte wütend aus meinem Mund – als müsste ich husten oder hätte mich verschluckt.

»Was das angeht«, Boris lehnte sich verachtungsvoll zurück und kniff sich die Nase zu, »*pah*. Ich glaube, in dem Alter passiert manchmal. Wir waren jung und brauchten Mädchen. Ich glaube, du dachtest vielleicht, es ist was anderes. Aber, nein, warte«, fügte er hastig hinzu, und sein Gesichtsausdruck veränderte sich, denn ich hatte meinen Stuhl zurückgeschoben, um zu gehen. »Warte«, sagte er noch einmal und hielt meinen Ärmel fest, »nicht, bitte, hör zu, was ich dir zu sagen versuche, du erinnerst dich überhaupt nicht an den Abend, als wir *James Bond jagt Dr. No* angesehen haben?«

Ich wollte meine Jacke von der Stuhllehne nehmen. Aber jetzt wartete ich.

»Ja?«

»Sollte ich mich daran erinnern? Warum?«

»Ich *weiß*, dass du dich nicht erinnerst. Hab ich dich gern ge-

736

testet. *Dr. No* erwähnt, Witze gemacht. Um zu sehen, was du sagen würdest.«

»Was ist mit *Dr. No*?«

»Nicht lange, nachdem ich dich kennengelernt habe.« Sein Knie wippte wie verrückt auf und ab. »Ich glaube, du warst keinen Wodka gewohnt – du wusstest nie, wie viel du in dein Glas gießen solltest. Du bist mit Riesenglas reingekommen, ungefähr so, mit Wasserglas, und ich dachte: Scheiße! Du erinnerst dich nicht?«

»Solche Abende gab's viele.«

»Du erinnerst dich nicht. Ich hab deine Kotze weggewischt – deine Sachen in die Waschmaschine geworfen – und du wusstest nichts davon. Du hast geheult und mir alles Mögliche erzählt.«

»Was denn zum Beispiel?«

»Zum Beispiel …« Er verzog ungeduldig das Gesicht. »Ach, alles deine Schuld, dass deine Mutter gestorben ist … hast gewünscht, du wärst das gewesen … Wenn du wärst tot, dann vielleicht bei ihr, zusammen in der Dunkelheit … Hat keinen Sinn, darauf einzugehen, ich will ja nicht, dass du dich mies fühlst. Du warst verkorkst, Theo. Es hat Spaß gemacht mit dir, die meiste Zeit jedenfalls! Du warst für alles zu haben – aber verkorkst. Wahrscheinlich hättest du in eine Klinik gemusst. Aufs Dach klettern und in den Swimmingpool springen? Hättest dir den Hals brechen können. Es war verrückt. Nachts hast du dich mitten auf der Straße auf den Rücken gelegt, kein Licht, niemand konnte dich sehen. Hast du gewartet, dass ein Auto kommt und dich überfährt, und ich musste dich mit Gewalt hochziehen und nach Hause schleifen …«

»Ich hätte eine Ewigkeit auf dieser verschissenen, gottverlassenen Straße liegen können, ohne dass ein Auto vorbeigekommen wäre. Ich hätte da draußen schlafen können. Wenn ich einen Schlafsack mitgenommen hätte.«

»Darauf gehe ich gar nicht ein. Du warst irre. Du hättest uns beide umbringen können. Einmal nachts hast du Streichhölzer geholt und versucht, das Haus anzuzünden, weißt du noch?«

»Ich hab nur Spaß gemacht«, sagte ich voller Unbehagen.

»Und der Teppich? Das Riesenbrandloch im Sofa? War Spaß? Ich hab die Polster umgedreht, damit Xandra es nicht sieht.«

»Das Scheißding war so billig, dass es nicht mal schwer entflammmbar war.«

»Ja, ja. Ganz, wie du willst. Jedenfalls, dieser eine Abend. Wir haben *Dr. No* gesehen; ich kannte ihn noch nicht, aber du, und mir gefiel er sehr. Du warst total *w gawnó*, und dann ist er auf seiner Insel, alles cool, und er drückt auf den Knopf und zeigt das Bild, das er gestohlen hat?«

»O Gott.«

Boris gackerte. »Hast du getan! Gott sei dir gnädig! Es war toll. So besoffen, dass du torkelst – ich muss dir was zeigen! Was Wunderbares! Das Beste, was du je gesehen hast! Stellst dich vor den Fernseher. Nein, wirklich! Ich – ich gucke den Film, den besten Teil, und du hältst nicht die Schnauze. Verpiss dich! Jedenfalls, du ziehst ab, stinksauer, ›*leck mich am Arsch*‹, machst *Riesenlärm*. Bamm bamm bamm. Und dann kommst du runter mit dem Bild, verstehst du?« Er lachte. »Komisch ist, ich war sicher, du willst mich verarschen. Weltberühmtes Museumsstück? Ich bitte dich. Aber – es war echt. Konnte jeder sehen.«

»Ich glaube dir kein Wort.«

»Ist aber wahr. *Ich* hab's gesehen. Denn wenn man könnte Fälschung malen, die so aussieht? Las Vegas wäre schönste Stadt der Welt. Jedenfalls – war so komisch! Da bringe ich dir ganz stolz bei, wie man im Magazin Äpfel und Bonbons klaut, und du hast ein internationales Meisterwerk der Kunst gestohlen.«

»Ich hab's nicht gestohlen.«

Boris gluckste. »Nein, hast du erklärt. Du hast es in Sicherheit gebracht. Große, wichtige Pflicht im Leben. Willst du mir erzählen«, er beugte sich vor, »du hast es wirklich nicht mehr ausgepackt, um es anzuschauen? In all den Jahren nicht? Was ist los mit dir?«

»Ich glaube dir nicht«, sagte ich noch einmal. »*Wann* hast du es genommen?«, fragte ich, als er die Augen verdrehte und wegschaute. »Und wie?«

»Hör zu, wie ich gesagt habe …«

»Wie kannst du erwarten, dass ich ein einziges Wort davon glaube?«

Boris verdrehte noch einmal die Augen. Er zog sein Telefon aus der Tasche und rief ein Foto auf. Dann schob er es über den Tisch. Es war die Rückseite des Bildes. Eine Reproduktion der Vorderseite konnte man überall finden, aber die Rückseite war unverwechselbar wie ein Fingerabdruck. Dicke Tropfen Siegellack, braun und rot, ein unregelmäßiger Flickenteppich aus europäischen Etiketten (römische Zahlen, spinnwebartige Federkiel-Signaturen), die das Ganze aussehen ließen wie einen alten Reisekoffer oder einen internationalen Vertrag aus alter Zeit. Die bröselnden Gelb- und Brauntöne überlagerten einander mit einer fast organischen Üppigkeit – wie welkes Laub.

Er steckte das Telefon wieder ein. Lange saßen wir schweigend da. Dann griff Boris nach einer Zigarette.

»Glaubst du mir jetzt?« Er blies Rauch aus dem Mundwinkel.

Die Atome in meinem Kopf kreiselten auseinander. Das Funkeln der Prise klang bereits ab, und Beklommenheit und Unruhe rückten unterschwellig heran wie die dunkle Luft vor einem Gewitter. Einen düsteren Augenblick lang schauten wir einander an: hochfrequente Chemie von Einsamkeit zu Einsamkeit, wie zwei tibetische Mönche auf einem Berggipfel.

Dann stand ich wortlos auf und griff nach meiner Jacke. Boris sprang auch auf.

»Warte«, sagte er, als ich mich an ihm vorbeischieben wollte. »Potter? Geh nicht weg wütend. Als ich gesagt habe, ich mache es wieder gut? Das war mein Ernst …«

»Potter?«, rief er noch einmal, als ich durch den klappernden Perlenvorhang auf die Straße hinausging, ins schmutzig graue Licht des frühen Morgens. Die Avenue C war leer bis auf ein einsames Taxi, das offenbar ebenso froh war, mich zu sehen wie umgekehrt; jedenfalls kam es sofort heran und hielt vor mir an. Bevor er noch ein Wort sagen konnte, war ich eingestiegen, fuhr ab und ließ ihn stehen, in seinem Mantel, neben einer Reihe Mülltonnen.

X

Es war halb neun, als ich zum Lager kam. Mein Kiefer tat weh vom Zähneknirschen, und mein Herz stand kurz vor der Explosion. Bürokratisches Tageslicht: morgendliches Fußgängergeplärr, grell bedrohlich. Um Viertel vor zehn saß ich auf dem Boden meines Zimmers in Hobies Haus, und mein Kopf drehte sich wie ein auslaufender Kreisel, der wackelnd hin und her taumelt. Ringsum auf dem Teppich verstreut lagen zwei Einkaufstüten, ein nie benutztes Zelt, ein Kopfkissenbezug aus beigefarbenem Perkalin, der noch roch wie mein Zimmer in Las Vegas, eine Dose mit einem Sortiment von Roxicodon- und Morphin-Tabletten, die ich eigentlich ins Klo hätte spülen sollen, und ein Knäuel von Paketklebeband, das ich mit einem X-Acto-Messer sehr sorgfältig aufgeschnitten hatte. Zwanzig Minuten behutsamer Arbeit, während mein Puls in den Fingerspitzen vibrierte, voller Angst, ich könnte zu tief schneiden und das Bild aus Versehen verkratzen, bis ich es an der Seite schließlich geöffnet hatte. Streifen um Streifen hatte ich das Klebeband vorsichtig und mit zitternden Händen abgeschält: nur um – zwischen zwei Pappdeckeln, in Zeitungspapier gewickelt – ein vollgekritzeltes Staatsbürgerkunde-Arbeitsbuch zu finden (*Demokratie, Diversität und du!*).

Ein buntes, multikulturelles Gewimmel. Auf dem Titelbild asiatische Kinder, hispanische Kinder, African-American-Kinder, Native-American-Kinder, ein Mädchen mit einem muslimischen Kopftuch und ein weißes Kind im Rollstuhl, allesamt lächelnd und händchenhaltend vor der amerikanischen Flagge. Im Buch die fröhliche, langweilige Welt der guten Staatsbürger, wo Personen von unterschiedlicher ethnischer Herkunft glücklich teilnehmende Mitglieder ihrer Community waren und Innenstadt-Kinder in ihrem Sozialwohnungsblock standen und mit einer Gießkanne eine Topfpflanze versorgten, deren Zweige die verschiedenen Zweige der Regierung symbolisierten. Boris hatte Dolche hineingemalt, die seinen Namen trugen, Rosen und Herzen mit Kotkus Initialen, und ein spionierendes Augenpaar blickte über einem teilweise ausgefüllten Mustertest verschlagen zur Seite:

Warum braucht der Mensch eine Regierung? *zur Durchsetzung von Ideologie, zur Bestrafung von Rechtsverletzern, zur Beförderung von Gleichheit und Brüderlichkeit zwischen den Völkern*
Nenne einige Pflichten eines amerikanischen Staatsbürgers *den Kongress wählen, Diversität feiern und gegen die Staatsfeinde kämpfen*

Hobie war gottlob nicht zu Hause. Die Tabletten, die ich geschluckt hatte, zeigten keine Wirkung, und nachdem ich mich zwei Stunden lang in einem qualvollen, immer wieder abstürzenden, halb traumartigen Zustand hin und her gedreht und gewälzt hatte – mit fliegenden Gedanken, erschöpft von meinem rasenden Herzschlag und mit Boris' Stimme im Kopf –, zwang ich mich aufzustehen, das in meinem Zimmer verstreute Durcheinander aufzuräumen, zu duschen und mich zu rasieren, wobei ich mich schnitt, weil meine Oberlippe von dem Nasenbluten, das ich bekommen hatte, fast so taub war wie beim Zahnarzt. Ich machte mir eine Kanne Kaffee, fand einen vertrockneten Scone in der Küche und zwang mich dazu, ihn zu essen, und am Mittag war ich unten im Laden und schloss ihn auf – gerade noch rechtzeitig, um die Postlady in ihrem Plastik-Regenponcho abzufangen (leicht erschrocken hielt sie Abstand von meiner triefäugigen Erscheinung mit der zerschnittenen Oberlippe und dem blutigen Kleenex), aber als sie mir mit ihren Latexhandschuhen die Post hereinreichte, fragte ich mich plötzlich: Was hatte es für einen Sinn? Reeve konnte Hobie schreiben, so viel er wollte – und mit Interpol telefonieren: Wen kümmerte das noch?

Es regnete. Fußgänger wieselten mit hochgezogenen Schultern vorbei. Die Tropfen prasselten hart gegen das Fenster und perlten auf den Plastikmüllsäcken am Randstein. Dort am Schreibtisch, in meinem muffigen Sessel, versuchte ich, mich wieder im Hier und

Jetzt zu verankern oder wenigstens ein bisschen Trost in den verblichenen Seidenstoffen und im Halbdunkel des Ladens zu finden, der mit seiner bittersüßen Düsternis an regendunkle Klassenzimmer der Kindheit erinnerte, aber nach dem Dopamin-Kick kam ich hart wieder herunter, und das Beben, das er zurückließ, war wie der Vorläufer von etwas, das sich anfühlte wie der Tod – eine Traurigkeit, die man zuerst im Magen spürt, die innen gegen die Stirn hämmert, während die Dunkelheit, die ich ausgesperrt hatte, tosend wieder hereingerauscht kam.

Tunnelsicht. All die Jahre war ich hinter Glas dahingedriftet, so isoliert, dass keine Art von Realität zu mir durchdringen konnte. Ein Delirium hatte mich seit meiner Kindheit auf seiner langsamen, entspannten Welle vorankreiseln lassen, high und auch auf dem Zottelteppich in Las Vegas liegend, wo ich zum Deckenventilator hinaufschaute, nur dass ich jetzt nicht mehr lachte: Rip van Winkle, der sich mit schmerzverzerrtem Gesicht den Kopf hielt, auf dem Boden, ungefähr hundert Jahre zu spät.

Wie sollte das wieder in Ordnung gebracht werden? Es war unmöglich. In gewisser Weise hatte Boris mir einen Gefallen getan, als er das Ding genommen hatte – zumindest wusste ich, dass die meisten Leute es so sehen würden. Ich war aus dem Schneider. Niemand konnte mir etwas vorwerfen, der größte Teil meiner Probleme war mit einem Schlag gelöst, aber obwohl ich wusste, dass jeder geistig halbwegs gesunde Mensch erleichtert sein würde, das Bild losgeworden zu sein, war ich doch noch nie so versengt von Verzweiflung gewesen, von Selbsthass und Scham.

Warmer, ermüdender Laden. Ich konnte nicht stillhalten; ich stand auf und setzte mich wieder hin. Alles war durchtränkt von Grauen. Eine Pulcinella aus Biskuitporzellan beäugte mich bösartig. Sogar die Möbel sahen kränklich und unproportioniert aus. Wie hatte ich glauben können, ich sei ein besserer Mensch, ein klügerer Mensch, höherstehend, wertvoller, des Lebens würdiger – nur wegen des Geheimnisses, das ich uptown verwahrte? Und doch war es genau so. Das Bild hatte mir das Gefühl gegeben, weniger sterblich, weniger gewöhnlich zu sein. Es war mir Stütze und Rechtfertigung, mein Unterhalt, meine Summe. Der Grundpfeiler, der die ganze Kathedrale aufrechthielt. Und es war furchtbar, erkennen zu müssen – indem es mir so unvermittelt unter den Füßen weggerissen wurde –, dass ich mein ganzes Erwachsenenleben lang insgeheim von dieser großen, wilden, verborgenen Freude getragen worden war: von der Überzeugung, dass mein ganzes Leben auf der Spitze eines Geheimnisses im Gleichgewicht gehalten wurde, das die Sprengkraft besaß, dieses Leben jeden Augenblick in Stücke zu zerfetzen.

XI

Als Hobie gegen zwei nach Hause kam, betrat er das Haus unter Glöckchengeklingel wie ein Kunde.

»Na, das war ja wirklich eine Überraschung gestern Abend.« Vom Regen waren seine Wangen rot; er streifte den Regenmantel von den Schultern und schüttelte die Tropfen ab. Er war für das Auktionshaus gekleidet und trug eine Krawatte mit Windsor-Knoten und einen seiner schönen alten Anzüge. »Boris!« Die Auktion war gut verlaufen, das merkte ich an seiner Stimmung. Er neigte dazu, nicht gleich mit hohen Geboten einzusteigen, aber er wusste, was er haben wollte, und ab und zu, wenn das Geschäft verhalten lief und niemand sich mit ihm anlegte, kam er mit einem Berg von schönen Dingen zurück. »Ich nehme an, ihr beide habt die Nacht hindurch gefeiert?«

»Ah.« Ich hockte geduckt in einer Ecke und nippte an einer Tasse Tee. Ich hatte rasende Kopfschmerzen.

»Komisch, ihn kennenzulernen, nachdem ich so viel von ihm gehört hatte. Als träfe man eine Gestalt aus einem Buch. Ich habe ihn mir immer vorgestellt wie den Artful Dodger aus *Oliver Twist* – ach, du weißt schon –, den kleinen Jungen, den Straßenbengel, wie heißt der Schauspieler gleich? Jack So-und-so. Zerlumpter Mantel. Dreck auf der Wange.«

»Glaub mir, damals war er ziemlich dreckig.«

»Na, es ist so, Dickens erzählt uns nicht, was aus dem Dodger wird. Vielleicht ist er ein achtbarer Geschäftsmann geworden – wer weiß? Und war Popper nicht völlig von Sinnen? Noch nie habe ich ein Tier so glücklich gesehen.

Ach so, ja«, er drehte sich halb um, mit seinem Mantel beschäftigt, und hatte nicht bemerkt, dass ich erstarrte, als ich Poppers Namen hörte, »bevor ich es vergesse: Kitsey hat angerufen.«

Ich antwortete nicht. Ich konnte nicht. Ich hatte nicht ein einziges Mal an Popper gedacht.

»Eher spät – so gegen zehn. Ich hab ihr gesagt, du hättest Boris getroffen, du seist vorbeigekommen und weggegangen. Das war hoffentlich in Ordnung.«

»Natürlich«, sagte ich nach einer angestrengten Pause. Ich hatte Mühe, meine Gedanken zusammenzuhalten, denn sie wollten in mehrere unangenehme Richtungen gleichzeitig davongaloppieren.

»*Woran* muss ich dich noch erinnern?« Hobie legte einen Finger an die Lippen. »Ich habe einen Auftrag. Lass mich nachdenken. Es fällt mir nicht ein«, sagte er dann, leise erschrocken, und schüttelte den Kopf. »Du wirst sie anrufen müssen. Ein Essen heute Abend, das weiß ich, bei jemandem zu Hause. Essen um acht! Daran erinnere ich mich. Aber wo, das weiß ich nicht mehr.«

»Bei den Longstreets«, sagte ich, und das Herz rutschte mir in die Hose.

»Das klingt richtig. Jedenfalls – Boris! Sehr unterhaltsam – sehr charmant – wie lange ist er in der Stadt? Wie lange bleibt er hier?«, wiederholte er liebenswürdig, als ich nicht antwortete – er konnte mein Gesicht nicht sehen, das entsetzt auf die Straße hinausstarrte. »Wir sollten ihn zum Essen einladen, meinst du nicht? Bitte ihn doch, dir einen oder zwei Abende zu sagen, an denen er Zeit hat, ja? Das heißt, wenn du möchtest«, fügte er hinzu, als ich nicht antwortete. »Liegt bei dir, sag mir Bescheid.«

XII

Ungefähr zwei Stunden später – erschöpft und mit Tränen in den Augen vor lauter Kopfschmerzen – überlegte ich immer noch panisch, wie ich Popper zurückkriegen konnte, und gleichzeitig erfand und verwarf ich Erklärungen für seine Abwesenheit. Ich hatte ihn vor einem Geschäft angebunden und vergessen? Jemand hatte ihn geklaut? Eine offensichtliche Lüge, denn mal ganz abgesehen davon, dass es in Strömen regnete, war Popper so alt und an der Leine so schrullig, dass ich ihn kaum bis zum Feuerhydranten schleifen konnte. Haustierpflegerin? Poppers Frisörin, eine bedürftig aussehende alte Lady namens Cecelia, die ihr Geschäft zu Hause betrieb, brachte ihn immer bis drei zurück. Tierarzt? Abgesehen davon, dass Popper nicht krank war (und warum sollte ich es nicht erwähnt haben, wenn er es wäre?), ging Popper zu dem Tierarzt, den Hobie seit den Tagen Weltys und Chessies kannte. Dr. McDermotts Praxis war ein Stück weiter unten an der Straße. Warum hätte ich mit ihm woanders hingehen sollen?

Ich stöhnte, stand auf, ging zum Fenster. Immer wieder landete ich in derselben Sackgasse: Hobie kam verwundert hereinspaziert, wie er es in einer oder zwei Stunden zwangsläufig tun würde, und sah sich im Laden um. »Wo ist Popper? Hast du ihn gesehen?« Und das war's – die Endlosschleife, kein Ausweg über ALT-TAB. Man konnte das Spiel zwangsbeenden, den Computer herunterfahren, neustarten und das Programm noch einmal laufen lassen, aber es würde an derselben Stelle erneut hängenbleiben und abstürzen. »Wo ist Popper?« Kein Cheatcode. Game over. Es gab keine Lösung über diesen Moment hinaus.

Aus wehenden Regenschleiern war richtiger Niesel geworden. Die Gehwege glänzten, das Wasser tropfte von den Markisen, und anscheinend hatte jedermann auf der Straße den Augenblick genutzt, um einen Regenmantel überzuwerfen und mit dem Hund bis zur Ecke zu flitzen: Hunde, wohin das Auge fiel, schwerfällige Schäferhunde, schwarze Standardpudel, Terrier-Tölen, Retriever-Tölen, eine ältere französische Bulldogge und ein hochnäsiges Dackelpaar mit erhobenem Kinn, das im Tandem zickig über die Straße trippelte. Erregt kehrte ich zu meinem Sessel zurück, setzte mich hin, griff zu Christie's Hausverkaufskatalog und blätterte konfus darin: grässliche modernistische Aquarelle, zweitausend Dollar für eine hässliche viktorianische Bronze mit zwei kämpfenden Büffeln, absurd.

Was sollte ich Hobie erzählen? Popper war alt und taub, und manchmal schlief er in entlegenen Ecken ein, wo er es nicht sofort hörte, wenn man ihn rief, aber bald wäre es Zeit für sein Essen, und dann würde ich Hobie oben herumlaufen und ihn suchen hören, hinter dem Sofa und in Pippas Zimmer und an allen anderen gewohnten Stellen. »Popsky? Hierher, mein Junge! Essenszeit!« Konnte ich Ahnungslosigkeit vorschützen? Zum Schein mit ihm das Haus durchsuchen? Mich ratlos am Kopf kratzen? Rätselhaftes Verschwinden? Bermuda-Dreieck? Verzagt wandte ich mich wieder der Idee mit der Hundepflegerin zu, als die Ladenglocke klingelte.

»Ich hätte ihn fast behalten.«

Popper – ein bisschen feucht, aber sonst nicht weiter strapaziert nach seinem Abenteuer – streckte ziemlich förmlich die Beine, als Boris ihn auf den Boden setzte, und kam dann zu mir herübergetrippelt und hielt den Kopf hoch, damit ich ihn unter dem Kinn kraulen konnte.

»Er hat dich kein bisschen vermisst«, sagte Boris. »Wir hatten einen sehr netten Tag zusammen.«

»Was habt ihr gemacht?«, fragte ich nach langem Schweigen, weil mir nichts anderes einfiel.

»Geschlafen, hauptsächlich. Juri hat uns abgesetzt«, er rieb sich die umschatteten Augen und gähnte, »und wir haben ein sehr nettes Nickerchen zusammen gemacht, wir beide. Weißt du noch, wie er sich immer zusammengerollt hat? Wie ein Pelzmütze auf meinem Kopf?« Popper hatte bei mir nie gern mit dem Kinn auf meinem Kopf geschlafen – nur bei Boris. »Und dann – wir sind aufgewacht, ich habe geduscht und bin mit ihm spazieren gegangen – nicht weit, er wollte nicht weit gehen –, und dann habe ich ein paar Telefonate erledigt, und wir haben ein Bacon-Sandwich gegessen und sind wieder hergekommen. Hey, es tut mir leid!«, sagte er impulsiv, als ich nicht antwortete, und fuhr sich mit der Hand durch die zerzausten Haare. »Wirklich. Und ich werde es wieder in Ordnung bringen und alles gutmachen, wirklich.«

Das Schweigen zwischen uns war erdrückend.

»Hat es dir denn Spaß gemacht letzte Nacht? Mir ja. Ganz große Nacht! Aber heute Morgen ging's mir nicht so gut. Bitte sag was«, platzte er heraus, als ich nicht antwortete. »Mir war den ganzen Tag sehr, sehr unwohl.«

Popper war schnüffelnd durch den Laden zu seiner Wasserschüssel getappt. Friedlich fing er an zu trinken. Lange Zeit hörte man nur sein monotones Schlabbern und Schlürfen.

»Wirklich, Theo«, Hand aufs Herz, »mir ist schrecklich zumute. Meine Gefühle – meine Scham – ich habe keine Worte dafür«, sagte er mit mehr Würde, als ich immer noch nicht antwortete. »Und jawohl, ich gebe es zu, ein Teil meiner selbst fragt mich: ›Warum hast du alles kaputt gemacht, Boris, warum musst du dein großes Maul aufreißen?‹ Aber wie konnte ich lügen und mich herumdrücken? Kannst du das wenigstens anerkennen?« Aufgebracht rieb er sich die Hände. »Ich bin nicht feige. Ich habe es dir gesagt. Ich habe es zugegeben. Ich wollte nicht, dass du dir Sorgen machst, weil du nicht weißt, was los ist. Und ich werde es wiedergutmachen, irgendwie, das verspreche ich.«

»Warum …« Hobie war unten mit dem Staubsauger beschäftigt, aber ich senkte trotzdem die Stimme auf das gleiche wütende Wispern wie damals, wenn Xandra unten war und uns nicht streiten hören sollte. »Warum …«

»Warum was?«

»Warum zum Teufel hast du es genommen?«

Boris klapperte mit den Lidern – ein bisschen selbstgerecht. »Weil jüdische Máfija in euer Haus gekommen ist, darum!«

»Nein, das ist nicht der Grund.«

747

Boris seufzte. »Na ja, aber zum Teil – ein bisschen. War es denn sicher in eurem Haus? Nein! Und in der Schule auch nicht. Hab ich mein altes Schulbuch genommen, in Zeitungspapier gewickelt und verklebt, auf die gleiche Dicke …«

»Ich habe gefragt, *warum* hast du es genommen.«

»Was kann ich sagen. Bin ich Dieb.«

Popper schlürfte immer noch geräuschvoll das Wasser in sich hinein. Entnervt fragte ich mich, ob Boris ihm wohl einen Napf hingestellt hatte – an ihrem so netten gemeinsamen Tag.

»Und«, er zuckte leicht die Achseln, »ich wollte es haben. Ja. Wer würde es nicht wollen?«

»Du wolltest es haben – wieso? Für Geld?«, fügte ich hinzu, als er nicht antwortete.

Boris verzog das Gesicht. »Selbstverständlich nicht. So was kann man nicht verkaufen. Obwohl – muss ich zugeben – einmal war ich in Schwierigkeiten, vor vier, fünf Jahren, und da hätte ich es beinahe einfach verkauft, zu sehr niedrigem Preis, fast verschenkt, nur um es los zu sein. Bin froh, dass ich es nicht getan habe. Ich war in der Klemme und brauchte Bargeld. Aber«, er zog heftig die Nase hoch und wischte mit der Hand darüber, »wenn du versuchst, ein solches Stück zu verkaufen, haben sie dich ganz schnell. Weißt du selbst. Als Mittel bei Verhandlungen – andere Geschichte! Sie nehmen es als Pfand, schießen dir die Ware vor. Du verkaufst die Ware, was auch immer, kommst mit dem Kapital zurück, gibst ihnen ihren Anteil und kriegst das Bild zurück, Game over. Verstehst du?«

Ich sagte nichts, sondern blätterte wieder in dem Christie's-Katalog, der noch aufgeschlagen auf meinem Schreibtisch lag.

»Du weißt, was man so sagt.« Seine Stimme klang traurig und lockend. »›Gelegenheit macht Diebe.‹ Wer weiß das besser als du? Ich war an deinem Spind und hab Lunchgeld gesucht, und ich dachte: Was? Hallo? Was ist das? War ganz einfach, es rauszunehmen und zu verstecken. Und dann bin ich mit meinem alten Arbeitsbuch in Kotkus Werkkunde-Klasse gegangen – genauso groß, genauso dick, der gleiche Klebstreifen und alles! Kotku hat mir dabei geholfen. Ich hab ihr aber nicht gesagt, wozu ich es brauchte. Konnte man Kotku nicht gut erzählen.«

»Ich kann immer noch nicht fassen, dass du es gestohlen hast.«

»Hör zu. Werde ich keine Ausflüchte machen. Ich habe es genommen. Aber«, er lächelte gewinnend, »bin ich unehrlich? Habe ich dich belogen?«

»Ja«, sagte ich fassungslos nach einer Pause, »ja, du hast gelogen.«

»Aber du hast mich nie direkt danach gefragt! Hättest du gefragt, hätte ich es dir gesagt!«

»Boris, das ist *bullshit*. Du hast gelogen.«

»Na, aber jetzt lüge ich nicht.« Boris sah sich resigniert um. »Ich dachte, du wüsstest inzwischen Bescheid! Schon seit Jahren! Ich dachte, du wüsstest, dass ich es war!«

Ich stand auf und ging zur Treppe. Poptschik kam mir nach. Hobie hatte den Staubsauger abgeschaltet und eine grelle Stille hinterlassen, und ich wollte nicht, dass er uns hörte.

»Ich weiß es nicht genau«, Boris putzte sich geräuschvoll prustend die Nase, inspizierte den Inhalt seines Kleenex und verzog schmerzlich berührt das Gesicht, »aber ich bin ziemlich sicher, es ist irgendwo in Europa.« Er knüllte das Kleenex zusammen und stopfte es in die Tasche. »In Genua, aber unwahrscheinlich. Am ehesten, vermute ich, in Belgien oder Deutschland. Sie werden es bei Verhandlungen besser einsetzen können, weil die Leute da drüben stärker davon beeindruckt sind.«

»Aber das grenzt es nicht besonders stark ein.«

»Hör zu! Sei froh, dass es nicht in Südamerika ist! Denn dann hättest du keine Chance, es je wiederzusehen, das garantiere ich.«

»Ich dachte, du hast gesagt, es ist weg.«

»Ich sage gar nichts, außer dass ich glaube, ich kann vielleicht rauskriegen, wo es ist. *Vielleicht*. Das heißt noch lange nicht, dass ich weiß, wie ich es wiederkriege. Ich hatte mit diesen Leuten vorher nie was zu tun.«

»Mit was für Leuten?«

Boris schwieg voller Unbehagen, und sein Blick wanderte über den Boden: gusseiserne Bulldoggen, Bücherstapel, viele kleine Teppiche.

»Er pinkelt nicht an die Antiquitäten?«, fragte er und deutete mit dem Kopf auf Poptschik. »All die schönen Möbel?«

»Nein.«

»Bei euch zu Hause hat er es dauernd gemacht. Der ganze Teppich unten roch nach Pipi. Ich glaube, das kam vielleicht daher, dass Xandra nicht so gut darin war, mit ihm rauszugehen, bevor wir kamen.«

»Mit was für Leuten?«

»Hm?«

»Mit was für Leuten hattest du vorher noch nichts zu tun?«

»Das ist kompliziert. Ich erklär's dir, wenn du willst«, fügte er hastig hinzu, »aber ich glaube, sind beide müde jetzt, und ist nicht der richtige Augenblick. Ich mache ein paar Anrufe und sage dir, was ich rausgefunden habe, okay? Und dann komme ich wieder und erklär's dir, versprochen. Übrigens …« Er tippte mit dem Zeigefinger an seine Oberlippe.

»Was?«, fragte ich erschrocken.

»Du hast da was. Unter der Nase.«

»Ich hab mich beim Rasieren geschnitten.«

»Oh.« Er stand da und sah unsicher aus, als wäre er kurz davor, mich mit einem neuen Schwall von hitzigen Entschuldigungen zu überschütten, aber das Schweigen, das zwischen uns hing, hatte etwas eindeutig Endgültiges, und er schob die Hände in die Taschen. »Tja.«

»Tja.«

»Dann bis später.«

»Ja.« Aber als er zur Tür hinausging und ich am Fenster stand und zusah, wie er sich unter den Tropfen von der Markise hinwegduckte und davonschlenderte – sein Gang wurde lockerer und leichter, als er dachte, ich sähe ihn nicht mehr –, war ich ziemlich sicher, dass ich ihn nicht wiedersehen würde.

XIII

In Anbetracht dessen, wie ich mich fühlte – praktisch dem Tode nah mit meinen hässlichen, migräneartigen Kopfschmerzen und so miserabel, dass ich kaum sehen konnte –, hatte es wenig Sinn, den Laden offenzuhalten. Obwohl die Sonne herausgekommen war und die Straße sich belebt hatte, drehte ich also das »Closed«-Schild herum. Popper kullerte eifrig hinter mir her, als ich mich die Treppe hinaufschleppte, kurz davor, mich wegen der hämmernden Schmerzen hinter den Augen zu übergeben. Ich würde vor dem Essen noch ein paar Stunden abschalten.

Kitsey und ich sollten uns um Viertel vor acht in der Wohnung ihrer Mutter treffen und zu den Longstreets hinübergehen, aber ich kam ein bisschen zu früh – teils, weil ich sie ein paar Minuten allein sehen wollte, bevor wir zum Essen gingen, aber auch, weil ich etwas für Mrs. Barbour hatte: einen ziemlich seltenen Ausstellungskatalog, den ich in einem von Hobies Nachlässen für sie gefunden hatte: *Druckgrafik zur Zeit Rembrandts.*

»Nein, nein«, sagte Etta, als ich in die Küche kam und sie bat, für mich anzuklopfen, »sie ist auf den Beinen. Ich habe ihr vor nicht mal einer Stunde einen Tee gebracht.«

»Auf den Beinen« bedeutete bei Mrs. Barbour Pyjama und vom Hündchen zerkaute Pantoffeln und darüber etwas, das aussah wie ein alter Opernmantel. »Oh, Theo!«, sagte sie, und ihr Gesicht öffnete sich mit einer anrührenden, schutzlosen Schlichtheit, die mich an Andy erinnerte, wenn er sich – was selten vorkam – einmal wirklich freute, zum Beispiel, als sein 22-mm-Teleskopokular von Nagler mit der Post gekommen war, oder bei der glücklichen Entdeckung der LARP-Porno-Website: Liveaction-Rollenspiele mit großbusigen, schwerterschwenkenden Maiden, die es mit Rittern und Zauberern und dergleichen trieben. »Was für ein lieber, lieber Schatz du doch bist!«

»Sie haben ihn hoffentlich noch nicht?«

»Nein.« Sie blätterte entzückt in dem Katalog. »Das ist perfekt! Du wirst es niemals, niemals glauben, aber ich habe diese Ausstellung in Boston gesehen, als ich auf dem College war.«

»Sie muss toll gewesen sein.« Ich ließ mich in einen Sessel sinken, viel glücklicher, als ich es noch vor einer Stunde für möglich gehalten hätte. Krank wegen des Bildes, krank vor Kopfschmerzen, verzweifelt bei dem Gedanken an ein Abendessen bei den Longstreets, hatte ich mich gefragt, wie zum Teufel ich einen Abend mit Krebs-Gratin und Forrests Vorträgen über die Wirtschaft überstehen sollte, wenn ich im Grunde nichts anderes wollte, als mir das Hirn aus dem Schädel zu koksen. Ich hatte versucht, Kitsey anzurufen und sie anzuflehen, wegen Krankheit abzusagen, sodass wir uns verdrücken und den Abend in ihrem Apartment im Bett verbringen könnten. Aber wie es an Kitseys freien Tagen provokant oft passierte, waren meine Anrufe unerwidert geblieben, SMS und E-Mails waren nicht beantwortet worden, und das Handy hatte sofort auf die Mailbox geschaltet. »Ich muss mir ein neues Telefon besorgen«, hatte sie genervt gesagt, als ich mich über diese allzu häufigen Kommunikations-Blackouts beschwert hatte, »mit dem hier stimmt was nicht«, aber obwohl ich sie ein paar Mal gebeten hatte, von der Straße weg mit mir in einen Apple-Store zu gehen und sich ein neues zu kaufen, hatte sie immer eine Ausrede parat: Die Schlange war zu lang, sie musste irgendwohin, sie hatte keine Lust, war hungrig, durstig, musste aufs Klo, konnten wir das nicht ein andermal machen?

Als ich mit geschlossenen Augen auf meiner Bettkante saß und mich ärgerte, weil ich sie nicht erreichen konnte (was ich anscheinend nie konnte, wenn es mal wirklich nötig war), überlegte ich, ob ich Forrest anrufen und ihm sagen sollte, ich sei krank. Aber so schlecht es mir auch ging, ich wollte sie doch sehen, und sei es nur am Tisch bei einem Essen mit Leuten, die ich nicht leiden konnte. Daher hatte ich – um mich aus dem Bett, nach Uptown und durch den tödlichsten Teil des Abends zu treiben – geschluckt, was in den alten Zeiten für mich eine milde Dosis von Opiaten gewesen wäre. Sie hatten die Kopfschmerzen zwar nicht vertrieben, mich aber in eine überraschend gute Stimmung versetzt. So wohl hatte ich mich seit Monaten nicht mehr gefühlt.

»Ihr geht heute Abend essen, du und Kitsey?«, fragte Mrs. Barbour und blätterte dabei immer noch glücklich in dem Katalog, den ich ihr mitgebracht hatte. »Bei Forrest Longstreet?«

»Ja.«

»Der war mit dir und Andy in einer Klasse, nicht wahr?«

»Ja, stimmt.«

»Aber er war nicht einer von den Jungen, die so schrecklich waren?«

»Na ja«, die Euphorie stimmte mich milde, »eigentlich nicht.« Forrest, ein begriffsstutziger Ochse (»Sir, gehören Bäume zu den Pflanzen?«), war nie intelligent genug gewesen, um mich und Andy auf halbwegs konzentrierte und erfindungsreiche Weise zu verfolgen. »Aber, ja, Sie haben schon recht, er gehörte zu dieser ganzen Gruppe, wissen Sie, mit Temple und Tharp und Cavanaugh und Scheffernan.«

»Ja. Temple. An *den* erinnere ich mich allerdings. Und an diesen Cable-Jungen.«

»Was?« Ich war ein bisschen überrascht.

»Aus *dem* ist jedenfalls nichts Gutes geworden«, sagte sie, ohne von ihrem Katalog aufzublicken. »Lebt auf Kredit … kann keinen Job behalten und hat wohl auch Schwierigkeiten mit der Polizei, wie ich höre. Hat ein paar Schecks gefälscht, und seine Mutter konnte nur mit Mühe verhindern, dass Leute ihn vor Gericht bringen. Und Win Temple«, fuhr sie fort und blickte auf, bevor ich ihr erklären konnte, dass Cable eigentlich nicht zu der aggressiv-sportlichen Truppe gehört hatte, »das war der, der Andy in der Dusche mit dem Kopf gegen die Wand gestoßen hat.«

»Ja, das stimmt.« Im Zusammenhang mit der Dusche erinnerte ich mich weniger daran, dass Andy sich auf den Fliesen eine Gehirnerschütterung geholt hatte, als vielmehr daran, wie Scheffernan und Cavanaugh mich auf dem Boden festgehalten und versucht hatten, mir einen Deostick in den Arsch zu schieben.

Mrs. Barbour – sie saß zierlich in ihren Mantel gehüllt und hat-

753

te eine Decke auf dem Schoß, als fahre sie mit dem Schlitten zu einer Weihnachtsparty – blätterte immer noch. »Weißt du, was dieser kleine Temple gesagt hat?«

»Wie bitte?«

»Der Temple-Junge.« Ihr Blick war auf das Buch gerichtet, und ihre Stimme klang fröhlich, als rede sie mit einem Fremden auf einer Cocktailparty. »Was seine Ausrede war. Als sie ihn fragten, warum er Andy bewusstlos geschlagen habe.«

»Nein, das weiß ich nicht.«

»Er sagte: ›Weil der Junge mir auf die Nerven geht.‹ Er ist inzwischen Rechtsanwalt, habe ich gehört. Ich hoffe jedenfalls, im Gericht hat er sich ein bisschen besser im Zaum.«

»Win war nicht der Schlimmste«, sagte ich nach einer müden Pause. »Mit Abstand nicht. Cavanaugh und Scheffernan zum Beispiel …«

»Die Mutter hat nicht einmal zugehört. Hat die ganze Zeit SMS geschrieben. Irgendeine dringende Angelegenheit mit einem Mandanten.«

Ich schaute auf die Manschette meines Hemdes. Ich hatte nicht vergessen, nach der Arbeit ein frisches anzuziehen. Wenn ich in meinen opiatvernebelten Jahren (von den Jahren als Antiquitätenfälscher ganz zu schweigen) etwas gelernt hatte, dann dies: Gestärkte Hemden und Anzüge aus der Reinigung trugen eine Menge dazu bei, eine Vielzahl von Sünden zu verbergen. Aber diesmal hatten die Morphintabletten mich zu aufgedreht und achtlos werden lassen, und beim Anziehen war ich in meinem Zimmer herumgedriftet und hatte bei Elliott Smith mitgesummt … *sunshine … been keeping me up for days …*, und jetzt sah ich, dass eine meiner Manschetten nicht ordentlich geschlossen war. Außerdem passten die Manschettenknöpfe, die ich ausgesucht hatte, nicht zusammen: Der eine war lila, der andere blau.

»Wir hätten ihn verklagen können«, sagte Mrs. Barbour abwesend. »Ich weiß nicht, warum wir es nicht getan haben. Chance meinte, damit würden wir es Andy auf der Schule nur schwerer machen.«

»Na ja …« Es gab keine Möglichkeit, die Manschette unauffällig in Ordnung zu bringen. Ich musste warten, bis ich im Taxi war. »Die Sache in der Dusche war eigentlich Scheffernans Schuld.«

»Ja, das hat Andy gesagt und der Temple-Junge auch, aber was den eigentlichen Schlag anging, der zu der Gehirnerschütterung führte, stand außer Zweifel ...«

»Scheffernan war hinterhältig. Er hat Andy gegen Temple gestoßen – Scheffernan war mit Cavanaugh und den anderen Typen auf der anderen Seite des Duschraums und hat sich kaputtgelacht, als die Prügelei losging.«

»Nun, darüber weiß ich nichts, aber David«, David war Scheffernans Vorname, »war kein bisschen so wie die andern, sondern immer absolut nett und sehr höflich. Wir hatten ihn oft hier, und er war immer so lieb, Andy mit einzubeziehen. Du weißt, wie viele andere Kinder in der Schule waren, mit ihren Geburtstagspartys ...«

»Ja, aber Scheffernan hatte es immer auf Andy abgesehen, immer. Denn Scheffernans Mutter hat ihm Andy dauernd aufgezwungen. Er *musste* Andy einladen, und er *musste* herkommen.«

Mrs. Barbour seufzte und stellte ihre Tasse ab. Es war Jasmintee, das konnte ich bis zu mir herüber riechen.

»Ja, weiß Gott, du kanntest Andy besser als ich«, sagte sie unvermittelt und zog den bestickten Kragen ihres Mantels fester zusammen. »Ich habe ihn nie als den gesehen, der er war, und in mancher Hinsicht war er mein Lieblingskind. Ich wünschte, ich hätte nicht immer versucht, jemand anderen aus ihm zu machen. Du hast es jedenfalls verstanden, ihn zu nehmen, wie er war, besser als sein Vater oder ich oder – weiß Gott – sein Bruder. Schau«, sagte sie in fast unverändertem Ton in die ziemlich frostige Stille hinein, die darauf folgte. »Hier ist St. Petrus, wie er die kleinen Kinder von Christus fernhält.«

Gehorsam stand ich auf und trat hinter sie. Ich kannte das Werk – eine der großen, stürmischen Kaltnadelradierungen im Morgan Museum, der Hundert-Gulden-Druck, wie man es nannte, denn zu diesem Preis hatte Rembrandt es der Legende nach zurückkaufen müssen.

»Er ist so eigentümlich, Rembrandt. Sogar seine religiösen Sujets – als wären die Heiligen vom Himmel herabgestiegen, um ihm leibhaftig Modell zu stehen. Diese beiden Petrusgestalten«, sie deutete auf ihre eigene kleine Federzeichnung an der Wand, »zwei grundverschiedene Arbeiten und Jahre weit voneinander entfernt, aber es ist derselbe Mann, körperlich und seelisch, und man könnte ihn bei einer Gegenüberstellung wiedererkennen, nicht wahr? Dieser kahle Kopf. Das gleiche Gesicht – pflichtbewusst und ernst. Das Gute steht ihm auf die Stirn geschrieben, aber da ist immer auch ein Zucken von Sorge und Beunruhigung. Und der unterschwellige Schatten des Verrats.«

Sie schaute immer noch in das Buch, aber ich betrachtete plötzlich das silbergerahmte Foto von Andy und seinem Vater auf dem Tisch neben uns. Es war nur ein Schnappschuss, aber was das Gefühl von Vorahnung, von Vergänglichkeit und Verhängnis anging, so hätte kein Meister der holländischen Genremalerei die Komposition geschickter ausführen können. Andy und Mr. Barbour vor einem dunklen Hintergrund, ausgelöschte Kerzen in den Wandhaltern, Mr. Barbours Hand auf einem Schiffsmodell. Die Wirkung wäre nicht allegorischer – oder unheimlicher –, wenn seine Hand auf einem Totenschädel gelegen hätte. Darüber, anstelle des von den niederländischen Vanitas-Malern bevorzugten Stundenglases, hing eine nüchterne und leicht bedrohlich wirkende Uhr mit römischen Ziffern und schwarzen Zeigern: fünf vor zwölf. Die Zeit lief ab.

»Mommy …« Platt kam hereingestürmt und blieb wie angewurzelt stehen, als er mich sah.

»Mach dir nicht die Mühe anzuklopfen, mein Lieber«, sagte Mrs. Barbour, ohne von ihrem Katalog aufzublicken. »Du bist jederzeit willkommen.«

»Ich …« Platt glotzte mich an. »Kitsey.« Anscheinend war er durcheinander. Er vergrub die Hände in den Balgtaschen seines Trenchcoats. »Sie ist aufgehalten worden«, sagte er zu seiner Mutter.

Mrs. Barbour sah erschrocken aus. »Oh«, sagte sie. Sie schauten einander an, und etwas Unausgesprochenes schien zwischen ihnen hin und her zu gehen.

»Aufgehalten?«, fragte ich liebenswürdig und blickte zwischen ihnen hin und her. »Wo denn?«

Ich bekam keine Antwort. Platt starrte seine Mutter an und klappte den Mund auf und zu. Mrs. Barbour legte ziemlich geschmeidig ihr Buch zur Seite und sagte, ohne mich anzusehen: »Tja, weißt du, ich glaube fast, sie ist heute draußen beim Golf.«

»Wirklich?« Ich war ein wenig überrascht. »Ist das Wetter dafür nicht ein bisschen schlecht?«

»Es ist viel Verkehr«, sagte Platt eifrig und warf seiner Mutter noch einen Blick zu. »Sie steckt fest. Der Expressway ist eine Katastrophe. Sie hat Forrest angerufen«, fügte er hinzu und sah mich an. »Sie warten mit dem Essen.«

»Vielleicht«, sagte Mrs. Barbour nachdenklich nach einer kurzen Pause, »vielleicht solltest du mit Theo etwas trinken gehen? Ja«, sagte sie mit Entschiedenheit zu Platt, als sei diese Angelegenheit erledigt. »Ich finde, das ist eine ausgezeichnete Idee. Ihr beide geht los und trinkt etwas. Und du!« Lächelnd drehte sie sich zu mir um. »Was für ein Engel du bist! Vielen Dank für mein Buch.« Sie umfasste meine Hand. »Das wunderbarste Geschenk auf der Welt.«

»Aber …«

»Ja?«

»Wird sie nicht herkommen und sich frischmachen müssen?«, fragte ich ein wenig verwirrt.

»Wie bitte?« Beide sahen mich an.

»Wenn sie Golfspielen war? Muss sie sich dann nicht umziehen? Sie wird doch nicht in ihren Golfsachen zu Forrest gehen wollen.« Ich schaute zwischen den beiden hin und her, und als keiner etwas sagte, erklärte ich: »Ich habe nichts dagegen, hier zu warten.«

Nachdenklich und mit schwerem Blick schob Mrs. Barbour die Lippen vor – und plötzlich begriff ich. Sie war müde. Sie hatte nicht damit gerechnet, herumsitzen und mich unterhalten zu müssen, aber sie war zu höflich, um das zu sagen.

»Gleichwohl«, sagte ich und stand befangen auf, »die Zeit vergeht, und ich könnte einen Cocktail vertragen …«

In diesem Moment teilte das Telefon in meiner Tasche, das den ganzen Tag geschwiegen hatte, mit lautem Klingen mit, dass eine SMS gekommen war. Ungeschickt – ich war so erschöpft, dass ich meine eigene Tasche kaum finden konnte – fummelte ich es heraus.

Richtig, es war Kitsey, und es wimmelte von Emoticons. ♥♥ Hi Popsy ♥ komme 1 Stunde später ⊗ ! ✗ ✐ ❀ ✳ ✄ !!! Erwische dich hftl noch! Forrest & Celia machen Essen, treffe dich da um 9, lieb dich doll« Kits ♥✗♥✗♥✗♥✗♥

XIV

Fünf oder sechs Tage später hatte ich mich von der Nacht mit Boris immer noch nicht vollständig erholt – teils, weil ich mit Kunden beschäftigt war, auf Versteigerungen gehen und mir Nachlässe anschauen musste, und teils, weil fast jeden Abend zermürbende Events mit Kitsey stattfanden – Feiertagspartys, ein Smoking-Dinner, *Pelléas et Mélisande* in der Met –, jeden Morgen um sechs aufstehen und erst lange nach Mitternacht wieder ins Bett gehen, an einem Abend sogar bis zwei Uhr morgens unterwegs, kaum ein Augenblick für mich allein und (noch schlimmer) kaum ein Augenblick allein mit ihr, was mich normalerweise rasend gemacht hätte, aber unter diesen Umständen war ich so beschäftigt und von Erschöpfung übermannt, dass ich nicht viel Zeit hatte, um darüber nachzudenken.

Die ganze Woche hatte ich mich auf Kitseys Dienstag mit den Freundinnen gefreut – nicht, weil ich sie nicht sehen wollte, sondern weil Hobie auswärts aß und ich gern allein sein, ein paar Reste aus dem Kühlschrank essen und früh schlafen gehen wollte. Aber bei Ladenschluss um neunzehn Uhr hatte ich noch ein paar Dinge im Geschäft nachzuholen. Wundersamerweise war ein Innenausstatter erschienen und hatte sich nach ein paar teuren, aus der

Mode geratenen, unverkäuflichen Zinnobjekten erkundigt, die seit Weltys Tagen oben auf einem Schrank verstaubten. Von Zinn verstand ich nicht viel, und ich suchte in einer alten *Antiques*-Nummer nach einem bestimmten Artikel, als Boris vom Bordstein herangesprungen kam und an die Glastür klopfte, keine fünf Minuten, nachdem ich sie abgeschlossen hatte. Regen prasselte herunter, und in dem rauen Wolkenbruch war er nur ein undeutlicher Schatten im Mantel, aber der Rhythmus seines Klopfens war unverwechselbar der aus alten Zeiten, als er um das Haus meines Vaters nach hinten zur Terrasse gekommen war und angeklopft hatte, damit ich ihn hereinließ.

Mit eingezogenem Kopf kam er herein und schüttelte sich so heftig, dass die Tropfen stoben. »Fährst du mit mir nach Uptown?«, fragte er ohne Einleitung.

»Ich habe zu tun.«

»Ja?« Seine Stimme klang gleichzeitig so liebevoll, entnervt und offensichtlich kindlich verletzt, dass ich mich von meinem Bücherregal abwandte. »Und willst du nicht fragen, warum? Ich glaube, vielleicht möchtest du doch mitkommen.«

»Wohin uptown?«

»Ich werde mit ein paar Leuten sprechen.«

»Und zwar über …?«

»Ja.« Er strahlte, schniefte und wischte sich über die Nase. »Genau. Du brauchst nicht mitzukommen, ich wollte meinen Jungen Toly mitnehmen, aber ich dachte, aus mehreren Gründen könnte es gut sein, wenn du auch dabei sein wolltest – Poptschik, ja, ja!« Er bückte sich und hob den Hund auf, der herangetrippelt kam, um ihn zu begrüßen. »Ich freue mich doch auch, dich zu sehen! Er mag gern Speck«, sagte er zu mir, und dabei kraulte er Popper hinter den Ohren und rieb seine Nase an seinem Nacken. »Brätst du ihm manchmal Speck? Er mag auch das Brot, wenn es mit Fett vollgesogen ist.«

»Mit wem sprechen? Wer sind diese Leute?«

Boris strich sich das tropfnasse Haar aus dem Gesicht. »Ein Typ, den ich kenne. Heißt Horst. Alter Freund von Myriam. Hat sich bei diesem Deal auch verbrannt – ehrlich gesagt, ich glaube nicht, dass er uns helfen kann, aber Myriam meinte, kann nicht schaden, noch mal mit ihm zu reden. Und ich denke, vielleicht hat sie recht.«

XV

Auf dem Weg nach Uptown, auf dem Rücksitz des Town Car, während der Regen so heftig auf das Dach trommelte, dass Juri schreien musste, damit wir ihn verstehen konnten (»Was für ein Hundewetter!«), erzählte Boris mir leise von Horst. »Ganz, ganz traurige Geschichte. Er ist Deutscher. Interessanter Typ, sehr intelligent und sensibel. Und wichtige Familie ... er hat's mir mal erzählt, aber ich hab's vergessen. Sein Dad war zum Teil Amerikaner und hat ihm einen Haufen Geld hinterlassen, aber als seine Mutter wieder heiratete ...« An dieser Stelle nannte er einen weltberühmten Industriellennamen mit einem dunklen alten Nazi-Echo. »*Millionen*. Ich meine, es ist nicht zu glauben, wie viel Geld diese Leute haben. Sie schwimmen drin. Geld bis zum Hals.«

»Ja, das ist wirklich eine traurige Geschichte.«

»Tja – Horst ist ein schlimmer Junkie. Du kennst mich«, ein philosophisches Achselzucken, »ich urteile nicht, ich verurteile niemanden. Tu, was du willst, mir egal! Aber Horst – ein sehr trauriger Fall. Er verliebte sich in ein Mädchen, das auf Drogen war, und sie brachte ihn auch drauf. Ließ ihn alles bezahlen, und als das Geld verbraucht war, hat sie ihn verlassen. Horsts Familie hat ihn schon vor Jahren verstoßen. Und er verzehrt sich immer noch nach diesem schrecklichen, verkommenen Mädchen. Mädchen, sage ich – sie muss inzwischen fast vierzig sein. Ulrika heißt sie. Immer wenn Horst ein bisschen Geld hat, kommt sie für eine Weile zurück. Und dann verlässt sie ihn wieder.«

»Und was hat er mit der Sache zu tun?«

»Horsts Partner Sascha hat diesen Deal organisiert. Ich lerne ihn kennen – er scheint okay zu sein – was weiß denn ich? Horst hat mir gesagt, er hat noch nie mit Saschas Mann persönlich gearbeitet, aber ich hatte es eilig, und ich habe mich nicht so darum gekümmert, wie ich es hätte tun sollen, und«, er riss die Arme hoch, »puff! Myriam hatte recht – sie hat immer recht – ich hätte auf sie hören sollen.«

Das Wasser strömte an den Scheiben herunter, schwer wie Quecksilber, und schloss uns im Wagen ein. Lichter blinkten und verschmolzen um uns herum, und ich musste daran denken, wie Boris und ich hinten im Lexus durch Vegas gefahren waren, wenn mein Dad in die Waschanlage wollte.

»Horst ist normalerweise ein bisschen heikel bei der Auswahl seiner Geschäftspartner, und deshalb dachte ich, es ist okay. Aber – er ist sehr zurückhaltend, weißt du? ›Ungewöhnlich‹, sagt er. Ja, was soll das heißen? Und dann komme ich dort unten hin – und diese Leute sind Verrückte. Ich meine, verrückt wie Leute, die mit Gewehren auf Hühner ballern. Und in solchen Situationen, da muss es still und ruhig zugehen! Es war – haben die zu viel ferngesehen oder was? Ist das die Art, wie man so was aufzieht? Normalerweise ist in so einer Situation jeder sehr sehr höflich, sehr leise, sehr friedlich! Myriam meinte – und sie hatte recht –, vergiss die Kanonen! Was ist das für ein Irrsinn, dass diese Leute in Miami Hühner halten? Schon eine solche Kleinigkeit – das ist 'ne Jacuzzi-Gegend, Tennisplätze, verstehst du? –, wer hält da Hühner? Du willst doch nicht, dass ein Nachbar die Polizei anruft, weil im Garten Hühner Krach machen! Aber da«, er zuckte die Achseln, »da war ich schon unten. Ich war mit drin. Ich hab mir gesagt, mach dir keine Sorgen, aber zeigt sich, ich hatte recht.«

»Was ist passiert?«

»Ich weiß es nicht genau. Ich habe die Hälfte der zugesagten Ware gekriegt – der Rest sollte in einer Woche kommen. Daran ist nichts Ungewöhnliches. Aber dann wurden wir verhaftet, ich habe die andere Hälfte nicht bekommen, und ich habe das Bild nicht bekommen. Horst – ja, Horst würde es auch gern finden, er hat auch eine Menge Geld reingesteckt. Jedenfalls hoffe ich, er hat mehr Informationen als bei unserer letzten Unterhaltung.«

761

XVI

Juri ließ uns in Höhe der 60er Straßen aussteigen, nicht allzu weit entfernt von den Barbours. »Das hier ist es?«, fragte ich und schüttelte den Regen von Hobies Schirm. Wir standen vor einem der großen Kalkstein-Townhouses abseits der Fifth – schwarze Eisentür, massiver Löwenkopf-Türklopfer.

»Ja, es gehört seinem Vater. Der Rest der Familie versucht, ihn legal rauszukriegen, aber da wünsche ich viel Glück, hah!«

Der Türöffner summte, und wir fuhren mit einem vergitterten Aufzug in den ersten Stock hinauf. Es roch nach Weihrauch, Gras und köchelnder Spaghettisauce. Eine schlaksige blonde Frau – kurz geschnittenes Haar und ein abgeklärtes Gesicht mit kleinen Augen wie das eines Kamels – öffnete die Tür. Sie war gekleidet wie ein altmodischer Straßenbengel oder ein Zeitungsjunge: Pepitahose, knöchelhohe Stiefel, schmutziges Thermohemd, Hosenträger. Auf ihrer Nasenspitze saß eine Benjamin-Franklin-Brille mit Drahtgestell.

Wortlos ließ sie die Tür offen und ging weg, und wir standen in einem halbdunklen, schmuddeligen Salon, so groß wie ein Ballsaal. Es sah aus wie die verwahrloste Kulisse aus einem High-Society-Film mit Fred Astaire: hohe Decken, bröckelnder Stuck, ein Flügel, ein dunkel angelaufener Kronleuchter, an dem die Hälfte der Kristalle kaputt war oder ganz fehlte, eine geschwungene Hollywood-Treppe, übersät von Zigarettenstummeln. Sufi-Gesänge leierten leise im Hintergrund: *Allāhu Allāhu Allāhu Haqq. Allāhu Allāhu Allāhu Haqq.* An die Wand hatte jemand mit Kohle eine Serie von lebensgroßen Nackten gezeichnet, die die Treppe hinaufstiegen wie die Einzelbilder aus einem Film, und es gab kaum Möbel außer einem verschlissenen Futon und ein paar Stühlen und Tischen, die aussahen, als stammten sie vom Sperrmüll. An der Wand leere Bilderrahmen, ein Widderschädel. Im Fernseher flimmerte und flackerte ein Animationsfilm mit epileptischer Energie, geometrische Windmühlenflügel, mit Lettern und Realfilmbildern von Rennwagen zusammengeschnitten. Abgesehen vom Fernseher und der Tür, durch die die Blonde verschwunden war, kam das einzige Licht von einer Lampe, ein harter weißer Kreis auf geschmolzenen Kerzen, Computerkabeln, leeren Bierflaschen und Butanflaschen, Ölkreiden, in der Schachtel und einzeln, zahlreichen Œuvre-Katalogen, englischen und deutschen Büchern, darunter Nabokovs *Verzweiflung* und Heideggers *Sein und Zeit* mit abgerissenem Cover, Skizzenbüchern, Kunstbüchern, Aschenbechern und verbrannter Alufolie und einem schmutzigen Kissen, auf dem eine graugetigerte Katze lag. Über der Tür hing ein Geweih wie eine Trophäe in einer Jagdhütte im Schwarzwald und warf einen verzerrten Schatten, der sich unter der Decke ausbreitete und verzweigte wie etwas in einem bösen nordischen Märchen.

Nebenan unterhielten sich Leute. Die Fenster waren mit angetackerten Bettlaken verhüllt, dünn genug, um ein diffuses violettes Leuchten von der Straße hereinzulassen. Ich sah mich um, und Formen lösten sich aus der Dunkelheit und verwandelten sich auf so seltsame Art und Weise wie im Traum: Zum einen war der behelfsmäßige Raumteiler – ein Teppich, der im Stil von Mietskasernen an einer Wäscheleine von der Decke herabhing – bei näherem Hinsehen ein Gobelin, und nicht mal ein schlechter, achtzehntes Jahrhundert oder älter, beinahe das Gegenstück zu einem Amiens-Wandteppich, den ich auf einer Versteigerung mit einem Schätzwert von vierzigtausend Pfund gesehen hatte. Und nicht alle Bilderrahmen an der Wand waren leer, in manchen hingen Gemälde, und eins davon sah – selbst in diesem schlechten Licht – aus wie ein Corot.

Ich wollte gerade näher herangehen, um mir das Bild anzusehen, als ein Mann, dessen Alter irgendwo zwischen dreißig und fünfzig liegen konnte, in der Tür erschien: erschöpfter Gesichtsausdruck, hoch aufgeschossen, mit glattem, aschblondem Haar, das aus dem Gesicht nach hinten gekämmt war, in schwarzen Punk-Jeans mit zerschlissenen Knien und einem schmierigen britischen Spezialkommando-Pullover unter einer schlecht sitzenden Anzugjacke.

»Hello«, sagte er zu mir, eine ruhige britische Stimme mit unterschwelliger deutscher Schärfe, »Sie müssen Potter sein.« Er sah Boris an. »Freut mich, dass ihr da seid. Ihr solltet ein bisschen bleiben. Candy und Niall machen Abendessen mit Ulrika.«

Eine Bewegung zu meinen Füßen hinter dem Wandteppich ließ mich hastig einen Schritt zurückweichen: eingewickelte Gestalten auf dem Boden, Schlafsäcke, der Geruch von Obdachlosigkeit.

»Danke, wir können nicht bleiben.« Boris hatte die Katze aufgenommen und kraulte ihr die Ohren. »Aber einen Schluck von dem Wein da. Danke.«

Wortlos reichte Horst ihm sein eigenes Glas und rief etwas auf Deutsch nach nebenan. Dann wandte er sich an mich. »Sie sind Händler, nicht wahr?« Im Lichtschein des Fernsehers leuchtete sein helles Möwenauge mit der stecknadelkopfgroßen Pupille hart und unverwandt.

»Ja«, sagte ich voller Unbehagen. »Äh, danke.« Eine andere Frau – mit einem brünetten Bubikopf, in hohen schwarzen Stiefeln und einem Rock, der gerade kurz genug war, um die schwarze Katze zu entblößen, die auf ihrem milchweißen Schenkel tätowiert war – erschien mit einer Flasche und zwei Gläsern für Horst und für mich.

»*Danke*, Darling«, sagte Horst auf Deutsch. »Möchten die Herren vielleicht eine Nase?«

»Im Moment nicht«, sagte Boris, der sich vorgebeugt hatte, um einen Kuss von der dunkelhaarigen Frau zu stehlen, als sie weggehen wollte. »Hab ich mich bloß gefragt. Was hörst du von Sascha?«

»Sascha …« Horst ließ sich auf den Futon sinken und zündete sich eine Zigarette an. Mit seiner zerrissenen Jeans und den Combat-Stiefeln sah er aus wie die lädierte Version eines drittrangigen Charakterschauspielers aus dem Hollywood der vierziger Jahre, ein mitteleuropäischer Nebendarsteller, der tragische Geiger und müde, kultivierte Flüchtlinge spielte. »Anscheinend führt alles nach Irland. Eine gute Nachricht, wenn du mich fragst.«

»Klingt aber nicht richtig.«

»Für mich auch nicht, aber ich habe mit Leuten gesprochen, und bis jetzt stimmt alles.« Er sprach mit der arrhythmischen Ruhe eines

Junkies, neben dem Takt, aber ohne die schwere Zunge. »Also – bald sollten wir mehr wissen, hoffe ich.«

»Freunde von Niall?«

»Nein. Niall sagt, er hat noch nie von ihnen gehört. Aber es ist ein Anfang.«

Der Wein war schlecht: ein Syrah aus dem Supermarkt. Weil ich nicht in der Nähe der Gestalten auf dem Boden sein wollte, wanderte ich hinüber zu einer Gruppe von Gipsabgüssen auf einem ramponierten Tisch und sah sie mir an: ein männlicher Torso, eine drapierte Venus, die an einem Fels lehnte, ein Fuß in einer Sandale. In dem schlechten Licht sahen sie aus wie die gewöhnlichen Gipsfiguren, die man im Künstlerbedarf bei Pearl Paint kaufen konnte – Atelierartikel für Studenten zum Skizzieren –, aber als ich mit dem Finger über den Fuß strich, fühlte ich geschmeidigen Marmor, seidig und glatt.

»Warum sollten sie damit nach Irland?«, fragte Boris rastlos. »Zu welchem Sammlermarkt? Ich dachte, alle versuchen, Stücke dort herauszuholen, nicht hineinzubringen.«

»Ja, aber Sascha meint, er hat das Bild benutzt, um Schulden zu bezahlen.«

»Der Kerl hat Verbindungen dahin?«

»Offensichtlich.«

»Fällt mir schwer, das zu glauben.«

»Was, das mit den Verbindungen?«

»Nein, das mit den Schulden. Dieser Typ – der sieht aus, als ob er noch vor einem halben Jahr auf der Straße Radkappen geklaut hätte.«

Horst zuckte matt die Achseln. Schläfriger Blick, faltige Stirn. »Wer weiß. Bin nicht sicher, dass es stimmt, aber ich werde nicht aufs Glück vertrauen. Würde ich die Hand dafür ins Feuer legen?« Träge schnippte er seine Zigarettenasche auf den Boden. »Nein.«

Boris schaute stirnrunzelnd in sein Weinglas. »Er war Amateur. Glaube mir. Wenn du ihn selbst gesehen hättest, würdest du es wissen.«

»Ja, aber er zockt gern, sagt Sascha.«

»Du glaubst nicht, Sascha weiß vielleicht mehr?«

»Ich glaube nicht.« Er hatte etwas Abwesendes, als spräche er halb mit sich selbst. »›Abwarten und Tee trinken.‹ Das ist es, was ich höre. Eine unbefriedigende Antwort. Stinkt vom Kopf her, wenn du mich fragst. Aber wie gesagt, wir sind der Sache noch nicht auf den Grund gekommen.«

»Wann ist Sascha wieder in der Stadt?« Das Zwielicht im Raum ließ mich geradewegs in die Kindheit, nach Vegas, zurückkehren, in die schemenhafte Stimmung eines Traums, der nach dem Aufwachen nachklingt: Zigarettendunst, schmutzige Kleider auf dem Boden, Boris' Gesicht erst weiß, dann blau im Flackern des Bildschirms.

»Nächste Woche. Ich rufe dich an. Dann kannst du selbst mit ihm sprechen.«

»Ja. Aber ich finde, wir sollten zusammen mit ihm sprechen.«

»Ja. Das finde ich auch. Wir werden in Zukunft beide schlauer sein … das hätte nicht passieren müssen … aber wie auch immer.« Horst kratzte sich langsam, geistesabwesend, am Hals. »Du verstehst, dass ich mich scheue, ihn allzu hart zu bedrängen.«

»Das kommt Sascha sehr entgegen.«

»Du hast einen Verdacht. Erzähl's mir …«

»Ich finde …« Boris' Blick ging zur Tür.

»Ja?«

»Ich finde«, Boris senkte die Stimme, »du machst es ihm zu einfach. Ja, ja«, er hob die Hände, »ich weiß. Aber – ist doch sehr praktisch, dass sein Typ verschwindet, spurlos, und er weiß nichts!«

»Ja, vielleicht«, sagte Horst. Er wirkte, als wäre er nicht bei der Sache und in Gedanken ganz woanders, wie ein Erwachsener in einem Zimmer mit kleinen Kindern. »Es bedrückt mich – uns alle. Ich möchte der Sache auf den Grund kommen, genau wie du. Aber nach allem, was wir wissen, war der Typ ein Cop.«

»Nein«, sagte Boris entschieden. »Das war er nicht. Das war er nicht. Das weiß ich.«

»Na ja – um ganz offen zu dir zu sein, ich glaube es auch nicht. Da steckt mehr dahinter, als wir jetzt wissen. Aber ich habe noch Hoffnung.« Er hatte eine Holzschatulle vom Zeichentisch genommen und wühlte jetzt darin herum. »Die Herren haben wirklich kein Interesse an einer Kleinigkeit?«

Ich schaute weg. Nichts wäre mir lieber gewesen. Gern hätte ich mir auch den Corot angesehen, aber ich wollte dazu nicht um die Gestalten am Boden herumgehen. Am anderen Ende des Raumes hatte ich noch ein paar Bilder entdeckt, die an der Holztäfelung lehnten: ein Stillleben, zwei kleine Landschaften.

»Gehen Sie hin, schauen Sie sie an, wenn Sie wollen.« Das war Horst. »Der Lépine ist eine Fälschung. Aber der Claesz und der Berchem sind zu verkaufen, falls Sie sich dafür interessieren.«

Boris lachte und nahm sich eine von Horsts Zigaretten. »Er ist nicht am Markt.«

»Nicht?«, sagte Horst leutselig. »Ich kann ihm einen guten Preis für alle beide machen. Der Verkäufer muss sie loswerden.«

Ich ging näher heran und sah es mir an: Stillleben, Kerze und halb leeres Weinglas. »Claesz Heda?«

»Nein, Pieter. Obwohl …« Horst stellte seinen Kasten ab, kam zu mir und hob die Schreibtischlampe an der Schnur hoch. Harte, förmliche Helligkeit überflutete beide Bilder. »Diese Partie«, er fuhr mit dem gekrümmten Finger durch die Luft, »der Reflex der Flamme hier? Und die Tischkante, das Tuch? Könnte fast ein Heda sein, an einem seiner schlechten Tage.«

»Ein schönes Stück.«

»Ja. Schön für diese Art.« Aus der Nähe verströmte er einen ungewaschenen, ranzigen Geruch, den kräftigen, staubigen Importladengeruch, wie er aus chinesischen Kartons aufsteigt. »Ein bisschen prosaisch für den modernen Geschmack. Die klassizisierende Manier. Viel zu inszeniert. Aber der Berchem ist sehr gut.«

»Sind viele gefälschte Berchems unterwegs«, sagte ich neutral.

»Ja«, das Licht von der hochgehaltenen Lampe auf dem Landschaftsgemälde war bläulich, geisterhaft, »aber der hier ist hübsch … Italien, 1655 … die Ocker sind doch schön, oder? Der Claesz ist nicht so gut, finde ich, sehr früh, aber die Herkunft ist makellos, bei beiden. Wäre schön, sie zusammenzuhalten … waren noch nie voneinander getrennt, die beiden. Vater und Sohn. Sind in einer alten holländischen Familie vererbt worden und nach dem Krieg in Österreich gelandet. Pieter Claesz …« Horst hob die Lampe höher. »Claesz war so unausgewogen, ehrlich gesagt. Wundervolle Technik, wundervolle Oberfläche, aber irgendetwas ist hier schief, finden Sie nicht? Die Komposition hält nicht zusammen. Irgendwie inkohärent. Außerdem …« Mit der flachen Kuppe seines Daumens wies er auf den allzu starken Glanz hin, der von der Leinwand ausging: zu viel Firnis.

»Stimmt. Und hier …« Mit einer Handbewegung durch die Luft folgte ich dem hässlichen Bogen, wo eine übereifrige Reinigung die Farbe bis auf die Lasur heruntergeschrubbt hatte.

»Ja.« Der Blick, mit dem er antwortete, war liebenswürdig und schläfrig. »Ganz recht. Azeton. Wer immer das getan hat, gehört erschossen. Und trotzdem ist ein mittelmäßiges Bild wie dieses, in schlechtem Zustand – und selbst als anonyme Arbeit –, mehr wert als ein Meisterwerk, das ist die Ironie der Sache. Für *mich* jedenfalls. Besonders Landschaften. Sehr, sehr leicht zu verkaufen. Die Behörden sind da nicht allzu aufmerksam … aufgrund von Beschreibungen schwer zu erkennen … und trotzdem noch vielleicht zweihunderttausend wert. Der Fabritius dagegen«, eine lange, entspannte Pause, »ist von einem ganz anderen Kaliber. »Das bemerkenswerteste Kunstwerk, das je durch meine Hände gegangen ist, und das kann ich mit Entschiedenheit sagen.«

»Ja, und deshalb hätten wir es so gern zurück«, knurrte Boris im Schatten.

»Absolut außergewöhnlich«, fuhr Horst gleichmütig fort. »Ein Stillleben wie dieses hier«, er deutete mit einer langsamen Wellenbewegung auf den Claesz (schwarz geränderte Fingernägel, ein von Narben übersätes Venennetz auf dem Handrücken), »ja, es ist so nachdrücklich ein Trompe-l'Œil. Großes technisches Geschick, aber übermäßig raffiniert. Obsessive Exaktheit. Eine todesartige Anmutung. Ein sehr guter Grund, weshalb sie *natures mortes* heißen, oder? Aber der Fabritius …« Ein wackeliger Schritt zurück. »Ich kenne die

768

Theorie über den *Distelfink,* sie ist mir sehr vertraut, die Leute sprechen von einem Trompe-l'Œil, und tatsächlich kann es einem aus der Ferne so erscheinen. Aber was die Kunsthistoriker sagen, interessiert mich nicht. Es stimmt: Manche Partien sind gearbeitet wie ein Trompe-l'Œil ... die Wand und die Stange, Lichtreflexe auf dem Messing, und dann ... das Gefieder der Brust, überaus kreatürlich. Flausch und Daunen. Weich, so weich. Claesz würde dieses Finish, diese Genauigkeit, zu Tode reiten – und ein Maler wie van Hoogstraten würde es noch weiter treiben, bis zum letzten Sargnagel. Aber Fabritius ... er macht sich einen Witz mit dem Genre ... eine meisterliche Erwiderung auf die Idee des Trompe-l'Œil ... denn andere Partien des Bildes – der Kopf? der Flügel? – sind kein bisschen kreatürlich oder buchstäblich ausgeführt. Er nimmt das Bild absichtsvoll auseinander, um uns zu zeigen, dass er es gemalt hat. Tupfer und Flecken, ausgeformtes Handwerk, besonders die Konturen des Halses, ein solides Stück Malerei, sehr abstrakt. Das macht ihn zu einem Genie – nicht so sehr seiner eigenen als vielmehr unserer Zeit. Da ist eine Doppelung. Man sieht die Spuren, die Farbe als Farbe, und man sieht den lebendigen Vogel.«

»Ja, schön«, brummte Boris im Dunkeln außerhalb des Lichtkreises und ließ sein Feuerzeug zuschnappen. »Ohne Farbe wäre auch nichts zu sehen.«

»Genau.« Horst drehte sich um, und Schatten teilte sein Gesicht. »Es ist ein Witz, dieses Bild. In seinem Kern liegt ein Witz. Und so machen es alle großen Meister. Rembrandt, Velázquez. Der späte Tizian. Sie machen sich einen Witz. Sie amüsieren sich. Sie bauen eine Illusion auf, einen Trick – aber trittst du einen Schritt näher heran, löst sich alles in Pinselstriche auf. Abstrakt, unirdisch. Eine ganz andere, viel tiefergehende Sorte Schönheit. Das Ding und doch nicht das Ding. Ich sollte sagen, dass dieses eine winzige Gemälde Fabritius in den Rang der größten Maler erhebt, die jemals gelebt haben. *Der Distelfink.* Auf dem Platz eines Kleinods wirkt er ein Wunder. Ich gebe allerdings zu, ich war überrascht«, er sah mich an, »als ich es das erste Mal in der Hand hielt. Es war schwer.«

»Ja.« Wider Willen empfand ich eine obskure Genugtuung, weil er dieses mir so merkwürdig wichtige Detail in seinem eigenen Netz aus Kinderträumen und Assoziationen, einem emotionalen Akkord, bemerkt hatte. »Die Tafel ist dicker, als man annimmt. Sie hat eine gewisse Dichte.«

»Dichte. Genau. Das ist das Wort. Und der Hintergrund – sehr viel weniger gelb als in meiner Kindheit. Das Bild ist gereinigt worden – ich glaube, Anfang der Neunziger. Nach der Konservierung ist es heller.«

»Schwer zu sagen. Ich habe keinen Vergleich.«

»Na ja«, sagte Horst. Der Rauch von Boris' Zigarette kräuselte sich aus der Dunkelheit, wo er saß, heran und verlieh dem Lichtkreis der Lampe, in dem wir standen, das mitternächtliche Gefühl einer Kabarettbühne. »Ich kann mich irren. Ich war ein Junge von ungefähr zwölf Jahren, als ich es das erste Mal gesehen habe.«

»Ja, ich war auch in etwa so alt.«

»Tja«, sagte Horst resigniert und kratzte sich an einer Braue. Blutergüsse, groß wie Zehn-Cent-Stücke, auf beiden Handrücken. »Es war das einzige Mal, dass mein Vater mich je auf eine Geschäftsreise mitgenommen hat, nach Den Haag. Eiskalte Vorstandszimmer. Kein Blatt rührte sich. An unserem Nachmittag wollte ich nach Drievliet in den Vergnügungspark, aber er ging stattdessen mit mir ins Mauritshuis. Ein großartiges Museum, viele großartige Bilder, aber das einzige, an das ich mich erinnern kann, ist Ihr Fink. Ein Bild, das ein Kind anspricht, oder? *Der Distelfink*«, sagte er auf Deutsch. »Unter diesem Namen habe ich es kennengelernt.«

»Ja, ja, ja«, sagte Boris gelangweilt im Dunkeln. »Das hört sich an wie Schulfernsehen.«

»Dealen Sie überhaupt mit moderner Kunst?«, fragte ich in der Stille, die darauf folgte.

»Na ja.« Horst fixierte mich aus leeren, kalten Augen. *Dealen* war nicht ganz das richtige Wort, und meine Wahl schien ihn zu amüsieren. »Manchmal. Hatte vor nicht allzu langer Zeit einen Kurt Schwitters … Stanton Macdonald-Wright, kennen Sie den? Herrlicher Maler. Hängt sehr davon ab, was mir in die Hände gerät. Aber ganz ehrlich – dealen Sie überhaupt mit Bildern?«

»Sehr selten. Die Kunsthändler sind meistens schneller als ich.«

»Sehr schade. Tragbarkeit ist in meinem Geschäft wichtig. Eine Menge Stücke von mittlerer Klasse könnte ich über den Tisch hinweg verkaufen, wenn ich Papiere hätte, die gut aussehen.«

Knoblauchbrutzeln, klappernde Töpfe in der Küche, ein leiser Hauch von Urin und Weihrauch wie aus einem marokkanischen Souk. Und ununterbrochen das monotone Leiern der Sufi-Klänge, deren Schleier uns im Dunkeln umkreisten, endlose Gesänge an das Göttliche.

»Oder dieser Lépine. Eine ziemlich gute Fälschung. Da gibt's einen Kanadier, ganz unterhaltsam, Sie würden ihn mögen, der malt sie auf Bestellung. Pollocks, Modiglianis – ich mache Sie gern mit ihm bekannt, wenn Sie wollen. Für mich ist da nicht viel Geld drin, aber man könnte ein Vermögen machen, wenn eins davon im richtigen Nachlass auftauchte.« Nach kurzer Pause redete er geschmeidig weiter. »Unter den älteren Werken sehe ich eine Menge Italiener, aber meine Vorliebe – sie neigt dem Norden zu, wie Sie sehen. Dieser Berchem hier – ein sehr schönes Beispiel für das, was er ist, aber natürlich entsprechen diese Italianaten-Landschaften mit den geborstenen Säulen und den einfachen Milchmädchen dem modernen Geschmack nicht so sehr, oder? Der van Goyen da ist mir sehr viel lieber. Leider nicht zu verkaufen.«

»Van Goyen? Ich hätte geschworen, es ist ein Corot.«

»Von hier aus, ja, könnte man glauben.« Er war erfreut über den Vergleich. Sehr ähnlich, diese beiden – Vincent selbst hat es bemerkt – Sie kennen den Brief? ›Der Corot der Niederländer‹? Der gleiche zarte Dunst, diese Offenheit des Nebels – wissen Sie, was ich meine?«

»Woher …« Beinahe hätte ich die typische Händlerfrage gestellt: *Woher haben Sie das?* Aber ich bremste mich noch.

»Ein wunderbarer Maler. Sehr produktiv. Und das hier ist ein besonders schönes Beispiel«, sagte er voller Sammlerstolz. »Viele amü-

771

sante Details, aus der Nähe betrachtet – winziger Jäger, bellender Hund. Auch ganz typisch die Signatur auf dem Heck des Bootes. Bezaubernd. Wenn es Ihnen nichts ausmacht«, er deutete mit dem Kopf auf die Gestalten hinter dem Wandteppich, »gehen Sie nur hin. Sie werden sie nicht stören.«

»Nein, aber …«

»Nein.« Er hob die Hand. »Ich verstehe vollkommen. Soll ich es Ihnen herbringen?«

»Ja, ich würde es gern sehen.«

»Ich muss sagen, ich habe es inzwischen so liebgewonnen, dass ich es ungern weggeben werde. Er hat selbst mit Bildern gehandelt, van Goyen. Das haben viele der niederländischen Meister getan. Jan Steen. Vermeer. Rembrandt. Aber Jan van Goyen«, er lächelte, »war wie unser Freund Boris hier. Er hatte seine Finger überall. Bilder, Immobilien, Tulpenkontrakte.«

Boris machte im Dunkeln ein missmutiges Geräusch und wollte anscheinend etwas sagen, als plötzlich ein klapperdürrer Junge von vielleicht zweiundzwanzig Jahren und mit wildem Haar aus der Küche getaumelt kam. Er hatte ein altmodisches Quecksilberthermometer im Mund und beschirmte sich die Augen vor dem Licht der hochgehaltenen Lampe. Er trug eine verrückte, feminine, grob gestrickte Jacke, die ihm wie ein Bademantel fast bis an die Knie reichte, und er sah krank und verwirrt aus. Er hatte einen Ärmel hochgeschoben und rieb sich die Innenseite des Unterarms mit zwei Fingern. Ehe ich michs versah, knickten seine Knie seitwärts ein, und er fiel auf den Boden. Das Thermometer rutschte mit gläsernem Geräusch über das Parkett, ohne zu zerbrechen.

»Was …?« Boris drückte seine Zigarette aus und stand auf. Die Katze sprang von seinem Schoß in den Schatten. Horst stellte stirnrunzelnd die Lampe auf den Boden, und der Lichtschein schwenkte irrwitzig über Wände und Decke. »Ach«, sagte er genervt, strich sich das Haar aus den Augen und ließ sich auf die Knie fallen, um den jungen Mann zu untersuchen. »Geh weg!«, sagte er in gereiztem Ton zu der Frau, die in der Tür erschienen war, zusammen mit einem kalt blickenden, dunkelhaarigen, aufmerksam wirkenden Schläger-typen und zwei Prep-School-Jungen mit glasigen Augen, nicht älter als sechzehn. Als alle stehen blieben und gafften, wedelte er mit der Hand. »In die Küche mit euch! Ulrika«, sagte er zu der Blonden und redete auf Deutsch weiter: »*Halt sie zurück.*«

Der Teppich bewegte sich. Dahinter in Decken eingehüllte Hau-fen, verschlafene Stimmen: *Hä? was ist los?* Deutsch.

»*Ruhe, schlaft weiter*«, rief die Blonde, bevor sie sich an Horst wandte und eindringlich weiter Deutsch redete, schnell wie ein Ma-schinengewehr.

Gähnen. Stöhnen. Weiter hinten richtete sich ein Bündel auf, eine benommene amerikanische Stimme wimmerte: »Hä? Klaus? Was hat sie gesagt?«

»Klappe, Baby, und *leg dich wieder hin.*«

Boris hatte seinen Mantel aufgehoben und wand sich mit den Schultern hinein. »Potter«, sagte er, und als ich nicht antwortete, sondern nur entsetzt auf den Boden starrte, wo der Junge röchelnd atmete, noch einmal: »Potter.« Er griff nach meinem Arm. »Komm, lass uns gehen.«

»Ja, sorry. Wir müssen uns später unterhalten. *Scheiße*«, sag-te Horst bedauernd. Er schüttelte die schlaffe Schulter des Jungen und sagte im Ton eines Vaters, der nicht besonders überzeugend so tut, als schimpfe er mit seinem Kind, auf Deutsch: »*Dummer Wich-ser! Dummkopf!* Wie viel hat er genommen, Niall?«, fragte er den Gorilla, der wieder in der Tür stand und mit kritischem Blick zu-schaute.

»Scheiße, woher soll ich das wissen?«, sagte der Ire mit einer omi-nösen Seitwärtsbewegung des Kopfes.

»Komm, Potter.« Boris zog an meinem Arm. Horst hatte ein Ohr auf die Brust des Jungen gelegt, und die Blonde war wieder da, knie-te neben ihm und kontrollierte seine Atemwege.

Sie berieten sich aufgeregt auf Deutsch, und weitere Geräusche und Bewegungen kamen hinter dem Amiens-Teppich hervor, der sich plötzlich blähte: verschossene Blüten, eine *fête champêtre*, freizügige Nymphen, die sich zwischen Quelle und Ranken vergnügten. Ich starrte einen Satyr an, der sie verschlagen hinter einem Baum hervor beobachtete, als unerwartet etwas mein Bein berührte und ich einen Satz rückwärts machte. Eine Hand langte unter dem Teppich hindurch nach meinen Hosenaufschlag. Eins der schmutzigen Bündel auf dem Boden – unter dem Teppich war ein geschwollenes rotes Gesicht zu erkennen – fragte mich in schlaftrunken galantem Ton: »Er ist ein Markgraf, mein Lieber. Wusstest du das?«

Ich riss mein Hosenbein los und trat zurück. Der Junge auf dem Boden rollte den Kopf hin und her und machte Geräusche wie ein Ertrinkender.

»*Potter.*« Boris hatte meinen Mantel aufgehoben und drückte ihn mir praktisch ins Gesicht. »Komm! Wir gehen! *Ciao!*«, rief er mit erhobenem Kinn in die Küche (ein hübscher dunkler Kopf in der Tür, eine flatternde Handbewegung: *Bye, Boris! Bye!*), und er schob mich vor sich her und drückte sich hinter mir zur Tür hinaus. »*Ciao*, Horst!«, rief er und hielt sich in einer *Ruf mich an!*-Geste mit abgespreiztem Daumen und kleinem Finger die Hand ans Ohr.

»*Tschau*, Boris! Tut mir leid! Wir sprechen uns bald wieder! Auf«, sagte Horst, als der Ire herankam und den Jungen unter dem anderen Arm packte. Gemeinsam zogen sie ihn hoch und schleppten ihn mit schlaffen Beinen und schleifenden Füßen – während die beiden Teenager in der Tür hastig erschrocken zurückwichen – durch die beleuchtete Tür nach nebenan, wo Boris' Brünette aus einer winzigen Glasflasche eine Spritze aufzog.

XVII

Als wir im Aufzugkäfig hinunterfuhren, umgab uns plötzlich Stille: knirschende Zahnräder, knarrende Flaschenzüge.

Draußen hatte es aufgeklart. »Komm«, sagte Boris mit einem nervösen Blick über die Straße und holte sein Telefon aus der Tasche. »Lass uns rübergehen, komm!«

»Was denn?« Wir würden die Ampel noch erwischen, wenn wir uns beeilten. »Rufst du etwa den Rettungswagen an?«

»Nein, nein.« Abwesend wischte Boris sich über die Nase und sah sich um. »Ich will hier nicht rumstehen und auf den Wagen warten. Ich rufe ihn an, damit er uns auf der anderen Seite des Parks abholt. Wir gehen quer rüber. Manchmal setzen diese Kids sich einen Schuss, der ein bisschen zu groß ist«, erklärte er, als er sah, dass ich ängstlich zu dem Townhouse zurückschaute. »Keine Sorge. Der wird wieder.«

»Das sah aber nicht so aus.«

»Nein, aber er hat geatmet, und Horst hat Naloxon. Das bringt ihn gleich zurück. Wie Zauberei – hast du das mal gesehen? Du hast sofort Entzugserscheinungen. Du fühlst dich beschissen, aber du lebst.«

»Sie sollten ihn ins Krankenhaus bringen.«

»Wieso?«, fragte Boris nüchtern. »Was machen sie in der Notaufnahme? Sie geben ihm Naloxon, sonst gar nichts. Das kann Horst schneller. Und ja – er wird kotzend zu sich kommen und das Gefühl haben, man hätte ihm ein Messer in den Schädel gestoßen, aber besser da als im Krankenwagen, BUUUMM, Hemd aufgeschnitten, Maske aufs Gesicht geknallt, Leute klatschen ihm ins Gesicht, um ihn wach zu halten, das Gesetz kommt ins Spiel, alle sind hart und voreingenommen – glaub mir, Naloxon ist ein sehr, sehr brutales Erlebnis, und dir geht's dreckig genug ohne Krankenhaus, das helle Licht, und alle sind ablehnend und feindselig und behandeln dich wie Scheiße, ›Drogensüchtiger‹, ›Überdosis‹, und all die fiesen Blicke, und vielleicht lassen sie dich nicht nach Hause gehen, wann du willst, sondern stecken dich in die Psychiatrie, und der Sozialarbeiter kommt reinmarschiert und hält dir eine große Rede über die vielen Dinge, für die es sich zu leben lohnt, und zu allem Überfluss kriegst du dann noch netten Besuch von den Cops – Moment mal«, sagte er und fing an, Ukrainisch ins Telefon zu sprechen.

Dunkelheit. Parkbänke unter der dunstigen Corona der Straßenlaternen glatt vom Regen, tropf tropf tropf, Bäume triefend und schwarz. Durchweichte Fußwege, tief unter dem Laub, ein paar einzelne Büroangestellte, eilig auf dem Heimweg. Boris – den Kopf gesenkt, die Hände in den Taschen, starrte er zu Boden – hatte sein Telefongespräch beendet und murmelte vor sich hin.

»Sorry, was?« Ich sah ihn von der Seite an.

Boris presste die Lippen zusammen und warf den Kopf zurück. »Ulrika«, sagte er finster. »Diese Bitch. Sie hat die Tür aufgemacht.«

Ich wischte mir über die Stirn. Ich war zittrig, mir war schlecht, und ich hatte kalte Schweißausbrüche. »Woher kennst du diese Leute?«

Boris zuckte die Achseln. »Horst?« Mit einem Fußtritt schleuderte er einen Wirbel von Blättern hoch. »Wir kennen uns von früher. Myriam kenne ich durch ihn – und ich bin ihm dankbar, dass er uns bekanntgemacht hat.

»Und …?«

»Was?«

»Auf dem Fußboden dahinten?«

»Der? Der da gefallen ist?« Boris zog sein altes *Wer weiß?*-Gesicht. »Sie werden sich um ihn kümmern, keine Sorge. Das kommt vor. Die werden alle wieder, immer. Wirklich«, sagte er in ernsthafterem Ton. »Weil – hör zu, hör zu.« Er stieß mir den Ellenbogen in die Seite. »Horst hat oft solche Kids bei sich herumhängen – wechseln dauernd, immer eine neue Truppe – College, Highschool. Rich Kids, hauptsächlich, mit Treuhandfonds, die ihm Bilder oder Kunstobjekte liefern, die sie womöglich ihrer Familie klauen? Sie wissen, dass sie zu ihm kommen können. Weil«, er warf den Kopf zurück, schleuderte sich das Haar aus den Augen, »Horst selbst, als Junge, weißt du – vor langer Zeit, in den Achtzigern –, da war er auf einer von diesen schicken Jungsschulen hier, wo du diesen Blazer tragen musst. Irgendwo nicht weit von hier. Er hat's mir mal gezeigt, vom Taxi aus. Jedenfalls«, er schniefte, »der Junge auf dem Boden? Das ist kein armer Straßenjunge. Und sie werden nicht zulassen, dass ihm was passiert. Hoffen wir nur, er lernt seine Lektion. Viele von denen tun's. Ihm wird im ganzen Leben nie wieder so schlecht sein wie nach der Naloxon-Spritze. Außerdem ist Candy Krankenschwester, und sie kümmert sich um ihn, wenn er wieder zu sich kommt. Candy? Die Brünette?« Er gab mir noch einen Rippenstoß, als ich nicht antwortete. »Hast du sie gesehen?« Er gluckste. »Die hier …?« Er langte nach unten und strich mit der Fingerspitze quer über seiner Kniescheibe entlang, um zu zeigen, wo ihre Stiefel endeten. »Sie ist der Wahnsinn. Gott, wenn ich sie von diesem Typen Niall loseisen könnte, dem Iren – ich würde es tun. Wir waren mal auf Coney Island, nur wir beide, und ich hatte noch nie so viel Spaß. Sie strickt gern Pullover, kannst du dir das vorstellen?« Er sah mich aus dem Augenwinkel verschlagen an. »Eine solche Frau – würdest du annehmen, sie ist Frau, die gern Pullover strickt? Aber tut sie! Hat mir auch einen angeboten! Im Ernst! ›Boris, ich stricke dir Pullover, wann du willst. Sag mir nur, welche Farbe, und ich tu's!‹«

Er wollte mich aufmuntern, aber ich war immer noch zu erschüttert, um zu reden. Eine Zeitlang gingen wir beide mit gesenktem Kopf nebeneinander her, und man hörte nur das Geräusch unserer Absätze auf dem dunklen Parkweg. Unsere Schritte hallten ins Endlose und weit über die nächtliche Stadt hinaus, die um uns herum riesengroß dalag. Autohupen und Sirenen klangen, als wären sie eine halbe Meile weit entfernt.

»Na«, sagte Boris und warf mir wieder einen Seitenblick zu, »zumindest hab ich es jetzt rausgekriegt, hm?«

»Was?«, fragte ich erschrocken. In Gedanken war ich immer noch bei dem Jungen und meinen eigenen Beinahe-Katastrophen: der Black-out oben im Bad bei Hobie, mein blutiger Schädel, mit dem ich auf das Waschbecken geschlagen bin. Aufwachen auf dem Küchenboden bei Carole Lombard und Carole, die mich schüttelt und schreit, ein Glück, dass es nur vier Minuten gedauert hat, wenn du in fünf Minuten nicht aufgewacht wärst, hätte ich den Krankenwagen gerufen.

»Bin ziemlich sicher. Sascha hat das Bild genommen.«

»Wer?«

Boris machte ein finsteres Gesicht. »Ulrikas Bruder, komischerweise.« Er verschränkte die Arme vor der schmalen Brust. »Und zwei Stiefel sind ein Paar, wenn du weißt, was ich meine. Sascha und Horst sind ziemlich dicke miteinander – Horst lässt nichts auf ihn kommen. Na ja. Ist schwer, Sascha nicht zu mögen – alle haben ihn gern – er ist freundlicher als Ulrika, aber unsere Persönlichkeiten haben nie zusammengepasst. Horst war geradlinig wie eine Klaviersaite, sagen alle, absolut bieder, bis er sich mit den beiden einließ. Hat Philosophie studiert … sollte das Unternehmen seines Dads leiten … und jetzt hast du ihn gesehen. Aber nie hätte ich gedacht, dass Sascha sich gegen Horst wendet, nicht in hundert Jahren. Hast du zugehört da drin?«

»Nein.«

»Na, Horst findet, Saschas Wort ist Gold wert, aber ich bin da nicht so sicher. Und ich glaube auch nicht, dass das Bild in Irland ist. Nicht mal Niall, der Ire, glaubt das. Es geht mir gegen den Strich, dass sie wieder da ist, Ulrika. Ich kann nicht einfach sagen, was ich denke. Denn«, die Hände tief in den Taschen, »es wundert mich ein bisschen, dass Sascha so was wagt, und ich wage nicht, es Horst zu sagen, aber ich glaube, gibt es keine andere Erklärung – ich glaube, der ganze Deal ist schiefgegangen, mit Festnahmen, Cops, das alles, das war nur ein Vorwand für Sascha, um mit dem Bild abzuhauen. Horst hat Dutzende von Leuten, die von ihm leben – er ist viel zu sanft und vertrauensvoll, eine milde Seele, weißt du, glaubt immer nur das Beste von den Menschen. Er kann sich von Sascha und Ulrika bestehlen lassen, schön. Aber mich werden sie nicht bestehlen.«

»Hm.« Ich hatte nicht viel von Horst gesehen, aber wie eine besonders milde Seele hatte er auf mich nicht gewirkt.

Boris runzelte die Stirn und plantschte durch die Pfützen. »Aber da ist ein Problem. Der Typ von Sascha? Mit dem er mich zusammengebracht hat? Sein wahrer Name? Keine Ahnung. Er hat sich ›Terry‹ genannt, aber das stimmte nicht. Ich benutzte meinen Namen ja auch nicht, aber ›Terry‹, für einen Kanadier – verdammt, ich bitte dich! Er war aus der Tschechischen Republik und hieß genauso wenig Terry White wie ich! Ich glaube, er ist ein Straßengangster, frisch aus dem Knast, dumm und ungebildet, ein Vieh, schlicht und einfach. Ich glaube, Sascha hat ihn irgendwo aufgegriffen, um ihn als Lockvogel zu benutzen. Hat er ihm Anteil dafür gegeben, dass er den Deal schmeißt – Peanuts-Anteil wahrscheinlich. Aber ich weiß, wie ›Terry‹ aussieht, und ich weiß, er hat Verbindungen nach Antwerpen. Werde ich meinen Jungen Cherry anrufen und ihn drauf ansetzen.«

»Cherry?«

»Ja – ist *klítschka* meines Jungen Victor. Wir nennen ihn so, weil seine Nase ist rot, aber auch, weil sein russischer Name, Witja, ist ähnlich wie das russische Wort für ›Kirsche‹. Außerdem gibt es berühmte Soap in russischen Fernsehen, heißt *Winterkirsche* – na ja, ist schwer zu erklären. Ich ziehe Witja auf mit dieser Serie, und er ärgert sich. Jedenfalls – Cherry kennt alles und jeden, hört alle Insidergespräche. Zwei Wochen, bevor etwas passiert – du hörst es von Cherry. Also mach dir keine Sorgen um deinen Vogel, okay? Ich bin ziemlich sicher, wir kriegen das alles wieder hin.«

»Was heißt, wir kriegen es hin?«

Boris schnaufte genervt. »Das ist ein geschlossener Kreis, verstehst du? Horst hat den Nagel auf den Kopf getroffen. *Niemand* wird dieses Bild kaufen. Es ist unverkäuflich. Aber auf dem Schwarzmarkt, als Tauschwährung? Da kann es in alle Ewigkeit hin und her gehen. Es ist wertvoll, es ist transportabel. In Hotelzimmern – hin und her. Drogen, Waffen, Mädchen, Cash – was du willst.«

»Mädchen?«

»Mädchen, Jungen, was weiß ich. Halt, halt«, er hob die Hand, »ich hab mit so was nichts zu tun. Ich wäre als Junge selbst mal beinahe verkauft worden – diese Schlangen sind überall in der Ukraine, früher jedenfalls, an jeder Ecke, in jedem Bahnhof, und ich sage dir, wenn du jung und unglücklich genug bist, kommt es dir vor wie ein gutes Geschäft. Ein ganz normaler Typ verspricht dir Restaurantjob in London oder so, gibt dir Flugticket und Pass – ha! Ehe du dichs versiehst, wachst du in irgendeinem Keller auf, am Handgelenk angekettet. Würde ich so etwas niemals anfassen. Ist Unrecht. Aber es kommt vor. Und nachdem ich das Bild aus der Hand gegeben habe und Horst es auch nicht mehr hat – wer weiß, wofür es dann eingetauscht wird? Hat es diese Gruppe, hat es jene Gruppe. Der Punkt ist«, er hielt einen Finger hoch, »dein Bild wird nicht in der Sammlung eines kunstverrückten Oligarchen verschwinden. Dafür ist es zu berühmt. Niemand will es kaufen. Warum auch? Was kann man damit anfangen? Nichts. Solange die Polizei es nicht findet – und sie *hat* es nicht gefunden, das wissen wir …«

»Ich will aber, dass die Polizei es findet.«

»Tja«, Boris rieb sich zügig die Nase, »ja, ist ganz edel. Aber vorläufig weiß ich nur eins: Es *wird* sich bewegen, und zwar nur innerhalb eines sehr kleinen Netzwerks. Und Victor Cherry ist ein großartiger Freund, der mir eine Menge schuldet. Also – Kopf hoch!« Er nahm meinen Arm. »Brauchst nicht so bleich und krank auszusehen! Und wir sprechen uns bald wieder, versprochen.«

XVIII

Unter einer Straßenlaterne, wo Boris mich zurückgelassen hatte (»Kann dich nicht nach Hause fahren! Komme schon zu spät! Muss noch wohin!«), war ich erst mal so verwirrt, dass ich mich umschauen musste, um mich zu orientieren – die schaumig graue, grell demente Barockfassade des Alwyn Court, die Flutlichtbeleuchtung der durchbrochenen Front, die Weihnachtsdekoration am Eingang des Restaurants Petrossian, das alles schlug einen Gong in den Tiefen meiner Erinnerung an: Dezember, meine Mutter mit einer Schneemütze – *Hier, Baby, ich laufe rasch um die Ecke und kaufe uns Croissants zum Frühstück …*

Ich war so abgelenkt, dass ein Mann, der um die Ecke geeilt kam, mit mir zusammenstieß. »Passen Sie doch auf!«

»Sorry«, sagte ich und rüttelte mich wach. Obwohl der andere schuld war – zu sehr damit beschäftigt, in sein Telefon zu tröten und zu quaken, um noch darauf zu achten, wo er hinging –, richteten mehrere Leute auf dem Gehweg missbilligende Blicke auf mich.

Erschöpft und durcheinander strengte ich mich an, mir zu überlegen, was ich jetzt tun sollte. Ich konnte mit der U-Bahn hinunter zu Hobie fahren, wenn ich Lust hätte, mit der U-Bahn zu fahren, aber Kitseys Apartment war näher. Sie und ihre Mitbewohnerinnen Francie und Em würden irgendwo auf ihrem Mädelsabend sein (SMS zu schicken oder anzurufen hätte keinen Sinn, das wusste ich aus Erfahrung, denn meistens gingen sie ins Kino), aber ich hatte einen Schlüssel, und ich könnte mir dort etwas zu trinken machen und mich hinlegen und auf sie warten.

Es hatte aufgeklart, und der Wintermond schien hell durch eine Lücke in den Unwetterwolken. Ich setzte mich in östlicher Richtung in Bewegung, und ab und zu blieb ich stehen und versuchte, ein Taxi anzuhalten. Normalerweise ging ich nicht zu Kitsey, ohne vorher anzurufen, hauptsächlich, weil mir nicht viel an ihren Mitbewohnerinnen lag. Ihnen an mir auch nicht, aber trotz Francie und Em und unserem steifen Smalltalk in der Küche war Kitseys Apartment einer der wenigen Orte in New York, an denen ich mich wirklich sicher fühlte. Bei Kitsey konnte mich niemand erreichen. Es wirkte immer irgendwie provisorisch; sie hatte nicht viele Kleider dort, sondern lebte hauptsächlich aus einem Koffer, der auf einem Gestell am Fußende ihres Bettes stand. Aus unerklärlichen Gründen gefiel mir die leere, beruhigende Anonymität der Wohnung, die fröhlich, aber sparsam mit abstrakt gemusterten Teppichen und modernen Möbeln aus einem preiswerten Designerladen eingerichtet war. Ihr Bett war bequem, die Leselampe war gut, und sie hatte einen großen Plasmafernseher, sodass wir im Bett liegen und Filme angucken konnten, wenn wir wollten. Der Edelstahlkühlschrank war immer gut gefüllt mit Mädchenzeug: Humus und Oliven, Kuchen und Champagner, Unmengen von Fertigpackungen mit albernen vegetarischen Salaten und einem halben Dutzend Sorten Eis.

Ich wühlte den Schlüssel aus der Tasche und schloss geistesabwesend die Tür auf (ich überlegte, was ich wohl zu essen finden würde? Würde ich etwas kommen lassen müssen? Sie hatte wahrscheinlich schon gegessen, es hätte also keinen Sinn, damit zu warten), und beinahe wäre ich mit der Nase gegen die Tür gerannt, als die Türkette sich spannte.

Ich schloss die Tür und stand einen Moment lang verblüfft da. Dann öffnete ich sie wieder so weit, dass sie klirrend an die Kette stieß: das rote Sofa, Architekturdrucke an den Wänden, eine brennende Kerze auf dem Couchtisch.

»Hallo?«, rief ich und noch einmal, lauter: »Hallo?«, als sich drinnen etwas regte.

Ich hatte genug Lärm gemacht, um die Nachbarn zu alarmieren, als Emily nach sehr langer Zeit, wie mir schien, an die Tür kam und mich durch den Spalt anschaute. Sie trug einen vergammelten Pullover, wie man ihn nur zu Hause trägt, und eine knallig gemusterte Hose von der Sorte, die den Hintern viel größer aussehen lässt.

»Kitsey ist nicht hier«, sagte sie ausdruckslos, ohne die Kette abzunehmen.

»Schön, das weiß ich«, sagte ich gereizt. »Das ist okay.«

»Ich weiß nicht, wann sie wiederkommt.« Emily hatte ich das erste Mal als mondgesichtige Neunjährige gesehen, als sie mir in der Wohnung der Barbours eine Tür vor der Nase zugeschlagen hatte. Sie hatte nie ein Geheimnis daraus gemacht, dass sie fand, ich sei nicht gut genug für Kitsey.

»Und, kannst du mich bitte reinlassen?«, sagte ich verärgert. »Ich will auf sie warten.«

»Sorry. Ist kein guter Augenblick.« Emily trug ihr weizenbraunes Haar immer noch kurz geschnitten und mit einem Pony, wie sie es schon als Kind getan hatte, und der Anblick ihres Kiefers – vorgeschoben wie schon im zweiten Schuljahr – ließ mich an Andy denken, der sie immer gehasst hatte: Emma Dilemma. Emmazipation.

»Das ist doch albern. Komm, lass mich rein«, sagte ich gereizt, aber sie stand nur ungerührt im Türspalt und schaute mir nicht in die Augen, sondern irgendwo seitlich an den Kopf. »Hör zu, Em, ich möchte nur in ihr Zimmer gehen und mich hinlegen …«

»Ich glaube, du kommst besser später noch mal. Sorry«, sagte sie in das fassungslose Schweigen hinein, das jetzt folgte.

»Hör mal, es ist mir egal, was du machst …« Francie, die andere Mitbewohnerin, hielt wenigstens den Anschein eines zivilisierten Umgangs aufrecht. »Ich will dich nicht behelligen. Ich will nur …«

»Sorry. Ich glaube, es ist besser, du gehst. Denn – denn – hör zu, ich wohne hier«, sagte sie, und ihre Stimme übertönte meine.

»Du meine Güte. Das ist nicht dein Ernst.«

»… ich wohne hier!« Ihre Lider flatterten vor Unbehagen. »Das ist meine Wohnung, und du kannst hier nicht einfach hereinplatzen, wann es dir passt.«

»Nun mach mal halblang!«

»Und, und«, sie war auch aufgebracht, »hör zu, ich kann dir nicht helfen, es ist wirklich ein schlechter Moment, und du solltest besser einfach gehen. Okay? Sorry.« Sie fing an, die Tür zu schließen. »Wir sehen uns auf der Party.«

»Was?«

»Auf eurer *Verlobungsparty*?« Emily öffnete die Tür noch einmal ein winziges Stück weit und starrte mich an, sodass ich einen Moment lang ihr aufgewühltes blaues Auge sehen konnte, bevor die Tür ins Schloss fiel.

XIX

Ein paar Augenblicke lang stand ich in der plötzlichen Stille, die den Hausflur ausfüllte, und starrte auf den Spion in der geschlossenen Tür. Mir war, als hörte ich Em eine Handbreit hinter der geschlossenen Tür, wo sie genauso schwer atmete wie ich.

Na, das war's, du bist von der Liste der Brautjungfern gestrichen, dachte ich, und ich wandte mich ab und polterte demonstrativ laut die Treppe hinunter. Ich war gleichzeitig wütend und seltsam erheitert von diesem Zwischenfall, der eine Bestätigung all meiner lieblosen Gedanken war, die ich je für Emily gehegt hatte. Kitsey hatte sich schon mehr als einmal für Ems »brüske Art« entschuldigt, aber das hier setzte dem Ganzen doch, um es mit Hobies Worten zu sagen, die Krone auf. Wieso war sie nicht mit den anderen im Kino? Hatte sie einen Mann bei sich? Em hatte zwar dicke Waden und war nicht besonders attraktiv, aber sie hatte einen Freund, einen Blindgänger namens Bill, der im Management bei der Citibank arbeitete.

Schwarz glänzende Straßen. Ich trat aus dem Haus und drückte mich in den Eingang des Blumengeschäfts nebenan, um meine Mailbox abzuhören und Kitsey für alle Fälle eine SMS zu schicken, bevor ich Richtung Downtown fuhr. Wenn sie gerade aus dem Kino käme, könnte ich mich mit ihr noch zum Essen und auf einen Drink treffen (allein, ohne die Freundinnen, denn dieses schräge Erlebnis verlangte geradezu danach), um mich – unbedingt spekulativ und humorig – über Ems Benehmen zu unterhalten.

Hell erleuchtetes Schaufenster. Leichenkammerlicht aus der Kühlvitrine. Hinter der neblig beschlagenen Scheibe, an der das Wasser rieselte, geflügelte Orchideenrispen, bebend im Luftzug des Ventilators: geisterhaft weiß, lunar, engelsgleich. Weiter vorn standen die abgefahreneren Exemplare, die zum Teil ein paar tausend Dollar kosteten: haarig und geädert, sommersprossig und gezahnt und blutfleckig und teufelsgesichtig, in Farben, die von Leichenschimmel bis Bluterguss-Magenta reichten. Da stand sogar eine schwarze Orchidee, deren graue Wurzeln sich aus dem moospelzigen Topf schlängelten. (»Bitte, Darling«, hatte Kitsey gesagt und meine Pläne für Weihnachten intuitiv ganz zutreffend erahnt, »du darfst nicht mal dran denken, die sind alle viel zu prachtvoll, und sie gehen ein, sobald ich sie anrühre.«)

Keine neuen Nachrichten. Schnell schrieb ich eine SMS: Hey ruf mich an, muss mit dir reden, grad ist was Irres passiert xxxx, und um sicher zu sein, dass sie noch im Kino war, wählte ich noch einmal ihre Handynummer. Aber als der Anruf klickend zur Mailbox umgeleitet wurde, sah ich ein Spiegelbild im Schaufenster, in den dschungelgrünen Tiefen des Ladens, und ungläubig drehte ich mich um.

Er war Kitsey in ihrem pinkfarbenen Prada-Mantel, mit gesenktem Kopf und Arm in Arm flüsternd mit einem Mann, den ich kannte – ich hatte ihn seit Jahren nicht gesehen, aber identifizierte ihn sofort an der unveränderten Schulterhaltung und dem locker schlenkernden Gang: Tom Cable. Sein krauses braunes Haar war immer noch lang, er war immer noch gekleidet wie die reichen Kiffer-Kids in unserer Schule (Tretorn-Schuhe, großer dick gestrickter irischer Pullover ohne Jacke), und er trug eine Tüte aus der Weinhandlung am Arm, aus derselben Weinhandlung, in der Kitsey und ich uns manchmal noch eine Flasche holten. Aber was mich erstaunte: Kitsey, die *mich* immer mit etwas Abstand an der Hand hielt – sie zog mich dann hinter sich her und schwang meinen Arm neckisch hin und her wie ein Kind, das »London Bridge« spielte –, Kitsey schmiegte sich tief und sorgenvoll an seine Seite. Ich beobachtete sie mit leerem Kopf angesichts dieses unfassbaren Anblicks – sie warteten an der Ampel, ein Bus rauschte vorbei, und sie waren zu sehr ineinander vertieft, als dass sie mich bemerkt hätten –, und Cable, der leise mit ihr redete, zerzauste ihr das Haar, und dann drehte er sich um, zog sie an sich und küsste sie, und sie erwiderte den Kuss mit mehr trauriger Zärtlichkeit, als sie mir gegenüber jemals in einem Kuss gezeigt hatte.

Und mehr noch, ich sah – sie überquerten jetzt die Straße, und ich drehte ihnen rasch den Rücken zu, und ich konnte sie im Schaufenster gut sehen, als sie nur wenige Schritte weit entfernt Kitseys Apartmenthaus betraten –, dass Kitsey aufgewühlt war. Sie sprach leise, mit gedämpfter Stimme, heiser vor Aufgebrachtheit, und sie lehnte sich dabei an Cable und schmiegte die Wange an seinen Ärmel, während er liebevoll um sie herumlangte und ihren Arm drückte. Ich konnte nicht verstehen, was sie sagte, aber ihr Ton sprach Bände: Bei aller Traurigkeit war ihre Freude an ihm – und seine an ihr – unverkennbar. Jeder Fremde auf der Straße hätte das gesehen. Und als sie an mir vorüberschwebten – zwei zärtliche Geister, die sich im Schaufenster aneinanderlehnten –, beobachtete ich, wie sie kurz die Hand hob und sich eine Träne von der Wange strich, und musste unversehens verwundert die Augen bei diesem Anblick zusammenkneifen: Ich sah Kitsey, so unwahrscheinlich es auch war, zum allerersten Mal weinen.

XX

Einen Großteil der Nacht lag ich wach, und als ich am nächsten Tag hinunterging, um den Laden zu öffnen, war ich so in Gedanken versunken, dass ich eine halbe Stunde lang dasaß und ins Leere starrte, bevor ich merkte, dass ich vergessen hatte, das »Closed«-Schild umzudrehen.

Kitseys Ausflüge in die Hamptons, zweimal die Woche. Fremde Nummern auf dem Display, schnell wieder aufgelegt. Kitsey, wie sie während des Essens stirnrunzelnd auf ihr Telefon schaute und es abschaltete: »Oh, das war Em. Oh, das war Mommy. Oh, das war eine Telemarketingfirma, die haben mich auf irgendeiner Liste.« SMS, mitten in der Nacht, Echolot-Impulse, bläuliches Sonarflimmern an der Wand, und Kitsey, wie sie mit bloßem Hintern aus dem Bett sprang, um das Ding abzuschalten, die Beine weiß schimmernd im Dunkeln. »Oh, eine falsche Verbindung. Oh, das war Toddy, er ist irgendwo betrunken.«

Und beinahe ebenso niederschmetternd: Mrs. Barbour. Ihre leichte Hand in kniffligen Situationen war mir wohlbekannt – ihre Fähigkeit, delikate Angelegenheiten hinter den Kulissen zu regeln –, und auch wenn sie mich, soweit ich wusste, nicht regelrecht belogen hatte, musste sie doch Informationen ausgelassen und zurechtgeschliffen haben. Alle möglichen Kleinigkeiten fielen mir plötzlich ein, zum Beispiel der Augenblick vor einigen Monaten, als ich zu Mrs. Barbour hereingekommen war und gehört hatte, wie sie, nachdem es geläutet hatte, mit leiser, eindringlicher Stimme an der Sprechanlage zum Portier gesagt hatte: *Nein, das interessiert mich nicht, lassen Sie ihn nicht herauf, halten Sie ihn unten fest.* Und keine dreißig Sekunden später war Kitsey, nachdem sie ihre SMS gecheckt hatte, hereingehüpft und hatte ganz unerwartet verkündet, sie gehe kurz mit Ting-a-Ling und Clemmy eine Runde um den Block! Trotz des unübersehbar frostigen Missfallens, das über Mrs. Barbours Gesicht hinweggezogen war, und der erneuerten Wärme und Energie, mit der sie sich – als die Tür sich hinter Kitsey geschlossen hatte – zu mir umdrehte und meine Hand ergriff, hatte ich mir nichts dabei gedacht.

Wir waren am heutigen Abend verabredet; ich sollte mit ihr auf die Geburtstagsparty einer Freundin gehen und nachher noch auf der Party einer anderen Freundin vorbeischauen. Kitsey hatte nicht angerufen, aber sie hatte mir eine vorsichtige SMS geschickt: Theo, was läuft? Bin auf der Arbeit. Ruf mich an. Ich starrte die Nachricht immer noch verständnislos an und überlegte, ob ich antworten sollte oder nicht – was konnte ich sagen? –, als Boris in den Laden gestürmt kam. »Ich habe Neuigkeiten.«

»Ach ja?«, sagte ich nach kurzer Pause abwesend.

Er wischte sich über die Stirn. »Wir können hier reden?« Er sah sich um.

»Äh …« Ich schüttelte den Kopf, um ihn zu klären. »Ja, sicher.«

»Mein Kopf ist schläfrig heute.« Er rieb sich das Auge. Sein Haar stand in alle Himmelsrichtungen vom Kopf ab. »Brauche einen Kaffee. Nein, keine Zeit«, sagte er matt und hob die Hand. »Kann mich auch nicht hinsetzen. Kann nur eine Minute bleiben. Aber – gute Nachrichten, ich habe gute Spur zu deinem Bild.«

»Inwiefern?« Ich erwachte jäh aus dem Kitsey-Nebel.

»Ja, das werden wir bald sehen«, sagte er ausweichend.

»Wo«, ich bemühte mich um Konzentration, »wo ist es denn? Wo haben sie es hingebracht?«

»Diese Fragen kann ich nicht beantworten.«

»Es …« Ich hatte große Mühe, meine Gedanken zu sammeln. Ich holte tief Luft, zog mit dem Daumen einen Strich über den Schreibtisch, blickte auf …

»Ja?«

»Es muss bei einer bestimmten Temperatur aufbewahrt werden, bei einer bestimmten Luftfeuchtigkeit – aber das weißt du, oder?« Das war eine fremde Stimme, nicht meine. »Die dürfen es nicht in einer feuchten Garage oder so was lagern.«

Boris spitzte auf seine alte, spöttische Art die Lippen. »Glaub mir, Horst hat sich um das Bild gekümmert, als ob es sein eigenes Baby wäre. Aber natürlich«, er schloss die Augen, »von diesen Typen kann ich das nicht sagen. Leider muss ich berichten, sie sind keine Genies. Wir müssen hoffen, sie haben genug Verstand, es nicht hinter dem Pizza-Ofen zu verstecken. Ein Scherz«, sagte er obenhin, als er sah, dass ich ihn entsetzt anstarrte. »Aber nach dem, was ich höre, ist es in einem Restaurant oder in der Nähe eines Restaurants. Im selben Gebäude jedenfalls. Wir reden später darüber«, sagte er und hob die Hand.

»Hier?«, fragte ich ungläubig. »In der Stadt?«

»Später. Das hat Zeit. Aber hier ist was anderes.« Sein Ton drängte mich, leise zu sprechen, und er schaute sich über meinen Kopf hinweg im Laden um. »Hör zu, hör zu. Das wollte ich dir nämlich eigentlich erzählen. Horst – der wusste nicht, dass du Decker heißt, bis er mich heute am Telefon danach gefragt hat. Kennst du einen Kerl namens Lucius Reeve?«

Ich setzte mich. »Warum?«

»Horst sagt, man soll sich von ihm fernhalten. Horst weiß, du bist Antiquitätenhändler, aber die Verbindung zu dieser anderen Sache hat er erst hergestellt, als er deinen Namen hörte.«

»Zu welcher anderen Sache?«

»Horst wollte nicht weiter darauf eingehen. Ich weiß nicht, was du mit diesem Lucius zu tun hast, aber Horst sagt, man soll sich von ihm fernhalten, und ich dachte, es ist wichtig, dass du es sofort erfährst. Er ist Horst in einer ganz anderen Sache böse in die Quere gekommen, und Horst hat Martin auf ihn angesetzt.«

»Martin?«

Boris wedelte mit der Hand. »Du kennst Martin nicht. Glaub mir, sonst würdest du dich erinnern. Jedenfalls ist es in deinem Geschäft nicht gut, was mit Lucius zu tun zu haben.«

»Ich weiß.«

»Woher kennst du ihn? Wenn ich fragen darf?«

»Ich …« Wieder schüttelte ich den Kopf. Es war unmöglich, darauf näher einzugehen. »Ist kompliziert.«

»Na, ich weiß nicht, was er von dir will. Wenn du Hilfe brauchst, kriegst du natürlich, das verspreche ich dir. Von Horst auch, möchte ich behaupten – er mag dich. War nett, ihn gestern so aufmerksam und redselig zu sehen. Ich glaube, er kennt nicht so viele Leute, bei denen er er selbst sein und mit denen er seine Interessen teilen kann. Ist traurig für ihn. Sehr intelligent, Horst. Hat viel zu geben. »Aber«, er sah auf die Uhr, »sorry, ich will nicht unhöflich sein, aber ich muss weg. Bin sehr hoffnungsvoll bei dem Bild! Ich glaube, möglicherweise kriegen wir es zurück.« Er stand auf und klopfte sich mit der Faust tapfer ans Brustbein. »Mut! Wir sprechen uns.«

»Boris?«

»Hm?«

»Was würdest du tun, wenn deine Freundin dich betrügt?«

Boris war auf dem Weg zur Tür, aber jetzt blieb er wieder stehen. »Noch mal?«

»Wenn du dächtest, dass deine Freundin dich betrügt?«

Boris runzelte die Stirn. »Du bist nicht sicher? Hast keinen Beweis?«

»Nein«, sagte ich, aber dann wurde mir klar, dass diese Antwort nicht ganz der Wahrheit entsprach.

»Dann musst du sie fragen, ganz direkt«, sagte Boris mit Entschiedenheit. »In einem freundlichen, ungeschützten Augenblick, wenn sie nicht damit rechnet. Im Bett zum Beispiel. Wenn du sie im richtigen Moment erwischst – selbst wenn sie lügt, weißt du Bescheid. Sie wird die Nerven verlieren.«

»Nicht diese Frau.«

Boris lachte. »Na, dann hast du eine gute gefunden. Ein seltenes Exemplar! Ist sie schön?«

»Ja.«

»Reich?«

»Ja.«

»Intelligent?«

»Die meisten Leute würden sagen, ja.«

»Herzlos?«

»Ein bisschen.«

Boris lachte. »Und du liebst sie, ja. Aber nicht zu sehr.«

»Warum sagst du das?«

»Weil du nicht wütend wirst, nicht wild, nicht traurig. Du rennst nicht brüllend los, um sie mit bloßen Händen zu erwürgen. Das bedeutet, deine Seele ist nicht wirklich mit ihrer vermischt. Und das ist gut. Meine Erfahrung ist: Halte dich fern von denen, die du zu sehr liebst. Das sind diejenigen, die dich umbringen werden. Was du brauchst, um glücklich auf der Welt zu leben, ist eine Frau, die ein eigenes Leben hat und dich deins leben lässt.«

Er klopfte mir zweimal auf die Schulter und ging, und ich starrte in die Silberschatulle und empfand neue Verzweiflung über mein verpfuschtes Leben.

XXI

Als Kitsey mir an diesem Abend die Tür öffnete, war sie nicht ganz so gefasst, wie sie es hätte sein können. Sie redete von mehreren Dingen gleichzeitig: sie wollte ein neues Kleid kaufen, hatte es anprobiert, sich nicht entscheiden können und es zurücklegen lassen. Riesenunwetter in Maine, tonnenweise Bäume umgestürzt, die alten auf der Insel, Onkel Harry hat angerufen, so traurig! »Ach, Darling«, sie flatterte anbetungswürdig hin und her und streckte sich auf die Zehenspitzen, um die Weingläser herunterzuholen, »könntest du wohl? Bitte?« Em und Francie, ihre Mitbewohnerinnen, waren nirgends zu sehen, als hätten sie und ihre Freunde sich vor meiner Ankunft weise verdrückt. »Ach, lass nur, ich hab sie schon. Hör mal, ich hatte eine ganz tolle Idee. Lass uns ein Curry essen, bevor wir bei Cynthia vorbeigehen. Ich hab total Lust drauf. Wie heißt diese Kaschemme auf der Lexington, wo du mit mir gewesen bist? Das Mahal So-und-so?«

»Du meinst diese Absteige?«, sagte ich mit versteinerter Miene. Ich hatte mir nicht mal die Mühe gemacht, den Mantel auszuziehen.

»Wie bitte?«

»Mit dem fettigen Rogan Josh. Und den alten Leuten, die du so deprimierend fandst. Den Bloomingdale's-Verkäufern.« Das »Jal Mahal Restuarant« (so hieß es wirklich) war ein schäbiger Inder, versteckt im ersten Stock einer Ladenreihe an der Lexington Avenue, in dem sich nichts geändert hatte, seit ich klein war – nicht die Pappaufsteller, nicht die Preise, nicht der von einem Wasserschaden an den Fenstern rosa verblasste Teppich, nicht mal die Kellner mit ihren schwerfälligen, seligen, sanften Gesichtern, an die ich mich aus meiner Kindheit erinnern konnte, als meine Mutter und ich nach dem Kino dort Samosas und Mango-Eis gegessen hatten. »Na klar, warum nicht? ›Das traurigste Restaurant von Manhattan‹. Eine tolle Idee.«

Sie drehte sich zu mir um und runzelte die Stirn. »Was auch immer. Das Baluchi ist näher. Oder wir machen, was du möchtest.«

»Ach ja?« Ich lehnte mich an den Türrahmen und schob die Hände in die Taschen. Das jahrelange Zusammenleben mit einem Lügner von Weltklasse hatte mich gnadenlos werden lassen. »Was *ich* möchte? Das ist wirklich gut.«

»Entschuldige. Ich dachte, ein Curry wäre doch schön. Vergiss es.«

»Schon okay. Du kannst jetzt aufhören.«

Sie hob den Kopf, und ein leeres Lächeln trat auf ihr Gesicht. »Wie bitte?«

»Komm mir nicht so. Du weißt ganz genau, wovon ich rede.«

Sie antwortete nicht. Eine Falte erschien auf ihrer hübschen Stirn.

»Vielleicht lernst du jetzt, dein Telefon eingeschaltet zu lassen, wenn du mit ihm zusammen bist. Sie hat sicher versucht, dich auf der Straße anzurufen.«

»Entschuldige, aber ich weiß nicht …«

»Kitsey, ich habe euch gesehen.«

»O bitte.« Sie blinzelte und schwieg einen Moment lang. »Das kann nicht dein Ernst sein. Du meinst doch nicht Tom, oder? Wirklich, Theo«, sagte sie in die tödliche Stille hinein, »Tom ist ein alter Freund, von ganz früher, und wir stehen uns wirklich nah …«

»Ja, das habe ich gesehen.«

»… und er ist auch Ems Freund, und, und, ehrlich«, ihre Lider flatterten wild, und sie spielte jetzt die zu Unrecht Beschuldigte, »ich weiß, wie es vielleicht ausgesehen hat, und ich *weiß*, du kannst Tom nicht leiden, und dafür hast du auch gute Gründe. Ich weiß von den Sachen, die gelaufen sind, als deine Mutter gestorben ist, und es stimmt, er hat sich wirklich übel benommen, aber er war noch ein Junge, und er hat wirklich ein schlechtes Gewissen deshalb …«

»Ein *schlechtes Gewissen*?«

»… aber er hat gestern Abend schlimme Nachrichten bekommen«, fuhr sie hastig fort, wie eine Schauspielerin, die mitten im Monolog unterbrochen wurde. »Schlimme Nachrichten für ihn selbst …«

»Du redest mit ihm über mich? Ihr zwei sitzt da herum und redet über mich und habt Mitleid mit mir?«

»… und er ist hierher gekommen, weil er uns sehen wollte, Em und mich, uns beide, aus heiterem Himmel, kurz bevor wir ins Kino gehen wollten, und deshalb sind wir hiergeblieben und nicht mit den andern losgezogen, da kannst du Em fragen, wenn du mir nicht glaubst, aber er konnte einfach nirgendwo anders hin, es ging ihm schlecht, etwas Persönliches, und er brauchte nur jemanden zum Reden, und was sollten wir da …«

»Du erwartest doch nicht, dass ich das glaube, oder?«

»Hör zu. Ich weiß nicht, was Em dir erzählt hat …«

»Sag mal, hat Cables Mutter immer noch das Haus in East Hampton? Ich erinnere mich, dass sie ihn immer stundenlang im Country Club abgesetzt hat, nachdem sie das Kindermädchen gefeuert hatte – besser gesagt, nachdem das Kindermädchen gekündigt hatte. Tennisunterricht, Golfunterricht. Wahrscheinlich ist er ein ziemlich guter Golfer geworden, oder?«

»Ja«, sagte sie kühl, »er ist ziemlich gut.«

»Ich könnte jetzt was ziemlich Billiges sagen, aber das lasse ich lieber.«

»Theo. Lass uns das nicht tun.«

»Darf ich dir meine Theorie vortragen? Oder hast du was dagegen? Mit ein paar Kleinigkeiten liege ich sicher daneben, aber ich glaube, im Prinzip ist sie zutreffend. Ich weiß, dass du dich mit Tom getroffen hast; Platt hat es mir erzählt, als ich ihm auf der Straße begegnet bin, und er klang dabei nicht sonderlich begeistert. Ja, ja«, sagte ich, und meine Stimme klang genauso hart und tot, wie ich mich innerlich fühlte, »schon gut. Du brauchst dich nicht herauszureden. Die Mädchen haben Cable immer gemocht. Ein lustiger Typ, sehr unterhaltsam, wenn er will. Obwohl er in letzter Zeit faule Schecks ausgestellt oder Leute im Country Club beklaut hat, oder was ich sonst noch so gehört habe ...«

»Das stimmt nicht! Das ist gelogen! Er hat niemanden bestohlen ...«

»... und Mommy und Daddy konnten Tom nie besonders gut und wahrscheinlich überhaupt nicht leiden, und als Daddy und Andy tot waren, konntest du damit nicht mehr weitermachen, jedenfalls nicht öffentlich. Mommy hätte sich zu sehr aufgeregt. Und Platt sagt, es war oft ...«

»Ich werde ihn nicht mehr sehen.«

»Du gibst es also zu.«

»Ich dachte nicht, dass es wichtig ist, solange wir nicht verheiratet sind.«

»Wieso?«

Sie strich sich eine Haarsträhne aus den Augen und sagte nichts.

»Du dachtest, es ist nicht wichtig? Wieso nicht? Dachtest du, ich komme nicht dahinter?«

Wütend blickte sie auf. »Du bist ein kalter Fisch, weißt du das?«

»Ich?« Ich schaute weg und lachte. »Ich bin hier derjenige, der kalt ist?«

»O ja. ›Der Geschädigte‹. Mit den strengen Grundsätzen.«

»Strenger als manche, wie es aussieht.«

»Es macht dir wirklich Spaß.«

»Glaub mir, das tut es nicht.«

»Ach nein? Bei deinem spöttischen Gesichtsausdruck muss ich aber davon ausgehen.«

»Und was sollte ich tun? Gar nichts sagen?«

»Ich habe ihm gesagt, ich werde ihn nicht mehr sehen, tatsächlich habe ich ihm das schon vor einer Weile gesagt.«

»Aber er ist hartnäckig. Er liebt dich. Ein Nein akzeptiert er nicht.«

Zu meiner Überraschung wurde sie rot. »Stimmt.«

»Arme kleine Kits.«

»Sei nicht gehässig.«

»Armes Baby«, sagte ich höhnisch, weil mir nichts anderes einfiel.

Sie wühlte in der Schublade nach einem Korkenzieher, und dann drehte sie sich um und sah mich betrübt an. »Hör zu«, sagte sie, »ich erwarte nicht, dass du es verstehst, aber es ist hart, die falsche Person zu lieben.«

Ich schwieg. Als ich sie beim Hereinkommen gesehen hatte, hatte mich die kalte Wut gepackt, und ich hatte mir eingeredet, sie könnte mich nicht verletzen oder mich – Gott behüte – dazu bringen, dass sie mir leidtat. Aber wer wusste besser als ich, dass sie hier die reine Wahrheit sagte?

»Hör zu«, sagte sie noch einmal und legte den Korkenzieher aus der Hand. Sie hatte die Lücke gesehen und schlug sofort zu – genau wie auf dem Tennisplatz, skrupellos auf einen schwachen Augenblick des Gegners wartend …

»Rühr mich nicht an.«

Zu hitzig. Falscher Ton. Das lief nicht richtig. Ich wollte kalt sein, die Zügel in der Hand behalten.

»Theo. Bitte.« Da war sie, die Hand auf meinem Ärmel. Die Nase zartrosa, die Augen rotgeweint – genau wie der arme alte Andy mit seinen Allergien, wie irgendein alltäglicher Mensch, mit dem man tatsächlich Mitleid haben konnte. »Es tut mir leid. Wirklich. Von ganzem Herzen. Ich weiß nicht, was ich sagen soll.«

»Ach nein?«

»Nein. Ich habe dir einen schlechten Dienst erwiesen.«

»Einen schlechten Dienst. So kann man es auch sagen.«

»Und ich meine, ich weiß, du kannst Tom nicht *leiden* …«

»Was hat denn das damit zu tun?«

»Theo. Ist es dir wirklich so schrecklich wichtig? Nein, ist es nicht, und das weißt du«, sagte sie hastig. »Nicht, wenn du darüber nachdenken musst. Außerdem«, sie schwieg kurz und wühlte sich dann weiter, »ich will dich nicht in die Enge treiben, aber ich weiß auch alles über deinen Kram, und es macht mir nichts.«

»*Kram?*«

»O bitte«, sagte sie müde. »Treib dich mit deinen schmierigen Freunden herum, nimm so viele Drogen, wie du willst. Es macht mir nichts.«

Im Hintergrund fing die Heizung an zu scheppern und machte einen Heidenlärm.

»Schau, wir sind richtig füreinander. Diese Heirat ist absolut richtig für uns beide. Du weißt es, und ich weiß es. Weil – ich meine, schau, ich *weiß* Bescheid. Du brauchst mir nichts zu sagen. Und ich meine – es ist doch auch besser geworden für dich, seit wir zusammen sind, oder? Du hast dich viel besser im Griff.«

»Ach ja? Besser im Griff? Was soll denn das bedeuten?«

»Also gut«, sie seufzte entnervt, »du brauchst mir nichts vorzumachen, Theo. Martina – Em – Tessa Margolis, erinnerst du dich an sie?«

»Scheiße.« Ich hatte gedacht, niemand wüsste etwas von Tessa.

»Alle haben versucht, es mir zu sagen. ›Halt dich fern von ihm. Er ist ein Schatz, aber er ist auch drogensüchtig.‹ Tessa hat Em erzählt, sie hätte mit dir Schluss gemacht, als sie dich dabei erwischt hatte, wie du an ihrem Küchentisch Heroin geschnupft hast.«

»Das war kein Heroin«, sagte ich hitzig. Die Idee, zerdrückte Morphintabletten zu sniffen, war keine besonders gute gewesen, die reinste Verschwendung von Tabletten. »Und außerdem hatte Tessa nicht die geringsten Skrupel bei Koks, denn sie hat mich dauernd gebeten, ihr welches zu besorgen …«

»Das ist was anderes, und das weißt du. Mommy …« Sie redete über mich hinweg.

»… ach ja? Was anderes?« Ich versuchte sie zu übertönen. »Inwiefern anders? Inwiefern?«

»… Mommy, ich schwöre – hör mir zu, Theo – Mommy liebt dich so sehr. *So* sehr. Du hast ihr das Leben gerettet, als du gekommen bist. Sie spricht, sie isst, sie interessiert sich, sie geht im Park spazieren, sie freut sich darauf, dich zu sehen – du kannst dir nicht *vorstellen,* wie sie vorher war. Du gehörst zur Familie«, sagte sie und nutzte ihren Vorteil. »Wirklich. Denn, ich meine, Andy ...«

»*Andy?*« Ich lachte ohne Heiterkeit. Andy hatte sich wirklich keine Illusionen über seine geisteskranke Familie gemacht.

»Hör zu, Theo, jetzt sei nicht so.« Sie hatte sich wieder erholt: freundlich, vernünftig – und in ihrer Direktheit hatte sie Ähnlichkeit mit ihrem Vater. »Es ist richtig, was wir tun. Zu heiraten. Wir sind ein gutes Paar. Es ist vernünftig für alle Beteiligten, nicht zuletzt für uns.«

»Ach so? Für alle Beteiligten?«

»Ja.« Absolut gelassen. »Jetzt tu nicht so, du weißt, was ich meine. Warum sollten wir zulassen, dass uns diese Sache jetzt alles verdirbt? Schließlich sind wir doch beide bessere Menschen, wenn wir zusammen sind, oder? Du und ich? Und«, ein blasses kleines Lächeln: wie ihre Mutter, »wir sind ein gutes Paar. Wir mögen einander. Wir vertragen uns.«

»Also Kopf, nicht Herz.«

»Wenn du es so ausdrücken willst – ja.« Sie sah mich mit so viel schlichtem Mitleid, aber auch Zärtlichkeit an, dass mein Zorn sich – ganz unerwartet – in nichts auflöste angesichts ihrer kühlen Intelligenz, mit sich im Reinen, klar wie eine Silberglocke. »Also«, sie streckte sich auf die Zehenspitzen und gab mir einen Kuss auf die Wange, »wollen wir brav und ehrlich und nett zueinander sein. Lass uns miteinander glücklich sein und jeden Tag unseren Spaß haben.«

XXII

Und so verbrachte ich die Nacht bei ihr. Später ließen wir uns etwas zu essen kommen und gingen dann wieder zurück ins Bett. Aber obwohl es auf einer bestimmten Ebene ganz einfach war, so zu tun, als wäre alles wie immer (denn hatten wir das in gewisser Weise nicht beide die ganze Zeit getan?), erstickte ich doch beinahe unter dem Gewicht des Unbekannten und Unausgesprochenen, das zwischen uns lastete, und als sie später an mich gekuschelt schlief, lag ich wach, starrte aus dem Fenster und fühlte mich mutterseelenallein. Die Schweigephasen des Abends (an denen ich schuld war, nicht Kitsey – selbst in Extremsituationen fehlten ihr nie die Worte) und die scheinbar unüberbrückbare Distanz zwischen uns hatten mich sehr stark daran erinnert, wie es gewesen war, als ich mit sechzehn nicht die leiseste Ahnung gehabt hatte, was ich bei Julie sagen oder tun sollte – Julie, die eindeutig nicht als meine Freundin bezeichnet werden konnte, die aber doch die erste Frau gewesen war, die ich als solche wahrgenommen hatte. Wir hatten uns vor dem Spirituosengeschäft in der Hudson Street getroffen; ich stand mit Geld in der Hand draußen und wartete auf jemanden, der hineingehen und mir eine Flasche mit herausbringen würde, und da kam sie wallend um die Ecke in ihrem fledermausartigen, futuristischen Gewand, das überhaupt nicht zu ihrem latschenden Gang und ihrem ländlichen Aussehen passte, dem reizlosen, aber anheimelnden Gesicht einer Prärie-Ehefrau um 1900. »Hey, Kid«, sie holte ihre eigene Weinflasche aus meiner Tüte, »hier ist dein Wechselgeld. Nein, wirklich. Nicht der Rede wert. Willst du hier draußen in der Kälte stehen und trinken?« Sie war siebenundzwanzig, fast zwölf Jahre älter als ich, und hatte einen Freund, der eben sein Betriebswirtschaftsstudium in Kalifornien beendete – und es war immer völlig klar, wenn der Freund zurückkäme, dürfte ich nie wieder vorbeikommen oder Kontakt mit ihr aufnehmen. Das wussten wir beide. Sie brauchte es nicht zu sagen. Wenn ich an den (für mich) seltenen Nachmittagen, an denen ich sie besuchen durfte, die fünf Treppen zu ihrer Ein-Zimmer-Wohnung hinaufgaloppierte, platzte ich jedes Mal vor Worten und Gefühlen, die so groß waren, dass ich sie nicht bändigen konnte, aber alles, was ich mir zu sagen vorgenommen hatte, löste sich in Luft auf, sobald sie die Tür öffnete, und statt auch nur zwei Minuten lang ein Gespräch wie ein normaler Mensch führen zu können, blieb ich sprachlos und verzweifelt drei Schritte hinter ihr, bohrte die Hände in die Taschen und hasste mich selbst, während sie barfuß im

Zimmer herumging, hip aussah, unangestrengt plauderte und sich für die schmutzigen Kleider auf dem Boden entschuldigte und dafür, dass sie vergessen hatte, ein Sixpack Bier zu besorgen – sollte sie noch rasch hinunterspringen? –, bis ich mich irgendwann plötzlich mitten im Satz buchstäblich auf sie stürzte und sie auf die Tagesdecke warf – so wild, dass manchmal meine Brille wegflog. Das alles war so wundervoll, dass ich dachte, ich müsste sterben, aber wenn ich danach wach lag, machte die Leere mich krank: ihr weißer Arm auf der Bettdecke, aufleuchtende Straßenlaternen, das Grauen vor dem Augenblick, da es acht Uhr wäre und sie aufstehen und sich zur Arbeit anziehen müsste, für ihren Job in einer Bar in Williamsburg, in der ich sie nicht besuchen durfte, weil ich nicht alt genug war. Dabei hatte ich Julie nicht mal geliebt. Ich hatte sie bewundert, ich war von ihr besessen gewesen, ich hatte sie um ihr Selbstbewusstsein beneidet und sogar ein bisschen Angst vor ihr gehabt, aber geliebt hatte ich sie eigentlich nicht, nicht mehr als sie mich. Ich war auch nicht so sicher, dass ich Kitsey liebte (zumindest nicht so, wie ich mir einmal gewünscht hatte, sie zu lieben), aber es war doch überraschend, wie elend mir zumute war, wenn man bedachte, dass ich diese Nummer nicht zum ersten Mal erlebt hatte.

XXIII

Die Sache mit Kitsey hatte Boris' Besuch vorübergehend aus meinen Gedanken verdrängt, aber als ich eingeschlafen war, kam alles seitwärts im Traum zurück. Zweimal wachte ich auf und saß kerzengerade im Bett: einmal, weil eine Tür im Lagercontainer albtraumhaft aufschwang, während sich draußen Kopftuchfrauen um einen Haufen gebrauchter Kleider zankten, und dann – ich schlief wieder ein und geriet in eine andere Inszenierung desselben Traums – war die Lagereinheit ein mit zarten Gardinen abgeteilter, zum Himmel offener Raum, wehende Wände aus Stoff, nicht ganz lang genug, um das Gras zu berühren. Dahinter öffnete sich die Aussicht auf grüne

Felder und Mädchen in langen weißen Kleidern: ein Bild, das (mysteriöserweise) mit so viel todesschwangerem, ritualistischem Horror beladen war, dass ich nach Luft schnappend aufwachte.

Ich schaute auf mein Telefon. 04:00 Uhr. Nach einer elenden halben Stunde saß ich mit nacktem Oberkörper im Dunkeln im Bett und kam mir vor wie ein Gauner in einem französischen Film, als ich mir eine Zigarette anzündete und auf die Lexington Avenue hinausstarrte, die um diese Zeit praktisch leer war: Taxen traten ihren Dienst an oder machten gerade Feierabend – was auch immer. Aber der Traum, der mir prophetisch vorkam, wollte nicht verwehen, sondern hing da wie ein giftiger Dunst, und ich hatte immer noch Herzklopfen vom Lufthauch der Gefahr, vom Gefühl offener Bedrohlichkeit.

Wer immer das getan hat, gehört erschossen. Ich hatte mir schon Sorgen genug um das Bild gemacht, als ich noch davon ausgegangen war, es wäre das Jahr über gut aufgehoben (wie mir die Broschüre der Lagerfirma in forsch formulierten, professionellen Sätzen versichert hatte), bei unter konservatorischen Gesichtspunkten akzeptablen einundzwanzig Grad Celsius und fünfzig Prozent Luftfeuchtigkeit. Man konnte so etwas nicht einfach irgendwo aufbewahren. Es vertrug weder Kälte noch Hitze, weder Feuchtigkeit noch direkte Sonneneinstrahlung. Es brauchte eine genau regulierte Umgebung: wie die Orchideen im Blumengeschäft. Bei der Vorstellung, jemand könnte es hinter einen Pizzaofen schieben, schlug mein Götzendienerherz vor einer anderen, aber ähnlichen Version des Entsetzens, das mich gepackt hatte, als ich annahm, die Busfahrerin würde den armen Popper hinauswerfen, mitten im Nirgendwo, irgendwo am Straßenrand.

Denn schließlich: Wie lange hatte Boris das Bild gehabt? Boris! Selbst Horst, der eingeschworene Kunstliebhaber, hatte mit seinem Apartment nicht den Eindruck gemacht, als sei er in konservatorischen Fragen sonderlich penibel. Mögliche Katastrophen gab es im Überfluss: Rembrandts *Sturm auf dem See von Galiläa,* das einzige Seestück, das er je gemalt hatte, war Gerüchten zufolge nach falscher

Lagerung praktisch zerstört. Vermeers Meisterwerk *Der Liebesbrief,* von einem Hotelkellner aus dem Rahmen geschnitten, mit abblätternder Farbe und zerknickt, weil es unter einer Matratze gelegen hatte. Picassos *Armut* und Gauguins *Landschaft auf Tahiti,* von Wasser beschädigt, nachdem ein Idiot sie auf einer öffentlichen Toilette versteckt hatte. Die Geschichte, die mich bei meiner obsessiven Lektüre am meisten verfolgt hatte, war die von Caravaggios *Christi Geburt mit den Heiligen Franziskus und Laurentius,* gestohlen aus dem Oratorio di San Lorenzo und derart achtlos aus dem Rahmen geschnitten, dass der Sammler, der den Diebstahl in Auftrag gegeben hatte, in Tränen ausbrach, als er es sah, und sich weigerte, es abzunehmen.

Kitseys Telefon, sah ich, war nicht an seinem gewohnten Platz: in der Ladestation auf dem Fenstersims, wo sie es jeden Morgen als Erstes herausrupfte. Manchmal war ich mitten in der Nacht aufgewacht und hatte im Dunkeln das blaue Leuchten unter der Decke auf ihrer Seite des Bettes gesehen, in ihrem geheimen Nest aus Bettlaken. »Ach, ich will nur sehen, wie spät es ist«, sagte sie dann, wenn ich schlaftrunken herumrollte und fragte, was sie da mache. Ich nahm an, es lag abgeschaltet in der Alligatorhandtasche in dem üblichen Chaos aus Lippenstiften und Visitenkarten und Parfümpröbchen und lose herumfliegendem Bargeld, zerknüllten Zwanzigern, die immer herausfielen, wenn sie ihre Haarbürste suchte. Dort in diesem duftenden Durcheinander würde Cable im Laufe der Nacht mehrmals anrufen und zahlreiche SMS und Voicemails hinterlassen, die sie finden würde, wenn sie morgen früh aufwachte.

Worüber sprachen sie? Was hatten sie einander zu sagen? Komischerweise war es ganz einfach, mir ihren Umgang miteinander vorzustellen. Munteres Geplauder, ein Gefühl von raffiniertem Einverständnis, und Cable gab ihr im Bett alberne Namen und kitzelte sie, bis sie quiekte.

Ich drückte die Zigarette aus. Keine Form, kein Sinn, keine Bedeutung. Kitsey mochte es nicht, wenn ich in ihrem Zimmer rauchte, aber wenn sie den ausgedrückten Zigarettenstummel in der Limoges-Dose auf ihrer Kommode fände, würde sie wahrscheinlich nichts sagen. Um die Welt überhaupt zu verstehen, konnte man sich manchmal nur auf einen winzigen Ausschnitt davon fokussieren und sehr angestrengt betrachten, was in der Nähe war, um es dann für das Ganze zu nehmen. Aber seit das Bild mir unter den Händen verschwunden war, fühlte ich mich wie ertrunken, ausgelöscht von der Unendlichkeit – nicht nur der erwartbaren Unendlichkeit von Zeit und Raum, sondern auch den unüberbrückbaren Distanzen zwischen zwei Menschen, die auf Armlänge voneinander entfernt waren. Eine Woge des Schwindels überkam mich, als ich an all die Orte dachte, an denen ich gewesen und an denen ich nicht gewesen war, eine ganze Welt, verloren, endlos und unerfassbar, ein trübes Labyrinth von Städten und Gassen, von weithin wehender Asche und feindseliger Unermesslichkeit, von verpassten Verbindungen, von verlorenen und nie wiedergefundenen Dingen, und mein Bild war fortgerissen von dieser machtvollen Strömung und trieb irgendwo da draußen umher: ein winziges Fragment des Geistes, ein matter Funke, dümpelnd auf einem dunklen Meer.

XXIV

Da ich nicht wieder einschlafen konnte, ging ich, ohne Kitsey zu wecken, in der eisig schwarzen Stunde vor Tagesanbruch. Fröstelnd zog ich mich im Dunkeln an. Eine der Mitbewohnerinnen war nach Hause gekommen und stand unter der Dusche. Das Letzte, was ich wollte, war, einer der beiden auf dem Weg nach draußen über den Weg zu laufen.

Als ich aus der Linie F stieg, wurde der Himmel heller. In der bitteren Kälte schleppte ich mich nach Hause – deprimiert und todmüde schloss ich die Seitentür auf und stapfte die Treppe hinauf, die Brille verschmiert und stinkend nach Rauch und Sex und Curry und Kitseys Chanel No. 19. Ich blieb kurz stehen, um Poptschik zu begrüßen, der durch den Flur galoppiert kam und mit seiner gewohnten

Aufregung um meine Füße herumtollte, und zog meine zusammen-gerollte Krawatte aus der Tasche, um sie an die Stange an der Innen-seite der Tür zu hängen. Das Blut gefror fast in meinen Adern, als ich eine Stimme aus der Küche hörte: »Theo, bist du das?«

Ein Rotschopf spähte um die Ecke. Sie war es, mit einer Kaffee-tasse in der Hand.

»Entschuldigung, hab ich dich erschreckt?« Ich stand wie ge-bannt und vom Donner gerührt da, als sie mir mit einem glück-lichen Summton die Arme um den Hals schlang. Poptschik japste und sprang aufgeregt zu unseren Füßen herum. Sie trug noch die Sa-chen, in denen sie geschlafen hatte, eine bunt gestreifte Pyjamahose und ein langärmeliges T-Shirt, und darüber einen alten Pullover von Hobie, und sie roch noch nach zerwühlten Laken und Bett: O Gott, dachte ich, und ich schloss die Augen und drückte das Gesicht an ihre Schulter, berauscht von Glück und Angst in diesem jähen Luft-zug vom Himmel – o Gott.

»Wie schön, dich zu sehen!« Da war sie. Ihr Haar – ihre Augen. Sie. Abgekaute Fingernägel wie bei Boris, eine vorgeschobene Unterlip-pe wie bei einem Kind, das zu viel am Daumen lutschte, rot zerzaus-ter Kopf wie bei einer Dahlie. »Wie geht es dir? Du hast mir gefehlt!«

»Ich …« Alle meine Vorsätze waren in einer Sekunde dahin. »Was machst du denn hier?«

»Ich wollte nach Montreal!« Das schrille Lachen eines sehr viel jüngeren Mädchens, ein heiseres Spielplatzgeräusch. »Wollte für ein paar Tage zu meinem Freund Sam und dann zu Everett nach Kali-fornien.« (Sam?, dachte ich.) »Aber mein Flug wurde umgeleitet«, sie nahm einen Schluck Kaffee und hielt mir wortlos die Tasse entgegen, *willst du auch?*, und trank dann weiter, »und ich saß in Newark fest, und da dachte ich mir, warum nicht, ich nutze die Gelegenheit und komme in die Stadt und besuche euch.«

»Hey, das ist super.« *Euch.* Ich gehörte dazu.

»Ich dachte, es macht vielleicht Spaß vorbeizuschauen, weil ich Weihnachten nicht hier sein werde. Und weil doch deine Party mor-gen stattfindet! Verheiratet! Gratuliere!« Ihre Fingerspitzen lagen auf meinem Arm, und als sie sich heraufreckte, um mir einen Kuss auf die Wange zu drücken, ging dieser Kuss durch meinen ganzen Körper. »Wann kann ich sie kennenlernen? Hobie sagt, sie ist ein Traum. Freust du dich?«

»Ich ...« Ich war so verdattert, dass ich die Hand auf die Stelle legte, wo ihre Lippen mich berührt hatten und ihr Druck noch glühte, aber als mir klar wurde, wie das aussehen musste, nahm ich sie hastig wieder weg. »Ja. Danke.«

»Es ist schön, dich zu sehen. Du siehst gut aus.«

Sie schien nicht zu bemerken, wie sprachlos ich war, wie verwirrt, wie absolut von den Socken ich war, sie zu sehen. Vielleicht bemerkte sie es aber auch und wollte mich nicht kränken.

»Wo ist Hobie?« Ich fragte nicht, weil es mich interessierte, sondern weil es ein bisschen zu schön war, um wahr zu sein, wenn ich allein mit ihr im Haus wäre, und auch ein bisschen beängstigend.

»Oh«, sie verdrehte die Augen, »er musste unbedingt zum Bäcker. Ich hab ihm gesagt, er soll sich die Mühe sparen, aber du weißt ja, wie er ist. Er holt mir so gerne diese Blaubeer-Biskuits, die Mama und Welty mir immer gekauft haben, als ich klein war. Nicht zu fassen, dass sie sie überhaupt noch machen – sie haben sie auch nicht jeden Tag, sagt er. Bist du sicher, dass du keinen Kaffee willst?« Sie ging zum Herd, und nur die Andeutung eines Hinkens lag in ihrem Gang.

Seltsamerweise verstand ich kaum ein Wort von dem, was sie sagte. So war es immer gewesen, sobald ich mich mit ihr in einem Zimmer befand, sie überlagerte alles andere: ihre Haut, ihre Augen, ihre rostige Stimme, ihr flammend rotes Haar und eine Neigung des Kopfes, die manchmal den Eindruck erweckte, als summe sie vor sich hin, und das Licht in der Küche vermischte sich mit dem Licht ihrer Gegenwart, mit Farbe und Frische und Schönheit.

»Ich habe ein paar CDs für dich gebrannt!« Sie sah mich über die Schulter hinweg an. »Ich wünschte, ich hätte daran gedacht, sie mitzunehmen. Aber ich wusste ja nicht, dass ich hier einen Zwischenstopp einlegen würde. Ich muss daran denken, sie in die Post zu geben, wenn ich wieder zu Hause bin.«

»Ich habe auch CDs für dich.« Ich hatte einen ganzen Stapel in meinem Zimmer, Dinge, die ich mitgebracht hatte, weil sie mich an sie erinnerten, so viele, dass ich es eigenartig gefunden hätte, sie ihr zu schicken. »Und Bücher.« *Und Schmuck*, was ich aber für mich behielt. *Und Tücher und Poster und Parfüm und Vinyl-Schallplatten und einen Windvogel-Bausatz und eine Spielzeug-Pagode.* Eine Topaskette aus dem achtzehnten Jahrhundert. Eine Erstausgabe von *Ozma von Oz.* Das alles hatte ich hauptsächlich gekauft, weil es eine Methode war, an sie zu denken und mit ihr zusammen zu sein. Manches hatte ich Kitsey geschenkt, aber trotzdem kam es nicht in Frage, dass ich den Riesenberg Zeug, den ich im Laufe der Jahre für sie zusammengekauft hatte, aus meinem Zimmer holte. Es würde aussehen, als wäre ich komplett wahnsinnig.

»Bücher? Oh, das ist gut. Ich habe mein Buch im Flugzeug ausgelesen, und ich brauche was Neues. Wir können tauschen.«

»Ja.« Nackte Füße. Rosarote Ohren. Perlweiße Haut am Halsausschnitt des T-Shirts.

»*Die Ringe des Saturn.* Everett meinte, es könnte dir gefallen. Er lässt dich übrigens grüßen.

»Oh, ja, ich grüße zurück.« Ich konnte es nicht ausstehen, dass sie immer so tat, als wären Everett und ich Freunde. »Ich, äh …«

»Was?«

»Ehrlich gesagt …« Mir zitterten die Hände, und ich hatte nicht mal einen Kater. Ich konnte nur hoffen, dass sie es nicht sah. »Ehrlich gesagt, ich muss mal für einen Moment in mein Zimmer, okay?«

Sie machte ein erschrockenes Gesicht und berührte ihre Stirn mit den Fingerspitzen. *Ich Dummerchen.* »Oh, ja, sorry! Ich bleibe hier.«

Ich fing erst wieder an zu atmen, als ich in meinem Zimmer war und die Tür geschlossen hatte. Mein Anzug war okay dafür, dass er von gestern war, aber mein Haar war schmutzig, und ich sah aus, als müsste ich unter die Dusche. Sollte ich mich rasieren? Ein frisches Hemd anziehen? Oder würde sie das bemerken? Würde es komisch aussehen, dass ich weggelaufen war und versucht hatte, mich für sie frischzumachen? Könnte ich ins Bad schleichen und mir die Zähne putzen, ohne dass sie es bemerkte? Und plötzlich erfasste mich eine Woge der Gegenpanik, weil ich hinter geschlossener Tür in meinem Zimmer saß und mir wertvolle Augenblicke mit ihr entgehen ließ.

Ich stand auf und öffnete die Tür. »Hey«, rief ich durch den Korridor.

Ihr Kopf schaute wieder um die Ecke. »Hey.«

»Gehst du heute Abend mit ins Kino?«

Eine kurze, überraschte Pause. »Ja, gern. Was gibt's?«

»Einen Dokumentarfilm über Glenn Gould. Hab ewig drauf gewartet.« In Wahrheit hatte ich ihn schon gesehen; ich hatte die ganze Zeit im Kino gesessen und so getan, als säße sie neben mir – hatte mir in verschiedenen Momenten ihre Reaktion und dann das erstaunliche Gespräch vorgestellt, das wir nachher führen würden.

»Klingt wahnsinnig. Um wie viel Uhr?«

»Gegen sieben. Ich seh noch mal nach.«

XXV

Den ganzen Tag über war ich praktisch außer mir vor Aufregung bei dem Gedanken an den Abend, der vor mir lag. Unten im Geschäft (wo ich mit der Weihnachtskundschaft so viel zu tun hatte, dass ich meinen Plänen keine ungeteilte Aufmerksamkeit widmen konnte) überlegte ich, was ich anziehen würde (etwas Lässiges, keinen Anzug, nichts allzu Bemühtes) und wo ich mit ihr essen gehen würde – nicht zu ausgefallen, nichts, was sie in die Defensive bringen oder von mir aus gewollt aussehen würde, aber trotzdem etwas wirklich Besonderes wäre, etwas Besonderes und Bezauberndes und ruhig genug, um uns zu unterhalten, und zugleich nicht allzu weit vom Film Forum entfernt. Außerdem war sie längere Zeit nicht in der Stadt gewesen, und deshalb würde es ihr wahrscheinlich Spaß machen, etwas Neues zu sehen (»Oh, dieses kleine Lokal? Ja, es ist super, freut mich, dass es dir gefällt, eine echte Entdeckung«), aber von alldem abgesehen (und *Ruhe* war das Wichtigste, wichtiger als das Essen oder die Location, ich wollte nirgends mit ihr hingehen, wo wir uns anschreien müssten) musste es ein Lokal sein, in dem ich uns kurzfristig einen Tisch besorgen könnte – und dann war da ja auch noch das Vegetarier-Problem. Also ein charmantes Restaurant. Nicht so teuer, dass es die Alarmglocken schrillen ließ. Es durfte nicht aussehen, als machte ich mir allzu große Umstände; es musste spontan und ungeplant wirken. Wie zum Teufel konnte sie mit diesem idiotischen Everett zusammenleben? Mit seiner schlechten Kleidung, seinen Hasenzähnen und seinen dauernd erschrocken blickenden Augen? Der aussah, als wäre seine Vorstellung von einem irren Abendessen eine Portion brauner Reis mit Seetang von der Theke im hinteren Teil des Bioladens?

So kroch der Tag dahin, und dann war es sechs, und Hobie kam von seinem Ausflug mit Pippa nach Hause und steckte den Kopf ins Geschäft.

»Aha!«, sagte er nach einer kurzen Pause in dem fröhlichen, aber zurückhaltenden Ton, der mich (bedrohlich) an den erinnerte, den meine Mutter angeschlagen hatte, wenn sie nach Hause kam und meinen Dad am Rande eines Aufschwungs herumschwirren sah. Hobie wusste, was ich für Pippa empfand – ich hatte es ihm nie erzählt, nie auch nur ein Sterbenswörtchen darüber verloren, aber er wusste es, und selbst wenn er es nicht gewusst hätte, wäre es für ihn (und für jeden Fremden, der von der Straße hereinkam) unübersehbar gewesen, dass Funken aus meinem Kopf sprühten. »Wie geht's?«

»Bestens! Wie war's bei dir heute?«

»Oh, wundervoll!«, sagte er erleichtert. »Ich konnte uns zum Lunch einen Platz am Union Square ergattern. Wir haben an der Bar gesessen. Schade, dass du nicht dabei warst. Dann waren wir oben bei Moira und sind dann zu dritt zur Asia Society spaziert, und jetzt ist sie noch unterwegs und macht Weihnachtseinkäufe. Sie sagt, du – äh, du triffst dich heute Abend mit ihr?« Die Frage kam beiläufig, aber mit dem Unbehagen eines Vaters, der sich fragt, ob es wirklich okay ist, dass der unzuverlässige Teenager das Auto nimmt. »Film Forum?«

»Stimmt«, sagte ich nervös. Er brauchte nicht zu wissen, dass ich mit ihr in den Glenn-Gould-Film gehen wollte, denn er wusste, ich hatte ihn schon gesehen.

»Sie sagt, ihr wollt euch den Glenn Gould ansehen?«

»Ja, ähm, ich hatte Riesenlust, ihn noch mal zu sehen. Sag ihr nicht, dass ich schon drin war«, bat ich impulsiv. »Oder hast du, äh …«

»Nein, nein.« Er richtete sich hastig auf. »Hab ich nicht.«

»Na ja, dann, hm …«

Hobie rieb sich die Nase. »Na, weißt du, er ist sicher toll. Ich würde ihn selbst gern sehen. Aber nicht heute Abend«, fügte er sofort hinzu. »Ein andermal.«

»Oh …« Ich gab mir große Mühe, enttäuscht zu klingen, aber ich schaffte es nicht.

»Wie auch immer. Soll ich für dich auf den Laden aufpassen? Falls du noch nach oben gehen und dich waschen und frischmachen möchtest? Du solltest spätestens um halb sieben losgehen, wenn du vorhast, zu Fuß hinzugehen, weißt du.«

XXVI

Unterwegs summte ich lächelnd vor mich hin, und als ich um die Ecke kam und sie vor dem Kino stehen sah, war ich so nervös, dass ich kurz stehen bleiben und mich sammeln musste, bevor ich auf sie zustürzen und ihr mit ihren Tüten helfen konnte (sie, beladen mit Einkäufen, schwatzte los und erzählte vom Tag). Vollkommene, vollkommene Glückseligkeit in der Schlange mit ihr, nah beieinander wegen der Kälte, und dann hinein, der rote Teppich und der ganze Abend noch vor uns, und sie klatscht in die behandschuhten Hände: »Oh, möchtest du Popcorn?« »Ja, natürlich«, und ich springe zur Theke: »Das Popcorn ist erstklassig hier« – und dann betreten wir zusammen den Kinosaal, und ich berühre beiläufig ihren Rücken, den samtigen Stoff ihres Mantels, ein vollkommener brauner Mantel und eine vollkommene grüne Mütze auf dem vollkommenen, vollkommenen kleinen rothaarigen Kopf – »Hier, am Gang? Sitzt du gern am Gang?« Wir waren gerade oft genug zusammen im Kino gewesen (fünf Mal), dass ich mir sorgfältig hatte merken können, wo sie gern saß, plus ich wusste das alles genau von Hobie, nachdem ich ihn jahrelang unauffällig nach ihrem Geschmack ausgefragt hatte, soweit ich es wagte: nach Vorlieben und Abneigungen und Gewohnheiten, beiläufig eingestreute Fragen hier und da, über fast zehn Jahre hinweg, hat sie gern dies? hat sie gern das?, und jetzt war sie da und drehte sich zu mir um und lächelte mich an, mich! Im Kino waren viel zu viele Leute, denn es war die Sieben-Uhr-Vorstellung, viel mehr Leute, als mir in Anbetracht meiner allgemeinen Beklommenheit und Abneigung gegen überfüllte Räume lieb waren, und es tröpfelten auch immer noch welche herein, als der Film schon angefangen hatte, aber das war mir egal, ich hätte auch in einem Schützenloch an der Somme stecken und von den Deutschen beschossen werden können, denn wichtig war nur sie im Dunkeln neben mir, ihr Arm an meinem. Und die Musik! Glenn Gould am Klavier, mit wildem Haar, überschäumend, den Kopf in den Nacken geworfen, ein Abgesandter aus dem Reich der Engel, verzückt und verzehrt vom Erhabenen! Immer wieder warf ich wider Willen verstohlene Blicke auf sie, aber es dauerte doch eine halbe Stunde, bis ich den Mut fand, mich umzudrehen und sie wirklich anzusehen – ihr Profil, weiß überstrahlt vom Leuchten der Leinwand –, und zu meinem Entsetzen erkannte ich, dass ihr der Film nicht gefiel. Sie langweilte sich. Nein: Sie war bestürzt.

Den Rest des Films verbrachte ich niedergeschlagen und sah kaum noch zu. Besser gesagt, ich sah ihn jetzt mit ganz anderen Augen: nicht das ekstatische Wunderkind, nicht den Mystiker, den Einzelgänger, der auf dem Höhepunkt seines Ruhms heldenhaft von der Konzertbühne abtritt und sich ins verschneite Kanada zurückzieht – sondern den Hypochonder, den Eremiten, den Eigenbrötler. Den Paranoiker. Den Pillenfresser. Nein, den Drogensüchtigen. Den Obsessiven: mit Handschuhen aus Angst vor Keimen, das ganze Jahr über in Schals gewickelt, zuckend und von Zwangshandlungen geschüttelt. Ein nachtaktiver Kauz mit hochgezogenen Schultern, der im einfachsten Umgang mit Menschen so unsicher war, dass er (in einem Interview, das mir plötzlich zur Qual wurde) den Tontechniker fragte, ob sie nicht zu einem Anwalt gehen und sich offiziell zu Brüdern erklären lassen könnten – sozusagen das späte Genie in einer tragischen Version von Tom Cable und mir, wie wir bei ihm zu Hause im dunklen Garten die aufgeschnittenen Daumen aneinanderpressen, oder, noch sonderbarer, von Boris, wie er meine an den Knöcheln blutende Hand packt, als ich ihn auf dem Spielplatz geschlagen habe, und sie an seinen blutigen Mund drückt.

XXVII

»Du bist aufgebracht«, sagte ich impulsiv, als wir aus dem Kino kamen. »Es tut mir leid.«

Sie sah zu mir auf, als sei sie erschrocken, weil ich es bemerkt hatte. Wir waren in eine von bläulichem Traumlicht erfüllte Welt hinausgetreten: der erste Schnee dieses Winters, zwei Handbreit tief auf dem Boden.

»Wir hätten auch hinausgehen können.«

Statt zu antworten, schüttelte sie nur wie betäubt den Kopf. Schnee wirbelte magisch herab, die reine Idee des Nordens, der reine Norden eines Films.

»Nein, nein«, sagte sie zögernd. »Ich meine, es ist nicht so, dass es mir nicht *gefallen* hat …«

Wir schlitterten unsicher die Straße enlang. Keiner von uns hatte die richtigen Schuhe an. Unsere Schritte knirschten laut, und ich hörte aufmerksam zu und wartete darauf, dass sie weiterredete, und ich hielt mich bereit, jeden Moment nach ihrem Ellenbogen zu greifen, sollte sie ausrutschen, aber als sie sich zu mir umdrehte und mich ansah, sagte sie nur: »O Gott. Jetzt kriegen wir niemals ein Taxi, was?«

Meine Gedanken überschlugen sich. Was war denn mit Essen?

Was sollte ich tun? Wollte sie etwa nach Hause? Verdammt! »Es ist nicht so weit.«

»Oh, das weiß ich, aber – ah, da ist eins!«, rief sie, und mir rutschte das Herz in die Hose, bis ich sah, dass jemand anders es gottlob schon weggeschnappt hatte.

»Hey«, sagte ich. Wir waren in der Nähe der Bedford Street – Lichter, Cafés. »Was hältst du davon, wenn wir es da vorn versuchen?«

»Ein Taxi zu erwischen?«

»Nein, was zu essen.« (War sie hungrig? Bitte, lieber Gott: Mach, dass sie hungrig ist.) »Oder wenigstens was trinken.«

XXVIII

Irgendwie – als hätten die Götter dafür gesorgt – war die halb leere Weinbar, in die wir uns spontan hineindrückten, warm und golden und von Kerzen beleuchtet und viel, viel besser als eins der Restaurants, an die ich gedacht hatte.

Ein winziger Tisch. Mein Knie an ihrem Knie – war es ihr bewusst? So bewusst wie mir? Die Kerzenflamme überhauchte ihr Gesicht, glänzte metallisch in ihrem Haar, das Haar so hell leuchtend, dass es aussah, als wolle es in Flammen aufgehen. Alles funkelnd, alles süß. Sie spielten alte Sachen von Bob Dylan, mehr als perfekt für schmale Straßen im Village kurz vor Weihnachten, wenn der Schnee in großen, fedrigen Flocken herunterwirbelt, in einem Winter, in dem man gern durch die Großstadtstraßen spaziert und ein Mädchen im Arm hält wie auf der alten Plattenhülle – denn Pippa war genau dieses Mädchen, nicht die Hübscheste, sondern das Mädchen ohne Make-up, irgendwie alltäglich, das er sich ausgesucht hatte, um mit ihr glücklich zu sein, und tatsächlich war dieses Bild auf seine Weise das Idealbild des Glücks: wie er seine Schultern hochzog, und die leichte Verlegenheit in ihrem Lächeln, dieser Open-End-Look, als könnten sie einfach zusammen davonspazieren, wohin sie wollten, und – da war sie! sie! und sie erzählte von sich, liebevoll und altvertraut, und fragte mich nach Hobie und dem Geschäft und meiner Stimmung und wollte wissen, was ich las und was ich hörte, Fragen über Fragen, aber offenbar brannte sie auch darauf, mich an ihrem Leben teilhaben zu lassen, und sprach von ihrer kalten Wohnung, deren Heizung so teuer war, von deprimierendem Licht und feuchtem, muffigem Geruch, von billigen Klamotten auf der High Street und so vielen amerikanischen Ladenketten in London, dass es inzwischen aussah wie in einem Einkaufszentrum, und welche Medikamente nimmst du, und welche nehme ich (wir litten beide an einer Posttraumatischen Belastungsstörung, einer Krankheit, die in Europa anscheinend anders abgekürzt wurde und mit der man in einem Lazarett für Armeeveteranen landen konnte, wenn man nicht aufpasste), und sie sprach von ihrem winzigen Garten, den sie mit einem halben Dutzend Leuten teilte, und von der verrückten Engländerin, die ihn mit kranken Schildkröten bevölkerte, die sie aus Südfrankreich eingeschmuggelt hatte (»die sterben alle, an Kälte und Unterernährung – es ist wirklich grausam – sie füttert sie nicht richtig, nur mit Brotkrümeln, kannst du dir vorstellen, dass ich ihnen in der Tierhandlung Schildkrötenfutter kaufe und ihr nichts davon sage?«), und davon, wie sehnlich sie sich einen Hund wünschte, aber natürlich war das schwierig wegen der Quarantäne-Vorschriften, die sie ja auch in der Schweiz hatten, und wieso landete sie nur immer in diesen hundefeindlichen Gegenden? aber wow! ich sah ja besser aus, als sie mich seit Jahren gesehen hatte, und sie hatte mich vermisst, höllisch vermisst, was für ein unglaublicher Abend – wir saßen stundenlang da und lachten über Kleinigkeiten, waren aber auch ernst, sehr würdevoll, denn sie war ebenso großzügig wie aufnahmebereit (das war auch so etwas: Sie hörte zu, und ihre Aufmerksamkeit war überwältigend. Ich hatte nie das Gefühl, dass andere Leute mir auch nur halb so aufmerksam zuhörten, und in ihrer Gesellschaft fühlte ich mich wie ein anderer Mensch, ein besserer Mensch, und ich konnte ihr Dinge erzählen, die ich sonst niemandem erzählen konnte, schon gar nicht Kitsey, die eine spröde Art hatte, aus ernsthaften Bemerkungen die Luft abzulassen, indem sie einen Witz machte oder das Thema wechselte oder mich unterbrach oder manchmal auch einfach nur so tat, als habe sie mich nicht gehört), und es war die reine Freude, mit ihr zusammen zu sein, ich liebte sie in jeder Minute mit Herz und Kopf und Seele, und es wurde spät, und ich wollte, dass das Lokal niemals zumachte, niemals.

»Nein, nein«, sagte sie und strich mit der Fingerspitze über den Rand ihres Weinglases – die Form ihrer Hände berührte mich eindringlich, Weltys Siegelring an ihrem Zeigefinger, und ich konnte ihre Hände anstarren, wie ich ihr Gesicht nie hätte anstarren können, ohne als Perverser dazustehen. »Der Film hat mir eigentlich gefallen. Und die Musik ...« Sie lachte, und in ihrem Lachen lag die ganze Freude dieser Musik. »Atemberaubend. Welty hat ihn einmal spielen sehen, in der Carnegie Hall. Einer der größten Abende seines Lebens, hat er gesagt. Es ist nur ...«

»Ja?« Der Duft von ihrem Wein. Ein Rotweinfleck an ihrer Lippe. Dies war einer der größten Abende meines Lebens.

»Na ja«, sie schüttelte den Kopf, »die Konzertszenen. Das Aussehen dieser Probensäle. Denn weißt du«, sie rieb sich die Arme, »es war wirklich, *wirklich* schwer. Üben, üben, üben, sechs Stunden täglich, die Arme taten mir weh vom Halten der Flöte – und, na, ich bin sicher, du hast selbst genug davon gehört, von diesem Quatsch mit dem Positiven Denken, den Lehrer und Physiotherapeuten so lässig austeilen – ›Oh, du kannst das!‹ und ›Wir glauben an dich!‹ –, und du fällst drauf rein und arbeitest hart und immer härter, und du hasst dich selbst, weil du nicht hart genug arbeitest, und glaubst, es ist deine Schuld, dass du nicht besser vorankommst, und du arbeitest noch härter und – tja.«

Ich schwieg. Ich wusste alles darüber von Hobie. Er hatte sehr betrübt und ausführlich davon gesprochen. Anscheinend hatte Tante Margaret völlig recht damit gehabt, sie auf die Verrücktenschule in der Schweiz zu schicken, mit all den Ärzten und Therapien. Nach allen normalen Maßstäben hatte sie sich zwar von dem Unfall vollständig erholt, aber es war ein Nervenschaden geblieben, gerade so groß, dass er in der Liga der Spitzenmusiker von Bedeutung war, eine leichte Beeinträchtigung der Feinmotorik. Kaum wahrnehmbar, aber vorhanden. Für praktisch jeden anderen Beruf und jedes Hobby – Sängerin, Töpferin, Zoowärterin und jede Art von Ärztin außer Chirurgin – wäre es egal gewesen. Für sie nicht.

»Und, ich weiß nicht, ich höre zu Hause eine Menge Musik und schlafe jeden Abend mit dem iPod ein, aber – wann war ich das letzte Mal in einem Konzert?«, fragte sie traurig.

Sie schlief mit dem iPod ein? Hatten sie denn keinen Sex, sie und dieser Wie-hieß-er-gleich? »Und warum gehst du nicht ins Konzert?«, fragte ich und merkte mir diese kleine Information für später. »Stört dich das Publikum? Die vielen Leute?«

»Ich wusste, dass du es verstehst.«

»Na ja, man hat es dir gegenüber doch sicher angesprochen. Mir gegenüber haben sie es jedenfalls getan.«

»Und?« Worin bestand der Zauber dieses traurigen Lächelns? Wie konnte man ihn analysieren? »Xanax? Beta-Blocker? Hypnose?«

»Alle drei.«

»Wenn es um Panikattacken ginge, vielleicht. Aber darum geht es nicht. Bedauern. Trauer. Neid – und das ist der schlimmste Teil. Dieses Mädchen, Beta – was für ein blöder Name, Beta, findest du nicht auch? Beta? Eine wirklich mittelmäßige Musikerin, und das meine ich gar nicht herablassend, aber sie konnte in der Bläsersektion kaum das Tempo halten, als wir klein waren, und jetzt spielt sie bei den Cleveland Philharmonikern, und das regt mich mehr auf, als ich es jemals zugeben würde. Aber dagegen gibt es kein Medikament, oder?«

»Äh …« Tatsächlich gab es doch eins, und Jerome, oben am Adam Clayton Powell, machte blühende Geschäfte damit.

»Die Akustik – das Publikum – das löst etwas aus – ich gehe nach Hause, ich hasse alle Welt, ich rede mit mir selbst, streite mit mir in verschiedenen Stimmen und bin tagelang aufgebracht. Und – das hab ich dir ja erzählt: Unterricht geben, das hab ich versucht, und es ist nichts für mich.« Pippa brauchte nicht zu arbeiten, dank Tante Margarets und Onkel Weltys Geld. (Everett arbeitete auch nicht, aus demselben Grund. Die Sache mit dem »Musikbibliothekar« war zwar ursprünglich als umwerfende Karriereentscheidung präsentiert worden, aber mir war inzwischen klar, dass es sich dabei eher um eine Art unbezahltes Praktikum handelte, während Pippa die Rechnungen bezahlte.) »Teenager – na, ich gehe lieber gar nicht darauf ein, was für Qualen das sind, wenn ich sehe, wie sie aufs Konservatorium verschwinden oder für den Sommer nach Mexiko City gehen, um da im Symphonieorchester zu spielen. Und die Kleineren sind nicht ernsthaft genug. Ich ärgere mich über sie, weil sie Kinder sind. Für mich ist es, als nähmen sie es zu leicht. Sie werfen weg, was sie haben.«

»Unterrichten ist aber auch ein beschissener Job. Ich hätte auch keine Lust dazu.«

»Ja, aber«, sie trank einen Schluck Wein, »wenn ich nicht spielen kann, was bleibt dann noch? Ich meine – ich bin ja von Musik umgeben, sozusagen, schon durch Everett, und ich gehe auch immer noch zur Schule und mache Kurse – aber ganz ehrlich, ich mag London nicht so sehr, es ist dunkel und regnerisch, und ich habe nicht viele Freunde da, und in meiner Wohnung höre ich manchmal nachts jemanden weinen, nur so ein schreckliches, brüchiges Weinen von nebenan, und ich – ich meine, du hast etwas gefunden, das du gern tust, und darüber bin ich sehr froh, denn manchmal frage ich mich wirklich, was ich mit meinem Leben anfangen soll.«

»Ich …« Verzweifelt suchte ich nach den richtigen Worten. »Komm wieder nach Hause.«

»Nach Hause? Du meinst, hierher?«

»Natürlich.«

»Und was ist mit Everett?«

Dazu hatte ich nichts zu sagen.

Sie musterte mich kritisch. »Du magst ihn eigentlich nicht, was?«

»Ähm …« Warum lügen? »Nein.«

»Aber wenn du ihn besser kennen würdest, würdest du ihn auch mögen. Er ist ein guter Kerl. Sehr entspannt, sehr ausgeglichen.«

Dazu konnte ich nichts sagen. Ich war nichts von alldem.

»Außerdem, London – also, ich habe schon daran *gedacht*, nach New York zurückzugehen …«

»Wirklich?«

»Natürlich. Ich vermisse Hobie. Sehr. Im Scherz sagt er immer, er könnte mir ein Apartment mieten für das, was wir am Telefon ausgeben. Natürlich lebt er noch in den alten Zeiten, als ein Ferngespräch nach London fünf Dollar die Minute oder so etwas kostete. Ungefähr in jedem Telefongespräch versucht er, mich zu überreden zurückzukommen … Na, du kennst ja Hobie, er sagt es nie direkt, macht aber dauernd Andeutungen und redet von Jobs, die angeboten werden, Stellen an der Columbia und so weiter …«

»Wirklich?«

»Ja – auf einer gewissen Ebene kann ich selbst nicht fassen, dass ich so weit weg lebe. Welty war derjenige, der mich zum Musikunterricht gebracht und mit mir ins Symphoniekonzert gegangen ist, aber Hobie war immer zu Hause, weißt du, er ist heraufgekommen und hat mir nach der Schule was zu essen gemacht und mir geholfen, für mein Biologieprojekt Ringelblumen zu pflanzen. Noch heute – wenn ich eine schlimme Erkältung habe? wenn ich nicht mehr weiß, wie man Artischocken kocht oder Kerzenwachs aus dem Tischtuch entfernt? wen rufe ich da an? Ihn. Aber«, bildete ich es mir ein, oder brachte der Wein sie ein bisschen in Wallung?, »soll ich dir die Wahrheit sagen? Weißt du, warum ich nicht öfter zurückkomme? In London«, musste sie gleich weinen?, »würde ich es niemandem erzählen. Aber in London denke ich auch wenigstens nicht *jede* Sekunde daran. ›Das ist der Weg, auf dem ich am Tag davor nach Hause gegangen bin.‹ ›Hier haben Welty und Hobie und ich zum vorletzten Mal zusammen zu Abend gegessen.‹ Dort denke ich wenigstens nicht ganz so oft: ›Sollte ich hier nach links gehen? Lieber nach rechts? Mein ganzes Schicksal hängt davon ab, ob ich die Linie F oder die 6 nehme. Furchtbare Vorahnungen. Alles versteinert. Wenn ich herkomme, bin ich wieder dreizehn – und nicht auf eine gute Weise. An dem Tag hat buchstäblich alles aufgehört. Ich habe sogar aufgehört zu wachsen. Wusstest du das? Ich bin danach nicht mehr einen Zentimeter größer geworden, nicht einen.«

»Deine Größe ist doch perfekt.«

»Na ja, sie ist ziemlich normal.« Sie ignorierte mein ungeschicktes Kompliment. »Verletzte und traumatisierte Kinder wachsen oft nicht zu normaler Größe heran.« Unbewusst verfiel sie immer wieder in ihre Dr.-Camenzind-Stimme. Ich hatte Dr. Camenzind nie kennengelernt, aber ich spürte es, wenn Dr. Camenzind übernahm. Es war eine Art kühle Distanzierungstechnik. »Ressourcen werden umgeleitet. Das Wachstumssystem schaltet ab. Da war ein Mädchen in meiner Schule – eine Saudi-Prinzessin, die gekidnappt wurde, als sie zwölf war? Die Kerle, die das getan hatten, wurden hingerichtet. Ich hab sie kennengelernt, als sie neunzehn war – ein nettes Mädchen, aber winzig, knapp eins fünfzig oder so. Sie war so traumatisiert, dass sie nach dem Tag, an dem sie geraubt wurde, keinen Zentimeter mehr gewachsen war.«

»Wow. Das Mädchen aus der unterirdischen Zelle? Die war in deiner Schule?«

»Mont-Haefeli war irre. Da waren Mädchen, auf die geschossen worden war, als sie aus dem Präsidentenpalast fliehen wollten, und da waren welche, die von ihren Eltern dort hingeschickt worden waren, damit sie abnahmen oder für die Winterolympiade trainierten.«

Sie akzeptierte meine Hand in ihrer, ohne etwas zu sagen – dick eingemummelt: Sie hatte nicht zugelassen, dass man ihr den Mantel abnahm. Lange Ärmel im Sommer – und immer in ein halbes Dutzend Tücher gehüllt wie ein Insekt in seinem mehrschichtigen Kokon, eine schützende Polsterung für ein Mädchen, das zerschlagen und wieder zusammengenäht und -geschraubt worden war. Wie hatte ich so blind sein können? Kein Wunder, dass der Film sie verstört hatte: Glenn Gould, das ganze Jahr über in dicke Mäntel gehüllt, Berge von Tablettenröhrchen, eine verlassene Konzertbühne und rings um ihn herum Schnee, der Jahr um Jahr tiefer wurde.

»Denn – also, ich habe dich darüber reden hören, ich weiß, du bist genauso davon besessen wie ich. Aber mir geht es auch immer und immer wieder durch den Kopf.« Die Kellnerin hatte ihr unauffällig Wein nachgeschenkt und ihr Glas bis an den Rand gefüllt, ohne dass Pippa darum gebeten oder es überhaupt bemerkt hatte. *Liebe Kell-*

nerin, dachte ich, *Gott segne dich, ich lasse dir ein Trinkgeld da, das dir die Socken auszieht.* »Wenn ich mich nur für Dienstag oder Donnerstag zum Vorspielen angemeldet hätte. Wenn ich doch nur mit Welty ins Museum gegangen wäre, als er es wollte … er hatte schon seit Wochen versucht, mich zu dieser Ausstellung zu überreden, und er war fest entschlossen, sie mir zu zeigen, bevor sie abgehängt würde … Aber ich hatte immer was Besseres zu tun. Es war wichtiger, mit meiner Freundin Lee Ann ins Kino zu gehen, oder was weiß ich. Die sich übrigens nach meinem Unfall in Luft aufgelöst hat. Ich hab sie nach diesem Nachmittag mit diesem dummen Pixar-Film nie wiedergesehen. All diese winzigen Hinweise, die ich ignoriert oder nicht vollständig erkannt habe – alles hätte anders kommen können, wenn ich nur besser aufgepasst hätte. Zum Beispiel hat Welty sich *so* sehr bemüht, mich dazu zu bringen, schon früher mitzukommen. Er muss mich ein Dutzend Mal gefragt haben, als ob er selbst spürte, dass etwas Schlimmes passieren würde. Es war meine Schuld, dass wir an diesem Tag da waren.«

»Zumindest warst du nicht von der Schule verwiesen worden.«

»Du warst von der Schule verwiesen worden?«

»Suspendiert. Schlimm genug.«

»Es ist eine verrückte Vorstellung – wenn es nie passiert wäre. Wenn wir nicht beide an diesem Tag da gewesen wären. Wir würden uns vielleicht gar nicht kennen. Was glaubst du, was du jetzt tätest?«

»Ich weiß es nicht«, sagte ich ein wenig verblüfft. »Ich kann es mir überhaupt nicht vorstellen.«

»Eine Vorstellung musst du doch haben.«

»Ich war ja nicht wie du. Ich hatte kein Talent.«

»Was hat dir denn Spaß gemacht?«

»Nichts so Interessantes. Das Übliche. Computerspiele, Science-Fiction-Kram. Wenn jemand mich fragte, was ich werden wollte, hab ich meistens neunmalklug geantwortet, ich wollte wie der Blade Runner oder so was werden.«

»Gott, dieser Film verfolgt mich. Ich denke oft an Tyrells Nichte.«

»Was meinst du damit?«

»Die Szene, in der sie sich die Bilder auf dem Klavier ansieht. Wo sie versucht herauszufinden, ob ihre Erinnerungen ihr oder Tyrells Nichte gehören. Ich gehe auch in die Vergangenheit zurück, aber ich suche nach Zeichen, weißt du? Nach Dingen, die ich hätte bemerken müssen, aber übersehen habe.«

»Du hast schon recht, ich denke auch so. Aber Omen, Zeichen, Vorahnungen … es gibt doch keine logische Möglichkeit, dass du …« Wieso bekam ich in ihrer Gegenwart nie einen geraden Satz zustande? »Darf ich sagen, dass es sich wirklich gaga anhört? Zumal wenn jemand anders es sagt? Dass du dir Vorwürfe machst, weil du die Zukunft nicht vorhergesehen hast?«

»Ja – vielleicht, aber Dr. Camenzind sagt, das tun wir alle. Unfälle, Katastrophen. Ungefähr fünfundsiebzig Prozent aller Katastrophenopfer sind davon überzeugt, es hätte Warnzeichen gegeben, die sie nicht ernst genommen oder richtig gedeutet haben, und bei Kindern unter achtzehn ist der Prozentsatz noch höher. Aber das bedeutet ja nicht, dass die Warnzeichen nicht da waren, oder?«

»Ich glaube, so ist es nicht. Im Rückblick – sicher. Aber ich denke, vielleicht ist es mehr wie eine Spalte mit Zahlen: Wenn du am Anfang zwei falsche Zahlen einträgst, ist am Ende die Summe anders. Wenn du es zurückverfolgst, findest du den Fehler – die Stelle, an der sich das Ergebnis verändert.«

»Ja, aber das ist doch fast genauso schlimm, oder? Den Fehler zu sehen, die Stelle, an der man falsch abgebogen ist, und nicht zurückgehen zu können, um es zu beheben? Beim Vorspielen«, sie trank noch einen großen Schluck Wein, »für das Pre-College-Orchester in Juilliard hatte mein Solfège-Lehrer mir gesagt, ich könnte es auf den zweiten Stuhl schaffen, aber wenn ich wirklich gut spielte, könnte es sogar der erste werden. Das war anscheinend so was wie eine große Sache, nehme ich an. Aber Welty«, ja, das waren eindeutig Tränen, die da im Licht der Flammen in ihren Augen glänzten, »ich wusste, es war falsch, ihn zu bedrängen, mit mir nach Uptown zu kommen, es gab *keinen* Grund für ihn mitzukommen. Welty hat mich endlos verwöhnt, als meine Mutter noch lebte, aber als sie gestorben war, hat er mich noch mehr verwöhnt, und natürlich war es ein großer Tag für mich, aber war es wirklich so wichtig, wie ich tat? Nein. Denn«, und jetzt weinte sie ein bisschen, »ich wollte gar nicht ins Museum, ich wollte, dass er mit mir nach Uptown fährt, weil ich wusste, dass er dann vor dem Vorspielen mit mir zum Lunch gehen würde, wohin ich wollte. Er hätte an dem Tag zu Hause bleiben sollen, er hatte was anderes zu tun, und sie ließen nicht mal Verwandte dabeisitzen, er hätte draußen auf dem Gang warten müssen …«

»Er wusste, was er tat.«

Sie sah zu mir auf, als hätte ich genau das Falsche gesagt, aber ich wusste, es war genau das Richtige, wenn ich es nur vernünftig hervorbringen konnte.

»Die ganze Zeit, als wir zusammen waren, hat er von dir gesprochen. Und …«

»Und was?«

»Nichts!« Ich schloss die Augen, übermannt vom Wein, von ihr, von der Unmöglichkeit, es zu erklären. »Es waren nur – seine letzten Augenblicke auf Erden, weißt du? Und der Platz zwischen meinem Leben und seinem war sehr, sehr schmal. Da *war* überhaupt kein Platz. Es war, als habe sich etwas zwischen uns aufgetan – ein gewaltiges Aufblitzen dessen, was real, was wichtig war. Kein Ich, kein Er. Wir waren dieselbe Person. Dieselben Gedanken – wir brauchten nichts zu sagen. Es waren nur ein paar Minuten, aber es hätten auch Jahre sein können, wir könnten *immer* noch da sein. Und, äh, ich weiß, es klingt verrückt«, tatsächlich war es eine völlig irrsinnige Analogie, abgedreht, durchgeknallt, aber ich wusste nicht, wie ich sonst in Worte fassen sollte, was ich ihr sagen wollte, »aber kennst du Barbara Guibbory, die diese Seminare veranstaltet, oben in Rhinebeck, über Regression in frühere Leben? Reinkarnation und karmische Bindungen und so weiter? Seelen, die viele Leben lang zusammen waren? Ich weiß, ich *weiß*«, sagte ich, als ich ihren verblüfften (und leicht beunruhigten) Blick sah. »Jedes Mal, wenn ich Barbara sehe, sagt sie mir, ich muss Um oder Rum oder so was summen, um damit quasi die blockierten Chakren zu heilen – ›ein schadhaftes

Muladhara‹ – kein Witz, das hat sie bei mir diagnostiziert –, ›entwurzelt …‹, ›Einschnürung des Herzens …‹, ›fragmentiertes Energiefeld …‹. Ich stehe nur da mit einem Cocktail und kümmere mich um meine eigenen Sachen, und da kommt sie angeschwebt und erzählt mir, was ich alles essen muss, um mich wieder zu erden …« Ich sah, dass ich dabei war, sie zu verlieren. »Entschuldige, ich komme ein wenig vom Thema ab. Es ist nur – na ja, wir sprachen so darüber, und das ganze Zeug ging mir höllisch auf die Nerven. Hobie stand auch da mit einem großen alten Scotch, und er sagte: ›Was ist denn mit mir, Barbara? Sollte ich vielleicht Wurzelgemüse essen? Mich auf den Kopf stellen?‹, und sie tätschelte ihm nur den Arm und sagte: ›Oh, keine Sorge, James, du BIST ein fortgeschrittenes Wesen.‹«

Das brachte sie zum Lachen.

»Aber Welty – Welty war das auch. Ein ›Fortgeschrittenes Wesen‹. Irgendwie – er machte keinen Witz. Alles ganz ernst. Ganz präzise. Diese Geschichten, die Barbara da erzählt – Guru So-und-so legt ihr in Burma die Hand auf den Kopf, und in diesem einen Augenblick wurde sie von Wissen erfüllt und war ein anderer Mensch …«

»Na, ich meine, Everett – natürlich ist er Krishnamurti nie *begegnet,* aber …«

»Ja, ja.« Everett – wieso mich das so sehr ärgerte, wusste ich nicht – war auf einem guru-orientierten Internat in Süd-England gewesen, wo Fächer unterrichtet wurden, die Namen hatten wie ›Die Erde beschützen und an andere denken‹. »Aber was ich sagen will – es ist, als ob Weltys Energie oder sein Kraftfeld – Gott, es klingt so kitschig, aber ich weiß nicht, wie man es sonst nennen soll –, als wäre es von dieser Stunde an bei mir gewesen. Ich war da für ihn, und er war da für mich. Irgendwie permanent.« Ich hatte es bisher noch nie irgendjemandem gegenüber wirklich ausgesprochen, aber ich empfand es zutiefst so. »Wenn ich an ihn denke, ist er anwesend, seine Persönlichkeit ist bei mir. Ich meine, kaum war ich zu Hobie gekommen, war ich auch schon oben im Laden, als hätte etwas mich dort hineingezogen. Ganz instinktiv, ich kann's nicht anders erklären. Denn – war ich an Antiquitäten interessiert? Nein. Warum sollte ich? Und

trotzdem war ich da. Ging seine Inventarliste durch. Las seine Rand-
notizen in den Versteigerungskatalogen. Seine Welt, seine Sachen,
alles da oben – es zog mich an wie eine Flamme. Ich hatte nicht mal
danach gesucht – eher hatte es mich gesucht. Und ich meine – ich
war noch keine achtzehn, und niemand hat es mir beigebracht, es
war, als wüsste ich längst Bescheid, und ich war allein da oben und
machte Weltys *Arbeit*. Als ob«, rastlos schlug ich die Beine übereinander, »also, ist dir schon mal aufgefallen, wie verrückt es war, dass
er mich zu euch nach Hause geschickt hat? Zufall – vielleicht. Aber
es kam mir nicht vor wie ein Zufall. Es war, als ob er gesehen hätte,
wer ich war, und als ob er mich exakt dahin schickte, wo ich hingehörte und zu wem ich gehörte. Also, ja«, allmählich kam ich wieder
zu mir; ich redete ein bisschen zu schnell, »ja, sorry. Ich wollte nicht
so losplappern.«

»Das ist okay.«

Schweigen. Ihre Augen schauten in meine. Aber anders als Kitsey – die immer wenigstens teilweise woanders war, die ernsthafte
Gespräche verabscheute, die sich in einer ähnlichen Situation jetzt
nach der Kellnerin umsehen oder irgendeine unbekümmerte und/
oder komische Bemerkung machen würde, damit der Augenblick
nicht allzu intensiv wurde –, anders als Kitsey hörte sie zu, sie war
bei mir, und ich sah nur zu deutlich, wie traurig sie über meinen Zustand war, eine Traurigkeit, die nur noch schlimmer dadurch wurde,
dass sie mich wirklich gern hatte: Wir hatten vieles gemeinsam, eine
geistige, aber auch eine emotionale Verbindung, sie genoss meine
Gesellschaft, sie vertraute mir, sie wünschte mir Gutes, sie wollte vor
allem meine Freundin sein, und während manche Frauen sich jetzt
gebauchpinselt gefühlt und an meinem Elend erfreut hätten, war es
für sie nicht amüsant zu sehen, wie zerrissen ich ihretwegen war.

XXIX

Am nächsten Tag – dem Tag der Verlobungsparty – war alle Nähe des vergangenen Abends dahin. Geblieben war (beim Frühstück, bei unserem kurzen Hallo im Korridor) das frustrierende Wissen, dass ich sie nicht noch einmal für mich allein haben würde. Wir gingen unbeholfen miteinander um, stießen beim Kommen und Gehen miteinander zusammen, redeten ein bisschen zu laut und zu fröhlich, und ich erinnerte mich (viel zu betrübt) an ihren Besuch im vorigen Sommer, vier Monate vor ihrer Ankunft mit »Everett«, und an das tiefgründige, leidenschaftliche Gespräch auf den Stufen vor der Haustür, nur wir beide, als es dunkel wurde: Seite an Seite aneinandergeschmiegt (»wie zwei alte Tramps«), mein Knie an ihrem, mein Arm berührte ihren Arm, und wir beide schauten hinaus auf die Straße und redeten über alles Mögliche, über die Kindheit, über Spielkameraden im Central Park und über das Schlittschuhlaufen auf dem Wollman Rink (hatten wir uns in den alten Zeiten irgendwann gesehen? Hatten wir uns auf der Eisbahn gestreift?), über *Misfits*, den wir kurz vorher mit Hobie im Fernsehen gesehen hatten, über Marilyn Monroe, die wir beide liebten (»ein kleiner Frühlingsgeist«), über den armen, zerstörten Montgomery Clift, der immer mit einer Handvoll losen Pillen in den Taschen herumlief (ein Detail, das mir entgangen war und das ich nicht kommentierte), über Clark Gables Tod und die schrecklichen Schuldgefühle, unter denen Marilyn deshalb gelitten, über die Verantwortung, die sie bei sich gesehen hatte – und in seltsamen Spiralbahnen gerieten wir dabei in ein Gespräch über Schicksal, Okkultismus und Wahrsagerei: Hatten Geburtstage etwas mit Glück oder seiner Abwesenheit zu tun? Schlechte Transite, Sterne in verhängnisvoller Anordnung? Was würde eine Handleserin sagen? Warst du schon mal bei einer? Nein – du? Vielleicht sollten wir mal zu der psychischen Heilerin gehen, zu dem Laden in der Sixth Avenue mit den lila Lampen und den Kristallkugeln, der sieht ja aus, als wäre er rund um die Uhr geöffnet – ach, du meinst das Schaufenster mit der Lava-Lampe, wo die verrückte Rumänin in der Tür steht und rülpst? – so redeten wir, bis es so dunkel war, dass wir einander kaum noch sehen konnten, und flüsterten obwohl es keinen Grund dazu gab: *Möchtest du hineingehen? Nein, noch nicht,* und der dicke Sommermond leuchtete rein und weiß, und meine Liebe zu ihr war eigentlich genauso rein, so einfach und beständig wie der Mond. Aber dann mussten wir schließlich ins Haus gehen, und fast im selben Moment war der Bann gebrochen, und im hellen Hausflur waren wir verlegen und steif im Umgang miteinander, fast als wäre am Ende einer Theateraufführung die Saalbeleuchtung eingeschaltet worden und entblößte die Nähe zwischen uns als das, was sie war: ein schöner Schein. Monatelang hatte ich verzweifelt versucht, diesen Augenblick noch einmal wiederzufinden, und in der Bar war es mir für eine oder zwei Stunden gelungen. Aber wiederum war alles unwirklich, wir waren wieder da, wo wir angefangen hatten, und ich versuchte mir einzureden, es sei doch genug, dass ich sie noch einmal für ein paar Stunden für mich gehabt hatte. Aber das war es nicht.

XXX

Anne de Larmessin – Kitseys Patin – war die Gastgeberin unserer Party in einem privaten Club, in den selbst Hobie noch nie einen Fuß gesetzt hatte. Aber er wusste alles darüber. Er kannte seine Geschichte (ehrwürdig), seine Architekten (illuster) und seine Mitglieder (galaktisch, das ganze Programm von Aaron Burr bis zu den Whartons). »Angeblich eins der besten frühen Greek-Revival-Interieurs im Staat New York«, hatte er uns mit ernsthaftem Entzücken informiert. »Die Treppen, die Kaminsimse – ob sie uns wohl in den Leseraum lassen? Der Stuck dort soll noch original sein, habe ich gehört. Wirklich sehenswert.«

»Wie viele Leute werden da sein?«, fragte Pippa. Sie hatte sich bei Morgane le Fay ein neues Kleid kaufen müssen, weil sie nicht für die Party gepackt hatte.

»Rund zweihundert.« Vielleicht fünfzehn davon (darunter Pippa und Hobie, Mr. Bracegirdle und Mrs. DeFrees) waren meine Gäste. Hundert waren Kitseys, und der Rest waren Leute, die angeblich auch Kitsey nicht kannte.

»Einschließlich«, sagte Hobie, »des Bürgermeisters. Und beider Senatoren. Und Prinz Albert von Monaco, stimmt's nicht?«

»Sie haben Prinz Albert *eingeladen*. Ich bezweifle ernsthaft, dass er kommt.«

»Oh, also nur eine ganz intime Veranstaltung. Rein familiär.«

»Hör zu, ich gehe da nur hin und tue, was man mir sagt.« Anne de Larmessin hatte das Oberkommando über die Hochzeit ergriffen, angesichts der »Krise« (wie sie es nannte) von Mrs. Barbours Apathie. Es war Anne de Larmessin, die über die richtige Kirche und den richtigen Geistlichen verhandelte. Es war Anne de Larmessin, die die Gästeliste (atemberaubend) und die Sitzpläne (unglaublich verzwickt) ausarbeiten würde und die letzten Endes, wie es schien, in allem das letzte Wort haben würde, vom Kissen des Ringträgers bis zur Hochzeitstorte. Es war Anne de Larmessin, die genau den richtigen Designer für das Hochzeitskleid engagiert hatte, die ihr Anwesen in St. Barth's für die Flitterwochen angeboten hatte, bei der Kitsey anrief, wann immer Kitsey eine Frage hatte (was mehrmals am Tag vorkam), und die sich (wie Toddy es formulierte) fest als Hochzeits-Obergruppenführer etabliert hatte. Das Komische und Perverse an alldem war der Umstand, dass Anne de Larmessin über mich so beunruhigt war, dass sie es kaum über sich brachte, mich anzusehen. Ich war Welten entfernt von dem Partner, den sie für ihr Patenkind erhofft hatte. Sogar mein Name war so vulgär, dass sie ihn nicht aussprechen konnte. »Und was sagt der *Bräutigam* dazu?« »Wird der *Bräutigam* mir in nächster Zeit seine Gästeliste vorlegen?« Offensichtlich war die Hochzeit mit jemandem wie mir (einem Möbelhändler!) ein Schicksal, so schlimm wie der Tod. Mehr oder weniger. Daher der spektakuläre Pomp der Veranstaltung, das grimmige Zeremonienbedürfnis: als wäre Kitsey eine verlorene Prinzessin von Ur, die zu einem letzten Festschmaus in vollem Staat geschmückt werden sollte, um dann – begleitet von Tambourinspielern und Zofen – mit prächtigem Geleit in die Unterwelt hinabgeführt zu werden.

XXXI

Da ich keinen speziellen Grund sah, weshalb ich auf der Party meinen Verstand dabeihaben sollte, sorgte ich dafür, dass ich gut zugedröhnt war, bevor ich losging, und für den Notfall schob ich noch eine Oxycodon in die Tasche meines besten Turnbull-&-Asser-Hemdes.

Der Club war so schön, dass mir das Gedränge der Gäste gegen den Strich ging, denn es war schwierig, die architektonischen Details zu sehen, die Porträts, die Rahmen an Rahmen an den Wänden hingen – einige davon sehr wertvoll –, und die seltenen Bücher in den Regalen. Rotsamtene Drapagen, Girlanden aus Tannengrün – und waren das echte Kerzen auf dem Baum? Wie benommen stand ich oben an der Treppe und wollte niemanden begrüßen und mit niemandem reden, ich wollte überhaupt nicht da sein …

Eine Hand auf meinem Ärmel. »Was ist los?«, fragte Pippa.

»Was?« Ich konnte ihr nicht in die Augen sehen.

»Du siehst so traurig aus.«

»Ich bin es auch«, sagte ich, aber ich war nicht sicher, ob sie es hörte oder nicht; ich hörte es fast selbst nicht, weil genau in diesem Moment Hobie – der gemerkt hatte, dass wir zurückgeblieben waren – umkehrte und uns suchte. »Ah, da *seid* ihr ja«, rief er.

»Geh, kümmere dich um deine Gäste.« Er gab mir einen freundlichen, väterlichen Schubs. »Alle fragen nach dir!« Unter all den Fremden waren er und Pippa die einzigen wirklich unverwechselbar und interessant aussehenden Leute: sie eine Fee in ihrem durchscheinend grünen Kleid mit den schleierzarten Ärmeln, er elegant und gewinnend in seinem mitternachtsblauen Blazer und seinen schönen alten Schuhen von Peal & Co.

»Ich …« Hoffnungslos sah ich mich um.

»Mach dir keine Sorgen um uns. Wir finden dich später wieder.«

»Okay.« Ich wappnete mich und ließ sie vor einem Porträt von John Adams in der Nähe der Garderobe stehen, wo sie darauf warteten, dass Mrs. DeFrees ihren Nerz ablegte. Ich schlängelte mich durch die vollen Räume, aber ich sah niemanden, den ich kannte, außer Mrs. Barbour, und ich hatte nicht das Gefühl, ich könnte ihr entgegentreten, doch sie bemerkte mich, bevor ich entwischen konnte, und hielt mich am Ärmel fest. Sie stand mit ihrem Gin-and-Lime in der Hand in einer Tür bei einem düster rüstigen alten Gentleman mit einem harten, roten Gesicht und einer harten, klaren Stimme und weißen Haarbüscheln über den Ohren, der auf sie einredete.

»Oh, Medora«, sagte er eben und wippte auf den Fersen zurück. »Immer noch ein beständiger Quell des Entzückens. So ein liebes altes Mädel. Außergewöhnlich und beeindruckend. Fast neunzig! Die Familie natürlich von reinstem Knickerbocker-Blut, wie sie einem immer wieder gern ins Gedächtnis ruft – oh, Sie sollten sie sehen, voller Energie beim Pflegepersonal …« An dieser Stelle gestattete er sich ein nachsichtiges kleines Lachen. »Es ist schrecklich, meine Liebe, aber so amüsant – zumindest nehme ich an, dass Sie es auch so empfinden … Sie können itzo keine *farbigen* Pfleger beschäftigen – so sagt man doch heute, nicht wahr? –, denn Medora hat einen starken Hang zum, sagen wir, *Patois ihrer Jugend.* Zumal wenn sie versuchen, sie festzuhalten oder in die Badewanne zu bringen. Eine beachtliche Kämpferin, wenn sie in der richtigen Stimmung ist, höre ich! Ist einem der afroamerikanischen Pfleger mit dem Schürhaken nachgelaufen. Ha ha ha. Na ja … wissen Sie … es ist reines Glück, dass ich nicht an ihrer Stelle bin. Sie gehörte zu dem, was man vermutlich als die ›Ein Häuschen im Himmel‹-Generation bezeichnen könnte. Medora, meine ich. Und der Vater hatte das Anwesen der Familie in Virginia – Goochland County, oder? Eine Geldheirat, wie sie im Buche steht. Aber der Sohn – Sie kennen den Sohn, oder? – war doch eine ziemliche Enttäuschung, nicht wahr? Mit der Trinkerei. Und die *Tochter.* Gesellschaftlich eine Versagerin. Zurückhaltend gesagt. Stark übergewichtig. Sammelt Katzen, wenn Sie wissen, was ich meine. Medoras Bruder dagegen, Owen – Owen war ein wunderbarer, ganz wunderbarer Mann, starb am Herzinfarkt im Umkleideraum des Athletic Club … genoss einen *intimen* Augenblick im Umkleideraum des Athletic Club, wenn Sie verstehen … wunderbarer Mann, Owen, aber er war immer so etwas wie eine verlorene Seele. Hat aufgehört zu leben, ohne sich wirklich zu finden, so kommt's mir vor.«

»Theo«, sagte Mrs. Barbour und streckte plötzlich, als ich mich verdrücken wollte, die Hand nach mir aus, wie jemand, der in einem brennenden Auto eingeklemmt ist und vielleicht im letzten Moment noch einmal nach dem Rettungspersonal greift. »Theo, ich möchte dich mit Havistock Irving bekannt machen.«

Havistock Irving drehte sich um und fixierte mich mit einem scharfen – und für mein Empfinden nicht besonders wohlwollenden – Strahl von Interesse. »Theodore Decker.«

»Ich fürchte ja«, sagte ich verblüfft.

»Aha.« Sein Blick gefiel mir immer weniger. »Sie wundern sich, dass ich Sie kenne. Wissen Sie, ich kenne Ihren geschätzten Partner, Mr. Hobart. Und seinen geschätzten Partner vor Ihnen, Mr. Blackwell.«

»Tatsächlich«, sagte ich mit entschlossener Sanftmut. Im Antiquitätengeschäft hatte ich täglich Gelegenheit, mich mit den Andeutungen von alten Gentlemen seines Schlages zu befassen, und Mrs. Barbour, die meine Hand nicht losgelassen hatte, drückte sie noch fester.

»Havistock ist ein direkter Nachkomme von Washington Irving«, sagte sie hilfsbereit. »Schreibt seine Biographie.«

»Wie interessant.«

»Ja, es ist ziemlich interessant«, sagte Havistock friedlich. »Allerdings ist Washington in der akademischen Welt von heute ein wenig in Ungnade gefallen. Marginalisiert.« Er freute sich, dass ihm das Wort eingefallen war. »Keine entschieden amerikanische Stimme, sagen die Gelehrten. Ein bisschen zu kosmopolitisch – zu europäisch. Was wohl nur zu erwarten ist, da er sein Handwerk hauptsächlich von Addison und Steele gelernt hat. Jedenfalls würde mein ruhmreicher Vorfahre meine Alltagsroutine sicher nur billigen.«

»Und die wäre …?«

»Ich arbeite in Bibliotheken, lese alte Zeitungen, studiere alte Behördenakten.«

»Wieso Behördenakten?«

Er machte eine große Geste mit der Hand. »Weil sie mich interessieren. Und von noch größerem Interesse sind sie für einen mir eng verbundenen Kollegen, der im Laufe der Zeit mitunter eine Menge interessante Informationen zutage fördert … Ich nehme an, Sie sind mit ihm bekannt?«

»Wer ist es?«

»Lucius Reeve?«

In dem Schweigen, das auf diesen Namen folgte, schwoll das Geschnatter der Gäste und das Klingen der Gläser zu einem Tosen an, als wäre eine Windbö durch den Raum gerauscht.

»Ja. Lucius.« Eine amüsiert hochgezogene Braue. Zum Flöten gespitzte Lippen. »Ich wusste, sein Name würde Ihnen nicht unbekannt sein. Sie haben ihm einen sehr interessanten Schubladenschrank verkauft, wie Sie sich erinnern werden.«

»Das stimmt. Und ich würde ihn zu gern zurückkaufen, wenn er sich überreden ließe.«

»Oh, das glaube ich gern. Aber er ist nicht willens zu verkaufen«, sagte er und redete maliziös über mich hinweg. »Ich wäre es ebenso wenig. Angesichts des anderen, noch interessanteren Stücks, das in Aussicht steht.«

»Tja, ich fürchte, das kann er vergessen«, sagte ich freundlich. Der Ruck, der mich bei Reeves Namen durchzuckt hatte, war ein reiner Reflex gewesen, ein sinnfreies Stolpern über ein zusammengerolltes Verlängerungskabel oder ein Stück Schnur am Boden.

»Vergessen?« Havistock gestattete sich ein Lachen. »Oh, ich glaube nicht, dass er es vergessen wird.«

Statt zu antworten, lächelte ich. Aber Havistock sah immer selbstgefälliger aus.

»Es ist wirklich überraschend, was man heutzutage mit einem Computer so alles herausfinden kann«, sagte er.

»Ach ja?«

»Tja, wissen Sie, Lucius ist es in letzter Zeit gelungen, Informationen über ein paar andere interessante Stücke in Erfahrung zu bringen, die Sie verkauft haben. Tatsächlich glaube ich, die Käufer wissen gar nicht, wie interessant sie wirklich sind. Zwölf ›Duncan Phyfe‹-Esstischstühle, nach Dallas?« Er nahm ein Schlückchen Champagner. »All die ›wichtigen Sheratons‹ an den Käufer in Houston? Und eine Menge mehr davon nach Los Angeles?«

Ich bemühte mich, keine Miene zu verziehen.

»›Stücke von Museumsqualität‹. Natürlich«, er bezog Mrs. Barbour in die Unterhaltung ein, »wissen wir alle, nicht wahr, dass ›Museumsqualität‹ in Wahrheit davon abhängt, von welcher Sorte Museum man redet. Ha ha! Aber Lucius war wirklich sehr erfolgreich dabei, ein paar Ihrer unternehmungslustigeren Verkäufe aus jüngerer Zeit zu verfolgen. Und er denkt daran, nach den Feiertagen, eine Reise nach Texas zu machen, zu – aha!« Er wandte sich mit einem gewandten kleinen Tanzschritt von mir ab, als Kitsey in eisblauem Satin hereingerauscht kam, um uns zu begrüßen. »Wahrhaftig eine willkommene und schmückende Ergänzung! Du siehst ja reizend aus, meine Liebe.« Er beugte sich vor, um sie zu küssen. »Ich plaudere gerade mit deinem charmanten künftigen Gemahl. Wirklich schockierend, wie viele gemeinsame Freunde wir haben!«

»Ach?« Erst als sie sich wirklich zu mir umdrehte, um mich anzuschauen und mir ein Küsschen auf die Wange zu drücken, wurde mir klar, dass Kitsey sich nicht hundertprozentig sicher gewesen war, ob ich kommen würde. Ihre Erleichterung bei meinem Anblick war mit Händen zu greifen.

»Und erzählen Sie Theo und Mommy jetzt lauter Skandalgeschichten?«, fragte sie und wandte sich wieder Havistock zu.

»Oh, Kittycat, du bist wirklich ungezogen.« Gemütlich hakte er sich mit einem Arm bei ihr unter und langte mit dem andern vorn herum, um ihre Hand zu tätscheln: ein kleiner, puritanisch aussehender Teufel von einem Mann, dünn, liebenswürdig, agil. »Aber, meine Liebe, ich sehe, du brauchst etwas zu trinken, genau wie ich. Lass uns davonspazieren, ja?«, er warf noch einen kurzen Blick zu mir zurück, »und uns ein nettes, ruhiges Eckchen suchen, wo wir in aller Ausführlichkeit über deinen Verlobten tratschen können.«

XXXII

»Gott sei Dank, er ist weg«, sagte Mrs. Barbour leise, als die beiden zum Getränkebuffet gegangen waren. »Dieses Geplapper ermüdet mich ungeheuer.«

»Mich auch.« Ich war nassgeschwitzt. Wie hatte er das alles herausgefunden? Alle Stücke, die er erwähnt hatte, waren mit demselben Spediteur versandt worden. Trotzdem – ich lechzte nach einem Drink –, woher konnte er das alles wissen?

Mir wurde bewusst, dass Mrs. Barbour eben etwas gesagt hatte. »Wie bitte?«

»Ich habe gesagt, ist das nicht außerordentlich? Ich bin erstaunt über diese große Masse von Menschen.« Sie war sehr schlicht gekleidet – schwarzes Kleid, schwarze Pumps und die prachtvolle Schneeflockenbrosche –, aber Schwarz war nicht ihre Farbe und verlieh ihr ein entsagungsvolles Aussehen von Krankheit und Trauer. »*Muss* ich mich unter die Gäste mischen? Ich muss es wohl. O Gott, sieh nur, da ist Annes Mann. Was für ein Langweiler. Ist es schrecklich, wenn ich sage, ich wünschte, ich wäre zu Hause?«

»Wer war der Mann eben?«, fragte ich sie.

»Havistock?« Sie fuhr sich mit der Hand über die Stirn. »Ich bin froh, dass er so beharrlich auf seinem Namen besteht, denn sonst hätte ich Mühe gehabt, euch bekannt zu machen.«

»Ich hatte den Eindruck, er sei ein guter Freund von Ihnen.«

Sie kniff unglücklich die Augen zusammen, und angesichts ihrer Bestürzung bereute ich den Ton, den ich angeschlagen hatte.

»Nun ja«, sagte sie dann mit Entschiedenheit, »er ist sehr vertraut. Das heißt – er hat eine sehr vertrauliche Art. Aber so ist er bei allen.«

»Woher kennen Sie ihn?«

»Oh, Havistock arbeitet ehrenamtlich für die New York Historical Society. Kennt alles und jeden. Allerdings, ganz unter uns gesagt, glaube ich nicht, dass er ein Nachkomme Washington Irvings ist.«

»Nicht?«

»Na ja, er ist durchaus charmant. Das heißt, er kennt absolut jeden … behauptet, eine Verbindung zu den Astors zu haben, neben der zu Washington Irving, und wer will schon sagen, das stimmt nicht? Einige von uns fanden es interessant, dass viele von denen, mit denen er etwas zu tun haben will, schon tot sind. Aber davon abgesehen ist Havistock wirklich entzückend – oder er *kann* es sein. Sehr, sehr reizend, wie er die alten Ladys besucht – du hast ihn ja eben gehört. Eine regelrechte Schatztruhe voll Informationen über die New Yorker Geschichte – Daten, Namen, Genealogien. Bevor du dazukamst, hat er mir die Geschichte *jedes* einzelnen Gebäudes in der Straße erzählt, all die alten Skandale. Ein Mord in den besseren Kreisen im Townhouse nebenan, in den siebziger Jahren des 19. Jahrhunderts. Er weiß einfach alles. Andererseits, bei einem Lunch vor ein paar Monaten hat er die Tischgesellschaft mit einer grenzenlos abscheulichen Geschichte über Fred Astaire unterhalten, die nach meinem Dafürhalten *unmöglich* wahr sein kann. Fred Astaire! Flucht wie ein Matrose und bekommt einen Tobsuchtsanfall! Ich gestehe dir gern, ich habe es einfach nicht geglaubt. Niemand von uns hat es geglaubt. Chances Großmutter kannte Fred Astaire, als sie in Hollywood arbeitete, und sie sagte, er sei einfach der wunderbarste Mann auf der Welt gewesen. Und ich habe nie auch nur eine Andeutung des Gegenteils gehört. Ein paar der alten Stars waren natürlich absolut grässlich, und auch diese Geschichten kennen wir alle. Oh«, sagte sie verzweifelt im selben Atemzug, »ich bin so müde und hungrig.«

»Hier«, sagte ich mitleidig und führte sie zu einem freien Stuhl, »setzen Sie sich. Soll ich Ihnen etwas zu essen holen?«

»Nein, bitte, ich möchte, dass du bei mir bleibst. Das heißt, eigentlich sollte ich dich wohl nicht für mich allein beanspruchen«, sagte sie ohne große Überzeugung. »Du bist der Ehrengast.«

»Es dauert wirklich nicht mal eine Minute.« Mein Blick huschte im Zimmer herum. Tabletts mit Horsd'œuvres wurden herumgetragen, und im nächsten Raum stand ein Buffet. Aber ich musste dringend mit Hobie reden. »Ich komme zurück, so schnell ich kann.«

Zum Glück war Hobie so groß – buchstäblich größer als alle anderen –, dass ich keine Mühe hatte, ihn zu finden: ein Leuchtturm der Sicherheit im Gewühl.

»Hey«, sagte jemand und hielt mich am Arm fest, als ich Hobie fast erreicht hatte. Es war Platt in einer grünen Samtjacke, die nach Mottenkugeln roch. Er sah zerknautscht und beunruhigt und schon ziemlich betrunken aus. »Alles okay zwischen euch beiden?«

»Was?«

»Du und Kits, habt ihr über alles geredet?«

Ich wusste nicht genau, was ich darauf antworten sollte. Nach ein paar Augenblicken des Schweigens strich er sich eine graublonde Haarsträhne hinter das Ohr. Sein Gesicht war rosarot und geschwollen, vorzeitig gealtert, und ich dachte nicht zum ersten Mal, dass die Weigerung erwachsen zu werden Platt keine Freiheit gebracht hatte, dass er es mit seiner endlosen Bummelei geschafft hatte, noch den letzten Schimmer seiner ererbten Privilegien zu ersticken. Jetzt würde er für alle Zeit mit seinem Gin-and-Lime am Rande der Party herumlungern, während sein kleiner Bruder Toddy – der noch auf dem College war – plaudernd in einer Gruppe von Leuten stand, zu der der Präsident eines Ivy-League-Colleges, ein milliardenschwerer Investor und der Verleger einer bedeutenden Illustrierten gehörten.

Platt sah mich immer noch an. »Hör zu«, sagte er, »ich weiß, es geht mich nichts an, was du und Kits …«

Ich zuckte die Achseln.

»Tom liebt sie nicht«, sagte er impulsiv. »Dass du aufgetaucht bist, ist das Beste, was Kitsey je passiert ist, und das weiß sie. Ich meine, wie behandelt er sie denn! Sie war bei ihm, weißt du, an dem Wochenende, als Andy gestorben ist. Das war der riesig wichtige Grund, weshalb sie Andy raufgeschickt hat, damit er sich um Daddy kümmert, obwohl er hoffnungslos war, was Daddy betraf. Aber deshalb ist sie nicht selbst gegangen. Tom, Tom, Tom. Immer nur Tom. Und yeah – anscheinend quatscht er immer nur von ›ewiger Liebe‹ bei ihr, ›meine einzige Liebe‹, das sagt sie jedenfalls, aber glaub mir, hinter ihrem Rücken sieht die Geschichte ganz anders aus. Denn weißt du«, frustriert machte er eine Pause, »wie er sie hingehalten hat – dauernd Geld geschnorrt, mit anderen Mädchen unterwegs gewesen und sie dann belogen – ich fand's zum Kotzen, und Mommy und Daddy auch. Im Grunde lässt er sich von ihr versorgen, das ist alles. So sieht er sie. Aber frag mich nicht, warum, aber sie war verrückt nach ihm. Völlig durchgedreht.«

»Ist sie ja anscheinend immer noch.«

Platt verzog das Gesicht. »Komm, hör auf. Du bist der Mann, den sie heiratet.«

»Cable kommt mir nicht vor wie der Typ, der heiratet.«

»Tja«, er trank einen großen Schluck aus seinem Glas, »die, die Tom dann *doch* mal heiratet, tut mir jetzt schon leid. Kitsey ist vielleicht impulsiv, aber dumm ist sie nicht.«

»Nein.« Kitsey war alles andere als dumm. Sie hatte nicht nur die Ehe eingefädelt, die ihrer Mutter die größte Freude machen würde, sie schlief auch mit dem, den sie wirklich liebte.

»Es wäre nie was draus geworden. Wie Mommy gesagt hat. ›Eine absolute Schwärmerei.‹ ›Ein Hirngespinst.‹«

»Sie hat mir gesagt, sie liebt ihn.«

»Ja, Mädchen verlieben sich immer in Arschlöcher.« Platt gab sich nicht mal Mühe, mir zu widersprechen. »Ist dir das noch nicht aufgefallen?«

Nein, dachte ich düster, *stimmt nicht*. Denn wieso liebte Pippa mich dann nicht?

»Hey, du brauchst was zu trinken, Alter. Ehrlich gesagt«, er kippte den Rest aus seinem Glas herunter, »ich könnte selbst noch was vertragen.«

»Hör zu, ich muss jetzt mit jemandem reden. Und deine Mutter«, ich drehte mich um und zeigte in die Richtung, wo ich sie hingesetzt hatte, »braucht auch etwas zu trinken und etwas zu essen.«

»*Mommy*«, sagte Platt, als hätte ich ihn gerade daran erinnert, dass er einen Kessel auf dem Herd stehen hatte, und eilte davon.

XXXIII

»Hobie?«

Er schien zu erschrecken, als ich seinen Ärmel berührte, und fuhr herum. »Alles in Ordnung?«, fragte er sofort.

Ich fühlte mich besser, als ich einfach nur bei ihm stand und Hobies saubere Luft atmete. »Hör mal«, sagte ich, »könnten wir ganz kurz miteinander …«

»Ah, und das ist der Bräutigam?«, warf eine Frau aus der Gruppe ein, von der er eifrig umschwirrt wurde.

»Ja, herzlichen Glückwunsch!« Noch mehr Fremde drängten sich heran.

»Wie jung er aussieht! Sie sehen so jung aus.« Eine blonde Lady Mitte fünfzig drückte mir die Hand. »Und so hübsch!« Sie drehte sich zu einer Freundin um. »Prince Charming! Kann er auch nur eine Minute älter als zweiundzwanzig sein?«

Höflich machte Hobie mich in seinem Kreis bekannt – sanft, taktvoll, ohne Hast: ein Salonlöwe der zahmsten Sorte.

»Ähem«, sagte ich und sah mich um, »entschuldige, wenn ich dich einfach wegschleife, Hobie, aber du hältst mich hoffentlich nicht für unhöflich, wenn ich …«

»Ein Wort unter vier Augen? Aber gern. Sie entschuldigen mich?«

»Hobie«, sagte ich, sobald wir in einer halbwegs ruhigen Ecke waren. Die Haare an meinen Schläfen waren schweißfeucht. »Kennst du einen Mann namens Havistock Irving?«

Die hellen Brauen zogen sich zusammen. »Wen?«, fragte er und sah mich dann genauer an. »Geht es dir wirklich gut?«

Sein Tonfall und sein Gesichtsausdruck verrieten mir, dass er

834

mehr über meinen Geisteszustand wusste, als er sich anmerken lassen wollte. »Ja, sicher«, sagte ich und schob meine Brille auf dem Nasenrücken hoch. »Mir geht's gut. Aber sag mal, bei dem Namen Havistock Irving, klingelt da was?«

»Nein. Sollte es?«

Ein wenig unsortiert – ich lechzte nach einem Drink; es war dumm gewesen, unterwegs nicht an der Bar vorbeizugehen – erklärte ich ihm alles. Während ich redete, wurde Hobies Gesicht immer ausdrucksloser.

»Was«, sagte er und ließ den Blick über die Köpfe der Menge wandern. »Siehst du ihn?«

»Äh …« Gewimmel am Buffet, Berge von zerstoßenem Eis, behandschuhte Kellner, die eimerweise Austern knackten. »Da.«

Hobie, der ohne seine Brille kurzsichtig war, zwinkerte zweimal und machte schmale Augen. »Was denn«, sagte er knapp, »der mit den …« Er hob die Hände an den Kopf und simulierte mit einer Handbewegung die beiden Haarbüschel über den Ohren.

»Ja, der.«

»Tja.« Er verschränkte die Arme mit einer rüden, nicht einstudierten Lockerheit, in der ich einen Augenblick lang nicht den Antiquitätenmann im Maßanzug sah, sondern den Cop oder den toughen Priester, der er in seinem alten Leben in Albany hätte werden können.

»Du kennst ihn? Wer ist das?«

»Hm.« Hobie tastete unbehaglich seine Brusttasche ab und suchte nach einer Zigarette, die er nicht rauchen durfte.

»Du kennst ihn?«, wiederholte ich drängender. Unwillkürlich warf ich einen Blick hinüber zu Havistock an der Bar. In heiklen Angelegenheiten war es manchmal schwer, Hobie die Würmer aus der Nase zu ziehen. Er neigte dann dazu, das Thema zu wechseln, zu verstummen oder ins Unbestimmte abzudriften, und der am wenigsten geeignete Ort dazu, ihn etwas zu fragen, war ein Raum voller Leute, in dem irgendein geselliger Mensch heranspazieren und ihn unterbrechen konnte.

»Kennen würde ich nicht sagen. Wir hatten schon miteinander zu tun. Was macht er hier?«

»Ein Freund der Braut«, sagte ich – und kassierte einen verblüfften Blick wegen des Tonfalls, in dem ich gesprochen hatte. »Wie gut kennst du ihn?«

Er blinzelte heftig. »Na ja«, sagte er widerstrebend, seinen richtigen Namen kenne ich nicht. Welty und ich kannten ihn als Sloane Griscam. Aber sein richtiger Name – ganz anders.«

»Wer ist er?«

»Ein Klopfer«, sagte Hobie knapp.

»Okay«, sagte ich, als ich mich nach einer kurzen Pause wieder gefasst hatte. Ein Klopfer war in unserer Branche ein Haifisch, der bei alten Leuten anklopfte und sich bei ihnen einschmeichelte, um sie um ihre Wertsachen zu betrügen und manchmal auch regelrecht zu beklauen.

»Ich …« Hobie wippte auf den Fersen und schaute unbeholfen weg. »Hier kann er reiche Beute machen, das steht fest. Er – und sein Partner auch. Teuflisch gerissen, die zwei.«

Ein strahlend lächelnder Glatzkopf mit Priesterkragen schlängelte sich auf uns zu. Ich drehte mich mit verschränkten Armen von ihm weg und versperrte ihm den Weg in der Hoffnung, Hobie würde ihn nicht kommen sehen und seine Geschichte unterbrechen, um ihn zu begrüßen.

»Lucian Race. Das war zumindest der Name, den er benutzte. Oh, sie waren ein feines Pärchen. Verstehst du – Havistock oder Sloane oder wie immer er sich jetzt nennt, schwatzte alte Ladys an – und alte Gentlemen auch –, fand heraus, wo sie wohnten, kam zu Besuch … pirschte sich bei Wohltätigkeitsveranstaltungen an sie heran, bei Beerdigungen, Versteigerungen bedeutender Americana, überall. Wie auch immer«, er betrachtete sein Glas, »er kreuzte dann mit seinem entzückenden Freund auf, mit Mr. Race, und wenn die alten Schätzchen abgelenkt waren … wirklich, es war schrecklich. Schmuck, Bilder, Uhren, Silber, alles, was sie in die Finger bekamen. Tja«, sagte er in verändertem Ton. »Ist lange her.«

Ich brauchte jetzt so dringend etwas zu trinken, dass ich Mühe hatte, nicht dauernd zur Bar hinüberzublicken. Schon sah ich, wie Toddy mich einem älteren Ehepaar zeigte. Die beiden lächelten mich erwartungsvoll an, als wollten sie herüberschlurfen und sich vorstellen. Störrisch wandte ich ihnen den Rücken zu. »Alte Leute?«, sagte ich fragend zu Hobie und hoffte, ihm noch ein bisschen mehr zu entlocken.

»Ja – ich sag's nicht gern, aber sie haben ein paar ziemlich hilflose Leute ausgenommen. Jeden, von dem sie ins Haus gelassen wurden. Viele der Alten hatten ja nicht viel; da konnten sie dann auf einen Schlag alles abräumen. Aber wenn es wirklich fette Beute zu machen gab? Oh, da wurden wochenlang Obstkörbe geliefert und vertrauliche Gespräche geführt und Hände getätschelt.«

Der Priester oder Prediger, oder was immer er sein mochte, hatte gesehen, dass ich beschäftigt war, und hatte freundlich die Hand gehoben – später! –, als er im Gedränge vorübertrieb, und ich lächelte ihm dankbar zu. War er der Episkopalbischof, Father So-und-so, der uns trauen sollte? Oder einer der katholischen Priester der Gemeinde von St. Ignatius, der Mrs. Barbour sich angeschlossen hatte, nachdem Andy und Mr. Barbour gestorben waren?

»Aalglatt, die zwei. Manchmal gaben sie sich als Experten für alte Möbel aus, boten kostenlose Gutachten an und bekamen auf diese Weise einen Fuß in die Tür. Oder, in wirklich schlimmen Fällen, wenn die Leute bettlägerig und senil waren, belogen sie die Pflegedienstmitarbeiter und gaben sich als Verwandte aus. Trotz und alledem …« Hobie schüttelte den Kopf. »Hast du denn schon was gegessen?« Das war die Stimme, mit der er das Thema wechselte.

»Ja«, sagte ich, obwohl das nicht stimmte. »Danke, aber sag mal …«

»Oh, gut!« Erleichtert. »Da drüben gibt's Austern und Kaviar. Das Krebszeug war auch gut. Du bist heute nicht zum Lunch nach oben gekommen. Ich habe dir einen Teller Rinderragout dagelassen, ein paar grüne Bohnen und Salat, aber du hast es nicht gegessen. Ich hab's im Kühlschrank gesehen …«

»Was hattet du und Welty mit ihm zu tun?«

Hobie blinzelte nervös. »Was?«, sagte er auf seine abwesende Art. »Oh«, er deutete mit dem Kopf in Griscams Richtung, »mit ihm?«

»Ja.« Die festtägliche Helligkeit im Raum – Lampen, Spiegel, lodernde Kaminfeuer, glitzernde Kronleuchter – gab mir das albtraumhafte Gefühl, von allen Seiten bedrängt und beobachtet zu werden.

»Nun …« Er schaute weg, denn soeben war eine neue Schüssel Kaviar hereingebracht worden. Er hatte sich schon halb dem Buffet zugewandt, aber dann gab er nach. »Er kam mit einer Ladung Juwelen und Silber ins Geschäft und wollte verkaufen. Ist Jahre her, weißt du? Familienbesitz, behauptete er. Nur, ein Salzstreuer – ein frühes Stück, bedeutend, und Welty erkannte ihn, weil er die Lady kannte, der er ihn verkauft hatte. Und er wusste, dass sie von zwei Klopfern ausgeraubt worden war, die sich bei ihr Einlass verschafft hatten, indem sie behaupteten, sie sammelten alte Bücher für einen Wohltätigkeitsbasar. Jedenfalls, Welty nahm die Sachen in Kommission und rief die alte Lady und die Polizei an. Und ich, na ja, ich auf meiner Seite«, er betupfte sich die Stirn mit seinem Liberty-Taschentuch und sprach so leise, dass ich ihn kaum hören konnte, aber ich wagte nicht, ihn zu bitten, lauter zu reden, »achtzehn Monate zuvor hatte ich einen *Nachlass* von dem Kerl gekauft. Ich hätte wissen müssen, dass da etwas nicht stimmte – nicht, dass ich genau hätte sagen können, was. Nagelneues Gebäude in einer achtziger Straße, East Side – eine bunte Sammlung von Americana, ein wüster Haufen mitten im Zimmer: Teekisten, Banjo-Uhren, Fischbein-Figurinen, genug Windsor-Stühle, um eine ganze Schule einzurichten – aber keine Teppiche, kein Sofa, nichts, wovon man hätte *essen,* nichts, worauf man hätte *schlafen* können. Na, du wärst sicher schneller als ich draufgekommen. Kein Nachlass, keine alte Tante – nur eine Wohnung, die er auf die Schnelle gemietet hatte, um sein illegal erworbenes Gut zu lagern. Außerdem – und das täuschte mich zusätzlich – kannte ich ihn vom Hörensagen, weil er damals ein eigenes kleines Geschäft hatte, nur eine Schaufensterfassade eigentlich, ein Hutschächtelchen, auf der Madison übrigens, nicht weit vom alten Parke-Bernet, sehr hübscher Laden, geöffnet nur nach Vereinbarung. Chevallet Antiques.

Ein paar wirklich erstklassige französische Sachen – nicht so mein Gebiet. Immer wenn ich vorbeikam, war geschlossen, und ich sah mir jedes Mal das Schaufenster an. Hatte keine Ahnung, wem das Geschäft gehörte, bis er mich wegen des Nachlasses anrief.«

»Und?« Wieder drehte ich mich um und versuchte, Platt auf telepathischem Wege zu zwingen, sich mitsamt seinem Verlagschef von mir fernzuhalten, den er gerade triumphierend auf mich zu bugsierte.

Hobie seufzte. »Langer Rede, kurzer Sinn, die Sache ging vor Gericht, und Welty und ich mussten aussagen. Sloane – der *Delapidateur*, wie Welty ihn nannte – hatte sich inzwischen in Luft aufgelöst. Das Geschäft war über Nacht geräumt worden –›wegen Renovierung‹ – und wurde natürlich nie wieder geöffnet. Aber ich glaube, Race wanderte ins Gefängnis.«

»Wann war das?«

Hobie nagte an der Seite eines Zeigefingers und überlegte. »O je, das muss – dreißig Jahre her sein? Sogar fünfunddreißig?«

»Und Race?«

Er zog die Stirn kraus. »Ist *er* hier?« Wieder wanderte sein Blick über die Gäste.

»Gesehen hab ich ihn nicht.«

»Die Haare so.« Hobie zeigte die Länge mit der Fingerspitze unterhalb des Nackens. »Bis über den Kragen. Wie die Engländer es tragen. Engländer in einem bestimmten Alter.«

»Weiße Haare?«

»Damals nicht. Heute vielleicht ja. Und ein kleiner, niederträchtiger Mund«, er kräuselte die Lippen, »ungefähr so.«

»Das ist er.«

»Hm.« Er wühlte sein Vergrößerungsglas aus der Tasche und begriff dann anscheinend, dass dieser Anlass es nicht erforderte. »Du hast ihm angeboten, ihm sein Geld zurückzugeben. Wenn es also *wirklich* Race ist, dann begreife ich nicht, warum er Druck macht, denn er ist absolut nicht in der Position, Ärger zu machen oder Forderungen zu stellen. Oder?«

»Nein«, sagte ich nach einer langen Pause, aber das war eine so faustdicke Lüge, dass ich das Wort kaum aus dem Mund bekam.

»Na, dann mach nicht so ein sorgenvolles Gesicht.« Hobie war offensichtlich erleichtert, das Thema fallenlassen zu können. »Das ist nun wirklich das Letzte, wodurch du dir den Abend verderben lassen solltest. Allerdings«, er klopfte mir auf die Schulter und sah sich im Raum nach Mrs. Barbour um, »du solltest auf jeden Fall Samantha warnen. Sie soll diesen Gauner nicht in ihr Haus lassen. Aus welchem Grund auch immer. Hallo!« Er drehte sich zu dem alten Ehepaar um, das es endlich geschafft hatte heranzuschlurfen und erwartungsvoll lächelnd hinter ihm stand. »James Hobart. Darf ich Sie mit dem Bräutigam bekannt machen?«

XXXIV

Die Party dauerte von sechs bis neun. Ich lächelte, schwitzte und versuchte mich zur Bar durchzuschlagen, aber immer wieder versperrte man mir den Weg und zog mich manchmal gewaltsam am Arm zurück. Wie Tantalus verdurstete ich in Sichtweite der Rettung – »Und da ist er, der Mann der Stunde!« »Der Beamish Boy!« »Herzlichen Glückwunsch!« »Hier, Theodore, du *musst* Harrys Cousine Francis kennenlernen – die Longstreets und die Abernathys sind väterlicherseits verwandt, der Bostoner Zweig der Familie, Chances Großvater, weißt du, er war ein Cousin ersten Grades von – Francis? Ach, ihr kennt euch? Perfekt! Und hier ist … oh, Elizabeth, bist du ja, darf ich dich für einen Augenblick entführen, ganz *entzückend* siehst du aus, dieses Blau steht dir fantastisch, ich möchte dich gern bekannt machen mit …« Schließlich gab ich den Gedanken an Trinken (und Essen) auf und schnappte mir – eingeklemmt im Geschiebe der Gäste – Champagnerflöten von den Tabletts der Kellner, die zufällig vorbeikamen, und hier und da ein Horsd'œuvre, eine winzige Quiche Lorraine oder ein Mini-Blini mit Kaviar. Fremde kamen und gingen, und ich stand wie festgenagelt da, höflich lächelnd inmitten von Leuten aus guter Familie, von Reichen und Mächtigen …

(vergiss nie, dass du nicht zu ihnen gehörst, hatte mein Junkie-Kollege aus der Buchhaltung mir ins Ohr geflüstert, als er gesehen hatte, wie ich mich bei einem Verkauf von impressionistischer und moderner Kunst unter die wichtigen Kunden gemischt hatte …)

… erstarrte und lächelte zusammen mit beliebigen Leuten, als der Fotograf hereinkam, gefangen zwischen umherschwirrenden Fetzen geisttötender Konversationen über Golfpartien, Politik, Kindersport, Kinderschulen, Dritt-, Viert- und Fünftwohnsitze in Hyères und Hyannis und Paris und London und Jackson Hole und auf dem Jupiter, und war es nicht entsetzlich, wie *hässlich* zugebaut Vail inzwischen war, erinnern Sie sich noch an das süße kleine Dorf von früher … wo fahren Sie Ski, Theo? *Fahren* Sie Ski? Ja, aber dann müssen Sie und Kitsey *unbedingt* mit in unser Haus in den …

Ich hielt immer wieder Ausschau nach Hobie und Pippa, aber ich sah sie kaum. Kitsey schleifte spielerisch Leute heran, um sie mir vorzustellen, und war dann wieder so schnell verschwunden wie ein Vogel, der vom Fenstersims davonflattert. Havistock war, Gott sei Dank, nirgends zu sehen. Endlich begann das Getümmel sich zu lichten, wenn auch langsam; die Leute hatten angefangen, sich auf die Garderobe zuzubewegen, und Kellner räumten Torten und Desserts vom Buffet, als ich, verstrickt in eine Unterhaltung mit einer Gruppe von Kitseys Cousinen, quer durch den Raum nach Pippa Ausschau hielt (wie ich es zwanghaft den ganzen Abend über getan hatte, um einen Blick auf ihren Rotschopf zu werfen, das Einzige, was hier interessant oder wichtig war) – und sie zu meiner großen Überraschung in angeregter Unterhaltung mit Boris entdeckte. Er hatte sich praktisch über sie gestülpt – einen Arm locker um ihre Schultern drapiert, die unangezündete Zigarette baumelnd zwischen seinen Fingern. Flüsternd. Lachend. Biss er sie etwa ins Ohr?

»Verzeihung«, sagte ich und stürmte zu ihnen hinüber an den Kamin. In perfektem Gleichtakt drehten sie sich zu mir um und streckten mir die Arme entgegen.

»Hallo!«, sagte Pippa. »Wir haben gerade von dir gesprochen!«

»Potter!« Boris schlang mir einen Arm um die Schultern. Obwohl er dem Anlass entsprechend einen blauen Anzug mit Kreidestreifen trug (schon oft waren mir die Horden von reichen Russen in dem Ralph-Lauren-Geschäft in der Madison Avenue aufgefallen), war er irgendwie nicht sauber zu bekommen: Seine schwarz umrandeten Augen ließen ihn stürmisch und verrufen aussehen, und auch wenn sein Haar formal gesehen gar nicht schmutzig war, sah es schmutzig aus. »Freue mich, dich zu sehen!«

»Gleichfalls.« Ich hatte Boris eingeladen, aber mir nicht träumen lassen, dass er kommen würde. Es lag nicht in Boris' Natur, sich lästigen Kleinkram wie Daten oder Adressen zu merken oder, wenn er sie doch behielt, pünktlich aufzukreuzen. »Du weißt, wer das ist, oder?«, fragte ich Pippa.

»Natürlich kennt sie mich! Sie weiß alles über mich! Sind wir jetzt die allerbesten Freunde! Aber nun«, sagte er zu mir und tat ganz offiziös, »ein Wörtchen unter uns. Sie entschuldigen mich, bitte?« Er sah Pippa an.

»Noch mehr Vier-Augen-Gespräche?« Pippa trat mir mit ihrem Ballerina spielerisch gegen den Fuß.

»Keine Sorge! Ich werde ihn zurückbringen! Auf Wiedersehen!« Kusshand. Im Weggehen sagte er mir ins Ohr: »Sie ist wunderbar. Gott, ich liebe Rothaarige!«

»Ich auch, aber sie ist nicht die, die ich heirate.«

»Nicht?« Er machte ein überraschtes Gesicht. »Aber sie hat mich begrüßt! Mit meinem Namen! Ah«, sagte er und sah mich genauer an. »Wirst du rot! Jawohl, Potter«, krähte er. »Wird rot! Wie ein kleines Mädchen!«

»Halt die Klappe«, zischte ich und sah mich um, weil ich Angst hatte, sie könnte uns gehört haben.

»Also nicht sie? Nicht die kleine Rote? Schade, hm?« Er schaute umher. »Welche dann?«

Ich zeigte sie ihm. »Da.«

»Ah! Die in Himmelblau?« Er kniff mich liebevoll in den Arm.

»Mein Gott, Potter! *Die?* Die schönste Frau im ganzen Raum! Himmlisch! Eine Göttin!« Er tat, als wollte er sich auf den Boden werfen.

»Nicht, nicht!« Ich packte ihn beim Arm und zog ihn hastig wieder hoch.

»Ein Engel! Geradewegs aus dem Paradies! Rein wie eine Babyträne. *Viel* zu gut für einen wie dich …«

»Ja, ich glaube, das ist eine verbreitete Ansicht.«

»… obwohl«, er nahm mir das Wodkaglas aus der Hand und trank einen großen Schluck, bevor er es mir zurückgab, »ein bisschen wie Eis, wenn man sie anschaut, nicht? Ich persönlich mag die Wärmeren. Sie – sie ist eine Lilie, eine Schneeflocke! Privat aber weniger frostig, hoffe ich?«

»Du würdest dich wundern.«

Er zog die Brauen hoch. »Ah. Und … sie ist die …«

»Ja.«

»Sie hat es zugegeben?«

»Ja.«

»Und deshalb stehst du nicht bei ihr. Du bist wütend.«

»Mehr oder weniger.«

»Tja«, Boris fuhr sich mit der Hand durch das Haar, »dann musst du jetzt hingehen und mit ihr sprechen.«

»Warum?«

»Weil wir gehen müssen.«

»Gehen? Warum?«

»Weil du einen Spaziergang mit mir machen musst.«

»Warum?« Ich sah mich um und wünschte, er hätte mich nicht von Pippa weggeschleppt. Ich musste sie unbedingt wiederfinden. Die Kerzen, der orangefarbene Schein des Feuers, vor dem sie gestanden hatte, erinnerten mich an die Wärme in der Weinbar, als könnte das Licht mich wie ein Korridor in den vergangenen Abend zurückführen, an den kleinen Holztisch, an dem wir gesessen hatten, Knie an Knie, ihr Gesicht von dem gleichen orangegelben Licht überhaucht. Es musste doch eine Möglichkeit geben, zu ihr hinüber-

zugehen, ihre Hand zu nehmen und sie in diesen Augenblick zurückzuziehen.

Boris warf sein Haar aus den Augen zurück. »Komm. Du wirst
dich fantastisch fühlen, wenn du hörst, was ich zu sagen habe! Aber
du wirst nach Hause gehen müssen. Deinen Pass holen. Und dann
ist noch die Frage des Bargelds.«

Ein Blick über Boris' Schulter: die ungerührten Gesichter fremder,
kalter Frauen. Mrs. Barbour im Profil, leicht der Wand zugekehrt, die
Hand des vergnügten Priesters umklammert, der nicht mehr ganz
so vergnügt aussah.

»Was ist? Hörst du mir zu?« Er schüttelte meinen Arm. Dieselbe Stimme hatte mich schon viele Male aus dem fraktalen Himmel
des Klebstoff-Schnüffelns auf die Erde zurückgeholt, wenn ich mit
offenen Augen besinnungslos auf dem Bett lag und zu den beein-
druckenden blau-weißen Explosionen an der Decke hinaufstarrte.

»Jetzt komm! Wir reden im Auto. Gehen wir. Ich habe ein Ticket
für dich …«

Gehen? Ich starrte ihn an. Es war alles, was ich gehört hatte.

»Ich werde erklären. Sieh mich nicht so an. Alles ist gut. Keine Sorge. Aber als Erstes musst du arrangieren, dass du für zwei Tage weg
bist. Drei Tage. Höchstens. Also«, er wedelte mit der Hand, »geh, geh,
rede mit Schneeflöckchen und lass uns hier verschwinden. Ich darf
nicht rauchen hier drin, oder?« Er sah sich um. »Niemand raucht?«

Lass uns hier verschwinden. Das waren die einzigen Worte, die
ich an diesem Abend von irgendjemandem gehört hatte, die einen
Sinn ergaben.

»Denn du musst *sofort* nach Hause.« Er versuchte, auf eine vertraute Art meinen Blick auf sich zu ziehen. »Hol deinen Pass. Und –
Geld. Wie viel Cash kriegst du zusammen?«

»Na ja, auf der Bank …« Ich schob meine Brille auf dem Nasenrücken nach oben. Sein Ton machte mich sonderbar nüchtern.

»Ich rede nicht von der Bank. Oder von morgen. Ich rede von
Cash. Jetzt.«

»Aber …«

844

»Ich kann es zurückbekommen, sage ich dir. Aber wir dürfen nicht länger hier herumstehen. Wir müssen gehen. Sofort. Los, ab mit dir«, sagte er und verpasste mir einen freundschaftlichen kleinen Tritt gegen das Schienbein.

XXXV

»Da bist du ja, Darling.« Kitsey schob einen Arm durch meine Ellenbeuge und erhob sich auf die Zehenspitzen, um mir einen Kuss auf die Wange zu geben – einen Kuss, den die Fotografen, die sie umkreisten, gleichzeitig festhielten: der eine kam vom Gesellschaftsteil, der andere war von Anne für den Abend engagiert worden. »Ist es nicht herrlich? Bist du erschöpft? Ich hoffe, meine Verwandtschaft war nicht allzu überwältigend! Annie, Schätzchen«, sie streckte eine Hand nach Anne de Larmessin aus: steifes blondes Haar, steifes Taftkleid, ein runzliges Dekolleté, das nicht zu der Straffheit ihres gemeißelt aussehenden Gesichts passte, »hör mal, es war absolut himmlisch … meinst du, wir können ein Familienfoto machen? Nur du, ich und Theo? Wir drei?«

»Hör zu«, sagte ich ungeduldig, als unser linkischer Fototermin vorbei und Anne de Larmessin (die offensichtlich keineswegs der Ansicht war, dass ich auch nur im Entferntesten auf ein Familienfoto gehörte) davongeeilt war, um sich von anderen, wichtigeren Gästen zu verabschieden. »Ich muss weg.«

»Aber«, sie war verwirrt, »ich glaube, Anne hat noch irgendwo einen Tisch reserviert …«

»Ja, dann musst du dir eine Entschuldigung für mich ausdenken. Das dürfte doch kein Problem für dich sein, oder?«

»Theo, bitte sei nicht gehässig.«

»Deine *Mutter* geht auch nicht mit, da bin ich sicher.« Es war fast unmöglich, Mrs. Barbour dazu zu bringen, zum Essen in ein Restaurant zu gehen, es sei denn, sie war sicher, dass sie dort niemandem begegnen würde, den sie kannte. »Du kannst sagen, ich habe sie nach Hause gebracht. Sag, ihr war schlecht. Sag, *mir* war schlecht. Gebrauch deine Fantasie. Dir fällt schon was ein.«

»Bist du verstimmt über mich?« Familiensprache: *verstimmt*. Andy hatte das Wort benutzt, als wir Kinder waren.

»Verstimmt? Nein.« Jetzt, da ich es verdaut und mich an den Gedanken gewöhnt hatte (Cable? Kitsey?), erschien es mir fast wie eine miese Klatschgeschichte, die nichts mit mir zu tun hatte. Sie trug die Ohrringe meiner Mutter, sah ich – was auf eine verrückte Weise rührend war, denn sie hatte absolut recht, sie standen ihr nicht –, und es versetzte mir einen Stich, als ich die Hand ausstreckte und erst den Ohrring und dann ihre Wange berührte.

»Aaahh«, riefen ein paar Zuschauer im Hintergrund, erfreut darüber, dass sie bei dem glücklichen Paar endlich ein bisschen Zärtlichkeit zu sehen bekamen. Kitsey ging sofort darauf ein, sie nahm meine Hand und küsste sie, was prompt zu einer Salve von Fotos führte.

»Okay?«, fragte ich an ihrem Ohr, als sie sich an mich lehnte. »Wenn jemand fragt, ich bin geschäftlich unterwegs. Eine alte Lady hat mich gebeten, mir einen Nachlass anzusehen.«

»Ja, natürlich.« Das musste man ihr lassen: Sie war verdammt cool. »Wann kommst du zurück?«

»Oh, bald«, sagte ich wenig überzeugend. Gern hätte ich diesen Raum verlassen und wäre tagelang, monatelang immer weitergegangen, bis zu irgendeinem Strand, in Mexiko vielleicht, wo ich allein herumspazieren und dieselben Kleider tragen könnte, bis sie verrotteten und mir vom Leib fielen, und dann wäre ich der verrückte Gringo mit der Hornbrille, der sich seinen Lebensunterhalt damit verdiente, dass er Tische und Stühle reparierte. »Pass auf dich auf. Und lass diesen Havistock nicht zu deiner Mutter in die Wohnung.«

»Ja«, sie sprach so leise, dass ich sie kaum hörte, »er war in letzter Zeit eine ziemliche Pest. *Dauernd* ruft er an, will vorbeikommen, Blumen vorbeibringen, Schokolade, der arme alte Knabe. Mum will ihn nicht sehen. Ich habe fast ein schlechtes Gewissen, weil ich ihn immer vertröste.«

»Brauchst du nicht zu haben. Halte ihn auf Abstand. Er ist ein

Gauner. Also – bye«, fuhr ich laut fort und gab ihr einen Schmatz auf die Wange (wieder klickten die Kameras; auf diese Aufnahme hatten die Fotografen den ganzen Abend gewartet). Dann ging ich zu Hobie (der stillvergnügt ein Porträt inspizierte, vorgebeugt und mit der Nasenspitze nur eine Handbreit von der Leinwand entfernt) und sagte ihm, ich würde für eine Weile verschwinden.

»Okay«, sagte er vorsichtig und wandte sich ab. In meiner ganzen Zeit bei ihm hatte ich kaum jemals Urlaub genommen, schon gar nicht außerhalb der Stadt. »Du und …?« Er deutete mit dem Kopf zu Kitsey hinüber.

»Nein.«

»Alles in Ordnung?«

»Ja, sicher.«

Er sah mich an, und dann schaute er zu Boris hinüber. »Weißt du, wenn du etwas brauchst«, sagte er unerwartet, »kannst du jederzeit fragen.«

»Gut, ja«, sagte ich ein wenig verdattert, denn ich wusste nicht genau, was er damit meinte oder wie ich reagieren sollte, »danke.«

Er zuckte scheinbar verlegen die Achseln und wandte sich befangen wieder dem Porträt zu. Boris stand an der Bar, trank ein Glas Champagner und schlang übrig gebliebene Blinis mit Kaviar in sich hinein. Als er mich sah, trank er sein Glas leer und deutete mit dem Kopf zur Tür: *Lass uns hier verschwinden!*

»Bis dann«, sagte ich zu Hobie und schüttelte ihm die Hand (was ich normalerweise nie tat). Perplex starrte er mir nach, als ich wegging. Ich wollte mich von Pippa verabschieden, aber sie war nirgends zu sehen. Wo war sie? In der Bibliothek? Auf dem Klo? Ich war entschlossen, sie noch einmal – nur noch einmal – zu sehen, bevor ich ging. »Weißt du, wo sie ist?«, fragte ich Hobie nach einem schnellen Rundgang, aber er schüttelte nur den Kopf. Nervös blieb ich noch ein paar Minuten an der Garderobe stehen und wartete darauf, dass sie zurückkam, bis Boris – den Mund voll Horsd'œuvres – mich beim Arm packte und die Treppe hinunter und zur Tür hinausschleifte.

V

*Wir haben die Kunst, damit wir
nicht an der Wahrheit zu Grunde gehen.*

<small>FRIEDRICH NIETZSCHE</small>

KAPITEL 11

Die Lila Kuh

I

Der Lincoln Town Car kreiste um den Block, aber als er bei uns anhielt, sah ich, dass nicht Juri unser Fahrer war, sondern jemand, den ich noch nie gesehen hatte. Sein Haarschnitt sah aus, als sei er ihm von einem in der Ausnüchterungszelle verpasst worden, und er hatte stechende, eisblaue Augen.

Boris machte uns auf Russisch miteinander bekannt. »*Priwet! Menjá sowút Anatoli*«, sagte der Typ und streckte mir eine Hand entgegen, die von verwaschenen indigoblauen Kronen und Strahlenkränzen überzogen war wie ein ukrainisches Osterei.

»Anatoli?«, wiederholte ich vorsichtig. »*Ótschen prijátno?*« Die Antwort war ein Strom von russischen Worten, die ich nicht verstand. Verzweifelt wandte ich mich an Boris.

»Anatoli«, sagte Boris liebenswürdig, »spricht kein Wort Englisch. Nicht wahr, Toly?«

Anatoli schaute uns im Rückspiegel ernst an und hielt noch eine Rede. Seine Knöcheltattoos, da war ich mir sicher, waren Knastsymbole: Blau getuschte Bänder bedeuteten Gefängnisurteile, abgesessene Strafen, Knastzeiten so markant wie die Zunahme der Jahresringe eines Baumes.

»Er sagt, du sprichst sehr hübsch«, erzählte Boris ironisch. »Gut geschult in Höflichkeit.«

»Wo ist Juri?«

»Oh, er ist gestern rübergeflogen.« Boris wühlte in der Brusttasche seiner Jacke herum.

»Geflogen? Wohin geflogen?«

»Nach Antwerpen.«

»Da ist mein Bild?«

»Nein.« Boris hatte zwei Blatt Papier aus der Tasche gezogen. Er überflog sie im matten Licht und reichte mir dann das eine. »Aber meine Wohnung ist in Antwerpen, und mein Auto. Juri holt den Wagen und ein paar Sachen und kommt damit zu uns.«

Ich hielt das Papier ins Licht und sah, dass es ein ausgedrucktes e-Ticket war.

BESTÄTIGT
DECKER/THEODORE DL2334
NEWARK LIBERTY INTL (EWR) NACH AMSTERDAM,
NIEDERLANDE (AMS)
BOARDING 00:45
GESAMTFLUGZEIT 7 STD 44 MIN

»Von Antwerpen bis Amsterdam sind nur drei Stunden Autofahrt«, sagte Boris. »Wir kommen ungefähr gleichzeitig in Schiphol an – ich vielleicht eine Stunde später als du. Ich hab uns von Myriam auf drei verschiedene Flüge buchen lassen, meiner geht über Frankfurt, deiner ist direkt.«

»Heute Nacht?«

»Ja – wie du siehst, bleibt uns nicht mehr viel Zeit.«

»Und warum soll ich da hin?«

»Weil ich vielleicht Hilfe brauche und niemanden sonst dazunehmen will. Na ja – Juri. Aber hab ich nicht mal Myriam gesagt, worum es geht. Oh, oh, ich hätte sagen *können*«, sagte er und schnitt mir das Wort ab. »Nur – je weniger Leute davon wissen, desto besser. Jedenfalls musst du jetzt reingehen und deinen Pass holen und so viel Cash, wie du zusammenkriegst. Toly fährt uns nach Newark. Ich«, er klopfte mit der flachen Hand auf die Reisetasche, die ich jetzt erst sah, »ich bin schon reisefertig. Warte ich im Wagen auf dich.«

»Und das Geld?«

»So viel, wie du hast.«

»Du hättest mir vorher etwas sagen sollen.«

»Nicht nötig. Das Geld«, er suchte nach einer Zigarette, »na, du brauchst dich deshalb nicht umzubringen. Was immer du hast, was immer so geht. Weil – ist nicht wichtig. Ist hauptsächlich Show.«

Ich nahm die Brille ab und polierte sie an meinem Ärmel. »Wie bitte?«

»Weil«, er klopfte sich mit den Fingerknöcheln an die Schläfe, seine alte Geste für *Trottel*, »weil ich zwar vorhabe, sie zu bezahlen, aber nicht den vollen Betrag, der verlangt wird. Werde ich sie noch *belohnen*, weil sie mich bestohlen haben? Warum sollen sie mich dann nicht berauben und bestehlen, sooft sie Lust haben? Was wäre das für eine Lektion? ›Dieser Mann ist schwach. Wir können mit ihm machen, was wir wollen.‹ Aber«, er schlug ungelenk die Beine übereinander und tastete seine Taschen nach dem Feuerzeug ab, »sie sollen glauben, wir bezahlen alles. Möglicherweise möchtest du an einem Automaten anhalten und noch Geld ziehen. Das können wir unterwegs oder vielleicht am Flughafen machen. Wird schön aussehen, neue Scheine. Ich glaube, man darf nur zehntausend in bar einführen in EU …? Aber ich mache Gummiband um den Rest und stecke es in meinen Koffer. Außerdem«, er bot mir eine Zigarette an, »ich fände es nicht fair, wenn du die komplette Summe aufbringst. Ich besorge noch Cash, wenn wir da sind. Mein Geschenk an dich. Und Wechsel dazu – faules Papier für Wechsel jedenfalls. Fauler Einzahlungsbeleg, fauler Wechsel. Briefkastenbank unten in Karibik. Sieht sehr gut aus, sehr echt. Ich weiß aber nicht, wie gut dieser Teil klappen wird. Da müssen wir nach Gefühl arbeiten. Niemand, der Verstand hat, wird Wechsel anstelle von Cash akzeptieren bei so was! Aber ich glaube, sie sind unerfahren und verzweifelt, und deshalb«, er drückte den Daumen, »habe ich gute Hoffnung. Wir werden sehen!«

II

Während Anatoli um den Block fuhr, rannte ich ins Geschäft und schnappte mir das ganze vorhandene Bargeld, ohne es zu zählen, rund sechzehntausend Dollar. Dann rannte ich die Treppe hinauf, und während Popper im Kreis herumlief und unruhig winselte, warf ich ein paar Sachen in meine Tasche: Pass, Zahnbürste, Rasierapparat, Socken, Unterwäsche, die erstbeste Anzughose, die ich fand, zwei Extrahemden, einen Pullover. Die Redbreast-Flake-Dose lag zuunterst in meiner Sockenschublade; ich nahm sie ebenfalls heraus, ließ sie dann wieder fallen und schloss hastig die Schublade.

Als ich, dicht gefolgt von dem Hund, durch den Flur lief, ließen Pippas Hunter Boots, die vor ihrer Zimmertür standen, mich jäh erstarren: Ihr helles Sommergrün verschmolz in meinem Kopf mit ihr und dem Glück. Einen Moment lang blieb ich unsicher stehen. Dann ging ich noch einmal in mein Zimmer, holte die Erstausgabe von *Ozma von Oz* heraus und schrieb etwas auf einen Zettel – so schnell, dass ich keine Zeit hatte, es mir zweimal zu überlegen. *Gute Reise. Ich liebe dich. Im Ernst.* Ich blies die Tinte trocken und schob den Zettel in das Buch, das ich neben ihren Stiefeln auf den Boden legte. Das dabei entstehende Tableau auf dem Teppich (die Smaragdstadt, grüne Gummistiefel, Ozmas Farbe) war fast so, als wäre ich über ein Haiku oder eine andere perfekte Kombination von Wörtern gestolpert, die ihr erklärte, was sie mir bedeutete. Einen Moment lang stand ich totenstill da – die tickende Uhr, versunkene Kindheitserinnerungen, offene Türen zu strahlenden alten Tagträumen, in denen wir zusammen über Sommerwiesen gingen –, bevor ich entschlossen noch einmal zurückging und die Halskette holte, die im Ausstellungsraum eines Auktionshauses geradezu nach Pippa gerufen hatte: Ich hob sie aus der mitternachtsschwarzen Samtschatulle und drapierte sie vorsichtig so über den einen Stiefel, dass ein goldener Lichtreflex blitzte. Es war eine Topaskette, achtzehntes Jahrhundert, eine Kette für eine Feenkönigin, Girandôle mit Diamantschleife und großen, klaren, honigbraunen Steinen in der Farbe ihrer Augen. Als ich mich umdrehte, ohne einen Blick auf die Wand mit ihren Fotos gegenüber zu werfen, und die Treppe hinunterlief, erfüllte mich fast so etwas wie die alte kindliche Mischung aus Panik und Begeisterung nach einem Steinwurf in eine Fensterscheibe. Hobie würde genau wissen, wie viel diese Kette gekostet hatte. Aber wenn Pippa sie und den Zettel fände, wäre ich längst weg.

III

Wir flogen von verschiedenen Terminals ab, also verabschiedeten wir uns vor dem Gebäude, wo Anatoli mich absetzte. Die Glastür glitt mit atemlosem Seufzen auf. Drinnen, hinter der Sicherheitskontrolle, auf dem glänzenden Boden der nächtlichen Abflughalle, warf ich einen Blick auf die Anzeigetafel und ging an dunklen Geschäften mit herabgelassenen Metallgittern entlang: Brookstone, Tie Rack, Nathan's Hot Dogs. Fröhliche Siebziger-Jahre-Musik wehte in mein Bewusstsein (*love … love will keep us together … think of me babe whenever …*), vorbei an kalten Geister-Gates, mit Seilen abgesperrt und leer bis auf ein paar College-Kids, die der Länge nach über vier Sitze ausgestreckt lagen und dösten, vorbei an der einsamen Bar, die noch offen war, an dem einsamen Yoghurt-Stand, dem einsamen Duty Free, in dem ich, wie Boris mir wiederholt und einigermaßen eindringlich geraten hatte, noch eine Flasche Wodka kaufte (»sicher ist sicher … vielleicht nimmst du auch zwei«), und dann weiter, ganz bis zum Ende und zu meinem eigenen (überfüllten) Gate: fremdländische Familien mit toten Augen, Rucksacktouristen, die im Schneidersitz auf dem Boden saßen, lustlos wirkende Geschäftsleute mit ölig glänzenden Gesichtern und Laptops, die aussahen, als wären sie das alles gewohnt.

Das Flugzeug war voll. Als ich an Bord schlurfte, im Gedränge im Gang (Economy, Mittelplatz in einer Fünferreihe), fragte ich mich, wie Myriam es überhaupt noch geschafft hatte, mir einen Platz zu besorgen. Zum Glück war ich zu müde, um mir über etwas anderes den Kopf zu zerbrechen, und ich war eingeschlafen, bevor die Anschnallzeichen erloschen – verpasste die Drinks, verpasste das Essen, verpasste den Film –, und ich wachte erst auf, als die Blenden an den Fenstern hochgeschoben wurden und das Licht in die Kabine flutete und die Stewardess ihren Wagen mit den vorgepackten Frühstückstabletts vorbeischob: eiskalte Weintrauben, ein Becher eiskalter Saft, ein fettiges, eigelbfarbenes, in Zellophan gewickeltes Croissant und Kaffee oder Tee nach Wahl.

Wir hatten verabredet, uns in der Gepäckhalle zu treffen. Geschäftsleute zerrten stumm ihre Koffer vom Band und flüchteten – zu ihren Meetings, ihren Marketingkonferenzen, ihren Geliebten, wer konnte das genau sagen? Laut schreiende Kiffer-Kids mit Regenbogenflicken auf den Rucksäcken rempelten einander an, versuchten, Reisetaschen vom Band zu nehmen, die nicht ihnen gehörten, und diskutierten darüber, welches der beste Coffeeshop für den morgendlichen Joint wäre – »oh, Leute, das Bluebird, *unbedingt* …« »… nein, wartet mal – Haarlemmerstraat? nein, echt, ich hab's mir aufgeschrieben. Auf dem Zettel hier? nein, wartet, hört zu, Leute, wir sollten direkt hinfahren, ich weiß den Namen nicht mehr, aber sie machen früh auf, und sie haben ein irres *Frühstück?* Und man kriegt Pfannkuchen und O-Saft und Apollo 13 und Vapes direkt an den Tisch gebracht?«

So trabten sie davon – fünfzehn oder zwanzig Leute, sorglos, mit glänzenden Haaren –, sie lachten, setzten ihre Rucksäcke auf und stritten sich über den billigsten Weg in die Stadt. Ich hatte kein Gepäck aufgegeben, stand aber mehr als eine Stunde lag in der Halle und sah zu, wie ein dick mit Klebstreifen umwickelter Koffer einsam und verloren im Kreis herumfuhr, bis Boris von hinten herankam und mich begrüßte, indem er mir den Arm in einem Würgegriff um den Hals schlang und versuchte, mir auf die Hacken zu steigen.

»Komm«, sagte er, »du siehst schlecht aus. Lass uns was essen und reden! Juri hat den Wagen draußen.«

IV

Was ich irgendwie nicht erwartet hatte, war eine weihnachtlich aufgetakelte Stadt: Tannenzweige, Lametta, Sternenschmuck in den Schaufenstern, ein steifer Wind in den Grachten, Feuer, Weihnachtsmarktstände und Leute auf Fahrrädern, Spielsachen und Farben und Süßigkeiten, Festtagsgewimmel und Glanz. Kleine Hunde, kleine Kinder, schwatzende und zuschauende und Päckchen schleppende Menschen, Clowns mit Zylindern und Militärmänteln und ein kleiner tanzender Narr in Weihnachtskleidung wie auf einem Avercamp-Gemälde. Ich war immer noch nicht ganz wach, und nichts von all dem erschien mir realer als der flüchtige Traum von Pippa im Flugzeug, in dem ich sie in einem Park gesehen hatte, mit vielen hohen Springbrunnen und einem Planeten mit Saturn-Ringen, der tief und majestätisch am Himmel schwebte.

»Nieuwmarkt«, sagte Juri, als wir zu einem großen Platz mit einem vieltürmigen Märchenschloss kamen, umgeben von Marktständen mit schneebestäubten Tannenzweigen und vor sich hin stapfenden Händlern mit Fausthandschuhen – eine Illustration aus einem Kinderbuch. »Ho, ho, ho.«

»Immer viel Polizei hier«, sagte Boris düster und rutschte gegen die Wagentür, als Juri scharf um die Ecke bog.

Aus verschiedenen Gründen machte ich mir Sorgen wegen unserer Unterkunft und hielt schon allerlei Ausreden bereit für den Fall, dass unter Hausbesetzerbedingungen auf dem Boden geschlafen werden sollte oder Ähnliches geplant war. Zum Glück hatte Myriam mir ein Hotelzimmer in einem Grachtenhaus in der Altstadt gebucht. Ich stellte dort meine Tasche ab, legte das Geld in den Safe und ging wieder hinaus auf die Straße zu Boris. Juri war weggefahren, um das Auto zu parken.

Boris warf seine Zigarette auf das Kopfsteinpflaster und zertrat sie mit dem Absatz. »Ich war länger nicht hier«, sagte er, und sein Atem kam in weißen Wolken, als er sich umschaute und die nüchtern gekleideten Fußgänger auf der Straße taxierte. »Meine Wohnung in

Antwerpen – na ja, in Antwerpen bin ich aus geschäftlichen Gründen. Auch eine schöne Stadt – die gleichen Seewolken, das gleiche Licht. Eines Tages fahren wir mal hin. Aber ich vergesse immer, wie gut es mir hier gefällt. Habe ich Mordshunger – und du?« Er boxte mich auf den Arm. »Gehen wir ein Stück?«

Wir wanderten durch schmale Straßen, feuchte Gassen, zu eng für Autos. Dunstige kleine, ockergelb leuchtende Läden mit alten Drucken und verstaubtem Porzellan. Eine Kanalbrücke: braunes Wasser, eine einsame braune Ente. Ein Plastikbecher, halb untergetaucht dümpelnd. Der Wind war rau und nass und wehte mir nadelspitze Graupelkörner ins Gesicht, und der Raum um uns herum war eng und feuchtkalt. »Frieren die Grachten im Winter nicht zu?«, fragte ich.

»Doch, aber«, er wischte sich über die Nase, »globale Erwärmung, nehme ich an.« In Mantel und Anzug von der Party des vergangenen Abends wirkte er völlig deplatziert und völlig heimisch zugleich. »Was für ein Hundewetter. Gehen wir hier rein? Was meinst du?«

Die schmuddelige Bar (das Café oder was es sonst sein mochte) an der Gracht war mit dunklem Holz und maritimen Objekten eingerichtet – Ruder, Rettungsringe –, rote Kerzen flackerten matt trotz der Tageszeit, und die Atmosphäre war neblig und trostlos. Rauchiges, dumpfes Licht. Kondenswassertropfen an der Fensterscheibe. Keine Speisekarte. Auf eine Schiefertafel an der hinteren Wand gekritzelt standen Speisen, unter denen ich mir nichts vorstellen konnte: *dagsoep, draadjesvlees, kapucijnerschotel, zuurkoolstamppot.*

»Komm, lass mich bestellen«, sagte Boris und tat es überraschenderweise auf Holländisch. Was kam, war eine typische Boris-Mahlzeit: Bier, Brot, Kartoffeln mit Würsten, Schweinefleisch und Sauerkraut. Boris erging sich – vergnügt schlingend – in Erinnerungen an seinen ersten und einzigen Versuch, in dieser Stadt Fahrrad zu fahren (Fehlschlag, Katastrophe), und daran, wie gern er die neuen Matjesheringe in Amsterdam mochte, die aber jetzt keine Saison hatten – zum Glück, da man sie offenbar aß, indem man sie an der Schwanzflosse hielt und in den Mund baumeln ließ. Aber ich war durch die Umgebung zu desorientiert, um aufmerksam zuzuhören, und mit beinahe schmerzhaft geschärften Sinnen stocherte ich mit der Gabel in dem Kartoffelmatsch und spürte, wie die Fremdheit der Stadt auf mich eindrang, der Geruch von Tabak und Malz und Muskat, die Wände des Cafés, melancholisch braun wie ein altes, ledergebundenes Buch, und draußen die dunklen Durchgänge und das brackige, plätschernde Wasser, ein niedriger Himmel und alte Häuser, aneinandergelehnt, düster, poetisch, am Rand des Verfalls, die kopfsteingepflasterte Einsamkeit einer Stadt, die – mir jedenfalls – erschien wie ein Ort, an den man kam, um das Wasser über seinem Kopf zusammenschlagen zu lassen.

Kurz darauf kam Juri, mit roten Wangen und atemlos. »Parken – bisschen Problem hier«, sagte er. »Sorry.« Er streckte mir die Hand entgegen. »Freut mich, dich zu sehen!« Er umarmte mich mit einer aufrichtig wirkenden Wärme, die mich verblüffte – als wären wir Freunde, die lange getrennt gewesen waren. »Alles ist okay?«

Boris war inzwischen bei seinem zweiten Pint Bier und hielt einen kleinen Vortrag über Horst. »Ich weiß nicht, warum er nicht nach Amsterdam zieht«, sagte er und kaute zufrieden auf einem Stück Wurst. »Dauernd beschwert er sich über New York! Hasst es, hasst es, hasst es! Und die ganze verdammte Zeit«, er zeigte mit wedelnder Handbewegung auf die Gracht vor dem Fenster, »ist alles, was er liebt, hier. Sogar die Sprache ist die gleiche wie seine. Wenn er wirklich glücklich sein wollte auf der Welt, Horst? Ein vergnügtes oder glückliches Leben führen? Dann sollte er noch mal zwanzig Riesen für seinen Schnellentzug hinlegen und herkommen, Buddha Haze rauchen und den ganzen Tag im Museum herumstehen.«

»Horst?« Ich schaute zwischen den beiden hin und her.

»Sorry?«

»Weiß er, dass du hier bist?«

Boris trank sein Bier in tiefen Zügen. »Horst? Nein. Weiß er nicht. Wird alles viel, viel einfacher, wenn Horst erst später davon erfährt. Denn«, er leckte sich einen Klecks Senf vom Finger, »mein Verdacht war richtig. Der verfickte Sascha hat das Ding gestohlen. *Ulrikas*

Bruder«, ergänzte er eindringlich. »Das bringt Horst bei Ulrika in eine schlechte Position. Deshalb – ist viel besser, wenn ich es allein erledige, verstehst du? So tue ich Horst einen Gefallen – einen Gefallen, den er nicht vergessen wird.«

»Was meinst du mit ›erledigen‹?«

Boris seufzte. »Es«, er sah sich um und vergewisserte sich, dass niemand zuhörte, obwohl wir allein in dem Lokal waren, »es ist kompliziert, ich könnte drei Tage lang reden, aber ich kann dir auch in drei Zeilen sagen, was passiert ist.«

»Weiß Ulrika, dass er es geklaut hat?«

Er verdrehte die Augen. »Was weiß denn ich?« Eine Wendung, die ich Boris vor Jahren beigebracht hatte, als wir bei mir zu Hause herumalberten. *Was weiß denn ich? Lass den Quatsch!* Rauchiges Wüstenzwielicht, geschlossene Jalousien. *Hin oder her? Seien wir ehrlich. Nie im Leben.* Die gleichen Schatten auf seinem Gesicht. Goldglanz auf der Tür zum Pool.

»Ich denke, Sascha müsste sehr dumm sein, wenn er Ulrika erzählt«, sagte Juri mit besorgtem Blick.

»Ich weiß nicht, was Ulrika weiß oder nicht weiß. Ist auch ohne Bedeutung. Sie ist loyal gegen ihren Bruder, nicht gegen Horst, das hat sie schon viele, viele Male gezeigt. Man sollte meinen«, mit großer Geste winkte er der Kellnerin, sie solle Juri ein Bier bringen, »man sollte wirklich meinen, Sascha hätte Verstand genug, drauf sitzenzubleiben, wenigstens eine Zeitlang! Aber nein. Er kann in Hamburg oder Frankfurt keinen Kredit darauf aufnehmen, weil Horst es sofort erfahren würde. Deshalb hat er es hierhergebracht.«

»Aber hör mal, wenn du weißt, wer es hat, sollten wir einfach die Polizei rufen.«

Sie starrten mich stumm und ausdruckslos an, als hätte ich einen Benzinkanister auf den Tisch gestellt und vorgeschlagen, wir sollten uns anzünden.

»Na ja, ich meine …«, verteidigte ich meinen Standpunkt, nachdem die Kellnerin Juri sein Bier gebracht hatte und wieder gegangen war, ohne dass Juri oder Boris ein Wort gesagt hatten. »Ist das nicht

862

am sichersten? Und am einfachsten? Wenn die Cops es sicherstellen und ihr gar nichts damit zu tun habt?«

Das Dingeling einer Fahrradklingel, eine Frau ratterte draußen vorbei, klappernd auf dem Pflaster, flatterndes schwarzes Hexencape.

»Weil«, ich blickte zwischen den beiden hin und her, »wenn man bedenkt, was dieses Bild durchgemacht hat – was es durchgemacht haben *muss* –, ich weiß nicht, ob dir klar ist, Boris, wie viel Sorgfalt nötig ist, um ein Bild auch nur zu *verschicken*? Es richtig zu *verpacken*? Warum da ein Risiko eingehen?«

»Das ist genau meine Meinung.«

»Ein anonymer Anruf. Beim Dezernat für Kunstdiebstähle. Die sind nicht wie normale Cops – haben gar nichts zu tun mit den normalen Cops. Die interessieren sich nur für das Bild. Sie werden wissen, was zu tun ist.«

Boris lehnte sich zurück und sah sich um. Dann schaute er mich an.

»Nein«, sagte er, »das ist keine gute Idee.« Er klang, als redete er mit einem Fünfjährigen. »Und willst du wissen, warum?«

»Überleg doch. Es ist der einfachste Weg. Du müsstest überhaupt nichts tun.«

Boris stellte behutsam sein Bierglas ab.

»Sie hätten die größte Chance, es unbeschädigt zurückzuholen. Und wenn *ich* es mache, wenn *ich* sie anrufe – Scheiße, ich könnte Hobie anrufen lassen …« Ich hob die Hände an den Kopf. »Wie man es auch dreht, ihr würdet dabei gar nichts riskieren. Ich will damit sagen …« Ich war müde, desorientiert, zwei Augenpaare starrten mich an wie Bohrmaschinen, und ich konnte nicht denken. »Wenn ich es mache oder sonst jemand, der nicht zu eurer, äh, Organisation gehört …«

Boris lachte laut auf. »*Organisation?* Na ja«, er schüttelte so heftig den Kopf, dass ihm die Haare in die Augen fielen, »vermutlich gelten wir als so was wie eine Organisation, weil wir ja drei oder mehr Leute sind! Aber wir sind weder sehr groß noch sehr organisiert, wie du siehst.«

»Du solltest essen«, sagte Juri in der angespannten Pause, die jetzt folgte, zu mir und schaute auf meinen Teller mit Schweinefleisch und Kartoffeln, den ich noch nicht angerührt hatte. »Er sollte essen«, sagte er zu Boris. »Sag ihm, er soll essen.«

»Lass ihn verhungern, wenn er will. Jedenfalls ...« Boris nahm ein Stück Schweinefleisch von meinem Teller und steckte es in den Mund.

»Ein Anruf. Ich mach's.«

»Nein.« Boris sah plötzlich finster aus und schob seinen Stuhl zurück. »Das machst du nicht. Nein, nein, *verdammte Scheiße,* halt's Maul, das machst du *nicht.*« Aggressiv hob er das Kinn, als ich versuchte, ihm ins Wort zu fallen – und ganz plötzlich lag Juris Hand auf meinem Handgelenk, eine Berührung, die ich sehr gut kannte, die alte, vergessene Sprache von Vegas, die zum Einsatz kam, wenn mein Dad in der Küche seine Tirade darüber hielt, wem eigentlich dieses Haus gehört? und wer hier für was bezahlte? ...

»Und, und ...« Boris nutzte die Verzögerung in meiner Reaktion, die er nicht erwartet hatte. »Wirst du sofort aufhören mit diesem dummen ›Anrufen‹-Gequatsche. ›Anrufen, anrufen‹«, fuhr er fort, als ich nicht antwortete, und wedelte verächtlich mit der Hand herum, als wäre »Anrufen« ein absurdes Kinderwort wie »Einhorn« oder »Feenland«. »Ich weiß, willst du helfen, aber das ist nicht hilfreicher Vorschlag von dir. Also vergiss es. Schluss mit ›Anrufen‹. Jedenfalls«, sagte er dann liebenswürdig und goss mir etwas von seinem Bier in mein halb leeres Glas. »Wie ich dir erklärt habe. Wenn Sascha es so eilig hat? Denkt er klar? Denkt er mehr als einen, vielleicht zwei Züge voraus? Nein. Sascha ist nicht von hier. Seine Verbindungen hier sind Gift für ihn. Er braucht Geld. Und er strengt sich so sehr an, Horst nicht in die Quere zu kommen, dass er läuft mir geradewegs über die Füße.«

Ich sagte nichts. Es wäre kein Problem, die Polizei allein anzurufen. Es gab keinen Grund, Boris oder Juri da überhaupt mit hineinzuziehen.

»Erstaunlicher Glücksfall, nicht wahr? Und unser Freund, der Georgier – sehr reicher Mann, aber so weit entfernt von Horsts Welt und alles andere als ein Kunstsammler – er wusste nicht mal, wie das Bild heißt. Nur ein Vogel – kleiner gelber Vogel. Aber Cherry glaubt, es ist wahr, wenn er sagt, er hat es gesehen. Sehr mächtiger Mann, was Immobilien angeht? Hier und in Antwerpen? Viel Papier, und für Cherry fast wie ein Vater, aber kein Mensch von großer Bildung, wenn du verstehst.«

»Wo ist es jetzt?«

Boris rieb sich energisch die Nase. »Ich weiß es nicht. Das werden sie uns ja nicht verraten, oder? Aber Witja hat sich gemeldet und sagt, er weiß von einem Käufer. Und ein Meeting ist vereinbart.«

»Wo?«

»Ist noch nicht klar. Sie haben den Ort schon ein halbes Dutzend Mal geändert. Paranoid.« Mit einer kreisenden Fingerbewegung an seiner Schläfe stellte er eine lockere Schraube dar. »Vielleicht lassen sie uns ein, zwei Tage warten. Vielleicht erfahren wir es erst eine Stunde vorher.«

»Cherry«, sagte ich und brach ab. Witja war die Abkürzung für Cherrys russischen Namen Wiktor – Victor in der anglisierten Version –, aber Cherry war nur ein Spitzname, und über Sascha wusste ich überhaupt nichts: nicht, wie alt er war, nicht seinen Nachnamen, nicht, wie er aussah, nichts, außer dass er Ulrikas Bruder war – und selbst das war im wörtlichen Sinne nicht sicher, wenn man bedachte, wie locker Boris mit diesem Wort um sich warf.

Boris lutschte das Fett von seinem Daumen. »Meine Idee war – wir arrangieren was in deinem Hotel. Du weißt schon: du, Amerikaner, große Nummer, interessiert an dem Bild. Sie«, er senkte die Stimme, als die Kellnerin sein leeres Bierglas durch ein volles ersetzte, und Juri nickte höflich und beugte sich vor, »sie kommen in dein Hotelzimmer. So macht man das normalerweise. Alles ganz geschäftsmäßig. Aber«, ein minimales Achselzucken, »die sind neu in dem Geschäft und paranoid außerdem. Die wollen selbst den Ort bestimmen.«

»Und der wäre?«

»Ich weiß es noch nicht! Hab ich das nicht gerade gesagt? Es ist ein dauerndes Hin und Her. Wenn sie wollen, dass wir warten – wir warten. Wir müssen sie glauben lassen, sie sind der Boss. Aber jetzt, sorry.« Er streckte sich, gähnte und rieb sich mit der Fingerspitze ein dunkel umrandetes Auge. »Ich bin müde! Brauche Schläfchen!« Er sagte etwa auf Ukrainisch zu Juri und wandte sich dann wieder mir zu. »Sorry«, sagte er, beugte sich herüber und schlang den Arm um meine Schulter. »Du findest allein zu deinem Hotel zurück?«

Ich versuchte, mich von ihm zu lösen, ohne dass es so aussah. »Okay. Wo wohnt ihr?«

»In der Wohnung deiner Freundin – im Zeedijk.«

»*In der Nähe vom* Zeedijk«, sagte Juri und stand entschlossen auf, mit höflicher und irgendwie militärischer Haltung. »Chinesenviertel von alter Zeit.«

»Wie ist die Adresse?«

»Weiß ich nicht mehr. Du kennst mich doch. Ich kann Adressen und so was nicht im Kopf behalten. Aber«, Boris klopfte auf seine Tasche, »dein Hotel hier.«

»Okay.« Wenn wir damals in Vegas voneinander getrennt worden waren – weil wir vor der Security in der Mall wegrennen mussten, die Taschen voll geklauter Gutscheinkarten –, war mein Haus immer der Rendezvous Point gewesen.

»Also – dann treffen wir uns da. Du hast meine Telefonnummer, und ich hab deine. Ich rufe dich an, wenn ich mehr weiß. Und jetzt«, er gab mir einen Klaps auf den Hinterkopf, »hör auf, dir Sorgen zu machen, Potter! Steh nicht da rum und mach unglückliches Gesicht! Wenn wir verlieren, gewinnen wir, und wenn wir gewinnen, gewinnen wir! Alles ist gut! Du kennst den Rückweg, oder? Einfach da entlang und nach links an der Singelgracht. Ja, da. Wir sprechen uns bald wieder.«

V

Auf dem Weg zum Hotel bog ich falsch ab und wanderte ein paar Stunden lang ziellos umher. Geschäfte, mit Glaskugeln dekoriert, und graue Traumgassen mit unaussprechlichen Namen, vergoldete Buddhas und asiatische Stickereien, alte Cembali, wolkige, zigarrenbraune Läden mit Geschirr und Kelchen und antiken Dosen aus Dresdner Porzellan. Die Sonne war herausgekommen, und über den Grachten schwebte etwas Hartes, Helles, ein Glitzern, das man atmen konnte. Möwen stießen schreiend herab. Ein Hund lief vorbei, mit einem lebenden Krebs in der Schnauze. Der Schwindel der Erschöpfung gab mir das Gefühl, drastisch von mir selbst abgeschnitten zu sein und alles aus einigem Abstand zu beobachten, und so wanderte ich vorbei an Bonbonläden und Kaffeeläden und Läden mit antikem Spielzeug und Delfter Kacheln aus dem neunzehnten Jahrhundert, mit alten Spiegeln und Silber, das im warmen, cognacfarbenen Licht leuchtete, mit französischen Intarsienschränkchen und Tischen im Stil des französischen Hofes mit Girlandenschnitzereien und einem Furnier, bei dem Hobie vor Bewunderung nach Luft geschnappt hätte – ja, tatsächlich erinnerte mich die ganze neblige, freundliche, kultivierte Stadt mit ihren Blumenhändlern und Bäckern und *antiekhandels* an Hobie, nicht nur wegen des dichten Reichtums an Antiquitäten, sondern weil der ganze Ort eine Hobie-artige Wohlanständigkeit ausstrahlte, wie eine Illustration in einem Bilderbuch für Kinder, auf der ein schürzentragender Kaufmann den Boden fegt und eine gefleckte Katze auf der Fensterbank in der Sonne döst.

Aber es gab zu viel zu sehen. Ich war davon überwältigt, ich war müde, und ich fror. Endlich, indem ich Fremde nach dem Weg fragte (rosige Hausfrauen mit Armladungen von Blumen und tabakfleckige Hippies mit Drahtgestellbrillen), fand ich über Kanalbrücken und durch schmale, märchenhaft beleuchtete Gassen zurück zu meinem Hotel. An der Rezeption wechselte ich sofort ein paar Dollar und ging dann hinauf, um zu duschen. Das Bad bestand aus gebogenem

Glas und üppigen Armaturen, Hybriden aus Art Nouveau und einer eisigen, raumkapselhaften Science-Fiction-Zukunft. Ich schlief bäuchlings auf dem Bett ein. Stunden später weckte mich mein Handy, das auf dem Nachttisch vibrierte. Das vertraute Zirpen ließ mich einen Moment lang glauben, ich sei zu Hause.

»Potter?«

Ich setzte mich auf und griff nach meiner Brille. »Ähm ...« Ich hatte vor dem Einschlafen die Vorhänge nicht zugezogen. Reflexe vom Wasser der Gracht flirrten über die dunkle Zimmerdecke.

»Was ist los? Bist du high? Sag nicht, du warst in einem Coffeeshop.«

»Nein, ich ...« Benommen riskierte ich einen Blick durchs Zimmer: Mansardenfenster, Deckenbalken, Schränke und schräge Wände. Ich stand auf und rieb mir den Schädel. Draußen vor dem Fenster: ein Netz von beleuchteten Kanalbrücken, gebogene Spiegelungen im schwarzen Wasser.

»Na, ich komme rauf. Du hast doch kein Mädchen da oben, oder?«

VI

Mein Zimmer war einen Fußweg und zwei verschiedene Aufzüge weit von der Rezeption entfernt, und deshalb war ich überrascht, dass es schon kurz darauf klopfte. Juri trat diskret ans Fenster und wandte uns den Rücken zu, während Boris mich musterte. »Zieh dich an«, sagte er. Ich war barfuß und hatte den Hotelbademantel übergezogen, und die Haare standen mir zu Berge, weil ich sofort nach dem Duschen eingeschlafen war. »Du musst dich fertig machen. Los, kämm dich, rasier dich.«

Als ich aus dem Bad kam (ich hatte meinen Anzug dort aufgehängt, damit die Falten herausgingen), spitzte er kritisch die Lippen. »Hast du nichts Besseres?«

»Dieser Anzug ist von Turnbull and Asser.«

»Ja, aber sieht er aus, als ob du drin geschlafen hättest.«

»Ich trage ihn bereits ein paar Tage. Aber ich habe ein besseres Hemd.«

»Dann zieh es an.« Er öffnete auf dem Fußende des Bettes einen Aktenkoffer. »Und hol dein Geld und bring es her.«

Als ich, an meinen Manschettenknöpfen nestelnd, zurückkam, blieb ich wie angewurzelt stehen. Er stand mit gesenktem Kopf neben dem Bett und war konzentriert damit beschäftigt, eine Pistole zusammenzusetzen: Er ließ den Bolzen einrasten, mit klarem, kompetentem Auge wie Hobie in seiner Werkstatt, und zog den Schlitten zurück, ein kraftvoll lebensechtes Geräusch: *Klick*.

»Boris«, sagte ich. »Verdammte Scheiße, was soll …«

»Nur die Ruhe«, sagte er mit einem Seitenblick zu mir. Er klopfte seine Taschen ab, zog ein Magazin hervor und schob es hinein: *Snick*. »Ist nicht, was du denkst. Überhaupt nicht. Alles nur Show!«

Mein Blick ging zu Juris breitem Rücken. Er stand völlig leidenschaftslos da, mit der gleichen professionellen Taubheit, die ich manchmal im Laden anknipste, wenn Ehepaare sich stritten, ob sie ein Möbelstück kaufen sollten oder nicht.

»Es ist nur …« Er ließ etwas an der Waffe hin und her schnappen und prüfte es fachmännisch. Dann hob er sie ans Auge und spähte über Kimme und Korn – surreale Gesten aus irgendwelchen Tiefenschichten des Gehirns, wo vierundzwanzig Stunden am Tag Schwarzweißfilme flackerten. »Wir treffen uns auf ihrem Boden, und sie werden zu dritt sein. Na ja, eigentlich nur zu zweit. Zwei, die *zählen*. Und jetzt kann ich es dir ja sagen – ich war ein bisschen besorgt, dass Sascha hier sein könnte. Denn dann könnte ich nicht mit dir gehen. Aber alles ist perfekt gelaufen, und hier bin ich!«

»Boris …« Während ich dastand, brach plötzlich alles mit übelkeiterregendem Tosen über mich herein. In was für eine gottverdammte Dummheit war ich hier hineingelatscht …

»Keine Sorge! Die Sorgen habe ich dir abgenommen. Denn«, er klopfte mir auf die Schulter, »Sascha ist zu nervös. Er hat Angst, sein Gesicht in Amsterdam zu zeigen. Hat Angst, dass Horst es erfährt. Aus gutem Grund. Und das ist eine sehr gute Nachricht für uns.

Also.« Ein letztes Klicken der Pistole: chromsilbern und quecksilberschwarz, von einer glatten Dichte, die den Raum um sie herum schwarz verzerrte wie ein Tropfen Motoröl in einem Glas Wasser.

»Sag nicht, du nimmst das Ding mit«, sagte ich fassungslos in die Stille hinein.

»Na ja, doch. Für Halfter – bleibt *immer* im Halfter. Aber warte, warte!« Er hob die Hand. »Bevor du anfängst«, ich gab keinen Mucks von mir, sondern stand nur hilflos entsetzt da, »wie oft muss ich es noch sagen? Ist alles nur Show.«

»Du machst Witze.«

»Theaterkostüm«, fuhr er munter fort, als hätte ich nichts gesagt. »Vorspiegelung. Damit sie Angst haben, etwas zu versuchen, wenn sie sie an mir sehen, okay?«, ergänzte er, als ich ihn immer noch anstarrte. »Sicherheitsmaßnahme! Weil, weil«, er redete über mich hinweg, »du bist der reiche Mann, und wir sind die Bodyguards, und so ist das nun mal. Sie werden damit rechnen. Alles ganz zivilisiert. Und wenn wir die Jacke nur so bewegen«, er trug ein verdecktes Halfter an der Hüfte, »werden sie Respekt haben und nichts versuchen. Ist *viel* gefährlicher, wenn man *so* reinspaziert …« Er schaute mit weit aufgerissenen Augen im Zimmer umher wie ein dummes kleines Mädchen.

»Boris.« Ich war aschfahl, und mein Kopf schwirrte. »Ich kann das nicht.«

»Was kannst du nicht?« Er drückte das Kinn nach unten und sah mich an. »Kannst du nicht aus dem Auto steigen und fünf Minuten dastehen, während ich dir dein verschissenes Bild zurückhole? Kannst du nicht?«

»Nein, im Ernst.« Die Pistole lag auf der Bettdecke und zog den Blick auf sich. Es war, als kristallisiere und verstärke sie die ganze schlechte Energie, die in der Luft vibrierte. »Ich kann nicht. Wirklich nicht. Lass es uns einfach vergessen.«

»Vergessen?« Boris zog ein Gesicht. »Tu das nicht! Du bringst mich für nichts und wieder nichts hierher, und jetzt bin ich im Zugzwang. Und in letzter Minute«, er machte eine schleudernde Armbewegung, »fängst du an, Bedingungen zu stellen, du schreist: ›Gefährlich, gefährlich‹, und willst mir sagen, wie man so was macht? Vertraust du mir nicht?«

»Doch, aber …«

»Also. Dann vertrau mir bitte. Du bist der Käufer«, erklärte er ungeduldig, als ich nicht antwortete. »Das ist die Story. So ist es vereinbart.«

»Wir hätten vorher darüber reden sollen.«

»Ach, komm.« Entnervt nahm er die Pistole vom Bett und schob sie in das Halfter. »Bitte streite nicht mehr mit mir. Wir kommen sonst zu spät. Du hättest sie gar nicht gesehen, wenn du zwei Minuten länger im Badezimmer geblieben wärst! Hättest überhaupt nicht gewusst, dass ich habe Waffe! Denn – Potter, hör mir zu. Wirst du bitte zuhören? Folgendes wird passieren: Wir gehen da rein, fünf Minuten, stehen stehen stehen, wir übernehmen das Reden, *nur* Reden, du kriegst dein Bild, alle sind glücklich, wir gehen und essen was. Okay?«

Juri war vom Fenster herübergekommen und musterte mich von oben bis unten. Mit besorgtem Stirnrunzeln sagte er auf Ukrainisch etwas zu Boris. Ein unverständlicher Wortwechsel schloss sich an. Dann hob Boris sein Handgelenk und schnallte seine Uhr ab.

Juri sagte noch etwas und schüttelte nachdrücklich den Kopf.

»Stimmt«, sagte Boris. »Du hast recht.« Dann nickte er mir zu. »Nimm die.«

Eine Rolex President in Platin. Diamantenbesetztes Zifferblatt. Ich überlegte, wie ich höflich ablehnen sollte, als Juri den kolossalen Smaragdschliff-Diamanten von seinem kleinen Finger zog und mir – hoffnungsvoll wie ein Kind, das ein selbst gemachtes Geschenk überbringt – beides in seinen gewölbten Händen entgegenhielt.

»Doch«, sagte Boris, als ich zögerte, »er hat recht. Du siehst nicht reich genug aus. Ich wünschte, wir hätten andere Schuhe für dich.« Er warf einen kritischen Blick auf meine schwarzen Monkstraps. »Aber die müssen genügen. So, jetzt legen wir das Geld in diese Tasche«, eine lederne Reisetasche voll mit Dollarbündeln, »und gehen.«

Er arbeitete schnell und mit flinken Händen wie ein Zimmermädchen, das ein Bett macht. »Die größten Scheine nach oben. Lauter Hunderter. Sehr hübsch.«

VII

Auf der Straße: Festtagsglanz und Delirium. Reflexe tanzten und schimmerten auf dem schwarzen Wasser: geflochtene Arkaden quer über der Straße, Girlanden von Licht auf den Kanalbooten.

»Alles wird easy und bequem ablaufen«, sagte Boris und drückte am Radio herum, vorbei an den Bee Gees, vorbei an holländischen, an französischen Nachrichten, und suchte Musik. »Ich rechne damit, dass sie dieses Geld schnell haben wollen. Je eher sie das Bild los sind, desto geringer die Chance, dass sie Horst in die Quere kommen. Sie werden sich Wechsel und Einlagenquittung nicht allzu genau ansehen. Die Zahl sechshunderttausend ist alles, was sie sehen werden.«

Ich saß mit der Geldtasche allein auf dem Rücksitz. (»Denn du musst dich daran gewöhnen, Sir, dass du bist vornehmer Fahrgast!«, hatte Juri gesagt, als er um den Wagen herumgekommen war und mir die hintere Tür aufgehalten hatte.)

»Wirst sehen, was ihn hoffentlich wird täuschen – die Einlagenquittung ist völlig einwandfrei. Der Wechsel auch. Bloß die Bank ist nicht mehr gut«, gab Boris zu. »Ist auf Anguilla. Russen in Antwerpen – auch hier, in der P. C. Hooftstraat –, sie kommen her, um zu investieren, Geld waschen, Kunst kaufen, ha! Vor sechs Wochen war die Bank gesund. Jetzt nicht mehr gesund.«

Wir hatten die Grachten, das Wasser, hinter uns gelassen. Auf der Straße: Silhouetten bunter Neon-Engel, die sich von den Dächern herablehnten wie Galionsfiguren. Blauer Flitter, weißer Flitter, Lametta, Kaskaden von weißen Lichtern und Weihnachtssternen, gleißend und undurchdringlich, und das alles hatte so wenig mit mir zu tun wie der unglaubliche Diamant, der an meinem kleinen Finger funkelte.

872

»Verstehst du, was ich dir sagen will.« Boris ließ vom Radio ab und drehte sich zu mir herum. »Ich will dir sagen, du sollst dir keine Sorgen machen. Von ganzem Herzen.« Er runzelte die Stirn und streckte die Hand aus, um mir aufmunternd die Schulter zu schütteln. »Alles ist gut.«

»Ein Kinderspiel!« Juri schaute in den Rückspiegel, strahlend vor Glück, weil ihm dieses Wort eingefallen war.

»Folgender Plan. Willst du den Plan hören?«

»Vermutlich muss ich jetzt ja sagen.«

»Wir stellen den Wagen ab. Bisschen außerhalb der Stadt. Dann holt Cherry uns ab und fährt uns mit *seinem* Wagen zum Meeting.«

»Und das Ganze läuft friedlich ab.«

»Absolut! Und warum? Weil du das Bargeld hast! Mehr wollen sie nicht. Selbst wenn der Wechsel platzt – ist guter Deal für sie. Vierzigtausend Dollar ohne Arbeit? Nicht schlecht! Nachher, Cherry bringt uns wieder zur Garage, mit dem Bild, und dann – gehen wir aus! Wir feiern!«

Juri brummte etwas.

»Er meckert über die Garage«, sagte Boris. »Nur, damit du weißt. Er findet die Idee schlecht. Aber ich will nicht mit meinem eigenen Auto fahren, und das Letzte, was wir brauchen, ist ein Strafzettel für Falschparken.«

»Wo ist das Meeting?«

»Na ja – macht ein bisschen Kopfschmerzen. Wir müssen raus aus der Stadt und nachher wieder rein. Sie haben auf einem eigenen Ort bestanden, und Cherry hat zugestimmt, weil – ja, ist wirklich besser. Auf ihrem Gelände können wir uns zumindest darauf verlassen, dass keine Polizei dazwischenkommt.«

Wir fuhren jetzt auf einem einsameren Stück Straße, schnurgerade und verlassen. Der Verkehr war spärlich, die Straßenlaternen standen weiter auseinander, und das anregende Knistern und Funkeln der Altstadt mit ihrem leuchtenden Filigran und ihrem verborgenen Plan – silbrige Schlittschuhe, fröhliche Kinder unter einem Baum – war einer vertrauteren, großstädtischen Tristesse gewichen:

Fotocadeau, Schlosserei *Sleutelkluis,* Schilder mit arabischer Schrift, Schawarma, Tandoori Kebap, herabgelassene Gitter, alles geschlossen.

»Straße heißt Overtoom«, erklärte Juri. »Nicht sehr interessant oder schön.«

»Hier ist die Parkgarage meines Jungen Dima. Er hat heute Abend das BESETZT-Schild eingeschaltet, also wird niemand uns stören. Wir sind im Langzeit... ah!«, schrie er. »*Blyad!*« Ein hupender Lieferwagen erschien quer vor uns aus dem Nichts, und Juri musste das Steuer herumreißen und auf die Bremse treten.

»Manchmal Leute hier sind ein bisschen aggressiv ohne Grund«, sagte Juri düster, als er den Blinker setzte und in die Garage einbog.

»Gib mir deinen Pass«, sagte Boris.

»Warum?«

»Weil ich ihn im Handschuhfach einschließen will, bis wir zurück sind. Besser, du hast ihn nicht bei dir – für alle Fälle. Ich lege meinen auch rein.« Er hielt seinen Pass hoch, damit ich ihn sehen konnte. »Und Juris. Juri ist ehrlicher, geborener amerikanischer Staatsbürger – ja«, sagte er, als Juri lachend Einwände machen wollte. »Alles schön und gut für euch, aber für mich? Ist sehr, sehr schwer, einen amerikanischen Pass zu kriegen, und ich will das Ding wirklich nicht verlieren. Du weißt doch, oder, Potter?« Er sah mich an. »In den Niederlanden ist jetzt gesetzlich vorgeschrieben, dass du immer einen Ausweis bei dir haben musst? Stichprobenkontrollen auf der Straße, und hast du nichts, wirst du bestraft. Ich meine – in Amsterdam? Was ist das für ein Polizeistaatmist? Wer würde das glauben? *Hier?* Ich niemals. Nicht in hundert Jahren. Na ja«, er klappte das Handschuhfach zu und schloss es ab, »besser ein Bußgeld und ein paar Ausreden, als dass wir angehalten werden mit den richtigen Papieren.«

VIII

In dem Parkhaus, in dem ein olivgrünes Licht deprimierend flimmerte, waren im Langzeit-Bereich trotz des leuchtenden BESETZT-Schildes ein paar freie Plätze. Als wir vorwärts in eine Lücke fuhren, warf ein Mann in einer Sportjacke, der an einem weißen Range Rover lehnte, seine Zigarette weg. Orangegelbe Funken sprühten, als er auf unseren Wagen zukam. Die hohe Stirn, die getönte Pilotenbrille und sein aufrechter, militärisch aussehender Oberkörper verliehen ihm das windgepeitschte Aussehen eines Ex-Fliegers, eines Mannes, der auf einem Testgelände irgendwo am Ural empfindliche Instrumente überwachte.

»Victor«, sagte er, als wir ausstiegen, und zerquetschte meine Hand. Juri und Boris bekamen einen Schlag auf den Rücken. Nach ein paar knappen Einleitungsworten auf Russisch kletterte ein lockiger Teenager mit einem Babygesicht vom Fahrersitz und wurde von Boris mit einem Wangentätscheln und einem munter gepfiffenen Liedchen begrüßt: *On the Good Ship Lollipop.*

»Das ist Shirley T«, sagte er zu mir und zerwuschelte dem Jungen die Korkenzieherlocken. »Shirley Temple. Wir nennen ihn alle so – warum? Kannst du raten?« Er lachte, als der Junge verlegen grinste und dabei tiefe Grübchen bekam.

»Lass dich nicht täuschen von Äußeren«, sagte Juri leise zu mir. »Shirley sieht aus wie Baby, aber hat Eier wie nur irgendeiner hier.«

Höflich nickte Shirley mir zu – sprach er Englisch? anscheinend nicht – und hielt uns die hintere Tür des Range Rovers auf. Wir drei – Boris, Juri und ich – stiegen ein, und Victor Cherry setzte sich nach vorn und redete über die Lehne hinweg mit uns.

»Dürfte kein Problem geben«, sagte er förmlich zu mir, als wir aus der Garage wieder auf den Overtoom hinausfuhren. »Einfaches Pfandgeschäft.« Aus der Nähe betrachtet wirkte sein Gesicht breit und verständnisvoll mit dem kleinen, spitzen Mund und einer sarkastischen Wachsamkeit, die meine Aufregung über die Vernunft dieses Abends – oder ihre Abwesenheit – ein wenig dämpfte: über

Autowechsel, fehlende Anweisungen und Informationen, über albtraumhafte Fremdheit. »Wir tun Sascha einen Gefallen, und deshalb …? Er wird nett zu uns sein.«

Lang gestreckte, flache Gebäude. Vereinzelte Lichter. Ein Gefühl, als passierte das alles nicht – oder es passierte jemandem, der ich nicht war.

»Denn kann Sascha in eine Bank gehen und einen Kredit auf das Bild aufnehmen?«, erläuterte Victor pedantisch. »Nein. Kann Sascha in eine Pfandleihe gehen und einen Kredit auf das Bild bekommen? Nein. Kann Sascha angesichts der Umstände des Diebstahls eine seiner üblichen Connections über Horst benutzen und einen Kredit auf das Bild bekommen? Nein. Deshalb ist Sascha extrem erfreut über das Erscheinen des mysteriösen Amerikaners – sind Sie –, mit dem ich ihn zusammengebracht habe.«

»Sascha spritzt Heroin, wie du und ich atmen«, sagte Juri leise zu mir. »Hat er Geld in der Hand, zieht er los und kauft Riesenladung Drogen. Wie Uhrwerk.«

Victor Cherry rückte seine Brille zurecht. »Genau. Er ist kein Kunstliebhaber, und er ist nicht wählerisch. Er benutzt Bild wie hochverzinste Kreditkarte – oder glaubt er. Investment für Sie, Cash für ihn. Sie schießen das Geld vor – behalten das Bild als Sicherheit – er kauft Heroin, behält die Hälfte, streckt den Rest und verkauft ihn, und in einem Monat kommt er mit dem doppelten Geld zurück und holt das Bild wieder ab. Und wenn er in einem Monat nicht mit dem doppelten Geld zurückkommt? Das Bild gehört Ihnen. Wie ich sage. Einfaches Pfandgeschäft.«

»Nur nicht so einfach.« Boris streckte sich und gähnte. »Denn wenn du verschwindest? Und der Wechsel platzt? Was kann er tun? Rennt er zu Horst und ruft um Hilfe, bricht man ihm das Genick.«

»Ich bin froh, dass sie den Treffpunkt so oft geändert haben. Ist ein bisschen lächerlich. Aber es hilft, weil heute ist Freitag.« Victor nahm seine Fliegerbrille ab und polierte sie an seinem Hemd. »Ich hab sie denken lassen, Sie wollten aussteigen. Weil sie dauernd abge-

sagt und den Plan geändert haben – dabei sind Sie heute erst angekommen, aber das wissen die nicht. Weil sie immer wieder geändert
haben, hab ich ihnen gesagt, das macht Sie nervös, und Sie hätten
keine Lust mehr, auf einem Koffer voll Dollars in Amsterdam herumzusitzen und darauf zu warten, dass Sie was von denen hören.
Sie hätten Ihr Geld wieder auf die Bank gebracht und wollten in die
USA zurückfliegen. Das haben sie nicht gern gehört. Und jetzt«, er
deutete mit dem Kopf auf die Tasche, »haben wir Wochenende, die
Banken sind geschlossen, und Sie bringen so viel Cash mit, wie Sie
haben, und – na, sie haben reichlich mit mir gesprochen, viele Male
telefoniert, und einmal habe ich sie schon getroffen, unten in einer
Bar im Rotlichtviertel, aber sie waren einverstanden, das Bild mitzu-
bringen und den Austausch heute Abend zu machen, ohne Sie vorher zu sehen, denn ich habe ihnen erzählt, Sie fliegen morgen nach
Hause, und weil sie auf ihrer Seite so lange rumgepisst haben, kriegen
sie jetzt einen Wechsel über den Rest oder gar nichts. Na – das hat
denen nicht gepasst, aber sie haben es als Erklärung für den Wechsel akzeptiert. Macht die Sache einfacher.«

»Viel einfacher«, sagte Boris. »Ich war nicht sicher, ob Wechsel
durchgeht. Da ist besser, wenn sie annehmen, Wechsel ist ihre eigene Schuld, weil sie uns verarschen.«

»Wo ist der Treffpunkt?«

»In einem Lunchcafé. ›De Paarse Koe‹.«

»Das bedeutet ›Lila Kuh‹ auf Holländisch«, erklärte Boris hilfsbereit. »Ein Hippielokal. Nicht weit vom Rotlichtviertel.«

Eine lange, einsame Straße – geschlossene Eisenwarenhandlun-
gen, Ziegelsteinstapel am Straßenrand, alles wichtig und irgendwie
hyper-bedeutsam, obwohl es im Dunkeln so schnell vorbeiraste, dass
ich kaum etwas erkennen konnte.

»Grässliches Essen«, sagte Boris. »Nur Sprossen und harter alter
Weizentoast. Man könnte denken, da gehen heiße Mädels hin, aber
sind nur alte, grauhaarige, dicke Frauen.«

»Und warum da?«

»Weil ist ruhige Straße abends«, sagte Victor Cherry. »Lunchcafé ist geschlossen, hat Feierabend, aber ist es halb-öffentlich. Da kann nichts außer Kontrolle geraten, verstehen Sie?«

Überall: Seltsamkeit. Ohne es zu bemerken, hatte ich die Realität verlassen und die Grenze in ein Niemandsland überquert, in dem nichts mehr irgendeinen Sinn ergab. Traumartig, fragmentiert. Drahtrollen, Berge von Schutt, von denen die Plastikplanen zur Seite weggeweht waren.

Boris sprach Russisch mit Victor, und als er merkte, dass ich ihn anschaute, drehte er sich zu mir um.

»Wir haben nur gesagt, Sascha ist heute Abend in Frankfurt«, erklärte er. »Gibt eine Party in einem Restaurant für einen Freund, der gerade aus dem Knast gekommen ist. Das haben wir alle bestätigt bekommen, aus drei verschiedenen Quellen, Shirley auch. Er glaubt, er ist clever, wenn er sich fernhält. Wenn sich rumspricht zu Horst, was hier heute Abend gelaufen ist, will er die Hände heben und sagen: ›Wer, ich? Ich hab nichts damit zu tun.‹«

»Sie«, sagte Victor zu mir, »Sie sitzen in New York. Ich habe gesagt, Sie sind Kunsthändler, haben gesessen wegen Fälscherei und führen jetzt Unternehmen wie Horst – viel kleiner in Bezug auf die Bilder, viel größer, was Geld angeht.«

»Horst – Gott segne ihn«, sagte Boris. »Horst wäre reichster Mann von New York, aber er verschenkt alles, jeden Cent. Immer schon. Unterstützt so viele Leute.«

»Schlecht fürs Geschäft.«

»Ja. Aber er hat gern Gesellschaft.«

»Ein Junkie-Philanthrop, ha«, sagte Victor. Er betonte es *Fil*-antróp. »Gut, dass von Zeit zu Zeit welche wegsterben. Wer weiß, wie viele Heroin-Freaks sich sonst mit ihm in diese Bruchbude quetschen müssten. Jedenfalls – je weniger Sie da drin sagen, desto besser. Sie werden keine höfliche Konversation erwarten. Nur Business. Wird schnell gehen. Gib ihm den Wechsel, Borja.«

Boris sagte in scharfem Ton etwas auf Ukrainisch.

»Nein, er sollte selbst vorlegen. Mit eigener Hand.«

Auf beidem, Wechsel und Einlagenbeleg, stand gedruckt der

Name Farruco Frantisek, Citizen Bank Anguilla, was das Gefühl nur verstärkte, mich auf einer Traumbahn zu bewegen, viel zu schnell, um noch zu bremsen.

»Farruco Frantisek? Das bin ich?« Unter diesen Umständen erschien es mir wie eine sinnvolle Frage – als wäre ich jetzt irgendwie körperlos oder als hätte ich zumindest einen bestimmten Horizont überschritten und wäre jetzt frei von so fundamentalen Tatsachen wie Identität.

»Ich habe diesen Namen nicht ausgesucht. Ich musste nehmen, was ich kriegen konnte.«

»So soll ich mich vorstellen?« Mit dem Papier stimmte etwas nicht, es war zu dünn, und dass auf den Belegen »Citizen Bank« und nicht »Citizens Bank« stand, sah nicht gut aus.

»Nein, Cherry stellt dich vor.«

Farruco Frantisek. Im Stillen probierte ich den Namen aus, ließ ihn über die Zunge rollen. Obwohl er schwer zu behalten war, klang er doch stark und fremdländisch genug, um die schwarzen Straßen, hyperdicht wie im Weltall verloren, die Straßenbahnschienen, Pflastersteine und Neon-Engel zu tragen – denn wir waren jetzt wieder in der Altstadt, historisch und unerforschlich, Grachten und Fahrradständer und Weihnachtslichter, zitternd auf dem dunklen Wasser.

»Wann wolltest du es ihm denn sagen?«, fragte Victor und sah Boris an. »Er muss doch wissen, wie er heißt.«

»Na, jetzt weiß er es ja.«

Unbekannte Straßen, unerklärliche Abzweige, anonyme Distanzen. Ich versuchte inzwischen nicht mal mehr, die Straßenschilder zu lesen oder mir zu merken, wo wir waren. In allem um mich herum – in allem, was ich sehen konnte – war nur der Mond ein Anhaltspunkt, hoch über den Wolken, hell und voll, aber doch gespenstisch instabil, frei von Schwerkraft – nicht der reine, haltgebende Mond der Wüste, sondern eher ein Partytrick, der auf den Wink eines Zauberers hervorplatzen oder einfach in die Dunkelheit davonschweben und verschwinden kann.

IX

Die Lila Kuh lag in einer leeren Einbahnstraße, gerade breit genug für ein Auto. Alle anderen Geschäfte hier – Apotheke, Bäckerei, Fahrradladen – waren fest verrammelt, alles bis auf ein indonesisches Restaurant am anderen Ende der Straße. Shirley Temple ließ uns vor der Tür aussteigen. Graffiti an der Wand gegenüber: Smiley, Pfeile, Vorsicht Radioaktiv, ein mit der Schablone gesprayter Blitz mit dem Wort *Shazam*, tropfende Horrorfilm-Lettern, *keep it nice!*

Ich schaute durch die Glastür hinein. Der Raum war lang und schmal und – auf den ersten Blick – leer. Lila Wände, Buntglas-Deckenlampe, nicht zueinanderpassende Tische und Stühle in Kindergartenfarben, das Licht gedämpft bis auf den Thekenbereich am Grill und eine beleuchtete Kühlvitrine weiter hinten. Kränkelnde Zimmerpflanzen, ein signiertes Schwarzweißfoto von John und Yoko, ein schwarzes Brett, zottig von Zetteln und Flyern für Satsangs und Yoga-Kurse und verschiedene Angebote in Ganzheitlichkeit. Ein Wandgemälde zeigte die Arkana des Tarot, und auf dem dünnen Papier einer computergedruckten Speisekarte im Fenster standen Vollwertgerichte à la Everett: Möhrensuppe, Nesselsuppe, Nesselpüree, Linsen-Nuss-Pastete – alles nicht sehr appetitlich, aber es erinnerte mich daran, dass die letzte ehrliche, aus mehr als ein paar Bissen bestehende Mahlzeit, die ich zu mir genommen hatte, das Take-away-Curry in Kitseys Bett gewesen war.

Boris sah, dass ich die Speisekarte anschaute. »Ich habe auch Hunger«, sagte er ziemlich förmlich. »Wir gehen zusammen richtig gut essen. Im Blakes. In zwanzig Minuten.«

»Du gehst nicht rein?«

»Noch nicht.« Er stand ein kleines Stück weit abseits, sodass er durch die Glastür nicht zu sehen war, und schaute die Straße hinauf und hinunter. Shirley Temple umkreiste den Block. »Steh nicht hier und rede mit mir. Geh mit Victor und Juri.«

Der Mann, der an die Glastür des Cafés geschlichen kam, war ein magerer, schmächtiger, hektisch aussehender Typ in den Sechzigern, mit langem schmalem Gesicht, langen Hippie-Haaren, die bis über die Schultern hingen, und einer Schirmmütze aus Jeansstoff, die geradewegs aus *Soul Train 1973* zu stammen schien. Er blieb mit seinem Schlüsselbund stehen, schaute an Victor vorbei zu mir und Juri und schien noch zu überlegen, ob er uns hereinlassen sollte. Mit seinen eng zusammenstehenden Augen, den buschigen grauen Augenbrauen und dem dicken grauen Schnurrbart sah er aus wie ein misstrauischer alter Schnauzer. Ein zweiter Mann erschien, viel, viel jünger und viel, viel kräftiger, einen halben Kopf größer als selbst Juri, ein Malaye oder Indonesier mit einem Gesichtstattoo, Diamant-Ohrsteckern, die einem die Augen aus dem Kopf quellen ließen, und einem schwarzen Haarknoten oben auf dem Schädel, mit dem er aussah wie ein Harpunier aus *Moby Dick,* sofern ein Harpunier aus *Moby Dick* samtene Jogginghosen und eine Baseballjacke aus pfirsichfarbenem Satin getragen hätte.

Der alte Speed-Freak rief jemanden mit seinem Handy an. Er wartete und behielt uns dabei die ganze Zeit wachsam im Auge. Dann wählte er eine neue Nummer, wandte uns den Rücken zu und spazierte in die Tiefen des Lunchcafés hinein. Während er redete, drückte er die flache Hand an Wange und Ohr wie eine hysterische Hausfrau. Der Indonesier stand unnatürlich still hinter der Glastür und beobachtete uns. Ein kurzer Wortwechsel und der alte Speed-Freak kam zurück, fing mit krauser Stirn und sichtlichem Widerstreben an, mit seinem Schlüsselbund herumzufummeln, schob einen Schlüssel ins Schloss und drehte ihn um. Kaum waren wir eingetreten, begann er, auf Victor einzuplärren und mit den Armen zu fuchteln. Der Indonesier schlenderte zur Wand, lehnte sich mit verschränkten Armen an und hörte zu.

Eindeutig herrschte Beunruhigung. Unbehagen. Welche Sprache sprachen sie? Rumänisch? Tschechisch? Ich hatte keine Ahnung, worum es ging, aber Victor Cherry wirkte kalt und verärgert, während der alte, grauhaarige Speed-Freak immer mehr in Aufregung geriet – wütend? nein, gereizt, frustriert, sogar quengelnd, ein Winseln trat in seinen Ton, und die ganze Zeit behielt der Indonesier uns im Auge, beunruhigend reglos wie eine Anakonda. Ich stand ungefähr drei Meter weit entfernt, machte – obwohl Juri mit der Geldtasche viel zu dicht neben mir stand – ein bemüht ausdrucksloses Gesicht und tat, als studierte ich die Zeichen und Sprüche an der Wand: Greenpeace, Pelzfreie Zone, Veganerfreundlich, Von Engeln beschützt! Ich hatte oft genug unter dubiosen Umständen Drogen gekauft (in Kakerlaken-Apartments in Spanish Harlem, im Pissegestank eines Treppenhauses in den Sozialblocks von St. Nicholas) und wusste deshalb genug darüber, um nicht interessiert auszusehen, denn solche Transaktionen liefen – zumindest nach meiner Erfahrung – fast immer gleich ab. Man tat relaxed und unbeteiligt, redete nur, wenn es sein musste, und dann sehr monoton, und sobald man hatte, weshalb man gekommen war, verschwand man wieder.

»Von Engeln beschützt, am Arsch«, flüsterte Boris mir ins Ohr. Lautlos war er auf der anderen Seite herangeschlichen.

Ich sagte nichts. Noch so viele Jahre später konnte es leicht passieren, dass wir wieder in die Gewohnheit verfielen, die Köpfe zusammenzustecken und zu tuscheln wie in Spirsézkajas Unterricht. Was in dieser Situation keine gute Dynamik herbeiführen würde.

»Wir sind pünktlich«, sagte Boris. »Aber einer von ihren Männern ist nicht gekommen. Darum ist Grateful Dead hier so nervös. Sie wollen, dass wir warten, bis er kommt. Selbst schuld, wenn sie den Treffpunkt so oft wechseln.«

»Was geht denn da vorn ab?«

»Überlass die Sache Witja.« Er stieß mit dem Schuh an eine vertrocknete Fellkugel auf dem Boden – eine tote Maus?, dachte ich erschrocken, bevor ich sah, dass es ein zerkautes Katzenspielzeug war, eins von mehreren, die verstreut auf dem Boden lagen. Ein Katzenklo mit verklumpter, pissedunkler Streu stand halb versteckt und voller Katzenkacke unter einem Vierertisch.

Ich fragte mich, inwiefern ein dreckiges Katzenklo, das dort stand, wo die Gäste wahrscheinlich hineintreten würden, der gastronomischen Logistik förderlich sein konnte (von Kategorien wie »attraktiv«, »gesund« oder auch »legal« ganz zu schweigen), als mir bewusst wurde, dass das Gerede aufgehört hatte und die beiden sich zu Juri und mir umdrehten. Victor Cherry und der alte Speed-Freak mit seinem wachsam-erwartungsvollen Blick kamen heran, und der Alte schaute zwischen mir und der Tasche in Juris Hand hin und her. Zuvorkommend machte Juri einen Schritt nach vorn, öffnete die Tasche, stellte sie mit dienstbeflissener Kopfneigung hin und trat wieder zurück, damit der Alte sie inspizieren konnte.

Der spähte kurzsichtig hinein und rümpfte die Nase. Er gab etwas von sich, das gereizt klang, und schaute zu Cherry auf, der aber ganz ungerührt blieb. Ein weiterer obskurer Wortwechsel folgte. Der Grauhaarige war anscheinend nicht zufrieden. Er schloss die Tasche, stand auf und sah mich mit unstetem Blick an.

»Farruco«, sagte ich nervös. Meinen Nachnamen hatte ich vergessen; hoffentlich würde ich ihn nicht nennen müssen.

Cherry warf mir einen Blick zu: *die Papiere.*

»Ja, ja.« Ich griff in die obere Innentasche meines Jacketts und zog den Wechsel und den Einlagenbeleg heraus, faltete beides – hoffentlich entspannt – auseinander und warf noch einen Blick darauf, bevor ich sie hinüberreichte …

Frantisek. Aber gerade, als ich die Hand ausstreckte – *wumm,* wie ein Windstoß, der durch das Haus fährt und eine Tür zuknallen lässt, wo du es nicht erwartest –, trat Victor Cherry flink hinter den Grauhaarigen und schlug ihm mit dem Pistolenkolben so hart auf den Schädel, dass die Schirmmütze herunterflog. Seine Knie knickten ein, und er ging grunzend zu Boden. Der Indonesier, immer noch träge an die Wand gelehnt, war offenbar genauso erschrocken wie ich: Er erstarrte, unsere Blicke trafen sich in einem scharfen *Scheiße, was …?*-Schock, fast wie unter Freunden, und ich wusste nicht, warum er sich nicht von der Wand wegrührte, bis ich mich umdrehte und zu meinem Entsetzen sah, dass Boris und Juri ihre Pistolen auf ihn richteten. Boris umfasste den Kolben säuberlich mit der gewölbten linken Hand, Juri hielt die Waffe einhändig, hatte die Geldtasche in der anderen Hand und ging rückwärts durch die Tür hinaus.

Ein unzusammenhängendes Aufblitzen – jemand huschte hinten aus der Küche: eine junge Asiatin, nein, ein Junge, weiße Haut, leere, angstvolle Augen, die nach vorn ins Lokal schauten, ein Ikat-Tuch, fliegendes langes Haar – und genauso schnell verschwunden.

»Dahinten ist jemand«, sagte ich hastig, sah mich um, in alle Richtungen, der Raum drehte sich wie ein Karussell, und mein Herz klopfte so wild, dass ich die Worte nicht richtig hervorbrachte. Ich war nicht sicher, ob irgendjemand es gehört hatte – oder ob Cherry es wenigstens gehört hatte, der den Graukopf hinten an seiner Jeansjacke packte und hochriss, ihn in den Schwitzkasten nahm, ihm die Pistole an die Schläfe drückte, ihn in irgendeiner osteuropäischen Sprache anschrie und nach hinten schleifte, während der Indonesier sich lässig an der Wand aufrichtete, anmutig und vorsichtig, und Boris und mich lange, wie mir schien, anschaute.

»Das wird euch Fotzen noch leidtun«, sagte er leise.

»Hände, Hände«, sagte Boris in herzlichem Ton. »Wo ich sie sehen kann.«

»Ich hab keine Waffe.«

»Trotzdem.«

»Hast recht«, sagte der Indonesier genauso herzlich. Er musterte mich mit erhobenen Händen – und es überlief mich eisig, als ich begriff, dass er sich mein Gesicht einprägte. Das Bild wanderte geradewegs in die Datenbank, und er sah Boris an.

»Ich weiß, wer du bist«, sagte er.

Der Fruchtsaftkühler verbreitete ein Licht wie in einem U-Boot. Ich hörte mich selbst atmen, ein, aus, ein, aus. In der Küche klirrte Metall. Undeutliche Schreie.

»Auf den Boden, wenn's recht ist.« Boris deutete mit dem Kopf nach unten.

Gehorsam ließ der Indonesier sich auf die Knie fallen und streckte sich dann – sehr langsam – in voller Länge aus. Aber er machte nicht den Eindruck, als sei er erschrocken oder verängstigt.

»Ich kenne dich«, sagte er noch einmal. Seine Stimme klang leicht gedämpft.

Eine pfeilschnelle Bewegung in meinem Augenwinkel, so schnell, dass ich erschrak: eine Katze, schwarz wie der Teufel, ein lebendiger Schatten, Dunkelheit, die in Dunkelheit floh.

»Und wer bin ich?«

»Borja-aus-Antwerpen, oder?« Es stimmte nicht, dass er keine Waffe hatte. Sogar ich sah die Beule unter seiner Achsel. »Borja der Polack? Kiffer-Boris? Horsts Kumpel?«

»Und wenn ich das bin?«, fragte Boris freundlich.

Der Mann schwieg. Boris schleuderte sich mit einer schnellen Kopfbewegung das Haar aus dem Gesicht, schnaubte verächtlich und wollte anscheinend eine sarkastische Bemerkung machen, aber in diesem Moment kam Victor Cherry von hinten heran, allein, und zog etwas aus der Tasche, das aussah wie ein Paar Plastikhandfesseln – und mein Herz setzte einmal aus, als ich sah, dass er ein Paket unter dem Arm trug, in genau der richtigen Größe und Dicke, in weißen Filz gewickelt und mit zweifarbiger Paketkordel verschnürt. Er drückte ein Knie auf den Rücken des Indonesiers und fummelte ihm die Fesseln um die Handgelenke.

»Raus«, sagte Boris zu mir. Meine Muskeln waren verkrampft und hart, und er gab mir einen kleinen Schubs. »Los! Steig in den Wagen!«

Verständnislos sah ich mich um – ich konnte die Tür nicht finden, da war keine Tür –, und dann war sie doch da, und ich stürzte so schnell hinaus, dass ich stolperte und beinahe über ein Katzenspielzeug gefallen wäre, hinaus zu dem Range Rover, der mit qualmendem Auspuff am Randstein stand. Juri stand draußen vor der Tür auf der Straße Schmiere in dem leichten Nieselregen, der jetzt eingesetzt hatte – »rein, rein« zischte er, rutschte auf den Rücksitz und winkte mich zu sich hinein, als Boris und Victor Cherry aus dem Café gerannt kamen und zu uns in den Wagen sprangen. Wir fuhren ab, in ruhigem, antiklimaktischem Tempo.

X

Als wir wieder auf der Hauptstraße waren, brach im Wagen Jubel aus: Lachen, Abklatschen, und mein Herz klopfte so stark, dass ich kaum atmen konnte. »Was war da los?«, krächzte ich ein paar Mal – nach Atem ringend schaute ich zwischen ihnen hin und her, und als sie mich weiter ignorierten und in einer hämmernden Mischung aus Russisch und Ukrainisch durcheinanderredeten, alle vier, einschließlich Shirley Temple, schrie ich: »*Anglijski!*«

Boris drehte sich zu mir um, wischte sich über die Augen und schlang mir den Arm um den Hals. »Planänderung«, sagte er. »War alles Stegreif – improvisiert. Was Besseres hätten wir uns nicht wünschen können. Ihr dritter Mann ist nicht gekommen.«

»Unterbesetzt.«

»Kalt erwischt.«

»Mit runtergelassener Hose! Auf dem Klo!«

»Aber du«, keuchend brachte ich die Worte hervor, »hast gesagt, keine Waffen.«

»Niemand ist verletzt worden, oder? Was macht es dann?«

»Warum haben wir nicht einfach bezahlt?«

»Weil wir Glück hatten!« Er riss die Arme hoch. »Die Chance unseres Lebens! Wir hatten die Gelegenheit! Was sollten sie denn machen? Sie waren zu zweit – wir waren vier. Wenn sie vernünftig gewesen wären, hätten sie uns niemals reingelassen. Und – ja, ich weiß, sind nur vierzigtausend, aber warum soll ich denen auch nur einen Cent bezahlen, wenn ich nicht muss? Dafür, dass sie mir mein Eigentum klauen?« Boris kicherte. »Hast du sein Gesicht gesehen? Grateful Dead? Als Cherry ihm eins über die Rübe gezogen hat?«

»Wissen Sie, weshalb er gemeckert hat, der alte Ziegenbock?«, sagte Victor und drehte sich strahlend zu mir um. »Er wollte Euros! ›Was, Dollars?‹« Er ahmte den nörgelnden Gesichtsausdruck nach. »›Ihr bringt mir Dollars?‹«

»Ich wette, jetzt wünscht er, er hätte Dollars.«

»Ich wette, jetzt wünscht er, er hätte die Klappe gehalten.«

886

»Ich würde gern den Anruf bei Sascha hören.«

»Ich wünschte, ich wüsste, wie der Typ heißt. Der sie hat sitzen lassen. Ich würde ihm gern einen Drink spendieren.«

»Wo ist er wohl?«

»Wahrscheinlich zu Hause unter der Dusche.«

»Liest in der Bibel.«

»Oder guckt Weihnachtslieder im Fernsehen.«

»Wahrscheinlich wartet er am falschen Treffpunkt.«

»Ich …« Meine Kehle war so zugeschnürt, dass ich schlucken musste, bevor ich sprechen konnte. »Was ist mit dem Jungen?«

»Hä?« Es regnete. Kleine Tropfen prasselten auf die Frontscheibe. Die Straße glänzte schwarz.

»Mit welchem Jungen?«

»Junge, Mädchen, Küchenhilfe – was weiß ich.«

»Was?« Cherry drehte sich um – immer noch atemlos keuchend. »Ich hab niemanden gesehen.«

»Ich auch nicht.«

»Na, aber ich.«

»Wie sah sie aus?«

»Jung.« Ich sah immer noch das Bild eines jungen, geisterhaften Gesichts mit leicht geöffnetem Mund. »Weißer Kittel. Japanisches Aussehen.«

»Echt?«, fragte Boris neugierig. »Das kannst du am Äußeren unterscheiden? Wo sie herkommen? Japan, China, Vietnam?«

»Ich konnte nicht viel sehen. Asiatisch.«

»Er oder sie?«

»Ich glaube, in der Küche arbeiten nur Mädchen«, sagte Juri. »Ist makrobiotisch. Brauner Reis und so Zeug.«

»Ich …« Jetzt war ich wirklich nicht mehr sicher.

»Na …« Cherry strich sich mit der Hand über das kurz geschnittene Haar. »Gut, dass sie weggerannt ist, wer immer es war, denn wisst ihr, was ich dahinten noch gefunden habe? Abgesägte Schrotflinte, Mossberg 500.«

Jetzt wurde gelacht und gepfiffen.

»Scheiße.«

»Wo war sie denn? Grozdan hat doch nicht …?«

»Nein. In einer«, mit einer Handbewegung beschrieb er eine Schlinge, »wie sagt man? Hing unter dem Tisch, in einem Tuch oder so. Hab sie nur zufällig gesehen, als ich auf dem Boden war. Hab ich – hochgeschaut. Da war sie, direkt über meinen Kopf.«

»Du hast sie doch da nicht gelassen, oder?«

»Nein! Ich hätte sie gern mitgenommen, aber sie war zu groß, und ich hatte die Hände voll. Hab ich sie aufgemacht, den Schlagbolzen rausgenommen und in den Hinterhof geworfen. Außerdem«, er zog einen silberglänzenden, stupsnasigen Revolver aus der Tasche und reichte ihn Boris, »den hier!«

Boris hielt ihn ins Licht und betrachtete ihn.

»Hübsch, klein, unauffällig zu tragen. Knöchelhalfter unter weitem Hosenbein seiner Jeans! Aber Pech – war er nicht schnell genug.«

»Plastikfesseln«, sagte Juri zu mir und senkte den Kopf ein wenig. »Witja denkt voraus.«

»Ja«, Cherry wischte sich den Schweiß von der breiten Stirn, »sie sind leicht und passen in die Tasche, und sie haben mir schon viele Male erspart, jemanden zu erschießen. Ich verletze nicht gern Leute, wenn es nicht sein muss.«

Die mittelalterliche Stadt: krumme Straßen, Lichterketten auf den Brücken spiegeln sich im tropfengesprenkelten Wasser und zerschmelzen im Nieselregen. Zahllose anonyme Geschäfte, funkelnde Schaufensterdekorationen, Dessous und Strumpfbandgürtel, Küchengeräte, arrangiert wie chirurgische Instrumente, fremdländische Wörter überall: *Snel bestellen, Retro-stijl, Showgirl-Sexboetiek.*

»Die Hintertür zum Hof war offen.« Cherry wand sich mit drehenden Ellenbogenbewegungen aus seiner Sportjacke und trank aus einer Flasche Wodka, die Shirley T. unter dem Vordersitz hervorgeholt hatte. Seine Hände zitterten ein bisschen, und sein Gesicht, vor allem die Nase, glühte in einem ausgeprägten, gestressten Rot wie bei Rudolph dem Rentier. »Die müssen sie für den dritten Mann offen

888

gelassen haben, damit er reinkommen konnte. Ich hab sie zugemacht und abgeschlossen. Das heißt, Grozdan musste es machen. Hab ihm die Kanone an den Kopf gehalten, und er hat geschnieft und gewinselt wie ein Baby …«

»Die Mossberg«, sagte Boris zu mir und nahm die Flasche in Empfang, die über die Lehne nach hinten gereicht wurde. »Ein bösartiges Drecksding. Abgesägt …? Da streut der Schrot von hier bis Hamburg. Scheiße, da kannst du ganz woanders hinzielen und triffst immer noch die Hälfte der Leute im Raum.«

»Aber guter Trick, nicht wahr?«, meinte Victor Cherry philosophisch. »Zu sagen, dein dritter Mann ist nicht da? ›Wartet fünf Minuten, bitte‹? ›Tut mir leid, ist was schiefgegangen‹ …? ›Er kommt jeden Augenblick‹? Und dabei ist er die ganze Zeit hinten mit der Schrotflinte? Eine gutes Täuschungsmanöver, wenn sie dran gedacht hätten.«

»Vielleicht *haben* sie dran gedacht. Warum sollten sie sonst die Flinte dahinten verstecken?«

»Ich glaube, wir sind haarscharf davongekommen. Glaube ich.«

»Ein Auto hat vor uns gehalten, und Shirley und ich haben Schrecken bekommen«, erzählte Juri. »Als ihr alle drin wart, zwei Typen, wir dachten, wir sitzen in der Scheiße, aber waren es nur zwei Schwule, Franzosen, die ein Restaurant suchten …«

»… aber hinten war niemand, Gott sei Dank, ich hab Grozdan auf den Boden gelegt und an die Heizung gefesselt«, sagte Cherry gleichzeitig. »Ah, aber …!« Er hielt das Filzpaket hoch. »Als Erstes. Das hier. Für Sie.«

Er reichte es über die Lehne zu Juri, und der hielt es behutsam mit den Fingerspitzen, als wäre es ein Tablett, auf dem er nichts verschütten wollte, und gab es mir. Boris schluckte seinen Wodka herunter, wischte sich mit dem Handrücken über den Mund und schlug mir vergnügt mit der Flasche an den Oberarm. Dabei summte er: *We wish you a merry Christmas we wish you a merry Christmas.*

Das Päckchen auf meinen Knien. Ich strich mit der Hand um den Rand herum. Der Filz war so dünn, dass meine Fingerspitzen sofort spürten, wie richtig es sich anfühlte. Beschaffenheit und Gewicht stimmten genau.

»Na los.« Boris nickte. »Mach's lieber auf und sieh nach, dass es diesmal kein Staatsbürgerkundebuch ist! Wo war es denn?«, fragte er Cherry, als ich an der Schnur herumnestelte.

»Dreckige kleine Besenkammer. Beschissene Plastikmappe. Grozdan hat es mir gezeigt. Ich dachte, er verarscht mich noch ein bisschen, aber die Kopfnuss hatte schon gereicht. Bringt ja nichts, sich abmurksen zu lassen, solange noch die vielen guten Haschisch-Kekse da rumliegen.«

»Potter.« Boris versuchte, meine Aufmerksamkeit auf sich zu ziehen. Noch einmal: »Potter.«

»Ja?«

Er hob den Aktenkoffer hoch. »Diese vierzig Riesen gehen an Juri und Shirley T. als Honorar. Für geleistete Dienste. Denn dank diesen beiden haben wir Sascha *nicht einen Cent* dafür bezahlt, dass er freundlicherweise dein Eigentum gestohlen hat. Und Witja«, er langte nach vorn, um Victor die Hand zu drücken, »wir sind jetzt mehr als quitt. Ich schulde dir was.«

»Nein, ich kann niemals zurückzahlen, was ich dir schuldig bin, Borja.«

»Vergiss es. Ist gar nichts.«

»Nichts? *Nichts?* Stimmt nicht, Borja, denn heute Abend habe ich mein Leben nur deinetwegen, und jeden Abend bis gestern Abend …«

Das war eine interessante Geschichte, die er da erzählte, aber ich hatte kein Ohr dafür: Jemand hatte Cherry ein nicht weiter beschriebenes, aber anscheinend sehr schweres Verbrechen in die Schuhe geschoben, das er nicht begangen und mit dem er nichts zu tun hatte – völlig unschuldig –, aber der Typ hatte dafür Straferlass bekommen, und wenn Cherry seinerseits nicht seine Bosse verpfeifen wollte (»Nicht sehr klug, wenn ich weiter atmen will«), würde er zehn Jahre kassieren, aber Boris, Boris hatte ihn gerettet, denn Boris hatte die Drecksau aufgestöbert, in Antwerpen und auf Kaution draußen,

und wie er das geschafft hatte, war eine sehr verzwickte, mit großer Begeisterung erzählte Story, und Cherry kriegte fast keine Luft
mehr und schniefte ein bisschen, aber dann kam noch mehr: etwas
mit Brandstiftung und Blutvergießen und einer Motorsäge, aber ich
hörte schon kein Wort mehr, denn ich hatte die Schnur aufgeknotet,
und das Licht der Straßenlaternen und wässrige Regenreflexe rollten
über die Oberfläche meines Bildes, meines Distelfinken, und er war –
unbestreitbar, das wusste ich ohne jeden Zweifel, bevor ich das Bild
umdrehte und einen Blick auf die Rückseite warf – echt.

»Siehst du?« Boris unterbrach Witja mitten in seiner glutvollen
Geschichte. »Sieht gut aus, nicht, dein *solotája ptíza?* Ich sage doch,
wir haben darauf achtgegeben, nicht wahr?«

Fassungslos strich ich mit der Fingerspitze über den Rand der Tafel – wie der Ungläubige Thomas die Handfläche Christi betastet. Wie
jeder Möbelhändler – und übrigens auch der Hl. Thomas – wusste:
Der Tastsinn ist schwerer zu täuschen als das Auge, und selbst nach
so vielen Jahren erinnerten sich meine Hände noch so gut an das Gemälde, dass die Finger sofort zu den Nagelspuren am unteren Rand
wanderten, zu den winzigen Löchern, die daher stammten, dass man
das Bild (in alten Zeiten, hieß es) als Wirtshausschild oder als Teil eines bemalten Schrankes angenagelt hatte – niemand wusste es.

»Lebt der noch, dahinten?« Victor Cherry.

»Glaube ja.« Boris stieß mir den Ellenbogen in die Rippen. »Sag
was.«

Aber ich konnte nicht. Es war echt, das wusste ich sogar im Dunkeln. Ein erhabener gelber Farbstreifen am Flügel, die Federn mit
dem Pinselstiel hineingekratzt. Eine Absplitterung an der oberen linken Ecke, die da nicht gewesen war, eine winzige Beschädigung, weniger als zwei Millimeter, aber ansonsten: perfekt. Ich war verändert,
aber das Bild nicht. Als das Licht in Streifen darüber hinwegflacker-
te, überkam mich das flaue Empfinden, mein eigenes Leben sei im
Vergleich dazu nur ein planloser, vergänglicher Energieschwall, das
kurze Sprudeln biologischer Elektrizität, genauso beliebig wie das
Aufleuchten der Straßenlaternen, die draußen vorbeihuschten.

»Ah, schön«, sagte Juri liebenswürdig und lehnte sich von rechts herüber. »So rein! Wie ein Gänseblümchen. Weißt du, was ich damit ausdrücken will?« Er gab mir einen Rippenstoß, als ich nicht antwortete. »Eine schlichte Blume, allein auf der Wiese? Ist einfach …« Er machte eine Geste, die besagte: *Da ist sie! Erstaunlich!* »Verstehst du, was ich meine?« Er gab mir noch einen Stoß, aber ich war zu benommen, um zu antworten.

Unterdessen redete Boris leise, halb auf Englisch, halb auf Russisch, mit Witja über das *ptíza* und über etwas anderes, das ich nicht genau mitbekam, über eine Mutter und ihr Baby und eine wunderbare Liebe. »Wünschst du dir immer noch, du hättest die Kunst-Cops angerufen, hm?« Er legte mir den Arm um die Schultern und lehnte den Kopf an meinen, wie wir es als Jungen getan hatten.

»Wir können sie immer noch anrufen«, sagte Juri, und er lachte laut und boxte mich auf den Arm.

»Das stimmt, Potter! Wollen wir? Nein? Ist vielleicht doch nicht mehr eine so gute Idee, he?«, sagte er über mich hinweg zu Juri und zog die Brauen hoch.

XI

Als wir in der Parkgarage ausstiegen, waren immer noch alle high und lachten und erzählten sich Details des Unternehmens in verschiedenen Sprachen – alle außer mir. In meinem leeren Kopf hallte noch das Echo des Schocks, und schnelle Schritte und plötzliche Bewegungen vibrierten mir aus der Dunkelheit entgegen. Ich war wie betäubt und brachte kein Wort hervor. »Seht ihn an.« Boris unterbrach sich mitten im Satz und schlug mir auf den Arm. »Er sieht aus, als hätte er soeben den besten Blowjob seines Lebens gekriegt.«

Alle lachten, sogar Shirley Temple, die ganze Welt war ein Gelächter, das fraktal und metallisch von den gekachelten Wänden widerhallte, Delirium und Phantasmagorie, wachsend und schwellend wie ein märchenhafter Luftballon, der wallend zu den Sternen hinaufschwebt, und ich lachte auch und war nicht mal sicher, worüber, denn ich war immer noch so erschüttert, dass ich am ganzen Leib zitterte.

Boris zündete sich eine Zigarette an. Sein Gesicht war grünlich im unterirdischen Licht. »Pack das Ding ein«, sagte er leutselig und deutete mit dem Kopf auf das Bild. »Wir stecken es in den Hotelsafe, und dann gehst du und holst dir einen richtigen Blowjob.«

Juri runzelte die Stirn. »Ich dachte, wir essen erst?«

»Du hast recht. Hab ich Mordshunger. Erst essen, dann Blowjob.«

»Blakes?«, fragte Cherry und öffnete die Beifahrertür des Range Rovers. »Sagen wir, in einer Stunde?«

»Einverstanden.«

»Ich gehe ungern so weg«, sagte Cherry und zupfte am Kragen seines Hemdes, das durchsichtig vom Schweiß an ihm klebte. »Andererseits könnte ich einen Cognac gebrauchen. Einen von dem Hundert-Euro-Stoff. Davon könnte ich ungefähr eine Flasche unterbringen. Shirley, Juri ...« Er sagte etwas auf Ukrainisch.

»Er sagt«, erklärte Boris in dem Gelächter, das jetzt folgte, »er sagt zu Juri und Shirley, dass sie heute Abend das Essen spendieren. Damit ...« Juri hob triumphierend die Tasche hoch.

Dann plötzlich – eine Pause. Juri sah beunruhigt aus. Er sagte etwas zu Shirley Temple, und Shirley – lachend, mit tiefen Pfirsichgrübchen – winkte ab, als Juri ihm die Tasche entgegenhielt, und verdrehte die Augen, als Juri es noch einmal versuchte.

»Ne seitschás«, sagte Victor Cherry gereizt. »Nicht jetzt. Teilt es später.«

»Bitte«, sagte Juri und bot die Tasche noch einmal an.

»Ach, hör auf. Teilt es später, sonst sind wir die ganze Nacht hier.«

»Ja chotschú chtó-by Schirli prinjalá éto«, sagte Juri, und es war ein so einfacher und ernsthaft ausgesprochener Satz, dass sogar ich mit meinem lausigen Russki ihn verstand. *Ich will, dass Shirley es nimmt.*

»Nie im Leben!«, sagte Shirley auf Englisch und warf mir – er konnte nicht anders – einen kurzen Blick zu, um sich zu vergewissern, dass ich es gehört hatte, wie ein Schulkind, das stolz ist, weil es die Antwort weiß.

»Jetzt hört *auf.*« Boris stemmte die Hände in die Hüften und schaute genervt zur Seite. »Ist es wichtig, wer es in seinem Wagen hat? Wird einer von euch damit abhauen? Nein. Wir sind lauter Freunde hier. Was habt ihr vor?«, fragte er, als keiner der beiden sich rührte. »Wollt ihr es auf den Boden legen, damit Dima es findet? Einer von euch muss entscheiden, bitte.«

Lange blieb es still. Shirley stand mit verschränkten Armen da und schüttelte entschlossen den Kopf, während Juri weiter auf seinem Standpunkt beharrte und schließlich mit besorgtem Blick eine Frage an Boris richtete.

»Ja, ja, ist mir recht«, sagte Boris ungeduldig zu ihm. »Na los. Ihr drei fahrt zusammen.«

»Bist du sicher?«

»Hundertprozentig. Ihr habt für heute Abend genug gearbeitet.«

»Du kommst zurecht?«

»Nein«, sagte Boris, »wir beide werden zu Fuß gehen! natürlich, natürlich«, sagte er und schnitt Juri das Wort ab, als der Einwände erheben wollte, »wir kommen zurecht, geh schon«, und dann lachten wir alle, als Witja und Shirly und Juri uns zum Abschied zuwinkten (*Dawáj!*), in den Range Rover sprangen und abfuhren, die Rampe hinauf und zurück auf den Overtoom.

XII

»Ah, was für ein Abend«, sagte Boris und kratzte sich den Bauch. »Hunger! Lass uns hier verschwinden. Allerdings«, er zog die Stirn kraus und sah sich nach dem davonfahrenden Range Rover um, »egal. Das geht schon. Katzensprung. Das Blakes ist zu Fuß nicht weit von deinem Hotel. Und du«, er deutete mit einem Nicken auf das Paket, »unvorsichtig! Du solltest das Ding wieder zubinden! Trag es nicht ohne die Schnur durch die Gegend.«

»Ja«, sagte ich, »ja«, und ich ging nach vorn an den Wagen, damit ich das Paket auf die Haube legen konnte, während ich in meiner Tasche nach der Schnur wühlte.

»Kann ich es sehen?« Boris trat hinter mich.

Ich schlug den Filz zurück, und wir beide standen einen Moment lang unbeholfen da wie zwei niedere flämische Edelleute am Rand eines Weihnachtsgemäldes.

»'ne Menge Ärger.« Boris zündete sich eine Zigarette an und blies den Rauch zur Seite, weg von dem Bild. »Aber das war es wert, ja?«

»Ja«, sagte ich. Unsere Stimmen klangen gedämpft, aber scherzhaft, wie wenn zwei Jungen beklommen in einer Kirche stehen.

»Ich hatte es länger als sonst jemand«, sagte Boris, »wenn man die Tage zählt.« Dann änderte sich sein Ton. »Denk daran – wenn du willst, kann ich jederzeit etwas mit Geld arrangieren. Nur ein einziger Deal, und du könntest dich zur Ruhe setzen.«

Aber ich schüttelte nur den Kopf. Ich hätte nicht in Worte fassen können, was ich empfand, aber es war etwas Tiefes, Ursprüngliches, an dem Welty mich hatte teilhaben lassen und ich ihn, vor all den Jahren im Museum.

»War nur Spaß. Na ja – sozusagen. Aber nein, im Ernst«, sagte er und rubbelte mit den Fingerknöcheln an meinem Ärmel, »es gehört dir. Ohne Wenn und Aber. Warum behältst du es nicht eine Weile und freust dich dran, bevor du es den Museumsleuten zurückgibst?«

Ich schwieg, denn ich fragte mich bereits, wie ich es außer Landes bringen sollte.

»Na los, pack es ein. Wir müssen weg hier. Kannst du später anschauen, so lange du willst. Ach, gib schon her.« Er riss mir die Schnur aus meinen ungeschickten Händen, als ich immer noch fummelnd die Enden suchte. »Komm, lass mich das machen, sonst sind wir die ganze Nacht hier.«

XIII

Das Bild war eingepackt und verschnürt, und Boris hatte es sich unter den Arm geklemmt und war – mit einem letzten Zug aus seiner Zigarette – zur Fahrerseite herumgegangen und wollte eben einsteigen, als hinter uns eine gelassene, freundlich klingende amerikanische Stimme sagte: »Frohe Weihnachten.«

Ich drehte mich um. Sie waren zu dritt; zwei Männer im mittleren Alter und mit trägem Gang drifteten versonnen heran und taten, als wären sie gekommen, um uns einen Gefallen zu tun. Boris war derjenige, den sie anredeten, nicht mich, und anscheinend waren sie erfreut, ihn zu sehen. Dicht vor ihnen wieselte der kleine asiatische Junge. Sein weißer Mantel war kein Arbeitskittel für die Küche, sondern ein asymmetrisches Kleidungsstück aus weißer Wolle, ungefähr einen Zoll dick, und er zitterte und hatte regelrecht blaue Lippen vor Angst. Er war unbewaffnet, zumindest sah es so aus, und das war gut, denn was mir bei den beiden anderen – kräftige Kerle, völlig geschäftsmäßig – vor allem auffiel, war gebläuter Waffenstahl, blinkend im Schmuddellicht der Leuchtstoffröhren. Selbst da kapierte ich es noch nicht. Die freundliche Stimme hatte mich getäuscht, und ich dachte, sie hätten den Jungen geschnappt und wollten ihn jetzt zu uns bringen. Aber dann schaute ich zu Boris hinüber und sah, wie still und kreideweiß er dastand.

»Tut mir leid, dass ich dir das antun muss«, sagte der Amerikaner zu Boris, aber es klang nicht so, als täte ihm irgendetwas leid, im Gegenteil, er wirkte sehr zufrieden. Er hatte breite Schultern und trug eine gelangweilte Miene zur Schau, gekleidet in einen weichen grauen Mantel, und trotz seines Alters hatte er etwas von einem launischen Engel an sich mit seinen überreifen, weichen weißen Händen und seiner weichen, managerhaften Milde.

Boris – die Zigarette im Mund – stand da wie erstarrt. »Martin.«

»Ja, hey!«, sagte Martin leutselig, als der andere – ein graublonder Gorilla in einer Seemannsjacke und mit den groben Zügen einer nordischen Folklore-Gestalt – auf Boris zuschlenderte, um seine

Taille griff, seine Pistole herauszog und Martin reichte. Verwirrt sah ich den Jungen im weißen Mantel an, aber der sah aus, als hätte man ihm mit einem Hammer auf den Kopf geschlagen, und er war von alldem genauso wenig amüsiert oder erbaut wie ich.

»Ich weiß, das stinkt dir«, sagte Martin. »Aber – wow.« Die sanfte Stimme stand in einem schockierenden Kontrast zu seinen Augen, die aussahen wie die einer Puffotter. »Hey, mir stinkt's auch. Frits und ich waren bei Pim, und wir haben nicht damit gerechnet, noch mal rauszumüssen. Ekliges Wetter, nicht wahr? Wo sind unsere weißen Weihnachten?«

»Was willst du hier?«, fragte Boris. Er verhielt sich übermäßig still, aber er hatte so viel Angst, wie ich es bei ihm noch nie gesehen hatte.

»Was glaubst du?« Ein scherzhaftes Achselzucken. »Ich bin genauso überrascht wie du, falls das etwas bedeutet. Hätte nie gedacht, Sascha hätte genug Eier in der Hose, um Horst wegen dieser Sache anzurufen. Aber hey – eine Gurke wie der, wen soll er sonst anrufen, hm? Rück's raus.« Eine kurze, liebenswürdige Bewegung mit der Pistole, und Entsetzen rauschte über mich hinweg, als ich sah, dass der Lauf auf Boris zielte, auf das filzumhüllte Paket in seiner Hand. »Komm schon. Gib's her.«

»Nein«, sagte Boris in scharfem Ton und schleuderte sich das Haar aus den Augen.

Martin klapperte mit den Lidern, schrullig verwirrt. »Was hast du gesagt?«

»*Nein.*«

»Was?« Martin lachte. »*Nein?* Machst du Witze?«

»Boris, gib es ihnen!«, stammelte ich. Starr vor Entsetzen stand ich da, als der Typ namens Frits seine Pistole an Boris' Schläfe drückte und ihn dann bei den Haaren packte und seinen Kopf so heftig in den Nacken riss, dass Boris aufstöhnte.

»Ich weiß«, sagte Martin freundschaftlich und warf mir einen kollegialen Blick zu, als wollte er sagen: *Hey, diese Russen – die sind verrückt, nicht wahr?* »Jetzt komm«, sagte er zu Boris. »Gib's schon her.«

Boris stöhnte wieder, als der Typ ihn noch einmal an den Haaren riss, und über den Wagen hinweg warf er mir einen unmissverständlichen Blick zu – so klar und deutlich, als hätte er die Worte laut ausgesprochen, mit einem eindringlichen und sehr konkreten Blick aus unserer Zeit als Ladendiebe: *Lauf, Potter, hau ab!*

»Boris«, sagte ich ungläubig, »bitte, gib's ihm doch einfach«, aber Boris stöhnte nur noch einmal verzweifelt, als Frits ihm den Lauf seiner Waffe unter das Kinn rammte und Martin vortrat, um ihm das Bild aus der Hand zu nehmen.

»Ausgezeichnet. Vielen Dank«, sagte er versonnen, klemmte sich seine Pistole unter den Arm und fing an, fummelnd an der Schnur zu zupfen, die Boris zu einem widerspenstigen kleinen Knoten verschnürt hatte. »Cool.« Seine Finger gehorchten ihm nicht richtig, und als er nach dem Paket gegriffen hatte, hatte ich aus der Nähe gesehen, warum: Er war zugedröhnt bis in die Haarspitzen. »Wie auch immer …« Martin sah sich um, als wollte er sich vergewissern, dass abwesende Freunde den Spaß mitbekommen hatten, und schaute dann mit einem weiteren versonnenen Achselzucken wieder nach vorn. »Sorry. Bring sie da drüben hin, Frits«, sagte er, immer noch mit dem Paket beschäftigt, und deutete mit dem Kopf auf eine schattendunkle, kerkerähnliche Ecke des Parkhauses, in der es finsterer als anderswo war, und als Frits sich halb von Boris abwandte und mir mit seiner Pistole winkte – *komm, komm, du auch* –, begriff ich mit eisigem Entsetzen, dass Boris von Anfang an gewusst hatte, was passieren würde, und warum er gewollt hatte, dass ich weglaufe oder es doch wenigstens versuche.

Aber in dem halben Moment, in dem Frits mir mit der Pistole winkte, hatten wir alle Boris aus dem Auge verloren, dessen Zigarette jetzt in einem Funkenregen durch die Luft flog. Frits schrie und schlug sich auf die Wange, und dann stolperte er rückwärts und zerrte an seinem Kragen, wo die Zigarette an seinem Hals klemmte. Martin – mir direkt gegenüber, abgelenkt von dem Paket – blickte im selben Moment auf, und ich starrte ihn immer noch verständnislos über das Wagendach hinweg an, als es rechts von mir dreimal kurz hintereinander knallte. Wir drehten uns beide schnell zur Seite.

Mit dem vierten Knall (ich zog den Kopf ein, presste die Augen zu) schlug ein warmer Blutspritzer dumpf auf das Autodach und mir ins Gesicht, und als ich die Augen wieder öffnete, wich der kleine Asiate entsetzt zurück und wischte mit der Hand vorn über seinen Mantel, der blutverschmiert war wie eine Metzgerschürze, und ich starrte auf eine Leuchtschrift – **Betaalautomaat op,** wo Boris' Kopf gewesen war. Blut floss unter dem Wagen hervor, und Boris lag auf dem Boden, auf die Ellenbogen gestützt, und strampelte mit den Füßen, versuchte sich aufzurappeln, ich konnte nicht sehen, ob er verletzt war oder nicht, und muss zu ihm herumgerannt sein, ohne nachzudenken, denn ehe ich michs versah, war ich auf der anderen Seite des Wagens und versuchte ihm aufzuhelfen, Blut überall, Frits völlig besudelt zusammengesunken am Auto mit einem baseball-großen Loch in der Schläfe, und gerade hatte ich Frits' Pistole neben ihm auf dem Boden gesehen, als ich einen scharfen Ausruf von Boris hörte, und da war Martin mit schmalen Augen und Blut auf dem Ärmel, hielt sich mit einer Hand den Arm und versuchte, seine Waffe hochzureißen.

Es war passiert, bevor es überhaupt passierte, wie ein Aussetzer in einer DVD, der mich in der Zeit vorwärtsspringen ließ, denn ich habe keine Erinnerung daran, wie ich die Pistole vom Boden aufgehoben habe, nur an einen Rückstoß, so hart, dass er meinen Arm hochriss, und ich hörte auch den Schuss nicht, bevor ich den Rückstoß spürte und die Hülse mir ins Gesicht flog und ich noch einmal schoss, die Augen halb geschlossen in dem Lärm, und ein Ruck durchfuhr meinen Arm mit jedem Schuss, der Abzug hatte einen Druckpunkt, er war steif wie ein Türriegel, der zu schwergängig war, Autofenster zerplatzten, Martin mit einem erhobenen Arm, explodierendes Sicherheitsglas und Brocken von Beton, die aus einem Pfeiler spritzten. Ich hatte Martin an der Schulter erwischt, der weiche graue Stoff war dunkel durchtränkt, ein Fleck, der sich ausbreitete, Korditgestank und ein ohrenbetäubendes Echo, das mich so tief in meinen Schädel zurückstieß, dass es weniger ein Geräusch auf meinen Trommelfellen und vielmehr eine Wand war, die in meinem

Kopf einstürzte und mich in eine harte, innere Dunkelheit der Kindheit zurücktrieb, und Martins Vipernaugen sahen mich an, er sackte vornüber und ließ seine Pistole auf das Wagendach sinken, als ich noch einmal schoss und ihn über dem Auge traf, eine rote Explosion, die mich zusammenzucken ließ, und dann hörte ich irgendwo hinter mir schnelle klatschende Schritte auf dem Beton – der Junge, der weiße Mantel, rannte die Ausfahrtrampe zur Straße hinauf, mit dem Bild unter dem Arm. Das Echo hallte von gekachelten Wänden wider, und fast hätte ich auf ihn geschossen, aber irgendwie war es ein ganz anderer Augenblick, ich hatte mich vom Wagen abgewandt, zusammengekrümmt, die Hände auf die Knie gestützt, und die Pistole lag auf dem Boden, ohne dass ich mich erinnerte, sie fallen gelassen zu haben, nur das Geräusch war da, das Klappern auf dem Boden, es klapperte weiter, und ich hörte immer noch die Echos und spürte die Vibration der Waffe in meinem Arm, würgend, vornübergebeugt, mit Frits' Blut auf meiner Zunge, kriechend und kräuselnd.

Aus der Dunkelheit das Geräusch schneller Schritte, und wieder konnte ich nichts sehen, mich nicht bewegen, alles schwarz an den Rändern, und ich fiel, obwohl ich nicht fiel, denn irgendwie saß ich auf einer niedrigen Kachelmauer mit dem Kopf zwischen den Knien und schaute hinunter auf die klare rote Spucke oder Kotze auf dem glänzenden, mit Epoxid beschichteten Betonboden zwischen meinen Schuhen, und Boris, da kam Boris, atemlos, keuchend, blutüberströmt zurückgerannt, und seine Stimme war eine Million Meilen weit weg, Potter, ist alles okay? er ist weg, ich hab ihn nicht mehr erwischt, er ist abgehauen.

Ich zog die flache Hand über das Gesicht und betrachtete meine rot verschmierte Handfläche. Boris redete immer noch eindringlich auf mich ein, aber obwohl er dabei an meiner Schulter rüttelte, waren es hauptsächlich Lippenbewegungen und sinnlose Laute hinter schalldichtem Glas. Der Rauch aus der abgefeuerten Pistole hatte sonderbarerweise den gleichen anregenden Ammoniakgeruch wie ein Gewitter in Manhattan, wie der nasse Großstadtasphalt. Die Tür eines hellblauen Minis, gesprenkelt wie ein Rotkehlchenei. Ein Stück näher, dunkel unter Boris' Wagen hervorkriechend, breitete sich eine seidig glänzende Pfütze von ungefähr einem Meter Durchmesser langsam aus und kroch voran wie eine Amöbe, und ich fragte mich, wann sie meinen Schuh erreichen und was ich dann tun würde.

Hart, aber ohne Zorn schlug Boris mir die Faust seitlich an den Kopf: eine unpersönliche Kopfnuss ohne jede Hitzigkeit. Es war, als wollte er mich reanimieren.

»Komm schon«, sagte er. »Deine Brille.« Eine kurze Kopfbewegung.

Meine Brille – blutbespritzt, aber nicht zerbrochen – lag neben meinem Fuß auf dem Boden. Ich konnte mich nicht erinnern, dass ich sie verloren hatte.

Boris hob sie selbst auf, wischte sie an seinem Ärmel sauber und reichte sie mir.

»Komm.« Er nahm mich beim Arm und zog mich hoch. Seine Stimme klang gleichmütig und beruhigend, obwohl er voller Blut war und ich spürte, wie seine Hände zitterten. »Alles vorbei. Du hast uns gerettet.« Ein Tinnitus von der Schießerei sang in meinen Ohren wie ein Heuschreckenschwarm. »Hast du gut gemacht. Jetzt hierhin – schnell.«

Er führte mich hinter den Glaskasten des Büros, verschlossen und dunkel. An meinem Kamelhaarmantel war Blut, und Boris nahm ihn mir ab wie eine Garderobenfrau, drehte das Innere nach außen und drapierte ihn über einen Betonpfosten.

»Das Ding wirst du loswerden müssen«, sagte er und schüttelte sich. »Hemd auch. Nicht jetzt – später. Jetzt …« Er öffnete eine Tür, drängte sich hinter mir hindurch, knipste das Licht an. »Komm.«

Eine feuchtkalte Toilette, stinkend nach Klosteinen und Urin. Kein Waschbecken, nur ein schlichter Wasserhahn und ein Abfluss auf dem Boden.

»Schnell, schnell.« Boris drehte den Wasserhahn bis zum Anschlag auf. »Nicht perfekt jetzt. Nur – *iiiaaau*!« Er zog eine Grimasse, als er den Kopf unter den Hahn hielt, sich das Gesicht wusch, mit der flachen Hand rieb …

»Dein Arm«, sagte ich unversehens. Er hielt ihn falsch.

»Ja, ja«, kaltes Wasser spritzte umher, als er sich luftschnappend aufrichtete, »er hat mich getroffen, nicht schlimm, nur ein Kratzer – o Gott«, er spuckte und prustete, »ich hätte auf dich hören sollen. Du hast es mir sagen wollen! Boris, hast du gesagt, dahinten ist jemand! In der Küche! Aber habe ich zugehört? Aufgepasst? Nein. Dieser kleine Scheißer – Chinese – das war Saschas Boyfriend! Wu, Gu – ich erinnere mich nicht an den Namen. Aaah«, er hielt den Kopf noch einmal unter den Wasserhahn und blubberte einen Moment lang, als ihm das Wasser über das Gesicht strömte, »*autsch. Du hast uns gerettet, Potter. Ich dachte, wir sind tot.*«

Er trat zurück und rieb sich das Gesicht, leuchtend rot und triefend. »Okay.« Er wischte sich das Wasser aus den Augen, schleuderte es von den Händen und schob mich dann zu dem prasselnden Wasserstrahl. »Jetzt du. Kopf runter – ja, ja, ist kalt!« Er drückte mich hinunter, als ich zurückwich. »Sorry! Ich weiß! Hände, Gesicht …«

Wasser, kalt wie Eis, nahm mir den Atem, drang mir in die Nase, noch nie hatte ich etwas so Kaltes gefühlt, aber es brachte mich ein bisschen zu mir.

»Schnell, schnell.« Boris zog mich wieder hoch. »Anzug – dunkel – sieht man nichts. Am Hemd ist nichts zu ändern, Kragen hoch, hier, lass mich das machen. Schal ist im Auto, ja? Kannst du um den Hals wickeln? Nein, nein – vergiss es …« Frierend griff ich nach meinem Mantel, klapperte vor Kälte mit den Zähnen, mein ganzer Oberkörper war klatschnass. »Na gut, du erfrierst ja sonst. Aber dreh das Futter nach außen.«

»Dein Arm.« Der Mantel war dunkel, und das Licht war schlecht, aber ich sah die verbrannte Furche an seinem Bizeps, und der schwarze Wollstoff war klebrig von Blut.

»Vergiss es. Ist nichts weiter. Mein Gott, Potter …« Er ging zum Wagen zurück, halb im Laufschritt, und ich beeilte mich mitzukommen und bekam Panik bei dem Gedanken, ihn zu verlieren, hier zurückzubleiben. »Martin! Dieser Scheißkerl hat schlimmen Diabetes, und ich hoffe schon seit Jahren, er stirbt vielleicht. Grateful Dead, dir schulde ich auch was!« Er steckte den kurzläufigen Revolver in die Tasche, zog einen Beutel mit weißem Pulver aus der Brusttasche seines Jacketts, riss ihn auf und warf ihn in einer sprühenden Staubwolke weg.

»So.« Er klopfte sich die Hände ab und tat einen schwerfälligen Schritt zurück. Er war weiß wie Asche, seine Pupillen waren starr, und als er zu mir aufsah, schien er mich nicht zu sehen. »Das ist alles, wonach sie suchen werden. Martin wird auch was bei sich haben, der war ganz zugefixt, hast du das gesehen? Deshalb war er so langsam – er und Frits auch. Sie hatten den Anruf nicht erwartet, hatten nicht damit gerechnet, dass sie heute Abend noch arbeiten müssten. Mein *Gott*«, er presste die Augen zu, »haben wir ein *Glück* gehabt!« Schwitzend, totenbleich, wischte er sich über die Stirn. »Martin kennt mich, er weiß, was ich für eine Waffe trage, mit der anderen Kanone hat er nicht gerechnet, und mit dir – an dich haben sie überhaupt nicht gedacht. Steig ein«, sagte er. »Nein, nein …« Er hielt meinen Arm fest; ich war ihm zur Fahrerseite gefolgt wie ein Schlafwandler. »Nicht da, da ist Sauerei. Oh …« Er blieb plötzlich stehen, und im grünlichen Flackerlicht schien eine Ewigkeit zu vergehen, bevor er auf dem Boden herumkroch und seine eigene Pistole suchte, die er dann mit einem Taschentuch sauber abwischte und sorgfältig mit dem Tuch festhielt, ehe er sie auf den Boden fallen ließ.

»Puh«, sagte er und rang nach Atem, »wird sie durcheinanderbringen. Sie werden jahrelang versuchen, dieses Ding zurückzuverfolgen.« Er brach ab, hielt sich mit einer Hand den verletzten Arm und musterte mich von oben bis unten. »Kannst du fahren?«

Ich konnte nicht antworten. Glasig, schwindlig, zittrig. Mein Herz war im Schock des Augenblicks erstarrt, aber jetzt klopfte es mit harten, scharfen, schmerzhaften Schlägen wie eine Faust mitten in meiner Brust.

Sofort schüttelte Boris den Kopf und schnalzte mit der Zunge. »Andere Seite«, sagte er, als ich ihm – meine Füße bewegten sich von allein – wieder auf die andere Seite folgte. »Nein, nein …« Er führte mich zurück, öffnete die Beifahrertür und gab mir einen kleinen Schubs.

Nass. Fröstelnd. Und übel war mir. Auf dem Boden: eine Packung Stimorol-Kaugummi. Eine Straßenkarte: Frankfurt Offenbach Hanau.

Boris war um den Wagen herumgegangen und hatte ihn gecheckt. Fast auf Zehenspitzen kam er zur Fahrerseite herum und bemühte sich leicht schwankend, nicht in das Blut zu treten. Er setzte sich ans Steuer, umfasste es mit beiden Händen und holte tief Luft.

»Okay.« Er atmete lange aus und sprach mit sich selbst wie ein Pilot vor dem Start zu einem Einsatz. »Anschnallen. Du auch. Bremslichter funktionieren? Heckleuchten auch?« Er klopfte seine Taschen ab, schob den Sitz zurück, drehte die Heizung hoch. »Reichlich Sprit – gut. Und heizbare Sitze – da wird uns schnell warm. Wir dürfen nicht angehalten werden«, erklärte er. »Ich kann nämlich nicht fahren.«

Alle möglichen winzigen Geräusche: das Knarren des Ledersitzes, das Tröpfeln des Wassers von meinem nassen Ärmel.

»Du kannst nicht fahren?«, fragte ich in die intensiv klingelnde Stille hinein.

»Na ja, ich *kann* es.« Abwehrend. »Ich *habe* schon. Ich …« Er startete den Motor und setzte zurück, einen Arm auf die Sitzlehne gelegt. »Na ja, was glaubst du, warum ich einen Fahrer habe? Bin ich so fein? Nein. Aber *habe* ich«, er hob einen Zeigefinger, »Verurteilung wegen Alkohol am Steuer.«

Ich schloss die Augen, um die blutige Masse am Boden nicht zu sehen, als wir daran vorbeifuhren.

»Deshalb, weißt du – wenn sie mich anhalten, buchten sie mich ein, und wir wollen nicht, dass das passiert.« Ich konnte kaum hören, was er sagte, weil das Brummen in meinem Kopf so laut war. »Du wirst mir helfen müssen. Zum Beispiel – achte auf Verkehrsschilder und pass auf, dass ich nicht auf der Busspur fahre. Die Radwege sind hier rot, und da soll man auch nicht drauf fahren, also pass auch da auf.«

Auf dem Overtoom, zurück nach Amsterdam: Schlosserei *Sleutelkluis, Vacatures, Digitaal Printen, Haji Telecom, Onbeperkt Genieten,* arabische Schriften, streifige Lichter – es war wie ein Albtraum. Nie würde ich von dieser verfickten Straße herunterkommen.

»Gott, ich sollte ein bisschen langsamer fahren«, sagte Boris nüchtern. Sein Blick war glasig, er war erledigt. »*Trajectcontrole.* Hilf mir, auf die Schilder zu achten.«

Verschmiertes Blut an meiner Manschette. Dicke fette Tropfen.

»*Trajectcontrole.* Heißt, eine Maschine erzählt der Polizei, dass du zu schnell fährst. Sie haben zivile Autos, jede Menge, und manchmal folgen sie dir eine Zeitlang, bevor sie dich anhalten, obwohl – wir haben Glück. Ist nicht viel Verkehr hier draußen heute Abend. Wochenende, schätze ich, und die Feiertage. Hier draußen ist nicht gerade Gegend für fröhliche Weihnachten, wenn du verstehst. Du weißt doch, was eben passiert ist, oder?« Boris atmete angestrengt und rieb sich die Nase mit einem keuchenden Geräusch.

»Nein.« Da sprach jemand anders, nicht ich.

»Na – Horst. Die beiden Typen gehörten zu Horst. Frits ist vielleicht der Einzige in Amsterdam, den er kannte, den er so kurzfristig anrufen konnte, aber Martin – scheiße.« Er redete schnell und unsortiert, so schnell, dass er die Worte kaum der Reihe nach hervorbrachte, und sein Blick war flach und starr. »Wer wusste denn überhaupt, dass Martin in der Stadt war? Du weißt, wie Horst und Martin sich kennengelernt haben, oder?« Er warf mir einen halben Seitenblick zu. »In der Nervenklinik! In einer schicken kalifornischen Nervenklinik! ›Hotel California‹ nannte Horst es immer. Damals, als Horsts Familie noch mit ihm sprach. Horst war da zur Reha, aber Martin war drin, weil er wirklich und wahrhaftig irre ist. Ein Irrer, der dir die Augen aussticht. Ich habe gesehen, wie Martin Sachen gemacht hat, über die ich wirklich nicht gern rede. Ich …«

»Dein Arm.« Er hatte Schmerzen. Ich sah die Tränen in seinen Augen glitzern.

Boris verzog das Gesicht. »Jaah. Das ist Zero. Gar nichts. Aah«, sagte er und hob den Ellenbogen, sodass ich das Ladekabel des Telefons um den Arm wickeln konnte – ich hatte es herausgerissen, schlang es zweimal um die Wunde und zog es fest, so gut ich konnte.

»Du bist clever. Gute Maßnahme. Danke! Aber eigentlich nicht nötig. Nur ein Kratzer, kaum der Rede wert, glaube ich. Gut, dass dieser Mantel ist so dick. Bisschen reinigen – Antibiotik, etwas gegen Schmerzen, und schon ist gut. Ich«, er atmete tief und erschauernd ein, »ich muss Juri und Cherry finden. Sind hoffentlich direkt zum Blakes gefahren. Dima – Dima muss auch gewarnt werden, wegen der Sauerei in der Garage. Er wird nicht glücklich sein – die Cops werden kommen, eine Menge Kopfschmerzen –, aber wird es aussehen wie Zufall. Keine Verbindung zu ihm.«

Scheinwerfer glitten vorbei. Das Blut dröhnte in meinen Ohren. Viele Autos waren nicht unterwegs, aber jedes, das vorbeikam, ließ mich zusammenzucken.

Boris stöhnte und fuhr sich mit der Hand über das Gesicht. Er sagte etwas, aber er sprach sehr schnell und erregt. »Was?«

»Ich habe gesagt: Schlamassel. Muss immer noch überlegen.« Die Stimme stakkatohaft, brüchig. »Denn ich frage mich eines – vielleicht ich irre mich, vielleicht ich bin paranoid – aber vielleicht hat Horst die ganze Zeit gewusst? Dass Sascha das Bild genommen hat? Nur Sascha hat das Bild weggebracht aus Deutschland und versucht, hinter Horsts Rücken Geld darauf zu leihen. Und als es schiefgeht – Sascha kriegt Panik – wen kann er sonst anrufen? Natürlich denke ich nur laut, vielleicht wusste Horst *nicht,* dass Sascha es genommen, vielleicht hätte er es nie erfahren, wenn Sascha nicht so unvorsichtig und dumm gewesen wäre, die – zum Teufel mit dieser beschissenen Ringstraße!«, schimpfte er plötzlich. Wir hatten den Overtoom verlassen und fuhren im Kreis. »In welche Richtung muss ich? Mach das Navi an.«

»Ich …« Ich fummelte an dem Gerät herum, unverständliche Wörter, Menüs, die ich nicht lesen konnte, *Geheugen, Plaats,* ich drehte an einem Knopf, neues Menü, *Gevarieerd, Achtergrond.*

»Ach, scheiß drauf. Wir versuchen hier. Gott, das war knapp.« Boris nahm die Kurve ein bisschen zu schnell und zu nachlässig. »Du hast echt Nerven, Potter. Frits – Frits war breit, der hat praktisch gepennt, aber Martin, mein Gott. Und dann du …? Kommst so mutig da rum? Hurra! Ich hatte gar nicht mehr an dich gedacht. Aber da warst du! Sag mal, hast du noch nie eine Waffe benutzt?«

»Nein.« Nasse schwarze Straßen.

»Na, ich sag dir was, das vielleicht komisch klingt, ja? Ist aber Kompliment. Du schießt wie ein Mädchen. Weißt du, warum das ist Kompliment? Weil«, sagte Boris, und seine Stimme klang schwer, fiebrig benommen, »weil in einer gefährlichen Situation – ein Mann, der noch nie geschossen hat, und eine Frau, die noch nie geschossen hat? Die Frau – hat Bobo immer gesagt – trifft viel eher. Die meisten Männer? wollen tough aussehen, haben zu viele Filme gesehen, keine Geduld, ballern zu schnell los – Scheiße!« Er trat plötzlich auf die Bremse.

»Was ist?«

»Brauchen wir nicht!«

»Was brauchen wir nicht?«

»Straße ist gesperrt.« Er legte den Rückwärtsgang ein und setzte zurück.

Eine Baustelle. Zäune mit Planierraupen dahinter, leere Gebäude mit blauen Plastikplanen in den Fenstern. Stapel von Rohren, Zementblöcke, Graffiti in holländischer Sprache.

»Was machen wir jetzt?«, fragte ich in die erstarrte Stille hinein, als wir in eine andere Straße eingebogen waren, in der anscheinend überhaupt keine Laternen standen.

»Na, hier gibt's keine Brücke, über die wir fahren können. Und da ist Sackgasse. Also …«

»Nein. Ich meine, was *machen* wir jetzt?«

»Womit?«

»Ich …« Ich klapperte so heftig mit den Zähnen, dass ich fast nicht sprechen konnte. »Boris, wir sind am Arsch.«

»Nein! Sind wir nicht. Grozdans Waffe«, er klopfte ungelenk auf seine Jackentasche, »werfe ich in den Kanal. Sie können sie nicht zu mir zurückverfolgen, wenn sie sie nicht zu ihm zurückverfolgen können, oder? Und sonst gibt es da keine Verbindung zu uns. Meine Pistole? Clean. Keine Seriennummer. Sogar die Autoreifen sind neu!

Ich bringe den Wagen zu Juri, und er wechselt sie noch heute Nacht. Hör zu«, sagte er, als ich nicht antwortete, »mach dir keine Sorgen! Wir sind raus! Soll ich noch einmal sagen? R-A-U-S!« (Er buchstabierte das Wort steif an vier Fingern.)

Wir rumpelten durch ein Schlagloch, und ich zuckte zusammen, unbewusst, eine Schreckreaktion, und riss die Hände vors Gesicht.

»Und warum – vor allem? Weil wir sind alte Freunde – wir vertrauen einander. Und weiß – o Gott, da ist ein Polizist, ich muss langsamer fahren.«

Ich starrte auf meine Schuhe. Schuhe Schuhe Schuhe. Ich hatte nur einen Gedanken: Als ich sie ein paar Stunden zuvor anzog, hatte ich noch niemanden umgebracht.

»Weil – Potter, Potter, überleg dir. Hör mir einen Moment zu, bitte. Wenn ich ein Fremder wäre – jemand, den du nicht kennst, dem du nicht vertraust? Wenn du jetzt mit einem Fremden aus der Garage gekommen wärst? Dann wäre dein Leben für alle Zeit an diesen Fremden gekettet. Du würdest sehr vorsichtig mit dieser Person umgehen müssen, so lange du lebst.«

Kalte Hände, kalte Füße. Snackbar, Supermarkt. Pyramiden aus Obst und Süßigkeiten im Scheinwerferlicht, *Verkoop Gestart!*

»Dein Leben, deine Freiheit – abhängig von der Loyalität eines Fremden? Was dann? Jawohl. Sorgen. Absolut. Du sitzt tief in der Patsche. Aber – niemand weiß von dieser Sache außer uns. Nicht mal Juri!«

Ich konnte nichts sagen, ich schüttelte nur heftig den Kopf und rang nach Luft.

»Wer denn noch? China Boy?« Boris schnaubte verächtlich. »Wem soll er was erzählen? Er ist minderjährig und illegal hier. Er spricht keine richtige Sprache.«

»Boris«, ich lehnte mich leicht nach vorn und hatte das Gefühl, gleich in Ohnmacht zu fallen, »er hat das Bild.«

»Ah.« Boris zog eine schmerzliche Grimasse. »*Das* ist weg, fürchte ich.«

»Was?«

»Für immer, vielleicht. Es macht mich krank, krank im Herzen. Denn ich sag's nicht gern, aber Wu? Gu? wie heißt er? Nach dem, was er gesehen hat …? Er wird nur an sich selbst denken. Verrückt vor Angst! Tote Menschen! Abschiebung! Damit will er nichts zu tun haben. Vergiss das Bild. Er hat keine Ahnung, was es wirklich wert ist. Und wenn er irgendwelchen Ärger mit den Cops bekommt? Bevor er auch nur einen Tag im Knast verbringt, wird er es loswerden wollen. Also«, er zuckte benommen die Achseln, »wollen wir hoffen, dass er entkommt, der kleine Scheißer. Sonst besteht sehr große Chance, dass *ptíza* am Ende in die Gracht geworfen wird. Verbrannt.«

Laternenlicht blinkte auf den Motorhauben geparkter Autos. Ich fühlte mich körperlos, abgeschnitten von mir selbst. Wie es sich anfühlen würde, wieder in meinen Körper zurückzukehren, konnte ich mir nicht vorstellen. Wir waren wieder in der Altstadt. Holpriges Kopfsteinpflaster, nächtliches Monochrom wie auf einem Bild von Aert van der Neer, siebzehntes Jahrhundert zu beiden Seiten, tanzende Silbermünzen auf dem schwarzen Wasser.

»Ach, hier ist auch gesperrt«, stöhnte Boris und bremste wieder hart, bevor er den Wagen zurücksetzte. »Wir müssen anderen Weg finden.«

»Weißt du denn, wo wir sind?«

»Ja, natürlich«, sagte Boris mit beängstigender, unbegründeter Fröhlichkeit. »Das ist dein Kanal da drüben. Die Herengracht.«

»Welcher Kanal?«

»In Amsterdam kann man sich leicht orientieren«, sagte Boris, als hätte ich nicht gesprochen. »In der Altstadt brauchst du nur den Grachten zu folgen, bis du – mein Gott, hier haben sie auch gesperrt.«

Farbliche Abstufungen. Gespenstisch belebtes Dunkel. Der kleine, geisterhafte Mond über den Glockengiebeln war so winzig, dass er aussah wie der Mond eines anderen Planeten, dunstig und okkult, spukhafte Wolken, getönt mit einem zarten Hauch von Blau und Braun.

»Keine Sorge, passiert dauernd. Immer bauen sie hier irgendwas.

Riesendurcheinander von Baustellen. Das alles – ich glaube, ist für neue U-Bahn oder so was. Alle ärgern sich darüber. Viele reden von Betrug, bla bla. Das Gleiche wie in jeder Stadt, oder?« Er sprach so undeutlich, dass es klang, als sei er betrunken. »Straßenbauarbeiten überall und Politiker werden reich. Darum hier fahren alle Fahrrad, geht schneller, nur – bedaure, ich fahre eine Woche vor Weihnachten nirgendwo mit dem Fahrrad. O nein«, schmale Brücke, anhalten hinter einer Reihe von Autos, »geht's da weiter?«

»Ich …« Wir standen auf einer Brücke mit Fußgängern. Rosarote Tropfen, sichtbar auf den regennassen Scheiben. Leute, die hin- und hergingen, kaum drei Handbreit entfernt.

»Steig aus und sieh nach. Ach, lass«, sagte er ungeduldig, bevor ich mich aufraffen konnte. Er schob den Schalthebel in Parkstellung und stieg selbst aus. Ich sah seinen Rücken, angestrahlt von den Scheinwerfern, formal und wie inszeniert in Wolken von Auspuffdunst.

»Lieferwagen«, sagte er und ließ sich wieder in den Wagen fallen. Schlug die Tür zu. Holte tief Luft, stemmte sich mit ausgestreckten Armen gegen das Lenkrad.

»Was macht er da?« Ich schaute zur Seite, geriet in Panik, rechnete halb damit, dass irgendein x-beliebiger Fußgänger zufällig die Blutflecken bemerkte, sich auf den Wagen stürzte, an die Fenster hämmerte, die Tür aufriss.

»Woher soll ich das wissen? Gibt zu viele Autos in dieser verdammten Stadt. Pass auf«, sagte er schwitzend und bleich im grellen Bremslicht des Wagens vor uns. Hinter uns stauten sich weitere Autos. Wir saßen fest. »Wer weiß, wie lange das dauert. Wir sind nur ein paar Straßen weit von deinem Hotel entfernt. Steig lieber aus und geh zu Fuß.«

»Ich …« Lag es an den Bremslichtern des Wagens vor uns, dass die Wassertropfen auf der Frontscheibe so rot aussahen?

Er wedelte ungeduldig mit der Hand. »Potter, geh einfach«, sagte er. »Ich weiß nicht, was los ist mit dem Lieferwagen da vorn. Ich hab Angst, die Verkehrspolizei kommt. Besser für uns beide, wenn wir im Moment nicht zusammen sind. Herengracht – du kannst es nicht verfehlen. Die Grachten hier gehen im Kreis herum, das weißt du, oder? Geh einfach in diese Richtung.« Er streckte den Zeigefinger aus. »Du findest es.«

»Und was ist mit deinem Arm?«

»Nichts! Ich würde den Mantel ausziehen, um es dir zu zeigen, aber das macht zu viele Umstände. Jetzt geh. Ich muss mit Cherry reden.« Er zog sein Handy aus der Tasche. »Kann sein, dass ich die Stadt für eine Weile verlassen muss …«

»Was?«

»… aber wenn wir uns eine Weile nicht sprechen, mach dir keine Sorgen, ich weiß, wo du bist. Am besten du versuchst nicht, mich anzurufen oder Kontakt aufzunehmen. Ich komme zurück, sobald ich kann. Alles wird gut. Geh – mach dich frisch – Schal um den Hals, ganz hoch – und wir sprechen uns bald! Nicht so blass und krank aussehen! Hast du was bei dir? Brauchst du was?«

»Was?«

Er kramte etwas aus seiner Tasche hervor. »Hier, nimm das.« Ein Umschlag aus Glassin mit verschmierten Stempeln. »Nimm nicht zu viel. Ist sehr rein. So viel wie Streichholzkopf, nicht mehr. Und wenn du aufwachst, wird es nicht so schlimm sein. Und jetzt denk dran«, er wählte schon eine Nummer an seinem Telefon, und ich hörte deutlich, wie schwer er atmete, »du musst den Schal hoch um den Hals wickeln und nach Möglichkeit auf der dunklen Straßenseite bleiben. Los!«, schrie er, als ich immer noch dasaß, so laut, dass ich sah, wie ein Mann auf dem Gehweg der Brücke sich umdrehte. »Beeil dich! *Cherry*«, sagte er und sackte sichtlich erleichtert auf seinem Sitz zusammen. Heiser plapperte er auf Ukrainisch weiter, während ich ausstieg – grell entblößt im schrecklichen Scheinwerferlicht der Autoschlange – und über die Brücke zurück in die Richtung ging, aus der wir gekommen waren. Als ich ihn das letzte Mal sah, telefonierte er und lehnte sich dabei aus dem Fenster hinaus in die übertrieben wallenden Wolken der Auspuffgase, um zu sehen, was mit dem Lieferwagen vor ihm los war.

XIV

Die folgende Stunde – oder Stunden – meiner Wanderung über die Grachtenringe auf der Suche nach meinem Hotel war die elendste Zeit meines Lebens, und das will etwas heißen. Es war kälter geworden, mein Haar war nass, meine Kleider feucht, und ich klapperte vor Kälte mit den Zähnen. Die Straßen waren gerade so dunkel, dass sie alle gleich aussahen, aber nicht dunkel genug, um in Sachen herumzulaufen, die mit dem Blut eines Mannes bespritzt waren, den ich kurz vorher umgebracht hatte. Schnell ging ich durch schwarze Straßen, meine Absätze klangen seltsam zuversichtlich auf dem Pflaster, und ich fühlte mich unbehaglich und auffällig wie in einem Albtraum, in dem man nackt durch die Straßen läuft. Ich wich den Straßenlaternen aus und versuchte mit schwindendem Erfolg, mir einzureden, mein umgekrempelter Mantel sehe völlig normal aus und habe nichts Ungewöhnliches an sich. Ich sah Fußgänger, aber nicht viele. Um nicht wiedererkannt zu werden, hatte ich die Brille abgenommen, denn ich wusste aus Erfahrung, dass diese Brille mein markantestes Merkmal war – was die Leute als Erstes bemerkten und woran sie sich erinnerten –, und auch wenn es bei meiner Suche nach dem richtigen Weg nicht gerade hilfreich war, gab es mir doch ein irrationales Gefühl von Sicherheit und Tarnung. Unlesbare Straßenschilder und die dunstigen Lichtkränze der Straßenlaternen, die mir isoliert aus der Dunkelheit entgegenschwebten, verschwommene Autoscheinwerfer und Festtagslametta, das Gefühl, von Verfolgern durch ein unscharfes Objektiv beobachtet zu werden.

Was passiert war: Ich war zwei Straßen weit an meinem Hotel vorbeigelaufen. Überdies: Ich war nicht an europäische Hotels gewöhnt, bei denen man nach einer bestimmte Uhrzeit klingeln musste, um hineingelassen zu werden, und als ich endlich niesend und durchfroren bis auf die Knochen vor der Glastür ankam und feststellte, dass sie verschlossen war, stand ich eine unbestimmte Zeit lang da und rüttelte wie ein Zombie an der Türklinke, auf, ab, auf, ab, rhythmisch, regelmäßig, stupide wie ein Metronom, zu sehr betäubt von der Kälte, um noch zu begreifen, warum ich nicht hineinkam. Verzweifelt starrte ich durch das Glas in die Lobby auf die glatte, schwarze Theke der Rezeption: leer.

Dann – von hinten, schnell und mit erschrocken hochgezogenen Brauen – ein adretter dunkelhaariger Mann in einem dunklen Anzug. Ich sah ein furchtbares Aufblitzen, als er mich anschaute, und mir wurde klar, wie ich aussehen musste. Dann schaute er weg und fummelte den Schlüssel ins Schloss.

»Verzeihung, Sir, aber wir schließen nach elf Uhr die Tür ab.« Noch immer sah er mich nicht an. »Zur Sicherheit unserer Gäste.«

»Ich bin in den Regen gekommen.«

»Selbstverständlich, Sir.« Ich sah, dass er auf die Manschette meines Hemdes starrte, die mit einem bräunlichen Blutstropfen bespritzt war, so groß wie ein Vierteldollar. »Wir haben Schirme an der Rezeption, falls Sie einen benötigen.«

»Danke.« Dann fügte ich blödsinnig hinzu: »Hab mich mit Schokoladensauce bekleckert.«

»Tut mir leid, das zu hören, Sir. Wir können gern versuchen, es in der Wäscherei herauszubekommen, wenn Sie möchten.«

»Das wäre großartig.« Konnte er es nicht an mir riechen, das Blut? In der geheizten Lobby stank ich doch danach, nach Rost und Salz. »Ist auch noch mein Lieblingshemd. Profiteroles.« *Halt die Klappe, halt die Klappe.* »Aber köstlich.«

»Freut mich zu hören, Sir. Wir reservieren Ihnen gern für morgen einen Tisch in einem Restaurant, wenn Sie möchten.«

»Danke.« Blut in meinem Mund, überall der Geruch und der Geschmack, und ich konnte nur hoffen, dass er es nicht ganz so stark riechen konnte wie ich. »Das wäre großartig.«

»Sir?«, rief er, als ich zum Aufzug ging.

»Ja?«

»Ich glaube, Sie brauchen Ihren Schlüssel, oder?« Er trat hinter die Theke und nahm einen Schlüssel aus einem Fach. »Siebenundzwanzig, nicht wahr?«

»Ja«, sagte ich, dankbar dafür, dass er mir meine Zimmernummer genannt hatte, und zugleich erschrocken, weil er sie so einfach auswendig kannte.

»Gute Nacht, Sir. Und noch einen schönen Aufenthalt.«

Zwei verschiedene Aufzüge. Endlose Korridore mit roten Teppichböden. Im Zimmer angekommen, schaltete ich sämtliche Lampen an – die Schreibtischlampe, die Nachttischlampe, den hellen Kronleuchter. Ich streifte den Mantel ab, ließ ihn zu Boden fallen und steuerte auf das Bad zu, knöpfte mir auf dem Weg das Hemd auf, taumelnd wie Frankensteins Ungeheuer, von Mistgabeln gehetzt. Ich knüllte den klebrig verschmierten Stoff zusammen, warf ihn in die Badewanne und drehte das Wasser auf, so hart und heiß, wie es ging, rosarote Rinnsale flossen um meine Füße, und ich schrubbte mich mit dem lilienduftenden Duschgel ab, bis ich roch wie ein Friedhofskranz und meine Haut wie Feuer brannte.

Das Hemd war hinüber: Braune Flecken zogen sich wellig und unregelmäßig um den Kragen, als das Wasser längst sauber herauslief. Ich ließ es in der Wanne einweichen und widmete mich dem Schal und dann dem Jackett – es war blutverschmiert, aber so dunkel, dass man es nicht sah –, und schließlich, mit möglichst spitzen Fingern (warum war ich im Kamelhaarmantel zur Party gegangen? warum nicht in dem marineblauen?), krempelte ich den Mantel um. Das eine Revers sah nicht so schlimm aus, das andere aber dafür sehr. Der weindunkle Klecks war von einer blökenden Lebendigkeit, die mich noch einmal in die Energie des Schusses zurückversetzte: zurück zu dem Rückstoß, der Explosion, der Flugbahn der Tröpfchen. Ich stopfte den Mantel unter den Wasserhahn des Spülbeckens, goss Shampoo darüber und schrubbte und schrubbte mit einer Schuhbürste aus dem Schrank, und als das Shampoo aufgebraucht war und das Duschgel ebenfalls, rieb ich den Fleck mit einem Stück Seife ein und schrubbte weiter wie ein verzweifelter Diener in einem Märchen, der dazu verdammt war, bis zum Morgengrauen eine unmögliche Aufgabe zu erfüllen oder zu sterben. Schließlich, mit vor Erschöpfung zitternden Händen, nahm ich meine Zahnbürste und die Zahnpasta – was seltsamerweise besser funktionierte als alles andere, aber trotzdem brachte es keinen Erfolg.

Schließlich gab ich die nutzlosen Versuche auf und hängte den Mantel zum Abtropfen über die Badewanne: der triefende Geist von Mr. Pavlikovsky. Ich hatte darauf geachtet, kein Blut an die Badelaken kommen zu lassen; mit Toilettenpapier, das ich zwanghaft zusammenknüllte und alle paar Augenblicke ins Klo spülte, wischte ich gewissenhaft die rostfarbenen Streifen und Tropfen von den Fliesen, und die Fugen behandelte ich mit meiner Zahnbürste. Klinisches Weiß. Glänzende Spiegelwände. Vielfach reflektierte Einsamkeit. Als der letzte Hauch von Rosa längst verschwunden war, arbeitete ich immer noch – spülte und wusch die Handtücher, die ich schmutzig gemacht hatte und die immer noch eine verdächtige Schattierung aufwiesen –, und dann, so müde, dass ich taumelte, stellte ich mich selbst unter die Dusche, drehte das Wasser so heiß auf, dass ich es kaum aushielt, und schrubbte mich von oben bis unten, von Kopf bis Fuß ab, zerrieb das Stück Seife in meinen Haaren und weinte, als der Schaum mir in die Augen lief.

XV

Ich erwachte irgendwann von einem lauten Summen an meiner Zimmertür und sprang hoch, als hätte ich mich verbrüht. Das Bettzeug war zerwühlt und nassgeschwitzt, und die Rollos waren heruntergelassen, sodass ich keine Ahnung hatte, wie spät es war, ob Tag oder Nacht. Noch im Halbschlaf warf ich den Bademantel über, öffnete die Tür einen Spaltbreit mit vorgelegter Kette und fragte: »Boris?«

Eine Frau mit verschwitztem Gesicht in Dienstmädchenuniform.
»Die Wäsche, Sir.«

»Wie bitte?«

»Die Rezeption, Sir. Dort hat man gesagt, Sie wollten heute Morgen Wäsche abholen lassen.«

»Äh ...« Mein Blick wanderte hinunter zum Türknauf. Wie hatte ich nach alldem vergessen können, das »Bitte nicht stören«-Schild aufzuhängen? »Moment.«

Aus meiner Tasche zog ich das Hemd, das ich auf Annes Party getragen hatte – von dem Boris gemeint hatte, es sei nicht gut genug für Grozdan. »Hier.« Ich reichte es durch den Türspalt. »Warten Sie.«

Jackett. Schal. Beides schwarz. Konnte ich es wagen? Sie sahen ruiniert aus und fühlten sich feucht an, aber als ich die Schreibtischlampe einschaltete und beides eingehend untersuchte – mit Brille und meinem von Hobie trainierten Blick, die Nase dicht über dem Stoff –, war kein Blut zu sehen. Ich betupfte mehrere Stellen mit einem weißen Papiertaschentuch, um zu sehen, ob es sich rosa färbte. Das tat es – aber es war kaum sichtbar.

Die Frau wartete, und in gewisser Weise war es eine Erleichterung, mich beeilen zu müssen: eine schnelle Entscheidung, kein langes Zögern. Aus den Taschen holte ich meine Brieftasche, die feuchte, aber erstaunlich intakte Oxycontin, die ich vor Anne de Larmessins Party noch rasch eingesteckt hatte (hatte ich je damit gerechnet, dass ich einmal dankbar für die harte Retard-Matrix sein würde? Nein), und Boris' dicken Umschlag aus Glassin, bevor ich auch Anzug und Schal hinausreichte.

Als ich die Tür geschlossen hatte, überkam mich Erleichterung. Aber keine dreißig Sekunden später schlich sich ein sorgenvolles Murmeln heran und entwickelte sich innerhalb weniger Augenblicke zu einem kreischenden Crescendo. Ein unbedachter Entschluss. Irrsinn. Was hatte ich mir gedacht?

Ich legte mich hin. Ich stand auf. Ich legte mich wieder hin und versuchte zu schlafen. Dann setzte ich mich auf, und in traumartiger Hast, ohne es zu wollen, rief ich plötzlich die Rezeption an.

»Ja, Mr. Decker, was kann ich für Sie tun?«

»Äh …« Ich presste die Augen zu. Warum hatte ich das Zimmer mit meiner Kreditkarte gebucht? »Ich wollte nur fragen – ich habe eben einen Anzug zur Reinigung gegeben und wollte wissen, ob er noch im Haus ist.«

»Wie bitte?«

»Geben Sie die Sachen hinaus, oder reinigen Sie sie hier?«

»Wir geben sie hinaus, Sir. Die Firma ist aber sehr zuverlässig.«

»Können Sie irgendwie feststellen, ob die Sachen schon weg sind? Mir ist eben eingefallen, dass ich sie heute Abend noch brauche.«

»Ich werde nachsehen, Sir. Moment bitte.«

Ohne Hoffnung wartete ich und starrte dabei den Umschlag mit dem Heroin auf dem Nachttisch an. Der Stempel darauf bestand aus einem regenbogenbunten Schädel und dem Wort AFTERPARTY. Einen Augenblick später war der Rezeptionist wieder da. »Wann brauchen Sie den Anzug, Sir?«

»Bald.«

»Er ist leider schon weg. Der Lieferwagen ist eben abgefahren. Aber unsere Reinigung bringt die Sachen immer am selben Tag zurück. Heute Nachmittag um fünf haben Sie alles wieder, garantiert. Sonst noch etwas, Sir?«, fragte er, als ich nichts mehr sagte.

XVI

Boris hatte recht mit dem, was er über den Stoff gesagt hatte – wie rein er war. Rein weiß – eine normale Menge in der Nase ließ mich schielen, und für eine unbestimmte Zeit driftete ich wohlig am Rande des Todes hin und her. Städte, Jahrhunderte. Langsam glitt ich durch die Augenblicke, hinein und hinaus, wonnevoll, bei geschlossenen Vorhängen, Wolkenträume und sich entfaltende Schatten, eine Stille wie auf Jan Weenix' prachtvollen Jagdstillleben, tote Vögel mit blutigen Federn, aufgehängt an einem Fuß, und in irgendeinem Blinken des Bewusstseins, das mir noch geblieben war, glaubte ich die geheime Pracht des Sterbens zu verstehen, all das Wissen, das der ganzen Menschheit bis zum letzten Moment vorenthalten wird: kein Schmerz, keine Angst, prachtvoll losgelöst, aufgebahrt auf der Totenbarke und unterwegs in die großartige Unermesslichkeit, gleich einem Kaiser, dahin, dahin, mit einem Blick noch auf das ferne Wuseln am Ufer, befreit von all den alten menschlichen Belanglosigkeiten wie Liebe und Angst und Trauer und Tod.

Als die Türglocke Stunden später schrill in meine Träume drang, hätten auch hundert Jahre vergangen sein können. Ich zuckte nicht einmal zusammen. Liebenswürdig stand ich auf – schwankte glücklich durch die Luft und stützte mich unterwegs auf die Möbel – und lächelte das Mädchen in der Tür an: Blond, anscheinend schüchtern, reichte sie mir meine Sachen in einer Plastikhülle.

»Ihre gereinigten Sachen, Mr. Decker.« Wie alle Holländer, so schien es mir jedenfalls, sprach sie meinen Namen »Decca« aus, wie Decca Mitford, eine frühere Bekannte Mrs. DeFrees'. »Wir bitten um Entschuldigung.«

»Was?«

»Ich hoffe, es gibt keine Ungelegenheiten.« Anbetungswürdig! Diese blauen Augen! Und ihr Akzent war bezaubernd.

»Wie bitte?«

»Wir haben sie Ihnen für siebzehn Uhr versprochen. Die Rezeption sagt, wir berechnen Ihnen nichts.«

»Oh, das ist schon in Ordnung.« Ich überlegte, ob ich ihr ein Trinkgeld geben sollte, und begriff, dass es mir viel zu viel wäre, über Geld und Zählen nachzudenken. Ich schloss die Tür, warf die Sachen auf das Fußende des Bettes und bewegte mich auf wackligen Beinen zum Nachttisch – schaute auf Juris Armbanduhr: zwanzig nach sechs, was mich lächeln ließ. Der Stoff hatte mir tatsächlich eine Stunde und zwanzig Minuten zerfleischende Quälerei mit meinen Sorgen erspart! Der Gedanke an hektische Anrufe bei der Rezeption! an Scharen von Polizisten in der Lobby! durchflutete mich mit vedischer Gelassenheit. Sorge! Was für eine Zeitverschwendung. Alle heiligen Schriften hatten recht. »Sorge« war ganz offensichtlich das Kennzeichen einer primitiven und spirituell unterentwickelten Persönlichkeit. Wie hieß noch die Zeile bei Yeats, über die heiteren chinesischen Weisen? Alles fällt und wird wieder gebaut. Alte glitzernde Augen. Das war Weisheit. Jahrhundertelang hatten die Menschen gewütet und geweint und Dinge zerstört und gejammert über ihr nichtiges, individuelles Leben, während doch – was hatte es für einen Sinn? All diese nutzlose Sorge? *Sehet die Lilien auf dem Felde.* Warum machte man sich Sorgen um irgendetwas? Waren wir als denkende Wesen denn nicht auf der Erde, um glücklich zu sein in der kurzen Zeit, die uns zugeteilt war?

Absolut. Darum ärgerte ich mich nicht über den schnippischen vorgedruckten Zettel, den Housekeeping unter meiner Tür hindurchgeschoben hatte (*Sehr geehrter Gast, wir haben versucht, Ihr Zimmer zu reinigen, konnten aber leider keinen Zugang …*), und darum wanderte ich mit dem größten Vergnügen im Bademantel in den Korridor hinaus und lauerte dem Zimmermädchen auf, um ihr eine unheimliche Armladung durchnässter Handtücher zu übergeben – jedes Stück Frottee im Zimmer war nass, denn ich hatte meinen Mantel darin eingewickelt, um das Wasser herauszudrücken, und ein paar Tücher hatten jetzt rosarote Flecken, die ich vorher nicht bemerkt hatte – frische Handtücher? Aber selbstverständlich! oh, Sie haben Ihren Schlüssel vergessen, Sir? haben sich ausgesperrt? Oh, einen Moment, soll ich Ihnen aufschließen? und darum hatte ich selbst danach keinerlei Bedenken, den Zimmerservice anzurufen und mir etwas bringen zu lassen, und nachsichtig gestattete ich dem Kellner, das Zimmer zu betreten und seinen Tisch *bis ans Fußende des Bettes zu rollen* (Tomatensuppe, Salat, Club Sandwich, Pommes frites, das meiste davon erbrach ich eine halbe Stunde später wieder, noch nie im Leben so schön gekotzt, machte so viel Spaß, dass ich lachen musste: *upsiii!* Der beste Stoff aller Zeiten!). Ich war krank, das wusste ich, von meiner stundenlangen Wanderung in nassen Kleidern bei Minustemperaturen hatte ich Fieber und Schüttelfrost bekommen, aber ich war so großartig abgehoben, dass es mich nicht kümmerte. Der Körper: unzuverlässig, krankheitsanfällig. Gebrechen, Schmerzen. Warum regte man sich darüber so sehr auf? Ich zog jedes Stück Kleidung an, das ich in meiner Tasche hatte (zwei Hemden, Pullover, Extrahose, zwei Paar Socken), setzte mich hin und trank Coca-Cola aus der Minibar. Ich war immer noch high und kam nur langsam herunter, und immer wieder versank ich in lebhafte Tagträume und

919

erwachte wieder: ungeschliffene Diamanten, glitzernde schwarze Insekten, ein besonders lebhafter Traum von Andy, triefend nass, mit schmatzenden Tennisschuhen, und eine Wasserspur, die er hinter sich her ins Zimmer zog irgendetwas stimmte nicht mit ihm etwas sah schräg aus ein bisschen daneben was läuft Theo?

nicht viel, und bei dir?

nicht viel hey ich höre du und Kits ihr wollt heiraten hat Daddy mir erzählt

cool

ja cool, aber wir können nicht kommen Daddy hat 'ne Veranstaltung im Yacht-Club

hey das ist schade

und dann fuhren wir zusammen irgendwohin Andy und ich mit schweren Koffern, auf der Gracht, nur dass Andy erklärte nie im Leben steig ich in das Boot und ich so, klar versteh ich, und ich nahm das Segelboot Schraube für Schraube auseinander und legte die Teile in meinen Koffer, damit wir es tragen konnten mit Segeln und allem, das war der Plan, man brauchte ja nur den Grachten zu folgen und sie brachten einen genau dahin wo man hinwollte oder vielleicht auch dahin zurück wo man hergekommen war aber es machte mehr Arbeit als ich dachte, ein Segelboot auseinanderzunehmen, es war was anderes als ein Tisch oder ein Stuhl und die Stücke waren zu groß und passten nicht in den Koffer und da war ein Riesenpropeller den ich zwischen meine Sachen stopfen wollte und Andy hatte Langeweile und spielte irgendwo am Rand Schach mit jemandem dessen Aussehen mir nicht gefiel und er sagte, na, wenn du es nicht im Voraus planen kannst musst du sehen wie es geht während du es machst

XVII

Ich wachte auf und riss den Kopf hoch, mir war übel, und mich juckte es am ganzen Körper, als ob Ameisen unter meiner Haut krabbelten. Als die Droge aus meinen Adern verschwand, kam die Panik doppelt so wild zurückgerauscht, denn ich war offensichtlich krank: Fieber, Schweißausbrüche – es war nicht mehr zu leugnen. Ich wankte ins Bad und übergab mich noch einmal (keine lustige Junkie-Kotzerei diesmal, sondern das übliche Elend). Dann kam ich ins Zimmer zurück, betrachtete meinen Anzug und den Schal in der Plastikhülle auf dem Fußende und dachte fröstelnd, dass ich doch großes Glück gehabt hatte. Alles war gut gegangen (oder etwa nicht?), aber es hätte auch anders laufen können.

Unbeholfen nahm ich Anzug und Schal aus der Plastikfolie – der Boden unter mir rollte träge wie ein Ozean, und ich streckte die Hand zur Wand, um mich zu stützen –, und ich griff nach meiner Brille und setzte mich auf das Bett, um die Sachen im Licht zu untersuchen. Der Stoff sah abgescheuert, aber okay aus. Andererseits, ich konnte es nicht erkennen. Der Stoff war zu schwarz. Ich sah Flecken, und dann sah ich keine. Meine Augen funktionierten noch nicht richtig. Vielleicht war es ein Trick – vielleicht wartete die Polizei unten in der Lobby auf mich – aber nein – ich drängte den Gedanken zurück – lächerlich. Sie hätten die Sachen doch behalten, wenn sie etwas Verdächtiges daran entdeckt hätten, oder? Jedenfalls würden sie sie nicht gereinigt und gebügelt zurückbringen.

Ich war immer noch halb aus der Welt und nicht ich selbst. Mein Traum von dem Segelboot war irgendwie herübergesickert und hatte das Hotelzimmer infiziert, und jetzt war es ein Zimmer, aber auch die Kajüte auf einem Schiff: Einbauschränke (über meinem Bett und unter der Dachschräge) mit säuberlich versenkten Messingbeschlägen und zu nautischem Hochglanz emailliert. Schiffszimmerei, ein schwankendes Deck und, draußen plätschernd, schwarzes Wasser der Gracht. Delirium: ankerlos treibend. Draußen war dichter Nebel, kein Windhauch, Straßenlaternen brannten diffus, ausgezehrt, aschgrau und still, weich verschwommen durch den Dunst.

Es juckte, juckte. Brennende Haut. Übelkeit und rasende Kopfschmerzen. Je prachtvoller die Droge, desto tiefer der – geistige und körperliche – Schmerz, wenn die Wirkung verging. Ich war wieder bei dem Fetzen, der aus Martins Stirn flog, nur jetzt auf einer intimeren Ebene, fast ein Teil davon mit jedem Pulsschlag, jedem Spritzer, und – schlimmer noch, ein Gefrierpunkt, der sehr viel tiefer lag – das Bild: weg. Blutbeschmierter Mantel, die Füße des wegrennenden Jungen. Blackout. Desaster. Für Menschen – gefangen in der Biologie – gab es keine Gnade: Wir lebten eine Weile, machten ein bisschen herum und starben dann, verrotteten in der Erde wie Abfall. Die Zeit zerstörte uns alle nur zu bald. Aber etwas Unsterbliches zu zerstören oder zu verlieren – Bande zu zerreißen, die stärker waren als das Zeitliche –, das war eine metaphysische Entkopplung ganz eigener Art, eine verblüffende neue Variante der Verzweiflung.

Mein Dad am Bakkarat-Tisch in der klimatisierten Mitternacht. *Es steckt immer noch mehr hinter den Dingen, eine verborgene Ebene.* Das Glück in seinen dunkleren Farben und Manifestationen. Er befragte die Sterne, wartete mit den großen Wetten, bis Merkur rückläufig war, griff nach einem Wissen jenseits des Bekannten. Schwarz war seine Glücksfarbe, neun seine Glückszahl. Noch eine Karte, mein Junge. *Es gibt ein Muster, und wir sind ein Teil davon.* Aber wenn man an der Vorstellung von diesem Muster allzu sehr kratzte (diese Mühe hatte er sich anscheinend immer gespart), stieß man auf eine Leere, die so dunkel war, dass sie kategorisch alles zerstörte, was man je als Licht gesehen oder sich vorgestellt hatte.

KAPITEL 12

Der Rendezvous Point

Kapitel

Der RendezvousPoint

I

Die Tage bis Weihnachten vergingen im Nebel, und weil ich krank war und praktisch in Einzelhaft lebte, verlor ich bald jedes Zeitgefühl. Ich blieb in meinem Zimmer, das »Bitte nicht stören«-Schild an der Tür, und der Fernseher – statt ein wenn auch falsches Summen der Normalität zu produzieren – verschärfte nur die vielfältigen Formen von Verwirrung und Desorientierung: keine Logik, keine Struktur, was als Nächstes dran war, wusste man nicht, *Sesamstraße* auf Holländisch, Holländer im Gespräch an einem Tisch, noch einmal Holländer im Gespräch an einem Tisch, und auch wenn es Sky News, CNN und BBC gab, kamen die Lokalnachrichten doch nirgends auf Englisch (jedenfalls nichts, was wichtig gewesen wäre, nichts über mich oder das Parkhaus), allerdings erschreckte ich mich irgendwann richtig, als ich beim Zappen durch die Kanäle auf eine alte amerikanische Krimiserie stieß und verblüfft innehielt, als ich meinen fünfundzwanzigjährigen Vater sah: eine seiner vielen stummen Rollen, ein Wasserträger, der auf einer Pressekonferenz hinter einem politischen Kandidaten herumstand und zu dessen Wahlkampfversprechungen nicken musste, und einen gespenstischen Moment lang blickte er in die Kamera und geradewegs über den Ozean hinweg in die Zukunft und zu mir. Die mehrfache Ironie darin war so vielschichtig und unheimlich, dass ich entsetzt die Augen aufriss. Abgesehen von seinem Haarschnitt und der kräftigeren Figur (aufgepumpt vom Gewichtheben, weil er damals viel ins Fitness-Studio gegangen war) hätte er mein Zwilling sein können. Aber der größte Schock war, wie ehrlich er aussah – mein damals (ca. 1985) bereits kriminell verlogener und in den Alkoholismus abgleitender Vater. Nichts von seinem Charakter oder seiner Zukunft war ihm am Gesicht anzusehen. Entschlossen sah er aus, aufmerksam, der Inbegriff von Sicherheit und Verheißung.

Danach schaltete ich den Fernseher ab. Mein Hauptkontakt mit der Realität bestand mehr und mehr aus dem Zimmerservice, den ich nur in den finstersten Stunden vor dem Morgengrauen rief, wenn die Lieferdienstboten noch langsam und verschlafen waren. »Nein, ich möchte holländische Zeitungen, bitte«, sagte ich (auf Englisch) zu dem holländisch sprechenden Pagen, der mir die *International Herald Tribune* mitbrachte, als er mir meine holländischen Brötchen mit Kaffee, Eier und Speck und ein Sortiment an holländischem Käse servierte. Aber weil er trotzdem immer wieder mit der *Tribune* ankam, schlich ich mich vor Sonnenaufgang über die hintere Treppe hinunter, um mir holländische Zeitungen zu holen, die griffbereit aufgefächert auf einem Tisch gleich neben der Treppe lagen, sodass ich nicht an der Rezeption vorbeigehen musste.

Bloedend. Moord. Die Sonne ging anscheinend erst um neun auf, und auch dann war sie dunstig und düster, stand tief am Himmel und warf ein schwaches Fegefeuerlicht, das aussah wie ein Bühneneffekt in einer deutschen Oper. In der Zahnpasta, mit der ich das Revers meines Mantels geschrubbt hatte, war anscheinend Peroxid gewesen, denn die bearbeitete Stelle war zu einem weißen Fleck von der Größe meiner Hand ausgebleicht. Kalkig an den Rändern, umrahmte sie den gerade noch sichtbaren Geist von Frits' Schädelplasma. Gegen halb vier nachmittags begann das Licht zu schwinden, und um fünf war es stockfinster. Wenn dann nicht zu viele Leute auf der Straße waren, schlug ich den Mantelkragen hoch, band mir den Schal fest um den Hals und huschte – möglichst mit gesenktem Kopf – im Dunkeln zu einem winzigen, von Asiaten geführten Laden, der ein paar hundert Schritte vom Hotel entfernt war, und dort kaufte ich mir von meinen restlichen Euros verpackte Sandwiches, Äpfel, eine neue Zahnbürste, Hustendrops und Aspirin und Bier. *Is alles?*, fragte die alte Lady, und ihr Holländisch klang gebrochen. Mit einer Langsamkeit, die mich rasend machte, zählte sie mein Kleingeld. Klick, klick, klick. Ich hatte Kreditkarten, aber ich war entschlossen, sie nicht zu benutzen – noch eine der willkürlichen Spielregeln, die ich für mich aufgestellt hatte, eine völlig irrationale Vorsichtsmaßnahme, denn wem wollte ich damit etwas vormachen? Was änderten zwei Sandwiches aus dem Supermarkt, wenn das Hotel meine Kreditkarte schon belastet hatte?

Teils war es Angst, teils Krankheit, die mein Urteilsvermögen vernebelten, denn die Erkältung oder Grippe oder was auch immer ich mir eingefangen hatte, wollte nicht weggehen. Mit jeder Stunde, so schien es, rutschte mein Husten tiefer, schmerzte die Lunge mehr. Es stimmte, was ich über die Holländer und ihre Reinlichkeit gehört hatte, über ihre Putzmittel: In dem Laden gab es eine verwirrende Auswahl von Mitteln, die ich noch nie gesehen hatte. Ich kehrte mit einer Flasche in mein Zimmer zurück, auf der ein schneeweißer Schwan vor einem schneebedeckten Berggipfel zu sehen war, und das hintere Etikett zeigte einen Totenschädel mit zwei gekreuzten Knochen. Es war stark genug, um die Streifen aus dem Hemd zu bleichen, aber nicht die Flecken am Kragen, die von dunkel leberfarbenen Klecksen zu unheimlichen Konturen verblasst waren, die einander überlappten wie Baumpilze. Mit tränenden Augen spülte ich es zum vierten oder fünften Mal aus, verschnürte es in Plastiktüten und schob es ganz hinten in einen hohen Schrank. Wenn ich es nicht beschwerte, würde es im Kanal schwimmen, und ich wagte nicht, es auf der Straße in einen Mülleimer zu werfen – jemand würde mich dabei sehen, und man würde mich erwischen, so würde es kommen, davon war ich zutiefst und irrational überzeugt, ganz so, wie man etwas in einem Traum weiß.

Eine Weile. Wie lange dauerte eine Weile? Drei Tage, höchstens, hatte Boris auf Anne de Larmessins Party gesagt. Aber da hatte er Frits und Martin nicht mit einkalkuliert.

Glocken und Girlanden, Adventssterne in den Schaufenstern, Bänder und vergoldete Walnüsse. Nachts trug ich Socken, meinen fleckigen Mantel und einen Pullover mit Polokragen unter der Bettdecke, denn wenn ich den Knopf an der Heizung, den Anweisungen in der ledernen Hotelmappe entsprechend, gegen den Uhrzeigersinn drehte, wurde das Zimmer nicht warm genug, um gegen die fieberbedingten Gliederschmerzen und das Frösteln zu helfen. Weiße Daunendecke, weißer Schwan. Das Zimmer roch nach Bleichmittel wie ein billiger Whirlpool. Ob die Zimmermädchen es auf dem Flur riechen konnten? Auf Kunstdiebstahl standen nicht mehr als zehn Jahre, aber mit Martin hatte ich eine Grenze in ein anderes Land überschritten – *One Way*, ohne Rückfahrkarte.

Aber irgendwie hatte ich eine gangbare Methode entwickelt, an Martins Tod oder, besser gesagt, um ihn herum zu denken. Die Tat – mit ihrer ewigen Gültigkeit – hatte mich in eine dermaßen andere Welt geworfen, dass ich in jeder praktischen Hinsicht bereits tot war. Ich hatte das Gefühl, jenseits von allem, jenseits von Gut und Böse zu sein und von einer Eisscholle, die auf das Meer hinaustrieb, zum Land zurückzuschauen. Was getan war, ließ sich nie mehr ungeschehen machen. Ich war fort.

Und das war gut so. Im großen Plan der Dinge war ich nicht sehr wichtig, und Martin auch nicht. Wir waren leicht zu vergessen. Allenfalls war es eine gesellschaftliche und moralische Lektion. Aber an das Bild würde man sich in aller absehbaren Zukunft erinnern – so lange Geschichte geschrieben wurde, bis die Polkappen schmolzen und die Straßen von Amsterdam unter Wasser standen – und es betrauern. Wer kannte die Namen der Türken, die das Dach des Parthenons weggesprengt hatten? Wen kümmerten sie? Die Mullahs, die befohlen hatten, die Buddhas in Bamiyan zu zerstören? Egal ob lebendig oder tot: Ihre Taten hatten Bestand. Eine Unsterblichkeit der schlimmsten Sorte. Absichtlich oder nicht, ich hatte ein Licht im Herzen der Welt gelöscht.

Höhere Gewalt: So nannten die Versicherungen eine so zufallsbedingt oder unerklärlich zustande gekommene Katastrophe, dass sie anders nicht zu erfassen war. Wahrscheinlichkeit war eine Sache, aber manche Ereignisse lagen so weit außerhalb der statistischen Tafeln, dass sogar die Versicherungen gezwungen waren, zu ihrer Erklärung das Übernatürliche heranzuziehen – *Pech*, wie mein Vater eines Abends am Pool betrübt erklärt hatte, während er eine Viceroy nach der anderen rauchte, um die Mücken zu vertreiben, bei einer der wenigen Gelegenheiten, als er versucht hatte, mit mir über den Tod meiner Mutter zu sprechen, warum passieren Unglücke, warum ich, warum sie, zur falschen Zeit am falschen Ort, reiner Zufall, Junge, eins zu einer Million, keine Ausrede, kein Kneifen, sondern – für ihn, das erkannte ich – ein Glaubensbekenntnis und die beste Antwort, die er mir geben konnte, auf einer Ebene mit »Allah hat es geschrieben« und »Es ist der Wille des Herrn«, eine aufrichtige Verneigung vor Fortuna, der größten Göttin, die er kannte.

Er an meiner Stelle. Fast musste ich lachen. Ich konnte mir nur allzu klar und deutlich vorstellen, wie er sich verkroch und auf und ab ging, eingesperrt umhertigernd, und das Drama seiner Zwangslage genoss, ein reingelegter und zu Unrecht eingesperrter Cop in der Zelle, verkörpert von Farley Granger.

Aber genauso gut konnte ich mir seine Secondhand-Faszination angesichts *meiner* Lage vorstellen, deren Wendungen und Umkehrungen so beliebig waren wie jede neu gegebene Karte, konnte mir nur zu gut sein betrübtes Kopfschütteln vorstellen. *Schlechte Planeten. Diese Sache hat eine Form, ein größeres Muster. Wenn's nur um die Story geht, Kid, dann hast du hier eine.* Dann würde er seine Numerologie oder was auch immer zu Rate ziehen, in sein Skorpion-Buch schauen, Münzen werfen, die Sterne befragen. Man konnte meinem Vater vieles nachsagen, aber nicht, dass er keine in sich geschlossene Weltsicht gehabt hätte.

Das Hotel füllte sich zu den Feiertagen. Paare. Amerikanische Militärs, die in soldatisch flachem Ton in den Korridoren redeten, mit Rang und Autorität in der Stimme. Im Bett, in meinem Opiumfieber, träumte ich von schneebedeckten Bergen, rein und furchterregend, Alpenpanoramen aus Wochenschaufilmen über Berchtesgaden, mächtigen Winden, die sich mit dem sturmgepeitschten Meer auf dem Ölgemälde über meinem Schreibtisch überblendeten und darin weiterwehten: ein winziges Segelboot, hin- und hergeworfen auf dem dunklen Wasser.

Mein Vater: Leg die Fernbedienung weg, wenn ich mit dir rede.

Mein Vater: Na, ich sage nicht Katastrophe – aber Fehlschlag.

Mein Vater: Muss er mit uns essen, Audrey? Muss er jeden gottverdammten Abend mit uns am Tisch sitzen? Kannst du Alameda nicht sagen, sie soll ihm was zu essen geben, bevor ich nach Hause komme?

Uno, Schiffe versenken, Zaubertafel, Vier gewinnt. Ein paar grüne Soldatenfiguren und Krabbelviecher aus Gummi, die in meinem Weihnachtsstrumpf gewesen waren.

Mr. Barbour: Zweiflaggen-Signal. Victor: Benötige Hilfe. Echo: Ändere Kurs nach Steuerbord.

Das Apartment in der Seventh Avenue. Regentagsgrau. Stundenlang monotones Ein- und Ausatmen auf einer Mundharmonika. Ein und aus, ein und aus.

Am Montag, vielleicht war es auch Dienstag, als ich am späten Nachmittag bei schwindendem Licht endlich den Mut fand, das Rollo hochzuziehen, war auf der Straße vor meinem Hotel ein Fernsehteam und lauerte den Weihnachtstouristen auf. Englische Stimmen, amerikanische Stimmen. Weihnachtskonzert in der Sint Nicolaaskerk, Marktstände, die *oliebollen* verkauften. »Wäre beinahe von einem Fahrrad angefahren worden, aber davon abgesehen war's nett hier.« Mir tat die Brust weh. Ich zog das Rollo wieder herunter, stellte mich in die Dusche und ließ das heiße Wasser auf mich herunterprasseln, bis meine Haut brannte. Überall in der Nachbarschaft funkelten die Märchenlichter der Restaurants, und in den Schaufenstern der Geschäfte waren Cashmere-Mäntel und schwere, handgestrickte Pullover ausgestellt, all die warmen Sachen, die ich nicht eingepackt hatte. Aber ich wagte nicht mal, unten anzurufen und mir eine Kanne Kaffee zu bestellen, dank den holländischen Zeitungen, durch die ich mich schon weit vor Sonnenaufgang gewühlt hatte. Eine davon hatte ein Foto von der Parkgarage auf der Titelseite, mit Polizeiabsperrband vor der Einfahrt.

Die Zeitungen lagen auf der anderen Seite meines Bettes auf dem Boden ausgebreitet wie die Landkarte einer schrecklichen Gegend, die ich nicht aufsuchen wollte. Immer wieder, und ohne dass ich es wollte, zwischen Dämmerzuständen und fiebrigen Gesprächen, die ich nicht führte, mit Leuten, mit denen ich sie nicht führte, kehrte ich zu ihnen zurück und durchsuchte sie nach niederländisch-englischen Wörtern mit gleicher Abstammung, aber die waren selten und weit verstreut. *Americaan dood aangetroffen. Heroïne, cocaïne. Moord:* mortality, mordant, morbid, murder. Mord. *Drugsgerelateerde criminaliteit: Frits Aaltink, afkomstig uit Amsterdam en Mackay Fiedler Martin uit Los Angeles. Bloedig:* bloody. Blutig. *Schotenwisseling:* wer weiß, aber *schoten* – bedeutete das vielleicht *shots?* Schüsse? *Deze moorden kwamen als en schok voor* – was?

Boris. Ich ging zum Fenster, blieb stehen und kehrte zurück. Trotz des Durcheinanders auf der Brücke erinnerte ich mich, dass er mir befohlen hatte, ihn nicht anzurufen. In diesem Punkt war er sehr entschieden gewesen, aber wir hatten uns so hastig getrennt, dass ich nicht sicher war, ob er noch gesagt hatte, warum ich darauf warten sollte, dass *er* sich meldete, und ich wusste auch nicht genau, ob es mich noch interessierte. Er hatte auch sehr entschieden darauf beharrt, nicht verletzt zu sein, zumindest beschwor ich es so in meinen Gedanken immer wieder herauf, aber im Sumpf der unerwünschten Erinnerungen an jenen Abend, in dem ich immer wieder versackte, sah ich das verbrannte Loch in seinem Mantelärmel, den klebrigen schwarzen Wollstoff im Wellenlicht der Natriumlampen. Wusste ich denn, ob ihn die Verkehrspolizei nicht doch noch auf der Brücke erwischt und wegen Fahrens ohne Führerschein einkassiert hatte? Zugegeben ein beschissener Zufall, aber sehr viel besser als viele andere Möglichkeiten, die mir so einfielen.

Twee doden bij bloedige … Es hörte nicht auf. Da kam mehr. Am nächsten Tag und am übernächsten, zusammen mit meinem *Traditional Dutch Breakfast,* kamen weitere Berichte über die Schießerei am Overtoom: kürzere Spalten, aber dichtere Informationen. *Twee dodelijke slachtoffers. Nog een of meer betrokkenen. Wapengeweld in Nederland.* Ein Foto von Frits und daneben Fotos von ein paar anderen Leuten mit holländischen Namen und ein längerer Artikel, den ich gar nicht erst versuchte zu lesen. *Dodelijke schietpartij nog onopgehelderd* … Es beunruhigte mich, dass nicht mehr von Rausch-gift die Rede war – Boris' falscher Spur –, sondern andere Aspekte in den Vordergrund gerückt waren. Ich hatte diese Sache in Gang gesetzt, sie war in der Welt, die Leute in der ganzen Stadt lasen täg-lich etwas darüber und redeten davon in einer Sprache, die ich nicht verstand.

Eine riesige Tiffany-Anzeige in der *Herald Tribune.* Zeitlose Schönheit und Handwerkskunst. Frohes Fest wünscht Tiffany & Co.

Das Glück spielt Streiche. Systeme, drastisch sinkende Spreads.

Wo war Boris? In meinem Fieberdunst versuchte ich, mich damit zu unterhalten oder wenigstens abzulenken, dass ich mir vorstellte, wie er wahrscheinlich genau in dem Augenblick aufkreuzte, wenn man ihn nicht erwartete. Wie er mit den Fingerknöcheln knackte, dass die Mädchen zusammenschraken. Wie er eintrudelte, als unse-re staatliche Befähigungsprüfung schon eine halbe Stunde im Gan-ge war, und wie die ganze Klasse lachte, als sein verblüfftes Gesicht durch die drahtverstärkte Glasscheibe der verschlossenen Tür späh-te: *Aha, unsere strahlende Zukunft,* hatte er verachtungsvoll gesagt, als ich versuchte, ihm zu erklären, was standardisierte Tests waren.

In meinen Träumen kam ich nie dahin, wo ich sein musste. Ir-gendetwas hielt mich immer davon fern.

Er hatte mir per SMS seine Nummer geschickt, bevor wir die Staa-ten verlassen hatten, und auch wenn ich nicht wagte, ihm zurückzu-schreiben (weil ich seine Situation nicht kannte und nicht wusste, ob eine SMS zu mir zurückverfolgt werden konnte), rief ich mir stän-dig in Erinnerung, dass ich ihn erreichen könnte, wenn ich müsste. Und er wusste, wo ich war. Aber stundenlang, bis in die Nacht hin-ein, lag ich wach und diskutierte mit mir selbst: unablässig öde, hin und her, was wäre wenn, was wäre wenn, was konnte es schaden? Und schließlich, in irgendeinem desorientierten Augenblick – bren-nende Nachttischlampe, halb im Traum, nicht bei Sinnen –, knickte ich ein, nahm das Telefon vom Nachttisch und schickte ihm einfach eine SMS, bevor ich Gelegenheit hatte, es mir anders zu überlegen: WO BIST DU?

Die nächsten zwei oder drei Stunden lag ich in einem Zustand kaum noch beherrschbarer Unruhe wach und hatte den Unterarm über das Gesicht gelegt, um das Licht abzuhalten, obwohl gar keins brannte. Als ich irgendwann im Morgengrauen schweißnass aufwachte, war das Telefon unglücklicherweise mausetot, denn ich hatte vergessen, es abzuschalten, und weil ich mich scheute, bei der Rezeption nachzufragen, ob sie Adapter zu verleihen hatten, wartete ich noch stundenlang, bis ich am Nachmittag schließlich nicht mehr konnte.

»Selbstverständlich, Sir«, sagte der Mann hinter der Theke und sah mich kaum an. »Amerikanisch?«

Gott sei Dank, dachte ich und bemühte mich, nicht allzu eilig wieder nach oben zu gehen. Das Telefon war alt und langsam, und als ich es eingestöpselt hatte und eine Weile stehen geblieben war, hatte ich schließlich keine Lust mehr, darauf zu warten, dass das Apple-Logo erschien, sondern ging zur Minibar und holte mir etwas zu trinken und kam dann zurück und starrte es noch ein Weilchen an, bis mein Wallpaper erschien, ein altes Schulfoto, das ich aus Jux eingescannt hatte, und noch nie war ich so froh gewesen, das Bild zu sehen, die zehn Jahre alte Kitsey, die beim Elfmeter in der Luft schwebte. Aber gerade als ich meinen Code eingeben wollte, erlosch das Display und zischelte dann ungefähr zehn Sekunden lang, schwarze und graue Streifen verschoben sich ineinander und zerbrachen zu Splittern, bevor das traurige Gesicht aufleuchtete und sich mit einem flau auslaufenden Sirren schwarz verfinsterte.

Sechzehn Uhr fünfzehn. Der Himmel über den Glockengiebeln auf der anderen Seite der Gracht färbte sich ultramarinblau. Ich saß ans Bett gelehnt auf dem Teppich und hielt das Kabel des Ladegeräts in der Hand, nachdem ich methodisch zweimal alle Steckdosen im Zimmer ausprobiert hatte. Hundert Mal hatte ich das Telefon ein- und ausgeschaltet, hatte es unter die Lampe gehalten, um zu sehen, ob es vielleicht eingeschaltet war und nur das Display nicht funktionierte, hatte es mit einem Reset versucht, aber das Telefon war eingefroren: Nichts passierte, der Monitor blieb kalt und schwarz, das

Ding war einfach tot. Offenbar hatte ich einen Kurzschluss verursacht; am Abend in der Garage war es nass geworden – Wassertropfen auf dem Display, als ich es aus der Tasche genommen hatte –, aber obwohl ich eine oder zwei bange Minuten hatte warten müssen, bis es anging, hatte es doch anscheinend normal funktioniert, bis ich jetzt das Ladegerät angeschlossen hatte. Ich hatte alles zu Hause auf dem Laptop gesichert, nur nicht das, was ich brauchte: Boris' Nummer, die er mir auf der Fahrt zum Flughafen per SMS geschickt hatte.

Reflexe vom Wasser, flirrend unter der Decke. Draußen irgendwo die dünnen Klänge eines Glockenspiels mit Weihnachtsmusik, ein schräger Chor: *O Tannenbaum, o Tannenbaum, wie grün sind deine Blätter* ...

Ich hatte kein Rückflugticket. Aber ich hatte eine Kreditkarte. Ich könnte mit dem Taxi zum Flughafen fahren. *Du könntest mit dem Taxi zum Flughafen fahren,* sagte ich mir. Schiphol. Den nächstbesten Flug. Kennedy, Newark. Geld hatte ich. Ich redete mit mir wie mit einem Kind. Keine Ahnung, wo Kitsey war – draußen in den Hamptons höchstwahrscheinlich –, aber Mrs. Barbours Assistentin Janet (die ihren alten Job immer noch hatte, obwohl Mrs. Barbour nicht mehr viel unternahm, wobei sie Assistenz gebraucht hätte) war eine Person, die einem innerhalb von ein paar Stunden überall einen Flug besorgen konnte, sogar am Heiligen Abend.

Janet. Der Gedanke an Janet war absurd beruhigend. Janet, die ein effizientes Stimmungssystem ganz für sich allein war, Janet, dick und rosig in ihren pinkfarbenen Shetland-Pullis und Madras-Karos, eine Nymphe von Boucher, angezogen von J. Crew, Janet, deren Antwort auf alles *Exzellent!* lautete und die Kaffee aus einem pinkfarbenen Becher trank, auf dem *Janet* stand.

Es war eine Erleichterung, geradlinig zu denken. Was nützte es Boris oder sonst jemandem, wenn ich hier herumsaß und wartete? Die feuchte Kälte. Die unlesbare Sprache. Fieber und Husten. Das albtraumhafte Gefühl eingesperrt zu sein. Ich wollte nicht ohne Boris weg, nicht ohne zu wissen, ob es ihm gut ging, das war das Durcheinander in einem Kriegsfilm: weiterrennen und einen gefallenen

Kameraden zurücklassen, ohne zu wissen, in welche noch schlimmere Hölle man rannte, aber gleichzeitig wollte ich so dringend weg aus Amsterdam, dass ich mir vorstellen konnte, beim Aussteigen in Newark auf die Knie zu fallen und den Boden des Terminals mit der Stirn zu berühren.

Telefonbuch. Bleistift und Papier. Nur drei Leute hatten mich gesehen: der Indonesier, Grozdan und der kleine Asiate. Es war zwar durchaus möglich, dass Martin und Frits in Amsterdam Kollegen hatten, die nach mir suchten (ein weiterer guter Grund, die Stadt zu verlassen), aber ich hatte doch keinen Anlass zu glauben, dass die Polizei mich suchte. Es gab keinen Grund, weshalb sie meinen Pass in die Fahndung geben sollten.

Dann – als hätte ich einen Schlag ins Gesicht bekommen – zuckte ich zusammen. Aus irgendwelchen Gründen hatte ich gedacht, mein Pass befände sich unten, wo ich ihn beim Einchecken hatte vorlegen müssen. Aber in Wirklichkeit hatte ich überhaupt nicht mehr daran gedacht – nicht, seit Boris ihn mir weggenommen hatte, um ihn im Handschuhfach seines Wagens einzuschließen.

Ganz, ganz ruhig legte ich das Telefonbuch hin, bemühte mich, es so hinzulegen, dass es für einen neutralen Beobachter beiläufig und natürlich aussehen würde. In einer normalen Situation wäre es auch einfach genug. Adresse nachschlagen, Büro finden, feststellen, wohin ich gehen musste. Mich in die Schlange stellen. Warten, bis ich an der Reihe wäre. Höflich und geduldig sprechen. Ich hatte Kreditkarten, Ausweisfoto. Hobie könnte mir meine Geburtsurkunde faxen. Ungeduldig versuchte ich, eine Anekdote aus meinen Gedanken zu vertreiben, die Toddy Barbour beim Essen erzählt hatte – wie er einmal, als er (in Italien? in Spanien?) seinen Pass verloren hatte, einen Zeugen aus Fleisch und Blut hatte einfliegen müssen, der seine Identität bestätigte.

Tintenschwarz unterlaufener Himmel. In Amerika war es noch früh. Hobie machte gerade Mittagspause, spazierte zum Jefferson Market, kaufte vielleicht alles Nötige für den Lunch, den er am Ersten Weihnachtstag geben wollte. War Pippa noch in Kalifornien? Ich sah sie vor mir, wie sie sich in einem Hotelbett herumrollte und schlaftrunken und mit geschlossenen Augen zum Telefon griff: Theo, bist du das, ist was passiert?

Besser ein Bußgeld und ein paar Ausreden, als dass wir angehalten werden.

Ich fühlte mich krank. Mich auf dem Konsulat (oder sonst wo) zu Befragungen und zum Ausfüllen von Formularen zu präsentieren, bedeutete viel mehr Unannehmlichkeiten, als ich gebrauchen konnte. Ich hatte mir für das Warten keine Frist gesetzt, mir nicht vorgenommen, wie lange ich warten wollte, aber jede Aktion – jede beliebige, sinnlose Aktion, das Summen eines Insekts in einem Einmachglas – erschien mir besser, als noch eine Minute länger hier im Zimmer eingesperrt zu sein und aus dem Augenwinkel Schattenmenschen zu sehen.

Wieder eine große Tiffany-Anzeige in der *Tribune,* die mir Festtagsgrüße übermittelte. Auf der Seite gegenüber eine Anzeige für Digitalkameras, pseudo-kunstvoll gelettert und von Joan Miró unterzeichnet:

> Man kann sich ein Bild eine Woche lang anschauen
> und nie wieder daran denken. Und man kann
> sich ein Bild eine Sekunde lang anschauen und es sein
> Leben lang nicht mehr vergessen.

Centraal Station. Europäische Union, keine Passkontrollen an den Grenzen. Irgendein Zug, irgendwohin. Ich malte mir aus, wie ich ziellos im Kreis in Europa herumfuhr: Rheinfall und Tiroler Bergketten, kinohafte Tunnel und Schneestürme.

Manchmal geht es darum, ein schlechtes Blatt gut zu spielen. Ich erinnerte mich, wie mein Dad es sagte, halb schlafend auf der Couch.

Benommen vom Fieber starrte ich das Telefon an, saß ganz still da und versuchte nachzudenken. Boris hatte beim Lunch davon gesprochen, mit dem Zug von Amsterdam nach Antwerpen zu fahren (und nach Frankfurt: Ich wollte nicht mal in die Nähe von Deutschland geraten), aber auch nach Paris. Wenn ich in Paris zum Konsulat ginge, um mir einen neuen Pass zu holen, war es vielleicht weniger wahrscheinlich, dass man mich mit der Sache mit Martin in Verbindung brachte. Aber kein Weg führte um die Tatsache herum, dass der chinesische Junge ein Augenzeuge war. Es war durchaus denkbar, dass ich schon in jedem Polizeicomputer in ganz Europa gespeichert war.

Ich ging ins Bad und wusch mir das Gesicht. Zu viele Spiegel. Ich drehte das Wasser ab und griff nach einem Handtuch, um mein Gesicht trocken zu tupfen. Methodische Handlungen, eine nach der anderen. Erst nachts geschah es, dass meine Stimmung sich verfinsterte und ich Angst bekam. Ein Glas Wasser. Aspirin gegen das Fieber. Auch das stieg immer an, wenn es dunkel wurde. Einfache Handlungen. Ich steigerte mich da in etwas hinein, das war mir klar. Ich wusste nicht, was für Haftbefehle auf Boris ausgestellt waren, aber so besorgniserregend die Vorstellung war, er könnte verhaftet worden sein, fürchtete ich noch mehr, Saschas Leute könnten ihm jemanden auf den Hals gehetzt haben. Aber dies war nur ein Gedanken mehr, dem ich nicht weiter nachhängen durfte.

II

Am nächsten Tag – am Heiligen Abend – zwang ich mich, ein riesiges Frühstück vom Zimmerservice zu verzehren, obwohl ich keinen Appetit darauf hatte, und die Zeitung warf ich weg, ohne einen Blick darauf zu werfen, denn ich musste befürchten, wenn ich die Worte *Overtoom* und *moord* noch einmal sähe, würde ich es nicht über mich bringen zu tun, was ich tun musste. Nachdem ich stur gefrühstückt hatte, sammelte ich die Berge von Zeitungen ein, die sich im Laufe einer Woche rings um mein Bett angehäuft hatten, rollte sie zusammen und stopfte sie in den Papierkorb. Ich nahm mein von Bleichmittel zerfressenes Hemd in der Tüte aus dem Schrank und packte es – nachdem ich mich vergewissert hatte, dass es fest verschnürt war – in eine zweite Tüte aus dem asiatischen Supermarkt (die ich offen ließ, weil sie so leichter zu tragen war, aber auch für den Fall, dass ich noch einen hilfreichen Ziegelstein finden sollte). Ich schlug den Mantelkragen hoch, wickelte den Schal außen herum, hängte das Schild für das Zimmermädchen an die Tür und ging.

Das Wetter war miserabel, und das war von Vorteil. Nasser Schneeregen wehte schräg nieselnd über den Kanal. Ich ging ungefähr zwanzig Minuten lang – niesend, frierend, elend – bis zu einer Mülltonne an einer besonders verlassenen Ecke ohne Autos oder Fußgänger und ohne Geschäfte. Ich sah nur Häuser mit blinden, vor dem Wind fest verrammelten Fenstern.

Schnell stopfte ich das Hemd in die Tonne und ging weiter. Eine Woge der Begeisterung trug mich rasch vier oder fünf Straßen weit, trotz meiner klappernden Zähne. Ich hatte nasse Füße; meine Schuhsohlen waren zu dünn für dieses Kopfsteinpflaster, und mir war sehr kalt. Wann wurde der Müll abgeholt? Egal.

Es sei denn – ich schüttelte den Kopf, um klar zu denken. Der asiatische Supermarkt. Auf der Plastiktüte stand der Name. Nur ein paar Straßen weit von meinem Hotel entfernt. Aber das waren alberne Gedanken, und ich versuchte, sie mir vernünftig auszureden. Wer hatte mich denn gesehen? Niemand.

Charlie: Bestätige. Delta: Komme mit Mühe voran.

Hör auf. Aufhören. Es gibt kein Zurück.

Ich wusste nicht, wo ein Taxistand war, und wanderte deshalb zwanzig Minuten oder länger ziellos umher. Schließlich gelang es mir, auf der Straße eins anzuhalten. »Centraal Station«, sagte ich zu dem türkischen Fahrer.

Aber als er mich nach einer Fahrt durch Straßen, so spukhaft grau wie in alten Wochenschaufilmen, vor dem Bahnhof absetzte, dachte ich einen Moment lang, er hätte mich an einen falschen Ort gebracht, denn das Gebäude sah eher aus wie ein Museum: eine rote Backstein-Fantasie mit Giebeln und Türmen, starrend von niederländisch-viktorianischer Pracht. Umgeben von feiertäglichem Getriebe spazierte ich hinein und tat mein Bestes, um auszusehen, als gehörte ich

938

dazu. Ich ignorierte die Polizisten, die scheinbar überall herumstanden, wohin mein Blick auch fiel, und mit Verwirrung und Unbehagen spürte ich, wie die große demokratische Welt wieder um mich herum wogte und wallte: Großeltern, Studenten, müde Jungverheiratete und kleine Kinder, die Rucksäcke hinter sich her schleiften. Einkaufstüten, Starbucks-Becher, ratternde Rollkoffer, Teenager, die Unterschriften für Greenpeace sammelten – ich war wieder im summenden Treiben der menschlichen Dinge. Es gab einen Nachmittagszug nach Paris, aber ich wollte den letzten nehmen, den es gab.

Die Schlangen waren endlos und reichten bis zurück zum Zeitungskiosk. »Heute Abend?«, fragte die Bahnbedienstete, als ich endlich vor dem Schalter stand – eine breite, blonde Frau im mittleren Alter mit einem kissenweichen Busen, unverbindlich freundlich wie eine Bordellwirtin auf einem zweitklassigen Genre-Gemälde.

»Ja.« Hoffentlich sah ich nicht so krank aus, wie ich mich fühlte.

»Wie viele?« Sie sah mich kaum an.

»Nur einer.«

»Gern. Pass bitte.«

»Moment …« Heiser vor Krankheit klopfte ich mich ab. Ich hatte gehofft, sie würden nicht danach fragen. »Ach. Sorry, ich hab ihn nicht bei mir, er liegt im Hotel im Tresor. Aber …« Ich zog meinen New Yorker Personalausweis heraus, meine Kreditkarten, meine Sozialversicherungskarte, und schob alles unter der Scheibe hindurch. »Bitte sehr.«

»Zum Reisen benötigen Sie einen Pass.«

»Ja, natürlich.« Ich tat mein Bestes, um vernünftig und informiert zu erscheinen. »Aber ich fahre ja erst heute Abend. Hier, sehen Sie?« Ich deutete auf den leeren Boden zu meinen Füßen: kein Gepäck. »Ich habe gerade meine Freundin weggebracht, und da ich schon mal hier war, dachte ich, ich stelle mich gleich in die Schlange und kaufe mir die Fahrkarte.«

»Tja«, die Frau warf einen Blick auf ihren Monitor, »Sie haben ja noch reichlich Zeit. Ich schlage vor, Sie warten mit dem Fahrschein und kaufen ihn heute Abend, wenn's recht ist.«

»Ja«, ich kniff mir die Nase zusammen, um nicht zu niesen, »aber ich würde ihn gern jetzt kaufen.«

»Das ist leider nicht möglich.«

»Bitte. Es wäre mir eine große Hilfe. Ich habe hier jetzt eine Dreiviertelstunde angestanden, und ich weiß nicht, wie lang die Schlange heute Abend sein wird.« Ich glaubte mich zu erinnern, wie Pippa, die ganz Europa mit der Eisenbahn bereist hatte, erzählt hatte, dass am Zug keine Pässe kontrolliert wurden. »Ich will die Fahrkarte ja jetzt nur kaufen, damit ich alle meine Besorgungen erledigen kann, bevor ich heute Abend zurückkomme.«

Die Frau musterte eindringlich mein Gesicht. Dann nahm sie den Ausweis, sah sich das Foto an und dann wieder mich.

»Hören Sie«, sagte ich, als sie zögerte oder zu zögern schien, »Sie sehen doch, dass ich es bin. Sie haben meinen Namen, meine Sozialversicherungsnummer, und – hier …« Ich holte Stift und Papier aus der Tasche. »Ich kann meine Unterschrift hier für Sie wiederholen.«

Sie legte die beiden Unterschriften nebeneinander und verglich sie. Noch einmal sah sie mich und den Ausweis an, und dann schien sie plötzlich eine Entscheidung zu treffen. »Ich kann diese Papiere nicht akzeptieren.« Sie schob die Karten unter der Scheibe hinweg zu mir zurück.

»Warum nicht?«

Die Schlange hinter mir wurde immer länger.

»Warum nicht?«, wiederholte ich. »Sie sind völlig in Ordnung. Ich benutze sie in den USA anstelle meines Passes, um zu fliegen. Die Unterschrift stimmt«, fügte ich hinzu, als sie nicht antwortete. »Sehen Sie das nicht?«

»Bedaure.«

»Sie meinen …« Ich hörte die Verzweiflung in meiner Stimme. Sie blickte mir aggressiv in die Augen, als sollte ich nur wagen, weiter mit ihr zu diskutieren. »Soll das heißen, ich soll heute Abend wieder herkommen und mich noch einmal in diese Schlange stellen?«

»Bedaure, Sir. Ich kann's nicht ändern. Der Nächste, bitte.« Sie schaute über meine Schulter hinweg zum nächsten Fahrgast.

Als ich wegging – ich schob und drängelte mich durch die Menge –, sagte hinter mir jemand: »Hey. Hey, Kumpel?«

Im ersten Moment, noch verwirrt von dem Gespräch am Schalter, glaubte ich, ich hätte mir die Stimme nur eingebildet. Aber als ich mich umdrehte, sah ich einen frettchengesichtigen Teenager mit rosa umrandeten Augen und einem kahlrasierten Schädel. Er hüpfte auf den Zehenspitzen seiner riesigen Turnschuhe auf und ab, und aus seinen hin und her huschenden Blicken schloss ich, er beabsichtige mir einen Pass zu verkaufen, aber stattdessen beugte er sich mir entgegen und sagte: »Versuch's gar nicht.«

»Was denn?«, fragte ich unsicher und warf einen Blick hinüber zu der Polizistin, die vielleicht zwei Schritte hinter ihm stand.

»Hör zu, Kumpel. Hundert Mal hin und her, als ich das Ding hatte, und nicht ein einziges Mal haben sie es kontrolliert. Aber als ich ihn nicht hatte? Beim Grenzübertritt nach Frankreich? Sofort eingesperrt, die französischen Grenzer, zwölf Stunden mit ihrem beschissenen Essen und ihrem beschissenen Benehmen. Grässlich. Grässlich dreckige Polizeizelle. Glaub mir, deine Papiere müssen in Ordnung sein. Und mach gar nicht erst irgendwelchen komischen Scheiß.«

»Hey, okay«, sagte ich. Ich schwitzte in meinem Mantel, wagte aber nicht, ihn aufzuknöpfen. Wagte nicht, den Schal aufzubinden. Heiß. Kopfschmerzen. Ich ging weiter und spürte den wütenden Blick einer Überwachungskamera in meinem Rücken, und ich bemühte mich, nicht allzu befangen auszusehen, als ich mich durch die Menge schlängelte, schwebend und benebelt vom Fieber. Ich knetete die Telefonnummer des amerikanischen Konsulats in meiner Tasche.

Es dauerte eine Weile, bis ich ein Münztelefon gefunden hatte – ich lief bis ans andere Ende des Bahnhofs, wo ein paar dürre Teenager dicht gedrängt wie ein Stammesrat auf dem Boden saßen –, und es dauerte noch länger, bis ich herausgefunden hatte, wie man telefonierte.

Ein beschwingter Strom von holländischen Wörtern. Dann begrüßte mich eine freundliche amerikanische Stimme: Willkommen beim Konsulat der Vereinigen Staaten von Amerika in den Niederlanden, und wollte ich gern auf Englisch fortfahren? Weitere Menüs, weitere Optionen. Drücken Sie die Eins für dieses, die Zwei für jenes, bleiben Sie am Apparat und warten Sie auf einen Mitarbeiter. Geduldig befolgte ich die Anweisungen und schaute in das Gewimmel hinaus, bis mir klar wurde, dass es vielleicht keine so großartige Idee war, mein Gesicht zu zeigen, also drehte ich mich zur Wand.

Das Telefon klingelte so lange, dass ich in einen desorientierten Nebel abdriftete, aber plötzlich klickte es, und eine entspannte amerikanische Stimme kam frisch vom Strand in Santa Cruz: »Guten Morgen, das amerikanische Konsulat in den Niederlanden, was kann ich für Sie tun?«

»Hi«, sagte ich erleichtert. »Ich …« Ich überlegte, ob ich einen falschen Namen angeben sollte, um zunächst die Informationen zu bekommen, die ich brauchte, aber ich war zu matt und erschöpft, um mich damit abzugeben. »Ich fürchte, ich sitze in einer Klemme. Mein Name ist Theodore Decker, und mein Pass ist mir gestohlen worden.«

»Hey, tut mir leid, das zu hören.« Sie tippte irgendetwas, das konnte ich hören. Im Hintergrund lief Weihnachtsmusik. »Ist eine schlechte Jahreszeit dafür – alle sind auf Reisen, wissen Sie? Haben Sie Anzeige erstattet?«

»Was?«

»Den Passdiebstahl? Den müssen Sie sofort anzeigen. Das muss die Polizei sofort erfahren.«

»Ich …« Warum hatte ich gesagt, gestohlen?, verfluchte ich mich selbst. »Nein, sorry, es ist ja eben erst passiert. Centraal Station.« Ich sah mich um. »Ich rufe von einem Münztelefon aus an. Ehrlich gesagt, ich weiß gar nicht genau, ob er gestohlen wurde. Ich glaube, er ist mir aus der Tasche gerutscht.«

»Tja«, noch mehr Tastaturgeklapper, »verloren oder gestohlen, Sie müssen auf jeden Fall Anzeige erstatten.«

»Ja, aber ich wollte eben in einen Zug steigen, und jetzt wollen sie mich nicht fahren lassen. Und ich muss heute Abend nach Paris.«

»Moment.« Im Bahnhof waren zu viele Leute. Der Geruch von feuchter Wolle und muffigen Menschenmengen erblühte entsetzlich in der überheizten Atmosphäre. Einen Augenblick später klickte es, und sie war wieder da. »So, jetzt brauche ich ein paar Informationen von Ihnen ...«

Name. Geburtsdatum. Ausgabedatum und -ort meines Passes. Nassgeschwitzt in meinem Mantel. Feucht atmende Leiber ringsumher.

»Haben Sie Papiere zum Nachweis Ihrer Staatsbürgerschaft?«, fragte sie.

»Wie bitte?«

»Einen abgelaufenen Pass? Eine Geburts- oder eine Einbürgerungsurkunde?«

»Ich habe eine Sozialversicherungskarte. Und einen Personalausweis des Staates New York. Außerdem kann ich mir eine Kopie meiner Geburtsurkunde aus den Staaten faxen lassen.«

»Oh, fabelhaft. Das dürfte ausreichen.«

Wirklich? Ich stand bewegungslos da. War das alles?

»Haben Sie Zugang zu einem Computer?«

»Äh ...« War da ein Computer im Hotel? »Ja, sicher.«

»Gut.« Sie nannte mir eine Web-Adresse. »Sie müssen eine eidesstattliche Erklärung zu Ihrem gestohlenen oder verlorenen Pass herunterladen, ausdrucken und ausfüllen. Dann bringen Sie sie her. Wir sind in der Nähe des Rijksmuseums. Wissen Sie, wo das ist?«

Ich war so erleichtert, dass ich nur dastehen und den Lärm der Menge in einem psychedelischen Strom von Geplapper über mich hinwegrauschen lassen konnte.

»Ich brauche also Folgendes von Ihnen«, sagte California Girl, und ihre muntere Stimme holte mich zurück aus meinen farbenfrohen Fieberträumen. »Die eidesstattliche Erklärung. Die gefaxten Unterlagen. Zwei Passfotos, fünf mal fünf Zentimeter, mit weißem Hintergrund. Und nicht zu vergessen: eine Kopie der polizeilichen Anzeige.«

»Was?« Ich schrak auf.

»Wie ich es gesagt habe? Bei verlorenem oder gestohlenem Pass müssen Sie Anzeige bei der Polizei erstatten?«

»Ich …« Ich starrte eine gespenstische Versammlung von verschleierten Araberinnen an, die lautlos vorüberschwebten, von Kopf bis Fuß in Schwarz gehüllt. »Aber dazu habe ich keine Zeit mehr.«

»Wie meinen Sie das?«

»Ich fliege ja heute nicht nach Amerika. Es ist nur so, dass …«, ich brauchte einen Augenblick, um wieder zu mir zu kommen; ein Hustenanfall hatte mir die Tränen in die Augen getrieben. »Mein Zug nach Paris geht in zwei Stunden. Deshalb, ich meine – ich weiß nicht, was ich machen soll. Ich weiß nicht, ob ich diesen ganzen Papierkram schaffe und auch noch zur Polizei gehen kann.«

»Tja«, es klang bedauernd, »hey, wissen Sie, wir haben auch nur noch fünfundvierzig Minuten geöffnet.«

»Was?«

»Wir schließen heute früher. Heiligabend, wissen Sie? Und morgen und am Wochenende haben wir geschlossen. Aber am Montag nach Weihnachten ist morgens um halb neun wieder geöffnet.«

»Am *Montag*?«

»Hey, es tut mir leid.« Es klang resigniert. »Die Dienstzeiten.«

»Aber es ist ein Notfall!« Meine Stimme rasselte krank.

»Ein Notfall? Familiär, medizinisch?«

»Ich …«

»Denn in gewissen, sehr seltenen Fällen leisten wir auch außerhalb der Dienstzeiten Notfallhilfe.« Sie war jetzt nicht mehr so freundlich. Sie klang gehetzt und rezitierte einen vorgefertigten Text, und im Hintergrund hörte ich ein weiteres Telefon klingeln, wie in einer Anrufsendung im Radio. »Leider geht das nur in dringenden Fällen, bei denen es um Leben und Tod geht, und unsere Mitarbeiter brauchen den Nachweis einer häuslichen Notfallsituation, bevor wir einen Behelfspass ausstellen können. Wenn Ihre Reise nach Paris heute Nachmittag also nicht durch einen Todesfall oder eine kritische Erkrankung erforderlich gemacht wird oder wenn Sie diesen kritischen Notfall nicht beispielsweise durch die eidesstattliche Aussage eines behandelnden Arztes, eines Geistlichen oder eines Bestatters belegen können …«

»Ich ...« *Montag? Scheiße!* An eine Anzeige bei der Polizei wollte ich nicht mal denken. »Hey, sorry, hören Sie ...« Sie wollte jetzt auflegen.

»Ganz recht. Bringen Sie alles am Montag, dem Achtundzwanzigsten. Und dann, ja, wenn der Antrag vorliegt, werden wir ihn auch so schnell wie möglich bearbeiten – sorry, aber entschuldigen Sie mich einen Moment?« *Klick.* Ihre Stimme klang weiter entfernt. »Guten Morgen, das Konsulat der Vereinigen Staaten in den Niederlanden, bleiben Sie bitte am Apparat?« Sofort klingelte das Telefon noch einmal. *Klick.* »Guten Morgen, das Konsulat der Vereinigen Staaten in den Niederlanden, bleiben Sie bitte am Apparat?«

»Wie schnell wird es dann gehen?«, fragte ich, als sie wieder da war.

»Oh, wenn Ihr Antrag vorliegt, sollten wir Ihnen den Pass innerhalb von zehn Arbeitstagen aushändigen können. Das heißt, in Arbeitstagen. Normalerweise würde ich versuchen, es in sieben zu erledigen? aber in Anbetracht der Feiertage, das verstehen Sie sicher, wir haben momentan einen kleinen Rückstau, und bis Neujahr sind die Dienstzeiten leider unregelmäßig. Deshalb – hey, es tut mir leid«, sagte sie in mein betäubtes Schweigen hinein. »Aber es kann eine Weile dauern. Blöd, ich weiß.«

»Und was soll ich jetzt machen?«

»Benötigen Sie Reisebeistand?«

»Ich weiß nicht genau, was das ist.« Der Schweiß lief in Strömen. Ranzig überhitzte Luft, schwer von den Ausdünstungen der Menge, kaum zu atmen.

»Eine telegraphische Geldüberweisung? Vorläufige Unterkunft?«

»Wie soll ich nach Hause kommen?«

»Sie haben Ihren Wohnsitz in Paris?«

»Nein, in den Staaten.«

»Na ja, mit einem vorläufigen Pass – ein vorläufiger Pass enthält nicht mal den Chip, den Sie für die Einreise in die Vereinigten Staaten benötigen, und deshalb glaube ich eigentlich nicht, dass es irgendwelche Abkürzungen gibt, die Sie sehr viel schneller dort

945

hinbringen können, als ich bis ...« Wieder klingelte ein Telefon. »Moment, Sir, bleiben Sie bitte am Apparat?

Also, mein Name ist Holly. Soll ich Ihnen meine Durchwahlnummer geben, falls Sie auf Probleme stoßen oder während Ihres Aufenthalts noch Hilfe benötigen?«

III

Mein Fieber schoss – aus welchen Gründen auch immer – bei Einbruch der Dunkelheit in die Höhe. Aber nachdem ich schon so lange in der Kälte auf den Beinen war, stieg es bereits früher an, in unregelmäßigen Sprüngen, die an einen schweren Gegenstand erinnerten, der ruckhaft, Stück für Stück, an der Fassade eines hohen Gebäudes hinaufgezogen wurde. Daher verstand ich auf dem Heimweg kaum noch, weshalb ich mich bewegte oder wieso ich nicht hinfiel oder wie ich überhaupt noch vorankam, eine Art bodenlos gleitende Bewusstlosigkeit, die mich auf regnerischen Grachtenstraßen hoch über mich selbst hinaus zu körperlosen Dachböden und Kaminen zog, sodass es war, als schaute ich von oben auf mich herab. Am Bahnhof kein Taxi zu nehmen, stellte sich als Fehler heraus, und immer wieder sah ich den Plastikbeutel in der Mülltonne und das rosig glänzende Gesicht der Fahrkartenverkäuferin und Boris mit Tränen in den Augen und Blut an der Hand, die sich in die verbrannte Stelle an seinem Ärmel krallte, und der Wind rauschte, und mein Kopf brannte, und in unregelmäßigen Abständen ließ ein dunkles, epileptisches Zucken an meiner Seite mich zusammenzucken: ein schwarzes Aufspritzen, ein Fehlstart, niemand da, tatsächlich war überhaupt niemand auf der Straße außer – ab und zu – einem Radfahrer, verschwommen und zusammengeduckt im Nieselregen.

Schwerer Kopf, wunder Hals. Als ich es endlich doch schaffte, ein Taxi heranzuwinken, war ich nur noch ein paar Minuten weit vom Hotel entfernt. Das einzig Gute – sah ich, als ich, durchfroren bis auf die Knochen und zitternd, oben ankam – war, dass sie das Zimmer gereinigt und die Minibar aufgefüllt hatten, die ich bis auf den Cointreau leergetrunken hatte.

Ich nahm beide Mini-Fläschchen Gin heraus, goss sie in ein Glas heißes Wasser aus dem Hahn und setzte mich in den Brokatsessel am Fenster, das Glas baumelte an meinen Fingerspitzen, und ich sah zu, wie die Stunden vorüberglitten: kaum noch wach, im Halbtraum. Feierliches Winterlicht fiel schräg von Wand zu Wand, in Parallelogrammen, die auf den Teppich glitten und dort schmaler wurden, bis sie zu nichts verblassten, und es wurde Abendbrotzeit, mein Magen tat weh, meine Kehle war wund von Galle, und ich saß immer noch da, im Dunkeln. Es war nichts, woran ich nicht schon gedacht hatte, oft und unter sehr viel weniger strapaziösen Umständen; der Drang schüttelte mich großartig und unvorhersehbar, ein giftiges Wispern, das mich nie ganz verließ, das an manchen Tagen an der Schwelle meines Gehörs lauerte und an anderen unbeherrschbar heranrauschte, eine grelle, rasende Vision, warum, das wusste ich nie, manchmal genügte schon ein schlechter Film oder eine grausige Dinnerparty, um es auszulösen, kurzfristige Langeweile, langfristiger Schmerz, vorübergehende Panik, dauerhafte Verzweiflung, und alles schlug gleichzeitig zu, loderte auf in einem aschgrau trostlosen Licht, in dem ich sah – wirklich sah, wenn ich über die Jahre hinweg zurückschaute, mit der ganzen klarsinnigen und artikulierten Panik –, dass die Welt und alles, was darin war, unerträglich und für immer verpfuscht und nichts jemals gut oder okay gewesen war, eine unerträgliche Klaustrophobie der Seele, der fensterlose Raum, kein Weg nach draußen, Wellen von Scham und Entsetzen, *lass mich in Ruhe*, meine Mutter tot auf einem Marmorboden, laut vor mich hin murmelnd in Aufzügen, in Taxen, *lass mich in Ruhe, ich möchte sterben*, eine kalte, intelligente, sich selbst opfernde Wut, die mich – mehr als einmal – in einem Nebel der Entschlossenheit nach oben in mein Zimmer getrieben hatte, wo ich wahllos zusammengestellte Cocktails aus Alkohol und zufällig vorhandenen Tabletten geschluckt hatte: Nur wegen einer hohen Toleranz und meiner eigenen Unfähigkeit hatte ich es verpatzt und war unangenehm überrascht wieder aufgewacht, aber auch erleichtert, um Hobies willen, weil er mich nicht hatte finden müssen.

Schwarze Vögel. Unheilvolle, bleigraue Himmel wie von Egbert van der Poel.

Ich stand auf, knipste die Schreibtischlampe an, stand schwankend im matten, urinfarbenen Licht. Es gab Warten. Es gab Weglaufen. Aber dabei ging es nicht so sehr um eine Wahl als vielmehr um das Maß des Ertragens: Das sinnlos abwechselnde Umherhuschen und Erstarren einer Maus im Terrarium der Schlange diente nur dazu, Qual und Spannung zu verlängern. Und es gab noch eine dritte Möglichkeit: Aus verschiedenen Gründen nahm ich an, ein Konsulatsmitarbeiter würde mich ziemlich schnell zurückrufen, wenn ich nach Dienstschluss die Nachricht hinterließ, ich sei ein amerikanischer Staatsbürger, der die Absicht habe, sich wegen Mordes der Polizei zu stellen.

Ein Akt der Rebellion. Das Leben: leer, eitel, unerträglich. Was war ich ihm schuldig? Nichts. Warum dem Schicksal nicht zuvorkommen? Das Buch ins Feuer werfen und aus? Ein Ende des gegenwärtigen Grauens war nicht in Sicht – jede Menge externes, empirisches Grauen, das sich mit meiner eigenen, endogenen Versorgung mischte, und wenn genug Stoff da wäre (ein Blick in den Umschlag: weniger als die Hälfte noch übrig), würde ich mit Vergnügen eine fette Line reinziehen und aus den Schuhen kippen: Dunkelheit mit weiter Seele, Sternenexplosion.

Aber es war nicht so viel da, dass ich sicher sein konnte, es würde reichen, um mich zu erledigen. Und das, was ich hatte, wollte ich nicht für ein paar Stunden des Vergessens verschwenden, nur um dann wieder in meinem Käfig aufzuwachen (oder, schlimmer noch, ohne Pass in einem holländischen Krankenhaus). Andererseits war meine Toleranzschwelle stark gesenkt, und ich war ziemlich sicher, dass ich genug hatte, um die Sache zu erledigen, wenn ich mich vorher ordentlich betrank und die Notfalltablette obendrauf legte.

Eine kalte Flasche Weißwein in der Minibar. Warum nicht. Ich trank den Rest Gin und machte sie auf, und ich empfand Entschlossenheit und Triumph – ich hatte Hunger, sie hatten auch Cracker und Cocktail-Snacks nachgeliefert, aber auf leeren Magen würde das alles viel besser funktionieren.

Die Erleichterung war unermesslich. Ein stiller Abschied. Das vollkommene, vollkommene Glück, alles wegzuwerfen. Ich fand einen Klassiksender im Radio – Weihnachtschoräle, nüchtern und liturgisch, weniger Melodie als vielmehr spektraler Kommentar dazu – und überlegte, ob ich mir ein Bad einlassen sollte.

Aber das hatte noch Zeit. Ich öffnete die Schreibtischschublade und fand eine Mappe mit Hotelbriefpapier. Graue Kathedralmauern, Moll-Hexachorde. *Rex virginum amator.* Zwischen dem Fieber und dem Wasser der Gracht, das draußen plätscherte, war der Raum um mich herum still in eine spukhafte Doppelung gefallen, in eine Grenzzone, die sowohl Hotelzimmer als auch die Kajüte auf einem sanft stampfenden Schiff war. Leben auf hoher See. Tod durch Wasser. Andy hatte mir, als wir klein waren, mit der unheimlichen Stimme eines Jungen vom Mars erzählt, er hätte im Schulfunk gehört, der Mars beschütze die Seeleute, und eine der Schutzwirkungen des Rosenkranzes wäre die, dass man niemals ertrinken könnte. Mary Stella Maris. Maria Meerstern.

Ich dachte an Hobie in der Mitternachtsmette, wie er in seinem schwarzen Anzug in der Bank kniete. Vergoldung nutzt sich auf natürliche Weise ab. An einer Schranktür oder an der Klappe eines Sekretärs findet sich oft eine Reihe von winzigen Einkerbungen.

Objekte auf der Suche nach ihren rechtmäßigen Eigentümern. Sie hatten menschliche Eigenschaften. Sie waren verschlagen oder ehrlich oder misstrauisch oder edel.

Wirklich bemerkenswerte Stücke erscheinen nicht aus dem Nichts auf der Szene.

Der Hotelstift war nicht toll, und ich hätte gern einen besseren gehabt, aber das Hotelpapier war cremeweiß und dick. Vier Briefe. Die beiden für Hobie und Mrs. Barbour würden die längsten sein müssen, denn sie waren diejenigen, die eine Erklärung am meisten verdienten, und auch die Einzigen, denen es wirklich etwas ausmachen würde, wenn ich tot wäre. Aber an Kitsey würde ich auch schreiben – um ihr zu versichern, dass sie keine Schuld hatte. Der Brief an Pippa würde der kürzeste werden. Sie sollte nur wissen, wie sehr ich sie liebte und dass sie keine Spur von Schuld trug, weil sie mich nicht zurückliebte.

Aber das würde ich nicht sagen. Rosenblütenblätter wollte ich ihr zuwerfen, keine Giftpfeile. Es ging nur darum, sie ganz kurz wissen zu lassen, wie glücklich sie mich gemacht hatte, und das Offenkundige einfach wegzulassen.

Als ich die Augen schloss, überkamen mich klinisch scharfe Erinnerungsblitze, die das Fieber aus dem Nichts hervorbersten ließ wie Leuchtspurgeschosse im Dschungel, grelle Leuchtkugeln aus einem hoch detaillierten, emotional komplexen Material. Lichtstrahlen dringen wie Harfensaiten durch die vergitterten Fenster unserer alten Wohnung in der Seventh Avenue, ein kratziger Sisalteppich und das rote Waffelmuster, das er an meinen Handballen und Knien hinterließ, wenn ich auf dem Boden spielte. Ein mandarinengelbes Partykleid meiner Mutter mit einem Glitzerzeug am Rock, das ich immer anfassen wollte. Alameda, unsere alte Haushälterin, die in einer Glasschüssel Kochbananen zerdrückte. Andy, der vor mir salutierte, bevor er durch den dunklen Korridor in der Wohnung seiner Eltern stolperte: *Aye, Captain.*

Mittelalterliche Stimmen, streng und außerweltlich. Die Würde eines schnörkellosen Liedes.

Ich war eigentlich gar nicht traurig, das war das Merkwürdige. Es fühlte sich eher an wie bei meiner letzten und schlimmsten Wurzelbehandlung, als der Zahnarzt sich unter der Lampe über mich beugte und sagte: *Fast fertig.*

24. Dezember

Liebe Kitsey,
es tut mir schrecklich leid, aber du sollst wissen, dass es nichts mit dir oder irgendjemandem aus deiner Familie zu tun hat.

Deine Mutter wird einen eigenen Brief mit weiteren Informationen bekommen, aber einstweilen möchte ich dir, ganz unter uns, versichern, dass mein Handeln nicht durch irgendetwas beeinflusst worden ist, das zwischen uns passiert ist, speziell nicht durch Ereignisse aus letzter Zeit.

Woher dieser steife Ton und die unnatürlich steife Handschrift kamen – ein starker Kontrast zu den Wolkenbrüchen von Erinnerungen und Halluzinationen, die von allen Seiten über mich hereinbrachen –, wusste ich nicht. Der nasse Schneeregen, der gegen die Fensterscheiben klatschte, hatte ein tiefgreifendes, historisches Gewicht: Hungersnöte und marschierende Armeen, ein niemals endendes Tröpfeln der Trauer.

Wie du ja weißt – und du hast mich selbst darauf hingewiesen –, habe ich eine Vielzahl von Problemen, die schon lange, bevor wir uns kannten, existiert haben, und an keinem dieser Probleme trägst du die Schuld. Wenn deine Mutter Fragen zu deiner Rolle in den jüngsten Ereignissen an dich richten sollte, rate ich dir dringend, sie an Tessa Margolis zu verweisen – oder, noch besser, an Em, die ihre Ansichten über meinen Charakter mehr als bereitwillig mit ihr teilen wird. Außerdem – ein ganz anderes Thema, aber ich rate dir ebenfalls dringend, Havistock Irving nie wieder in eure Wohnung zu lassen.

Kitsey als Kind. Feines Haar, das strähnig ins Gesicht hing. Seid still, ihr Blödmänner. Hört auf, oder ich sag's.

Zu guter Letzt –

(mein Stift schwebte über der Zeile)

zu guter Letzt möchte ich dir sagen, wie schön du auf der Party ausgesehen hast und wie gerührt ich war, weil du die Ohrringe meiner Mutter getragen hast. Sie war verrückt nach Andy, und

sie hätte dich auch geliebt und sich gefreut, dass wir zusammen
waren. Es tut mir leid, dass es nicht geklappt hat. Aber ich hoffe,
es wird noch alles gut für dich. Wirklich.

Alles Liebe, Theo

Zugeklebt, adressiert, zur Seite gelegt. Briefmarken hat die Rezeption.

Lieber Hobie,
es ist schwer, diesen Brief zu schreiben, und es tut mir leid, dass
ich ihn schreibe.

Abwechselnd Schweißausbrüche und Schüttelfrost. Ich sah grüne
Flecken. Mein Fieber war so hoch, dass die Wände zu schrumpfen
schienen.

Salpetersäure. Lampenschwarz. Möbel sammeln, wie alle Lebewesen,
im Laufe der Zeit Narben und Schrammen.
Die Wirkungen der Zeit, sichtbar und unsichtbar.

und, ich weiß nicht genau, wie ich es sagen soll, aber ich glaube,
ich denke dabei an das kranke Hundebaby, das meine Mutter
und ich in Chinatown auf der Straße gefunden haben. Es lag
zwischen zwei Mülltonnen, ein Pitbull-Baby, ein Mädchen.
Schmutzig, stinkend. Haut und Knochen. Zu schwach zum
Stehen. Die Leute gingen einfach an ihr vorbei. Und ich war
bestürzt, und meine Mutter versprach mir, wenn sie nach dem
Essen noch da wäre, würden wir sie mitnehmen. Als wir aus
dem Restaurant kamen, war sie noch da. Wir riefen ein Taxi,
ich nahm sie auf den Arm, und zu Hause machte meine Mutter
ihr in der Küche eine Kiste zurecht, und sie war glücklich und
leckte uns das Gesicht und trank eine Tonne Wasser und fraß
das Hundefutter, das wir für sie gekauft hatten, und erbrach
dann alles wieder.

Um es kurz zu machen: Sie ist gestorben. Es war nicht unsere Schuld, aber wir empfanden es so. Wir gingen mit ihr zum Tierarzt und kauften ihr Spezialfutter, aber sie wurde nur immer kränker. Inzwischen hatten wir sie beide wirklich liebgewonnen. Meine Mutter ging noch einmal mit ihr zu einem Spezialisten im Animal Medical Center, und der Tierarzt sagte: Diese Hündin hat eine Krankheit – deren Namen ich vergessen habe –, und sie hatte sie schon, als ihr sie gefunden habt, und ich weiß, es ist nicht das, was ihr hören wollt, aber es wäre sehr viel besser, wenn ihr sie jetzt sofort einschläfert.

Meine Hand war in einem verwegenen Zickzack über das Papier geflogen. Aber als ich das Ende der Seite erreichte und nach einem neuen Blatt griff, hielt ich entsetzt inne. Was ich als Schwerelosigkeit empfunden hatte, als schwungvolles Gleiten der letzten Gelegenheit, war keineswegs der eloquente, gewinnende Abschied, den ich mir vorgestellt hatte. Meine Handschrift lief schräg und schlampig quer über das Papier, nicht intelligent, nicht zusammenhängend, nicht mal leserlich. Es musste eine viel kürzere und einfachere Möglichkeit geben, Hobie zu danken und zu sagen, was ich zu sagen hatte – nämlich, dass er kein schlechtes Gewissen zu haben brauche. Dass er immer gut zu mir gewesen sei und sein Bestes getan habe, um mir zu helfen, genau wie meine Mutter und ich unser Bestes getan hatten, um diesem kleinen Pitbull-Mädchen zu helfen, das – tatsächlich ein Knackpunkt der Geschichte, aber ich wollte sie nicht allzu sehr in die Länge ziehen – bei allen liebenswürdigen Eigenschaften in den Tagen vor seinem Tod unglaublich zerstörerisch aufgetreten war: Sie hatte praktisch das ganze Apartment verwüstet und unser Sofa in Fetzen gerissen.

Weinerlich, selbstverliebt, geschmacklos. Meine Kehle fühlte sich an, als sei sie mit einem Rasiermesser ausgeschabt worden.

Runter mit dem Polster. Sieh da, wir haben den Holzwurm. Müssen mit Cuprinol behandeln.

In der Nacht meiner Überdosis oben in Hobies Badezimmer, als ich nicht damit gerechnet hatte, noch einmal aufzuwachen, und doch wieder aufgewacht war, mit der Wange auf den psychedelischen alten Bodenfliesen, hatte ich erstaunt erkannt, wie strahlend ein Vorkriegsbadezimmer mit schlichten weißen Armaturen aussehen konnte, wenn man es aus dem Jenseits betrachtete.

Der Anfang vom Ende? Oder das Ende vom Ende?

Fabelhaft. Noch nie so viel Spaß gehabt.

Eins nach dem andern. Aspirin. Kaltes Wasser aus der Minibar. Die Aspirintabletten scheuerten in meiner Brust und blieben dort stecken, als hätte ich Kies geschluckt, und ich hämmerte mir gegen das Brustbein, um sie zum Rutschen zu bringen. Von dem Alkohol fühlte ich mich jetzt sehr viel schlechter, durstig, verwirrt, Angelhaken in der Kehle, Wasser, das mir absurd über die Wange rieselte, hechelnd und keuchend hatte ich den Wein aufgemacht, um mir etwas Gutes zu tun (dachte ich), aber er ging herunter wie Terpentin, brennend scharf in meinem Magen, sollte ich mir ein Bad einlassen, sollte ich mir von unten etwas Heißes kommen lassen, etwas Einfaches, Brühe oder Tee? Nein: Ich musste ganz einfach den Wein austrinken oder vielleicht sofort mit dem Wodka anfangen. Irgendwo im Netz hatte ich gelesen, dass nur zwei Prozent aller Selbstmordversuche durch Überdosis erfolgreich waren, was mir absurd wenig vorkam, auch wenn es durch frühere Erfahrungen bestätigt wurde. *Es wird nicht mehr regnen.* Das hatte jemand als Abschiedsbrief hinterlassen. *Es war nur eine Farce.* Jean Harlows Mann, der sich in der Hochzeitsnacht umgebracht hatte. Georges Sanders' letzte Worte waren die besten gewesen, ein alter Hollywood-Klassiker, mein Vater hatte sie auswendig gekonnt und gern zitiert. *Liebe Welt, ich gehe, denn mir ist langweilig.* Und dann Hart Crane. Pirouette und ein Satz, das Hemd gebläht im Fall. *Goodbye, everybody!* Ein lauter Abschiedsruf, ein Sprung vom Schiff.

Mein Körper war nicht mehr mein Eigentum. Meine Hände bewegten sich für sich von selbst, schwebten aus eigenem Antrieb, und als ich aufstand, war es, als führte ich eine Marionette: Ich faltete mich auseinander, erhob mich ruckhaft an meinen Fäden.

Hobie hatte mir erzählt, als junger Mann hätte er Cutty Sark getrunken, weil das Hart Cranes Whiskey gewesen sei. Cutty Sark bedeutet »kurzer Rock«.

Hellgrüne Wände im Klavierzimmer, Palmen und Pistazieneis.

Eisbedeckte Fenster. Die ungeheizten Räume aus Hobies Kindheit.

Die Alten Meister, sie irrten sich nie.

Was dachte ich, was fühlte ich?

Das Atmen tat weh. Der Umschlag mit dem Heroin lag auf dem Nachttisch auf der anderen Seite des Bettes. Aber auch wenn mein Dad mit seiner unerschütterlichen Liebe zur Showbiz-Hölle von der ganzen Inszenierung begeistert gewesen wäre – Stoff, dreckiger Aschenbecher, Alk und das alles –, fand ich die Vorstellung, in meinem Hotelbademantel ausgestreckt aufgefunden zu werden wie ein abgehalfterter Barsänger, eher unerträglich. Nein, ich musste mich frischmachen, duschen und rasieren und meinen Anzug anziehen, damit ich nicht so schmuddelig aussah, wenn sie mich fanden, und erst dann, zuallerletzt, wenn die Spätschicht der Zimmermädchen Feierabend hatte, würde ich das »Nicht stören«-Schild von der Tür nehmen: Besser, sie fänden mich gleich, ich wollte nicht erst entdeckt werden, weil jemand den Geruch bemerkte.

Ein Gefühl, als wäre seit meinem Abend mit Pippa ein ganzes Menschenleben gekommen und gegangen, und ich dachte daran, wie glücklich ich gewesen war, als ich ihr in der scharfkantigen Winterdunkelheit entgegengeeilt war, wie euphorisch, als ich sie unter der Laterne vor dem Film Forum entdeckt hatte, und wie ich an der Ecke gestanden und das alles genossen hatte: die Freude, ihr dabei zuzusehen, wie sie auf mich wartete. Ihr erwartungsvolles Gesicht, mit dem sie die Menge abgesucht hatte. Nach mir hatte sie gesucht: nach mir. Und die Schockstarre im Herzen, wenn du – nur einen Moment lang – glaubst, du könntest vielleicht bekommen, was dir nie gehören wird.

Anzug aus dem Schrank. Alle Hemden schmutzig. Warum hatte ich nicht daran gedacht, eins zum Waschen zu geben? Meine Schuhe waren durchnässt und ruiniert, was das Bild um eine letzte traurige Note ergänzte – aber nein (verwirrt blieb ich mitten im Zimmer stehen), wollte ich mich denn voll bekleidet, mit Schuhen und allem Drum und Dran, aufbahren wie einen Toten im Bestattungsinstitut? Wieder war mir der kalte Schweiß ausgebrochen, Frieren und Schüttelfrost, die ganze Oper. Ich musste mich hinsetzen. Vielleicht musste ich mir die Präsentation noch einmal durch den Kopf gehen lassen. Die Briefe zerreißen. Es aussehen lassen wie ein Unfall. Viel netter, wenn es aussähe, als wäre ich auf dem Weg zu irgendeiner geheimnisvollen Schlips-und-Kragen-Party gewesen und hätte auf dem Weg nach draußen noch schnell eine Nase genommen – hätte auf der Bettkante gesessen, ein bisschen zu viel: Wunderkerzen, zisch und plopp, und selig auf den Rücken gekippt. Hoppla.

Weiße Flügel des Tumults. Ein Sprung mit Anlauf ins Endlose.

Dann ein Fanfarenstoß, der mich zusammenfahren ließ. Der liturgische Gesang war in eine unangemessen festliche Orchester-Explosion übergegangen. Melodisch, blechern. Eine Woge der Frustration kochte in mir herauf. Die Nussknacker-Suite. Falsch, ganz falsch. Ein ausgewachsenes Weihnachtsspektakel war ganz sicher nicht die richtige Tonart für meinen Abgang, eine schmetternde Orchesternummer, Marsch der Was-weiß-ich, und ganz plötzlich drehte sich mir der Magen um, und ein heftiger Schwall stieg mir steil in die Kehle, mir war, als hätte ich einen Liter Zitronensaft getrunken, und ehe ich michs versah, fast bevor ich taumelnd den Papierkorb erreichte, kam alles hoch, eine klare, ätzende Flut, Woge auf gelbliche Woge.

Als es vorbei war, saß ich auf dem Boden mit der Stirn auf der scharfen Metallkante des Papierkorbs, und die Kinderballettmusik funkelte aufreizend im Hintergrund: nicht mal betrunken, das war das Beschissene daran, nur krank. Im Korridor hörte ich einen Schwarm Amerikaner, lachende Paare, die sich laut verabschiedeten, um auf ihre jeweiligen Zimmer zu gehen: alte Freunde vom College, Jobs im Finanzsektor, fünf-plus-x Jahre Unternehmensrecht, und Fiona im Herbst ins erste Schuljahr, alles bestens in Oaklandia, na dann gute Nacht, Gott wir lieben euch, ein Leben, das ich vielleicht auch gehabt hätte, aber ich wollte es nicht. Das war der letzte

Gedanke, an den ich mich erinnere, bevor ich schwankend aufstand, die lästige Musik abschaltete und mich mit Magenkrämpfen bäuchlings auf das Bett warf, als stürzte ich mich von einer Brücke. Jede Lampe im Zimmer brannte hell, als ich unter dem Licht versank und die Dunkelheit über meinem Kopf zusammenschlug.

IV

Als Junge habe ich nach dem Tod meiner Mutter immer versucht, beim Einschlafen angestrengt an sie zu denken, damit ich vielleicht von ihr träumte, aber das hat nie geklappt. Das heißt, ich träumte ständig von ihr, aber von ihrer Abwesenheit, nicht davon, dass sie da war: Ein Wind, der durch ein eben geräumtes Haus wehte, ihre Handschrift auf einem Notizblock, der Duft ihres Parfüms, Straßen in seltsamen, verlorenen Städten, durch die sie, das wusste ich, erst einen Moment zuvor gegangen war, aber jetzt war sie fort, ein Schatten auf einer sonnenbeschienenen Wand, der sich entfernte. Manchmal sah ich sie in einer Menschenmenge, in einem Taxi, das wegfuhr, und diese kurzen Blicke auf sie waren mir kostbar, obwohl ich sie niemals einholen konnte. Immer verpasste ich sie letzten Endes: Immer war mir gerade ein Anruf entgangen, oder ich hatte ihre Telefonnummer verlegt, oder ich kam atemlos keuchend dahin gerannt, wo sie sein sollte, und sie war nicht mehr da. In meinem Erwachsenenleben pulsierte in diesen chronischen Fehlschlägen eine noch scheußlichere und schmerzhaftere Beklemmung: Von Panik gepackt erfuhr ich, erinnerte ich mich, hörte ich von unerwarteter Seite, sie lebe auf der anderen Seite der Stadt in einer schrecklichen Slumwohnung, und ich hatte sie dort aus unerklärlichen Gründen schon seit Jahren nicht besucht und keinen Kontakt zu ihr aufgenommen. Meistens war ich hektisch dabei, ein Taxi zu suchen oder sonst wie zu ihr zu kommen, wenn ich aufwachte. Diese eindringlichen Szenarien wiederholten sich auf eine borderline-brutale Weise, die mich an den angespannten Wall-Street-Ehemann einer Kundin

Hobies erinnerte, der, wenn er in einer bestimmten Stimmung war, gern dieselben drei Geschichten aus seiner Vietnamkriegserfahrung immer wieder erzählte, mit denselben mechanischen Formulierungen und Gesten: dasselbe Rat-tat-tat des Maschinengewehrfeuers, dieselbe hackende Handbewegung an immer derselben Stelle. Alle Gesichter wurden sehr still, wenn er beim Drink nach dem Essen in diese Nummer verfiel, die wir alle eine Million Mal gesehen hatten und die (wie meine eigene rabiate Endlosschleife, in der ich Nacht für Nacht, Jahr für Jahr, Traum für Traum meine Mutter suchte) starr und unveränderlich blieb. Immer wieder würde er über dieselbe Baumwurzel stolpern und fallen, und niemals würde er seinen Freund Gage rechtzeitig erreichen, so wie ich es niemals schaffte, meine Mutter zu finden.

Aber in dieser Nacht fand ich sie endlich doch. Genauer gesagt: Sie fand mich. Es erschien mir wie ein einmaliges Ereignis, auch wenn sie in einer anderen Nacht, einem anderen Traum, vielleicht noch einmal so zu mir kommen würde – vielleicht, wenn ich sterbe, obwohl mir das ein fast allzu großer Wunsch zu sein scheint. Jedenfalls hätte ich weniger Angst vor dem Tod (nicht nur vor meinem eigenen, sondern auch vor Weltys Tod, vor Andys Tod, vor dem Tod im Allgemeinen), wenn ich dächte, ein vertrauter Mensch würde uns an der Tür erwarten, denn – während ich dies schreibe, bin ich den Tränen nahe – ich muss daran denken, wie der arme Andy mir mit angstvollem Blick erzählt hatte, meine Mutter sei der einzige Mensch, den er gekannt und gemocht habe, der gestorben sei. Deshalb – als Andy hustend und prustend in dem Land auf der anderen Seite des Wassers angeschwemmt wurde, war vielleicht meine Mutter diejenige, die da bei ihm niederkniete und ihn an den fremden Gestaden willkommen hieß. Vielleicht ist es dumm, eine solche Hoffnung auch nur zu formulieren. Andererseits, vielleicht ist es noch dümmer, es nicht zu tun.

So oder so – einmalig oder nicht –, es war ein Geschenk, und wenn sie nur einen Besuch frei hatte, wenn man ihr mehr nicht erlaubte, dann hatte sie ihn für den Augenblick aufgehoben, als er wichtig war. Denn ganz plötzlich war sie da. Ich stand vor einem Spiegel und schaute in das Zimmer hinter mir, in ein Interieur, das große Ähnlichkeit mit Hobies Laden hatte, besser gesagt, eine geräumigere und zeitloser erscheinende Version des Ladens, mit cellobraunen Wänden und einem offenen Fenster, das wie der Zugang zu einem viel größeren, unvorstellbaren Spektakel aus Sonnenlicht erschien. In diesem Rahmen sah der Raum hinter mir nicht so sehr aus wie ein Raum im konventionellen Sinn, sondern vielmehr wie eine perfekt komponierte Harmonie, eine erweiterte, realer erscheinende Realität, umgeben von einer tiefen Stille jenseits von Klang und Stimme, wo alles nur Ruhe und Klarheit war, und gleichzeitig – wie in einem rückwärtslaufenden Film – konnte man sich auch vorstellen, wie vergossene Milch in den Krug zurückschoss, wie eine springende Katze rückwärtsflog und lautlos auf dem Tisch landete – eine Wegstation, wo die Zeit nicht existierte oder, zutreffender gesagt, in jede Richtung zugleich existierte, wo jede Geschichte, jede Bewegung sich gleichzeitig ereignete.

Und als ich für eine Sekunde weg- und wieder hinschaute, sah ich sie hinter mir im Spiegel. Ich war sprachlos. Irgendwie wusste ich, ich durfte mich nicht umdrehen – das war gegen die Regeln, was immer an diesem Ort für Regeln gelten mochten –, aber wir konnten einander sehen, unsere Blicke konnten sich im Spiegel treffen, und sie war genauso froh, mich zu sehen, wie ich es umgekehrt war. Sie war sie selbst. Eine körperliche Erscheinung. Sie war von übersinnlicher Realität, und da war Tiefe, Information. Sie stand zwischen mir und dem Ort, von dem sie gekommen war, der Landschaft im Jenseits, wo immer sie sein mochte. Und alles drehte sich um den Augenblick, da unsere Blicke sich im Spiegel berührten, überrascht und amüsiert, ihre wunderschönen blauen Augen mit den dunklen Ringen um die Iris, hellblaue Augen mit viel Licht: Hallo! Zärtlichkeit, Intelligenz, Trauer, Humor. Da war Bewegung und Stille, Stille und Modulation, die ganze Elektrizität und Magie eines großen Gemäldes. Zehn Sekunden, Ewigkeit. Alles führte im Kreis zu ihr zurück. Man konnte es in einem Augenblick ergreifen, man konnte für immer darin leben: Sie existierte nur im Spiegel, im Innern des Rahmens, und obwohl sie nicht lebte, nicht richtig jedenfalls, war sie auch nicht tot, denn sie war noch nicht geboren und zugleich nie geboren – genauso wenig wie, seltsamerweise, auch ich. Und ich wusste, sie konnte mir alles erzählen, was ich wissen wollte (über Leben, Tod, Vergangenheit, Zukunft), auch wenn sie schon da war, in ihrem Lächeln: die Antwort auf alle Fragen, das vorweihnachtliche Lächeln eines Menschen mit einem Geheimnis, das zu wundervoll war, als dass er es schon jetzt verraten dürfte: *Du wirst einfach abwarten müssen, nicht wahr?* Aber gerade als sie sprechen wollte – ein liebevolles, ungeduldiges Atemholen, das ich sehr gut kannte und das ich auch in diesem Augenblick hören kann –, wachte ich auf.

V

Als ich die Augen öffnete, war es Morgen. Noch immer brannten alle Lampen im Zimmer, und ich lag unter der Bettdecke und wusste nicht, wie ich dort hingekommen war. Alles war immer noch gebadet und vollgesogen von ihrer Anwesenheit – höher, breiter, tiefer als im Leben, eine optische Verschiebung, die einen Regenbogenrand hervorrief, und ich weiß noch, dass ich dachte, so müssten sich Leute fühlen, die eine Heiligenvision gehabt hatten – nicht, dass meine Mutter eine Heilige war, aber ihre Erscheinung war so klar und verblüffend gewesen wie eine Flamme, die plötzlich in einem dunklen Raum aufflackert.

Immer noch halb schlafend, trieb ich in meinem Bett dahin, getragen vom Liebreiz des Traums, der mich leise umwogte. Selbst die morgendlichen Umgebungsgeräusche im Korridor hatten die Atmosphäre und Farbe ihrer Anwesenheit angenommen, denn wenn ich in meinem halb träumenden Zustand angestrengt lauschte, war mir, als könnte ich den speziellen, leichten, fröhlichen Klang ihrer Schritte hören, der sich in das Klirren der Tabletts vom Zimmerservice draußen mischte, in das Rattern der Aufzugtrossen, das Öffnen und

Schließen der Aufzugtüren: ein sehr großstädtisches Geräusch, das ich sofort mit Sutton Place verband – und mit ihr.

Und dann plötzlich brachen die Glocken der nahen Kirche mit so wildem Geläute in die letzten Spuren von Biolumineszenz, die der Traum noch hinterlassen hatte, dass ich panisch hochfuhr und nach meiner Brille tastete. Ich hatte vergessen, welcher Tag heute war: Weihnachten.

Unsicher stand ich auf und ging ans Fenster. Glocken, Glocken. Die Straßen waren weiß und verlassen. Reif glitzerte auf den Dachziegeln, und draußen über der Herengracht wehte und tanzte der Schnee. Ein Schwarm von schwarzen Vögeln kreiste krächzend über dem Kanal, Unruhe am Himmel, mit weiten Seitwärtskurven und Wellenbewegungen formten sie ein einziges, intelligentes Wesen und wirbelten hin und her, und ihr Flug schien fast auf Zellebene auf mich überzugehen, der weiße Himmel, der wirbelnde Schnee und der wild böige Wind der Dichter.

Erste Regel beim Restaurieren: Tu nichts, was du nicht rückgängig machen kannst.

Ich duschte, rasierte mich, zog mich an. In Ruhe räumte ich auf und packte meine Sachen. Irgendwie würde ich Juris Ring und die Uhr zurückgeben müssen, vorausgesetzt, dass er noch lebte, was ich zunehmend bezweifelte. Die Uhr allein war ein Vermögen wert – so viel wie ein 7er BMW, eine Anzahlung auf eine Wohnung. Ich würde sie per FedEx an Hobie zur Aufbewahrung schicken und seinen Namen für Juri an der Rezeption hinterlassen, für alle Fälle.

Beschlagene Scheiben, Kopfsteinpflaster geisterhaft unter dem Schnee, tief und sprachlos, kein Verkehr auf der Straße, Jahrhunderte überblendet, die 1940er über die 1640er.

Es war wichtig, die Gedanken nicht zu tief gehen zu lassen. Es war wichtig, mich von der Energie des Traums, der mir ins Wachsein gefolgt war, tragen zu lassen. Weil ich kein Niederländisch sprach, würde ich ins amerikanische Konsulat gehen und dort jemanden bei der holländischen Polizei anrufen lassen. Ich würde einem Konsulatsmitarbeiter das Weihnachtsfest verderben, das festliche Familienessen. Aber ich vertraute mir selbst nicht, um noch zu warten. Vielleicht wäre es eine gute Idee hinunterzugehen, mir die Website des Außenministeriums anzusehen und mich über meine Rechte als amerikanischer Staatsbürger zu informieren – es gab sicher viele Gegenden auf der Welt, in denen die Gefängnisse schlechter waren als in den Niederlanden, und wenn ich offen alles erzählte, was ich wusste (von Horst und Sascha, Martin und Frits, Frankfurt und Amsterdam), würden sie das Bild vielleicht aufspüren können.

Aber man konnte nie wissen, wie es laufen würde. Sicher war nur eins: Die Zeit des Ausweichens war vorbei. Was immer auch passierte, ich wollte nicht sein wie mein Vater und tricksen und deichseln bis zum letzten Moment, da der Wagen sich überschlug und krachend in Flammen aufging. Ich würde für alles geradestehen und akzeptieren, was ich verdiente. In diesem Sinne ging ich geradewegs ins Bad und spülte den Glassinumschlag ins Klo.

Und das war's: genauso schnell wie bei Martin und genauso unwiderruflich. Wie hatte mein Dad so gern gesagt? *Deine Suppe musst du auslöffeln.* Nicht, dass er es je getan hätte.

Ich war in allen Ecken des Zimmers gewesen und hatte getan, was getan werden musste – nur die Briefe waren noch da. Schon beim Anblick der Handschrift zog ich schmerzlich den Kopf ein. Aber – mein klares Bewusstsein brachte mich noch einmal zurück: Ich *musste* Hobie schreiben – nicht das selbstmitleidige Genudel des Betrunkenen, sondern ein paar geschäftsmäßige Zeilen: wo das Scheckheft lag, das Kassenbuch, der Schließfachschlüssel. Wahrscheinlich konnte ich die Möbelfälschereien auch gleich schriftlich zugeben und glasklar feststellen, dass er nichts davon gewusst hatte. Vielleicht konnte ich es im Konsulat notariell beglaubigen lassen, und vielleicht würde Holly (oder sonst wer) Mitleid haben und jemanden dazurufen, der als Zeuge fungierte, bevor sie die Polizei informierten. Grisha könnte vieles bestätigen, ohne sich selbst zu belasten: Wir hatten nie darüber gesprochen, er hatte mir keine Fragen gestellt, aber er hatte gewusst, dass es nicht koscher war – die dauernden heimlichen Ausflüge zum Lagercontainer.

Blieben also noch Pippa und Mrs. Barbour. Gott, die Briefe, die ich Pippa geschrieben und nie abgeschickt hatte! Mein bester, mein kreativster Versuch – nach dem katastrophalen Besuch mit Everett – hatte begonnen und geendet mit einer Zeile, die ich als leicht und anrührend empfunden hatte: *Gehe für ein Weilchen weg.* Damals war es mir wie der scheinbare Abschiedsbrief eines Selbstmörders erschienen, in der bündigen Kürze jedenfalls: ein kleines Meisterwerk. Leider hatte ich die Dosis falsch berechnet und war zwölf Stunden später auf einem vollgekotzten Bett aufgewacht und hatte, immer noch krank wie ein Hund, die Treppe hinuntertaumeln müssen, weil um zehn eine Besprechung mit dem Finanzamt stattfand.

Aber davon abgesehen: Ein Abschiedsbrief von einem, der ins Gefängnis ging, war etwas anderes und blieb besser ungeschrieben. Pippa konnte ich nichts vormachen; sie wusste, wer ich war, und ich hatte ihr nichts zu bieten. Ich war Krankheit, Instabilität – alles, was sie nicht haben wollte. Das Gefängnis würde ihr nur bestätigen, was sie schon wusste. Ich konnte nichts Besseres tun, als den Kontakt abzubrechen. Wenn mein Vater meine Mutter wirklich geliebt hätte – wirklich so geliebt hätte, wie er es angeblich einmal getan hatte –, hätte er dann nicht das Gleiche getan?

Und dann – Mrs. Barbour. Es war die Erkenntnis auf dem sinkenden Schiff, diese extrem überraschende Einsicht über einen selbst, die man erst im absolut letzten Augenblick hatte, wenn die Rettungsboote zu Wasser gelassen wurden und das Schiff in Flammen stand – aber am Ende, wenn ich daran dachte, mich umzubringen, war sie diejenige, der ich es nicht antun konnte. Ich brachte es nicht über mich.

Ich verließ das Zimmer – wollte hinuntergehen, um mich nach FedEx zu erkundigen, und mir die Website des Außenministeriums ansehen, bevor ich das Konsulat anrief – und blieb sofort wieder stehen. Am Türknauf hing eine kleine, mit einer Schleife zugebundene Tüte Süßigkeiten mit einer handbeschriebenen Karte: *Merry Christmas!* Irgendwo lachten Leute, und der köstliche Duft von starkem Kaffee und verbranntem Zucker und frisch gebackenem Brot vom Zimmerservice wehte durch den Korridor. Jeden Morgen hatte ich mir das Hotelfrühstück auf mein Zimmer bestellt und mich grimmig hindurchgepflügt – sollte Holland nicht berühmt sein für seinen Kaffee? Aber ich hatte ihn jeden Tag getrunken und überhaupt nichts geschmeckt.

Ich schob die Süßigkeitentüte in meine Jacketttasche, blieb auf dem Korridor stehen und atmete tief. Selbst ein zum Tode Verurteilter durfte sich seine letzte Mahlzeit aussuchen – ein Gesprächsthema, das Hobie (selbst ein unermüdlicher Koch und ein genussvoller Esser) mehr als einmal am Ende eines Abends beim Armagnac angesprochen hatte, während er nach leeren Schnupftabaksdosen und einzelnen Untertassen suchte, die seine Gäste als Aschenbecher benutzen konnten: Für ihn war es eine metaphysische Frage, über die man am besten mit vollem Magen nachdachte, wenn die Desserts abgeräumt waren und der letzte Teller mit Jasmin-Karamell herumgereicht wurde, denn – wenn man wirklich auf das Ende schaute, auf das Ende der Nacht, wenn man die Augen schloss und der Erde zum Abschied zuwinkte – was würde man da tatsächlich wählen? Irgendeine tröstliche Erinnerung an die Vergangenheit? das einfache Brathuhn eines vergessenen Sonntags der Kindheit? Oder – ein letzter Griff nach dem Luxus, nach dem Ende des Horizonts – Fasan mit Torfbeeren und weiße Trüffel aus Alba? Was mich anging: Ich hatte gar nicht gewusst, dass ich Hunger hatte, bis ich in den Korridor hinaustrat, aber in diesem Augenblick, als ich dastand mit einem wunden Magen und einem schlechten Geschmack im Mund und der Aussicht auf das, was meine letzte frei gewählte Mahlzeit sein würde, war mir, als hätte ich noch nie etwas so Köstliches gerochen wie diese zuckrige Wärme: Kaffee und Zimt und die einfachen Brötchen mit Butter vom Continental Breakfast. Komisch, dachte ich, als ich ins Zimmer zurückging und die Speisekarte vom Zimmerservice in die Hand nahm: sich etwas so Leichtes zu wünschen, einen solchen Appetit auf den Appetit selbst zu haben.

Vrolijk Kerstfeest!, sagte der Kellner eine halbe Stunde später – ein stämmiger, zerzauster Teenager, geradewegs aus einem Jan Steen, mit

964

einem Lamettakranz um den Kopf und einem Stechpalmenzweig hinter dem Ohr.

Schwungvoll hob er die silbernen Kuppen von seinem Tablett. »Spezielles holländisches Weihnachtsbrot«, sagte er und zeigte ironisch darauf. »Gibt's nur heute.« Ich hatte das »Festliche Champagnerfrühstück« bestellt. Es bestand aus einer Piccoloflasche Champagner, getrüffeltem Rührei mit Kaviar, Obstsalat, einem Teller Räucherlachs, einer Scheibe Pâté und einem halben Dutzend Schälchen mit Sauce, Cornichons, Kapern, Gewürzen und Silberzwiebeln.

Er hatte den Champagner geöffnet und war gegangen (nachdem ich ihm fast alle meine restlichen Euros als Trinkgeld gegeben hatte), und ich hatte mir eine Tasse Kaffee eingegossen und probierte vorsichtig, ob ich ihn vertragen würde (mir war immer noch flau, und er duftete aus der Nähe nicht mehr ganz so köstlich), als das Telefon klingelte.

Es war die Rezeption. »Frohe Weihnachten, Mr. Decker«, sagte er hastig. »Ich bedaure, aber leider ist jemand auf dem Weg zu Ihnen hinauf. Wir haben versucht, ihn hier unten aufzuhalten.«

»Was?« Ich erstarrte. Die Tasse schwebte vor meinem Mund.

»Auf dem Weg nach oben. Jetzt. Ich habe versucht, es zu verhindern, habe ihn gebeten zu warten, aber nein. Das heißt, mein Kollege hat ihn gebeten. Aber er ist raufgegangen, bevor ich zum Telefon kommen konnte …«

»Ah.« Ich sah mich im Zimmer um. Meine ganze Entschlossenheit war augenblicklich verflogen.

»Mein Kollege« – er sagte gedämpft etwas zur Seite –, »mein Kollege ist eben hinterhergelaufen – es ging alles ganz plötzlich, und ich dachte, ich sollte …«

»Hat er einen Namen genannt?« Ich ging zum Fenster und überlegte, ob ich es mit einem Stuhl zerschlagen könnte. Mein Zimmer lag in keinem der oberen Stockwerke – ein Sprung wäre möglich.

»Nein, Sir.« Er sprach sehr schnell. »Wir konnten nicht – das heißt, er war sehr entschlossen. Er war an der Rezeption vorbei, bevor …« Aufruhr im Korridor. Jemand rief etwas auf Holländisch.

»… wir sind heute Morgen unterbesetzt, wie Sie sich sicher denken können …«

Ein entschlossenes Hämmern an der Tür – ein grobes, nervöses Zusammenfahren wie angesichts der nie mehr endenden Explosion, die aus Martins Stirn spritzte, ließ meinen Kaffee durch die Luft fliegen. *Scheiße,* dachte ich mit einem Blick auf Hemd und Anzug. Ruiniert. Hätten sie damit nicht bis nach dem Frühstück warten können? Dann wiederum, dachte ich, als ich mein Hemd mit der Serviette betupfte und grimmig zur Tür starrte: Vielleicht waren es Martins Leute. Vielleicht würde es schneller gehen, als ich dachte.

Aber als ich die Tür aufriss – ich traute meinen Augen kaum –, stand da Boris. Zerknittert, mit roten Augen, abgespannt. Schnee in den Haaren, Schnee auf den Schultern seines Mantels. Ich war zu verblüfft, um erleichtert zu sein. »Was …?«, fragte ich, als er mich umarmte, und wandte mich dann an den entschlossen blickenden Portier, der mit schnellen Schritten durch den Korridor auf uns zukam: »Nein, es ist alles in Ordnung.«

»Sehen Sie? Warum soll ich warten? Warum soll ich warten?«, rief er wütend und fuchtelte mit dem Arm in die Richtung des Portiers, der wie angewurzelt stehen geblieben war und uns anstarrte. »Hab ich es nicht gesagt? Ich habe gesagt, ich weiß, wo sein Zimmer ist! Woher soll ich wissen, wenn nicht wäre mein Freund?« Er drehte sich zu mir um. »Ich weiß nicht, warum dieser Aufstand. Lächerlich! Ich stehe ewig da rum, und niemand ist da! Niemand! Wüste Sahara!« Er funkelte den Mann an. »Warten, warten! Klingeln! Und kaum gehe ich rauf – ›Moment, Sir, Moment‹‹ – mit winselnder Babystimme – »›kommen Sie zurück‹ –, und dann rennt *er* hinter mir her …«

»Danke«, sagte ich zu dem Portier, besser gesagt, zu seinem Rücken, denn nach ein paar überraschten Blicken von einem zum andern hatte er sich wortlos umgedreht und ging weg. »Vielen Dank! Im Ernst«, rief ich ihm durch den Korridor nach. Es war ja gut zu wissen, dass sie Leute aufhielten, die einfach nach oben stürmen wollten.

»Selbstverständlich, Sir.« Er sah sich gar nicht um. »Frohe Weihnachten.«

966

»Lässt du mich jetzt rein?«, fragte Boris, als die Aufzugtür sich geschlossen hatte und wir allein waren. »Oder bleiben wir hier stehen und starren uns zärtlich an?« Er roch ranzig, als habe er seit Tagen nicht geduscht, und in seinem Blick lag leise Verachtung und große Selbstzufriedenheit.

»Ich ...« Ich hatte Herzklopfen, und mir war wieder schlecht. »Für einen Moment, ja.«

»Für einen Moment?« Er musterte mich geringschätzig. »Musst du irgendwohin?«

»Ehrlich gesagt, ja.«

»Potter ...« Beinahe humorvoll stellte er seine Tasche ab und befühlte meine Stirn mit den Fingerknöcheln. »Du siehst schlecht aus. Hast du Fieber. Siehst aus, als ob du gerade den Panama-Kanal gegraben hättest.«

»Mir geht's bestens«, sagte ich knapp.

»Siehst du aber nicht bestens aus. Du bist weiß wie ein Fischbauch. Wieso bist du so angezogen? Wieso gehst du nicht ans Telefon? Was ist das?« Sein Blick ging an mir vorbei, und er hatte das Frühstückstablett entdeckt.

»Bitte. Bediene dich.«

»Na, wenn du nichts dagegen hast, gern. Was für eine Woche. Bin die ganze Nacht herumgefahren. Eine beschissene Art, den Heiligen Abend zu verbringen.« Schulterzuckend warf er den Mantel ab und ließ ihn auf den Boden fallen. »Na, um die Wahrheit zu sagen, ich hab's schon oft schlimmer getroffen. War wenigstens kein Verkehr auf der Autobahn. Mussten unterwegs an einem grässlichen Laden Halt machen. War sonst nichts offen. Tankstelle, Frankfurter Würstchen mit Senf, normalerweise mag ich gern, aber, o mein Gott, mein Magen ...« Er hatte sich ein Glas von der Minibar genommen und goss sich Champagner ein.

»Und du hier.« Er wedelte mit der Hand. »Feines Leben. Im Schoß des Luxus.« Er hatte seine Schuhe abgestreift und wackelte mit den Zehen in feuchten Socken. »Gott, meine Füße sind erfroren. Sehr matschig auf der Straße – Schnee wird zu Wasser.« Er zog einen Stuhl heran. »Setz dich zu mir. Iss was. Sehr gutes Timing.« Er hob die Glocke von dem Warmhalteteller und schnupperte an dem getrüffelten Ei. »Köstlich! Und noch heiß! Was – was ist das?«, fragte er, als ich in die Tasche griff und ihm Juris Ring reichte. »Ach so, ja! Hab ich vergessen. Egal. Kannst du ihm selbst zurückgeben.«

»Nein, mach du das für mich.«

»Na, wir sollte ihn anrufen. Das hier ist Festmahl genug für fünf Leute. Lass uns unten anrufen« – er hob die Champagnerflasche hoch und betrachtete den Pegelstand, als wäre es eine Tabelle mit beunruhigenden Finanzdaten – »und noch eine davon bestellen, eine ganze Flasche, vielleicht zwei, und noch mehr Kaffee oder vielleicht Tee?« Er rückte mit seinem Stuhl näher heran. »Ich hab einen Mordshunger! Ich sage ihm«, er nahm ein Stück Räucherlachs und ließ es über dem Mund baumeln, bevor er es verschlang und sein Handy aus der Tasche holte, »ich sage ihm, er soll den Wagen irgendwo abstellen und zu Fuß herkommen, ja?«

»Okay.« Etwas in mir war bei seinem Anblick gestorben – fast wie in meiner Kindheit bei meinem Dad: stundenlang allein zu Hause, dann die unwillkürliche Woge der Erleichterung, wenn ich seinen Schlüssel im Schloss hörte, und sofort danach das hohle Gefühl im Bauch bei seinem tatsächlichen Anblick.

»Was ist?« Er leckte sich geräuschvoll die Finger ab. »Du willst nicht, dass Juri kommt? Der mich die ganze Nacht gefahren hat? Der kein Auge zugetan hat? Lass ihn wenigstens ein bisschen frühstücken.« Er machte sich über das Rührei her. »Ist eine Menge passiert.«

»Mir auch.«

»Wo wolltest du hin?«

»Bestell dir, was du willst.« Ich nahm die Schlüsselkarte aus der Tasche und gab sie ihm. »Ich lasse den Endbetrag offen. Sie sollen es auf die Zimmerrechnung setzen.«

»Potter …« Er warf die Serviette hin und kam mir nach, blieb dann aber stehen und fing zu meiner Überraschung an zu lachen. »Na, dann geh. Zu deinem neuen Freund oder deiner neuen Beschäftigung, die so wichtig ist!«

»Mir ist viel passiert.«

»Tja«, sagte er selbstgefällig, »ich weiß nicht, was *dir* passiert ist, aber ich sage dir, *mir* ist mindestens fünftausend Mal mehr passiert. Es war eine irre Woche. Während du dich hier im Hotel verwöhnen lässt, habe ich«, er trat vor und legte mir eine Hand auf den Ärmel, »warte.« Sein Telefon hatte geklingelt. Er wandte sich halb ab und sagte schnell etwas auf Ukrainisch, bevor er abbrach und die Verbindung eilig beendete, als er sah, dass ich zur Tür ging.

»Potter.« Er packte mich bei den Schultern und starrte mir fest in die Augen. Dann drehte er mich um und schloss die Tür mit einem Fußtritt. »*Verdammt,* was soll denn das? Bist du wie ›Nacht der Zombies‹. Wie hieß der Film, den wir so gern mochten? Der schwarzweiße? Nicht ›die lebenden Toten‹, sondern der lyrische …?«

»*Ich folgte einem Zombie.* Val Lewton.«

»Genau. Den meine ich. Setz dich hin. Das Gras hier ist sehr, sehr stark, selbst wenn man dran gewöhnt ist. Ich hätte dich warnen sollen …«

»Ich habe kein Gras geraucht.«

»… denn ich kann dir sagen, als ich das erste Mal hier war, mit zwanzig vielleicht, da hab ich jeden Tag einen ganzen Baum geraucht und gedacht, ich vertrage alles, aber – o mein Gott. Selbst schuld – hab ich mich bei dem Typen im Coffeeshop aufgeführt wie ein Idiot. ›Gib mir das Stärkste, was ihr habt!‹ Hat er getan. Drei Hits, und ich konnte nicht mehr gehen! Nicht mehr stehen! Als ob ich nicht mehr wüsste, wie ich meine Füße bewegen muss! Tunnelsicht, keine Kontrolle über die Muskeln. Kompletter Realitätsverlust!« Er hatte mich zum Bett bugsiert, setzte sich neben mich und legte mir den Arm um die Schultern. »Und, ich meine, du kennst mich, aber – nie im Leben! Herzrasen, als würde ich rennen und rennen, und dabei saß ich ganz still – keine Ahnung von meiner Umgebung – schrecklich dunkel! Ganz allein, und ich hab ein bisschen geweint, weißt du, hab im Geiste mit Gott gesprochen, ›was hab ich getan? womit hab ich das verdient?‹. Kann mich nicht erinnern, wie ich da weggegangen bin! Wie ein Albtraum. Und das war Gras, wohlgemerkt. Gras! Kam auf die Straße raus, Beine wie Gummi, hab mich an einem Fahrradständer festgeklammert, in der Nähe von Damrak. Ich dachte, der Verkehr kommt auf den Gehweg und macht mich platt. Schließlich hab ich den Weg zu der Wohnung meiner Freundin in der Jordaan gefunden und lange in der Badewanne gelegen, aber ohne Wasser. Also …« Misstrauisch betrachtete er meine kaffeefleckige Hemdbrust.

»Ich habe kein Gras geraucht.«

»Weiß ich, hast du schon gesagt! Hab dir nur eine Geschichte erzählt. Ich dachte, vielleicht findest du ein bisschen interessant. Na, schadet nichts«, sagte er. »Von mir aus.« Das Schweigen, das folgte, nahm kein Ende. »Ich hab vergessen – vergessen zu sagen«, er goss mir ein Glas Mineralwasser ein, »nach dem, was ich dir erzählt habe? Auf dem Damrak? Drei Tage lang ging es mir schlecht. Mein Mädchen sagt: ›Lass uns ausgehen, Boris, du kannst hier nicht rumliegen und das Wochenende verplempern.‹ Hab gekotzt im Van-Gogh-Museum. Hatte echt Klasse.«

Das kalte Wasser, das mir durch die wunde Kehle floss, machte mir Gänsehaut und weckte eine geradezu körperliche Erinnerung aus meiner Kindheit: schmerzhaft helle Wüstensonne, ein schmerzhafter Kater am Nachmittag, Zähneklappern in klimatisierter Kälte. Boris und ich, so krank, dass wir immer wieder würgten und über das Würgen lachten, sodass wir noch heftiger würgten. Altbackene Cracker aus einer Schachtel in meinem Zimmer blieben uns im Hals stecken.

»Na«, Boris warf mir einen verstohlenen Seitenblick zu, »vielleicht ist auch ein Virus im Umlauf. Wenn nicht Weihnachten wäre, würde ich runterlaufen und dir was für deinen Magen holen. Hier, hier …« Er löffelte etwas auf einen Teller und hielt ihn mir hin. Dann nahm er die Champagnerflasche aus dem Eiskübel, betrachtete noch einmal den Restpegel und schüttete dann alles in mein halb leeres Orangensaftglas (halb leer, weil er selbst davon getrunken hatte).

»Hier.« Er hob sein Glas. »Frohe Weihnachten! Ein langes Leben für uns beide! Christus ist geboren, lasset uns ihn preisen! Und jetzt«, er trank, kippte die Brötchen auf das Tischtuch und löffelte sich etwas zu essen in die Keramikschale, »es tut mir leid, ich weiß, du willst alles hören, aber ich habe Hunger und muss zuerst etwas essen.«

Pâté. Kaviar. Weihnachtsbrot. Trotz allem hatte ich jetzt auch Hunger, und ich beschloss, dankbar für den Augenblick und für das Essen auf meinem Teller zu sein. Ich fing an zu essen, und eine Weile sagte keiner von uns etwas.

»Besser?«, fragte er schließlich und sah mich an. »Du bist erschöpft.« Er nahm sich noch Lachs. »Ist ’ne üble Grippe unterwegs. Shirley hat sie auch.«

Ich sagte nichts. Ich hatte gerade erst angefangen, mich auf die Tatsache einzustellen, dass er hier bei mir im Zimmer war.

»Ich dachte, du bist unterwegs mit einem Mädel. Also – wo Juri und ich gewesen sind«, fuhr er fort, als ich nicht antwortete. »In Frankfurt. Na ja, das weißt du. War vielleicht eine verrückte Zeit! Aber …« Er trank seinen Champagner aus, ging zur Minibar, hockte sich davor und spähte hinein.

»Hast du meinen Pass?«

»Ja, ich habe deinen Pass. Wow, was für ein schöner Wein! Und all die schönen Absolut-Minis!«

»Wo ist er?«

»Ah …« Er kam zurück mit einer Flasche Rotwein unter dem Arm und drei Mini-Fläschchen Wodka, die er in den Eiskübel legte. »Hier, bitte.« Er angelte ihn aus der Tasche, warf ihn achtlos auf den Tisch und setzte sich. »Wollen wir anstoßen?«

Ich saß reglos auf dem Bett und hielt den halb leeren Teller auf dem Schoß. Mein Pass.

In dem lang gezogenen Schweigen steckte Boris die Hand über den Tisch und schnippte mit dem Mittelfinger gegen mein Champagnerglas. Das scharfe kristallene Klingen hörte sich an, als klopfe jemand nach dem Essen mit dem Löffel an sein Glas.

»Darf ich um deine Aufmerksamkeit bitten?«, fragte er ironisch.

»Was?«

»Anstoßen?« Er hielt mir sein Glas schräg entgegen.

Ich rieb mir die Stirn. »Auf was?«

»Hä?«

»Auf was genau willst du anstoßen?«

»Auf Weihnachten? Die Gnade Gottes? Genügt das?«

Das Schweigen zwischen uns war nicht wirklich feindselig, aber je länger es dauerte, desto wütender und unbeherrschbarer fühlte es sich an. Schließlich ließ Boris sich auf seinen Stuhl zurückfallen, deutete mit dem Kopf auf mein Glas und sagte: »Ich frage ungern, aber wenn du mich fertig angestarrt hast, können wir dann vielleicht …?«

»Ich muss das alles irgendwann mal verstehen.«

»Was?«

»Ich glaube, ich muss das alles irgendwann in meinem Kopf sortieren. Das wird ziemlich viel Arbeit werden. Die eine Sache hier, zum Beispiel … dann die andere da. Zwei verschiedene Stapel. Vielleicht drei.«

»Potter, Potter, Potter …« Zärtlich, halb verächtlich, beugte er sich vor. »Du bist ein Holzkopf. Du hast keinen Sinn für Dankbarkeit oder Schönheit.«

»›Keinen Sinn für Dankbarkeit.‹ Ich glaube, darauf trinke ich.«

»Was? Erinnerst du dich nicht mehr an unser glückliches Weihnachtsfest damals? In jenen glücklichen, längst vergangenen Zeiten? Die nie mehr wiederkommen? Dein Dad«, eine ausladende, schwungvolle Handbewegung, »an dem Tisch im Restaurant? Unser Festmahl, unsere Freude? Unsere glückliche Feier? Ehrst du dieses Andenken nicht in deinem Herzen?«

»Herrgott noch mal.«

»Potter«, er hielt den Atem an, »du bist eine Nummer. Schlimmer als eine Frau. ›Schnell, beeil dich.‹ ›Mach schon, los.‹ Hast du meine SMS nicht gelesen?«

Boris hatte nach seinem Glas gegriffen, aber jetzt hielt er inne. Er warf einen kurzen Blick auf den Boden, und plötzlich wurde mir bewusst, dass die Tasche neben seinem Stuhl stand.

Amüsiert schob Boris den Daumennagel zwischen seine Schneidezähne. »Na, mach schon.«

972

Die Worte schwebten über dem verwüsteten Frühstück. Verzerrte Spiegelbilder in der Kuppel auf dem Silberteller.

Ich nahm die Tasche und stand auf, und sein Lächeln verblasste, als ich zur Tür ging.

»Warte!«, sagte er.

»Worauf?«

»Willst du nicht aufmachen?«

»Hör zu …« Ich kannte mich zu gut. Ich wagte nicht zu warten; ich würde nicht zulassen, dass das Gleiche zweimal passierte.

»Was hast du vor? Wo willst du hin?«

»Ich bringe es nach unten. Damit sie es dort in den Tresor schließen.« Ich wusste gar nicht, ob es dort einen Safe gab, aber ich wollte das Bild nicht mehr in meiner Nähe haben. Bei Fremden war es sicherer, in einer Garderobe, irgendwo. Außerdem würde ich die Polizei anrufen, sobald Boris gegangen wäre, aber nicht vorher: Es gab keinen Grund, ihn mit hineinzuziehen.

»Du hast nicht mal aufgemacht! Du weißt gar nicht, was es ist!«

»Nehme ich zur Kenntnis.«

»Was zum Teufel soll das heißen?«

»Vielleicht brauche ich gar nicht zu wissen, was es ist.«

»Ach nein? Vielleicht aber doch. Es ist nicht das, was du denkst«, fügte er ein bisschen selbstzufrieden hinzu.

»Nein?«

»Nein.«

»Woher weißt du, was ich denke?«

»Natürlich weiß ich, was du denkst! Und – du irrst dich. Sorry. Aber«, er hob die Hände, »es ist was viel, viel Besseres.«

»Besser als …?«

»Ja.«

»Wie kann es *besser* sein?«

»Ist es einfach. Viel, viel besser. Das wirst du mir einfach glauben müssen. Mach auf und sieh nach.« Er nickte knapp mit dem Kopf.

»Was ist das?«, fragte ich wie vom Donner gerührt ungefähr eine halbe Minute später, als ich einen Klotz von Hundertern – Dollarscheine – nach dem anderen aus der Tasche gehoben hatte.

»Das ist noch nicht alles.« Er rieb sich mit dem Handballen den Hinterkopf. »Nur ein Bruchteil.«

Ich starrte das Geld an, dann ihn. »Ein Bruchteil wovon?«

»Na ja«, er grinste spöttisch, »ich dachte, ist dramatischer in bar, nicht wahr?«

Gedämpfte Comedy-Stimmen drangen durch die Wand, die artikulierten Kadenzen einer TV-Lachkonserve.

»Schönere Überraschung für dich! Wohlgemerkt, ist nicht alles. US-Währung, dachte ich, ist für dich praktischer zum Zurückbringen. Was du mit hergebracht hast – ein bisschen mehr. Tatsächlich haben sie noch gar nicht gezahlt. Noch ist kein Geld rübergekommen. Aber – ich hoffe, bald.«

»Sie? Wer hat nicht gezahlt? Wofür gezahlt?«

»Dieses Geld ist meins. Eigenes, privates. Aus dem Safe zu Hause. War in Antwerpen, um es zu holen. Ist schöner für dich – schöner zum Aufmachen, oder? Am Weihnachtsmorgen? Ho, ho, ho? Aber du hast noch eine Menge mehr zu kriegen.«

Ich drehte ein Geldbündel um und schaute es an, hin und her. Banderole von der Citibank.

»Vielen Dank, Boris!‹ Oh, kein Problem«, sagte er ironisch. »Gern geschehen.«

Geld in Bündeln. Außer der Reihe. Frisch in der Hand. Ganz offensichtlich gehörte eine Geschichte, ein Gefühl, zu dem Ganzen, aber ich hatte noch nicht kapiert, was es war.

»Wie gesagt – ein Bruchteil. Zwei Millionen Euro. In Dollar viel mehr. Also – frohe Weihnachten! Mein Geschenk für dich! Ich kann dir für den Rest ein Konto in der Schweiz eröffnen und dir ein Sparbuch geben, und so – was ist los?« Er schrak beinahe körperlich zurück, als ich das Geldbündel in die Tasche legte, sie zumachte und zu ihm zurückschob. »Nein! Es gehört dir!«

»Ich will es nicht.«

»Ich glaube, du verstehst es nicht. Lass mich erklären, bitte.«

»Ich habe gesagt, ich will es nicht.«

»Potter.« Er verschränkte die Arme und sah mich kalt an. Mit dem gleichen Blick hatte er mich in der Polen-Bar angeschaut. »Ein anderer Mann würde jetzt lachend hinausspazieren und nie mehr zurückkommen.«

»Warum tust du es dann nicht?«

»Ich«, er sah sich im Zimmer um, als fände er den Grund nicht, »ich sage dir, warum nicht! Um der alten Zeiten willen. Auch wenn du mich behandelst wie einen Verbrecher. Und weil ich es dir wiedergutmachen will …«

»Was willst du mir wiedergutmachen?«

»Wie?«

»Was du mir wiedergutmachen willst? Erklärst du mir das? Woher zum Teufel stammt dieses Geld? *Verdammte Scheiße,* wie willst du damit irgendetwas in Ordnung bringen?«

»Aber du solltest nicht gleich voreilige …«

»Das Geld interessiert mich nicht!« Ich schrie fast. »Ich will das Bild! Wo ist das Bild?«

»Wenn du eine Sekunde wartest, statt sofort an die Decke …«

»Wofür ist dieses Geld? Woher kommt es? Was ist die genaue Quelle? Bill Gates? Der Weihnachtsmann? Die Zahnfee?«

»Bitte. Du bist wie dein Dad mit deiner Dramatik.«

»Wo ist es? Was hast du damit gemacht? Es ist weg, ja? Eingetauscht? Verkauft?«

»Nein, natürlich habe ich – hey«, hastig schob er seinen Stuhl zurück, »Himmel, Potter, beruhige dich. Selbstverständlich habe ich es nicht verkauft. Warum sollte ich so was tun?«

»Ich weiß es nicht! Woher soll ich das wissen? Was sollte das alles? Was hatte es für einen Sinn? Warum bin ich überhaupt mit dir hierhergekommen? Wieso musstest du mich da reinziehen? Hast du gedacht, du nimmst mich mit, damit ich dir helfe, Leute umzubringen? Ist es das?«

»Ich habe in meinem Leben noch niemanden umgebracht«, sagte Boris hochfahrend.

»O Gott. Hast du das gerade wirklich gesagt? Und soll ich jetzt lachen? Habe ich wirklich gerade gehört, wie du gesagt hast, du hättest noch nie ...«

»Das war Notwehr. Das weißt du. Ich laufe nicht rum und verletze aus Spaß andere Leute, aber ich schütze mich selbst, wenn es nötig ist. Und du«, sagte er und schnitt mir herrisch das Wort ab, »was Martin angeht, und abgesehen von der Tatsache, dass ich jetzt nicht hier wäre und du wahrscheinlich auch nicht ...«

»Tust du mir einen Gefallen? Wenn du schon nicht die Klappe halten kannst? Stellst du dich vielleicht einen Moment dahinten hin? Denn ich will dich gerade wirklich nicht in meinem Blickfeld haben.«

»... was Martin angeht, würde die Polizei, wenn sie Bescheid wüsste, dir wahrscheinlich einen Orden verleihen, und viele andere auch, Unschuldige, die nicht mehr leben, seinetwegen. Martin war ...«

»Eigentlich könntest du auch gleich gehen. Das ist wahrscheinlich noch besser.«

»Martin war ein Teufel. Kein Mensch. Nicht seine Schuld. Er wurde so geboren. Keine Gefühle, weißt du? Ich habe Martin schon viel schlimmere Sachen mit Leuten machen sehen, als sie bloß zu erschießen. Nicht mit *uns*«, sagte er hastig und wedelte mit der Hand, als sei dies der Kern aller Missverständnisse. »Uns, uns hätte er aus Höflichkeit erschossen, ohne seine anderen Schlechtigkeiten und Bösartigkeiten. Aber – war Martin ein guter Mensch? Ein richtiges menschliches Wesen? Nein. War er nicht. Und Frits war auch kein Blümchen. Also – deine Reue und deinen Schmerz – das musst du in einem anderen Licht sehen. Du musst es als Heldentum im Dienste eines höheren Wohls betrachten. Du darfst das Leben nicht ständig aus einer so finsteren Perspektive sehen, weißt du, das ist ganz schlecht für dich.«

»Kann ich dich was fragen?«

»Alles.«

»Wo ist das Bild?«

»Hör zu.« Boris seufzte und schaute weg. »Ich habe mein Bestes getan. Ich weiß, wie sehr du es dir gewünscht hast. Ich dachte nicht, dass du *so* aufgebracht sein würdest, weil du es nicht hast.«

»Kannst du mir einfach sagen, wo es ist?«

»Potter«, Hand aufs Herz, »es tut mir leid, dass du so wütend bist. Damit habe ich nicht gerechnet. Aber du hast gesagt, du wolltest es sowieso nicht behalten. Du wolltest es zurückgeben. Hast du das nicht gesagt?«, fügte er hinzu, als ich ihn nur anstarrte.

»Wieso zum Teufel ist das wichtig?«

»Na, ich sag's dir! Wenn du mal den Mund hältst und mich reden lässt! Statt hier mit Schaum vor dem Mund herumzumeckern und uns das Weihnachtsfest zu verderben!«

»Wovon redest du?«

»Idiot.« Er klopfte sich mit den Knöcheln an die Schläfe. »Woher, glaubst du, kommt dieses Geld?«

»*Scheiße,* woher soll ich das wissen?«

»Das ist die Belohnung!«

»Belohnung?«

»Ja! Für unversehrte Rückgabe!«

Es dauerte einen Moment. Ich stand. Ich musste mich hinsetzen.

»Bist du sauer?«, fragte Boris vorsichtig.

Stimmen auf dem Korridor. Stumpfes Winterlicht blinkte auf dem Messingschirm der Lampe.

»Ich dachte, du freust dich. Nicht?«

Ich hatte mich noch nicht wieder so weit erholt, dass ich sprechen konnte. Ich konnte ihn nur völlig perplex anstarren.

Als Boris mein Gesicht sah, schüttelte er sich das Haar aus dem Gesicht und lachte. »Die Idee war doch von dir! Ich glaube, du weißt nicht, wie großartig sie war! Genial! Ich wünschte, ich wäre selbst drauf gekommen. ›Ruf die Kunst-Cops an! Ruf die Kunst-Cops an!‹ Ja – verrückt! Dachte ich jedenfalls. Du hast sie nicht alle, was dieses Thema angeht – um ganz ehrlich zu sein. Aber dann«, er zuckte die Achseln, »nahmen die unglückseligen Ereignisse ihren Lauf, wie du nur zu genau weißt, und nachdem wir uns auf der Brücke getrennt hatten, hab ich mit Cherry gesprochen, was machen wir jetzt, was machen wir jetzt, händeringend, und dann haben wir uns ein bisschen umgesehen und«, er hob mir sein Glas entgegen, »ja, tatsächlich war es eine geniale Idee! Warum sollte ich an dir zweifeln? Jemals? Du warst der Kopf hinter der ganzen Sache, von Anfang an! Während ich in Alaska bin und fünf Meilen weit bis zur nächsten Tankstelle latsche, um einen Nestlé-Riegel zu klauen – na, sieh dich an. Das Superhirn! Warum sollte ich je an dir zweifeln? Ich seh's mir genau an, und«, er riss die Arme hoch, »du hattest recht. Wer hätte das gedacht? Da ist über eine Million Dollar Belohnung für dein Bild ausgesetzt! Nicht mal für das Bild! Für Informationen, die zur Sicherstellung des Bildes führen! Und keine Fragen! Cash, glatt auf die Hand!«

Draußen wehte der Schnee ans Fenster. Nebenan hustete jemand heftig – oder lachte, ich konnte es nicht erkennen.

»Hin und her, hin und her, all die Jahre. Ein Spiel für Trottel. Unpraktisch, gefährlich. Und – das frage ich mich jetzt – wieso hab ich mir die Mühe gemacht? Wo es diesen Haufen legales Geld gab, einfach so, wenn man es haben wollte? Denn du hattest recht: Für die war es eine rein geschäftliche Sache. Sie haben keine einzige Frage gestellt. Wollten nur das Bild zurückhaben.« Boris zündete sich eine Zigarette an und ließ das Streichholz zischend in sein Wasserglas fallen. »Ich hab's selbst nicht gesehen. Ich wünschte, ich hätte – aber ich hielt es nicht für eine gute Idee dazubleiben, wenn du verstehst. Ein deutsches Spezialeinsatzkommando! Westen, Gewehre. Alles fallen lassen! Hinlegen! Riesenwirbel, Zuschauer auf der Straße. Ach, ich hätte zu gern Saschas Gesicht gesehen!«

»Du hast die Polizei angerufen?«

»Nein, nicht ich persönlich! Mein Junge Dima – Dima ist wütend auf die Deutschen, wegen der Schießerei in seiner Garage. War ja völlig überflüssig und für ihn eine Menge Kopfschmerzen. Weißt du«, rastlos schlug er die Beine übereinander und blies eine große Rauchwolke von sich, »ich hatte so eine Vorstellung, wo sie das Bild haben könnten. Da gibt's ein Apartment in Frankfurt. Gehörte einer alten Freundin von Sascha. Leute lagern da Sachen. Aber ich wäre verdammt noch mal nicht reingekommen, nicht mal mit einem halben Dutzend Leuten. Schlüssel, Alarmanlage, Kameras, Zahlencode. Gab nur ein Problem.« Er gähnte und wischte sich mit dem Handrücken über den Mund. »Zwei Probleme eigentlich. Erstens, braucht die Polizei einen hinreichenden Verdacht, um das Apartment zu durchsuchen. Du kannst nicht einfach anrufen und sagen, wie der Dieb heißt, als hilfsbereiter anonymer Staatsbürger, wenn du verstehst. Und das zweite Problem – ich wusste die genaue Adresse nicht mehr. Sehr sehr geheim – ich war nur einmal da, spätabends und nicht im allerbesten Zustand. Wusste ungefähr in welcher Gegend – waren früher besetzte Häuser, aber heute sehr hübsch … musste mich von Juri durch die Straßen fahren lassen, auf und ab, auf und ab. Das hat verdammt ewig gedauert. Und schließlich …? Ich hatte eine Häuserreihe, aber ich war nicht hundertprozentig sicher, welches es war. Also bin ich ausgestiegen und zu Fuß gegangen. Obwohl ich Angst hatte, in dieser Straße zu sein – Angst, dass man mich sieht, steige ich aus und gehe zu Fuß. Auf meinen eigenen zwei Füßen. Augen halb geschlossen. Hab mich ein bisschen hypnotisiert, verstehst du, und versucht, mich an die Zahl der Schritte zu erinnern? Sie mit dem Körper zu fühlen? Jedenfalls – aber jetzt greife ich vor. Dima …?« Er tupfte gewissenhaft die Brotkrümel von der Tischdecke. »Die Schwägerin von Dimas Cousin – die Ex-Schwägerin, genau gesagt – ist mit einem Holländer verheiratet, und sie haben einen Sohn namens Anton – einundzwanzig, vielleicht zweiundzwanzig, quietschsauber, Nachname van den Brink – Anton ist niederländischer Staatsbürger und spricht von Kindheit an Holländisch, und das ist hilfreich für uns, wenn du verstehst. Anton«, er knabberte an einem Brötchen, verzog das Gesicht und spuckte ein Roggenkorn aus, das ihm zwischen die Zähne geraten war, »Anton arbeitet in einer Bar, in der viele reiche Leute verkehren, abseits der P. C. Hooftstraat, das ist der schicke Teil von Amsterdam: Gucci-Straße, Cartier-Straße. Ein guter Junge. Spricht Englisch, Holländisch, vielleicht noch zwei Worte Russisch. Jedenfalls, Dima ließ Anton bei der Polizei anrufen und melden, er habe zwei Deutsche

979

gesehen, und auf einen passte die Beschreibung von Sascha – Oma-Brille, ›Kleines Haus in der Prärie‹-Shirt, ein Tribal-Tattoo auf der Hand, das Anton genau nachzeichnen kann, weil wir ihm ein Foto gegeben haben –, jedenfalls ruft Anton die Kunstpolizei an und sagt denen, er hat diese Deutschen sternhagelvoll in seiner Bar gesehen. Sie hätten sich gestritten, und sie waren so wütend und aufgebracht, dass sie was dagelassen hätten – nämlich? Eine Mappe! Natürlich ist es eine manipulierte Mappe. Wir wollten es mit einem Telefon machen, mit einem manipulierten Telefon, aber keiner von uns kennt sich gut genug aus, um sicher zu sein, dass sie nicht auf uns kommen. Also hab ich ein paar Fotos gedruckt … das Foto, das ich dir gezeigt hab, plus ein paar andere, die ich zufällig auf dem Telefon hatte … den Finken mit einer relativ neuen Zeitung daneben, damit man das Datum sieht, weißt du. War 'ne zwei Jahre alte Zeitung, aber egal. Anton hätte diese Mappe ganz zufällig gefunden, verstehst du, unter einem Stuhl, mit ein paar anderen Dokumenten von der Sache in Miami, weißt du, für den Zusammenhang mit einer früheren Sichtung. Frankfurter Adresse praktischerweise gleich dabei und Saschas Name auch. Ist alles Myriams Idee, sie verdient Anerkennung, und du solltest ihr einen großen Drink spendieren, wenn du wieder zu Hause bist. Hat ein paar Sachen per FedEx aus Amerika geschickt – sehr, sehr überzeugend. Saschas Name ist dabei, da ist …«

»Sascha ist im Gefängnis?«

»Das ist er, ja.« Boris gackerte. »Wir kriegen Lösegeld, Museum kriegt Bild, Polizei kann den Fall abschließen, Versicherung kriegt Geld zurück, Öffentlichkeit ist erbaut – alle haben gewonnen.«

»Lösegeld?«

»Belohnung, Lösegeld, wie du willst.«

»Wer hat das Geld gezahlt?«

»Ich weiß es nicht.« Boris machte eine gereizte Handbewegung. »Museum, Staat, Privatmann. Ist das wichtig?«

»Für mich schon.«

»Na, sollte es nicht sein. Du solltest den Mund halten und dankbar sein. Denn«, er hob das Kinn und redete über mich hinweg, »weißt du was, Theo? Weißt du was? Rate mal! Rate, wie viel Glück wir haben! Die haben da drin nicht nur deinen Vogel, sondern – wer hätte das gedacht? – noch viele andere gestohlene Bilder!«

»Was?«

»Zwei Dutzend oder mehr! Manche davon seit vielen Jahren verschwunden! Und – nicht alle sind so hübsch oder schön wie deins. Genau gesagt, die meisten sind es nicht. Ist meine persönliche Meinung. Aber trotzdem sind hohe Belohnungen auf vier oder fünf davon ausgesetzt – höher als auf deins. Und selbst für die nicht so berühmten – 'ne tote Ente, ein langweiliges Bild mit einem fetten Mann, den keiner kennt –, selbst dafür gibt's kleinere Belohnungen, fünfzigtausend hier, hunderttausend da. Wer hätte das gedacht? ›Informationen, die zur Wiederbeschaffung führen.‹ Da kommt was zusammen. Und ich hoffe«, sagte er einigermaßen streng, »du kannst mir deshalb vielleicht verzeihen.«

»Was?«

»Weil – sie sagen, es ist ›eine der großen Kunstrettungen der Geschichte‹. Und das ist der Teil, von dem ich gehofft habe, er würde dir gefallen – vielleicht nicht, wer weiß, aber ich habe es gehofft. Meisterwerke aus den Museen, endlich wieder im öffentlichen Besitz! In der Verwaltung kultureller Schätze! Großes Frohlocken! Die Engel singen! Aber ohne dich wäre das nie passiert.«

Stumm vor Staunen saß ich da.

»Selbstverständlich«, fuhr Boris fort und deutete mit dem Kopf auf die offene Tasche auf dem Bett, »ist das nicht das ganze Geld. Ein hübsches Weihnachtsgeschenk für Myriam und Cherry und Juri. Und ich habe Anton und Dima einen Anteil von dreißig Prozent gegeben, pauschal. Fünfzehn Prozent für jeden. Eigentlich hat Anton die ganze Arbeit gemacht, und deshalb hätte er meiner Meinung nach zwanzig Prozent kriegen müssen und Dima zehn. Aber für Anton ist das eine Menge Geld, und er ist glücklich.«

»Noch andere Bilder wurden sichergestellt. Nicht nur meins.«

»Ja, hast du nicht gehört …?«

»Welche anderen Bilder?«

»Oh, ein paar sehr bekannte, berühmte! Jahrelang verschwunden!«

»Zum Beispiel?«

Boris schnaufte genervt. »Ach, ich weiß die Namen nicht, und du weißt, dass du mich danach nicht fragen darfst. Ein paar moderne Sachen – sehr bedeutend und teuer, und alle waren sehr begeistert, aber offen gesagt, ich verstehe bei manchen den Wirbel nicht. Warum kostet so was so viel, ein Bild wie aus dem Kindergarten? ›Hässlicher Klecks‹. ›Schwarzer Strich mit Krakeln‹. Aber dann eben auch – viele Werke von historischer Größe. Eins war von Rembrandt.«

»Eine Seelandschaft?«

»Nein – Leute in einem dunklen Raum. Bisschen langweilig. Aber ein hübscher van Gogh, ein Meeresufer. Und dann ... ach, ich weiß es nicht ... das Übliche: Maria, Jesus, viele Engel. Sogar ein paar Skulpturen. Und asiatische Kunst. Sah für mich aus, als wär's nichts wert, aber wahrscheinlich war es kostbar.« Boris drückte energisch seine Zigarette aus. »Wobei mir einfällt. Er ist entkommen.«

»Wer?«

»Saschas China Boy.« Er war zur Minibar gegangen und kam mit dem Korkenzieher und zwei Gläsern zurück. »Er war nicht in der Wohnung, als die Cops kamen. Sein Glück. Und wenn er clever ist – was er ist –, kommt er auch nicht wieder.« Er hob die Hand und drückte den Daumen. »Er wird einen anderen reichen Kerl finden, von dem er leben kann. Das ist sein Beruf. Würde ich mir auch gefallen lassen. Jedenfalls«, er biss sich auf die Lippe, als er den Korken herauszog – *plopp!*, »ich wünschte, ich wäre selbst auf die Idee gekommen, schon vor Jahren! Ein fetter, sauberer Scheck! Legales Geld! Statt dieses ›Folge dem hüpfenden Ball‹, so viele Jahre lang. Hin und her«, er wackelte mit dem Korkenzieher, tick, tack, »hin und her. Nervenzerreißend! So viel Zeit, so viele Kopfschmerzen, und die ganze Zeit liegt dieses leicht verdiente Staatsgeld direkt vor meiner Nase! Ich sage dir«, er kam herüber und schenkte mir laut gluckernd von dem Rotwein ein, »in mancher Hinsicht ist Horst wahrscheinlich genauso froh wie du, dass es so gelaufen ist. Er verdient ein paar Dollar genauso gern wie jeder andere, aber er hat auch ein Gewissen, die gleichen Vorstellungen von öffentlichem Wohl, kulturellem Erbe, blablabla.«

»Ich verstehe nicht, was Horst damit zu tun hat.«

»Nein, ich auch nicht, und das werden wir nie erfahren«, sagte Boris mit Entschiedenheit. »Alles sehr vorsichtig und höflich. Und ja, ja«, ungeduldig, verschlagen, trank er rasch einen Schluck Wein, »ja, ich bin wütend auf Horst, ein bisschen, und vielleicht vertraue ich ihm nicht mehr so sehr wie früher, vielleicht vertraue ich ihm überhaupt nicht mehr besonders. Aber – Horst sagt, er hätte Martin nicht losgeschickt, wenn er gewusst hätte, dass wir es waren. Und vielleicht sagt er die Wahrheit. ›Niemals, Boris – niemals hätte ich.‹ Wer kann das wissen? Um ganz ehrlich zu sein – nur so unter uns –, ich glaube, er sagt es vielleicht nur, um sein Gesicht zu wahren. Denn nachdem die Sache mit Martin und Frits in die Hose gegangen ist, was kann er da sonst tun? Außer sich mit Anstand zurückzuziehen? Ahnungslos zu tun? Wohlgemerkt, ich weiß es nicht«, sagte er. »Ist nur eine Theorie von mir. Horst erzählt seine eigene Geschichte.«

»Und die wäre?«

»Horst sagt«, Boris seufzte, »Horst sagt, er wusste nicht, dass Sascha das Bild genommen hatte – erst als wir es uns gegriffen hatten und Sascha aus heiterem Himmel anrief und Horst bat, ihm zu helfen, es zurückzuholen. Reiner Zufall, dass Martin in der Stadt war. War über die Feiertage aus L. A. gekommen. Für Junkies ist Amsterdam ein ziemlich beliebtes Weihnachtsziel. Und, ja, was diesen Teil angeht«, er rieb sich ein Auge, »bin ich ziemlich sicher, dass Horst die Wahrheit sagt. Der Anruf von Sascha war wirklich eine Überraschung. Dass er sich Horst auslieferte. Keine Zeit, lange zu reden, musste schnell handeln. Woher sollte Horst wissen, dass wir es waren? Sascha war ja nicht mal in Amsterdam, er hörte das alles aus zweiter Hand, von seinem China Boy, dessen Deutsch nicht so toll ist. Und Horst erfuhr es aus dritter Hand. Wenn man es richtig betrachtet, passt alles zusammen. Andererseits …« Er zuckte die Achseln.

»Was?«

»Na ja – Horst wusste ganz sicher nicht, dass das Bild in Amsterdam war oder dass Sascha versuchte, es zu beleihen. Das hat er erst erfahren, als Sascha in Panik geriet und ihn anrief, nachdem wir es genommen hatten. Sicher? Ja, da bin ich sicher. Aber: Haben Horst und Sascha zusammengespielt, um das Bild überhaupt erst verschwinden zu lassen, nach Frankfurt, bei dem schlechten Miami-Deal? Möglich. Horst mochte das Bild sehr. *Sehr.* Hab ich erzählt? er wusste, was es war, gleich auf den ersten Blick? auswendig? Den Namen des Malers und alles?«

»Es ist eins der berühmtesten Bilder der Welt.«

»Schön.« Boris zuckte die Achseln. »Aber wie gesagt, er ist gebildet. Er ist aufgewachsen, umgeben von Schönheit. Andererseits, Horst weiß nicht, dass ich es war, der die Mappe zusammengebastelt hat. Sonst wäre er vielleicht nicht so glücklich. Aber«, er lachte laut, »wäre Horst je auf diese Idee verfallen? Das frage ich mich. Die ganze Zeit liegt da diese fette Belohnung! Griffbereit und völlig legal! Strahlend und unübersehbar, wie die Sonne! Ich weiß, dass *ich* nie daran gedacht habe. Erst jetzt. Glück und Freude auf der ganzen Welt! Verschwundene Meisterwerke wiedergefunden! Und Anton der große Held – posiert vor den Fotografen, gibt Interview auf Sky News! Standing Ovations auf der Pressekonferenz gestern Abend! Alle lieben ihn – wie den Piloten, der vor ein paar Jahren mit dem Flugzeug im Fluss gelandet ist und alle gerettet hat, erinnerst du dich? Aber wie ich es sehe, ist es nicht Anton, dem sie alle applaudieren. In Wirklichkeit bist du es.«

Ich hatte Boris so viel zu sagen, dass ich nichts davon sagen konnte. Trotzdem empfand ich nur eine ganz abstrakte Dankbarkeit. Vielleicht – ich griff in die Tasche, nahm ein Bündel Geld heraus und schaute es an –, vielleicht hatte Glück insofern etwas mit Pech gemeinsam, als es eine Weile dauerte, bis man begriff, dass man es gehabt hatte. Zu Anfang fühlte man gar nichts. Das Gefühl kam erst später.

»Ziemlich hübsch, nicht?« Boris war offenbar erleichtert, weil ich es mir überlegt hatte. »Du bist glücklich?«

»Boris, du musst die Hälfte davon behalten.«

»Glaub mir, ich habe für mich gesorgt. Ich habe so viel, dass ich eine Weile nichts zu tun brauche, wozu ich keine Lust habe. Wer weiß – vielleicht gehe ich ins Bar-Geschäft, in Stockholm. Vielleicht auch nicht. Ist bisschen langweilig. Aber du – das da gehört alles dir! Und kommt noch mehr. Weißt du noch, wie dein Dad jedem von uns die fünfhundert geschenkt hat? Himmelhoch jauchzend! Sehr nobel und großartig! Ja – für mich, damals? Die halbe Zeit hungrig? Traurig und einsam? Nichts in der Tasche? War es ein Vermögen! Mehr Geld, als ich jemals gesehen hatte! Und du«, seine Nase war jetzt rosarot, und ich dachte, er würde gleich niesen, »immer anständig und gut, hast du alles mit mir geteilt, was du hattest, und – was hab ich getan?«

»Ach, Boris, hör auf«, sagte ich voller Unbehagen.

»Habe ich dich bestohlen – das hab ich getan.« In seinen Augen glitzerte der Alkohol. »Hab dir deinen liebsten Besitz weggenommen. Und wie konnte ich dich so schlecht behandeln, wenn ich doch nur dein Bestes wollte?«

»Hör auf. Nein, wirklich – hör auf«, sagte ich, als ich sah, dass er weinte.

»Was kann ich sagen? Du hast mich gefragt, warum ich es genommen habe, und was kann ich darauf antworten? Nur, dass es – es ist nie so, wie es aussieht. Nur gut, nur böse. Wäre so viel einfacher, wenn es so wäre. Sogar dein Dad … hat er mir zu essen gegeben, mit mir gesprochen, Zeit mit mir verbracht, mich unter sein Dach aufgenommen, mir seine Kleider geschenkt … Du hast deinen Dad so sehr gehasst, aber in mancher Hinsicht war er ein guter Mann.«

»Gut würde ich nicht sagen.«

»Aber ich.«

»Na, dann wärst du der Einzige. Und du wärst im Irrtum.«

»Hör zu. Habe ich mehr Toleranz als du.« Die Aussicht auf einen Streit belebte ihn, und schniefend und schluckend drängte er seine Tränen zurück. »Xandra – dein Dad – immer wolltest du sie böse

und schlecht machen. Und ja, dein Dad war destruktiv … verantwor-
tungslos … wie ein Kind. Sein Geist war groß. Hat ihn schrecklich
gequält! Aber hat er sich selbst schlimmer verletzt als irgendjemand
anderen. Und, jawohl«, sagte er theatralisch über meinen Einwand
hinweg, »ja, er hat dich bestohlen, oder hat es versucht, ich weiß, aber
weißt du was? Ich hab dich auch bestohlen und bin damit durchge-
kommen. Was ist schlimmer? Denn ich sage dir«, er stieß mit der
Fußspitze gegen die Tasche, »die Welt ist viel seltsamer, als wir wissen oder sagen können. Und ich weiß, wie du denkst oder wie du
gern denken möchtest, aber vielleicht ist dies ein Fall, den du nicht
auf das reine ›Gut‹ oder ›Böse‹ reduzieren kannst, wie du es immer
möchtest. Wie deine ›zwei verschiedenen Stapel‹? Schlecht hier, gut
da? Ist vielleicht nicht ganz so einfach. Denn – auf der Fahrt hierher, die ganze Nacht am Steuer, Weihnachtsbeleuchtung entlang der
Autobahn, und ich schäme mich nicht, dir zu erzählen, dass es mir
hat die Kehle zugeschnürt, weil ich an die Geschichte aus der Bibel
denken musste, ohne es zu wollen …? Du weißt schon, wo der Verwalter der Witwe ihr Scherflein stiehlt? Aber dann flieht er in fernes
Land, investiert das Geld klug und bringt der Witwe, die er hat bestohlen, tausendfach zurück? Und sie verzeiht ihm freudig, und sie
schlachten das gemästete Kalb und feiern?«

»Ich glaube, das gehört nicht alles zu derselben Geschichte.«

»Na ja, Bibelstunde, Polen, ist lange her. Trotzdem. Denn was ich
sagen will – was ich gestern Nacht im Auto auf der Fahrt von Antwerpen dachte – das Gute kommt nicht immer aus guten Taten, und
das Böse nicht immer aus bösen, oder? Auch die Weisen und Guten
sehen nicht immer das Ende aller Handlungen. Erschreckender Gedanke! Erinnerst du dich an Fürst Myschkin in ›Der Idiot‹?«

»Ich habe jetzt eigentlich keine Lust auf ein intellektuelles Gespräch.«

»Ich weiß, ich weiß, aber hör mir zu. Du hast gelesen *Der Idiot*,
ja? Ja. Na, für mich war ›Idiot‹ ein sehr beunruhigendes Buch. War
so beunruhigend, dass ich danach eigentlich nicht mehr viele Romane gelesen habe, außer so Drachen-Tattoo-Sachen. Denn«, ich

versuchte ihn zu unterbrechen, »ja, vielleicht kannst du mir nachher erzählen, was du dachtest, aber jetzt will ich dir sagen, warum ich es beunruhigend fand. Weil alles, was Myschkin getan hat, war gut … selbstlos … er behandelte alle Menschen mit Verständnis und Mitgefühl, und was resultiert aus diesem Gutsein? Mord! Katastrophe! Darüber hab ich mir viel den Kopf zerbrochen. Hab ich nachts wach gelegen und mir den Kopf zerbrochen! Denn – warum? Wie konnte das sein? Ich habe das Buch bestimmt dreimal gelesen und immer gedacht, ich hab's nicht richtig verstanden. Myschkin war gut, er liebte alle, war sanftmütig, hat immer verziehen, nie etwas Unrechtes getan – aber er vertraute den falschen Leuten, traf lauter schlechte Entscheidungen, verletzte alle um ihn herum. Sehr düstere Message, dieses Buch hat. ›Warum gut sein?‹ Aber Folgendes überkam mich letzte Nacht im Auto auf der Fahrt hierher. Was ist – was ist, wenn es komplizierter ist? Was ist, wenn vielleicht auch das Gegenteil zutrifft? Denn wenn aus guten Taten manchmal auch Böses kommen kann …? Wo steht denn, dass aus bösen Taten nur Böses kommen kann? Vielleicht manchmal – der falsche Weg ist der richtige Weg? Du nimmst den falschen Weg und kommst trotzdem da an, wo du hinwolltest? Oder, anders gesagt, manchmal machst du alles falsch, und es wird trotzdem richtig?«

»Ich weiß nicht genau, worauf du hinauswillst.«

»Na – ich muss sagen, ich persönlich habe nie eine so scharfe Grenze zwischen ›gut‹ und ›böse‹ gezogen. Für mich ist diese Grenze oft falsch. Die beiden Seiten sind niemals unverbunden. Das eine kann nicht ohne das andere existieren. Solange ich aus Liebe handele, glaube ich, dass ich mein Bestes tue. Aber du – immer bist du in deinem Urteil befangen, immer bereust du Vergangenes, verfluchst du dich selbst, machst dir Vorwürfe, fragst dich ›was wäre, wenn‹ und ›was wäre, wenn‹. ›Das Leben ist grausam‹. ›Ich wünschte, ich wäre gestorben, statt …‹ Was ist, wenn alle deine Taten und Entscheidungen, die guten und die schlechten, Gott egal sind? Was ist, wenn das Muster schon feststeht? Nein, nein – warte –, die Frage ist es wert sich zu plagen. Was ist, wenn gerade unsere Schlechtigkeit und unsere Fehler unser Schicksal bestimmen und uns zum Guten führen? Was ist, wenn einige von uns keinen anderen Weg gehen können?«

»Wohin denn?«

»Wohlgemerkt, wenn ich ›Gott‹ sage, benutze ich ›Gott‹ nur als Verweis auf ein langfristiges Muster, das wir nicht entziffern können. Ein riesiges, langsam aufziehendes Wettersystem, das sich von Weitem auf uns zu wälzt und uns willkürlich vor sich her bläst ...« Mit einer beredten Handbewegung schlug er in die Luft, als wedelte er ein wehendes Blatt beiseite. »Aber – vielleicht ist es nicht alles ganz so beliebig und unpersönlich, wenn du verstehst.«

»Tut mir leid, aber ich sehe wirklich nicht, was hier der springende Punkt ist.«

»Brauchst du keinen Punkt. Der Punkt ist vielleicht, dass der Punkt zu groß ist, um ihn zu sehen oder aus eigener Kraft zu erreichen. Weil«, seine Braue in Form eines Fledermausflügels hob sich, »wenn du das Bild nicht aus dem Museum mitgenommen hättest und wenn Sascha es nicht gestohlen hätte und wenn ich nicht an die Belohnung gedacht hätte – ja, wären dann nicht auch die paar Dutzend anderen Bilder weiter verschwunden geblieben? Vielleicht für alle Zeit? Eingewickelt in braunes Papier? Eingeschlossen in diesem Apartment? Und niemand könnte sie anschauen? Einsam und verloren für die Welt? Vielleicht musste das eine verloren gehen, damit die anderen gefunden werden konnten?«

»Ich glaube, das entspricht eher dem Gedanken der ›unerbittlichen Ironie‹, nicht der ›göttlichen Vorsehung‹.«

»Ja – aber warum braucht es einen Namen? Kann nicht beides das Gleiche sein?«

Wir schauten einander an, und ich dachte plötzlich, dass ich Boris trotz seiner Fehler, die zahlreich und spektakulär waren, gern hatte und in seiner Gesellschaft fast vom ersten Augenblick an glücklich gewesen war, weil er niemals Angst hatte. Man begegnete nicht vielen Leuten, die sich so frei durch die Welt bewegten, ihr eine so energische Verachtung entgegenbrachten und gleichzeitig ein so schrulliges und unerschütterliches Vertrauen in das besaßen, was er in der Kindheit gern den »Planeten Erde« genannt hatte.

»Also«, Boris trank sein Glas leer und schenkte sich Wein nach, »was sind deine großen Pläne?«

»In welcher Hinsicht?«

»Vor ein paar Minuten wolltest du dringend abhauen. Warum bleibst du nicht noch eine Weile hier?«

»Hier?«

»Nein – ich meinte nicht *hier* – nicht in Amsterdam – ich stimme dir zu, dass es wahrscheinlich eine sehr gute Idee für uns beide ist, die Stadt zu verlassen, und was mich selbst betrifft, werde ich eine Zeitlang nicht zurückkommen. Ich meinte, warum willst du dich nicht entspannen und noch ein Weilchen rumhängen, bevor du zurückfliegst? Komm mit nach Antwerpen. Meine Wohnung anschauen! Meine Freunde kennenlernen! Mal kurz weg von deinen Frauenproblemen.«

»Nein, ich fliege nach Hause.«

»Wann?«

»Heute, wenn es geht.«

»So schnell? Nein! Komm mit nach Antwerpen! Da gibt's einen fantastischen Service – nicht so ein Rotlichtladen –, zwei Mädels, zweitausend Euro, und du musst zwei Tage vorher anrufen. Alles ist zwei. Juri kann uns fahren – ich sitze vorn, du machst dich hinten lang und schläfst. Was meinst du?«

»Ehrlich gesagt finde ich, du solltest mich am Flughafen absetzen.«

»Ehrlich gesagt finde ich, das sollte ich lieber nicht tun. Wenn ich die Flugtickets verkaufen würde? Ich würde dich keinen Fuß in ein Flugzeug setzen lassen. Du siehst aus, als hättest du die Vogelgrippe. Oder SARS.« Er schnürte seine durchnässten Schuhe auf und versuchte, die Füße hineinzuzwängen. »Igitt! Wirst du mir eine Frage beantworten? Warum«, er hielt den ruinierten Schuh in die Höhe, »sag mir, warum kaufe ich diese ach so edlen italienischen Lederklamotten, wenn ich sie in einer Woche kaputt mache? Meine alten Jungle-Boots – erinnerst du dich? Damit konnte man gut schnell wegrennen! Aus dem Fenster springen! Haben sie Jahre gehalten! Mir doch egal, wenn sie zum Anzug beschissen aussehen. Solche Stiefel suche ich mir wieder, und dann trage ich sie den Rest meines Lebens.« Stirnrunzelnd sah er auf die Uhr. »Wo bleibt Juri? Er dürfte am Weihnachtstag doch keine so großen Probleme mit dem Parken haben?«

»Hast du ihn denn angerufen?«

Boris schlug sich an die Stirn. »Nein, hab ich vergessen. Scheiße! Wahrscheinlich hat er schon gefrühstückt. Oder er sitzt im Auto und erfriert.« Er trank seinen Wein aus und steckte die Wodka-Minis in die Tasche. »Hast du gepackt? Ja? Fantastisch. Dann können wir gehen.« Ich sah, dass er übrig gebliebene Brötchen und Käse in eine Stoffserviette einwickelte. »Geh runter und bezahl deine Rechnung. Obwohl«, er warf einen missbilligenden Blick auf den fleckigen Mantel auf meinem Bett, »das Ding da musst du wirklich loswerden.«

»Wie denn?«

Er deutete mit dem Kopf auf das trübe Wasser der Gracht vor dem Fenster.

»Im Ernst?«

»Warum nicht? Ist doch nicht verboten, einen Mantel in die Gracht zu werfen, oder?«

»Ich hätte gedacht, doch.«

»Na – wer weiß. Ist aber kein besonders wichtiges Gesetz, wenn du mich fragst. Du hättest mal sehen sollen, was für ein Scheiß da rumschwamm, als die Müllabfuhr gestreikt hat. Besoffene Amerikaner kotzen auch rein. Alles, was du willst. Allerdings«, er warf noch einen Blick aus dem Fenster, »ich gebe dir recht, du solltest es lieber nicht am helllichten Tag tun. Wir können ihn im Kofferraum mit nach Antwerpen nehmen und da in die Müllverbrennung werfen. Meine Wohnung wird dir sehr gefallen.« Er angelte sein Telefon aus der Tasche und wählte. »Ein Künstlerloft ohne die Kunst! Und wir ziehen los und kaufen dir einen neuen Mantel, wenn die Geschäfte wieder offen sind.«

VI

Zwei Tage später nahm ich den Nachtflug nach Hause (der Zweite Weihnachtstag in Antwerpen hatte ohne Party und Escortservice stattgefunden, dafür mit Dosensuppe, einer Penicillin-Spritze und ein paar alten Filmen auf Boris' Couch), und gegen acht Uhr morgens war ich wieder bei Hobie. Mein Atem wehte in weißen Wolken vor mir her, als ich die mit Tannengrün umkränzte Haustür aufschloss und durch den Salon mit dem dunklen, von fast allen Weihnachtsgeschenken geplünderten Baum in den hinteren Teil des Hauses ging, wo Hobie mit verquollenem Gesicht und schlaftrunkenen Augen in Bademantel und Pantoffeln auf einer Küchenleiter stand, um die Suppenterrine und die Punschbowle wegzuräumen, die er bei seinem Weihnachtslunch benutzt hatte.

»Hi«, sagte ich, ließ meine Reisetasche fallen und wurde sofort von Poptschik belagert, der zur Begrüßung in strammen geriatrischen Achten um meine Füße kreiste – und erst als ich zu Hobie hinaufschaute und er die Leiter herunterstieg, sah ich, wie entschlossen er aussah: beunruhigt, aber mit einem festen, abwehrenden Lächeln auf dem Gesicht.

»Und du?« Ich richtete mich auf, zog meinen neuen Mantel aus und hängte ihn über einen Stuhl. »Ist was los?«

»Nicht viel.« Er sah mich nicht an.

»Frohe Weihnachten. Na ja – ein bisschen verspätet. Wie *war* Weihnachten?«

»Gut. Und bei dir?«, erkundigte er sich steif ein paar Augenblicke später.

»Eigentlich nicht so schlecht. Ich war in Amsterdam«, fügte ich hinzu, als er nicht antwortete.

»Ach, wirklich? Das muss nett gewesen sein.« Abgelenkt, unkonzentriert.

»Wie war dein Lunch?«, fragte ich nach einer vorsichtigen Pause.

»Oh, sehr gut. Wir hatten etwas Schneeregen, aber es war eine nette Runde.« Er wollte die Küchenleiter zusammenklappen, aber es ging nicht so, wie er wollte. »Da sind noch ein paar Geschenke für dich unter dem Baum, falls du Lust hast, sie auszupacken.«

»Danke. Ich mach's heute Abend. Bin ziemlich erledigt. Kann ich dir helfen mit dem Ding?« Ich trat einen Schritt vor.

»Nein, nein. Nein, danke.« Dass etwas nicht in Ordnung war, hörte ich an seiner Stimme. »Ich schaff das schon.«

»Okay.« Ich fragte mich, warum er das Geschenk nicht erwähnte, das er von mir bekommen hatte: ein Stickmustertuch, eine Kinderarbeit mit rankenverziertem Alphabet und Zahlen und stilisierten Bauernhoftieren aus Wollgarn, *Marry Sturtevant ihr Muste-r 11 Jahre 1779*. Hatte er es nicht ausgepackt? Ich hatte es in einer Kiste mit Großmutterunterhosen aus Polyester auf dem Flohmarkt gefunden – nicht billig für den Flohmarkt, vierhundert Dollar, aber ich hatte vergleichbare Stücke auf Americana-Versteigerungen schon für das Zehnfache gesehen. Schweigend sah ich zu, wie er auf Autopilot in der Küche herumhantierte: Er ging ein bisschen im Kreis herum, öffnete den Kühlschrank und schloss ihn, ohne etwas herauszunehmen, ließ Teewasser in den Kessel laufen, und die ganze Zeit blieb er in seinem Kokon und sah mich nicht an.

»Hobie, was ist los?«, fragte ich schließlich.

»Nichts.« Er suchte einen Löffel, aber er hatte die falsche Schublade aufgezogen.

»Was ist, willst du es mir nicht sagen?«

Er drehte sich um und sah mich an. Seine Augen flackerten unsicher, und er drehte sich zum Herd um, und dann platzte er damit heraus: »Es war sehr unangemessen, Pippa diese Halskette zu schenken.«

»Was denn?« Ich war verdattert. »Hat sie sich aufgeregt?«

»Ich …« Er starrte zu Boden und schüttelte den Kopf. »Ich weiß nicht, was mit dir los ist«, sagte er. »Ich weiß nicht mehr, was ich denken soll. Schau, ich will dich nicht tadeln«, sagte er, als ich mich nicht rührte. »Wirklich nicht. Eigentlich würde ich lieber überhaupt nicht darüber reden. Aber«, er suchte nach Worten, »siehst du nicht, dass es verstörend und unpassend ist? Wenn du Pippa eine Dreißigtausend-Dollar-Kette schenkst? Am Abend deiner Verlobungsparty? Einfach in ihren Stiefel legst? Vor ihrer Zimmertür?«

»Ich habe keine dreißigtausend dafür bezahlt.«

»Nein, ich wage zu behaupten, du dürftest fünfundsiebzig hingelegt haben, wenn du sie im Einzelhandel erworben hast. Und noch etwas …« Ganz unvermittelt zog er sich einen Stuhl heran und setzte sich. »Ach, ich weiß nicht, was ich tun soll«, sagte er kläglich. »Keine Ahnung, wo ich anfangen soll.«

»Womit?«

»Bitte sag mir, diese ganze andere Geschichte hat nichts mit dir zu tun.«

»Geschichte?«, fragte ich vorsichtig.

»Na ja.« Klassisches Morgenkonzert im Transistorradio, eine meditative Klaviersonate. »Zwei Tage vor Weihnachten hatte ich einen ziemlich außergewöhnlichen Besuch von deinem Freund Lucius Reeve.«

Sofort hatte ich das Gefühl zu fallen, schnell und tief.

»Er hat ein paar ziemlich verblüffende Anschuldigungen erhoben. Weit über allen Erwartungen.« Hobie verschloss die Augen mit Daumen und Zeigefinger und saß einen Moment lang still da. »Lassen wir die andere Sache für einen Moment beiseite. Nein, nein«, sagte er und wedelte mit der Hand, als ich etwas sagen wollte, »eins nach dem andern. Die Möbel.«

Ein unerträgliches Schweigen breitete sich brausend zwischen uns aus.

»Mir ist klar, dass ich es dir nicht gerade leicht gemacht habe, zu mir zu kommen. Und mir ist auch klar, dass ich es bin, der dich in diese Lage gebracht hat. Aber«, er sah sich um, »zwei Millionen Dollar, Theo!«

»Hör zu, lass mich etwas sagen …«

»Ich hätte mir Notizen machen sollen – er hatte Fotokopien, Versandpapiere, Stücke, die wir nie verkauft haben und nie zu verkaufen hatten, Stücke auf dem Niveau bedeutender Americana-Sammlungen, nicht existierende Stücke, ich konnte das alles nicht im Kopf zusammenrechnen, und irgendwann habe ich aufgehört mitzuzählen. Dutzende! Ich hatte keine Ahnung vom Ausmaß des Ganzen. Und du hast mich angelogen, was das Lancieren anging. Darum ging es ihm überhaupt nicht.«

»Hobie? Hobie, hör zu.« Er sah mich an, ohne mich wirklich zu sehen. »Es tut mir leid, dass du es so erfahren musstest. Ich hatte gehofft, ich könnte das vorher in Ordnung bringen. Aber es ist geregelt, okay? Ich kann alles zurückkaufen, jedes einzelne Stück.«

Aber statt erleichtert zu sein, schüttelte er nur den Kopf. »Es ist furchtbar, Theo. Wie konnte ich es so weit kommen lassen?«

Wäre ich nicht so geschockt gewesen, hätte ich ihn darauf hingewiesen, dass die einzige Sünde, die er begangen hatte, darin bestand, mir zu vertrauen und zu glauben, was ich ihm erzählte, aber er sah so aufrichtig ratlos aus, dass ich es nicht über mich brachte, überhaupt etwas zu sagen.

»Wie konnte es ein solches Ausmaß annehmen? Wie kann es sein, dass ich nichts davon wusste? Er hatte«, Hobie schaute weg und schüttelte wieder ungläubig den Kopf, »deine Handschrift, Theo. Deine Unterschrift. Duncan-Phyfe-Tisch ... Sheraton-Esszimmerstühle ... Sheraton-Sofa nach Kalifornien ... Ich habe dieses Sofa gebaut, Theo, mit meinen eigenen Händen, du hast gesehen, wie ich es gebaut habe, und es ist so wenig Sheraton wie die Einkaufstüte von Gristedes da drüben. Ein nagelneuer Rahmen. Sogar die Armlehnen sind neu. Nur zwei Füße sind original, du hast dagestanden und zugesehen, wie ich die neuen gerieft habe ...«

»Es tut mir leid, Hobie – das Finanzamt hat jeden Tag angerufen – ich wusste nicht, was ich tun sollte ...«

»Das weiß ich«, sagte er, aber mir war, als bliebe da ein Fragezeichen in seinen Augen, noch während er sprach. »Da unten fand ein Kinderkreuzzug statt. Aber«, er lehnte sich auf seinem Stuhl zurück und verdrehte die Augen zur Decke, »warum hast du nicht aufgehört? Warum hast du immer weitergemacht? Wir haben Geld ausgegeben, das wir nicht haben! Du hast uns ein Loch gegraben, so tief, dass wir auf halbem Weg nach China sind! Das geht seit Jahren so!

Selbst wenn wir für alles aufkommen könnten, was wir absolut nicht können, wie du genau weißt …«

»Hobie, zunächst mal: Ich *kann* dafür aufkommen, und zweitens …« Ich brauchte dringend einen Kaffee, ich war nicht wach, aber auf dem Herd stand keiner, und es war wirklich nicht der richtige Moment, aufzustehen und welchen zu machen. »… zweitens, na ja, ich will nicht sagen, es ist okay, denn das ist es absolut nicht, ich habe nur versucht, uns über die Runden zu bringen und ein paar Schulden zu bezahlen, und ich weiß nicht, wie ich es so weit außer Kontrolle geraten lassen konnte. Aber – nein, nein, hör zu«, sagte ich eindringlich, denn ich sah, wie er in einen Nebel wegdriftete, wie meine Mutter es oft getan hatte, wenn sie gezwungen gewesen war, dazusitzen und sich eine komplizierte und unglaubliche Lügengeschichte meines Vaters anzuhören. »Was immer er dir gesagt hat – ich weiß nicht, was es war –, aber ich habe das Geld jetzt. Es ist alles in Ordnung. Okay?«

»Ich glaube, ich wage nicht, dich zu fragen, woher du es hast.« Betrübt lehnte er sich zurück. »Wo warst du wirklich? Wenn ich fragen darf?«

Ich schlug die Beine abwechselnd links und rechts übereinander und wischte mir mit beiden Händen über das Gesicht. »In Amsterdam.«

»Wieso in Amsterdam?« Und während ich noch versuchte, eine Antwort zusammenzukriegen, sagte er: »Ich dachte, du kommst nicht zurück.«

»Hobie …« Ich glühte vor Scham. Ich hatte mich immer so sehr bemüht, mein unaufrichtiges Ich vor ihm zu verstecken und ihm nur die aufgebesserte-und-blank-polierte Version zu zeigen – niemals das schändliche, fadenscheinige Ich, das ich so verzweifelt zu verbergen suchte, den Betrüger und Feigling, den Lügner und Trickser …

»Warum *bist* du zurückgekommen?« Er sprach schnell und niedergeschlagen, als wollte er diese Worte regelrecht aus dem Mund katapultieren, und in seiner Erregung stand er auf und fing an, auf und ab zu gehen. Seine flachen Pantoffeln klatschten auf den Boden. »Ich dachte, wir hätten dich zum letzten Mal gesehen. Die ganze letzte Nacht – die letzten Nächte – wach gelegen und mich gefragt, was ich tun soll. Schiffsuntergang. Katastrophe. Diese gestohlenen Bilder, überall in sämtlichen Nachrichten. Ein schönes Weihnachtsfest. Und du – nirgends zu finden. Gehst nicht ans Telefon – niemand wusste, wo du bist …«

»Mein Gott.« Ich war ehrlich entsetzt. »Das tut mir leid. Und hör zu, hör zu …« Sein Mund war schmal, und er schüttelte den Kopf, als habe er schon vorher verworfen, was ich sagen würde, als habe es keinen Sinn mehr, überhaupt noch zuzuhören. »Wenn es die Möbel sind, die dir Sorgen machen …«

»Möbel?« Der friedfertige, tolerante, versöhnliche Hobie: er grollte wie ein Dampfkessel kurz vor der Explosion. »Wer redet denn von Möbeln? Reeve hat gesagt, du bist verduftet, abgehauen, aber«, er stand auf und versuchte blinzelnd, sich wieder zu fassen, »das habe ich nicht von dir geglaubt, das konnte ich nicht, und ich hatte Angst, es wäre etwas sehr viel Schlimmeres passiert. Ach, du weißt schon, was ich meine«, sagte er halb wütend, als ich nicht antwortete. »Was sollte ich denn glauben? Wie du da nach der Party verschwunden bist … Pippa und ich, du kannst dir das nicht vorstellen, es gab leisen Ärger mit der Gastgeberin, ›wo ist denn der Bräutigam?‹, ein bisschen verschnupft, du warst so plötzlich weg, und zur Nachfeier waren wir nicht eingeladen, also haben wir uns verzogen – und dann – stell dir vor, wie es mir ging, als ich nach Hause kam und die Tür war nicht abgeschlossen, stand praktisch sperrangelweit offen, die Kasse geplündert … die Halskette, egal, aber der Zettel, den du Pippa hinterlassen hast, las sich so merkwürdig, sie hat sich genauso große Sorgen gemacht wie ich …«

»Wirklich?«

»Natürlich!« Er schleuderte einen Arm in die Höhe und brüllte fast. »Was sollten wir denn denken? Und dann dieser schreckliche Besuch von Reeve. Ich war gerade dabei, einen Pastetenteig anzurühren – hätte gar nicht zur Tür gehen sollen, aber ich dachte, es wäre

Moira – neun Uhr morgens, und ich stehe da, von oben bis unten voller Mehl, und glotze ihn an … Theo, warum hast du das getan?«, fragte er verzweifelt.

Ich wusste nicht, was er meinte – ich hatte so viel getan, und deshalb blieb mir nichts anderes übrig, als den Kopf zu schütteln und wegzuschauen.

»Es war so ungeheuerlich – wie sollte ich das glauben? Tatsächlich habe ich es *nicht* geglaubt. Denn ich verstehe«, fuhr er fort, als ich schwieg, »hör zu, ich verstehe das mit den Möbeln, du hast getan, was du tun musstest, und glaub mir, ich bin dankbar, denn wenn du nicht gewesen wärest, würde ich jetzt irgendwo als Angestellter arbeiten und in einem miesen Wohnschlafzimmer leben. Aber«, er bohrte die Fäuste in die Taschen seines Bademantels, »dieser ganze andere Quatsch? Offenbar muss ich mich da doch fragen, was du mit alldem zu tun hast. Zumal da du fast ohne ein Wort Reißaus genommen hast, mit deinem Freund, der – ich sag's ungern, er ist ein bezaubernder Junge, aber er sieht aus, als habe er schon die eine oder andere Zelle von innen gesehen …«

»Hobie …«

»Oh, Reeve. Du hättest ihn hören sollen.« Es war, als habe alle Energie ihn verlassen. Schlaff und resigniert sah er aus. »Diese alte Schlange. Und – ich will, dass du es weißt, was das betrifft – Kunstdiebstahl? Ich habe dich sehr entschieden verteidigt. Was immer du sonst getan haben mochtest, aber *das* nicht, da war ich sicher. Und dann? Keine drei Tage später? Was kommt plötzlich in den Nachrichten? Ausgerechnet welches Bild? Zusammen mit vielen anderen? Hatte er die Wahrheit gesagt?«, fragte er, als ich immer noch nicht antwortete. »Warst du das?«

»Ja. Das heißt, ich meine, formal gesehen, nein.«

»Theo.«

»Ich kann es erklären.«

»Dann tu's, bitte.« Er rieb sich mit dem Handballen das Auge. »Setz dich hin.«

»Ich …« Verzweifelt blickte er sich um, als fürchtete er, seine ganze

Entschlossenheit zu verlieren, wenn er sich mit mir an einen Tisch setzte.

»Nein, du solltest dich wirklich hinsetzen. Es ist eine lange Geschichte. Ich mache es so kurz, wie ich kann.«

VII

Er sagte kein Wort. Er ging nicht mal ans Telefon, als es klingelte. Ich war müde bis auf die Knochen und zerschlagen nach dem Flug, und auch wenn ich die beiden Toten umschiffte, berichtete ich ihm über den ganzen Rest, so gut ich konnte: in kurzen Sätzen, sachlich, ohne den Versuch einer Rechtfertigung oder Erklärung. Als ich fertig war, saß er einfach da. Ich war entnervt von seinem Schweigen, und in der Küche war es still bis auf das eintönige Brummen des Kühlschranks. Aber endlich lehnte er sich zurück und verschränkte die Arme.

»Manchmal nimmt alles wirklich einen seltsamen Lauf, nicht wahr?«, sagte er.

Ich schwieg, weil ich nicht wusste, was ich sagen sollte.

»Ich meine nur«, er rieb sich ein Auge, »ich verstehe es erst, seit ich älter werde. Wie komisch die Zeit ist. Wie viele Tricks und Überraschungen sie bereithält.«

Das Wort *Tricks* war alles, was ich hörte oder verstand. Abrupt stand er auf – richtete sich zu seiner vollen Größe von eins fünfundneunzig auf, und in seiner Haltung war etwas Strenges, Bedauerndes, so kam es mir jedenfalls vor: der Ahnengeist des Streifenpolizisten, vielleicht aber auch ein Rausschmeißer, der einen gleich aus dem Pub werfen würde.

»Ich werde gehen«, sagte ich.

Er schloss für einen Moment die Augen. »Was?«

»Ich schreibe dir einen Scheck über die ganze Summe. Halte ihn fest, bis ich dir sage, du kannst ihn einlösen, mehr verlange ich nicht. Ich habe dir nie schaden wollen, das schwöre ich.«

Mit einer armlangen Gebärde aus alten Zeiten wischte er meine Worte zur Seite. »Nein, nein. Warte hier. Ich will dir etwas zeigen.« Er stand auf und verschwand knarrend im Salon. Dort blieb er eine Weile, und als er zurückkam, brachte er ein Fotoalbum mit, das fast auseinanderfiel. Er setzte sich, blätterte darin herum, und als er die Seite gefunden hatte, die er suchte, schob er es über den Tisch zu mir herüber. »Da«, sagte er.

Ein verblichenes Foto. Ein zierlicher, hakennasiger, vogelartiger Junge in einem palmengeschmückten Belle-Époque-Zimmer schaute lächelnd ein Klavier an: nicht Paris, nicht ganz, eher Kairo. bepflanzte Henkeltöpfe, viele französische Bronzen, viele kleine Gemälde. Eins – Blumen in einem Glas – erkannte ich vage als Manet. Aber mein Blick stolperte über den Zwilling eines sehr viel vertrauteren Bildes und blieb daran hängen, im ersten oder zweiten Rahmen darüber.

Es war natürlich eine Reproduktion. Aber selbst auf der fleckigen alten Fotografie leuchtete es in seinem eigenen isolierten und eigentümlich modernen Licht.

»Eine Künstlerkopie«, sagte Hobie. »Der Manet auch. Nichts Besonderes, aber«, er faltete die Hände auf dem Tisch, »diese Bilder waren ein großer Teil seiner Kindheit, der glücklichste Teil, bevor er krank wurde – ein Einzelkind, verwöhnt und gehätschelt von den Dienstboten – Feigen und Mandarinen und Jasminblüten auf dem Balkon – er sprach Arabisch genauso gut wie Französisch, das wusstest du, oder? Und«, Hobie verschränkte die Arme fester und klopfte sich mit dem Zeigefinger an die Lippen, »er sprach immer davon, dass es bei sehr großen Gemälden möglich ist, sie zutiefst zu kennen, ja, in ihnen zu wohnen, selbst wenn es Kopien sind. Selbst Proust – da ist die berühmte Passage, in der Odette die Tür öffnet, sie ist erkältet, schlecht gelaunt, ihr Haar ist offen und unfrisiert, ihre Haut fleckig, und Swann, der sich bis zu diesem Augenblick nie für sie interessiert hat, verliebt sich in sie, weil sie aussieht wie ein Botticelli-Mädchen auf einem leicht beschädigten Fresko. Das Proust selbst nur als Reproduktion kannte. Das Original, in der Sixtinischen Kapelle, hat er nie gesehen. Dennoch – der ganze Roman dreht sich in mancher Hinsicht um diesen Augenblick. Und die Beschädigung ist Teil der Anziehungskraft, die fleckigen Wangen auf dem Gemälde. Selbst über eine Kopie vermochte Proust dieses Bild neu zu träumen und die Wirklichkeit damit neu zu formen, etwas ganz Eigenes daraus in die Welt zu ziehen. Denn – die Linie der Schönheit ist die Linie der Schönheit. Auch wenn sie hundert Mal durch den Kopierer gelaufen ist.«

»Ja«, sagte ich, aber ich dachte nicht an das Bild, sondern an Hobies Wechselbälger. Objekte, belebt von seiner Hand und poliert, bis sie aussahen, als wäre reine, goldene Zeit über sie ausgegossen worden, Kopien, die einen dazu brachten, Hepplewhite oder Sheraton zu lieben, selbst wenn man nie im Leben ein einziges Stück von Hepplewhite oder Sheraton gesehen oder einen Gedanken daran verschwendet hatte.

»Na ja, ich bin nur ein alter Kopist, der mit sich selbst redet. Du weißt, was Picasso gesagt hat: ›Schlechte Künstler kopieren, gute Künstler stehlen.‹ Aber bei echter Größe ist ein Haken am Ende des Drahtes. Es ist gleichgültig, wie oft du ihn ergreifst oder wie viele Leute ihn vor dir ergriffen haben. Es ist immer derselbe Strang. Herabgefallen aus einem höheren Leben. Ein wenig von demselben Schock ist immer noch darin. Und diese Kopien«, er beugte sich vor, die gefalteten Hände auf dem Tisch, »diese Künstlerkopien, mit denen er aufwuchs, gingen verloren, als das Haus in Kairo abbrannte, und um dir die Wahrheit zu sagen, er hatte sie schon früher verloren, nämlich als er verkrüppelt nach Amerika zurückgeschickt wurde, aber – na ja, er war ein Mensch wie wir, er entwickelte eine Bindung an Objekte, sie hatten Persönlichkeit und Seele für ihn, und auch wenn er fast alles andere aus diesem Leben verlor, hat er doch diese Bilder nie verloren, weil die Originale immer noch in der Welt waren. Unternahm mehrere Reisen, um sie zu sehen – tatsächlich sind wir sogar mit dem Zug bis Baltimore gefahren, um das Original seines Manet zu sehen, als es dort ausgestellt wurde, vor Jahren, als Pippas Mutter noch lebte. Eine ziemliche Reise für Welty. Aber er wusste, er würde es nie

1000

mehr schaffen, noch einmal ins Musée d'Orsay zu kommen. Und an dem Tag, als er mit Pippa in der Ausstellung der Niederländer war? Welches Bild, glaubst du, wollte er ihr vor allem zeigen?«

Das Interessante auf dem Foto war, wie der zerbrechliche kleine, x-beinige Junge – lieb lächelnd, makellos in seinem Matrosenanzug – auch der alte Mann war, der meine Hand gehalten hatte, als er starb: zwei Einzelbilder, überblendet, von ein und derselben Seele. Und das Bild über seinem Kopf war der ruhende Punkt, um den sich alles drehte: Träume und Zeichen, Vergangenheit und Zukunft, Glück und Schicksal. Da gab es nicht nur eine einzige Bedeutung. Es gab viele Bedeutungen. Es war ein Rätsel, das sich ausdehnte, weiter und weiter und immer weiter.

Hobie räusperte sich. »Darf ich was fragen?«

»Natürlich.«

»Wie hast du es aufbewahrt?«

»In einem Kissenbezug.«

»Baumwolle?«

»Na ja – ist Perkalin Baumwolle?«

»Kein Polster? Nichts, das es geschützt hätte?«

»Nur Papier und Klebstreifen. Yep«, sagte ich, als sein Blick vor Schreck verschwamm.

»Du hättest Glassin und Luftpolsterfolie nehmen müssen!«

»Jetzt weiß ich das auch.«

»Entschuldige.« Er verzog schmerzlich berührt das Gesicht und legte eine Hand an die Schläfe. »Ich versuche immer noch, es zu begreifen. Du bist mit diesem Bild im aufgegebenen Gepäck mit Continental Airlines geflogen?«

»Ich sage doch, ich war dreizehn.«

»Warum hast du mir nichts gesagt? Das hättest du doch tun können«, sagte er, als ich den Kopf schüttelte.

»Ja sicher«, sagte ich ein bisschen vorschnell, obwohl ich mich noch genau an die Ausgrenzung erinnerte und die Angst jener Zeit, an meine ständige Angst vor dem Jugendamt, an den schweren Seifengeruch meines nicht abschließbaren Zimmers, an die drastische

Kälte des steingrauen Empfangsbereichs, wo ich auf Mr. Bracegirdle wartete, an meine Angst davor weggeschickt zu werden.

»Ich hätte mir etwas einfallen lassen. Allerdings, als du hier gelandet bist, obdachlos, wie du warst ... na, ich hoffe, du nimmst es mir nicht übel, wenn ich es so sage, aber selbst dein eigener Anwalt – na, du weißt es ja genauso gut wie ich, die Situation machte ihn nervös, und er war ziemlich erpicht darauf, dich von hier wegzuschaffen, und auf meiner Seite das Gleiche, etliche alte Freunde sagten: ›James, das ist absolut zu viel für dich ...‹, aber na ja, du kannst verstehen, warum sie das dachten«, fügte er eilig hinzu, als er mein Gesicht sah.

»O ja, natürlich.« Die Vogels, die Grossmans, die Mildebergers hatten es trotz aller Höflichkeit auch immer verstanden, wortlos (mir gegenüber, jedenfalls) ihre Philosophie des »Hobie hat wahrhaftig genug am Hals« zum Ausdruck zu bringen.

»Auf einer Ebene war es verrückt. Ich weiß, wie es aussah. Andererseits – ja – es war eine klare Botschaft, wie Welty dich hergeschickt hatte, und da warst du dann, wie ein kleines Insekt, kamst immer wieder, immer wieder ...« Er dachte einen Moment lang nach und zog die Stirn kraus, eine tiefergehende Version seines beständig sorgenvollen Gesichtsausdrucks. »Ich will dir sagen, was ich hier ein bisschen ungeschickt zu erklären versuche: Als meine Mutter gestorben ist, bin ich gegangen und gegangen, in diesem furchtbar sich hinziehenden Sommer. Manchmal bin ich den ganzen Weg von Albany bis Troy zu Fuß gegangen. Hab im Regen unter den Markisen der Metallwarenhandlungen gestanden. Alles, um nicht zurück in das Haus gehen zu müssen, in dem sie nicht war. Bin durch die Gegend geweht wie ein Gespenst. Hab in der Bibliothek gesessen, bis sie mich rauswarfen, und dann hab ich mich in den Bus nach Watervliet gesetzt und bin mitgefahren, und dann bin ich wieder zu Fuß gegangen. Ich war ein großer Bengel, zwölf Jahre alt, aber so groß wie ein Mann, die Leute hielten mich für einen Landstreicher, und die Hausfrauen verjagten mich mit dem Besen von ihrer Türschwelle. Aber so bin ich bei Mrs. De Peyster gelandet – sie machte die Tür auf, als ich auf ihrer Treppe saß, und sagte: Du musst doch

Durst haben, willst du nicht hereinkommen? Porträts, Miniaturen, Daguerreotypien, die alte Tante So-und-so, der alte Onkel So-und-so. Die Wendeltreppe, die herunterführte. Und da war ich – in meinem Rettungsboot. Ich hatte es gefunden. Manchmal musste man sich in diesem Haus kneifen, um sich daran zu erinnern, dass man nicht im Jahr 1909 lebte. Ein paar der schönsten Objekte der amerikanischen Klassik, die ich bis heute gesehen habe, und – mein Gott, dieses Tiffany-Glas, das war in der Zeit, bevor Tiffany etwas so Besonderes war, die Leute interessierten sich nicht dafür, es war nicht *das* Ding, wahrscheinlich erzielte man in der Großstadt schon hohe Preise, aber in Trödelläden auf dem Land kriegte man es damals praktisch umsonst. Bald fing ich an, selbst durch diese Trödelläden zu stöbern. Aber das dort, das war alles ererbter Familienbesitz. Jedes Stück hatte eine Geschichte. Und es machte ihr große Freude, einem zu zeigen, wo man um welche Zeit stehen musste, um ein einzelnes Stück im besten Licht zu betrachten. Spätnachmittags, wenn die Sonne durch das Zimmer wanderte«, er ließ die Finger auseinanderfliegen, *plopp, plopp!*, »leuchtete eins nach dem anderen auf, wie Feuerwerkskörper an einer Schnur.«

Von meinem Stuhl aus hatte ich freie Sicht auf Hobies Arche Noah: bemalte Elefanten und Zebras, geschnitzte Tiere in Zweierkolonnen, bis hinunter zu den winzig kleinen, der Henne und dem Hahn, den Häschen und den Mäusen, die den Schluss bildeten. Und dort saß die Erinnerung, jenseits aller Worte, eine verschlüsselte Botschaft von jenem ersten Nachmittag: Regen floss an den Oberlichtern herab, und die traute Kolonne auf der Küchentheke wartete darauf gerettet zu werden. Noah, der große Bewahrer, der große Behüter.

Hobie war aufgestanden, um Kaffee zu machen. »Vermutlich ist es unedel, sein Leben mit so viel Liebe zu *Objekten* zu verbringen …«

»Wer sagt das?«

»Na ja«, er wandte sich vom Herd ab, »es ist ja nicht so, als führten wir hier unten eine Klinik für kranke Kinder, sagen wir es mal so. Was ist denn edel daran, einen Haufen alte Tische und Stühle zusammenzuflicken? Möglicherweise zersetzt es die Seele. Ich habe zu viele Nachlässe gesehen, um das nicht zu wissen. Götzendienerei! Eine zu große Liebe zu Objekten kann dich zerstören. Aber – wenn dir ein Ding wirklich am Herzen liegt, bekommt es ein ganz eigenes Leben, nicht wahr? Und ist das nicht der ganze Sinn der Dinge – der schönen Dinge, dass sie dich mit einer größeren Schönheit verbinden? Diese ersten Eindrücke, die dein Herz weit aufreißen, sodass du den Rest deines Lebens damit verbringst, ihnen nachzujagen oder sie wieder einzufangen, auf diese oder jene Weise? Denn ich meine – alte Dinge zu reparieren, sie zu erhalten, für sie zu sorgen – in gewisser Hinsicht gibt es dafür keine rationale Begründung ...«

»Nichts, was mir am Herzen liegt, hat eine ›rationale Begründung‹.«

»Das empfinde ich genauso«, sagte er vernünftig. »Aber«, er spähte kurzsichtig in die Kaffeedose und löffelte das Kaffeemehl in die Kanne, »entschuldige, wenn ich weiterfasele, aber von hier aus, da, wo ich stehe, sieht es ein bisschen nach einem Dilemma aus, oder?«

»Was?«

Er lachte. »Was soll ich sagen? Große Gemälde – die Leuten kommen scharenweise, um sie zu sehen, sie ziehen das Publikum an, werden endlos reproduziert, auf Kaffeebechern, Mauspads, auf allem, was du willst. Und – dabei beziehe ich mich selbst ein – du kannst ein Leben lang völlig aufrichtig ins Museum gehen, wo du herumläufst und dir alles gefällt, und dann gehst du wieder raus und isst etwas zu Mittag. Aber«, er kam zum Tisch und setzte sich, »wenn ein Bild wirklich tief in deinem Herzen wirkt und dein Sehen verändert, dein Denken, dein Fühlen, dann denkst du ja nicht: ›Oh, ich liebe dieses Bild, weil es so universal ist‹, oder ›Ich liebe dieses Bild, weil es zur ganzen Menschheit spricht.‹ Aus diesen Gründen liebt niemand ein Kunstwerk. Es ist ein heimliches Wispern aus einer schmalen Gasse. *Pst, du da. Hey, Junge. Ja, du.*« Seine Fingerspitze glitt über das blasse Foto – die Berührung des Konservators, eine berührungsfreie Berührung, bei der eine Hostie zwischen Finger und Fläche passte. »Ein individueller Schock für das Herz. Dein Traum,

Weltys Traum, Vermeers Traum. Du siehst ein Bild, ich sehe ein anderes, der Kunstband rückt es ein Stück weiter zurück, die Lady, die im Museumsshop eine Postkarte kauft, sieht etwas völlig anderes, ganz zu schweigen von den Menschen, die durch die Zeit von uns getrennt sind – vierhundert Jahre vor uns, vierhundert Jahre nach uns. Niemanden wird es je auf die gleiche Weise berühren, und die allermeisten Menschen wird es überhaupt nicht wirklich tief berühren, aber – ein wirklich großes Bild ist so flüssig, dass es aus den verschiedensten Winkeln in Köpfe und Herzen eindringen kann, und jedes Mal auf einzigartige und sehr spezielle Art und Weise. *Deins. Deins. Für dich bin ich gemalt worden.* Und – ach, ich weiß nicht, unterbrich mich, wenn ich ins Quasseln komme …« Er strich sich mit der Hand über die Stirn. »Welty selbst sprach immer von schicksalhaften Objekten. Jeder Händler, jeder Antiquar erkennt sie sofort. Die Stücke, die auftauchen und wieder auftauchen. Für jemand anderen, der kein Händler ist, wäre es vielleicht kein Objekt. Es wäre eine Stadt, eine Farbe, eine Tageszeit. Der Nagel, an dem dein Schicksal sich verheddern und hängenbleiben kann.«

»Du hörst dich an wie mein Dad.«

»Na – sagen wir es anders. Wer war es noch, der gesagt hat, der Zufall sei nur Gottes Methode, anonym zu bleiben?«

»Jetzt klingst du *wirklich* wie mein Dad.«

»Wer weiß, ob Spieler es nicht tatsächlich besser verstehen? Ist nicht alles es wert, dass man etwas dafür riskiert? Kann das Gute nicht manchmal auch durch seltsame Hintertüren hereinkommen?«

VIII

Und ja. Ich glaube, das kann es. Oder – um noch eine Perle des Paradoxen aus dem Fundus meines Dads zu zitieren: Manchmal musst du verlieren, um zu gewinnen.

Denn inzwischen ist es fast ein Jahr später, und ich war fast die ganze Zeit auf Reisen. Elf Monate, zum größten Teil verbracht in

Flughafen-Lounges, Hotelzimmern und anderen Durchgangsstationen, beim Rollen sowie während Start und Landung Tisch bitte hochklappen, Plastiktabletts und die schale Luft aus den Haifischkiemen der Kabinenbelüftung – und obwohl noch nicht einmal Thanksgiving ist, hängen die Lichter schon, und im Starbucks auf dem Flughafen fangen sie an, Easy-Listening-Weihnachtsklassiker zu spielen, wie Vince Guaraldis »Tannenbaum« und Coltranes »Greensleeves«, und unter den vielen, vielen Dingen, über die ich in dieser Zeit nachdenken konnte (zum Beispiel: Wofür lohnt es sich zu leben? Wofür lohnt es sich zu sterben? Welches Streben ist wirklich töricht?), war auch das, was Hobie gesagt hat: über Bilder, die das Herz berühren und es aufblühen lassen wie eine Blume, Bilder, die den Blick auf eine viel, viel größere Schönheit eröffnen, die man sonst sein Leben lang suchen könnte, ohne sie zu finden.

Und es hat mir gutgetan, diese Zeit allein auf Reisen zu sein. Ein Jahr – so lange habe ich gebraucht, um in Ruhe und allein umherzustreifen und die Fälschungen zurückzukaufen, die noch da draußen waren, ein delikates Geschäft, das man, wie ich herausgefunden habe, am besten persönlich betreibt: drei, vier Reisen im Monat, nach New Jersey und Oyster Bay und Providence und New Canaan und – weiter draußen – nach Miami, Houston, Dallas, Charlottesville, Atlanta, wo ich auf Einladung meiner reizenden Kundin Mindy, der Ehefrau eines Autoteileindustriellen namens Earl, drei ziemlich angenehme Tage im Gästehaus eines nagelneuen Korallenstein-Châteaus verbrachte, ausgestattet mit einem eigenen Billard-Salon, einem »Gentleman's Pub« (mit einem echten, importierten, englischstämmigen Barkeeper) und einem geschlossenen Schießstand mit maßgefertigter schienengeführter Zielanlage. Einige meiner Dot-Com- und Hedgefonds-Kunden haben Zweitwohnsitze an – für mich jedenfalls – exotischen Orten, auf Antigua, in Mexiko und auf den Bahamas, in Monte Carlo, Juan-les-Pins und Sintra. Interessante lokale Weine und Cocktails auf Gartenterrassen mit Palmen und Agaven und weißen Sonnenschirmen am Pool, die flattern wie Segel. Und dazwischen war ich immer wieder in einem Zustand des

Bardo, flog umher mit machtvollem Tosen, stieg hinter tropfenbe-spritzten Fenstern ins maschige Sonnenlicht hinauf und wieder hin-unter zu Regenwolken und Regen und Rolltreppen, tiefer und tiefer zu einem Wust von Gesichtern am Gepäckband, eine gespenstische Art von Jenseits, ein Raum zwischen Erde und Nicht-Erde, Welt und Nicht-Welt, mit blank polierten Böden und dem Echo von Kathe-dralen mit gläsernen Dächern und dem ganzen anonymen Glanz des Terminals mit einer Massenidentität, der ich nicht angehören wollte und tatsächlich nicht angehöre, aber es ist fast, als wäre ich gestorben, ich fühle mich anders, ich *bin* anders, und mit einem ge-wissen betäubten Vergnügen passe ich mich dem Kommen und Ge-hen der Masse an, mache ein Schläfchen auf Plastikformstühlen und wandere durch die funkelnden Gänge des Duty-Free, und selbstver-ständlich ist jedermann nach der Landung absolut nett: Tennishallen und Privatstrände, und nach dem obligaten Rundgang – alles sehr hübsch, den Bonnard bewundert, den Vuillard, ein leichter Lunch am Pool – stelle ich einen stattlichen Scheck aus und fahre mit dem Taxi zurück ins Hotel, ein gutes Stück ärmer.

Es ist eine große Verschiebung, und ich weiß nicht genau, wie ich es erklären soll. Zwischen Wollen und Nichtwollen, Interesse und Desinteresse.

Natürlich ist noch eine Menge mehr im Spiel. Schock und Aura. Dinge sind stärker und heller, und ich habe das Gefühl, am Rand von etwas Unaussprechlichem zu sein. Verschlüsselte Botschaften in den Bord-Illustrierten. Energieschild. Kompromisslose Sorgfalt. Elektri-zität, Farben, Strahlung. Alles ist ein Wegweiser, der auf etwas an-deres deutet. Und auf meinem Bett in einem kalten, biskuitfarbenen Hotelzimmer in Nizza mit Balkon über der Promenade des Anglais betrachte ich die Spiegelung der Wolken auf den Schiebefenstern und sehe staunend, wie selbst meine Trauer mich glücklich machen kann und wie ein Teppichboden und Pseudo-Biedermeier-Möbel und ein leise murmelnder französischer Ansager auf Canal Plus – wie das alles so notwendig und richtig erscheinen kann.

Ich würde es genauso gern vergessen, aber das kann ich nicht.

Es ist wie das Summen einer Stimmgabel: einfach da. Es ist immer hier bei mir.

Ein weißes Rauschen, ein unpersönliches Tosen. Das abstumpfende Gleißen der Abflug-Terminals. Aber selbst diese seelenlosen, abgeriegelten Orte sind vollgesaugt mit Bedeutung, sie funkeln und donnern davon. Sky Mall. Tragbare Stereoanlagen. Verspiegelte Inseln aus Drambuie und Tanqueray und Chanel No. 5. Ich schaue in die ausdruckslosen Gesichter der anderen Passagiere – sie tragen ihre Aktenkoffer, ihre Rucksäcke, und bewegen sich schlurfend dem Ausstieg entgegen –, und ich denke an etwas, das Hobie gesagt hat: Schönheit verändert die Maserung der Realität. Und ich denke auch an jene konventionellere Weisheit: nämlich, dass das Trachten nach Schönheit eine Falle ist, eine Schnellstraße, die in Bitternis und Trauer führt. Schönheit muss mit etwas Sinnvollem vermählt sein.

Nur, was wäre das? Warum bin ich geschaffen, wie ich bin? Warum liegt mir alles an den falschen Dingen und nichts an den richtigen? Oder, um es anders zu drehen: Wieso sehe ich so klar, dass alles, was ich liebe, was mir am Herzen liegt, Illusion ist, und wieso liegt – für mich jedenfalls – alles, wofür sich zu leben lohnt, in diesem Zauber?

Ein großes Leid und eines, das ich erst anfange zu verstehen: Wir können uns unser eigenes Herz nicht aussuchen. Wir können uns nicht zwingen zu wollen, was gut für uns oder gut für andere ist. Wir können uns nicht aussuchen, wer wir sind.

Denn – wird es uns nicht ständig eingehämmert, von Kindheit an? Diese nie hinterfragte Plattitüde in der Kultur …? Von William Blake bis Lady Gaga, von Rousseau und Rumi über *Tosca* bis Mister Rogers, ist die Botschaft wundersam einförmig und von oben bis unten akzeptiert: Was ist im Zweifel zu tun? Woher wissen wir, was richtig für uns ist? Jeder Psychiater, jeder Karriereberater, jede Disney-Prinzessin kennt die Antwort: »Sei du selbst.« »Folge deinem Herzen.«

Aber jetzt möchte ich wirklich, wirklich einmal erklärt bekommen: Was ist, wenn einer zufällig von einem Herzen besessen ist, dem nicht zu trauen ist? Was ist, wenn das Herz einen aus eigenen, unerforschlichen Gründen willentlich und in einer Wolke unaussprechlichen Leuchtens wegführt von Gesundheit, Häuslichkeit, staatsbürgerlicher Verantwortung, starken gesellschaftlichen Bindungen und allen unbestrittenen gemeinsamen Tugenden, geradewegs hinein in das schöne Lodern des Verderbens, der Selbstzerstörung, der Katastrophe? Hat Kitsey recht? Wenn dein tiefstes Inneres dich singend zum Scheiterhaufen lockt, sollst du dich dann lieber abwenden? Dir die Ohren mit Wachs verstopfen? Den perversen Glanz ignorieren, von dem dein Herz dir zubrüllt? Dich selbst auf einen Kurs bringen, der dich pflichtschuldig zur Norm führt, zu vernünftigen Arbeitszeiten und regelmäßigen Vorsorgeuntersuchungen, zu stabilen Beziehungen und einer zielstrebigen Karriere, *New York Times* und Brunch am Sonntag, und das alles verbunden mit der Verheißung, irgendwie ein besserer Mensch zu werden? Oder ist es besser, dich – wie Boris – kopfüber und lachend in das heilige Wüten zu stürzen, das deinen Namen ruft?

Es geht nicht um äußeren Schein, sondern um innere Bedeutung. Um eine Pracht *in* der Welt, aber nicht *von* der Welt, eine Pracht, die die Welt nicht verstehen kann. Um jenen ersten Blick auf das reine Andere, in dessen Anwesenheit du auswärts erblühst und blühst und blühst.

Ein Ich, das man nicht will. Ein Herz, für das man nichts kann.

Meine Verlobung ist zwar nicht aufgelöst, nicht offiziell jedenfalls, aber man hat mir – auf die freundliche Art der Barbours, leichter als Luft – zu verstehen gegeben, dass niemand vorhat, mich darauf festzunageln. Was perfekt ist. Nichts wurde gesagt, nichts *wird* gesagt. Wenn ich zum Essen eingeladen bin (was oft der Fall ist, sobald ich in der Stadt bin), ist die Stimmung sehr angenehm und leicht, ja, gesprächig, intim und feinsinnig, aber keineswegs persönlich. Ich werde (fast) wie ein Familienmitglied behandelt und bin jederzeit willkommen; es ist mir gelungen, Mrs. Barbour hin und wieder aus der Wohnung zu locken, und wir haben ein paar schöne Nachmittage draußen verbracht, beim Lunch im Pierre und auf der einen oder anderen Versteigerung. Toddy, ohne im Mindesten undiplomatisch zu sein, hat es sogar hinbekommen, beiläufig und beinahe zufällig den Namen eines sehr guten Arztes zu erwähnen, ohne auch nur anzudeuten, dass ich vielleicht einen gebrauchen könnte.

[Was Pippa angeht: Sie hat das *Oz*-Buch behalten, aber die Kette zurückgelassen, zusammen mit einem Brief, den ich so hastig öffnete, dass ich den Umschlag buchstäblich mittendurch riss. Die Kernaussage – ich musste auf die Knie sinken und die Stücke wieder zusammenfügen – lautete: Sie träfe mich schrecklich gerne, unsere gemeinsame Zeit in der Stadt bedeute ihr viel, und wer sonst in der Welt hätte eine so schöne Kette für sie aussuchen können? Sie sei perfekt, mehr als perfekt, aber sie könne sie nicht annehmen, das sei zu viel, es tue ihr leid, und – vielleicht komme es ihr nicht zu, das zu sagen, und dann würde ich es ihr hoffentlich nachsehen, aber ich dürfe nicht denken, sie liebe mich nicht zurück, denn das tue sie, sie tue es. (Wirklich?, dachte ich verwirrt.) Aber es sei kompliziert; sie denke nicht nur an sich, sondern auch an mich, denn wir hätten so viel Gleiches durchgemacht, sie und ich, und seien uns so furchtbar ähnlich – viel zu ähnlich. Und weil wir beide so schwer verletzt worden seien, so früh schon, so gewaltsam und irreparabel, wie es die meisten Menschen nicht verstanden, nicht verstehen konnten, sei es doch ein wenig … riskant, nicht wahr? War es nicht eine Frage der Selbsterhaltung? Zwei wacklige, vom Tod getriebene Personen, die sich so sehr aufeinander würden stützen müssen? was nicht heißen solle, es gehe ihr im Moment nicht gut, denn es *gehe* ihr gut, aber das könne sich bei jedem von uns beiden blitzartig ändern, nicht wahr? Das Umkippen, das rasende Abwärtsrutschen, und war das nicht eine Gefahr? Dass unsere Mängel und Schwächen einander so ähnlich waren, sodass der eine den anderen so schnell hinunterziehen könne? Und obwohl sie das alles ein bisschen in der Schwebe ließ, begriff ich doch sofort und mit beträchtlichem Erstaunen, worauf sie hinauswollte. (Wie dumm von mir, dass ich es nicht schon früher gesehen hatte – nach all den Verletzungen, dem zerschmetterten Bein, den zahllosen Operationen: die anbetungswürdig schleppende Stimme, der anbetungswürdig schleppende Schritt, die um den Oberköper geschlungenen Arme, die Blässe, die Schals und Pullover und Schichten von Kleidung, das träge, schläfrige Lächeln – sie selbst, ihre verträumte Kindheit, war Erhabenheit und Untergang, der Morphium-Lolli, dem ich all die Jahre nachgejagt war.)

Aber wie der Leser dieser Zeilen (falls es je einen Leser geben sollte) festgestellt haben wird, birgt die Vorstellung hinabgezogen zu werden keinen Schrecken für mich. Nicht, dass ich Lust habe, jemand anderen mit mir hinunterzuziehen, aber – kann *ich* mich denn nicht ändern? Kann *ich* nicht der Starke sein? Warum nicht?]

[Du kannst von beiden Mädels haben, welches du willst, sagte Boris neben mir auf dem Sofa in seinem Loft in Antwerpen und knackte zwischen den hinteren Backenzähnen Pistazien, während wir *Kill Bill* sahen.

Nein, kann ich nicht.

Und wieso nicht? Ich selber nähme Schneeflöckchen, aber du willst die andere. Warum nicht?

Weil sie einen Freund hat?

Und?, fragte Boris.

Der mit ihr zusammenlebt?

Und?

Das denke ich auch: Und? Wenn ich nach London gehe? Und?

Und das ist entweder eine absolut katastrophale Frage oder die vernünftigste, die ich in meinem ganzen Leben je gestellt habe.]

Das alles habe ich merkwürdigerweise mit der Vorstellung geschrieben, dass Pippa es eines Tages sehen wird – was natürlich nicht geschehen wird. Niemand wird es sehen, aus offensichtlichen Gründen. Ich habe es nicht aus dem Gedächtnis aufgeschrieben: Das leere Notizbuch, das mein Englischlehrer mir vor all den Jahren geschenkt hat, war das erste einer langen Serie und der Beginn einer unregelmäßigen, aber lebenslangen Gewohnheit, seit ich dreizehn war, angefangen mit einer Reihe von förmlichen, aber eigenartig intimen Briefen an meine Mutter: lange, heimwehkranke Briefe, wie man sie an eine Mutter schreibt, die lebt und unruhig auf Neuigkeiten von mir wartet – Briefe, in denen ich erzählte, wo ich jetzt »untergebracht« war (niemals »wohnte«) und wer die Leute waren, bei denen ich »untergebracht« war, Briefe, die in erschöpfendem Detail schilderten, was ich aß und trank und anzog und im Fernsehen sah, welche Bücher ich las, welche Spiele ich spielte, welche Filme ich sah, was die Barbours sagten und taten, was Dad und Xandra taten und sagten –, und diese Episteln (datiert und unterschrieben, in sorgfältiger Handschrift, bereit, aus dem Buch gerissen und abgeschickt zu werden) wechselten sich ab mit verzweifelten Ausbrüchen – Ich-hasse-die-ganze-Welt und Ich-wünschte-ich-wäre-tot – und knirschend verstreichenden Monaten mit einer oder zwei zusammenhanglosen Kritzeleien, B's Haus, ich war seit drei Tagen nicht mehr in der Schule, und heute ist schon Freitag, mein Leben als Haiku, ich bin ein halber Zombie, Gott, wir waren gestern so betrunken, dass ich mich an nichts erinnere, wir haben ein Spiel namens »Lügen mit Würfeln« gespielt und Cornflakes und Pfefferminz-Drops zum Abendessen gegessen.

Trotzdem schrieb ich weiter, als ich wieder in New York war. »Warum zum Teufel ist es hier so viel kälter als in meiner Erinnerung, und warum macht mich diese blöde, verschissene Schreibtischlampe so traurig?« Ich schilderte erstickende Dinnerpartys, ich protokollierte Unterhaltungen und schrieb meine Träume nieder, und ich notierte immer wieder sorgfältig, was Hobie mir unten in der Werkstatt beibrachte.

achtzehntes Jahrhundert Mahagoni leichter einzupassen als Walnuss – dunkleres Holz täuscht das Auge
Wenn künstlich gearbeitet – zu gleichmäßig ausgeführt!

1. *Bücherregal zeigt Abnutzung auf unteren Borden durch Staubwischen und Anfassen, aber nicht oben*
2. *an verschließbaren Stücken achte auf Kerben und Kratzer unter dem Schlüsselloch, wo der Schlüsselbund an das Holz stößt*

Dazwischen eingestreut Notizen über die Ergebnisse bei Auktionen bedeutender Americana (»Los 77 Fed. teilw. ebonis. Girandôle konvx Spiegel $7500«) und – in zunehmender Zahl – unheimliche Diagramme und Tabellen, von denen ich irgendwie dachte, sie wären für jemanden, der das Buch in die Hand bekäme, unverständlich. In Wahrheit war alles vollkommen durchschaubar:

1.– 8. Dez.	320,5 mg
9.–15. Dez.	202,5 mg
16.–22. Dez.	171,5 mg
23.–30. Dez.	420,5 mg

… es zieht sich durch diese täglichen Aufzeichnungen und wächst über sich selbst heraus, das Geheimnis, das nur für mich sichtbar ist: erblüht in der Dunkelheit und niemals namentlich genannt.

Denn: Wenn unsere Geheimnisse uns definieren – im Gegensatz zu dem Gesicht, das wir der Welt zeigen –, dann war das Bild das Geheimnis, das mich über die Oberfläche des Lebens erhob und mich befähigte zu wissen, wer ich bin. Und es ist da: in meinen Notizbüchern, auf jeder Seite, auch wenn es nicht da ist. Traum und Magie, Magie und Delirium. Die Einheitliche Feldtheorie. Ein Geheimnis um ein Geheimnis.

[Dieses kleine Kerlchen, sagte Boris im Auto auf der Fahrt nach Antwerpen. Du weißt, dass der Maler es *gesehen* hat – er hat diesen Vogel nicht aus dem Kopf gemalt, weißt du? Das Kerlchen ist real, angekettet da oben an der Wand, da. Wenn ich ihn sähe, zusammen mit einem Dutzend anderer Vogel von der gleichen Art, ich könnte ihn erkennen, ohne Problem.]

Und er hat recht. Ich könnte es auch. Und wenn ich in die Vergangenheit zurückgehen könnte, ich würde die Kette binnen eines Lidschlags durchknipsen und mich nicht eine Sekunde lang darum kümmern, dass dieses Bild nie gemalt werden würde.

Nur – es ist komplizierter. Wer weiß, warum Fabritius den Distelfink überhaupt gemalt hat? Ein winziges, für sich allein stehendes Meisterwerk, einzig in seiner Art? Er war jung und berühmt. Er hatte bedeutende Auftraggeber (obwohl unglücklicherweise fast nichts von dem, was er für sie gemalt hat, erhalten geblieben ist). Man kann ihn sich vorstellen wie den jungen Rembrandt, überflutet von grandiosen Aufträgen, sein Atelier strotzend von Juwelen und Streitäxten, Kelchen und Pelzen, Leopardenfellen und Theaterrüstungen, von Macht und Trauer irdischer Dinge. Warum dieses Sujet? Ein einsamer zahmer Vogel? Der in keiner Hinsicht typisch für sein Alter und für seine Zeit war, als Tiere hauptsächlich tot dargestellt wurden, auf üppigen Trophäenstücken, schlaffe Hasen und Fische und Vögel, aufgehäuft und für die Tafel bestimmt? Warum kommt es mir so bedeutsam vor, dass die Wand schlicht ist – ohne Tapisserien, ohne Jagdhörner, ohne Bühnendekoration – und dass er so sorgfältig darauf achtete, seinen Namen und das Jahr so auffallend zu notieren? Denn er kann ja nicht gewusst haben (oder doch?), dass 1654, das Jahr, in dem er das Bild malte, auch das Jahr seines Todes sein würde? Irgendwie liegt darin das Beben einer Vorahnung, als habe er vielleicht gespürt, dass dieses kleine, geheimnisvolle Bild eines der wenigen Werke war, die ihn überleben würden. Diese Anomalie verfolgt mich auf allen Ebenen. Warum nicht etwas Typischeres? Warum nicht ein Seestück, eine Landschaft, ein Historiengemälde, ein Auftragsporträt irgendeiner bedeutenden Persönlichkeit, eine zwielichtige Szene mit Trinkern in einer Schenke – ein Tulpenstrauß, in Gottes Namen, anstelle dieses einsamen kleinen Gefangenen? Angekettet an seine Stange? Wer weiß, was Fabritius uns sagen wollte, als er sich für diesen kleinen Gegenstand entschied? Mit seiner Darstellung des kleinen Gegenstands? Und was ist, wenn es stimmt, was man sagt – wenn jedes große Gemälde in Wirklichkeit ein Selbstporträt ist –, was sagt Fabritius dann über sich selbst? Ein Maler, der von den größten Malern seiner Zeit für so überragend gehalten wurde, der vor so langer Zeit so jung starb und über den wir fast nichts wissen? Über sich selbst als Maler: viel. Seine Linien sprechen für sich. Sehniger Flügel, gekratzte Stoppelfeder. Die Geschwindigkeit des Pinsels ist sichtbar, die Sicherheit der Hand, die dick aufgetragene Farbe. Und doch sind da auch halb transparente Passagen, so liebevoll ausgeführt neben den kühnen, pastosen Strichen, dass Zärtlichkeit in diesem Kontrast liegt, sogar Humor. Der Farbuntergrund ist sichtbar unter den Haaren des Pinsels; er will, dass wir den daunigen Brustflaum fühlen können, seine weiche Textur, und die Sprödigkeit der kleinen Kralle, die sich um die Messingstange krümmt.

Aber was sagt das Gemälde über Fabritius selbst? Nichts über seine religiöse oder romantische oder familiäre Neigung, nichts über bürgerliche Achtung, beruflichen Ehrgeiz, Respekt vor Reichtum und Macht. Da ist nur ein winziger Herzschlag, die Einsamkeit, die helle, sonnenbeschienene Wand und ein Gefühl der Ausweglosigkeit. Zeit, die sich nicht bewegt, Zeit, die nicht Zeit genannt werden sollte. Und eingesperrt im Herzen des Lichts – der kleine Gefangene, reglos. Ich denke an etwas, das ich über Sargent gelesen habe: wie Sargent in der Porträtmalerei immer nach dem Tier in seinem Modell gesucht hat (eine Neigung, die ich, nachdem ich davon wusste, überall in seinen Werken sehen konnte: in den langen Fuchsnasen und spitzen Ohren seiner Erbinnen, in seinen Intellektuellen mit ihren Hasenzähnen und seinen löwenhaften Industriekapitänen, seinen rundlichen, eulengesichtigen Kindern). Und bei diesem strammen kleinen Porträt ist es nicht schwer, das Menschliche in dem Finken zu sehen. Würdevoll, verwundbar. Ein Gefangener, der einen anderen anschaut.

Aber wer weiß, was Fabritius beabsichtigte? Von seinem Werk ist nicht genug übrig, um auch nur eine Vermutung anzustellen. Der Vogel schaut zu uns heraus. Er ist nicht idealisiert, nicht vermenschlicht. Wachsam, resigniert. Da ist keine Moral, keine Geschichte. Da ist keine Auflösung. Da ist nur ein doppelter Abgrund: zwischen dem Maler und dem gefangenen Vogel, zwischen dem Dokument, das er von dem Vogel hinterlassen hat, und unserem Erleben, Jahrhunderte später.

Und, ja – Wissenschaftler könnten sich für die innovative Pinselarbeit und den Einsatz des Lichts interessieren, für den historischen Einfluss des Bildes und seine einzigartige Bedeutung für die niederländische Malerei. Aber ich nicht. Wie meine Mutter vor all den Jahren sagte, meine Mutter, die das Bild liebte, das sie nur aus einem Buch kannte, als Kind ausgeliehen aus der Comanche County Library: Auf die Bedeutung kommt es nicht an. Die historische Bedeutung erstickt es. Über diese unüberbrückbaren Distanzen hinweg – zwischen Vogel und Maler, zwischen Bild und Betrachter – höre ich nur zu gut, was mir da gesagt wird, ein *pst!* aus einer schmalen Gasse, wie Hobie es ausdrückte, über vierhundert Jahre Zeit hinweg, und es ist wirklich sehr persönlich und konkret. Es ist da, in der lichtdurchspülten Atmosphäre, in den Pinselstrichen, die er uns aus der Nähe als das sehen lässt, was sie sind – ein mit der Hand aufgetragenes Leuchten von Pigment mit den sichtbaren Spuren der Pinselborsten –, und in der Distanz geschieht das Wunder, der Witz, wie Horst es nannte – aber eigentlich ist es beides –, der gleitende Vorgang der Transsubstantiation, bei dem Farbe Farbe ist, aber auch Feder und Knochen. Es ist der Ort, wo die Realität das Ideal trifft, wo Witz zu Ernst wird und alles Ernste ein Witz ist. Der magische Punkt, an dem jede Idee und ihr Gegenteil gleichermaßen wahr sind.

Und ich hoffe, es gibt hier auch noch eine größere Wahrheit über das Leiden oder zumindest über das, was ich darunter verstehe – obwohl mir inzwischen klar ist, dass die einzigen Wahrheiten, die mir wichtig sind, diejenigen sind, die ich nicht verstehe und nicht verstehen kann. Das Geheimnisvolle, Vieldeutige, Unerklärliche. Was nicht in eine Geschichte passt und was keine Geschichte hat. Ein helles Blinken auf einer kaum vorhandenen Kette. Ein Fleck aus Sonnenlicht auf einer gelben Wand. Die Einsamkeit, die jedes lebende Geschöpf von jedem anderen lebenden Geschöpf trennt. Die Trauer, untrennbar von der Freude.

Denn – was wäre, wenn dieser konkrete Distelfink (und es ist ein sehr konkreter Distelfink) niemals gefangen oder in Gefangenschaft zur Welt gekommen, niemals in einem Haushalt ausgestellt worden wäre, wo der Maler Fabritius ihn sehen konnte? Er kann nicht verstanden haben, warum er gezwungen war, in solchem Elend zu leben: verwirrt von Geräuschen (stelle ich mir vor), geplagt von Rauch, bellenden Hunden, Kochdunst, geneckt von Betrunkenen und Kindern, kaum flugfähig an kurzer Kette. Aber selbst ein Kind kann seine Würde sehen: ein Fingerhut voll Tapferkeit, nichts als Flaum und spröde Knochen. Nicht scheu, nicht einmal hoffnungslos – entschlossen hält er seine Stellung. Weigert sich, vor der Welt zurückzuweichen.

Zunehmend, merke ich, fixiere ich mich auf diese Weigerung zurückzuweichen. Denn es ist mir gleich, was irgendjemand sagt oder wie oft und gewinnend sie es sagen: Niemand wird mir jemals, jemals einreden können, das Leben sei ein fantastisches, lohnendes Geschenk. Denn dies ist die Wahrheit: Leben ist Katastrophe. Die Grundtatsache des Daseins – des Umhergehens auf der Suche nach Nahrung und Freunden und all dessen, was wir sonst noch tun – ist Katastrophe. Vergesst all diesen »Unsere kleine Stadt«-Unsinn, den man sich erzählt: das Wunder eines neugeborenen Kindes, die Freude an einer einzelnen Blüte, dieses Leben-du-bist-unfassbar-wundervoll etc. Für mich gilt – und das werde ich stur wiederholen, bis ich sterbe, bis ich auf mein undankbares, nihilistisches Gesicht falle und zu schwach bin, um es noch einmal zu sagen: besser nie geboren als geboren in diese Kloake. In diese Jauchegrube mit ihren Krankenhausbetten, Särgen und gebrochenen Herzen. Keine Erlösung, keine Berufung, kein »Neustart«, wie Xandra es gern nannte, kein Weg voran außer Alter und Verlust, kein Weg hinaus außer dem Tod. [«Beschwerdeabteilung!«, grollte Boris als Junge einmal, wie ich mich erinnere, als wir eines Nachmittags bei ihm zu Hause einmal an das unbestimmt metaphysische Thema unserer Mütter geraten waren: Warum hatten sie – Engel, Göttinnen – sterben müssen? Während unsere grässlichen Väter gediehen und soffen und krochen und weiterwühlten und immerfort herumstolperten und Verheerungen anrichteten, von scheinbar unverwüstlicher Gesundheit? »Sie haben die Falschen genommen! Ein Fehler ist begangen! Alles ist unfair! Wo kann man sich beschweren in diesem Scheißladen? Wer hat hier etwas zu sagen?«]

Und – vielleicht ist es albern, in diesem Stil fortzufahren, aber das macht nichts, denn niemand wird es je lesen – hat es denn irgendeinen Sinn zu wissen, dass es für uns alle ein böses Ende nimmt, selbst für die Glücklichsten, und dass wir schließlich alles verlieren, was wichtig ist – und doch auch zu wissen, dass es trotz alledem, und so grausam die Karten in diesem Spiel auch verteilt sein mögen, möglich ist, es mit einer Art Freude zu spielen?

In all dem nach irgendeinem Sinn zu suchen, erscheint unglaublich bizarr. Vielleicht sehe ich ein Muster nur, weil ich zu lange hingestarrt habe. Andererseits, um Boris zu paraphrasieren, vielleicht sehe ich ein Muster, weil es da ist.

Auf einer bestimmten Ebene habe ich dies alles geschrieben, um zu verstehen. Aber – auf einer anderen Ebene will ich es gar nicht verstehen oder versuchen, es zu verstehen, denn dann würde ich die Tatsachen verdrehen. Eigentlich kann ich nur sagen, dass ich das Geheimnis der Zukunft niemals so sehr gespürt habe: das Gefühl der ablaufenden Sanduhr, das schnell fließende Fieber der Zeit. Unbekannte, ungewählte, ungewollte Mächte. Und ich bin so lange gereist, war vor dem Morgengrauen in Hotels in fremden Städten, war so lange unterwegs, dass ich das Vibrieren der Düsengeschwindigkeit in meinen Knochen spüre, in meinem Körper, ein Gefühl von ständiger Bewegung über Kontinente und Zeitzonen, das noch lange anhält, wenn ich aus dem Flugzeug gestiegen bin und auf die soundsovielte Rezeption zuschwanke, hi, mein Name ist Emma/Selina/Charlie/Dominic, willkommen im Soundso-Hotel! Erschöpftes Lächeln, ich unterschreibe mit zittriger Hand, ziehe die nächste Jalousie herunter, liege im nächsten fremden Bett im nächsten fremden Zimmer, das um mich herum wogt, Wolken und Schatten, eine Übelkeit, die sich fast beschwingt anfühlt, das Gefühl, gestorben und in den Himmel gekommen zu sein.

Denn – erst letzte Nacht habe ich von einer Reise geträumt und von Schlangen, gestreiften, giftigen Schlangen mit pfeilförmigen Köpfen, und obwohl sie ganz nah bei mir waren, hatte ich keine Angst, überhaupt keine. Und in meinem Kopf eine Zeile, die ich irgendwo gehört hatte: *Sind wir um dich, vergiss zu sterben.* Das sind die Lektionen, die mir in verdunkelten Hotelzimmern in den Sinn kommen, mit strahlend beleuchteten Minibars und fremdländischen Stimmen im Korridor, wo die Grenze zwischen den Welten dünn wird.

Und nach Amsterdam, das wahrhaftig mein Damaskus war, Wegstation und Gipfelpunkt meiner Bekehrung, wie man es wohl nennen würde, bin ich jedes Mal wieder tief berührt von der Vergänglichkeit, die Hotels innewohnt – nicht auf die banale Art eines Freizeittouristen, sondern mit einer Inbrunst, die ans Transzendente grenzt. Irgendwann im Oktober, genauer gesagt, um den Tag des Todes herum, war ich in einem Hotel an der mexikanischen Küste mit wehenden Vorhängen in den Fluren, wo alle Zimmer nach Blumen benannt waren. Das Azaleenzimmer, das Kamelienzimmer, das Oleanderzimmer. Opulenz und Pracht, luftige Korridore, die fast in die Ewigkeit reichten, und jede Zimmertür hatte eine andere Farbe. Pfingstrose, Glyzine, Rose, Passionsblume. Und wer weiß – aber vielleicht ist es das, was uns am Ende der Reise erwartet, eine Majestät, die unvorstellbar ist bis zu dem Augenblick, da wir unversehens durch die Tür treten: das, was wir staunend erblicken, wenn Gott endlich Seine Hand von unseren Augen nimmt und sagt: Schau!

[Denkst du je daran aufzuhören?, fragte ich während des langweiligen Teils von *Ist das Leben nicht schön?*, bei dem Mondscheinspaziergang mit Donna Reed, als ich in Antwerpen war und zusah, wie Boris sich mit einem Löffel und einer Augentropfenpipette etwas zusammenmixte, das er »Pop« nannte.

Verschon mich! Mein Arm tut weh! Er hatte mir die blutige Streifwunde schon gezeigt, die sich – schwarz an den Rändern – tief in seinen Bizeps schnitt. Lass *du* dich zu Weihnachten anschießen – mal sehen, ob du dann rumsitzen und Aspirin schlucken willst!

Ja, aber du bist verrückt, wenn du es so machst.

Ja – ob du es glaubst oder nicht – für mich kein großes Problem. Mach ich nur zu besonderen Gelegenheiten.

Das hab ich schon öfter gehört.

Ist aber wahr! Bin ja noch nicht drauf. Hab ich Leute gekannt, die drei oder vier Jahre gedrückt haben und okay waren, solange sie es auf zwei-, dreimal die Woche beschränken. Andererseits, fügte Boris düster hinzu – blaues Licht vom Fernseher blinkte auf seinem Löffel – bin ich Alkoholiker. Schaden ist schon angerichtet. Bin ich ein Säufer, bis ich sterbe. Wenn mich was umbringt – er deutete mit dem Kopf auf die Flasche Russian Standard auf dem Couchtisch –, dann das da. Hey, hast du denn noch nie gedrückt?

Glaub mir, ich hatte so schon genug Probleme.

Tja, großes Stigma, viel Angst, ich verstehe. Ich – ehrlich, meistens ich sniffe lieber – Clubs, Restaurants, ist schneller und einfacher, du verschwindest kurz auf dem Männerklo und nimmst eine schnelle Nase. Auf die Art hier – bist du immer gierig danach. Auf meinem Sterbebett werde ich gierig danach sein. Besser, man fängt gar nicht an. Obwohl – es kann echt nerven, wenn du irgendeinen Klotzkopf da sitzen siehst, der eine Crackpfeife raucht und erzählt, wie schmutzig und unsicher das hier ist und dass er nie eine Nadel benutzen würde, weißt du? Als ob er so viel vernünftiger wäre als du?

Warum hast du angefangen?

Warum fängt einer an? Mein Mädchen hat mich verlassen. Freundin damals. Wollte ich ganz böse und selbstzerstörerisch sein, hah! Hat geklappt.

Jimmy Stewart in seinem College-Sweater. Silberner Mond, bebende Stimmen. *Buffalo Gals, won't you come out tonight, come out tonight.*

Und warum hörst du dann nicht auf?

Warum sollte ich?

Muss ich wirklich sagen, warum?

Yeah, aber wenn ich keine Lust habe?

Wenn du aufhören kannst, warum solltest du dann nicht?

Wer durch das Schwert lebt, wird durch das Schwert umkommen, sagte Boris knapp und drückte mit dem Kinn auf den Knopf seiner sehr professionell aussehenden medizinischen Aderpresse, während er sich den Ärmel hochschob.]

Und so schrecklich es auch ist, ich verstehe es. Wir können uns nicht aussuchen, was wir wollen und was wir nicht wollen, und das ist die harte, einsame Wahrheit. Manchmal wollen wir, was wir wollen, obwohl wir wissen, dass es uns umbringen wird. Wir können dem, was wir sind, nicht entrinnen. (Eins muss ich zugunsten meines Dads sagen: Er hat zumindest *versucht,* etwas Vernünftiges zu wollen – meine Mutter, den Aktenkoffer, mich –, bevor er durchdrehte und davor weglief.)

Und so gern ich an eine Wahrheit jenseits der Illusion glauben würde, glaube ich doch inzwischen, dass es sie nicht gibt. Denn zwischen der »Realität« auf der einen Seite und dem Punkt, an dem der Geist die Realität trifft, gibt es eine mittlere Zone, einen Regenbogenrand, wo die Schönheit ins Dasein kommt, wo zwei sehr unterschiedliche Oberflächen sich mischen und verwischen und bereitstellen, was das Leben nicht bietet: und das ist der Raum, in dem alle Kunst existiert und alle Magie.

Und – das würde ich noch behaupten – alle Liebe. Vielleicht genauer gesagt, illustriert diese mittlere Zone die fundamentale Diskrepanz der Liebe. Aus der Nähe gesehen: eine sommersprossige Hand an einem schwarzen Mantel, ein umgekippter Origami-Frosch. Ein Schritt zurück und die Illusion flammt wieder auf: Leben-mehr-als-Leben, unsterblich. Pippa selbst ist das Spiel zwischen diesen Dingen, Liebe und Nicht-Liebe, da und nicht-da. Fotografien an der Wand, eine zusammengerollte Socke unter dem Bett. Der Augenblick, als ich die Hand ausstreckte und ein Stäubchen aus ihrem Haar strich und sie lachte und sich unter meiner Berührung wegduckte. Und so, wie Musik der Raum zwischen den Noten ist und die Sterne schön sind wegen des Raums zwischen ihnen, so, wie die Sonne aus einem bestimmten Winkel auf die Regentropfen trifft und ein Prisma aus Farben über den Himmel wirft – so ist auch der Raum, in dem ich existiere und weiter existieren möchte und in dem ich, offen gesagt, hoffentlich auch sterben werde, genau diese mittlere Distanz: wo Verzweiflung auf das reine Andere traf und etwas Erhabenes entstehen ließ.

Und darum habe ich mich entschieden, diese Seiten zu schreiben, wie ich sie geschrieben habe. Denn nur, indem ich in diese mittlere Zone trete, an den polychromen Rand zwischen Wahrheit und Unwahrheit, ist es überhaupt erträglich, hier zu sein und dies zu schreiben.

Was immer uns lehrt, mit uns selbst zu sprechen, ist wichtig: was immer uns lehrt, uns singend aus der Verzweiflung zu lösen. Aber das Bild hat mich auch gelehrt, dass wir über die Zeit hinweg miteinander sprechen können. Und ich habe das Gefühl, ich habe dir etwas sehr Ernstes und Dringliches zu sagen, mein nicht existierender Leser, und ich glaube, ich sollte es so dringlich sagen, als stünde ich mit dir im selben Zimmer: dass das Leben – was immer es sonst sein mag – kurz ist. Dass das Schicksal grausam ist, aber vielleicht nicht beliebig. Dass die Natur (also der Tod) immer gewinnt, was aber nicht bedeutet, dass wir buckeln und um Gnade winseln müssen. Dass es, auch wenn wir nicht immer so froh sind, hier zu sein, unsere Aufgabe ist, trotzdem einzutauchen: geradewegs hindurchzuwaten, mitten durch die Jauchegrube, und dabei Augen und Herz offen zu halten. Und inmitten unseres Sterbens, da wir uns aus dem Sumpf erheben und schmählich in den Sumpf zurücksinken, ist es herrlich und ein Privileg, das zu lieben, was der Tod nicht anrührt. Denn wenn Unheil und Katastrophe diesem Gemälde durch die Zeit gefolgt sind – so hat es auch die Liebe getan. Insofern, als es unsterblich ist (und das ist es), habe ich einen kleinen, leuchtenden, unabänderlichen Anteil an dieser Unsterblichkeit. Es existiert, und es wird weiter existieren. Und ich füge meine eigene Liebe der Geschichte der Menschen hinzu, die schöne Dinge geliebt und auf sie geachtet und sie aus dem Feuer gezogen und sie gesucht haben, als sie verloren waren, und die sich bemüht haben, sie zu erhalten und zu bewahren, während sie sie buchstäblich von Hand zu Hand weiterreichten, strahlend singend aus den Trümmern der Zeit zur nächsten Generation von Liebenden und zur nächsten.

Mein Dank gilt:

Robbert Ammerlaan, Ivan Nabokov, Sam Pace, Neal Guma. Ich hätte diesen Roman ohne euch alle nicht schreiben können. Dank auch an meinen Lektor, Michael Pietsch, an meine Agentinnen, Amanda Urban und Gill Coleridge, und an Wayne Furman, David Smith, and Jay Barksdale von der New York Public Library.

Ebenfalls danken muss ich Michelle Aielli, Hanan Al-Shaykh, Molly Atlas, Kate Bernheimer, Richard Beswick, Paul Bogaards, Pauline Bonnefoi, Skye Campbell, Kevin Carty, Alfred Cavallero, Rowan Cope, Simon Costin, Sjaak de Jong, Doris Day, Alice Doyle, Matt Dubov, Greta Edwards-Anthony, Phillip Feneaux, Edna Golding, Alan Guma, Matthew Guma, Marc Harrington, Dirk Johnson, Cara Jones, James Lord, Bjorn Linnell, Lucy Luck, Louise McGloin, Jay McInerney, Malcolm Mabry, Victoria Matsui, Hope Mell, Antonio Monda, Claire Nozieres, Ann Patchett, Jeanine Pepler, Alexandra Pringle, Rebecca Quinlan, Tom Quinlan, Eve Rabinovits, Marius Radieski, Peter Reydon, Georg Reuchlein, Laura Robinson, Tracy Roe, Iose Rosada, Rainer Schmidt, Elizabeth Seelig, Susan de Soissons, George Sheanshang, Jody Shields, Louis Silbert, Jennifer Smith, Maggie Southard, Daniel Starer, Synthia Starkey, Hector Tello, Mary Tondorf-Dick, Robyn Tucker, Karl Van Devender, Paul van der Lecq, Arjaan van Nimwegen, Leland Weissinger, Judy Williams, Jayne Yaffe Kemp und den Mitarbeitern des Hotel Ambassade und des ehemaligen Helmsley Carlton House Hotel.